Girodet

1767-1824

Paris, musée du Louvre
22 septembre 2005 – 2 janvier 2006

Chicago, The Art Institute of Chicago
11 février – 30 avril 2006

New York, The Metropolitan Museum of Art
22 mai – 27 août 2006

Montréal, musée des Beaux-Arts de Montréal
12 octobre 2006 – 21 janvier 2007

Sylvain Bellenger

Girodet
1767-1824

essais de

Marc Fumaroli, de l'Académie française

Abigail Solomon-Godeau

Jean-Loup Champion, Stéphane Guégan

Adrien Goetz, Andrew Carrington Shelton

Susan Houghton Libby, Jean-François Lemaire

Barthélémy Jobert, Richard Dagorne

biochronologie sur CD-Rom par

Bruno Chenique

GALLIMARD

MUSÉE DU
LOUVRE
ÉDITIONS

Cette exposition, initiée par The Cleveland Museum of Art, a été co-organisée par
le musée du Louvre et la Réunion des musées nationaux, Paris, en collaboration avec
The Art Institute of Chicago, The Metropolitan Museum of Art, New York, et
le musée des Beaux-Arts de Montréal, avec le concours exceptionnel du musée Girodet, Montargis

L'exposition a bénéficié de la générosité de Monsieur Patrick A. Gerschel

La réalisation du catalogue a reçu le soutien de la Florence Gould Foundation
et de la Isaacson-Draper Foundation et a bénéficié de la générosité de Messieurs Max Blumberg
et Eduardo Araújo

Les recherches menées à l'occasion de cette exposition ont bénéficié de la générosité de la
Isaacson-Draper Foundation et d'une bourse de la Florence Gould Foundation accordées au
Cleveland Museum of Art, d'une bourse de la Fondation Getty : « curatorial grant » accordée à
Sylvain Bellenger et d'une bourse du Getty Research Institute accordée à Bruno Chenique.
La correspondance de Girodet a été décryptée grâce à l'aide du Getty Center et de l'université
Grenoble II.

Cet ouvrage a été réalisé grâce au soutien d'Arjo Wiggins

www.louvre.fr
www.gallimard.fr

Pages de garde :
Girodet, *Vénus quitte Énée*, Montargis, musée Girodet

Commissariat de l'exposition

Commissaire général

Sylvain Bellenger, ancien Paul J. and Edith Ingalls Vignos, Jr. Curator of European Paintings and Sculptures au Cleveland Museum of Art, conservateur en chef du Patrimoine, détaché à l'Institut national d'histoire de l'art, Paris

Commissaires

Paris
Sylvain Laveissière, conservateur en chef au département des Peintures du musée du Louvre

Chicago
Douglas W. Druick, Prince Trust Curator of Prints and Drawings, Searle Curator of European Paintings, The Art Institute of Chicago

New York
Gary Tinterow, Engelhard Curator of European Paintings, Gelman Chairman of Modern Art, The Metroplitan Museum of Art

Montréal
Guy Cogeval, directeur du musée des Beaux-Arts de Montréal

La présentation de l'exposition a été conçue et réalisée par la direction de l'architecture, muséographie et technique, sous la direction de Michel Antonpietri, ainsi que de Clio Karageorghis au service architecture et muséographie. Camille Excoffon et Sonia Glasberg ont assuré la scénographie, Frédéric Poincelet le graphisme, Eric Persyn et Sophie Feret la coordination des travaux

Le projet a été coordonné au service des expositions de la direction du Développement culturel du musée du Louvre par Soraya Karkache avec, pour la régie des œuvres, Amanda Lopez, et au département des expositions de la Réunion des musées nationaux par Catherine Chagneau avec, pour la régie des œuvres, Christine Jequel

Auteurs des notices

Les notices du catalogue ont été écrites par Sylvain Bellenger, à l'exception de celles, écrites par les auteurs suivants : Nicole Andrieu (NA), Jay A. Clarke (JC), Carter Foster (CF), Kathryn Galitz (KG), Barthélémy Jobert (BJ), Mehdi Korchane (MK), Jacques Kuhnmunch (JK), Sylvain Laveissière (SL), Alain Pougetoux (AP), Javier Jordán de Urríes y de la Colina (JJU). Participation aux notices scientifiques : Olivier Lefeuvre, Marie-Hélène Martin, Élisabeth d'Yvoire

Prêteurs

Les œuvres exposées ont été généreusement prêtées par les personnes privées et les responsables des institutions et des établissements suivants :

Monsieur Derek Johns
Comte Patrick de Sèze
Collection Véronique et Louis-Antoine Prat
The Jeffrey E. Horvitz Collection
Richard L. Feigen Collection
Alexis Trading Company S.A.

Ainsi que les prêteurs qui ont préféré conserver l'anonymat

Allemagne
Leipzig, Museum der Bildenden Künste Leipzig

Canada
Ottawa, Musée des Beaux-Arts du Canada

Espagne
Aranjuez, Patrimonio Nacional, Casita del Labrador

États-Unis d'Amérique
Boston, Museum of Fine Arts
Chicago, The Art Institute of Chicago
Cleveland, The Cleveland Museum of Art
Minneapolis, Minneapolis Institute of Arts
New York,
    The Metropolitan Museum of Art
    The Pierpont Morgan Library
Notre Dame, University of Notre Dame, The Snite Museum of Art
Toledo, The Toledo Museum of Art

France
Angers, musée des Beaux-Arts
Avallon, musée de l'Avallonais
Cholet, musée d'Art et d'Histoire
Compiègne, musée national du château de Compiègne
Grenoble, musée de Grenoble
Le Mans, musée Tessé
Marseille, musée des Beaux-Arts
Montargis, musée Girodet
Montesquieu-Volvestre, mairie

Montpellier, musée Fabre
Nantes,
    musée des Beaux-Arts
    musée Dobrée
Paris,
    Bibliothèque nationale de France,
    Réserve des Imprimés, bibliothèque
    de l'Arsenal
    École nationale supérieure
    des Beaux-Arts
    Musée du Louvre, département
    des Arts graphiques, département
    des Peintures, département
    des Sculptures
    Musée d'Histoire de la médecine,
    Université René-Descartes
Orléans, musée des Beaux-Arts
Rueil-Malmaison, musée national des châteaux de Malmaison et Bois-Préau
Saint-Malo, musée d'Histoire de la Ville de Saint-Malo
Saint-Omer, musées de Saint-Omer
Versailles, musée national des châteaux de Versailles et de Trianon

Grande-Bretagne
County Durham, The Bowes Museum, Barnard Castle
Édimbourg, National Gallery of Scotland

Pays-Bas
Amsterdam, Rijksmuseum

Suède
Stockholm, Nationalmuseum

Remerciements

La complexe organisation de l'exposition Girodet qui fut orchestrée dans quatre des plus prestigieux musées du monde n'aurait jamais été possible sans l'expérience, la détermination et le soutien attentif du président-directeur du Louvre. C'est à Henri Loyrette et à sa force de conviction que le public devra certains des prêts les plus importants qui n'avaient jamais quitté leur lieu d'origine. Je remercie Didier Selles de l'aide qu'il m'a apportée quand elle était si nécessaire. Merci à Sylvain Laveissière pour ses judicieux conseils, à Vincent Pomarède et Carel Van Tuyll pour leur générosité, à Aline Sylla, Violaine Bouvet-Lanselle, Soraya Karkache et Aggy Lerolle pour leur engagement dans ce projet. À la Réunion des musées nationaux, ma gratitude va à Thomas Grenon, Juliette Armand, Bénédicte Boissonas, Catherine Chagneau, Christine Jequel qui ont traité avec une expérience éprouvée de longue date tous les problèmes posés par l'organisation si lourde des quatre étapes d'une exposition. Pierre Rosenberg qui m'a fait confiance quand j'étais jeune conservateur au musée de Montargis et m'avait chargé de cette exposition dès 1988 est le véritable initiateur de cette rétrospective : Guy Cogeval avait alors accepté de s'adjoindre au commissariat apportant sa haute et exigeante vision du rôle des conservateurs, c'est une grande joie et un honneur que de collaborer aujourd'hui avec lui dans l'étape de Montréal. Philippe de Montebello a accepté le projet de l'exposition au Metropolitan Museum of Art et l'a tout de suite soutenu, disant lors d'une conférence au musée de Cleveland que des expositions comme Girodet étaient un devoir pour les musées. Intercesseur persuasif, infaillible et fidèle ami, Gary Tinterow apporta un soutien décisif à l'exposition. Sans son amitié et ses conseils avisés, la présentation de l'exposition aux États-Unis n'était pas assurée du même éclat. À l'Art Institute de Chicago, James Cuno enfin a sauvé l'exposition alors qu'elle était gravement menacée. Je lui en suis profondément reconnaissant ainsi qu'à Douglas W. Druick, pour son enthousiasme, et Jay Clarke, pour

sa disponibilité et sa contribution au catalogue. La générosité et le soutien de James Draper ont rendu possible de nombreuses recherches difficiles à mener depuis Cleveland, qu'il trouve ici l'expression de ma gratitude et de mon amitié. Enfin, je remercie le Cleveland Museum of Art et mes collègues de ce musée où j'ai eu le privilège d'occuper pendant cinq ans la position du Paul J. and Edith Ingalls Vignos, Jr's Chair, en qualité de conservateur chargé des peintures et des sculptures européennes de 1500 à 1900. Le Patrimonio Nacional à Madrid a permis qu'une partie des décors peints par Girodet pour le cabinet de platine soient montrés pour la première fois et j'en remercie vivement Javier Jordan de Urries et José Luis Sancho Gaspar. Ces décors rejoindront ainsi ceux de Compiègne, prêtés grâce à la générosité de Jacques Perraud et Jacques Kuhnmunch. En France et en particulier à Montargis, toute ma reconnaissance s'adresse à Richard Dagorne conservateur du musée Girodet qui a prêté généreusement de nombreuses œuvres de l'artiste, à Catherine Leclerc, et à la descendance de l'artiste, la famille Becquerel, Mr et Mme Bonneviot et Agnès Deslandres-Delaby si conscients de leurs responsabilités patrimoniales et néanmoins d'une inépuisable patience et générosité. Tout au long des années consacrées à ce travail, j'ai eu la chance de bénéficier des avis et de l'heureuse influence de nombreuses personnes. Ma gratitude s'adresse à Jean-Loup Champion qui a soutenu ce projet alors qu'il n'était encore qu'une idée. Depuis, son appui a outrepassé la dextérité du guide et les compétences de l'éditeur ; il a infailliblement et patiemment accompagné les recherches et l'écriture de ses conseils d'érudit imaginatif, inlassablement curieux et infatigablement attentif. Je lui dois ce livre qui sans lui n'aurait pas existé. C'est George Levitine, si intelligent et si généreux, qui a brillamment ressuscité Girodet pour le XXe siècle ; je partage avec Eda Levitine les souvenirs lointains de ma première visite à Silver Spring et bien d'autres qui sont attachés à sa mémoire. Les écrits et l'amitié de Thomas Crow, cons-

tamment attentif et bienveillant, et le travail de mes prédécesseurs au musée Girodet, Jacqueline Pruvost-Auzas et Jacqueline Boutet-Loyer, sont coupables de ma découverte de ce peintre. Ma profonde reconnaissance s'adresse tout spécialement à Charles Janoray qui a patiemment soutenu et encouragé ce travail pendant de longues années, à Marie de La Martinière, à Victor Carlson et aux regrettés Frederik Cummings, Martin Reymert, à l'inoubliable Liliane de Rothschild, et au cher Olivier de Magny. Je remercie aussi tous ceux qui ont relu le manuscrit, et l'ont enrichi de leur savoir, l'ont sauvé des plus grands manques et des plus grandes maladresses : Jacques de Caso, Barthélémy Jobert, qui a dirigé ses étudiants de Grenoble dans la transcription des lettres du fonds Pierre Deslandres conservées au musée Girodet, et mon ami Bernard Minoret, inépuisable d'érudition, de précision et d'amitié. Je remercie Guillaume Nicoud qui bénéficia d'une bourse de la fondation Gould et prit le risque de l'aventure en assistant mon travail au musée de Cleveland où il rassembla une grande quantité de documents. Je remercie tout spécialement Bruno Chenique qui a fait le travail colossal de la biochronologie de l'artiste avec sa fougue et sa détermination habituelles. Il a corrigé et mis au point la transcription des lettres de l'artiste et tous les chercheurs devront se référer dans l'avenir à cette somme. Merci aussi à toute l'équipe des Éditions Gallimard, en particulier Giovanna Citi-Hebey, mais aussi Amélie Airiau, Brigitte Benderitter, Nathalie Chauvin, Clotilde Chevalier, Jean-François Colau, Christian Delval, Claudie Dupont-Pommat, Françoise Issaurat, Anne Lagarrigue, Laurence Peydro. Une pensée particulière pour les Quatre Coins éditions et la vaillante Claire Marchandise pour qui la semaine de travail a sept jours. Merci à l'Atelier In Folio, Dominique Guillaumin, Daniel Collet et Claude Hirtz. Je remercie enfin les auteurs des essais et des notices de ce catalogue, Nicole Andrieu, Jean-Loup Champion, Bruno Chenique, Jay A. Clarke, Richard Dagorne, Carter Foster, Marc Fumaroli, Kathryn Galitz, Adrien Goetz,

Stéphane Guégan, Barthélémy Jobert, Javier Jordan de Urries, Medhi Kochrane, Jacques Kuhnmunch, Sylvain Laveissière, Jean-François Lemaire, Susan H. Libby, Kathryn Galitz, Alain Pougetoux, Abigail Salomon-Godeau, Andrew C. Shelton.

Pendant mes recherches, la préparation de l'exposition et l'édition du catalogue, j'ai aussi bénéficié de l'assistance de : Ann Abid et le personnel dévoué et efficace de la Bibliothèque du Cleveland Museum of Art ; Nicole Andrieu ; Mme Mario Ardito ; Pierre Arizzoli-Clémentel ; Gérard Auguier ; Don Bacigalupi ; Colin Bailey ; Joseph Baillo ; Bernard Barryte ; Pierre Baudrier ; Laure Beaumont-Maillet ; M. de Bellecour ; Philippe Bernard ; Yvette Beysson-Loire ; Irène Bizot ; Jean-Baptiste Bléthon ; Andreas Blühm ; Nathalie Bondil ; Philippe Bordes ; Roger Bory ; Roland Bossard ; Jeanne Bouniort ; Olivier Blanc ; Maïlys Bouvet ; Mark Brady ; Fabienne Brun ; Evelyne Bret ; Duncan Bull ; Hervé Cabezas ; Enrique Calderon ; Rémi Cariel ; Jacques de Caso ; Henri de Cazal ; Bruno Centorame ; Christine Chabord ; Gérard-Jean Chaduc ; David Chanteranne ; Catherine Chatin ; Bernard Chevallier ; Marie-Véronique Clin ; Sophie Cormary ; Ferdinando Corberi ; Valérie Corbino, Dona Rosario Diez del Corral ; Henry-Claude Cousseau ; Philippe Couton ; Jean-Pierre Cuzin ; Patrice Darras ; Céline Dauvergne ; Whitney Davis ; Diane De Grazia ; Laurence Delettre ; June De Phillips ; Arnaud Deschamps ; M. et Mme Gérard Deslandres ; Clario di Fabio ; Marie-Bénédicte Diethelm ; Benjamin Doller ; Heidi Domine ; comte et comtesse Antoine de Dreux-Brezé ; Hubert Duchemin ; Bertrand Ducourau ; Christine Dupuis ; David Duputel ; Pierpaolo Falone ; Richard Feigen ; Larry Feinberg ; Giubilei Maria Flora ; Christopher Forbes ; Bruno Foucart ; David Franklin ; Marc Fumaroli ; Hélène et Patrick Fustier ; Kathryn Galitz ; Pascale Gardès ; Nicola Gardini ; Bertrand Gautier ; le

Getty Center for Research, le Getty Center et le Getty Grant Program; George Goldner; Véronique Goulay; la Florence Gould Foundation; Gloria Groom; Hélène Grollemund; Geneviève Guilleminot; Madeleine Hanaire; la galerie Hazlitt Gooden and Fox; Catherine Hélie; Michel Hilaire; M. et Mme Houzel; Jeffrey Horvitz; Emma House; Véronique Husson; Ann Iannarelli; la Ingalls Family Foundation; Annie Jacques; M. et Mme Léon Janoray; Adrian Jenkins; Derek Johns; Elizabeth et Robert Kashey; George Keyes; Dorothy Kosinski; Jacques Kuhnmunch; Aude Lamorelle; Jack Lang; Sabine de La Rochefoucauld; Paul Lavallée; Annie Le Brun; Ronald de Leeuwe; Katharin Lee Reid; Olivier Lefeuvre; Gaston Leloup; Docteur et Mme Jean-François Lemaire; Christophe Léribault; Janny Léveillé; Isabelle Loddé; Catherine Loisel; Amanda Lopez; Chuck Loving; Camille Madelin; Emmanuelle Mace; Jean-Baptiste Martin; Marie-Hélène Martin; Patrick Mathiesen; Jean-Louis Ménard; Isabelle Michalon; Elly Miles; René Millet; Henry Millon; Irène Moscahlaidis; Monique Moser; Larry Nichols; Patrick Noon; Pascal Normandin; Emmanuelle Ollier; Carlo Orsi; Michael Pantazzi; Mireille Pastoureau; Philippe Petout; Jean-Michel Piannelli; Christophe Piccinelli; Sophie Pidoux; Caroline Piel; Vincent Pomarède; Jean-Louis Potier; Louis-Antoine Prat; M. et Mme Paul Prouté; Rebecca Rabinow; Thomas Rassieur; Aileen Ribeiro; Daniel Roger; Count and Countess Roseberry; Anne-Élizabeth Rouault; Philippe Rouillac; William Rudolph; Luis Sagrera; Annie de Saint-Ours; comte Luc de Saint-Seine; comtesse Roland de Saint-Seine; Bruno de Saint-Victor; Jean-François de Saint-Victor; Laurent Salomon; Chiara Savattieri; George T. M. Shackelford; Aude Semat; comte Patrick de Sèze; Patrick Shaw-Cable; Barbara Sibille; Sandrine Smets; Stephen Spiro; Guy Stair Sainty; Emmanuel Starcky; Marcia Steele; Perrin Stein; Mary Suzor; Nicolas Tafoiry; Bertrand Talabardon; Gabriel Terradès; Dominique Thiébaud; Jacques Thuillier; M. et Mme Richard Toet; Patricia Urbani; Costas Vanvacoulas; Charles Venable; Marie-Paule Vial; Docteur Paul J. Vignos; Anne-Cécile Wald-Lasowski; Edward Vignot; Jean-Marie Voignier; Maud Weymiens; Alan Wintermute; Élizabeth d'Yvoire; Olivier Zeder; Pascal Zuber.

Dès mon enfance, mon père m'a fait partager sa grande sensibilité visuelle et a su éveiller mon regard: cette exposition serait sa plus grande récompense, elle est aujourd'hui celle de ma mère.

S. B.

Sommaire

Préface

Pourquoi une exposition Girodet en 2005-2006 ? Ces dates ne saluent aucun anniversaire, ni de naissance ni de mort, elles ne commémorent aucune des créations de l'artiste, ne célèbrent aucun événement lié à sa vie. En vérité, la cause était plus urgente qu'un anniversaire : une exposition Girodet était simplement une nécessité, un devoir, depuis longtemps dû au public et à l'histoire de l'art. Artiste de premier plan, Girodet pâtit d'une situation paradoxale. Ses plus importants tableaux entrent au musée du Luxembourg de son vivant et sont transférés au Louvre dès sa mort en 1824. Malgré cette visibilité et cette reconnaissance, une exposition de son œuvre reste une véritable découverte. Ce paradoxe tient aux mystères de la célébrité : *Atala au tombeau,* peinture inspirée de Chateaubriand, est si fameuse qu'on la connaît sans le savoir. Repère collectif de notre héritage culturel, c'est une de ces images qui s'est élevée au-dessus de la réputation de son auteur et au-delà de l'histoire même de la peinture. Un des effets de ce paradoxe est que Girodet semble avoir échappé à l'extraordinaire curiosité de notre époque si avide de découvertes. Il était donc temps de rassembler son œuvre et de l'explorer comme un territoire inconnu. Il y a bientôt quarante ans, en 1967, le musée Girodet à Montargis avait célébré le bicentenaire de la naissance du peintre. Depuis cette date, ses peintures et ses dessins ont occupé une place croissante dans les nombreuses expositions internationales consacrées à l'art de la Révolution, de l'Empire ou de l'époque romantique. La réapparition de nombreuses œuvres que l'on croyait perdues depuis sa mort a changé l'idée que nous nous faisions de son art. Sa virtuosité et sa créativité de dessinateur sont inégalées. Dans les vingt dernières années, les plus grands musées en Europe et en Amérique ont ajouté ses œuvres à leurs collections. Au cours de cette période, la vie et l'œuvre de Girodet ont fait l'objet d'un nombre considérable de thèses soutenues dans les universités américaines et européennes. Il était important que cette réévaluation intellectuelle s'accompagnât d'une reconsidération esthétique et qu'une exposition déployât devant nos yeux l'œuvre si particulier de ce grand peintre profondément rebelle aux cloisonnements de l'esthétique et de l'histoire. Girodet est-il un classique ou un romantique, un révolutionnaire ou un royaliste, un peintre ou un poète ? Insaisissable et contradictoire, il échappe aux catégories et reflète la complexité et la mobilité de son époque déchirée par les bouleversements les plus grands de l'histoire européenne. La collaboration de quatre musées, le musée du Louvre, l'Art Institute de Chicago, le Metropolitan Museum of Art et le musée des Beaux-Arts de Montréal a rendu possible cette redécouverte d'un artiste et facilité les importantes recherches qui ont précédé l'écriture du catalogue. Ainsi, deux des missions essentielles des musées auront, nous l'espérons, été accomplies avec succès : celle, fondamentale, de l'éducation du public et celle, plus impalpable, de susciter l'émotion esthétique. Peu d'artistes comme Girodet sont capables d'étonner et de provoquer ce sentiment rare qui s'empare de vous par surprise et vous transporte dans un autre univers.

Henri Loyrette
président-directeur du musée du Louvre

James Cuno
directeur du Art Institute of Chicago

Philippe de Montebello
directeur du Metropolitan Museum of Art

Guy Cogeval
directeur du musée des Beaux-Arts
de Montréal

« Trop savant pour nous[1] »
le destin d'un peintre poète

« How can we know the dancer from the dance[2] ? »
Yeats

Le sacre de l'artiste

Girodet est mort le vendredi 10 décembre 1824, à 10 heures et demie du soir à Paris. Il avait cinquante-sept ans et son agonie avait duré deux jours. Son organisme précocement usé n'avait pas supporté l'opération chirurgicale qui fut tentée *in extremis*[3]. Le surlendemain, lundi 13 décembre, eurent lieu les funérailles et l'inhumation au Père-Lachaise. Cet événement considérable fut, selon un proche du peintre, suivi par 2 000 personnes[4]. Étienne Delécluze ajoute que les obsèques avaient été « célébrées avec la plus grande pompe, que jamais les derniers hommages rendus par l'étiquette aux dignités de la terre, au rang et à la naissance n'avaient attiré autour d'un cercueil, une réunion aussi importante[5] ». L'éloge semble excessif mais seule peut-être, avec la controverse en sus, la mort de David, si elle était survenue à Paris, aurait pu déclencher un événement semblable et sans doute aucun artiste de cette époque ne reçut un hommage comparable. Tous les savants et gens de lettres, tous les artistes et, fait plus significatif, toutes les tendances artistiques, d'Ingres à Delacroix, étaient représentés[6]. La reconnaissance du pouvoir, pour Girodet, était presque toujours venue à contretemps et il ne fut élevé par le roi au grade d'officier de la Légion d'honneur qu'à sa mort. Chateaubriand agrafa la distinction sur le cercueil. Les rites fétichistes réservés aux pompes funèbres des grands hommes furent effectués sur sa dépouille. Après l'autopsie, sa tête fut moulée[7], puis son corps embaumé et mis dans un cercueil de plomb. Son cœur fut déposé dans une urne de marbre placée ensuite dans l'église de la Madeleine à Montargis[8]. L'importance et la portée symbolique de la cérémonie étonnent car Girodet s'était littéralement laissé surprendre par la mort sans avoir eu le temps d'exprimer la moindre volonté[9].

Delécluze, historiographe de David, connaissait Girodet depuis longtemps [10]. Son esprit ordonné de rentier voltairien était fermé aux excentricités d'un homme qu'il jugeait gâté par la fortune et victime de «singularité». L'importance de sa mort ne lui échappa cependant pas et en plus de ses différentes notices nécrologiques [11], il consacra treize pages de son journal intime à l'événement qui dura de 11 heures du matin jusque bien après cinq heures du soir [12].

Le cercueil de Girodet fut porté par ses élèves depuis sa demeure, 55 rue Neuve-Saint-Augustin, dans le quartier de la Madeleine, jusqu'à l'église de l'Assomption. L'église, aujourd'hui située rue Saint-Honoré, était trop exiguë pour contenir toute la foule et un tiers de l'assistance seulement put s'y tenir. Après la longue cérémonie, le convoi funéraire s'ébranla et traversa Paris, précédant un impressionnant cortège de plus de quatre cents personnes. À sa tête marchaient Chateaubriand, Gérard et Gros qui, suivis par Isabey, portaient des couronnes de lauriers. À la tombée de la nuit, tous les discours n'avaient pas encore été prononcés et l'inhumation au Père-Lachaise n'était pas terminée. C'est alors que «[…] Gros a ému les assistants d'une manière toute particulière. Il s'est avancé jusqu'au bord de la tombe, et là avec une voix entrecoupée de sanglots, il s'est adressé à tous ses élèves. Il a improvisé un discours dans lequel il a rappelé l'époque de ses études avec Monsieur Girodet, son séjour en Italie avec lui, les soins et les conseils, les encouragements et réconforts qu'il avait reçus. Il fit ressortir ses qualités, son honnêteté, sa probité, son urbanité et enfin par-dessus tout son talent. En concluant, toujours s'adressant à ses élèves il dit qu'on ne devait maintenant reconnaître pour maître que David et Girodet […] [13].» De son côté, Delécluze précise que Gros se tourna alors vers Horace Vernet, en disant que «bientôt on voudra nous faire croire qu'un morceau de toile sur lequel on a barbouillé de la couleur pendant quinze jours est un chef-d'œuvre digne de consacrer la mémoire d'un prince [14]!» en ajoutant que «le petit nombre de dissidents parmi lesquels se trouvaient Scheffer, Sigalon, Delacroix et autres ont marqué leur mécontentement [15]». Cette oraison funèbre étrange et passionnée fit forte impression et alimenta les conversations parisiennes des jours suivants. Avec la dépouille de Girodet, c'était l'école classique française, rétablie dans ses principes par David avant la Révolution, que portait au Père-Lachaise le monde de l'art et des lettres. Son tombeau, par Percier [16], s'y trouve encore aujourd'hui.

Nos pauvres outils

Après cette cérémonie funèbre, l'école de David, supplantée par les romantiques et les différents mouvements naturalistes du XIXᵉ siècle, poursuivit son déclin et fut bientôt délaissée. Girodet, assimilé à la sensibilité davidienne et confondu avec l'ensemble indistinct des élèves du maître David, fut oublié aussi rapidement qu'il avait été glorifié. À l'exception de Baudelaire, qui se souvient en 1846 de la «singularité de son talent […] toujours trempé aux sources les plus littéraires [17]», pendant plus de cent vingt ans malgré la présence continue de ses tableaux les plus importants sur les cimaises du Louvre, Girodet disparut de la conscience artistique. Un artiste de cette envergure n'était plus un nom pour le public que par le truchement de la littérature avec son tableau *Atala*. Il disparut pendant toute la période naturaliste, ressuscitant quelques instants avec le symbolisme et le surréalisme qui soumettaient les arts plastiques aux lois de la poésie et de la littérature. Ainsi, c'est presque une audace pour un musée que de montrer une exposition sur l'un des plus grands peintres des années 1800, une époque peu connue, écrasée par quelques grands noms. À l'exception de l'exposition Prud'hon organisée à Paris et à New York en 1997-1998, Gros, Gérard, Guérin, pour ne citer qu'eux, attendent encore de retrouver leur véritable place dans l'histoire de l'art.

Les sources utilisées pour cette exposition sont donc essentiellement contemporaines de Girodet. Quelques mois après sa mort, Quatremère de Quincy prononçait l'éloge du peintre à l'Académie royale des beaux-arts. Son évaluation intelligente du talent de Girodet, «supérieur encore à sa célébrité», et son évocation de l'époque qui a transformé «la carrière des Beaux-Arts en une arène entièrement nouvelle», constitue le premier bilan politique et artistique de Girodet au début de sa légende. Tout élogieux qu'il est, le jugement de Quatremère est nuancé par ses considérations sur les temps : «la destinée de Girodet n'a pas répondu à sa vocation» par la faute des changements du pouvoir, l'incurie culturelle de l'État et la disparition de ses structures traditionnelles qui encadraient et guidaient les arts avant la Révolution. Ce point de vue sociologique esquissé par Quatremère est certes fondamental mais le secrétaire perpétuel ne pouvait concevoir l'irréductible indépendance de Girodet qui gagna aussi sa liberté dans le bouleversement des structures de la culture. Outre les habituelles critiques des Salons, nous disposons des *Œuvres posthumes de Girodet-Trioson*, deux volumes publiés en 1829, cinq

ans après la mort du peintre, par son élève Pierre Alexandre Coupin[18], comportant une biographie, une liste d'œuvres, la correspondance et les principaux écrits de Girodet. Coupin poursuivit aussi, avec Antoine César Becquerel et les élèves de l'atelier, la diffusion par la lithographie des illustrations de son maître[19]. Un autre contemporain, Étienne Delécluze, relate dans ses souvenirs sur David et dans ses journaux les moments glorieux de l'atelier dans les années 1785-1800. Ses souvenirs, rédigés dans les années 1820, transmettent la mémoire de l'atelier alors que Girodet, l'un de ses élèves les plus doués, l'avait quitté depuis longtemps et s'était éloigné dans des sphères désavouées par David. Aussi précieux que soient ces deux témoins, il est essentiel de se rappeler que Delécluze écrit alors que les dés sont jetés et la rivalité entre David et Girodet bien établie. Il faut observer une semblable prudence avec la correspondance publiée par Coupin. La confrontation de cette publication avec les lettres originales du fonds Pierre Deslandres[20] a révélé l'implacable censure de toutes les formules révolutionnaires utilisées par Girodet dans ses lettres d'Italie. Mais comment faire la part de l'homme entre la censure royaliste de 1829 et le caractère obligé des formules civiques de 1793 ? Un des effets paradoxaux de cette censure est de figer la radicalité des déclarations de Girodet alors qu'elles peuvent tout aussi bien avoir été inspirées par la prudence vis-à-vis du gouvernement jacobin ou par son irrésistible plaisir de provocation : l'exil et la nostalgie de la patrie idéalisée avaient aussi stimulé ses réactions devant le conservatisme superstitieux des Italiens. Les lettres et archives du fonds Pierre Deslandres, désormais déposées au musée Girodet, sont une des sources les plus précieuses dont puissent disposer les historiens sur un artiste de cette importance à ce moment de l'art français. Elles ont éclairé notre approche, ainsi que toutes les études menées sur Girodet dans les dix dernières années, et leur richesse n'est pas encore épuisée[21]. Ces lettres étaient inconnues des études fondatrices de l'artisan de la résurrection de Girodet, George Levitine[22], et pratiquement négligées par l'exposition du bicentenaire au musée de Montargis[23] en 1967. Les analyses érudites et subtiles de George Levitine ont révélé toute la richesse littéraire de Girodet. Le rassemblement d'œuvres jusque-là inconnues dû aux recherches de Jacqueline Pruvost-Auzas a constitué le premier bilan pour le XXe siècle. Depuis cette date, l'essai biographique de Georges Bernier[24], les travaux de Stephanie Nevison

Brown[25] et de Thomas Crow[26], ceux plus récents de Susan Libby[27], d'Anne Lafont[28] et de Sidonie Lemeux-Fraitot[29] ont contribué à mettre l'œuvre de Girodet en relief par la rigueur des travaux, leur originalité et leur apport d'archives. Depuis une trentaine d'années, la présence de Girodet dans plusieurs expositions[30] au contenu novateur a peu à peu permis de reconsidérer sa place dans l'art français et dans l'émergence du romantisme européen. Si chacune de ces manifestations a montré sous un éclairage particulier l'importance et la complexité de l'artiste, aucune ne permet de confirmer les convictions de Gros et de ses contemporains selon lesquelles Girodet aurait eu la capacité de contrecarrer l'histoire, de la ralentir ou de maintenir la prééminence artistique de l'école de David. Au contraire, il est apparu de plus en plus clairement que la cassure, ou plutôt la distorsion, que sa peinture introduisit dans les principes de l'École avait porté les germes de son extinction.

Le Sommeil d'Endymion, en apparence parfaitement inscrit dans le cadre académique des «envois», fut conçu comme un manifeste de rupture. Selon l'angle sous lequel on le regarde, ce tableau fait entrer la peinture française dans le XIXe siècle ou représente le dernier tableau que le XVIIIe siècle consacre aux amours des dieux. Dans les deux cas, c'est l'œuvre d'un tournant. Il impose dans la peinture des valeurs contraires à celles de David, la représentation de l'immatériel et du mystère, la prééminence du moi et du sensible au détriment de la raison. Ce manifeste fut exprimé dans un exercice, l'«envoi», qui devait être une simple affirmation de savoir-faire académique, une démonstration de la maîtrise de l'imitation de la nature attendue chez tout élève accompli. Ainsi, dès son premier chef-d'œuvre, Girodet montre une singulière aptitude à outrepasser ce que l'on attend de lui. Ce dépassement des limites sera sa signature. Il traitera systématiquement ses commandes avec une ambition et une autonomie de pensée qui dépassent de loin les expectatives de l'institution, sans parler de la compréhension du commanditaire. Se faisant une spécialité de transgresser les contraintes de ses commandes, il prend en toute liberté l'initiative de ses tableaux quand mécènes, collectionneurs ou l'État ne lui fournissaient pas l'occasion d'exprimer ses ambitions[31]. Dans ses tableaux les plus significatifs, il détourne ses sujets et introduit une intelligence plastique et littéraire stupéfiante, une science et une sophistication souvent hermétiques qui

Page de gauche :
cat. 51 Girodet, *La Révolte du Caire*, détail

cat. 42 Girodet, *Une scène de déluge*, détail du visage du père

Ill. 4 Paulinier, *Tête de Vierge* d'après Girodet, 1834
Peinture sur porcelaine, coll. part

repoussent la peinture bien au-delà de ses frontières. Il élève tous les genres vers le plus élevé, celui de l'histoire, et se plaît à saturer ses toiles de références souvent absconses où résonnent les échos symboliques de ses interprétations synthétisées jusqu'à l'épure dans *Le Sommeil d'Endymion* ou déployées jusqu'à l'opacité dans le nébuleux *Ossian*.

C'est dire que l'œuvre de Girodet se laisse mal ordonner par les larges catégories du néoclassicisme ou du romantisme, pauvres outils dont nous disposons pour expliquer la transformation des arts à la fin du XVIIIᵉ siècle. Des scalpels plus délicats tels que ceux qu'utilise Robert Rosenblum [32] pour disséquer un art républicain et une vertu civique si éprouvée pendant la Révolution et les guerres meurtrières de l'Empire s'avèrent tout aussi inopérants car cette vertu est singulièrement peu présente dans l'œuvre de Girodet. *Hippocrate refusant les présents d'Artaxerxès* est pratiquement le seul véritable *exemplum virtutis* de toute sa peinture alors qu'on l'a si souvent dit préoccupé par le gouvernement des hommes. En revanche son art est soumis à une constante volonté esthétique où nous voyons sa seule relation possible avec le monde. Esthétisme dionysiaque et solaire des *Révoltés du Caire*, esthétisme apollinien et lunaire de l'*Endymion*, d'*Ossian* ou d'*Atala*, esthétisme de la *terribilità* michelangelesque du *Déluge* ou esthétisme florentin de ses portraits que l'époque a pu rapprocher de ceux de Raphaël [33].

Partout, même dans le portrait du député noir Jean-Baptiste Belley, le politique finit par s'effacer devant l'ego artistique. Après une décennie prodigieuse qui vit naître *Ossian* (1801), *Une scène de déluge* (1806), *Atala* (1808), *La Révolte du Caire* (1810), et un repli fécond dans la sphère privée des portraits, *Mlle Lange en Danaé* (1799), les trois portraits de *Benoît Agnès Trioson* (1798, 1800, 1803), la *Comtesse de Bonneval* (1800),

Chateaubriand (1808), *Mme Bertin de Vaux* (1810), Girodet ne résista plus à l'envahissement de son temps par la poésie puis s'y adonna tout entier. Nous verrons que ce déplacement apparent de son activité créatrice n'était que la radicalisation du principe fondamental de ses créations. L'interpénétration de la poésie et de la peinture dans son œuvre nous a conduit à recourir à une scrupuleuse *ekphrasis* de ses tableaux et comme si le regard d'un historien révélait ses profondeurs dans la seule littérature, le simple fait de transposer dans les mots les complications inouïes de ses compositions historiques ou de ses portraits nous a livré leur accès avec une acuité qui est refusée au premier regard. Les principes que nous avons mis en œuvre dans cette étude s'expriment dans les notices que nous avons consacrées aux tableaux, pris individuellement ou en groupes, quand ils relevaient d'un projet d'ensemble. Nous essaierons de dégager la particularité de la personnalité de Girodet et son originalité dans la peinture française et nous évoquerons ensuite les questions que lui adresse la critique moderne, ses liens avec le politique, avec la littérature et avec le sujet, très controversé, de ses amours.

Un fils de famille

L'influence de l'entourage sur l'éducation et sur la formation de la personnalité de Girodet est considérable et pourrait pratiquement relever des lois du milieu telles que les développent Taine ou Zola [34]. Trois personnes portèrent une attention toute particulière à son éducation : son père, sa mère et le docteur Trioson y veillèrent de concert en s'entourant des conseils avisés des maîtres de pension et d'intelligentes relations familiales parisiennes [35]. La correspondance de l'enfant avec ses parents [36] permet de suivre presque quotidiennement ses progrès depuis les premières années de pension parisienne, à l'âge de neuf ans,

jusqu'à l'Académie de France à Rome, quinze ans plus tard. Tout au long de ses lettres, qui révèlent un caractère à la fois respectueux, studieux, exigeant et ambitieux, Girodet manifeste son attachement à ses parents, dont la santé le préoccupe constamment[37]. Cette inquiétude est fondée puisqu'Antoine Florent Girodet meurt en 1784 et qu'Anne Angélique Cornier-Girodet disparaît à son tour en 1787. À vingt ans, Girodet était orphelin.

Le milieu social dans lequel Anne Louis sera élevé est celui de la bourgeoisie qui gérait et administrait les apanages princiers ou le domaine royal et qui s'enrichit tout au long du XVIIIe siècle. Cette classe aisée, qui n'a pas cependant assez de fortune pour appartenir à l'aristocratie financière des fermiers généraux, joua un rôle déterminant dans la Révolution. Dépassée par les événements du 10 août 1792, puis par le gouvernement de la Terreur, c'est encore elle qui, s'accommodant mal de l'autoritarisme et du militarisme de l'Empire, adhéra à l'opposition royaliste libérale œuvrant pour le retour des Bourbons sur le trône. Très vite cependant elle entra de nouveau dans l'opposition devant le régime réactionnaire de Charles X. Le père de Girodet, Antoine Florent Girodet (1723-1784), était le fils d'un notaire royal, bailli et juge. Il avait acheté pour son fils le 8 février 1747 une charge de vérificateur de l'apanage d'Orléans[38]. Il épousa Anne Angélique Cornier le 14 septembre 1752. Dans l'acte de baptême d'Anne Louis Girodet, en 1767, Antoine Florent est mentionné comme « directeur et contrôleur des domaines de SAS le duc d'Orléans[39] ». Servir une maison royale satisfaisait parfaitement son ambition et une lointaine cousine le gronde gentiment de ce qu'il tient « [...] plus à l'apanage de mr le duc dorleans qu'aux fermes generalles [...][40] ». En 1758, il acquit les terres et la seigneurie du Verger, fief modeste accompagné de titres féodaux, dont il dota son fils aîné. Ce dernier fut dénommé Girodet du Verger[41] et Anne Louis fut appelé Girodet de Roussy, du nom de la garenne de Roussy, petit arpent de bois faisant partie de cette propriété.

Ces noms d'apparence nobiliaire ne sont que des noms de terres ajoutés au patronyme selon une coutume courante de la bourgeoisie de l'Ancien Régime qui distinguait ainsi les héritiers mâles d'une même famille. Cette ascension dans l'ordre social n'est pas inconciliable avec le progressisme et l'on remarque dans la bibliothèque d'Antoine Florent Girodet la présence d'ouvrages comme l'*Encyclopédie* de Diderot et d'Alembert de 1778, publiée en 45 volumes, 24 volumes des œuvres de Jean-Jacques Rousseau, un dictionnaire universel de l'histoire naturelle en 9 volumes et 16 tomes de livres d'histoire. Convaincu que la promotion sociale devait s'obtenir par l'éducation et le savoir, Antoine Girodet aspira à donner à ses fils une éducation tout à fait comparable à celle de l'aristocratie éclairée.

La famille maternelle de Girodet est issue de la finance lyonnaise et parisienne. Les portraits d'apparat[42] des grands-parents Cornier[43] montrent un faste un peu ostentatoire de bourgeois enrichis. Gabriel Cornier cessa son activité d'agent de change après son mariage et se déclare « écrivain à Paris[44] ». La mère de Girodet, Anne Angélique Cornier, est très présente dans l'éducation de son fils. Elle donne l'irremplaçable ton de « bonne compagnie » et veille à ses manières, la clé de l'accès à la société. Ses lettres à l'orthographe approximative et phonétique que nous avons scrupuleusement respectée, conservent la vivacité et la fluidité de l'art de la conversation de la fin du XVIIIe siècle. Depuis sa gentilhommière du Verger, elle interroge, conseille, reprend les manières, le style et dirige les études de son fils. Elle insiste sur l'enseignement de la musique[45]. Particulièrement consciente de l'importance des réseaux d'influence et du milieu, chose essentielle à la logique de classe de son temps, elle le conduit dans son apprentissage du monde : « Jay étée mortifiée mon cher amy de ton indiscretion a demander a Melle. Defaverolles des livres dont tu ne connoissoit pas toutte la valleur, si tu pouvoit sentir comme moy combien toutte manœuvre interessée sont basse et méprisable [...][46]. » Madame Girodet qui connaît bien les défauts de son fils tente plusieurs fois de corriger un penchant à l'affectation qui deviendra si caractéristique du peintre devenu adulte : « que votre compliment soit simple et naturel [...] et surtout, ne forcé jamais votre stile que votre pensée soit plustot au-dessus de votre expression, et jamais ne faites usage d'expression plus forte que la pensée[47] » ou encore « [...] ne te sers donc plus dans de pareilles occasions d'expressions si forte, afin que dans touttes circonstances on ne puisse jamais douter de ta sincérité ; voilà mon enfant une petite leçon que je te donne pour te précautionner contre l'affectation, laisse tous simplement épancher ton cœur sous ta plume et que ton imagination ne prenne pas les avances[48]. » Girodet adora sa mère. Plusieurs témoignages rapportent que, jusqu'à sa mort, il conserva dans sa chambre des vêtements et des objets lui ayant appartenu[49]. Plusieurs d'entre eux auraient été « suspendus au pied de son lit[50] ».

III. 6 Anonyme, *Portrait de Gabriel Cornier*
Huile sur toile, coll. part.

III. 7 Anonyme, *Portrait
d'Angélique Cornier née Duhau*
Huile sur toile, coll. part.

III. 8 Lenoir, *Portrait du docteur Trioson*
Pastel sur papier, Montargis, musée Girodet

III. 9 Girodet, *Portrait de Marie-Jeanne Trioson*
Huile sur toile, coll. part.

Le second père

Benoît François Trioson (1736-1816) était docteur en médecine, fils d'un médecin du duc d'Orléans, également attaché au service de cette maison [51]. Essentiellement parisien, il était à Montargis voisin de campagne [52] et ami des Girodet [53]. Le portrait au pastel qu'en fit Simon Bernard Lenoir en 1783 montre, mieux qu'un long discours, la position sociale de ce médecin, portant perruque poudrée et somptueux habit bleu brodé, comme un aristocrate ou un financier.

Le docteur adoptera une tenue plus modeste en posant pour Girodet pendant les événements de 1789-1790, avant le départ de son pupille pour l'Italie [ill. 71].

Antoine Girodet le sollicita pour qu'il veille à l'éducation de son fils à Paris. La manière dont Trioson prit l'enfant sous sa protection dès son plus jeune âge [54] est caractéristique de la maïeutique des Lumières et des réseaux sociaux du XVIIIe siècle qu'illustre la vie de Jean-Jacques Rousseau et d'autres jeunes gens doués qu'un mentor intelligent propulsait dans un monde que ne leur offrait pas nécessairement la naissance. L'influence du docteur fut considérable surtout après la mort du père. La durée et la profondeur de leurs liens allèrent au-delà de la protection jusqu'à la mort de Trioson en 1816. La famille Trioson devint celle de l'orphelin. Girodet écrivait tantôt au docteur, tantôt à son épouse, dont il fit le portrait à son retour d'Italie en 1795, et avant son décès en 1796.

Girodet devint le fils légal du docteur qui l'adopta en 1809 après qu'il eut perdu femme et enfants. En 1816, Girodet hérita de Trioson. Il avait ajouté son nom à son propre patronyme. Il signera désormais ses tableaux Girodet-Trioson, ou Girodet de Roussy-Trioson, nom dont la complication ne dépare pas celle de son caractère. Pour le public moderne, peu familier avec la forme masculine du prénom Anne ou pour l'histoire de l'art non francophone, ce nom impossible d'Anne Louis Girodet de Roussy-Trioson alimenta bien des méprises [55].

Une éducation de bourgeois parisien

Avec l'accord des parents, Trioson choisit la première pension [56] où Girodet rentre à l'âge de sept ans. La docilité de l'enfant n'exclut pas quelques incartades qui révèlent un esprit rebelle, farouchement révolté dès qu'il se heurte à l'injustice ou à la rigidité du règlement. Lors d'une escapade de la pension qui lui vaut les remontrances de son père, Girodet montre une facette de son caractère que, l'âge venant, il contiendra de moins en moins : « […] ce que Mr Plougenet appelle dans moi impolitesse hauteur nest qu'une espece de depit que je fais eclater malgré moi de voir que lorsqu'on me vexe et que je me plains a lui il ne m'écoute pas plus pour ainsi dire que si je parlais a une muraille [57]. » Dès le plus jeune âge de son protégé, le docteur Trioson l'introduit près de l'aristocratie provinciale de l'Orléanais et ses environs, les Anjou, seigneurs de Briard, les Fougeret [58], seigneurs de Chateaurenard [59]. La société du docteur s'étendait bien au-delà des réseaux d'influence de la maison d'Orléans. Il savait que la civilité est une arme puissante et en fit largement bénéficier son jeune protégé : « il faudra le mettre en bonne compagnie puis que le grand usage du monde sere beaucoup a reussir

Page de gauche :
cat. 134 Girodet, *Pygmalion et Galatée*, détail

Ill. 10 Girodet, *Benoît Agnès Trioson sur son lit de mort*
Dessin, coll. part.

Ill. 11 Girodet, *Jeanne Trioson sur son lit de mort*
Dessin, coll. part.

Ill. 12 Girodet, *Le Docteur Trioson sur son lit de mort*
Dessin, Montargis, musée Girodet

aujourd'huy […][60] », écrit Trioson à la mère. Il présentera ainsi Anne Louis à tous les gens susceptibles de servir à son destin : professeurs, peintres, architectes. Son éducation[61], essentiellement laïque, concéda à l'éducation religieuse[62] ce que la norme en attendait, baptême, première communion, mais jamais ses précepteurs ni ses parents ne semblent intéressés par ses sentiments chrétiens. L'instruction de Girodet est dominée par la culture classique, le latin, les auteurs anciens, la rhétorique et la philosophie, et à douze ans il explique Érasme[63]. Effet de la formation médicale ou modernité de la pensée, au moment où la médecine est la science le plus à la pointe, le docteur Trioson veille à ce que « les mathématiques, la logique, l'algèbre, et la physique, la géométrie, la trigonométrie[64] » ne soient pas en reste. L'esprit scientifique de l'*Encyclopédie* dont Girodet fut baigné toute son enfance, par son père comme par le docteur Trioson, ne l'abandonna jamais complètement et toute sa vie, il s'est intéressé à la botanique, à la minéralogie, aux autres sciences naturelles, à la géographie, à la psychologie naissante et à tous les domaines de la curiosité. Les livres et les objets qu'il accumule et qui encombrent son atelier illustrent l'esprit scientifique autant que littéraire avec lequel il approche la matière, l'histoire ou l'éthographie. Cet esprit préside au tissage d'une sémantique particulière à chacun de ses tableaux qui fourmillent d'accessoires d'une précision obsessive. Les plantes et les fleurs, les marbres, les costumes, qu'ils soient antiques ou orientaux, résultent de recherches très minutieuses, contribuant toujours à l'approfondissement intellectuel de ses sujets. Dans un souci d'exactitude, il collectionne marbres et tissus et confère des valeurs symboliques différentes à la matière. Suivant cette démarche, en 1819, il montre la métamorphose mythologique de Galatée comme une transmutation minéralogique où l'onyx devient albâtre, puis cire, chair et sang au fur et à mesure que la statue prend vie.

La forme visuelle que Girodet attribue aux manifestations de l'irrationnel – le rêve, l'au-delà, l'immatériel – est aussi toujours empreinte de volonté scientifique. La science participe à sa représentation de l'invisible et à sa volonté de donner forme aux lumières irréelles du paradis d'Odin : « […] des lueurs météoriques qui n'ont ni la teinte des rayons du soleil, ni celle de la lune, ni celle des feux terrestres, à moins qu'on ne les suppose modifiées par l'interposition de verres diversement mais légèrement colorés[65] ». La représentation de l'âme même n'échappe

pas à son investigation. L'image des âmes des généraux défunts accueillis dans le paradis d'Odin ou encore les esprits de l'*Énéide* suivent les théories de Swedenborg[66] sur la similitude des formes du corps et de l'âme que véhiculent les textes ossianiques de Mac Pherson et les gravures de Flaxman. En résumé, homme des Lumières, Girodet appréhende le mystère avec un esprit rationnel. Ses tableaux d'histoire ajoutent les principes « scientifiques » et moraux de Lavater aux théories de Le Brun sur la représentation des sentiments de l'âme[67]. Il est aussi l'un des premiers artistes à observer et à peindre la complexité de la psychologie de l'enfance. Plus clairement que Greuze, plus profondément même que Rousseau, il montre dans les portraits du jeune Trioson la mélancolie, le sadisme et la révolte muette des enfants prisonniers du carcan de l'éducation. Dans *Le Sommeil d'Endymion* ou dans la *Danaé* de Leipzig, il se révèle fin observateur des composantes narcissiques et morbides de l'érotisme et manifeste une conscience aiguë de l'étroitesse des frontières qui séparent les mondes d'Éros, de Thanatos et d'Hypnos. La mort elle-même n'échappe pas à son enquête et, mêlant la douleur, le souvenir et la curiosité, il fixe jusqu'à leur lit d'agonie l'apparence ultime des êtres qu'il a aimés[68].

Cette éducation dominée par les lettres et les sciences ne négligea pas les arts d'agrément si fondamentaux pour renforcer les liens sociaux. Selon les recommandations de sa mère, Girodet apprit donc à jouer du violon et pratiqua cet instrument toute sa vie en amateur averti. Ce goût compta sûrement dans sa relation avec Julie Candeille qui composa à

ses heures, et dans son amitié avec les musiciens Alexandre Boucher[69] et Étienne Méhul[70]. La fréquentation du monde voulut qu'il apprît aussi la danse et l'escrime, pour lesquels il eut des maîtres particuliers. Il fut éduqué selon son milieu et probablement même, grâce au docteur, au-dessus de son milieu, ce qui entretint dans sa vie une illusion ainsi que toutes sortes de rumeurs sur sa fortune autant que sur son origine[71]. Cette pédagogie concertée porta ses fruits et Girodet fut l'un des artistes les plus cultivés de son temps. Il fit lui-même de la pédagogie la trame de ses écrits et ses poèmes, *Le Peintre* et *Les Veillées*, qui sont autant un hommage à l'apprentissage du métier d'artiste que le vaste panorama d'une autobiographie.

Des tensions apparurent dans la famille quand il donna au dessin une importance supérieure à celle d'un art d'agrément et voulut en faire un métier. Il est communément admis par ses biographes que sa vocation se serait exprimée extrêmement tôt et qu'il aurait eu dès la naissance ce goût pour le dessin. Ainsi, il aurait cherché à dessiner le monde avant de savoir tracer l'alphabet[72]. Les mots de David qui aurait dit à sa mère : «Vous aurez beau faire, madame, votre fils sera peintre[73]» contribuent à la construction mythique de sa prédestination mais, typiques de la tradition hagiographique des vies d'artiste, ils ne sont en fait confirmés par aucun document d'archive. À Montargis, à sept ans à peine, il reçut des leçons de Luquin, son premier maître de dessin[74] et pendant toutes ses années de pension, il bénéficia de l'enseignement d'un maître personnel de dessin, de «perspective du coloris[75]» et dessina d'après la bosse[76] et le squelette humain. Ses dessins d'enfance, inspirés de modèles baroques, montrent simplement la précocité d'une virtuosité qui s'exprimait alors dans un style que David démoda.

Les dessins que le jeune Girodet envoie à son père, à sa mère et à ses parents proches émaillent la correspondance familiale. On les montre, on les encadre, ils font l'objet de l'admiration des parents. Quand le penchant du garçon pour le dessin s'affirme au point de lui faire convoiter à quatorze ans une carrière d'architecte, ses éducateurs résistent un peu. Cependant Trioson ne contrarie pas cette aspiration et encourage même l'enfant à se dépasser[77]. On lui aurait fait miroiter les avantages de la carrière militaire, mais deux ans plus tard Trioson le dirige bel et

bien dans la voie de l'architecture. C'est qu'à cette époque, une autre vocation bien plus inquiétante naît dans l'esprit de l'enfant : la peinture ! Trioson rassure les parents : «on se garde bien de luy inspirer le goût de la peinture ou il faut absolument être de premier ordre[78].» Ces bonnes paroles n'empêchent pas le docteur de mener Anne Louis plusieurs fois au Salon de 1781 et de montrer ses dessins à Nicolas René Jollain, un «peintre d'histoire de l'académie de mes amis intime qui en a été très content[79]», précise-t-il à Mme Girodet. En mars 1783, l'adolescent de seize ans s'inscrit à l'Académie royale de peinture comme élève protégé de M. Jollain[80]. Huit mois plus tard, il fait également ses débuts à l'Académie d'architecture[81]. Trioson l'introduit auprès de Joseph Vernet qui lui donne sa recommandation[82]. Deux architectes sont consultés, Couture[83], puis Boullée auprès de qui il étudiera[84]. En janvier 1784, sur la recommandation de Boullée, il prend des leçons de dessin dans l'atelier de David[85]. Boullée et David demeurent tous deux rue du Faubourg-Saint-Martin. Cette proximité, idéale pour mener à bien les prolégomènes des deux carrières, permet à Girodet de retarder encore la décision qu'il hésite à prendre, peindre ou être architecte[86].

Ce sera pour peu de temps puisque lorsque son père meurt, le 17 mars 1784, Girodet a fait le choix de sa carrière et de sa vie : il sera peintre.

L'atelier de David

Quand Girodet est admis dans l'atelier[87], l'élève favori de David, Jean Germain Drouais, remporte le concours de Rome en août 1784. Cette victoire, bruyamment célébrée par les autres élèves, marquera Girodet pendant longtemps : «[…] son triomphe égalait les fêtes de la Grèce[88]».

L'organisation du travail chez David obéit à la tradition des grands ateliers classiques qui implique la collaboration des élèves majeurs aux productions du maître. À l'arrivée de Girodet, Fabre est occupé à la répétition du *Bélisaire*. Dans un appendice de la notice nécrologique qu'il consacre à David[89], P. A. Coupin fait la liste dans ses tableaux de parties entières confiées aux apprentis. La démarche de cet auteur indique un mémorialiste conscient de la valeur de cette mise au point pour l'histoire de l'art mais, à son insu, elle révèle aussi la montée de l'individualité, de la paternité artistique comme garant de la valeur artistique. Cette évolution s'est accentuée jusqu'au XXe siècle où elle a pris une

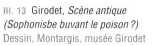
Ill. **13** Girodet, *Scène antique (Sophonisbe buvant le poison ?)*
Dessin, Montargis, musée Girodet

Ill. **14** Girodet, *À mon maître*
Dessin, coll. part.

Ill. **15** Girodet, *Portrait de profil du docteur Trioson*, vers 1782
Dessin, coll. part.

Ill. **16** Anonyme,
Caricature montrant les peintres escaladant les grands davidiens : Girodet, Gérard, Guérin, Gros (de dos)
Dessin, coll. part.

importance telle que l'identité de l'œuvre et celle de son créateur devient un signe indissociable de la modernité. Thomas Crow a montré les composantes œdipiennes de la collaboration du maître et des élèves qui, dans l'atelier de David, dépassait le cadre de la contribution ordinaire des apprentis ou des praticiens. Dans les années qui précédent et suivent de peu la Révolution, le peintre David apparaît comme le fruit d'une construction collective dont il est le premier artisan. Non seulement il associe ses meilleurs élèves à ses réalisations, mais il est stimulé par son enseignement. La formation que dispense le peintre se nourrit de la variété des talents spécifiques de ses élèves. Comme le montre Thomas Crow, l'émulation constitue le ferment fondamental de l'éducation davidienne[90]. Mais c'est une émulation réciproque, et David est l'éminent cas de figure d'une pédagogie qui, en retour, lui profite. Ce serait une erreur que de sous-estimer la libéralité de cet enseignement qui accordait aux élèves une maturité exceptionnelle[91] et produisit de si grands et de si nombreux talents. Selon Taine, l'émulation conduit à des excès et à des prodiges ; elle voisine aussi avec la rivalité et la jalousie. Tous ces sentiments contradictoires se confondaient dans l'atelier de David et n'épargnèrent pas Girodet. Seul Gros, peut-être à cause de l'extraordinaire sincérité de sa nature, sut maintenir l'émulation dans une parfaite élévation spirituelle et professionnelle. Longtemps après le départ de Gros de l'atelier, David parlait encore de « l'auteur de *La Peste de Jaffa* comme d'un rival qui avait ramené sa verve et étendu le cercle de ses idées[92] ».

Girodet chez David : l'osmose et le meurtre du père

Dans les années d'apprentissage de Drouais, de Fabre, de Gérard, d'Isabey, de Girodet et de Gros, la course aux marques de reconnaissance du maître formait la dynamique essentielle de l'atelier. La réflexion de Drouais à David après son échec au prix de 1783 : « Quoi Monsieur, vous êtes content, en ce cas c'est le prix, je n'en ambitionne pas d'autre […] » et l'attitude de Girodet qui achève sa copie du *Serment des Horaces* et refuse avec hauteur la récompense de David au titre que sa seule intention était de lui être agréable[93] corrobore le témoignage de Coupin selon lequel « Girodet était tellement rempli de respect pour son maître, que chaque jour, avant d'entrer en loge, il allait préparer sa palette devant les Horaces[94] ».

Un des premiers effets du succès de Drouais au prix de Rome de l'année suivante fut de provoquer le départ du maître, qui accompagne son élève en Italie à l'automne 1784. David avait prévu de peindre *Le Serment des Horaces*[95] dans le cadre même de la ville antique et souhaitait profiter de l'émulation suscitée par la présence de Drouais[96]. Pendant un an, David est absent de son atelier. De nombreux élèves allèrent étudier chez Brenet[97], dont l'influence sur Girodet s'est affirmée lors de ses premiers pas vers l'émancipation. Mais Drouais avait immédiatement constitué pour Girodet une figure de double et de modèle[98]. Raffiné, élégant, ce peintre avait bénéficié d'une éducation supérieure, cultivait les lettres et possédait le latin, une connaissance requise pour être admis parmi les élèves de David. Comme dans le cas de Drouais, l'apprentissage de Girodet passa par une imitation si vive qu'elle procède de l'osmose. Pendant l'absence du maître à Rome, il s'exerce au grand Prix avant même d'être admis aux concours préparatoires. De sa propre initiative, il peint une *Mort de Camille* dont la composition repose sur l'assemblage de différents dessins de David sur le même sujet[99]. L'osmose atteint son paroxysme quand, à son retour, David lui demanda de copier le tableau des *Horaces* que Vaudreuil voulait posséder en réduction dans sa collection[100].

Quelle que fût la vivacité des tensions et peut-être même à cause de ces tensions, l'atelier de David fut une prodigieuse pépinière d'artistes de valeur. Incontestablement, appartenir à cette école conférait une identité d'une force incomparable à celles des autres ateliers. Le paradoxe est que cet enseignement, aussi compétitif fût-il, ne semble pas avoir brisé les caractères ni gommé la variété des talents qui composaient l'atelier. Au contraire, la rivalité que David semble avoir entretenue les a exacerbés. Delécluze, toujours favorable à David, écrit que ce dernier comprenait l'enseignement non comme la transmission d'une manière mais comme le développement de l'intelligence artistique[101]. Les principaux élèves, Gros, Gérard et, dans une moindre mesure, Fabre, Hennequin et Isabey ont tous gardé une très forte personnalité[102].

Selon un artiste récemment redécouvert par Jacques de Caso, le sculpteur Théophile Bra[103], un des esprits les plus singuliers du romantisme, David et Girodet sont deux figures « que l'on peut comparer

III. 17 Girodet, Esquisse pour *Le Christ mort soutenu par la Vierge* (cat. 9) Huile sur toile, coll. part.

III. 18 Girodet, Esquisse pour *Le Christ mort soutenu par la Vierge* (cat. 9) Huile sur papier marouflé, Montpellier, musée Fabre

avec avantage car ils ont excellé tous deux dans un talent différent – parallèle ». Les notes de Bra, d'une intuition et d'une perspicacité qui déroutent, ont été griffonnées en désordre, et possèdent la fraîcheur des idées prises à la hâte, de crainte qu'elles ne s'échappent. Mais la pensée fortement structurée de Bra et son esprit visionnaire livrent des impressions qu'aucun mémorialiste du temps n'a su transmettre avec autant de vivacité. Elles trahissent fortement la sensibilité et les idéaux romantiques de leur auteur mais n'en constituent pas moins deux portraits cohérents et fascinants. Bra énumère pour chacun des deux artistes des listes des qualificatifs qui lui viennent en désordre, pour Girodet : « fougueux, bizarre, fantasque, généreux, libéral, passionné, travaillant souvent dans une sorte de frénésie ressemblant quelquefois au délire [...] talent poétique, terrible, gracieux ». David est « historique, philosophique et sérieux. Tempérament bilieux, sanguin, éducation incomplète, imagination peu active, lente, laborieuse dans ses conceptions [...] il se fait aider par ses élèves [...] ». Cette opposition entre deux caractères d'artistes, manifestement dirigée contre David, doit être contrebalancée par les singularités de Bra et par le témoignage de Delécluze dont le caractère était certainement plus analogue à celui de David que ne l'étaient les natures de Bra et de Girodet. « David, quoique très fier d'un élève dont il reconnaissait les qualités très réelles, ne s'abusait cependant pas sur ses défauts. [...] Souvent le maître, au milieu de ses disciples, faisait allusion à la manière tendue et pénible du peintre d'*Hippocrate*. "Girodet est trop savant pour nous, disait-il, copions tout simplement la nature et ne nous donnons pas tant de soucis pour bien faire ; ça vient mieux quand ça vient tout seul. Voyez Girodet, disait-il une autre fois, voilà cinq ans qu'il travaille comme un galérien dans le fond de son atelier, sans que personne voie rien de lui. Il est comme une femme qui serait toujours dans les douleurs de l'enfantement, sans accoucher jamais… J'aime bien la peinture, assurément, mais si on ne pouvait la faire qu'à ce prix, je la laisserais là[104]." »

Prix de Rome, rébellion et indépendance artistique

La préparation du concours de Rome exigeait plusieurs années de sacrifices et une détermination sans faille. Pour Girodet, elle déplaça les enjeux dans l'atelier, la reconnaissance ne se jouait plus vis-à-vis

du maître mais vis-à-vis de l'histoire et de la postérité. La compétition l'opposa violemment à Fabre, autre figure dominante de l'atelier depuis que Drouais vivait à Rome. Gros, qui avait rejoint David en 1784, et Gérard, qui arrive en 1786[105], étaient ses cadets de quatre et trois ans. Bien que plus âgé, Isabey n'entre dans l'atelier qu'en 1786 et ne constitue pas un rival potentiel. Girodet se lie étroitement avec ces camarades qui ne représentaient pas de danger immédiat alors que sa rivalité avec Fabre était aiguë en 1786[106]. Elle tourna à la haine et à la délation lors du concours de 1787[107]. Girodet, contraint de démissionner, se retira de la compétition[108]. Après de sordides règlements de comptes, il voulut provoquer Fabre en duel[109], et pendant leurs années romaines, ne l'appelle pas autrement que « le Grand Nez[110] ». Girodet était-il le favori de David, comme l'affirme Pierre[111] à D'Angiviller, ou David aidait-il en sous-main tous ses élèves ? Le triomphe de ses poulains élargissait incontestablement son pouvoir à l'Académie et bientôt son hégémonie sur l'École française. Cet avis est partagé par les ateliers rivaux dont les élèves veulent bien « [...] concourir les uns contre les autres mais non contre Mr David, qui favorisera tous les ans un protégé[112] ». Cette année-là, Fabre est lauréat du Prix de Rome. Girodet échoue encore une année supplémentaire et doit attendre 1789 où il remporte le Prix[113] avec le sujet de *Joseph reconnu par ses frères*, tableau d'une étonnante maturité maîtrisant les leçons de David au point de montrer une communauté d'esprit avec *La Mort de Socrate*, le récent chef-d'œuvre du Salon de 1787.

L'obtention du grand Prix était une épreuve fondamentale dans les rites de passage vers le statut d'artiste. Dans la tradition académique, les

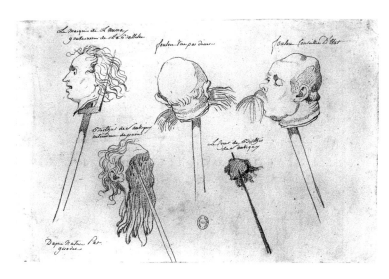

III. 19 Girodet, *Vieillard dans une grotte*, 1791
Huile sur toile, Montpellier, musée Fabre

III. 20 Girodet, *Les Têtes décapitées du marquis de Launay, gouverneur
de la Bastille, du conseiller d'État Foulon vu de face et de derrière,
le scalp et le cœur de Berthier de Sauvigny, intendant de Paris*
Dessin, Paris, Bibliothèque nationale de France

pensionnaires de Rome restaient des élèves qui recevaient à l'Académie leur formation finale mais, lors des années révolutionnaires, le séjour tendit à marquer l'avènement de l'indépendance artistique. Après qu'il eut « été couronné [114] », Girodet manifesta une impatience croissante vis-à-vis du carcan de son éducation. Il exprime des jugements sévères contre David et manifeste une distance teintée de franche hostilité et de méfiance. À Gérard, son grand ami et confident d'alors, il écrit en janvier 1790 une lettre [115] qui est un chef-d'œuvre de machination et de clairvoyance paranoïaque. Le plan qu'il monte vise à démasquer l'égocentrisme et la vanité manipulatrice qui habiteraient David. Si elle soulève le voile sur une disposition noire de la dynamique de l'atelier [116], cette extravagante lettre révèle plus encore la complication psychologique de son auteur, épistolier accompli, qui échafaude un scénario d'une perversion au moins aussi grande que celle qu'il entend prendre au piège. À partir du Prix de Rome, son rejet de David fut sinon une constante, du moins une récurrence qui s'exprima de façon croissante dans l'œuvre peint.

Premier tableau achevé après la conquête du Prix de Rome et avant le départ de Girodet pour l'Italie, *La Vierge et le Christ mort* [117], improprement appelé *Pietà*, est, dans son réalisme dramatique inspiré des Carrache, un tableau très davidien. Le corps athlétique du Christ s'apparente aux musculatures du *Saint Roch* [118] et la figure de la Vierge semble une variation inversée de la nourrice en pleurs du *Brutus* [119]. Le modèle est cependant détourné, submergé par une sémantique subtile, sophistiquée qui diffère de la clarté iconographique de David et deviendra le système même de Girodet. Le clair-obscur, la grotte, les profondeurs du tableau, la solitude des figures isolées par l'intériorisation de la douleur et la multiplication d'accessoires chargés de sens, comme la lumière du levant qui éclaire d'espoir une croix presque invisible dans l'ouverture de la grotte, héritent certes de la science dont David imprègne ses œuvres, mais créent aussi les perspectives nouvelles que Girodet met en place. Dans une première pensée [ill. 17], infiniment moins dramatique, il avait placé devant la grotte la Vierge auréolée contemplant mélancoliquement le cadavre, avec au loin deux croix du Golgotha [120].

Cette grotte, reprise en 1791 dans le *Vieillard* du musée Fabre, sera aussi l'antre primitif des héros d'Ossian, le refuge des amours d'Anacréon.
Vingt ans après *La Vierge et le Christ mort*, cette même grotte matérialisera le paroxysme de la symbolique romantique du deuil et du

sauvage dans la dernière demeure d'Atala. Peut-être parce qu'il puisait son inspiration dans sa propre histoire et dans la grande épreuve qu'il avait vécue lors de la mort de sa mère en 1787 [121], Girodet, anticlérical et qui n'a jamais sans doute été habité par de grands sentiments chrétiens, réinvente, en pleine explosion de la Révolution, une scène fondamentale de l'iconographie de l'agonie. La Vierge semble ici ignorer le recours du ciel et, dans un deuil sans espoir, ne connaît pas d'autre issue à la douleur que la mélancolie. Girodet signe vaillamment au pied du sarcophage : A. L. GIRODET DE ROUSSY FECIT PARISIIS. AN. 1789 AETATIS SUAE 22. Nous possédons peu de témoignages sur l'attention que le jeune artiste a pu porter aux événements de 1789. Il ne faut pas s'en étonner car l'épreuve finale du Prix de Rome l'enferma quotidiennement en loge de la fin mars jusqu'à la fin juin [122]. Cependant, des pièces d'archives de la Bastille dont il avoue la possession et qu'étrangement il emporte avec lui à Rome [123] pourraient constituer des informations capitales sinon sur ses activités, du moins sur ses convictions pendant les événements de juillet 1789. La possession d'archives n'est pas la preuve de sa présence du côté des émeutiers lors de l'assaut de la forteresse car toute une partie des papiers pillés – lettres de cachet, registres d'incarcérations – avait été abandonnée dans les fossés jusqu'à ce que la municipalité de Paris les récupère [124]. N'importe quel curieux avait pu s'en emparer et Girodet, collectionneur dans l'âme, avait fort bien pu les recueillir après l'émeute ou les acquérir près d'un colporteur quelconque [125].

Plus troublant est le dessin de la collection Hennin montrant les têtes décapitées de Launay, gouverneur de la Bastille, du conseiller Foulon ainsi que le scalp et le cœur de Berthier de Sauvigny [126], dessin généralement attribué à Girodet sur la foi de l'inscription « d'après nature par Girodet [127] ». La découverte récente d'un rapport de police rédigé lors de son arrestation le 2 avril 1794 dans la province d'Avelino en Campanie, alors qu'il dessinait le site d'Ariano Irpino, apporte de nouvelles informations sur la question. Emprisonné et fouillé en règle, Girodet se vit confisquer tous ses effets, dont de nombreux portraits et peintures, « *fra queste delle teste tronche, e conficcate su i pali* [128] » (« parmi lesquelles des têtes coupées, piquées sur des pieux [129] »), précise le rapport. À cette découverte qui renforce considérablement l'attribution du dessin Hennin à Girodet, nous pouvons ajouter deux autres considérations. La première est stylistique et repose sur la comparaison de la tête de Launay et du scalp de Berthier avec le portrait dessiné de *Marie-Jeanne Trioson sur son lit de mort* [130] [ill. 11]. Le traitement des cheveux, filasses, dessinés d'un trait maigre et sûr, y est

cat. 12 La Mort de Pyrrhus
VERS 1790-1793
Huile sur papier, marouflé sur toile,
26 x 38 cm
Collection particulière

Hist. œuvre donnée à Gros, sous le titre *Marius à Minturnes*
jusqu'en 1994 ; réattribuée à Girodet et identifiée comme *La
Mort de Pyrrhus* par Philippe Bordes en 1994 ; coll. Comte
Charles Lepic, Paris ; Penha Longa, Paris ; Pierre Olivier
Dubaut, Paris .
Exp. 1936, Paris, n° 7 (Gros, *Marius à Minturnes*); 1952, Paris
(atelier de Delacroix), n° 10 (Gros, *Marius à Minturnes*); 1954,
Paris (Gros, *Marius à Minturnes*); 1963, Bordeaux, n° 295 (Gros,
Marius à Minturnes;) ; 1975, New York, Shepherd Gallery, n° 11
(Gros, *Marius à Minturnes*); 1989, New Haven (Gros, *Marius
à Minturnes*); 1994, New York, Galerie Feigen, n° 17, p. 56
(Girodet, *La Mort de Pyrrhus*).
Bibl. New York, Shepherd Gallery, 1975, n° 11, p. 25-28 (Gros,
Marius à Minturnes) ; New York, Galerie Feigen, 1994, p.
57, ill. ; Crow, 1995, p. 128-129, ill. 96 (Girodet, *La Mort de
Pyrrhus*).

analogue. Par ailleurs, les ombres en hachures serrées de la tête de Foulon
rappellent celle des ombres striées du dessin de *Benoît Agnès Trioson sur son
lit de mort* [131] **[ill. 10]**. Pas davantage que la possession de papiers, le dessin
Hennin ne laisse penser que Girodet a assisté aux émeutes de la Bastille
et qu'il a croqué ces têtes sur le vif, ou plutôt sur le mort. La feuille vise à
l'esthétique [132], la composition est peut-être la reprise d'un croquis, fait par
lui ou par un autre artiste [133], mais surtout elle réunit sur une même page
deux actions distinctes, qui se sont déroulées à une semaine d'intervalle.
Le massacre de Launay eut lieu le 14 juillet et celui de Berthier et de son
gendre Foulon, une semaine plus tard, le 22 juillet 1789 [134]. L'important
n'est pas de déterminer la présence ou la participation de Girodet aux
événements, mais de mesurer l'intérêt qu'il leur porte. Les archives en
sa possession et le dessin des massacres constituent une accumulation de
documents dramatiques qui pouvaient éventuellement servir à faire un
tableau d'histoire tiré de l'actualité politique. Dès son retour en France,
Girodet aspirera à devenir le peintre de la République et se polarisera sur
des commandes qui n'aboutirent pas [135]. Il ne faut pas non plus minimiser
le goût pour les gibets et les *disjecta membra* qui caractérise l'ambiance des
ateliers [136]. L'étalage un peu ostentatoire de sentiments radicaux que sous-
entendrait le transport à Rome d'archives de cette nature et le sinistre
de cette composition est également assez conforme à la morgue juvénile
avec laquelle Girodet exprime ses sentiments politiques dans les premières
années de la Révolution.

Sur le chemin de Rome, il avait déjà été inquiété, sur la route de
Lyon, par des paysans qui le prenaient pour un espion royaliste. Il écrivit
à Gérard que lui-même et ses compagnons faillirent être «foullonisés»
dans un village du Dauphiné. Dans ce département qui avait devancé
la Révolution, la «Grande Peur» et l'incendie des châteaux de l'année
1789 n'étaient pas loin. L'affaire qui anticipait la mésaventure d'Ariano
Iripino aurait pu fort mal tourner [137]. Elle se reproduisit une fois encore
sur le chemin des bains d'Abano où notre amoureux des paysages
italiens s'était arrêté pour dessiner le site de San Pietro dei Montagnoni
près de Padoue. Suspecté, il fut incarcéré et maltraité par des «sbires»
qui le menottèrent «sans égard pour son état de santé» et le gardèrent
pendant 24 heures parce qu'en qualité de Français il était louche [138].

Un lieutenant lui ayant demandé s'il y avait encore des fêtes en France,
il aurait répondu avec insolence : «Plus que jamais, celle de la victoire
seule revient trente fois par mois [139].» Menacé à Rome, humilié à Naples,
suspect en Vénétie et constamment équivoque aux yeux des autorités
locales, Girodet est un émigré à rebours qui associe sa revanche à celle
de la République. Il écrit à Trioson qu'il se remettra «a faire des etudes
en Italie quand elle sera reduite en province française [140]». Au fond, son
orientation idéologique des premières années de la Révolution est celle
d'un jeune bourgeois révolté, d'un étudiant des Beaux-Arts radical qui
veut en découdre avec l'autorité politique, institutionnelle ou familiale.
Son petit autoportrait au bonnet phrygien rouge peint sur ivoire **[ill. 51]**
incarne cette complaisante image provocatrice d'un jeune artiste empli
des idées révolutionnaires que l'on imagine discutées dans l'atelier de
David. C'est le premier autoportrait significatif d'une série qui montre
une fascinante mise en scène de Girodet par lui-même. À travers ces
essais de représentation de soi se profile un artiste ballotté par l'histoire,
que Girodet semble percevoir comme le spectacle de la politique et qu'il
associe à l'esthétique et à l'affirmation de son individualité. Sa personnalité
complexe et contradictoire ne se laisse pas docilement appréhender et s'il
est l'auteur du croquis des atrocités perpétrées entre le 14 et le 22 juillet
1789, il peint pendant les mêmes mois, pour le ministre de la Marine du
roi, le *Christ mort* de Montesquieu-Volestre. Presque vingt ans plus tard,
dans *La Révolte du Caire,* se souvenant des massacres révolutionnaires,
il montre au premier plan de sa composition la tête du général Dupuy
tranchée et brandie par un émeutier noir luttant du côté des mamelouks,
mais plus tard, il dessina des fantômes présentant à un septembriseur les
têtes qu'il avait fait couper [141]. Avant son départ pour Rome, la rébellion
de Girodet était d'abord dirigée contre son entourage immédiat. David
est la première cible, mais Trioson, «le bon ami», n'y échappe pas. De sa
campagne gâtinaise, en décembre 1789, il écrit à Gérard une longue lettre
qui exhale sa mauvaise humeur contre la famille Trioson [142]. La brouille
n'est que passagère et sa cause ne nous est pas connue. La lettre mentionne
ses liaisons féminines, qu'il tient à conserver secrètes [143]. Le désir de jouir
de son prix et de se lancer dans la nouvelle vie qui l'attend se fait pressant.
Quatre mois plus tard, il est sur le chemin de Rome où son voyage dura

cat. 13 Étude pour la Mort de Pyrrhus
VERS 1790-1793
Crayon noir sur papier,
18 x 26,6 cm.
Collection particulière

Hist. L. J.A. Coutan-Hauguet, Paris, cachet de collection
Coutant Hauguet/ Shubert Milliet au milieu ; Pierre Olivier
Dubaut, Paris, cachet collection (POD) en bas à gauche.
Exp. 1975, New York, Shepherd Gallery, n° 12 (Gros, *Marius à
Minturnes*) ; 1989, New Haven (Gros, *Marius à Minturnes*)./
Bibl. New York, Shepherd Gallery, 1975, n° 12, p. 25-28 (Gros,
Marius à Minturnes) ; New York, Galerie Feigen, 1994, p. 57, ill.
E (Girodet, *La Mort de Pyrrhus*) ; Crow, 1995, p. 128-129, ill. 95
(Girodet, *La Mort de Pyrrhus*).

ix semaines. À Turin, il assiste à la messe du roi de Sardaigne [144]. Il écrit à
Trioson qu'il ne voit ni le comte ni la comtesse d'Artois, mais s'abstient
de tout commentaire. Le frère de Louis XVI était en exil à la cour de
Sardaigne. Girodet sera plus grinçant quand les tantes du roi arriveront
elles aussi à Rome, peu avant la fuite à Varennes [145]. À Gérard, il parle de
a « cohue aristocratique [146] » et dans sa lettre à Trioson [147], il se moque de
a réception que leur réserve le pape. Il n'est pas surprenant que Coupin
it « purgé » cette lettre de toutes ces réflexions quand il l'édita sous la
Restauration. L'artiste ne se livre pas à des propos antiroyalistes avant d'être
à Rome mais son mépris pour le roi grandit après la fuite à Varennes. Il le
homme Louis le Sournois [148] et exprime son dédain à Trioson : « un roi
qui trompe la nation pendant deux années de suite et à la parole de qui il
n'est plus possible de se fier, qui n'est pas content de vingt-cinq millions
pour ses menus plaisirs [149]… ». En septembre, il interroge Mme Trioson sur
e roi « soi-disant constitutionnel » et « sa fidèle épouse », qu'il soupçonne de
vouloir s'évader une seconde fois [150]. La distance a renforcé ses liens avec
Trioson et sa famille. Pendant toutes ses années italiennes, Girodet aura les
yeux braqués sur la France et interroge constamment son protecteur et ses
amis sur leur sort et sur les événements artistiques de Paris. Les courriers
e perdent et le laissent quelquefois sans nouvelles pendant des mois, alors
que les gazettes françaises et étrangères le renseignent régulièrement sur les
événements politiques. Il craint que la guerre civile n'éclate et il tremble
pour la sécurité de ses proches : « La guère civile me parait inévitable ou
du moins bien a redouter quand a present je me sens bien envie de revenir
et partager avec vous l'incertitude des évènements… Je puis me passer
e peinture et de Rome mais ne puis me passer de vous vous ne courrés
point de danger que ne le partage je leusse fait pour mon pere et ma
nere [151]. »

Italiam !, Italiam !

Girodet est arrivé à l'Académie royale de France, au palais Mancini,
à Rome le 30 mai 1790 [152]. Il imagine une première composition qui
s'inscrit dans la lignée de Drouais, mort du choléra en 1788. Son esquisse
de *La Mort de Pyrrhus* [153] est un projet d'*exemplum virtutis* organisé
autour d'une idée semblable à celle du *Marius à Minturnes* [154], l'ancien

tyran de Rome qui avait désarmé, par la seule autorité de sa prestance,
le soldat Cimbre envoyé pour le tuer. Cette autorité stoïque était le
sujet du tableau. D'une manière analogue à la scène peinte par Drouais,
l'altier regard du valeureux Pyrrhus qui meurt dans un combat de rues
à Argos impose à son meurtrier Zopyrus de se voiler les yeux pendant
qu'il accomplit son crime. Un dessin préparatoire de la scène centrale
du meurtre, une esquisse peinte et l'étude au crayon d'un détail de la
tunique de Pyrrhus (révélée par la radiographie sous un paysage peint
en Italie [**ill. 152**] documente cette composition [155] qui ne dépassa pas
le stade de l'esquisse. À la manière des tragédies de Racine, qu'il illustre
plus tard, Girodet enferme la scène du drame dans un espace clos,
architecturé. L'extérieur de la scène et la statue d'une divinité contribuent
à la sémantique de la composition qui est cependant trop esquissée
pour que les accessoires en soient totalement déchiffrables. L'intention
est révélatrice des sentiments de Girodet à son arrivée à Rome : c'est
un homme seul qui s'oppose au reste du monde. *Pyrrhus* resta à l'état
de projet mais il contenait déjà l'idée d'un tableau sur la bravoure d'un
homme seul. Il constitue une première approche de la composition
d'*Hippocrate refusant les présents d'Artaxerxès* [156].

Imiter Drouais était un levier ambigu pour s'éloigner de David car
c'était rester dans la logique de rivalité de l'atelier. C'est *Le Sommeil
d'Endymion* qui réalisa le manifeste d'indépendance de Girodet, qui n'y
négligea rien afin de s'éloigner du genre de David [157] : « Je veux éviter les
plagiats [158] », dit-il à Trioson. Le meurtre du père spirituel fut confirmé
lors de l'exposition du tableau : « […] ce qui m'a fait plaisir, c'est qu'il n'y
eu qu'une voix pour dire que je ne ressemblais en rien à Mr David [159]. »
À l'Académie de Rome, Girodet ne néglige pas les protections qu'il doit à
son milieu et dès son arrivée à l'Académie et ses premières rencontres avec
le directeur, François Ménageot, il s'assure d'être reçu convenablement en
lui remettant une lettre de recommandation de Mme de Tancarville [160]. En
revanche, il trouve inutile de produire une recommandation du cardinal
de Bernis que lui propose Trioson. L'argent, dit-il, ouvre plus efficacement
les portes que ne le ferait le prélat [161]. Cette conscience des prérogatives de
sa classe s'accompagne d'une rébellion contre l'institution et, indocile, il

refuse de se soumettre à son règlement. Il éprouve même des sentiments de répulsion à l'égard de la grégarité des pensionnaires du roi : « Docteurs, faiseurs d'esprit, ambitieux, politiques, chevaux et surtout moutons […] [162] ». Suivant une stratégie du secret dont il deviendra coutumier, il loue un atelier en ville [163], sous un autre nom. Le régime de pension de l'Académie lui déplaît : « une grande bergerie royale pour loger douze moutons avec quelque fois un âne à la tête (je ne dis pas cela pour notre chef actuel) [164] ». Il est convaincu de pouvoir mener ses études lui-même et de pouvoir se dispenser des formations obligatoires [165]. Ce sentiment de supériorité et d'indépendance est certes hérité de l'atelier de David, mais il y mêle une hauteur presque aristocratique, singulièrement farouche, qui lui est propre. Dès les premiers mois à Rome, Girodet devient le meneur politique des pensionnaires, mais plus la situation se radicalise à Paris et plus les Français susceptibles de jacobinisme sont suspects. Girodet et ses condisciples sont habitués aux ateliers parisiens et le conservatisme monarchiste oppressant de Rome, rempli d'aristocrates en exil, leur pèse. La rumeur prête aux pensionnaires de l'Académie toutes sortes de projets insurrectionnels et Girodet fait volontiers étalage en ville, comme dans sa correspondance, des échauffourées dont lui ou ses camarades sont victimes. Il est brièvement arrêté pour s'être battu avec un soldat pendant le traditionnel feu d'artifice de la Saint-Pierre [166].

Quand il s'agira de remplacer Ménageot qui démissionne en 1792 [167] à cause des difficultés financières de l'Académie, David se fait à Paris l'avocat de la suppression de « ce poste inutile ». Selon lui, le remplaçant élu, « l'horrible aristocrate Suvée », « l'ignare Suvée », ne pouvait diriger de jeunes élèves qui en savaient plus que lui. Le meilleur directeur, prétend-il, est un bon cuisinier [168]. À travers la Commune des arts créée en 1790, David influence l'Assemblée et le rapport de Rome [169], après la chute de la royauté, en novembre 1792 [170], fustige le régime de l'Académie faisant parfait écho aux griefs de Girodet, choqué du train de vie que mène le directeur, si différent de celui des pensionnaires [171]. Dans une lettre à madame Trioson [172], il fulmine contre la maigreur de la bourse romaine, la contrainte du lieu et la durée des études [173]. La Campanie, mais aussi Venise, Bologne, les montagnes et les Flandres seraient aussi nécessaires que Rome à la conduite des études. Les termes de ce débat qui porte sur l'exclusivité romaine des sources de l'art français sont presque aussi anciens que la fondation même de l'Académie. Girodet et ses congénères les reprennent dans la pétition qu'ils cosignent et envoient

à la Convention en janvier 1793 [174]. David les défend à la Commune des arts et les porte devant la Convention lors de son assaut final contre la vieille Académie royale. Finalement, le décret du 8 août 1793 qui supprimait « toutes les Académies et Sociétés littéraires, patentées ou dotées par la nation » mit fin à l'Académie de France à Rome qui était désertée depuis les événements de janvier 1793.

Lorsque la monarchie est abolie à Paris le 21 septembre 1792, et la République proclamée, l'allégorie de la Liberté devient l'emblème officiel de la Nation française. À cause du procès du roi et jusqu'à son exécution le 21 janvier 1793, la situation internationale se durcit et la population romaine manifeste une hostilité croissante. Par réaction, Girodet fait volontiers étalage de ses sentiments patriotiques. Pour faire des économies de perruquier, écrit-il à Trioson, il « […] porte les cheveux courts à l'antique » et ressemble au buste du tyrannicide Brutus [175]. C'est dans cette tenue que le représente Chinard dans son médaillon de 1792 [176] et c'est ainsi qu'il se représente lui-même dans l'autoportrait qu'il introduit dans son tableau représentant Hippocrate peint la même année. Le médaillon modelé par Chinard à Rome en 1792 témoigne du lien qui rattache alors Girodet à l'un des artistes les plus radicaux de la Révolution.

Le 22 septembre 1792, Joseph Chinard et son compatriote Ildefonse Rater étaient arrêtés pour avoir porté la cocarde tricolore prohibée par le Vatican. Chinard fut accusé d'hérésie à cause de deux groupes en terre cuite, *La Raison subjuguant le Fanatisme* et *Jupiter foudroyant l'aristocratie* [177]. Les diplomates français firent rapidement libérer les artistes qui furent expulsés vers Florence. Cette affaire, portée à l'assemblée par Mme Roland fit plus de bruit que de mal mais elle soulignait la susceptibilité des autorités romaines devant toute exposition publique de symboles républicains [178]. L'enlèvement des fleurs de lys sur le fronton du palais Mancini et leur remplacement par des insignes représentant la nouvelle allégorie de la République allait mettre le feu aux poudres, provoquer le sac de l'Académie de France, l'assassinat d'un agent de la République, la dispersion des pensionnaires et la fermeture du palais Mancini comme siège de l'Académie de France à Rome. Nicolas-Jean Hugou de Basseville, ministre plénipotentiaire de France à Naples, avait été chargé de veiller à la sécurité de Chinard et de Ratter et d'appliquer la circulaire Monge que le capitaine de vaisseau Charles Flotte lui apportait à Rome. Cette circulaire ordonnait le remplacement des emblèmes sur les palais de la République, le Consulat et l'Académie. Girodet, nouveau Brutus, se fit meneur du

projet. Plutôt que de suivre les conseils de Basseville, qui sentait croître la tension populaire pendant le procès de Louis XVI et commençait à évacuer les pensionnaires vers Florence et Naples, il s'attarda à Rome en compagnie de Laffitte, Péquignot et Mérimée pour peindre le nouvel emblème de la Liberté et le placer sur le fronton de l'Académie. Le 13 janvier 1793, avant que les emblèmes ne soient terminés, la foule romaine, assemblée le long du Corso, força le portail et envahit le palais de l'Académie qu'elle mit à sac. Dans une rue plus loin, Charles Flotte s'échappait de justesse alors que Basseville était assassiné. Girodet et son camarade Péquignot réussirent à s'échapper des lieux que Girodet décrit être devenus «le palais de Priam». Ils s'enfuirent à pied le lendemain pour Naples. La lettre que Girodet expédie à Trioson [179] six jours plus tard, le 18 janvier 1793, constitue l'un des plus importants, sinon le seul, témoignages oculaires de l'assaut donné à l'Académie. Girodet aurait perdu tous ses effets personnels dans la bataille, il envoya copie de sa lettre à David pour informer la Convention. Pourtant, la petite bibliothèque qu'il transportait avec lui lors de son arrestation à Ariano en 1794 éveilla une certaine suspicion. Elle comprenait de nombreux livres français [180] que ses moyens ne lui avaient pas permis d'acheter à Naples. Or en 1790, il avait fait venir toute une caisse de livres de Paris à Rome. Cependant, sans sous-estimer la francophobie liée à l'essor de la Révolution française, chacune des mésaventures italiennes du peintre résulte de ses bravades patriotiques plutôt que de son engagement politique. Nous verrons par la suite comment chez lui le spectacle du politique semble se confondre avec l'engagement.

Un bourgeois révolutionnaire

Les convictions politiques de Girodet à Rome évoluent avec la situation internationale et la radicalisation de la Révolution. Pourtant le discours qu'il tient sur l'Académie trouve difficilement son équivalent dans ce qu'il exprime de temps à autre sur la révolution sociale. Même en considérant la modération à laquelle il est tenu, par respect pour le docteur Trioson, Girodet est un bourgeois préoccupé par le statut de la propriété et le maintien de sa fortune. Rares sont les désaccords qui l'opposent à Trioson, sauf une lettre où il contredit l'opinion de son auteur sur l'utilité du prestige des établissements royaux [181]. En général, il s'abstient de commenter la Révolution. Les rumeurs d'une loi agraire limitant l'accès à la propriété l'inquiètent [182], mais l'acquisition des biens nationaux, qu'il appelle «biens de moine», «serait une affaire à laquelle il ne rechignerait pas si elle se présentait à bon marché [183]». Déjà quand,

le 14 septembre 1791, Louis XVI avait juré fidélité à la Constitution, Girodet avait partagé les soulagements de toute une partie de sa classe qui voyait s'éloigner la menace de la révolution populaire. Il avait écrit à Trioson : «Nous pouvons esperer une paix generale & durable et chaque particulier tranquille dans sa propriete pourra enfin respirer en même tems que les ressorts de létat reprendront une nouvelle vigueur [184].»

Naples, un refuge précaire

Après le sac de l'Académie, Girodet se réfugia dans le royaume de Naples. Ferdinand IV de Bourbon, qu'il appelle dans sa correspondance «*j* [ean].-*f* [outre] [185]», «roi des macaronis [186]» ou encore «Tyran de Naples [187]», avait reçu une éducation particulièrement négligée. Ses compagnons se recrutaient parmi les *lazzaroni*, dont il parlait le dialecte et auxquels il aimait vendre, en marchandant, les produits de sa propre pêche en mer. Surnommé le «roi Nasone» à cause de son nez bourbon, il avait épousé Marie-Caroline d'Autriche, fille de l'impératrice Marie-Thérèse, sœur de Marie-Antoinette. John Acton, qui occupait pratiquement la position d'un premier ministre, appuyait la politique pro-autrichienne et pro-anglaise de la reine. Les souverains de Naples ne furent pas d'emblée hostiles à la Révolution française et la cour, plutôt progressiste, sympathisa même avec les idées révolutionnaires du jour. L'abolition de la monarchie en France et l'exécution de Louis XVI et de Marie-Antoinette terrorisèrent Ferdinand et Caroline, et le royaume de Naples rejoignit la coalition antifrançaise en 1793 [188]. Girodet entra dans ce royaume quelques jours avant l'exécution de Louis XVI, le 18 janvier 1793, pour y rester treize mois. Avant le traumatisme que créa l'écrasement sanglant de la République parthénopéenne [189], Naples était à la fin du XVIIIᵉ siècle l'une des capitales les plus grandes et les plus éclairées de l'Europe. L'aristocratie et la bourgeoisie napolitaines, ouvertes sur le monde, voyageaient à Paris comme à Londres. Les fouilles archéologiques avaient attiré tous les touristes cultivés et amateurs d'antiques de l'Europe. Girodet rend immédiatement visite aux représentants de la France, le baron Armand de Mackau [190], le docteur Malouet [191] et Le Faivre, un vieillard amateur de peinture familier du Paris de Louis XV qui l'introduit rapidement dans la société napolitaine [192]. Les banquiers suisses Reymond et Piatti, et la banque Meuricoffre l'aident autant que possible et les Piatti lui prêtent une maison dans laquelle il résidera pendant tout son séjour [193]. Le pays est un véritable «Vésuve politique» et Girodet rencontre un grand nombre de partisans de la Révolution française [194]. Il écrira à David qu'il était «lié avec une société de Patriotes non douteux. la plus part artistes ils ont tous votre portrait que l'un d'entre eux a gravé d'après le dessin que j'ay fait [195], ils vous appellent il loro Nume, [leur dieu] et la convention l'adunanza degli semidei. [la réunion des demi-dieux] [196] ». En novembre 1793, il remercie Trioson d'avoir remis au directeur du district les titres féodaux qui étaient attachés à son héritage de la seigneurie du Verger dont dépendaient les bois de Roussy. Malgré leur consonance féodale, ces biens étaient fort modestes et ces titres «ne signifi[ai]ent plus rien [197] ». À la même période, il signe ses lettres «Pensionnaire de la République ». Bientôt la communauté française est expulsée de Naples et ses compagnons de l'Académie Réattu, Lagardette et Bridan quittent la ville en y laissant leurs camarades Girodet et Péquignot.

Malade loin des siens

La période napolitaine, qui dura plus de treize mois, devient l'une des plus difficiles de sa vie. Comme Trioson ne parvient pas à lui faire parvenir le moindre secours, par l'intermédiaire de Jollain, il fait appel à David [198]. Sa santé se dégrade gravement et aux symptômes de la syphilis qu'il avait contractée auprès des filles de Rome [199] s'ajoute bientôt ceux de la tuberculose. Il crache le sang. Le docteur Malouet qui le suit depuis Rome ayant été expulsé comme tous les Français, il consulte une éminente personnalité médicale de «l'Hospedale degli Incurabili», le docteur Domenico Cirillo [200], spécialiste des maladies vénériennes, qui lui fournit les certificats médicaux l'autorisant à prolonger son séjour à Naples [201]. La gravité de son état le contraint à y passer l'hiver 1794.

Les lettres qu'il adresse à Trioson mêlent des informations politiques sur la péninsule à toutes sortes de détails sur les précautions à prendre, sur les régimes et les remèdes auxquels il est astreint [202]. Mais, par crainte de le décevoir ou de l'inquiéter, Girodet lui dissimule son vrai mal. Autre paradoxe de Girodet, c'est David, celui dont il se méfie si farouchement, qui est mis dans la confidence. Dans ses lettres de Venise [203] où il arrive en mai 1794, Girodet lui avoue la gravité de son mal et lui en confie le secret. Il est vrai qu'avouer sa syphilis à Trioson aurait révélé le mauvais usage qu'il avait fait de son argent, après avoir prétendu que les sommes reçues étaient à peine suffisantes «pour ses besoins de première nécessité et qu'il n'avait pas de quoi payer des filles même s'il en avait eu envie [204] ». Surtout il dissimule naturellement sa vie sexuelle à Trioson, figure du père, alors que David et ses camarades d'atelier en sont les complices. Obtenant enfin son passeport le 31 mars, Girodet quitte Naples pour rejoindre le port de Manfredonia dans les Pouilles et s'embarquer pour Venise, évitant ainsi les États pontificaux et la Méditerranée que contrôlaient les Anglais.

III. 23 Détail de la signature d'une lettre de Girodet
Montargis, musée Girodet

III. 24 Girodet, *Portrait de mademoiselle Le Normant* [ill. 275], détail du monogramme

La signature d'un portrait

La production artistique napolitaine de Girodet est semble-t-il peu fournie et on n'en connaît que peu d'exemples. Il subsiste le portrait au crayon, en miniature, d'un notable napolitain anonyme [ill. 22] réalisé dans le genre des petits portraits en médaillon si courants à la fin du XVIIIe siècle, comme les portraits de Montagnards que David dessine pendant l'été 1795. La signature du portrait dessiné s'apparente à celles des nombreuses lettres que Girodet envoie à Trioson à la même période. Son nom de terre, Roussy, y figure avec son patronyme, Girodet, mais la particule qui les rattache est remplacée par trois points et deux barres horizontales. Ici même, dans sa longue biochronologie, Bruno Chenique [205] analyse ce type de signature comme caractéristique des signatures franc-maçonnes. Comme l'écrit Albert Boime, «les historiens de la franc-maçonnerie dans la Révolution française oscillent principalement entre une tradition droitière qui invoque le spectre d'un sinistre "complot" et une position de gauche qui justifie son rôle par les acquis de la révolution [206] ». La question est donc idéologique et appelle quelques précautions. Selon Jean Bossu, la prudence s'impose au sujet des signatures analysées comme franc-maçonnes à cause de trois points et des deux tirets qui les accompagnent. Cet auteur a montré que ces signatures, fréquentes au XVIIIe et au XIXe siècles, dépassaient très largement le cadre de la franc-maçonnerie [207]. Par ailleurs, l'affiliation de Girodet à la franc-maçonnerie n'est corroborée par aucun document d'archives et son nom, pas plus que celui de Trioson, n'apparaît chez les frères maçons. Girodet ne figure pas non plus parmi les membres de la fameuse loge des Neuf Sœurs [208] qui rassemblait de nombreux artistes et penseurs. Parmi les

Ill. 25 Casella, *Antiochus et Stratonice* d'après Girodet
Dessin, coll. part.

Ill. 26 Girodet (d'après), *Antiochus et Stratonice*
Lithographie, coll. part.

Frères maçons dont Albert Boime établit la liste, figurent des personnalités très variées et sans unité politique, comme David, Marat, Le Peletier de Saint-Fargeau, mais aussi Quatremère de Quincy, Bernardin de Saint-Pierre, Chénier, Pastoret, Wicar, Isabey, Carle Vernet, Hennequin, ou encore Ménageot, Doyen, et le poète Alfieri[209]. De cette diversité on peut difficilement conclure à une communauté d'objectifs des francs-maçons. Il ressort plus sûrement que le fait maçonnique s'était tant introduit dans les élites de l'époque que «toutes les options idéologiques et tous les intérêts sociaux s'y croisaient[210]». Liberté, égalité des droits et fraternité humaine, idéal des philosophes et des maçons jouèrent néanmoins un rôle indéniable à la fin du XVIIIe siècle. L'influence de l'ordre doit cependant être étudiée dans une perspective historique et nuancée selon les États et les pouvoirs. Être franc-maçon à Paris ou à Vienne en 1790 diffère de l'engagement politique des maçons de Naples ou de Londres. En France, en 1780, les parlements avaient leurs loges spéciales, connues par les autorités et Paris comptait 72 loges de régiments, 26 loges étaient présidées par des prêtres. Ces chiffres avaient sensiblement diminué en 1789[211]. Le libéralisme fatigué de l'Ancien Régime et l'absolutisme mou de Louis XVI avaient créé un terrain favorable mais les loges franc-maçonnes ne résistèrent pas à l'essor et à la radicalisation de la Révolution. Robespierre, Danton ou Camille Desmoulins ne semblent pas avoir été francs-maçons et le duc d'Orléans (Philippe-Égalité) donna sa démission de grand maître du Grand Orient le 5 janvier 1793[212]. La dernière réunion du Grand Orient eut lieu le 13 mai 1793 et pendant plusieurs années, l'ordre cessa ses activités. Quand Girodet recourt aux signes francs-maçons dans la signature de ses lettres, la radicalité de l'ordre est sans doute d'actualité à Naples et à Rome, mais elle est bien éloignée des événements français. Cet anachronisme s'explique peut-être par la distance mais il ne plaide pas pour une affiliation sûre du peintre.

Girodet, si conscient de lui et de son image, n'ignore pas le jeu de miroirs et le paraître véhiculé par une signature, mais son œuvre tout entier nous montre combien il ne se laisse aisément ni appréhender ni simplifier et comment il aime transcender les messages. L'iconographie franc-maçonne, qui mélange ses symboles spécifiques – traits de lumière, colonnes, compas et triangles – avec d'autres hérités du christianisme ou de religions païennes comme le culte d'Isis, ne pouvait que fasciner un artiste comme Girodet, si réceptif aux signes et aux jeux du signifiant. Ses tableaux multiplient les accessoires et il n'hésite pas à accumuler les références jusqu'à perdre son spectateur dans les méandres de l'hermétisme. Endymion, et plus encore les héros d'Ossian, en sont le parfait exemple. Le mystère lui est familier et quand il décide d'abréger son nom, bien compliqué et bien long pour être porté au bas d'un tableau, il use d'un monogramme d'une complexité telle qu'il emmêle toutes ses initiales, A.L.G.D.R.T., et les noue de façon à les rendre indéchiffrables.

La Maladie d'Antiochus

De Naples subsistent également quelques esquisses de paysage et la mémoire d'un tableau qu'il avait peint et offert au docteur Cirillo pour le remercier de ses bons soins. Le tableau est perdu depuis la fin du XVIIIe siècle. C'était une «petite esquisse terminée représentant Erasistrate découvrant la maladie d'Antiochus[213]», qui illustrait avec esprit une maladie de l'amour autre que la syphilis : la mélancolie dont se meurt le jeune Antiochus amoureux de Stratonice.

Cette œuvre de circonstance, comme son tableau d'*Hippocrate*, avait été «inspirée par la reconnaissance[214]» et montrait la complicité intellectuelle et amicale qui s'était établie entre les deux hommes. Du tableau, réputé avoir été détruit dans la mise à sac de la casa Cirillo lors des émeutes de la fin de la République parthénopéenne, a subsisté une copie dessinée de la collection Mario Praz[215], et un dessin de Caleidonio Casella **[ill. 25]** parfaitement identique à celui de Praz, qui porte au verso des indications précises sur sa réalisation[216] et sur les couleurs, permet d'imaginer la composition. Plus tard, Girodet reprendra le sujet en y ajoutant d'importantes variantes[217]. La copie de *La Maladie d'Antiochus* par Casella est l'un des rares témoignages des relations de Girodet avec le milieu artistique napolitain. Deux petits tableaux, vues du Vésuve en éruption, considérées à tort comme de sa main depuis sa vente après décès[218], en sont un autre. Les œuvres, peintes dans la tradition des védutistes napolitains[219], sont des vues de l'éruption de la mi-juin 1794. Girodet avait quitté Naples en mars et les avait demandées, depuis Venise, à un peintre napolitain afin d'en orner le cabinet d'histoire naturelle du docteur Trioson[220].

Ill. 27 Anonyme, *Girodet faisant le portrait du duc de Berry sur son lit de mort* Dessin, Paris, Bibliothèque nationale de France

Quand la patrie n'est plus très loin

Le pénible épisode de son emprisonnement à Ariano Irpino que nous avons relaté plus haut retint Girodet assez longtemps. Après une traversée de quinze jours [221] sur la mer Adriatique, il n'arriva à Venise que le 21 mai 1794. Il réserva sa première visite à François Noël, chargé des affaires françaises à Venise, qu'il informa patriotiquement que le vaisseau qui l'avait amené «étoit un bâtiment triestain qui portoit à Naples des armes, des fusils, du cuivre et de la poudre ; […] d'une manière très suivie [222] ». Noël transmit l'information à la Convention où elle contribua à la réputation de civisme de Girodet qui avait passé assez de temps en dehors de la patrie pour devoir affirmer régulièrement son patriotisme. Sa lettre à Trioson exaltée par le sentiment du retour, commencée par «Vive la République ! » et se terminant par un vibrant « votre ami jusqu'à la mort », est un des nombreux exemples où Girodet mêle l'amour filial – «vous me tenés lieu de pere de mère » – et l'enthousiasme républicain [223]. Dans les lettres envoyées de Venise, avant et après le 9 thermidor, il donne subitement du tutoiement républicain à «[s]on bon ami » qui devient pour quelques mois le « citoyen Trioson [224] ». À cette époque, Girodet affecte aussi la rusticité républicaine et déclare qu'il attend avec impatience d'«aller manger une écuelle de lait et un plat de pommes de terre avec les petits et grands Citoyens de la république des Bourgoins [gentilhomière de la famille Trioson] [225] ». Il veut devenir agriculteur, conduire la charrue et apprendre à bêcher [226] ! Commence-t-il à comprendre en se rapprochant de la France que la Révolution n'est pas une parade idéologique et qu'il va falloir jouer serré pour survivre et s'imposer dans une société complexe, pleine de nouveaux acteurs et en complète ébullition ? Girodet multiplie alors les précautions contre de possibles soupçons d'émigration et accumule les certificats de patriotisme et de bonne conduite. François Noël, Jacob, l'autre autorité française à Venise, François Cacault [227] retenu à Florence par le grand-duc de Toscane et attaché à la protection des artistes français, et enfin David [228] à Paris soutiennent sa cause et les droits financiers que lui octroyait son statut d'artiste pensionnaire de la République. Les ennuis de François Noël [229], l'arrestation de Trioson en 1793 [230] et celle de son propre frère le

11 novembre 1793 [231] pendant la terreur, puis l'incarcération de David le 2 août 1794 à la chute de Robespierre, et les accusations d'émigration de ses voisins de Chuels qui, dès 1793, avaient voulu réquisitionner sa maison du Verger [232] et finalement la dévastèrent, créèrent un climat de peur et d'incertitude qui lui inspira la prudence. Sur le chemin du retour, il lui fallut encore passer par Florence et connaître encore une fois les affres de la maladie à Gênes où il avait rejoint Gros [233].

Séducteur malheureux du pouvoir

«Il n'y a point d'homme plus différent d'un autre que de soi même dans les divers temps.»

Pascal

Revenu à Paris à l'automne 1795, triomphant mais affaibli, Girodet prévient madame Trioson : «Vous me trouverés peut être bien changé chère concitoyenne. Comment plusieurs années de maladie, d'inquiétude et de persécutions n'auraient elles pas influé sur moi, mais j'existe encore […] [234] ». L'artiste veut d'abord jouer les agriculteurs et jouir des siens, loin de la scène parisienne. Aux Bourgoins, il retrouve le docteur Trioson, son épouse Marie-Jeanne, les deux enfants de cette dernière, Virginie et Pierre Eugène Brouet (dit Romainville), ainsi que Benoît Agnès Trioson, leur fils unique (dit Ruhuaus). Il réalise que ses affaires sont embrouillées, qu'il est à court d'argent et que les difficultés s'accumulent, financières, mais aussi pratiques, comme celle d'obtenir un atelier qui lui convienne au Louvre. Surviennent aussi la maladie puis la mort de madame Trioson. Tous ces événements, ces problèmes, ces chagrins le tiennent éloigné de Paris près du docteur Trioson pendant la fin de 1795 et les années 1796-1797. David tente de le réveiller : «[…] quand donc, mon cher Girodet, sortiras tu de ce sommeil léthargique qui réjouit tes envieux et qui afflige si fort tes amis ? […] [235] ». Aucun projet important n'est en cours. L'atelier qu'il avait fini par obtenir (une partie de celui qu'avait occupé Van Loo) s'avère incommode, trop petit pour lui-même et impraticable pour des étudiants. En juin 1797, un autre deuil, celui de Pierre Eugène Brouet, le fils de treize ans de madame Trioson, et les difficultés parisiennes, lui font encore prolonger son séjour à Montargis.

III. 28 Girodet (d'après),
La Naissance du roi de Rome
Lithographie,
Paris, Bibliothèque
nationale de France

III. 29 Girodet (d'après),
*La Naissance du duc
de Bordeaux*
Lithographie,
Paris, Bibliothèque
nationale de France

La chute de la monarchie et la Révolution avaient profondément modifié le paysage artistique français. La carrière des prix de Rome n'était plus la route toute tracée qu'assurait le mécénat royal de l'Ancien Régime. Désormais les lauréats devaient conquérir leur public dans la sphère privée comme dans la sphère publique. L'affaire Lange [236], l'un des plus savoureux scandales du Directoire, illustre parfaitement la violence des conflits des artistes avec la société nouvelle. L'avenir sembla s'éclaircir quand il put d'abord louer, en 1799, puis acheter [237] un grand atelier dans l'ancien couvent des Capucines [238], nationalisé avec les biens du clergé. *Une scène de déluge*, *Atala au tombeau*, *La Révolte du Caire* y seront peints. Cette acquisition onéreuse dépassait de loin ses liquidités. Elle le précipita dans un endettement qu'il ne parvint que très difficilement à honorer. Son activité relativement intense de portraitiste, son anxieuse sollicitation de commandes d'État et notamment celle de trente-six portraits de l'Empereur en découlent directement. La propriété de cet atelier et ses biens fonciers en province alimentèrent au mieux le mythe de son immense fortune et au pire sa réputation d'avarice.

Réinstallé à Paris et prêt à reprendre sa carrière d'artiste, Girodet échoua pourtant à plusieurs reprises dans ses entreprises vis-à-vis du pouvoir politique, en piètre stratège qu'il était. Il ne réussit pas à recevoir la commande patriotique qu'il avait sollicitée auprès de Talleyrand d'un tableau représentant les ambassadeurs de la Porte auprès du Directoire de la République [239], ni celle du massacre des représentants du Directoire à Rastadt le 28 avril 1798 [240]. Toujours sous le Directoire, il écrit à Bonaparte une lettre qui expose un vaste programme de commandes patriotiques [241]. Si le général a jamais reçu cette lettre, elle n'a pas dû retenir longtemps son attention et plus tard, Girodet fut loin d'être un favori du régime. En 1801, il tenta à nouveau, avec Ossian, de forcer l'intérêt du général devenu Premier Consul mais son succès fut mince. L'autoritarisme et le militarisme s'accentuent sous l'Empire et, en 1807, Girodet écrit à Julie Candeille : « [...] Nous sommes tous enrégimentés quoique nous ne portions point l'uniforme pinceau a droite, crayon a gauche. en avant marche – et nous marchons [242]. »

Ses tentatives de séduction des pouvoirs publics restent malheureuses. Ses tableaux, trop savants et intellectuellement trop ambitieux, sont peu utilisables par le politique. Aussi, le souci de perfection et le temps de fabrication qu'il octroie à chacune de ses œuvres n'est pas compatible avec la rapidité nouvelle de l'histoire. La période historique est agitée ; les événements vont plus vite que la peinture. Le gouvernement change de tendance entre sa première et sa seconde exposition du *Portrait de Belley* [243] et quand il a fini *Ossian*, la paix d'Amiens a rendu caduques, voir déplacées les caricatures des Anglais contenues dans le tableau. Lorsque Bonaparte visite le Salon, c'est en compagnie du président de la Royal Academy Benjamin West qui, heureusement, est américain de naissance, mais l'on passe sous silence les trognes défigurés des soldats d'Albion assimilés aux reîtres brutaux de Starno [244]. De toutes les commandes de la campagne d'Égypte, *La Révolte du Caire* est le seul tableau à ne pas correspondre à un événement historique documenté. Parce qu'il a été invité à imaginer et non à glorifier, Girodet donna un de ses plus grands chefs-d'œuvre, rapidement négligé par le pouvoir impérial qui ne pouvait ni se reconnaître ni utiliser cette éblouissante page sanglante. La tête coupée du dragon français et plus encore les nudités indisposèrent l'impératrice Marie-Louise et le tableau, malgré un grand repeint pudique, fut relégué au Garde-meubles avec *La Reddition de Vienne*, tableau plus docile mais que, l'histoire tournant dans un autre sens, on avait délicatement fait disparaître des appartements impériaux.

Politique et cynisme

Dans un dernier effort pour obtenir la position que la reconnaissance toujours fuyante des pouvoirs publics aurait pu lui accorder, Girodet tenta sa chance une ultime fois sous la Restauration. Son heure semblait être venue : le Salon de 1814 ressemble à une véritable rétrospective de son œuvre et trois de ses tableaux les plus importants, *Endymion*, *Une scène de déluge* et une réplique d'*Atala au tombeau*, restés dans son atelier pendant toute la durée de l'Empire, furent achetés en bloc par la couronne [245]. Mais Louis XVIII lui-même fut embarrassé par son projet d'un saint Louis XVI qui aurait dû décorer les décors de la Madeleine devenue le temple du repentir [246]. Après bien des tergiversations, le tableau fut accepté mais cela resta sans lendemain, comme l'ensemble des peintures de cette commande. Où était donc passé le contempteur des

Ill. 30 Granet, *La mort qui vient éteindre la lampe de Girodet pendant qu'il peignait la nuit*
Dessin, Aix-en-Provence, musée Granet

tyrans de l'épopée italienne ? En 1816, une ordonnance royale signée du comte de Pradel le fait chevalier de l'ordre de Saint-Michel [247].

L'assassinat du duc de Berry l'inquiète car il perturbe la paix sociale [248]. Cependant sa célébrité autant que son introduction auprès des souverains l'autorise à faire le portait du duc étendu sur son lit de mort [249]. Assurément son «ancien et fidèle dévouement à V. A. R. et Sa dynastie sacrée » que Girodet met aux pieds de la duchesse de Berry est marqué du sceau de l'amnésie. Mais il est des opportunismes sincères qui se grisent davantage qu'ils ne calculent et les respectueuses formules épistolaires de Girodet ont comme un avant-goût du style de Marcel Proust dont les lettres saturées de politesse devenaient suspectes à leur destinataire. Il ne faut pas non plus sous-estimer, dans ce sentimentalisme monarchiste, la psychologie des années qui suivent la chute de l'Empire, où la réaction contre le rationalisme de la Révolution et contre l'autoritarisme de l'Empire n'a jamais été aussi forte. Les premières années du XIXe siècle flattent volontiers en politique, dans les lettres, dans les arts et jusque dans la mode et les manières [250], un irrationnel sentimental fréquemment archaïsant. En 1814, Girodet s'était cru assez bien placé pour solliciter la place de premier peintre du comte d'Artois, et celle de médecin de sa maison [251] pour le docteur Trioson, qui ne pratiquait plus la médecine depuis 25 ans. Cet essai de retour dans le giron protecteur d'une maison royale resta sans succès et la bienveillance de la Restauration envers le nouveau chevalier de Saint-Michel ne porta pas les fruits escomptés. La correspondance et les vers [252] que publie Coupin alimentent encore la réputation de royaliste de Girodet, mais le dessin [253] de 1820 qui célébrait la naissance de l'enfant du miracle [254] et qu'Engelmann avait lithographié n'est que l'arrangement fidèle et assez cynique d'une autre allégorie que Girodet avait dessinée en 1811 pour célébrer la naissance non moins prodigieuse du roi de Rome [ill. 28 et 29] [255].

Cet opportunisme qui semble friser le cynisme ou du moins l'indifférence est peut-être l'une des clés des échecs politiques successifs de Girodet qui voulut se servir du pouvoir mais ne voulut pas pour autant le servir. Proche des deux courants libéraux d'alors, les idéologues de tendance républicaine groupés autour de *La Décade philosophique* [256] et le milieu royaliste des Bertin et de Chateaubriand, Girodet, dans tous ses revirements, reste fidèle au libéralisme fondamental de son milieu. Nous croyons surtout que depuis longtemps il avait choisi un seul maître, la peinture. Ce n'est qu'en la servant sans entraves qu'il se dépassait, la

commande surprenante de *La Révolte du Caire*, tableau d'un massacre plutôt que propagande colonisatrice ou encore *Une scène de déluge*, tableau qu'il s'était commandé à lui-même, comptent parmi les plus grands chefs-d'œuvre de l'époque. *Ossian accueillant les généraux français* devait séduire le pouvoir mais l'en écarta à cause de sa bizarrerie inquiétante et presque ironique. L'ambition intellectuelle de Girodet s'entrechoque avec les contingences de l'histoire et son paradoxe est d'avoir voulu être le premier peintre de sa génération sans pour cela se laisser réduire par le pouvoir politique. Ce paradoxe porte un nom : l'indépendance, revendication qui domine la vie artistique politique ou sentimentale de Girodet. L'indépendance intellectuelle et bientôt l'opposition aux pouvoirs publics deviendront la quête commune des générations d'artistes à venir.

Ut poeta pictor : le triomphe de l'échec

Pendant presque toute son existence, Girodet a mené deux vocations parallèles, deux destins dont il espérait faire un seul. Il a poursuivi deux formes artistiques, la peinture et la littérature, qu'il espérait faire fusionner mais qui n'en exigeaient pas moins deux vies. Cette double quête, qui repoussait ces deux arts dans les limites de leur homologie, exigeait une détermination constante. Il consacra sa vie au travail et négligea gravement sa santé, déjà fragile. Son ami, son élève et son biographe Pierre Alexandre Coupin raconte qu'en fin de journée, quand la lumière commençait à baisser dans l'atelier, Girodet recourait à un système de chandelles fixées sur «[...] un appareil d'éclairage mobile, dont la lumière pouvait véritablement remplacer celle du soleil [257] ». Cet éclairage artificiel qui lui permettait de travailler quelquefois jusqu'à deux heures du matin était une variation de la lampe d'Argand-Quinquet que l'on utilisait à la Comédie-Française dès 1785. On l'aperçoit dans le tableau de Dejuinne montrant Girodet dans son atelier peignant sa Galatée [ill. 307] «[...] à cette heure avancée de la nuit, il retournait coucher au Louvre où il avait encore un logement, et [...] le reste de quelques-unes de ces nuits [était] employé à composer le poème du *Peintre*. Cette manière de consacrer au travail le temps communément destiné au sommeil lui plaisait singulièrement ; c'était, selon lui, un bénéfice immense de pouvoir ajouter les nuits aux jours, et de se sentir en possession d'une durée dont il usait le plus souvent au-delà des limites de ses forces [258] ».

Cette double vocation de peintre et de poète fut inégalement perçue par ses admirateurs. Pour Delécluze, «[...] sa liaison avec l'abbé Delille

ui a été fatale, en ce sens qu'il gagna de ce poète, comme tant d'autres alors, la maladie de la poésie descriptive[259] ». La place de ces écrits dans la littérature de cette époque, mal connue et peu goûtée aujourd'hui, est évaluée dans ce catalogue par Marc Fumaroli. Novateur en peinture, Girodet ne l'est guère en littérature et ses deux grands poèmes, *Le Peintre* et *Les Veillées*, semblent essoufflés et regarder vers un genre moribond. La prose est dans l'histoire de la littérature une forme bien postérieure au vers et l'hexamètre romain ou l'alexandrin exerçaient une contrainte que l'on jugeait inéluctable sur l'écriture poétique de la fin du XVIIIe siècle. Le sentiment général, depuis Virgile en quelque sorte, était qu'Homère avait épuisé toute poésie, ou en tout cas, qu'il avait découvert la forme parfaite de la poésie, le poème héroïque. Pour le siècle de Delille, Virgile, Pétrarque, Le Tasse et Boileau étaient considérés comme des bienfaits d'Homère et leurs modèles étaient pour les lettres d'une puissance et d'une vitalité égale sinon supérieure à tous les modèles académiques imposés à la peinture. Le classicisme de Girodet s'exprime donc quand il choisit l'écriture de Delille plutôt que le style de Chateaubriand, qui s'affranchissait des lois rigoureuses de Boileau[260], mais son romantisme s'affirme quand il illustre ce même Chateaubriand. C'est en effet dans l'illustration peinte ou dessinée de la littérature que Girodet poussa le plus loin l'osmose des lettres et de la peinture. De son propre aveu, il accorde au dessin d'illustration une importance égale à la peinture d'histoire[261]. Ses illustrations des éditions Didot de Racine et de Virgile sont des chefs-d'œuvre absolus de subtilité littéraire et de synthèse sémantique[262]. Parmi ces nombreux projets d'illustration, celui des poésies voluptueuses d'Anacréon l'occupa une bonne partie de sa vie. Il en aurait consacré les deux tiers à illustrer Virgile. L'édition lithographique de ses dessins pour l'*Énéide* fut publiée après sa mort et montre un grand récit en images aux lignes flaxmaniennes qui anticipent surtout sur la bande dessinée.

Sa lettre à Bernardin de Saint-Pierre[263] est un véritable plaidoyer pour l'imagination dans les arts. « Les romans ne sont point bannis de la littérature ; les fictions ne sont point bannies de la poésie, pourquoi le seraient ils de la peinture dont les bornes, sans être infinies comme celles de la poésie, sont cependant plus reculées qu'on ne le pense ? » Les enjeux artistiques de Girodet se trouvent au cœur de cette question des limites de la peinture et de la perméabilité des arts. Il ne se contente pas du parallèle classique de l'*Ut poeta pictor*, il veut repousser les limites de la peinture jusqu'à l'illimité, jusqu'à l'immatérialité. Cette pensée fait toute la particularité de son art. Elle en fait la grandeur mais aussi l'échec.

À l'exception d'*Endymion*, aucun de ses chefs-d'œuvre n'obtint un accord sans réserve des pouvoirs publics, même quand l'État était à l'origine des commandes. *La Reddition de Vienne* seule montrait une soumission qui plut à l'administration impériale. *La Révolte du Caire* portait un message trop ambigu et trop brutal pour plaire, *Une scène de déluge* effraya. Le tableau d'*Atala au tombeau*, flirtant avec l'opposition politique, resta longtemps cantonné dans la sphère privée du salon des Bertin. Enfin, quoi qu'il ait bien voulu en dire, le tableau *Ossian* resta lettre morte pour Bonaparte, tout comme il le fut pour David[264]. La transparence des « figures de cristal[265] », substance qui se situe entre l'espace et la matière, se rapprochait d'un état non représentable qui n'appartient pas à la nature. David ne s'y trompait pas et c'était bien l'immatérialité que Girodet envisageait de peindre. Dans *Ossian* plus encore que dans *Le Sommeil d'Endymion*, il étend le langage de la peinture à de nouveaux objets, s'essayant à reproduire « l'effet idéal » d'une lumière irréelle qui lui convient mieux que la lumière de la nature. En cela, il introduisait dans les arts un nouveau code, celui de l'hermétisme ou de l'incompréhension, un concept qui allait croître tout au long du XIXe et du XXe siècle au point de devenir le garant de la modernité. Cette incompréhension, qui fut celle d'une large partie du public, fut aussi celle des représentants officiels de l'art, évoquée par Quatremère de Quincy[266]. Avec Girodet, nous assistons à l'émergence d'un mythe nouveau, celui de l'artiste maudit et celui de l'échec inhérent au génie même. Cette mythologie qui fit florès à l'époque romantique appartenait en toute conscience à l'univers mental de Girodet qui écrivait vers 1804 : « On s'égare dans l'espace, on ne suit plus de routes certaines. Eh bien ! Quand on échouerait, il est beau de tomber des cieux. Icare ne put s'y soutenir, mais il donna son nom à la mer Icarienne, et sa chute fut presque un triomphe[267]. »

Portrait de l'artiste : le culte de la personnalité supplante les muses

« Girodet était d'une taille au-dessus de la moyenne, ses yeux très enfoncés, étincelaient de vivacité et d'esprit ; il avait la bouche grande, les lèvres épaisses, le font très développé, les os des joues saillants. Dans sa jeunesse, de beaux cheveux blonds pendaient sur ses épaules ; il les perdit de bonne heure. Sa constitution était éminemment bileuse et irritable ; tous ses mouvements étaient prompts[268]. » Cette vision presque lavatérienne que fixe Coupin en 1829 est celle d'un homme dont l'intensité et l'ardeur semblent avoir frappé tous les contemporains. Entre les souvenirs d'enfance de Vigny « de Girodet aux yeux de

III. 32 Desbuissons, *Portrait de Julie Amélie Candeille*
Miniature sur ivoire, Paris, musée du Louvre

III. 33 Girodet, *Double portrait de
Julie Candeille et de Girodet*
Dessin, coll. part.

flammes », les reconstitutions de Delécluze ou l'hagiographie sélective de Coupin, Girodet s'impose comme l'archétype de l'artiste tourmenté par l'originalité et la nouveauté créatrice [269]. Il apparaît comme l'un des premiers peintres à supprimer la frontière qui sépare l'artiste de l'art, à porter les signes de son extravagance vestimentaire à la ville et à cultiver les mystères de la création près du public. Avant d'envoyer *Pygmalion et Galatée* au Salon de 1819, il organisa chez lui des sortes de *happenings* d'inspiration et de virtuosité artistique, retouchant la toile ici et là, devant un public ébahi d'être admis dans le secret des dieux [270]. Subrepticement, il remplaçait les Muses par le culte de la personnalité et semblait introduire dans l'art les valeurs de l'initiation spirituelle quand celles-ci tendaient à disparaître du monde civil et religieux [271]. Il était différent en cela de tous ses contemporains ; le sens du mystère et du secret semblait lui appartenir presque naturellement. David disait de lui : « […] C'est l'homme aux précautions […], il est comme les lions : il se cache pour faire ses petits [272]. » Delécluze ajoute : « […] Il aimait les choses difficiles et il suffisait de voir l'arrangement de sa chambre à coucher, la seule pièce habitée de sa maison, pour comprendre qu'il n'avait rien moins que la manie du *confortable* et du repos intérieur [273]. » Ce désordre résonne à nos oreilles comme l'annonce de la bohème artistique des dandys quand David et Gros sont encore des artistes de cour au service de l'État et que Gérard établit sa réputation dans le monde élégant de l'Empire et plus encore de la Restauration. Girodet avait acquis une partie du couvent des Capucins et fait construire une grande maison qu'il ne meubla jamais et dont les finitions ne furent jamais réalisées : « Prodigue ou économe jusqu'à l'excès, […] il y entassait de magnifiques meubles de Boulle, des vases de Chine, des livres, des armes précieuses ; mais les murs n'étaient point tendus, les cheminées restaient sans chambranles et dans la chambre où se trouvait son mauvais lit, il y avait à demeure une table ronde couverte de papiers écrits ou dessinés toujours en désordre [274]. » Profondément urbain, Girodet sortait dans le monde et fréquentait les salons littéraires de Paris [275] mais, à la différence de Gérard, il ne recevait pas. À quelques exceptions près, aller chez Girodet, c'était se rendre dans son atelier, voir un tableau en cours ou poser. « Chez lui, son costume vieux et déchiré lui donnait l'aspect le plus sauvage ; mais quand il allait dans le monde, il mettait dans sa toilette de l'affectation et

même de la recherche, jusqu'à se parfumer d'odeurs [276]. » De son vivant, le goût qu'il avait pour le mystère avait déjà entretenu toutes sortes de légendes. Delécluze croyait qu'il était le fils d'une femme entretenue par le docteur Trioson [277]. On fut tout étonné de lui découvrir une nièce qui se trouvait banalement être son héritière. Sa fortune, que l'on présumait importante [278], son style de vie irrégulier et son excentricité entretinrent une réputation d'avarice. Prud'hon, qui ne lui pardonna jamais de l'avoir remplacé pour illustrer l'*Andromaque* de Racine [279], aurait utilisé ses traits dans sa gravure *La Soif de l'or* [280]. Son art avait peut-être peu contribué à sa fortune, mais il était né riche et son aisance s'était accrue de l'héritage du docteur Trioson. Bertin et Fabre s'amusent de sa parcimonie [281], tandis que, sage et prudent rentier, Delécluze s'étonne qu'avec ses rentes il lui ait manqué, à cause de la complication de ses affaires, presque jusqu'au nécessaire [282]. La fortune dont aurait hérité sa nièce et les prix astronomiques atteints à sa vente font jaser tout Paris et Delécluze et Bertin fantasment sur l'argent, les bijoux et surtout l'or qu'il aurait accumulé jusque dans l'épaisseur de ses planchers [283].

Les « affections tendres » et l'inconscient

« C'est un affreux malheur de n'être pas aimé quand on aime ; mais c'en est un bien plus grand d'être aimé avec passion quand on n'aime plus. »

Benjamin Constant, *Adolphe*

La discrétion dont Girodet a entouré ses amours est devenue légendaire. « Sur les affections tendres » du peintre, Delécluze, friand de bavardages, se lamente de la discrétion de Coupin qui se borne à dire « qu'il ressentit en effet plusieurs affections passionnées et les entretint avec une extrême discrétion [284] ». Les termes dont use le biographe ont certes le mérite de la retenue mais leur alambiqué excita aussi la curiosité : « Je respecterai sa réserve, et je n'essaierai pas de soulever un voile que lui-même a posé avec respect sur ces jouissances dont le mystère est un des premiers charmes […] ces liaisons l'entraînaient trop loin, […] ses forces physiques souffrirent du rôle que *la folle* lui imposait [285]. » Girodet voulut emporter ses secrets dans la tombe en faisant brûler ses lettres le jour même de sa mort [286]. Elles ont aussi éveillé des soupçons qui grandirent

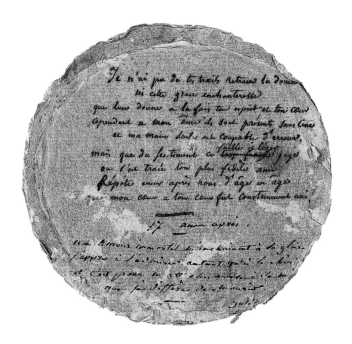

comme une ombre. Une de ses relations féminines a pu survivre à l'oubli et à la destruction car sa correspondance avec Julie Candeille [287] a été miraculeusement épargnée par les flammes [288]. Actrice, musicienne et écrivain, Julie Candeille avait rencontré Girodet aux alentours de l'année 1800 lors d'un concert donné par une de leurs amies commune [289]. Leur relation se transforma en une amitié amoureuse et ils restèrent intimes jusqu'à la mort de Girodet. « Pensez à moi en terminant le pygmalion [290] », lui écrit-elle encore en 1814.

Malgré la discrétion dont ils avaient anxieusement entouré leurs amours [291], leur relation était connue sur la place publique. Le père de Julie lui reprocha violemment les articles insérés dans les journaux [292] et Delécluze rapporte les bruits qui se colportaient sur le mariage que Julie avait proposé à Girodet : « Mon amie, je suis bien sensible à votre démarche, mais je ne puis devenir votre mari. [...] : Je suis impuissant », lui aurait répondu le peintre. L'argument n'avait pas suffi : « Eh qu'importe mon ami ! il s'agit bien de ces choses-là ? C'est l'union de nos âmes, les plaisirs de l'esprit, le bonheur de tous les jours que nous devons chercher à notre âge. » Serait venue alors cette réplique extraordinaire qui aurait vaincu Julie : « Madame, [...] sachez que je suis l'homme le plus bizarre, le plus violent qui se puisse trouver, et que je ne puis répondre de moi... Enfin, sachez que je bats mes domestiques et qu'il n'y a pas d'excès auxquels je ne sois capable de me livrer [293]. » Les sarcasmes de Delécluze dénaturent trivialement une relation que la correspondance de Julie et de Girodet montre d'une tout autre élévation. L'amour que la comédienne porte au peintre est un modèle de passion romantique portée jusqu'au sacrifice par le dévouement, l'admiration et le renoncement. La soi-disant « vieille Circé », comme l'appelle méchamment Delécluze, y révèle une âme exaltée, caractéristique de l'amour perçu comme le sommet du dépassement de soi que l'idéal romantique promeut jusqu'à en faire la raison d'être de l'existence.

Extraordinaires témoignages d'époque, les lettres de Girodet, et celles de Julie plus encore, témoignent d'une passion qui se vit comme la fusion des âmes unies jusqu'à la mort. Maîtresse, sœur, confidente, mère, amie, indéfectible soutien, Julie joua tous les rôles avec une abnégation infaillible. Elle conseille en peinture [294] comme en littérature [295], elle s'inquiète pour la santé de son amant et ravagée de jalousie se fait l'intermédiaire de ses rivales plutôt que de renoncer à lui : « [...] si quelle qu'autre femme vous attire et vous désespère, – nommez la moi ; je lui parlerai de vous de telle sorte que je la défie de ne pas vous aimer [296]. » Rapidement convaincue que Girodet ne pouvait lui appartenir et que ses infidélités constantes [297], comme son art, l'éloigneraient toujours, Julie exalte les prédispositions égotiques de l'artiste et place leur relation dans une sphère d'exception qui n'appartiendrait qu'à eux. Dans la plus pure forme de l'exaltation sentimentale romantique qui naît au tournant du siècle sur l'écroulement de tous les repères collectifs, Julie se fait l'*alter ego*, l'âme sœur, et revendique le privilège d'une relation où leur individualité est à la fois exaltée et confondue [298]. Girodet y répond à sa manière dans ses lettres et par un dessin.

Le double portrait, récemment retrouvé, de leurs profils réunis, qu'il offre à Julie [299] en octobre 1807, à l'époque où il sollicitait ses conseils pour *Atala* et *La Reddition de Vienne* [300], symbolise cette unité de l'être à laquelle ils aspirent mais que le caractère de Girodet rendait impossible [301]. La frappante ressemblance de leurs traits suggère la dimension fraternelle de leur liaison et presque l'inceste, thème récurrent de la rage d'unité et de transgression des romantiques [302]. Effleuré par Cleveland, le héros du *Philosophe anglais* [303] de l'abbé Prévost, l'inceste sera, grâce au nom de la passion divinisée, un thème cultivé par les romantiques, exploité par Bernardin de Saint-Pierre et surtout par Chateaubriand, qui entoure d'un attrait poétique et d'une dignité sentimentale l'amour incestueux entre le frère et la sœur, en y mêlant indistinctement certains aspects de sa propre vie. Atala, que Girodet peint au paroxysme de sa liaison avec Julie, représente le point culminant dans la découverte de la fraternité spirituelle : « l'amitié fraternelle qui venait nous visiter et joindre son amour à notre amour ». Cet imaginaire appartenait entièrement à Julie et à Girodet et apparaît même comme la seule issue amoureuse. Mais l'osmose va plus loin que la fraternité, ici l'androgynie des deux portraits unit en bousculant la différence des sexes. Dans les lettres de Julie, le prénom de Girodet, Anne, à la fois masculin et féminin, prête à des jeux de confusion des genres et, dans deux lettres et un poème, Julie jouant sur les sonorités du prénom de sa « chère âme » l'appelle « ma chère Anne [304] ». La confusion des identités compose donc avec la négation des différences sexuelles et leurs deux profils superposés coiffés à la Titus en sont la résonance.

Girodet et la sexualité

C'est le tableau d'*Endymion* qui éveilla les soupçons sur l'éventuelle ambiguïté sexuelle de Girodet. Balzac, qui situe la beauté au cœur même de cette ambiguïté, est le premier à introduire la transgression érotique dans la fortune du peintre en faisant d'Endymion tantôt l'idéal de la beauté féminine, tantôt celui de la beauté masculine. Dans *Sarrasine*, la chanteuse Zambinella est en fait un castrat dont «le portait en Adonis étendu sur une peau de lion» aurait été le modèle de l'*Endymion*. Dans *Ginevra Piombo*, Luigi Porta a une tête aussi gracieuse que celle d'Endymion [305]. Les fictions balzaciennes indiquent une transformation des rapports entre le masculin et le féminin au début du XIXᵉ siècle dont on retrouve le symptôme dans la peinture de l'époque. L'exaltation de la passivité, de l'ambiguïté androgyne et de l'abandon féminin transposés dans le corps masculin n'est pas l'apanage exclusif de la peinture de Girodet. Guérin, Ingres, Broc, Dubuffe et même David participent de cette sensibilité [306], mais seule la vie privée de Girodet a pu être considérée comme compromise dans ce trouble des genres. Il est perçu tour à tour comme victime et/ou bourreau de mademoiselle Lange. Les lettres qui furent détruites le jour même de sa mort [307] s'ajoutant à la fréquentation des modèles «mamelouks» qui l'électrisaient par leur beauté [308] ont fini par exhaler un parfum d'amours illicites et bientôt laissé soupçonner une vie secrète qui aurait contribué à abréger sa vie.

L'invocation de l'impuissance est certes un faux-fuyant ordinaire de l'homosexualité et les héros ambivalents ou «babilans» des romans de Madame de Duras, d'Henri de Latouche, de Stendhal pour *Armance*, sont tous les échos masqués du scandale homosexuel de Custine qui avait agité Paris en 1824 [309]. L'homosexualité échappe largement à l'enquête de l'historien car que peut-on savoir du désir quand le sujet, son entourage et la police conspirent pour le censurer? *A contrario* les mœurs homosexuelles n'ont pas seules le privilège de la dissimulation, de la discrétion et de la prudence. L'adultère est un autre paradis du mystère. Au fond, les tentatives de révélation des goûts sexuels de Girodet eurent pour effet d'occulter l'importance des femmes dans sa vie. Sa mère d'abord, mais aussi Constance de Salm [310], Fanny Robert, Mᵐᵉ de Staël [311] jouèrent un rôle capital dans son développement social et intellectuel et ses amours connus s'adressaient à des femmes. La lettre à l'inconnue [312], seule lettre voluptueuse qui survécut à l'autodafé de ses frasques, manie le jeu du mot et de la chose, avec un art de ne pas y toucher qui en ferait la perle de bien des catalogues de littérature érotique. Elle découvre son goût insatiable pour l'allusion et les jeux de révélation d'un érotisme assez osé pour laisser la relation hors de toute équivoque. L'érotisme féminin l'a tourmenté au point de le rendre incapable de fidélité. À part Julie Candeille, ses liaisons connues furent,

semble-t-il, une des sœurs Leroulx-Delaville, future Mᵐᵉ Larrey [313], Mᵐᵉ Lefèvre, et Mᵐᵉ Berthon, jeune veuve du fils du compositeur «mort à 22 ans d'excès d'amour pour sa femme [314]», mais «les fréquentes visites qu'il recevait après les longues journées de travail de l'atelier» restèrent mystérieuses [315]. Ses aventures féminines sont le leitmotiv des reproches de Julie et sa mort fut accompagnée de force pleurs et évanouissements des femmes de son entourage [316]. Il reste difficile de prendre la mesure des conséquences de la syphilis sur l'instabilité de sa vie amoureuse et de son caractère sans ajouter un poncif nouveau à sa légende, mais comment ne pas imaginer que cette maladie, contractée à l'âge de 25 ans, n'ait pas perturbé sa sexualité autant que sa santé? Les protestations qu'il opposait à l'interprétation que l'on donnait à ses fréquentations [317] et sa réputation de vie dissolue y trouvent probablement leur explication comme, aussi, la souffrance et les impossibilités dont Julie Candeille était la confidente et qui le rendaient presque malade d'anxiété pendant les séances de pose de Mᵐᵉ Reiset [318].

Notre propos n'est pas de rétablir la «vérité» sexuelle de Girodet en faisant jouer à rebours des révélations inverses à celles qui présumaient son homosexualité mais dans la seconde moitié du XXᵉ siècle, le spectateur associe systématiquement *Endymion* à l'ambiguïté sexuelle. Cette vision devenue inéluctable dans la sensibilité moderne a étendu l'ambiguïté à son auteur. Les études Gender, qui s'attachent chez les universitaires anglo-saxons à une histoire de l'art écrite du point de vue du réprimé sexuel et politique, se sont appropriées le narcissique Endymion jusqu'à en faire une icône homosexuelle récemment rejointe par les mamelouks de *La Révolte du Caire* et la négritude de Belley [319]. Le détail du jeune bey couvert de soie et de fourrures qui meurt dans les bras d'un grand esclave maure entièrement nu ou les organes proéminents de Belley révéleraient, si l'on peut dire, la concupiscence du peintre et seraient autant de lapsus révélateurs d'une libido homosexuelle. Du soupçon d'ambiguïté, on a glissé à la construction du stéréotype et la lourdeur des outils conceptuels doublée de la manipulation du contexte historique a créé un système de lecture qui, à force de se citer lui-même, a amplifié ses conclusions endogènes. À la suite des Gender Studies, la littérature gay a fait de Girodet l'archétype de

l'artiste homosexuel. Edmund White écrit qu'il «avait une inexplicable attirance pour les jeunes et charmants massiers et, dans ses gigantesques toiles, pour des éphèbes tels qu'Endymion, le berger au petit pénis, se contorsionnant sous un rayon de lune […] [320].» En France, les Gender ont trouvé un avocat chez Dominique Fernandez [321], qui allègue le côté homosexuel des peintures néoclassiques dominées par le nu masculin, une nudité héroïque qui prend le pas sur les nudités érotiques des femmes de Boucher et que notre temps perçoit difficilement dans le cadre sublimé de l'esthétique du beau idéal. Dans plusieurs publications dont un essai pénétrant publié ici même, Abigail Solomon Godeau pousse plus loin l'examen du tabou et souligne le refoulé du féminin dans les regards portés sur *Le Sommeil d'Endymion*, qui fait notoirement disparaître l'image de la femme dans cette scène des amours de Diane. Elle fait justement remarquer combien l'ambiguïté d'Endymion n'est peut-être pas tant l'érotisme homoérotique que celui d'une chair de femme inhabituelle chez un élève de David exercé à la vérité académique du nu masculin.

Le trouble qui déplace l'ordre et l'imaginaire sexuels des années qui suivent la Révolution s'appréhende mal avec la syntaxe postfreudienne et survit encore plus mal à l'approche Gender qui traque les signes du refoulé avec une doxa de l'anormal qui renforce sensiblement l'idée de la norme. Les Queer Studies ont réagi contre ces schémas sexuels, mais, en transposant les valeurs et les champs sémantiques d'une époque dans une autre, s'opère fatalement une transformation du sens qui s'apparente à une perte de ce sens. La sublimation engendre sa propre éthique qui ouvre des champs plus réels que leur déconstruction par l'analyse. C'est le paradoxe des lectures les plus modernes de Girodet que de reposer sur ces déplacements sémantiques et sur la substitution d'un apparat critique contemporain, issu de la psychanalyse, de la linguistique, du lacanisme, du structuralisme et des sciences humaines et remplace l'approche artistique qu'organisait l'esthétique académique classique. Que Girodet ait contribué à l'ébranlement de cet édifice esthétique, qui s'écroule sous ses yeux avant même qu'il ne meure, ne change rien à l'affaire car les valeurs académiques de l'imagination, de l'originalité, du beau idéal et de la grâce restent le fondement de ses manifestes d'indépendance que sont *Endymion*, *Ossian* ou *Une scène de déluge*. L'éloignement de ces concepts dans le champ de la conscience et la disparition complète de leur sens justifie pleinement pourtant que l'histoire s'empare de ces œuvres, leur insuffle de nouvelles significations et s'y regarde à nouveau comme dans un miroir. Selon le mot attribué à Dumas, il est permis de violer l'histoire, à condition de lui faire de beaux enfants! C'est ainsi que Girodet lui-même et tous ses contemporains ont regardé l'Antiquité et qu'ils l'ont réinventée. C'est ainsi qu'avait procédé la Renaissance et c'est ainsi que les romantiques ont regardé le XVIe siècle ou le Moyen Âge. On pourrait étendre plus loin encore ces exemples de réappropriation d'une époque par une autre. Cette démarche, qui est celle de l'histoire même, montre que la complexité et l'abondance du sens dans les œuvres de Girodet vont bien au-delà de leur capsule de temps et leur donne toute leur actualité dans la conscience du XXIᵉ siècle.

En définitive, notre enquête nous a fait brasser les méthodes dont les historiens disposent pour connaître la vie d'un homme. Pour l'étude sociologique, les archives et les témoignages du temps nous ont renseigné sur son milieu, sa culture, sa carrière et les relations qu'il entretenait avec les institutions et le politique. Nous avons associé et croisé ces recherches avec les approches psychologiques et analytiques qui concernent sa famille, ses parents, ses amours, ce que nous pouvons savoir de sa sexualité et ce que son art et ses écrits peuvent nous livrer de son inconscient. Cependant, comme dans la morale de la fable, ces recherches limitées et laborieuses fondées sur l'isolement et la limitation des liens d'un individu avec le monde ont fait surgir une autre vérité plus précieuse et plus intuitive où nous croyons mieux approcher et mieux comprendre celui qui a constamment tenu à échapper aux sphères étroites. De la fréquentation de l'œuvre et de l'homme est née une sorte de familiarité qui a modifié tout et nous a montré les limites d'une histoire qui chercherait à traquer le sujet dans ses contradictions réelles ou apparentes, politiques ou sexuelles. Dans le domaine politique, nous avons vu comment ses tentatives de manipulation des pouvoirs et ses esquisses d'engagement dans le gouvernement des hommes avaient chaque fois échoué. Une des raisons majeures de cette faillite est que, pour lui, le fond de l'affaire était moins la politique que l'art considéré comme une quête de la grâce, un idéal aussi rebelle que la vérité qui «élude les poursuites subtiles de l'analyse [322]» mais qui est aussi susceptible de constituer une raison de vivre. Personne ne fut moins bourgeois ou citoyen que cet excentrique gâté, qui préféra le bizarre aux platitudes [323]. Il avait voulu à Rome en découdre avec l'autorité et la règle mais il rêva à Paris d'en imposer à un pouvoir qui ne voulait pas de lui parce qu'il ne pouvait pas le servir. Ses contemporains étaient frappés, autant que nous le sommes, par le désordre insaisissable et dandy de sa vie, par ses excès et par ses manières tantôt farouches et indomptées, tantôt outrancièrement policées, mais toujours gravement intenses. Dans ce panorama de l'irréductible idéal, la sexualité, qui constitue à la fois la clé et le dépositaire des ultimes vérités du XXᵉ siècle, fait figure d'une mécanique d'une pauvre lueur et la question de l'amour hétérosexuel ou homosexuel apparaît comme de second ordre simplement parce qu'elle traite de la vie privée, un domaine auquel Girodet n'a jamais beaucoup sacrifié, si ce n'est quelques heures volées au travail de l'atelier. Il ne laissa rien ni personne se glisser entre l'art et lui-même car toute entreprise de cette nature aurait brisé l'unité fondamentale que formaient sa vie et la peinture, l'une et l'autre n'étant que le prolongement et le retour de l'un dans l'autre. C'est peut-être là

l'idéal que Paris portait glorieusement en terre dans l'impressionnante cérémonie de ses pompes funèbres. Girodet avait eu le bon goût et presque, pour la seule fois de sa vie, le bon sens de fausser compagnie à la scène des arts au moment opportun, juste avant que les enjeux artistiques ne soient radicalement déplacés et ne l'entraînent dans leur chute. C'est tout le sens des larmes et tout le pathétique de l'apostrophe de Gros, sa plainte éperdue qui précédait son suicide. Mais l'histoire redistribue sans cesse les cartes de la renommée et chaque époque se projette dans le miroir du passé. Moins qu'un gardien du classicisme, Girodet semble, pour nous, en être l'excès. À l'opposé du bilan de Quatremère de Quincy, nous croyons pouvoir mieux comprendre son art par la singularité de sa personnalité plutôt que par son époque. L'autonomie de sa pensée, son indépendance, sont moins le reflet de son temps que les effets d'un caractère tel qu'il en surgit dans l'histoire et la ponctue d'étrangeté. Solitaire et contradictoire, relevant avec chacune de ses œuvres un défi qu'il s'était fixé à lui-même, Girodet ne pouvait faire souche : sans descendance parce que ses élèves, idolâtres dévoués, ne furent que de pâles imitateurs, son art, fait d'«excès d'intensions littéraires», de raffinement savants et de virtuosité souvent éblouissante, se rattache au maniérisme particulier des fins d'écoles. Ces fragiles moments artistiques reconquièrent un écho chaque fois que les arts se soumettent à la poésie et à l'originalité : le symbolisme et dans une certaine mesure le surréalisme, quand il cherche à réconcilier l'académisme et l'onirisme, en sont deux exemples. Désavoué par David pour sa bizarrerie, Girodet sera sauvé par elle : «L'originalité excite la curiosité [324]», notait-il dans un carnet. Notre époque, plus favorable au décloisonnement qu'aux catégories d'écoles, plus sensible à l'inattendu et à la découverte, a déjà reconnu son propre langage dans la sensualité ambiguë de son art.

III. 36 Desprez, *Buste de Girodet*
Bronze, coll. part.

notes

1. Mots de David rapportés par Delécluze, 1855, p. 264.
2. William Butler Yeats, *Among School Children*, 1927.
3. Dominique Larrey, Bibliothèque nationale de France, nouvelles acquisitions françaises, 5876, t. IV.
4. Copie d'une lettre inédite de M. Larivière à son fils Charles-Philippe Larivière [Paris], 19 décembre 1824, Amiens, musée de Picardie, fonds Larivière, transcription dactylographiée conservée au musée. Nous remercions Isabelle Loddé de nous avoir communiqué ce document.
5. E. D. [Étienne Delécluze], « Convoi de Girodet », *La Pandore, journal des spectacles, des lettres, des arts, des mœurs et des modes*, n° 517, mardi 14 décembre 1824, p. 3.
6. L'Académie royale des beaux-arts s'était déplacée au grand complet. Delécluze remarque les personnalités suivantes, Antoine César Becquerel, M. et Mme Belloc, Bertin l'Aîné, Bertin De Vaux, Armand et Auguste Bertin, Bosio, Boutart, Cartellier, Chateaubriand, Cicéri, Daguerre, Delacroix, Ducis, Dupaty, Fleury, Fontaine, l'abbé Feutrier (curé de l'Assomption), Forbin, Gaillot, Garnier, Gérard, Gros, Paulin Guérin, Pierre Narcisse Guérin, Guillemot, Hersent, Humbolt, Huyot, Ingres, Isabey, Victoire Jacotot, Langlois, Léonore Mérimée, Lethière, Meynier, Percier, Périer (peintre de la secte des Barbus, 3° époux de Julie Candeille), Peyre (architecte, député de la Société des enfants d'Apollon) Abel de Pujol, Quatremère de Quincy, Raoul Rochette, Sauvot, Schnetz, Sheffer, Steuben, Taunay, Thévenin, Turpin de Crissé, Valedot, Vaudoyer, C. Vernet, A. Scheffer, H. Vernet, Watelet (Delécluze, 1948, p. 52 - 64).
7. Larivière, voir note 4.
8. Archives privées, fonds d'Arrodes de Peyriague. Cette urne se trouve encore dans la chapelle Saint-Nicolas, église de la Madeleine, Montargis.
9. « [...] Le matin de l'opération qui précéda sa mort dans une espèce de transport de désespoir, il courut à son atelier, et en voyant ses tableaux commencés, ses pinceaux et sa palette, il s'écria d'une voix douloureuse : Adieu mes pinceaux ! adieu les arts, tout est fini pour moi » (« jeudi 9 décembre 1824 - La mort de Girodet », *L'Intermédiaire des chercheurs et des curieux*, 30 déc. 1893, n° 640, p. 784).
10. Delécluze rencontre Girodet dans le salon Bertin De Vaux vers 1809 (voir Robert Baschet, *E.-J. Delécluze témoin de son temps 1781-1863*, Paris, 1942, p. 55).
11. *Journal des débats*, 13 décembre 1824 ; *La Pandore, journal des spectacles, des lettres, des arts, des mœurs et des modes*, mardi 14 décembre 1824.
12. « Il était au moins 3 heures et demi du soir quand le char portant le corps de Girodet a franchi l'entrée du cimetière. [...]. C'était un spectacle vraiment touchant que de voir cette foule d'hommes, dont la plupart ont déjà acquis du talent et un commencement de renommée, se précipitant avec une espèce d'enivrement vers le corps de Girodet pour toucher la voiture, le drap mortuaire et se rapprocher le plus qu'il leur était possible des restes de cet artiste. Les amis de Girodet, les personnes d'un certain âge suivaient en

ordre le convoi et se distinguaient par leur calme du groupe nombreux et agité qui formait un cercle épais autour de la voiture. [...] Leur figure était couverte de sueur, leurs habits de deuil souillés par une fange blanchâtre et tous, le chapeau d'une main et une couronne de laurier dans l'autre, redoublaient d'efforts au milieu d'un chemin pénible et glissant pour ne pas perdre la distance d'un pas du mort à eux » (Delécluze, *Journal*, 1948, p. 50 -67).
13. Voir note 4.
14. Delécluze, *Journal*, 1948, p. 63. Le discours du baron Gros fut aussi résumé par Boutard, dans *Le Journal des débats*, 14 décembre 1824.
15. Delécluze, 1948, p. 63.
16. *Mémoire des ouvrages de marbrerie faits et fournis à Monsieur Becquerel Des Préaux sous les ordres de Mr Percier, architecte. Par Hersent et Georgerzy sculpteurs marbriers*, archives privées fonds Filleul/Darrode.
17. Charles Baudelaire, « Le musée classique du Bazar Bonne-Nouvelle », 1846, in Henri Lemaître éd., *Curiosités esthétiques*, Paris, 1990, p. 91. « Girodet a traduit Anacréon et son pinceau a toujours trempé aux sources les plus littéraires ». Voir aussi Louis Aragon, « Girodet-Trioson ou le sujet de la peinture », *Digraphe* n° 13, décembre 1977, 1re publication dans *Europe*, n° spécial Picasso, 1949.
18. Coupin, 1829. Il a également publié un article nécrologique résumant la carrière de Girodet dans la *Revue Encyclopédique*, 74e cah., vol. XXV, septième année, seconde série, 6 février 1825. Voir aussi Alain Pougetoux et Thierry Zimmer, « Marie-Philippe Coupin de la Couperie : Mademoiselle d'Arjuzon implore la bonté divine pour le rétablissement de Madame la Comtesse d'Arjuzon, sa mère dangereusement malade », *La Revue du Louvre*, 1998-1, p. 71-81.
19. Voir Barthélémy Jobert, *infra*. Anacréon, *Recueil de compositions dessinées par Girodet et gravées par M. Chatillon son élève, avec la traduction en prose des odes de ce poète, faite également par Girodet, publié par son héritier et par les soins de MM Becquerel et P. A Coupin*, Paris, 1825, 54 planches. *Énéide, Suite de compositions dessinées au trait par Girodet, lithographiée, par... ses élèves*, suivi de *Compositions tirées des Géorgiques, lithographiées par ses élèves et publiées par M. Pannetier*, 4 planches. *Sappho, Bion Moschus, Recueil de compositions dessinées par Girodet et gravées par M. Chatillon son élève, avec la traduction en vers par Girodet de quelques unes des poèsies de Sappho et de Moschus et une notice sur la vie et les œuvres de Sapho par M.P.A. Coupin*, Paris, 1829, 16 planches pour Sapho, 12 planches pour Bion, 12 planches pour Moschus. *Les Amours des dieux, Recueil de compositions dessinées par Girodet et lithographiées par ses élèves*, Paris, 1826, 16 planches.
20. Le fonds Deslandres, comportant quatre volumes reliés et un cinquième non relié, fut déposé au musée Girodet, à notre suggestion, en 1988, par la famille Deslandres descendants de Rosine Becquerel née Girodet, unique héritière du peintre.
21. En vue de la préparation de l'exposition Girodet, ces lettres ont été transcrites, en respectant l'orthographe et la

ponctuation d'origine, par les étudiants de l'université de Grenoble (Yvette Beysson-Loire, doctorante en histoire de l'art ; Jean-Baptiste Blethon, doctorant en histoire ; Marie-Bénédicte Diethelm, docteur en droit, docteur es lettres ; Emmanuelle Ollier, doctorante en histoire de l'art ; Michael Vottero, doctorant en histoire de l'art), sous la direction de Barthélémy Jobert, grâce à une subvention du Getty Center for Research. Bruno Chenique a relu, corrigé, retranscrit quand cela était nécessaire, et remis en ordre l'ensemble de ces transcriptions. C'est cet ordre qui a été retenu pour désigner ces documents.
22. Véritable artisan de la résurrection de Girodet, George Levitine (1916-1989) soutint sa thèse à Harvard en 1952 et la publia vingt-six ans après : *Girodet-Trioson : an Iconographical Study*, New York et Londres, Garland Publishing, Inc., 1978. Fondateur du département d'histoire de l'art de l'université de Maryland en 1964, George Levitine a consacré à Girodet plusieurs articles fondamentaux qui restent des références incontournables (voir bibliographie).
23. Jacqueline Pruvost-Auzas, qui fut conservateur du musée Girodet et commissaire de l'exposition de 1967, est la première à avoir révélé Girodet pour un public qui allait au-delà de l'université. Son catalogue précise des éléments biographiques jusqu'alors inconnus. Elle consacra à Girodet plusieurs articles dont un sur les décors de Compiègne. Le musée de Montargis fut baptisé musée Girodet en 1967, à la suite de l'exposition du bicentenaire.
24. Georges Bernier, *Anne-Louis Girodet, Prix de Rome 1789*, Paris et Bruxelles, 1975.
25. Stephanie Nevison Brown, *Girodet, a Contradictory Career*. Cette remarquable thèse soutenue au Courtauld Institute of Art, University of London, en 1980 n'a malheureusement jamais été publiée.
26. Thomas Crow, *Emulation, Making Artists for Revolutionary France*, 1995, trad. fr. *L'Atelier de David, émulation et Révolution*, Paris, Gallimard, 1997.
27. Susan Houghton Libby, « Originality, Imitation, and Genius : A.-L. Girodet-Trioson and French Art Theory and Criticism, 1785-1824 », Ph.D. thesis, University of Maryland, College Park, 1996.
28. Lafont, 2001.
29. Lemeux-Fraitot, 2003.
30. Essentiellement *L'Âge du Néoclassicisme* (1972) ; *De David à Delacroix, la peinture française de 1774 à 1830* (1974-1975) ; *Ossian* (1974), *From Poussin to Puvis de Chavannes* (1974) et *Le Néo-classicisme : dessins français de 1750 à 1825* (1972), *Le Néo-classicisme français* (1974-1975), ou *Girodet, dessins du musée Girodet* (1983), *La Légende d'Ossian illustrée par Girodet* (1989), *Le Beau idéal* (1989), etc. Voir la liste des expositions en fin de volume.
31. Comme dans le cas du *Portrait de Belley*, ou de sa *Scène de déluge*, un tableau, selon la formule de Quatremère de Quincy, « [...] qu'il s'était commandé à lui-même, dans la vue, soit de satisfaire son goût, soit de montrer ce qu'on eût pu attendre de lui, soit d'opposer un grand exemple à la foule et d'en arrêter le mouvement [...] » Quatremère de Quincy, « Éloge historique de M. Girodet, peintre »,

1er octobre 1825, in Recueil de notices historiques lues dans les séances publiques de l'Académie royale des Beaux-arts à l'Institut, Paris, 1834, t. I, p. 318-319.

32. Robert Rosenblum, Transformations in Late Eighteen Century Art, Princeton, 1967.

33. « [...] une Tête de Vierge, qu'on se plaisait à prendre (et qui n'en a pas gardé le souvenir?) pour un fragment découpé d'un beau tableau de Raphaël », Quatremère de Quincy, « Éloge historique de M. Girodet, peintre », 1er octobre 1825, in Recueil de notices historiques lues dans les séances publiques de l'Académie royale des Beaux-arts à l'Institut, Paris, 1834, t. I, p. 325.

34. Dans sa thèse (2003), S. Lemeux-Fraitot a rassemblé un nombre impressionnant d'archives et de documents sur le milieu familial de Girodet, ensemble extrêmement précieux pour la connaissance de l'artiste.

35. Ibidem, 2003, t. I., chapitre A.

36. T. I du fonds Pierre Deslandres, déposé au musée Girodet de Montargis.

37. « Vous ne pouvez me causer de plus grands chagrins que lorsque vous ne m'écrivez point c'est alors que mon cœur est agité de pensées diverses tantôt je m'imagine que vous êtes malade tantôt que j'ai eu le malheur de perdre votre amitié » (lettre d'Anne Louis Girodet de Roussy à sa mère, Paris, 30 mai 1780, Montargis, fonds Pierre Deslandres, t. I, n° 27). Pendant la maladie de son père il écrit encore : « engagés le je vous prie a se menager toujours beaucoup et surtout s'il prend du lait d'anesse : a se panser son cautere matin et soir tous les jours et a panser sa jambe avec du vin milellé dites lui que si j'apprends qu'il ne fasse point tout cela, je retomberai encore malade et de chagrin » (lettre inédite de Mme Girodet à son fils Anne Louis Girodet de Roussy, Montargis, 9 janvier 1782, fonds Pierre Deslandres, t. I, n° 55).

38. Lemeux-Fraitot, 2003, annexes ; Dijon, archives départementales de la Côte-d'Or, maître Hemery, dossier 2343.

39. Ibidem, annexes p. 9.

40. Lettre d'Anne de Faverolles à Antoine Florent Girodet, Paris, samedi 6 janvier 1770, fonds Pierre Deslandres, déposé au musée de Montargis, t. IV, n° 36.

41. Antoine Étienne Girodet né en 1757 avait un fort penchant pour la noce et le jeu. Il fut déshérité par sa mère qui, de son vivant, avait plusieurs fois réglé ses dettes, en particulier à la mort de leur père (testament de Mme Girodet, AN, minutier central, ET/XXXV/899). Voir Lemeux-Fraitot, 2003, t. I, p. 33-34. Sa fille Rosine Becquerel-Despréaux fut l'héritière de Girodet.

42. Probablement peints à Paris en 1725 à l'occasion de leur mariage.

43. Antoine Gabriel Cornier (Lyon? - Amsterdam, 1733) épouse à Paris, le 13 avril 1725, Angélique Louise Duhau (Paris 1705-1832). Il en eut trois enfants.

44. Coupin, « Notice nécrologique sur Girodet », Revue encyclopédique, février 1825, vol. 25, p. 336 indique qu'il était banquier expéditionnaire de la cour de Rome.

45. « tu ne nous parle pas mon cher amy si tu a fait des progrets avec ce maître de violon, je serois flattée que tu te fut appliqué particulièrement a bien lire la musique » (lettre

inédite de Mme et M. Girodet à leur fils Anne Louis Girodet de Roussy, Montargis, 17 mai 1781, fonds Pierre Deslandres, t. II, n° 11).

46. Lettre inédite de Mme Girodet à son fils Anne Louis Girodet de Roussy, Montargis, 25 mars 1782, ibidem, voir aussi la lettre inédite de Mme Girodet à son fils Anne Louis Girodet de Roussy, Montargis, 10 juillet [1783], ibidem, t. II, n° 31.

47. Lettre de Mme Girodet à son fils Anne Louis Girodet de Roussy, Montargis, 16 février 1781, ibidem, t. II, n° 2.

48. Lettre inédite de Mme Girodet à son fils Anne Louis Girodet de Roussy, Montargis, 6 août 1783, ibidem, t. II, n° 33.

49. Coupin, 1829, t. I, p. 47 ; Bajou, Lemeux-Fraitot, 2002, p. 234.

50. Lancrenon, Académie des sciences, belles-lettres et arts de Besançon, 1872, p. 94-95.

51. Cat. 77-79 (portraits du jeune Trioson).

52. Trioson avait acheté le domaine du Bourguoins aux dominicaines d'Amilly. Il y fit construire une gentilhommière qui remplaça l'ancienne construction du XVIIe siècle appelée Ruehaus.

53. Il soigna Antoine Girodet jusqu'à sa mort et fut l'exécuteur testamentaire du couple Girodet.

54. En 1782, Trioson écrit à Anne Angélique Cornier-Girodet : « Je n'ai connu de ma vie d'enfant si raisonnable tous les gens qui a rencontré chez moy leur trouve fort aimable ô jaugure bien de cet enfant plus il a de la subtilité, du jugement et de la raison en dépi de son age je vous assure que plus je le vois et plus je m'i attache et je m'arrange déjà pour en faire mon ami s'il le veut [...] » (lettre inédite de Mme Girodet à son fils Anne Louis Girodet de Roussy, Montargis, 24 mai 1782, fonds Pierre Deslandres, t. IV, n° 71).

55. Voir par exemple Lajer-Burcharth, 1999, p. 254 : [...] « Anne Louis Girodet did not carry a feminine first name for nothing ».

56. La pension Watrin, du quartier de Picpus dans le nord de Paris ; Perruchot, Bulletin de la foire-exposition de Montargis, 1957, p. 61.

57. Lettre d'Anne Louis Girodet de Roussy à son père, Paris, mardi 2 juillet 1782, fonds Pierre Deslandres, t. I, n° 73.

58. Lettre inédite de Anne Louis Girodet de Roussy a sa mère, Montargis, Paris mercredi des cendres [13 février 1782], ibidem, t. I, n° 58 ; Lafont, 2001, t. I, p. 32.

59. Ibidem.

60. Lettre du docteur Trioson à Mme Girodet, Paris, 21 mai 1782, fonds Pierre Deslandres, t. IV, n° 71.

61. En 1781, Girodet quitta la pension Watrin. Trioson le fit envoyer chez Mory, dans l'enceinte du collège de Navarre, dans le quartier Sainte-Geneviève (lettre inédite du docteur Trioson à Mme Girodet, [mardi] 28 août 1781, ibidem, t. I, n° 45).

62. Girodet est baptisé à la paroisse de la Madeleine de Montargis, (Herluisson, 1873, p. 158, Pruvost-Auzas, 1967, p. 16). À Montargis, Girodet est d'abord éduqué au collège barnabite de Montargis, (Lemeux-Fraitot, 2003, t. I, p. 40). Il fait sa première communion le 17 avril 1779 (lettre

d'Anne Louis Girodet à ses parents, et de M Watrin Paris, 14 avril 1779, fonds Pierre Deslandres, t. I, n° 20).

63. Lettre inédite de Watrin à Mme Girodet, Paris, 25 novembre 1775, ibidem, t. I, n° 8.

64. Lettre d'Anne Louis Girodet de Roussy à ses parents, Paris, mardi 22 mai 1781, ibidem, t. I, n° 42.

65. Coupin, 1829, t. II, p. 280.

66. H.W. Janson, « Psyche in Stone, The influence of Swendenvborg on Funerary art » in Robin Larsen et al., Emmanuel Swendenvborg a continuing vision, New York 1988, p. 115-126.

67. George Levitine, « The influence of Lavater and Girodet's Expression des sentiments de l'âme », The Art Bulletin, t. XXXVI, n° 1, mars 1954, p. 33-48.

68. Sur le portrait funéraire de Marie-Jeanne Trioson, Girodet ajoute deux vers d'Horace (Odes, I, 24) : « Multis illa [sic] bonis flebilis occidit/Nulli flebilior quam tibi » (« À maint homme de bien sa mort tire des larmes/Mais à nul autre plus qu'à toi »). Sur celui de Benoît Agnès, il adapte un passage de l'Énéide (VI, 882-886) : « Heu, miserande puer, si qua fata aspera rumpas /Tu genitoris amor, solamen lene senectæ / Tu celebratus eris… manibus date lilia plenis/Purpureos spargam flores animamque decoram / His saltem accumulem donis, et fungar inani munere, donec me fratri sors ultima jungat » (« Hélas, malheureux enfant ! Ah ! si tu pouvais rompre la rigueur des destins ! Toi amour de ton père, douce consolation de la vieillesse. Tu seras célébré… Donnez des lis à pleines mains, je veux épandre les fleurs pourprées, combler au moins de ces dons cette belle âme, lui rendre ces vains offices, jusqu'à ce que le sort en dernier lieu me réunisse à mon frère. »).

69. Girodet fit en 1819 le portrait du violoniste Alexandre Boucher (1778-1861) aujourd'hui conservé à Versailles (inv. MV 6431).

70. Étienne Méhul (1763-1817). Lettre de Julie Candeille à Anne Louis Girodet, [Paris], dimanche 19 octobre [1817], correspondance Julie Candeille, Montargis, musée Girodet, 1817, t. 3, n° 71 ; don du colonel Filleul (descendant des Becquerel) en 1967.

71. Voir Voignier, 2005.

72. Becquerel, 1825, p. 4-5.

73. Coupin, 1829, t. I, p. ij.

74. Lettre inédite d'Anne Louis Girodet de Roussy à sa mère, [Paris] [samedi] 16 février 1782, fonds Pierre Deslandres, t. I, n° 60 ; lettre d'Appert au citoyen Huette, maire de Montargis, Paris, 1 nivôse an VII [1er janvier 1799], publiée par Girardot, t. III, 1853, p. 20 ; Pruvost-Auzas, 1967, p. 16 ; voir aussi infra : lettre d'Anne Louis Girodet de Roussy à sa mère, et Watrin à Mme Girodet Paris, 18 juillet 1779.

75. Lettre inédite du docteur Trioson à M Girodet, Paris 1er janvier 1782, fonds Pierre Deslandres, t. IV, n° 70.

76. Il copie ses premiers moulages d'Antiques à partir de juin 1780. Lettre d'Anne Louis Girodet de Roussy à sa mère, Paris [samedi] 3 juin 1780, ibidem, t. I, n° 28.

77. Lettre du docteur Trioson à Madame Girodet, mardi 14 novembre 1780, ibidem, t. I, n° 31.

78. Lettre du docteur Trioson à Mme Girodet, Paris, [jeudi] 2 mars 1781, ibidem, t. I, n° 39.

79. Lettre du docteur Trioson à Mme Girodet, Paris, [jeudi] 16 août 1781, ibidem, t. IV, n° 72.

80. Registre des élèves de l'Académie MS 823, archive 95, f° 85.

81. Lettre d'Anne Louis Girodet de Roussy à sa mère Paris, samedi 22 novembre 1783, fonds Pierre Deslandres, t. n° 105.

82. Lettre d'Anne Louis Girodet de Roussy à sa mère mercredi 14 mai 1783, ibidem, t. I n° 91.

83. Guillaume Couture (1732-1799), lettre d'Anne Louis Girodet de Roussy à sa mère [29 ou 30 avril 1782], ibidem t. I n° 66.

84. Étienne-Louis Boullée (1732-1799). Lettre d'Anne Louis Girodet de Roussy à sa mère Paris 29 juillet 1783 ibidem, t. I, n° 100. Voir aussi Notice anonyme et manuscrite sur Boullée, Bibliothèque nationale de France, département des Manuscrits, 9153, f° 38.

85. Fragment d'une autobiographie de Louis David, vers 1809, ENSBA, MS. 316 n° 51. Wildenstein, 1973, p. 15 n° 1369.

86. Lettre d'Anne Louis Girodet de Roussy à sa mère, Paris [vendredi] 9 juillet 1784, fonds Pierre Deslandres, t. n° 109.

87. Voir cat. 3.

88. Coupin, 1829, t. I, p. 108 et p. 282 note 13.

89. Coupin, 1827, appendice. Thomas Crow a rendu célèb cet appendice qu'a aussi retrouvé Stéphanie Nevison Brown

90. Crow, 1997.

91. Cette pédagogie explique la remarque de Cochin « [son] Ecole est montée, je ne scais par quel miracle, un tel degré que les élèves dés l'âge de dix neuf ans y son déjà des hommes » Christian Michel, « Lettres adressée par Charles Nicolas Cochin fils à Jean Baptiste Descham 1757-1790 », AAF, 1996, t. XXVIII, p. 80.

92. Delécluze, 1855, p. 246 : « l'emulation pure de tou jalousie qu'excitèrent en lui [à cette époque les succès qu son élève Gros venait d'obtenir en peignant des sujets con temporains est un fait non moins remarquable ; et pendar l'exécution du Couronnement David parla plus d'une fo de l'auteur de La Peste de Jaffa comme d'un rival qui ava ramené sa verve et étendu le cercle de ses idées. »

93. Coupin, 1827, p. 62-63 « Il [Girodet] racontait, à cet occasion, que lorsqu'il eut terminé cette réduction, David l dit un jour : "ah ça ! mon cher ami, je veux te récompens de la peine que tu as prise" ; et disant cela, il voulait lui me tre dans la main un petit paquet enveloppé de papier qu tenait dans la sienne. Girodet se défendait de le prendr il objectait qu'il n'avait fait cet ouvrage que dans la seu intention d'être agréable à son maître. Pendant quelqu temps ce fut une sorte de combat, enfin Girodet cru devo se rendre. Rentré chez lui, il ouvrit le petit paquet : il cont nait six louis. » Voir cat. 3.

94. Coupin, 1829, t. I.

95. D'Angiviller le lui avait commandé pour les collection royales. Voir cat. 3.

96. « Drouais m'échauffait, ses progrès augmentaient mo amour pour la peinture. Il est mort ; c'en est fait, j'ai perc mon émulation » Mercure de France, 7 juin 1788.

. Lafont, 2001, t. 1 p. 43-46. On ignore si le choix de ce ître revient à David mais il dut l'agréer.

. Voir cat. exp. Patrick Ramade, *Jean-Germain Drouais '63-1788*, Rennes, 1985 ; D. et G. Wildenstein, *Docu- ents complémentaires au catalogue de l'œuvre de Louis vid*, Paris, 1973.

. Cat. 4- 8.

0. Voir cat. 3.

1. Delécluze, 1855, p. 29 : « David a répète souvent que succès, obtenu par l'un de ces élèves qu'il chérissait rsonnellement, avait été un des moments de sa vie où il tait senti le plus heureux. Et en effet, qu'y avait il de plus tteur pour le maître que de voir couronner l'ouvrage d'un sciple dont le mérite était si grand et si différent du sien ; ur David, qui comprenait si bien que l'enseignement n'est s la transmission d'une manière mais le développement l'intelligence artistique d'un élève confié aux soins d'un ître ? »

2. Drouais est mort trop jeune mais son osmose avec vid aurait rapidement fini par poser un problème pour le veloppement de sa personnalité artistique : « je ne dois s traiter et ne traiterais pas un sujet qui vous appartient, si j'en traite un analogue à l'un des vôtres on se moquera moi. », (J. L. J. David, 1880, p. 44 45).

3. Théophile-François-Marcel Bra (1797-1863). Avec la nérosité et l'enthousiasme dont il est coutumier, Jacques Caso nous a réservé la surprise de nous communiquer s premières notes d'un article « Davidiana » à paraître ez Cambridge University Press. Qu'il veuille bien trou- r ici un nouveau témoignage de notre gratitude. Voir sujet de Bra les études de Jacques de Caso : « The awing Speaks, Works by Theophile Bra » ; Houston, The enil Collection, exp. déc. 1997 - mars 1998. « Le dessin rle », en collaboration avec André Bigott, préface d'Hubert misch ; Houston, 1997. « The Written Drawing : The work Théophile Bra », *Representations*, 2000, nr. 72 : p. 82- . Théophile Bra, *L'Évangile rouge*, texte établi, annoté présenté par Jacques de Caso avec la collaboration de dré Bigotte, postface de Frank Bowman, Paris, Gallimard, 00. « Romanticism and its Discontents », conférence de unich le 6 février 2003.

4. Delécluze, 1855, p. 264. voir aussi p. 267 : « [...] en gardant les tableaux de Raphaël ou de Véronèse, on est ntent de soi ; ces gens-là vous font croire que la peinture t un art facile ; mais quand on voit ceux de Girodet, pein- e paraît un métier de galérien. »

5. Lafont, 2001, t. I, p. 52.

6. Cat. 4-8.

7. *Idem.*

8. AN O[1] 1145* p. 125, copie. Voir 4-8.

9. Lettre inédite Mme Girodet à son fils *Anne Louis* Giro- t de Roussy, [Montargis], dimanche [1784] (?), fonds erre Deslandres, t. II, n° 49.

0. Lettres à Gérard.

1. Pierre est alors premier peintre du roi.

2. Lettre de Pierre à Angiviller, Paris [mardi 24 avril 1787 l. 1925 B], publiée par E. Agius-d'Yvoire, cat. exp. David, ris-Versailles, 1989, p. 572.

113. AN O[1] 1920 (3), p. 115.

114. Coupin, 1829, t. I p. iv.

115. « Il me semble que je vous vois vous demander de mes nouvelles, D[avid] et toi, vous regardant de côté et vous fixant l'un après l'autre. S'il t'a demandé mon adresse, c'est un piége qu'il te tendait pour savoir si nous étions en correspondance réglée ; je la lui ai donnée ; et s'il eût voulu m'écrire, il n'avait que faire de toi pour m'adresser ses lettres. Il est fourbe et fourbissime, mais on le voit venir ; dis lui que je t'avais promis de t'écrire ; que tu vois bien que je suis un homme sur lequel on ne peut pas compter ; que je t'avais témoigné quelque amitié, mais que, depuis que j'avais eu besoin de toi pour une commission, je n'avais pas seulement daigné t'en remercier ni répondre ; qu'apparemment, depuis que j'avais eu le prix, je me regardais comme un *gros monsieur*. Fais lui beaucoup de plaintes de moi, mais d'un air indifférent et finis par lui faire beaucoup de compliments sur son talent, surtout sur son génie. Il ne te sera pas difficile de l'amener là, et voici, je crois, ce qu'il te répondra s'il ne soupçonne pas le but : il commencera par convenir qu'il a du génie, puis il te diras que tu en as ; il te fera beaucoup de compliments ; à son tour, te donnera de belles espérances, te dira qu'un habile homme trouve profit en copiant des *cruches étrusques* ; te dis que je n'en veux rien croire et que je n'aime pas *l'antique*, que je suis entêté, que j'ai de l'amour- propre. De la critique de mon talent, il passera à celle de mon caractère ; il ira plus loin, et voilà ce que je désire. Le succès dépend plus de ton adresse que de ce que j'ai l'air de te prescrire ; il finira par un retour complaisant sur lui-même. Fais-moi le plaisir de faire cette petite expérience au reçu de ma lettre ; il serait joli que le succès répondît à ce que je prévois, d'après la connaissance que j'ai de l'homme. Ne va pas le voir sans avoir brûlé ma lettre, entends tu, entends-tu bien, et mande moi tout cela samedi 23 ou ne m'écris pas du tout »(21 janvier 1790, Gérard, 1886, t. I, p. 132-134).

116. Crow, 1997, p. 142, 143.

117. Cat. 9. Les découvertes de Nicole Andrieu sur la commande et la destination de cette œuvre permettent de mieux comprendre l'iconographie du deuil, sujet du tableau.

118. *Saint Roch intercède près de la Vierge pour la guérison des Pestiférés*, 1780, Marseille.

119. Crow, 1997, p. 137.

120. Curieusement, Girodet semble plus tard autour de 1810 avoir soumis cette première pensée à l'étude de son atelier, il en existe deux copies, l'une dans le fonds Larivière du musée des Beaux-Arts d'Amiens, l'autre sur le marché de l'art parisien proviendrait d'un ensemble dispersé de Lancrenon.

121. Madame Girodet meurt au château du Verger le 20 octobre 1787. Girodet, qui était à ses côtés, est présent aux obsèques qui eurent lieu dès le lendemain au cimetière de Chuelles. Voir Pruvost-Auzas, cat. exp., Girodet (1767-1824*)*, Montargis, 1967, année 1787.

122. Lafont, 2001, t. I, p. 276-277.

123. « il me fache que toutes les lettres que jay recu d'elles, [ses tantes Bastonneau] ainsi que toutes mes correspondances soient – tombées au pouvoir de l'ennemy, je ne regrette pas moins cela que toute autre chose. ils auront trouvé des papiers de/la\ Bastille. Soit. quils les gardent, mais je serai peut-être quelque jour posseseur des archives de l'inquisition » (lettre d'Anne Louis Girodet au docteur Trioson, Naples, 9 février 1793, fonds Pierre Deslandres, t. III, n° 35 et n° 36). Lors du deuxième anniversaire de la prise de Bastille Il écrit à Gérard : « C'est demain la Fédération, mande-moi ce qui s'y sera passé. Adieu, sois prompt et exact » [mercredi] 13 juillet 1791, Gérard, 1886, t. I, p. 180.

124. Lemeux-Fraitot, 2003, t. I, p. 209.

125. Même en Italie au plus fort des difficultés économiques dues au change il constituait une collection qu'il perdit lors du sac de l'Académie de France le 13 janvier 1793. » [...] mais il faut de nécessité que j'interrompe ma jolie collection de medailles antiques bien conservées que jetais en train de me faire. J'en ai cependant une cinquantaine bien conservées qui m'ont couté a trouver de la peine et de largent et cela me fache de ne pouvoir plus continuer du moins tant que [les] affaires ne changeront pas de face je me proposais aussi de me trouver sous peu les antiquités d'herculanum gravés et mis au jour a Naples et dont les gravures valent beaucoup mieux que celles de David que vous connaissés javais encore dautres projets de ce genre quil faut que j'abandonne pour le moment » (lettre d'Anne Louis Girodet au docteur Trioson, Rome, 3 janvier 1792, fonds Pierre Deslandres, t. III, n° 23).

126. *Têtes décapitées du marquis de Launay, gouverneur de la Bastille, du conseiller d'État Foulon vu de face et de derrière, le scalp et le cœur de Berthier de Sauvigny*, mine de plomb, H. : 22,5 cm x L. : 32,5 cm, Bibliothèque nationale de France, Rés., collection Michel Hennin (1777-1863), n° 10360, [1789 14 juillet].

127. Nevison Brown, 1980, p. 44-46 ; Crow, 1997, p. 144-145 ; Lafont, 2001, t. I, p. 90, 307-308, n° 53.

128. Emilie Beck Saiello, *Alcuni documenti inediti su Girodet a Napoli*, Ricerche di Storia dell'arte, n° 81, anno 2003, p. 99-109. Le document cité en extrait provient des Archives de Naples, *A.S.N.* affari esteri, B. 548.

129. L'utilisation du féminin *queste*, peut être une imprécision de l'officier de police, fait penser que l'objet incriminé était une peinture.

130. Coll. part. Marie-Jeanne Trioson est morte le 21 septembre 1796.

131. Coll. part. Benoît Agnès est mort en 1804 (cat. 77-79). Ces deux dessins sont atypiques dans la production de Girodet, mieux connu pour ses dessins estompés, rehaussés de blanc ou encore ses dessins linéaires flaxmaniens. Sa production est cependant plus diverse, la qualité du dessin, la recherche de mise en page qui se retrouve dans plusieurs portraits féminins plus tardifs et la provenance de ces deux œuvres conservées chez les héritiers de l'artiste comme l'adjonction dans la composition du texte latin d'Horace, ainsi qu'une inscription confirmant l'identité des modèles, constituent un faisceau d'indices assez large pour que nous attribuions ces deux dessins à Girodet.

132. Crow, 1997, p. 143-144, ill. 41.

133. Pierre Rosenberg et Louis-Antoine Prat, *Jacques Louis David 1748-1825, catalogue raisonné des dessins*, Milan, 2002, t. II, p. 1201, R 131 ; t. II, p. 1185, R 32.

134. Un autre dessin (Rosenberg-Prat, voir note précédente) représente aussi la tête du marquis de Launay avec cette fois celle du commandant Losme Salbrai, également massacré et décapité le 14 juillet 1789, fut attribué à David.

135. Girodet avait eu le projet, non retenu, de peindre un tableau représentant les Ambassadeurs de la Porte auprès du Directoire où il voulait montrer « l'opposition et le contraste du luxe asiatique et de la dignité du costume constitutionnel » (Leroy, 1892, p. 43-45). Son deuxième essai infructueux fut la commande d'un tableau sur L'attentat de Rastadt, que le Directoire confia mais sans lendemain à Girodet, lauréat du Concours de l'an VII. Voir *infra* et J. L. J. David, 1880, p. 343. Boyer, 1967, p. 246.

136. Jusque dans l'atelier de Girodet, on retrouve la tête d'un décapité, cette fois sous la forme de la charge d'un camarade d'atelier. Voir *Dessins de l'atelier de Girodet*, album Moreau Nélaton, Bibliothèque nationale de France, inv. Na 106 Pet fol/fol. 65 : « il ne piochera plus ».

137. « [...] Nous manquâmes d'être *foullonisés* en un village du Dauphiné, appelé la Verpillère [...] » Gérard, 1886, p. 135-136. Voir aussi sur cet épisode, Lettre de Anne Louis Girodet au docteur Trioson, Turin, 5 mai 1790, fonds Pierre Deslandres, t. III, n° 3. Coupin, 1829, t. II, p. 357-362.

138. Sur cette affaire, voir les dossiers des archives des Affaires étrangères publiées par Montaiglon et Guiffrey, 1907, t. XVI, lettre de Jacob, à Buchot, Venise, 29 thermidor an II [samedi 16 août 1794], Affaires étrangères, t. 251, f° 292 v, *ibidem,* t. XVI, 1907, p. 372-373, n° 9506. Copie d'un mémoire présenté par Jacob, chargé d'affaires à Venise, à la seigneurie de Venise, Venise, 2 fructidor an II [mardi 19 août 1794], Affaires étrangères, t. 251, f° 301, *ibidem,* p. 375- 376, n° 9508) ; lettre de Jacob, à Buchot, Venise, 6 fructidor an II [samedi 23 août 1794], Affaires étrangères, t. 251, f° 297, *ibidem,* 1907, p. 374, n° 9507 ; lettre de Jacob à Buchot, Venise, 13 fructidor an II [samedi 30 août 1794], Affaires étrangères, t. 251, f° 311, *ibidem,* p. 381, n° 9510). Réponse du Sénat à Jacob, chargé d'affaires de la République à Venise, [Venise], [samedi] 30 août 1794, Affaires étrangères, t. 251, f° 320, *ibidem,* t. XVI, 1907, p. 382, n° 9512.

139. Lettre de Jacob, à Buchot, Venise, 29 thermidor an II [samedi 16 août 1794], Affaires étrangères, t. 251, f° 292, v, publiée par Montaiglon et Guiffrey, 1907, t. XVI, p. 372-373, n° 9506 ; Lafont, 2001, t. I, p. 89 ; Lemeux-Fraitot, 2003, t. II, p. 34).

140. Lettre inédite d'Anne Louis Girodet au docteur Trioson, [Naples], [fin janvier] [1793], fonds Pierre Deslandres, t. III, n° 34. 143.

141. Vers 1810 selon Coupin, t. I, p. lxxxij. Le dessin n'est pas localisé.

142. « Châtillon, du 30 décembre 1789. [...] je viens de me brouiller avec toute ma famille. Jeune, sans expérience, et surtout de bonne foi, j'ai eu la simplicité de croire que des parents étaient des amis nés. Dupe de leurs caresses, il fallait une épreuve pour me désabuser, [...] Mais, mon ami, à mesure que l'on avance en âge, et que, destitué des secours de père et de mère, on ne rencontre plus dans des collatéraux, au lieu de tendres parents, que des ennemis intéressés, c'est alors que cette généreuse confiance, caractère distinctif de la jeunesse, s'affaiblit, s'émousse et se perd entièrement. [...] Du 31 décembre/. Je voudrais déjà être à cent lieues de l'endroit où je suis. Je sens qu'il m'est impossible de me contrefaire longtemps, surtout en face de gens que je ne puis ni aimer ni estimer. Peut-être que par lettre cela est moins difficile. Je vais essayer, et pour commencer je vais écrire à M. David *affectuoso*, afin qu'au moins, selon l'usage du monde, je n'aie point de reproches à me faire. [...] ; je crois que si je n'avais pas d'ami, je m'en supposerais un et j'écrirais à cet être imaginaire, je m'en croirais aimé, je ferais moi-même les réponses. – Eh bien, un agréable mensonge, si j'en étais réduit là, ne serait-il pas préférable aux tristes réalités qui m'entourent ? [...] » Gérard, 1886, t. I, p. 127.

143. *Ibidem*.

144. « [...] J'ai vu le Roy et toute sa cour assister a une messe en musique mais je n'y ai vu ni le comte ni la Ctesse d'artois. [le futur Charles X en exile chez son beau-père avant de rejoindre les émigrés à Coblentz] le roy a l'air d'un homme d'esprit et fort affable. [Victor Amédée III, roi de Sardaigne 1773-1796] il n'y a par ici un seul beau tableau dans les Eglises que nous avons toutes visitées. Je viens de me présenter au palais du Roy pour voir les appartemens et les tableaux qu'on dit de Vandick. [...] » (fonds Pierre Deslandres, t. III, n° 3 ; Coupin, 1829, t. II, p. 357-362, lettre n° 33).

145. Le 21 juin 1791, Louis XVI et la famille royale sont arrêtés à Varennes alors qu'ils fuyaient Paris pour rejoindre la place forte de Montmédy, non loin de la frontière allemande.

146. Gérard, 1886, t. I, p. 127-130.

147. « Les tantes du Roy sont arrivées [f° 2, v] ici de samedi dernier cela a fait une grande sensation a Rome surtout parmi les aristocrates. le cardinal Mr Menageot son ombre, et autres ont ete au devant delles une 15e de lieues et les princes et princesses Romains les ont ete attendre. un des portillons des tantes chantait en entrant (Sans malice Surement) o crux ave Spes unica. Je lai entendu et jen ai ri de bon cœur. elles ont ete se jetter au genoux du pape en pleurant, le pape comme de Raison les a relevées leur a envoyé des présens et les communie aujourdhui de sa main pendant que nous autres il nous excommunie bien dans les formes par un Bref d'une 15e de pages dont vous avés peut etre deja connaissance. » (fonds Pierre Deslandres, t. III, n° 16) ; Coupin, 1829, t. II, p. 385-388, lettre n° 40 (le passage cité ici est censuré dans l'édition de Coupin).

148. Gérard, 1886, p. 176.

149. Lettre d'Anne Louis Girodet au docteur Trioson, Rome, 28 juillet 1791, fonds Pierre Deslandres, t. III, n° 19, publiée par Coupin, 1829, t. II, p. 393-395, lettre n° 43.

150. « On dit la que Roy soi disant constitutionel demande du tems pour examiner et signer la constitution. pourvu toutefois qu'après lavoir signée sil prend ce parti il ne sevade pas encore en protestant contre tous les actes émanés de lui pendant sa seconde captivité quand a moi je vous assure que ni lui ni sa chere et fidèle compagne ne minspirent pas grande compassion ce sont a coup sur des sournois qui enragent en dedans [f° 2, v] qui cedent a la force et a la nécéssité mais qui ne balanceraient pas de ressaisir la moindre partie de leur autorité première même au prix de tout ce sang francais » (lettre inédite d'Anne Louis Girodet au Mme Trioson, Rome, 20 septembre, fonds Pierre Deslandres, t. III, n° 20).

151. « jattends de vous beaucoup de détails, de ce qui vous concerne particulierement car pour les nouvelles publiques les gazettes encore nous instruisent à peu près. dite moi mon ami comment vous passés le tems. je vous vois ainsi que Mde Trioson occupées de donner a vos enfans une éducation républicaine je veux aussi force détails qui les regarde. Je vous embrasse de tout mon cœur » (lettre inédite d'Anne Louis Girodet au docteur Trioson, Naples, 28 juin an II [28 juin 1793], *ibidem*, t. III, n° 40).

152. Lettre de Ménageot à d'Angiviller, in Montaiglon et Guiffrey, 1907, t. XV, p. 422.

153. « J'ai commencé à composer une Mort de Pyrrhus. C'est un sujet analogue à celui de Marius, car il fait peur par son regard seulement à des soldats qui vont le tuer. Il est tiré de Plutarque. J'en ferai une esquisse peinte en manière de petit tableau. » Lettres adressées au baron François Gérard, t. I, septembre 1790, p. 156. Philippe Bordes a reconnu dans cette esquisse l'ébauche dont Girodet entretient Gérard. Il lui a aussi rattaché le dessin préparatoire (cat. 13). L'esquisse de *La Mort de Pyrrhus*, n° 92 du catalogue Pérignon, est ainsi décrit : « Esquisse peu faite, représentant Phyrrus, roi des Epirotes, se défendant contre des soldats argiens. T. I. 13 p. h. 9 p. ». N° 109 de la vente après décès retrouvée par Jean Marie Voignier, elle fut achetée 180 francs par Didot. Il ne s'agit sans doute pas de l'esquisse de la collection du comte Lepic de Gros et de même dimensions, montrée sous le titre *Marius à Minturnes* n° 7 de l'exposition « Gros, ses amis ses élèves », Paris Petit Palais. Voir Crow, 1997, p. 128-130, n. 51.

154. Jean-Germain Drouais, *Marius prisonnier à Minturnes*, 1786, musée du Louvre.

155. La radiographie d'un second paysage d'Italie (Dijon, musée Magnin, inv. 1938 f 435) révèle sous la couche picturale un croquis des éléments architecturaux extérieurs qui paraissent de chaque côte des colonnes placées derrière Pyrrhus dans l'esquisse de la composition.

156. Cat. 14.

157. Lettre d'Anne Louis Girodet au docteur Trioson, Rome, 23 juin 1791, fonds Pierre Deslandres, t. III, n° 17 ; publiée par Coupin, 1829, t. II, p. 391-393.

158. Lettre d'Anne Louis Girodet au docteur Trioson, Rome, 19 avril 1791, fonds Pierre Deslandres, t. III, n° 16 ; publiée par Coupin, 1829, t. II, p. 385-388, voir aussi t. I p. VIJ.

159. Lettre d'Anne Louis Girodet au docteur Trioson, Rome, 24 octobre 1791, fonds Pierre Deslandres, t. III, n° 21 ; partiellement publiée par Coupin, 1829, t. II, p. 395-397.

160. Lettre d'Anne Louis Girodet au docteur Trioson, Rome, 7 juillet 1790, fonds Pierre Deslandres, t. III, n° 6.

161. « je vous remercie mon bon ami de loffre que vous me faites de me procurer une recommandation auprès du Cardinal de Bernis comme il ny a pas un francais qui ne lui soit ainsi recommandé pour ne pas avoir la gêne d'obliger tout le monde il a pris le parti très sage/et très commode\ de n'obliger personne, et les francais en particulier, sa protection est plus qu'inutile pour se faire ouvrir quelque palais ou galerie que ce soit ici on ne connaît que l'argent cest le vrai passe partout de toutes les serrures et de toutes les portes, les concierges ont tous les oreilles dans les mains/ et\ par ce moyen on peut sfe passer de la recommandation ministerielle. » Lettre d'Anne Louis Girodet au docteur Trioson, Rome, 1er février 1791, *ibidem*, t. III, n° 14

162. Gérard, 1886, p. 158.

163. « Je viens cependant de louër un attelier ; car je nen puis avoir de trois mois a l'academie et même si j'avais quelque chose d'un peu grand a faire ils ne suffiraient pas et je serais tout de même obligé d'en avoir un en ville. mais comme les Règlements le défende on ne le dit pas au directeur, qui quand bien même il en serait instruit ferait semblant de n'en rien savoir » (lettre d'Anne Louis Girodet au docteur Trioson, Rome, 7 juillet 1790, fonds Pierre Deslandres, déposé à Montargis, musée Girodet, t. III, n° 6 ; publiée par Coupin, 1829, t. II, p. 364-367, lettre n° 35). Voir à ce sujet l'autorisation de Ménageot, in Montaiglon et Guiffrey, 1906, t. XV (1785-1790), p. 357-358 ; p. 426-427 ; 431 (Archives nationales, O1 m1943).

164. Lettre d'Anne Louis Girodet au docteur Trioson, Rome, 25 novembre 1791, fonds Pierre Deslandres, t. III, n° 22 ; partiellement publiée par Coupin, 1829, t. II, p. 397-403.

165. « Je m'ennuie à l'excès de notre régime académique et je vous avouë quil me déplait fort. [...] il voulut cependant me contraindre dans les premiers tems que je fus arrivé daller dessiner à l'académie mais je lui répondis que je le priais de m'en dispenser et comme il insistait j'insistai aussi et lui repondis que cette occupation netait pas du tout de mon goût et je le priais de me laisser le soin de me diriger moi-même dans mes choix ce qu'il fit et il fit bien » (lettre d'Anne Louis Girodet au docteur Trioson, Rome, 25 novembre 1791, fonds Pierre Deslandres, t. III, n° 22 ; partiellement publiée par Coupin, 1829, t. II, p. 397-403).

166. Gérard, 1886, t. I, p. 154.

167. Lettre de Ménageot à Roland, Rome, [mercredi] 24 octobre 1792, AN, F17 1066, publiée par Montaiglon et Guiffrey, 1907, t. XVI, p. 118-119, n° 9292.

168. Henry Lapauze, *Histoire de l'Académie de France à Rome*, Paris, 1924, t. I, p. 444-445.

169. Charles Gilbert Romme (1750-1795) fut aussi le rapporteur du projet de calendrier républicain.

170. Lapauze, 1924, t. I, p. 444.

171. « [...] on assure que l'academie de France telle quelle est organisé actuellement est un objet de 6000ls mais qu'avons nous besoin des carrosses des laquais et des appartements d'été d'hiver et de campagne de Monsieur le Direct. tandis que nous sommes sans attelier et qu'apeine avons nous dequoi garantir nos chemises et nos mouchoirs des Rats et des Souris ou pour mieux dire nous ne l'avons pas » (lettre inédite d'Anne Louis Girodet à Mme Trioson, Rome, 20 septembre 1791, fonds Pierre Deslandres, t. III, n° 20).

172. « [...] il faudrait que chaque pensionnaire eut du Gouvernement au moins une somme de 1 000 ecus que sc tems durat 6 ans et quil fut parfaitement le maitre dall étudier ou bon lui semblerait aulieu d'être cloué a Rome c étudirait aussi les environs, dans les montagnes a floren a venife a Bologne et autres endroits en flandres & c et cha cun pourrait etudier a sa fantaisie et a coup sur ce sera l'avantage et de l'art en general et de l'artiste en particuli [...] » (lettre inédite d'Anne Louis Girodet au Mme Trioso Rome, 20 septembre 1791, *ibidem*, t. III, n° 20).

173. Il reprend ces propos dans une lettre à Trioson : « [.. il faudrait pour bien faire que lacademie de France a Ro n'existat pas cest a dire quil ny eut pas une grande berger Royale pour loger douze moutons avec quelque fois un ân a la tête (je ne dis pas cela pour notre chef actuel) et qu tous fussent comme obliger de se lever travailler couch et pisser aux mêmes heures mais il faudrait que chaqu pensionnaire fut envoyé dans le pays etranger avec mil ecus au moins par année et determine le nombre danné 6 ans par exemple et quil put etudier a Rome a Bologne florence a venise dans les montagnes en flandre en Suiss ou il lui plairait pourvu quil fut tenu denvoyer chaque anné les preuves de ses travaux dans ce pays » (lettre d'Ann Louis Girodet au docteur Trioson, Rome, 25 novemb 1791 *ibidem*, t. III, n° 22).

174. Montaiglon et Guiffrey, 1907, t. XVI, p. 250, jointe à u courrier d'Hugou de Basseville à Le Brun, p. 183.

175. « [...] a un buste de Brutus qui a tué césar qui e au Muséum du Capitole, avoir l'air d'un tirannicide et 1 écus romains ou environ de plus a employer/par an\ a me etudes, cest quelque chose que tout cela ! » (fonds Pier Deslandres, t. III, n° 14 ; publiée par Coupin, 1829, t. p. 379-385, n° 39. Le passage cité est censuré par Coupi

176. Boston, Museum of Fine Arts.

177. Musée Carnavalet. Voir F. Masson, *Les Diplomates la Révolution*, 1882, p. 15-145, L. Vicchi, *Les Français Rome sous la Convention*, p. 8-91 ; Voir notice « Chinard par I. Leroy-Jay-Lemaistre, in M.-Cl. Chaudonneret, ca exp., Les Muses de Messidor, Lyon, 1989-1990, p. 76 Crow, 1997, p. 176-180.

178. « [...] le pape informé que l'ecusson de la republiq devait être incessemment placé au lieu que les autres occ paient a fait parvenir au Consul une note officielle par la quel rappellant les griefs quil croit avoir contre la france il dit ave une repetition affecté quil mourra plutot que de consentir a c que sous ses yeux et dans sa ville on expose l'ecusson de soi disante république... » (lettre inédite d'Anne Louis Girod au docteur Trioson, [Rome], 9 janvier an II [9 janvier 1793 fonds Pierre Deslandres, t. III, n° 31).

179. Lettre d'Anne Louis Girodet au docteur Trioso Naples, 18 janvier [1793], *ibidem*, t. III, n° 33, publiée p Coupin, 1829, t. II, p. 421-423, (avec la date du « 19 janvi 1793 »).

180. L'édition en 27 volumes de Rousseau, les *Considér tions sur les causes de la grandeur des Romains et le décadence*, de Montesquieu, Les *Essais* de Michel c Montaigne, et *Le Voyage du jeune Anacharsis* de l'ab Barthélémy.

181. « [...] je suis fache pour Monsieur Colbert qui n'éta as un Sot quil ait crû devoir plutot flatter la vanité de son aître que de lui faire envisager la facon la plus utile dem-oyer les fonds de ces etablissements quun pensionnaire eintre soit niché dans un trou immédiatement sous le it qui n'est pas toujours si bien bon etat quil ne pleuve ouvent dans sa cahutte que du chevet de son lit il puisse availler a son tableau et soit presque forcé de serrer son nge dans sa boïte a couleurs rien de mieux pourvu que Mr. e Directeur ait la jouissance de tout le reste de l'hotel pour i 7 ou 8 laquais femme de chambre & c quil ait apparte-ent d'été et d'hiver et quil puisse y loger les amis et amies ourvu que les etrangers voient au-dessus de la porte entrée enrichies de colonnes corinthiennes un énorme cusson avec des fleur de Lys [...] quand a la révolution ous n'en parlerons pas puisque vous me l'ordonnés mais/ cause de\ la différence de nos opinions sur ce Sujet je rai a votre attachement pour moi le Sacrifice de l'ambition ue me permet la Constitution, et je me bornerai a défendre a liberté comme artiste autant parceque cela me regarde us particulierement parceque cela ne vous touche en rien, sont mon bon ami les veritables sentimens de Votre bien ncere ami » (lettre d'Anne Louis Girodet au docteur Trio-n, Rome, 28 février 1792, fonds Pierre Deslandres, t. III, ° 24).

2. « mon bon ami vous savés quon parle dune Loi agraire ue sera-t-elle Seront nous reduit a quatre arpens ou a six ec deffense d'en posseder plus. Il y aurait beaucoup de eflexions a faire mais je nen ferai point ici [...] » (lettre édite d'Anne Louis Girodet au docteur Trioson, Rome, 9 octobre 1792, *ibidem*, t. III, n° 30).

3. Je suis charmé que mon ami se porte bien je suis bien se quil ait fait une bonne acquisition mais je le plains detre procès avec ces moinesses car tant quelles pourront je ois quelles saisiront toutes les occasions [pour]tracasser s [] [f° 1, *v*] affaire il est impossible quelles gagnent uelques moyens iniques quelles employent elles ne peu-nt denaturer le fait et je crois que l'assemblée nationale sembarasera pas beaucoup delles et que Mr Trioson n'a en a craindre pour son acquisition je vous assure que si je ouvais du bien de moine a vendre bien a ma convenance a bon marché je risquerais aussi de les voir envoier un emoire a l'assemblée. Lettre inédite d'Anne Louis Girodet Mme Trioson, Rome, 20 septembre 1791, *ibidem*, t. III, ° 20.

4. Lettre d'Anne Louis Girodet au docteur Trioson, Rome, 4 octobre 1791, *ibidem*, t. III, n° 21.

5. « *ce j.-f.* qu'on appelle le roi de Naples », Gérard, 1884, 161.

6. Lettre d'Anne Louis Girodet à Louis David, [Venise], endredi 23 mai 1794], publiée par J. L. J. David, 1880, 178.

7. Lettre d'Anne Louis Girodet au docteur Trioson, Venise, messidor an II [28 juin 1794], fonds inédit Pierre Des-ndres, t. III, n° 58.

8. En 1792, le royaume de Naples avait refusé de recon-aître la République Française. Il s'ensuit un véritable cident diplomatique et Paris envoya une flotte comman-ée par Latouche-Treville. L'escadre française obtint la reconnaissance de la République et de son ambassadeur et établit les premiers contacts avec les patriotes napolitains. Le 21 janvier 1793, à Paris, Louis XVI est guillotiné. À Naples ont lieu les premières arrestations. Lorsque durant la deuxième moitié d'octobre 1793, la nouvelle de la décapitation de la reine de France parvient à Naples, l'équilibre émotionnel de Marie-Caroline s'effondra complètement. Acton est convaincu que Naples est rempli de républicains prêts à se révolter. Les livres et les journaux ou les publications provenant de France, comme les vêtements qui s'inspirent de la mode française, sont bannis. Les arrestations se multiplient, les prisons se remplissent. Une partie de la noblesse libérale, parfois proche de la cour et l'Intelligentsia sont surtout frappés. Les français sont systématiquement expulsés du royaume.

189. Malgré le traité de paix de 1796, Ferdinand s'inquiéta de l'occupation de Rome par les troupes du Directoire. Marie-Caroline le convainquit de profiter de l'absence de Bonaparte en Égypte et des victoires maritimes de Nelson pour déclarer la guerre à la France. Les troupes napolitaines entrèrent dans Rome le 29 novembre 1796. Battus par les français les troupes se replièrent à Naples. À leur approche, Ferdinand et Marie-Caroline s'enfuirent à Palerme laissant le royaume en complète anarchie. Malgré la résistance farouche des lazzaroni, l'armée française conduite par le général Championnet entra dans Naples et, avec l'aide d'une fraction la bourgeoisie et de la noblesse, instaura la République parthénopéenne (janvier 1799). Après plusieurs mois, les troupes françaises rappelées dans le nord de l'Italie abandonnèrent la jeune république. En février, le cardinal Fabrizio Ruffo débarqua avec l'assentiment royal en Calabre. En faisant paradoxalement lever la haine des masses paysannes vis-à-vis des propriétaires, il réussit à conquérir la région rapidement puis s'avança dans le Basilicat et les Pouilles. En avril, la nouvelle des défaites subies par les troupes françaises en Lombardie face aux Autrichiens contraint les Français à évacuer les Pouilles et peu après tout le royaume. Les républicains doivent alors se défendre seuls contre les forces victorieuses du cardinal Ruffo qui avancent sur Naples. La république est renversée le 13 juin. Après une résistance désespérée au pont de la Maddalena, puis dans les forteresses de la ville, les patriotes rescapés des massacres perpétrés par les hordes sanfedistes et les lazzaroni insurgés obtiennent une capitulation honorable (19-23 juin). Elle est proposée par Ruffo mais refusée par Nelson (il avait appuyé les Bourbons avec les forces navales anglaises), et déclarée nulle le 8 juillet par le roi qui vient de rejoindre Naples. Ainsi commence l'exécution des patriotes napolitains, jugés par les commissions d'État nommées par Ferdinand IV. Plus de cent républicains sont pendus ou décapités et parmi ceux-ci, les plus grands noms de l'intelligentsia napolitaine : Francesco Mario Pagano, Eleonora Pimentel Fonseca, Ignazio Ciaia, Domenico Cirillo, Vincenzo Russo, qui avait aussi joué un rôle dans la République romaine, et l'amiral Francesco Carracciolo contre lequel Horatio Nelson nourrissait une haine particulière.

190. Mackau fut ministre de France à Stuttgart, puis à Florence en 1791 et à Naples en 1792. En 1793, il fut expulsé avec tous les Français : Arnault, Jay, Jouy Norvins, etc. (voir *Biographie nouvelle des contemporains*, Paris, 1825, p. 220).

191. Pierre Marie Malouet ou Maloët (1730-1810) était arrivé à Rome le 17 avril 1791 avec les tantes du roi au service desquelles il était attaché. Porté sur la liste des émigrés, il exerça sa profession au Corso, paroisse San Marcello, tant auprès de Mesdames que de la population romaine. Il s'était réfugié à Naples après l'insurrection romaine. Expulsé avec les autres Français en 1793, il se rendit à Gènes où il soigna de nouveau Girodet. Voir AN F7 5644 (dossier Malouet) et A. Tuetey, « Les Pensionnaires de France à Rome », *Bulletin de la Société de l'art français*, années 1915-1917, 1918, p. 121-123. Michaud, *Biographie universelle et moderne* [repr.], 1968, p. 274.

192. « [...] un Mr. Le faivre ou le febvre viellard agé de 74 ans mais tres vert pour son âge autrefois très repandu dans le grand monde Paris où il entretient encore beaucoup de correspondance, grand amateur de peinture m'a pris en amitie et ma fait faire plusieurs connaissance qui me seront agreable et utile pour tirer parti du pays » (lettre inédite d'Anne Louis Girodet au docteur Trioson, Naples, 9 février 1793, fonds Pierre Deslandres, t. III, n° 35 et n° 36).

193. « Mrs Reymon Piatti m'on comblé de bontés pendant tout le tems de mon sejour a Naples sans eux je n'aurais pû faire mon voyage jusqua Venise. Je logeais dans une maison vacante qui leur appartenait [...] » (lettre inédite d'Anne Louis Girodet au docteur Trioson, Venise, 12 prairial an II [31 mai 1794], *ibidem*, t. III, n° 51). Les Piatti seront arrêtés et conduits à Gaète lors de l'écrasement de la République parthénopéenne en 1799 (voir la lettre de Antoine Jean Gros à sa mère, Gênes, 29 thermidor an VII [vendredi 16 août 1799], Institut néerlandais, fondation Custodia, inv. 1987-A.48, f° 1, v).

194. « Je ne vous – conseillerais pas même de venir a Naples. un Vésuve Politique plus a redouter que celui qui aneantit herculanum, prépare sourdement une explosion formidable ce nest pas que le gouvernement n'ait le plus grand interêt a comprimer la fermentation mais ses efforts ne seront peut être pas suffisants notre revolution a ici un nombre prodigieux de partisans, c'est cependant a la crainte quils inspirent que les français sont en partie redevables de la Tranquillité momentanée dont ils y jouissent » (lettre d'Anne Louis Girodet à Mme Trioson, Naples, 1er et 28 mars an II [1er et 28 mars 1793] Pierre Deslandres, t. III, n° 38).

195. Ce portrait est peut être celui connu par la copie de Jean-Baptiste Wicar, Paris, musée du Louvre.

196. Mark Ledbury, « Unpublished letters to Jacques-Louis David from his pupils in Italy », *The Burlington Magazine*, CXLII, n° 1166, mai 2000, p. 300,

197. « Vous avés bien fait mon bon amy de remettre au directr de district mes titres feodeaux puisquils ne signifient plus rien » (lettre d'Anne Louis Girodet au docteur Trioson, Naples, 3 novembre 1793, fonds Pierre Deslandres, t. III, n° 45).

198. Lettre de Trioson à François Gérard, Le Bourgoin, 20 pluviôse an II [samedi 8 février 1794], in Gérard, 1886, t. I, p. 182-185. David (1880, p. 179 ; Wildenstein, 1973, p. 85, n° 795) en a publié un extrait qu'il date du lundi « 29 pluviôse » [17 février 1794].

199. « Les romaines sont généralement très belles femme et..., [couchent ?] à ce qu'on dit, plus par intérêt que par caprice ou tempérament. Elles sont fort malpropres, quoique costumées absolument comme le Parisiennes, dont elles ont imité la mise et la tournure, depuis le passage des aristocrates. A reste, elles ne sont pas difficiles sur le choix de leur cavalier, et une telle femme habillée en princesse donne le bras à un vrai décrotteur. Il ne faut pas te dire que le mari, le père ou le frère leur servent indifféremment et successivement de... [souteneur ?] et de domestique, et que la rue du cours [le Corso de Rome] est comme le Palais Royal à Paris, excepté qu'elles ne... [?] pas. La villa Borghèse en est les Tuileries. » Gérard, 1886, de Rome le 11 août 1790, t. I p. 132.

200. Personnalité éminente de l'intelligentsia napolitaine, Domenico Cirillo est né en 1739 dans une célèbre famille intellectuelle napolitaine. Très jeune docteur en médecine, il est à vingt ans titulaire de la chaire de botanique de l'université de Naples. Ses travaux scientifiques et son adhésion à l'esprit de l'*Encyclopédie* le rendent célèbre dans toute l'Europe. En 1777, il est nommé à la chaire de médecine de l'université et pratique à l'hôpital des Incurables de Naples. Médecin de la famille royale et de l'aristocratie napolitaine, il soigne Angelica Kauffman qui fait son portrait (Naples, Museo San Martino) et sauve Emma Hamilton d'une grave pleurésie. Franc-maçon, il privilégia les activités caritatives et la recherche médicale et botaniste plutôt que l'engagement politique. Il expérimenta notamment de nouvelles cures destinées à soigner les maladies vénériennes. Malgré sa sympathie pour la Révolution et son amitié avec les intellectuels français, Cirillo, dévoué aux malades les plus démunis et profondément philanthrope, ne participa pas activement aux mouvements prérévolutionnaires. Quand la République parthénopéenne fut proclamée, il refusa de participer au gouvernement, préférant s'engager dans le projet d'une caisse de charité nationale. C'est à contrecœur qu'il accepta de faire partie de la Commission législative. À la chute de la République, Cuoco témoigne du refus que Cirillo opposa à la grâce que lui proposaient lady Hamilton et Nelson. Il fut pendu piazza Mercato, le 29 octobre 1799 avec Mario Pagano, Giorgio Pigliacelli et Ignazio Ciaja, les plus remarquables intelligences de Naples. Les publications les plus fameuses sont *De Lue venerea*, 1780 ; *Fundamenta Botanica*, 1785-1787 ; *Discorsi accademici*, 1789 ; *Regolamento per la casa di carità Nazionale*, 1799. Voir C. Giglioli, *Naples in 1799*, 1903, Londres ; L. Conforti, *Napoli nel 1799*, 1889, Naples ; C. Tivaroni, *L'Italia durante gli dominio francese*, t. II, p. 179-204.

201. Emilie Beck Saiello, *Alcuni documenti inediti su Girodet a Napoli*, Ricerche di Storia dell'arte, n° 81, 2003, p. 99-109.

202. « [...] le medecin que jai consulté est un homme fort instruit et très honnete et jouissant d'une très grande reputation. dapres un crachement de sang que jai éprouvé et d'autres symptômes il ma reconnu attaqué de la poitrine et il a declaré quil croyait très dangereux pour moi d'entreprendre dans cette Saison cy un voyage par mer son avis est que je passe l'hiver ici ; J'ai en consequence sollicité ce nouveau delai et jattends le resultat de ma demande. Je voulais risquer le voyage de Florence mais voici la toscane declarée depuis plusieurs Jours et on assure que gênes est sur le point d'imiter son exemple çaurait été dailleurs contre l'avis de mon medecin qui me recommande la plus parfaite tranquillité et le régime le plus exact il m'a mis au ris – au gras et au lait pour toute nourriture et je tiens dailleurs un vessicatoire au bras gauche qui produit beaucoup deffet. Si avec ces précautions je puis joindre le repos que jai demandé jespere triompher de cette indisposition malgré la mauvaise Saison Je vous dirai encore que de mon chef j'ai imaginé de porter des gilets de flanelle d'angleterre ce que mon medecin a encore approuvé jai négligé mon bon ami de vous instruire de cet accident pour ne point vous inquieter, [f° 1, v] je nimagine point quil vous vinsse dans lesprit que jaye pu vous le laisser ignorer par un autre motif mais cette maladie est si connuë que je nai pas crû que l'habil homme qui veut bien me donner ses soins ait pû ignorer le traitement. dailleurs je me trouve deja mieux de celui que jai commencé Je vous avouë même que j'aurais attendu ma guérison pour vous en parler si les circonstances ne m'en fesaient la loi la plus imperieuse de rompre le Silence il est nécessaire que l'on sache la cause de mon Sejour prolongé dans ce pays cy afin quil ne soit pas mal interprêté car je ne suis pas plus exempt des calomnies que bien d'autres mais je le crains moins que je ne les méprise. [...] » (lettre inédite d'Anne Louis Girodet au docteur Trioson, Naples, 3 novembre 1793, fonds Pierre Deslandres, t. III).

203. Ledbury, *The Burlington Magazine*, CXLII, n° 1166, mai 2000, p. 300 (lettre d'Anne Louis Girodet à [Louis David], Venise, 12 prairial an II [31 mai 1794]) Venise le 12 prairial l'an 2 de la Rep. e une et invdiv. e « [Si j'avais suivi [*f° 1, v*] ma première idée qui était de retourner à Paris lorsque je me vis attaqué de cette infâme maladie me livrer aux bons soins et aux lumières du Citoyen Trioson mon amy, je me serais épargné bien de l'argent et bien des souffrances, mais la honte de me presenter a lui dans cet état m'en a êmpêché, et je n'ai pas même eu le courage de lui avouer jusqu'à présent quoique je sois bien persuadé qu'actuellement je serais guéri et peut-être depuis longtems. ayant à lui faire cette confession c'est encore un autre poids qui me pèse. [...] ma chaude-pisse à peine legérement diminué au bout de 10 mois du régime le plus rigoureux, elle passa alors dans le sang, et se manifesta à l'extérieur par une multitude de boutons et surtout par une dartre affreuse à la partie gauche du col, qui commençait a s'étendre petit à petit sur le visage. Depuis ma fuite de Rome jusqu'au mois de 7bre que je devais sortir de Naples, je n'ai cessé de continuer mes remèdes, sans presqu'aucun succès, enfin à cette époque je fis la triple imprudence de courir de côté et d'autre, me fatiguer à faire quelques croquis que j'avais envie d'avoir avant mon départ, de provoquer plus que je n'avais encore fait la rentrée de cette dartre, et d'arrêter mon vésicatoire pour n'en pas avoir l'embarras en route. L'humeur aussi rentré dans l'intérieur, se jetta à la fois sur la poitrine, sur la vessie, et les prostates. Je crachai le sang je l'urinai aussi presqu'en même tems avec des matières ressemblant a des blancs d'œufs gâtés, et des douleurs continuelles qui m'arrachaient des cris. et une fièvre legere presque continuelle. c'est là l'état pendant lequel j 'ai été depuis le mois de 7bre dernier (Besançon, bibliothèque municipale, fonds Droz, Ms. 1441, inv. 434-435).

204. « il n'y a pas/la\ de quoi entretenir des filles quand j'en aurais le goût » (lettre d'Anne Louis Girodet au docteur Trioson, Rome, 28 septembre 1790, fonds Pierre Deslandres, t. III, n° 11).

205. Voir Bruno Chenique, « Biochronologie » ; voir aussi *infra* Stéphane Guégan, « Ni rouge ni blanc ». S. Lemeux-Fraitot (2003), t. I, p. 150, défend aussi la théorie de Girodet franc-maçon.

206. Albert Boime, in Michel, 1993, t. I, p. 261- 291.

207. La question « que signifie les trois points entre deux barres parallèles qui accompagnent les signatures aux XVIIIe et XIXe siècles ? » est débattue par les abonnés de *L'intermédiaire des chercheurs et des curieux*, qui y répond sous la plume de Jean Bossu en novembre 1959, col. 968 ; avril 1960, col. 343 ; septembre 1960, col. 816 ; novembre 1960, col. 1003 ; mars 1961, col. 229 ; novembre 1965, col. 1026 ; janvier 1966 col. 17, 18 (par H. D. et par Joseph Grelier) ; avril 1966, col. 338 (par Marius Lepage et par J. V.) ; juin 1966, col. 545, août 1966, col. 743 (par Janus). Voir aussi *Archista*, n° 79, mars-avril 1987, publie le schéma des signatures ponctuées publiées par Michel Taillefer dans *La Franc-maçonnerie toulousaine* (en 1789, 5 % des signatures masculines sont concernées).

208. Louis Amiable, 1897. Voir aussi Jean Bossu, *Les Débuts de la franc-maçonnerie dans les Vosges,* Épinal, *197 ; Une loge maçonnique sous la Révolution française : Le Centre des Amis*, Paris, 1958 ; Le Franc Abbe, *Le Voile levé pour les anxieux ou le secret de la révolution révélé à l'aide de la franc-maçonnerie,* S.L, 1791 ; BNF *Procès-verbal de la loge des artistes*, Paris, 1797 ; *Tableau des frères et sœurs qui composent la R.L. des Neuf Sœurs,* S.L, 1786.

209. *Ibidem*, p. 266 et 275.

210. Dorigny, Gainot, 1998, p. 1998, p. 31.

211. Voir Paul Naudon, *La Franc-maçonnerie*, Paris, 1963, p. 51-52.

212. Six mois avant d'être décapité, Philippe d'Orléans écrivait dans le *Journal de Paris* du 22 janvier 1793 : « Dans un temps où personne ne prévoyait une révolution, je m'étais attaché à la franc-maçonnerie qui offrait une sorte d'image de la Liberté. J'ai depuis quitté le fantôme pour la réalité [...] Comme je ne connais pas la manière dont le Grand-Orient se compose et que d'ailleurs, je pense qu'il ne doit y avoir aucun mystère ni aucune assemblée secréte dans une République, surtout au commencement de son établissement, je ne veux plus me mêler de rien du Grand-Orient, ni des assemblées franc-maçonnes. »

213. « J'imaginai de lui offrir une petite esquisse terminée représentant Erasistrate découvrant la maladie d'Antiochus » (lettre inédite d'Anne Louis Girodet au docteur Trioson, Venise, 12 prairial an II [31 mai 1794], fonds Pierre Deslandres, t. III, n° 51) ; Pérignon, 1825, p. 21, n° 91 liste une « Esquisse légèrement touchée, sujet de la maladie d'Antiocus ; composition de trois figures. P. 1.8 p h.6 p. »

214. Coupin, 1829, t. I, p. xj.

215. Conservé au musée Mario Praz, palais Primoli Rome. Voir Stefano Susinno e Elenna di Majo, *Le Stanze della Memoria*, cat. exp., Rome, Galleria Nazionale Moderna, 21 mai – 6 septembre 1987, p. 82-85, ill. 51a.

216. Encre noire, lavis brun et rehauts de blanc, sur papier beige, H. 25,7 cm ; L. 36,4 cm, Paris, galerie J & M Duputel. Les inscriptions au dos du dessin sont : « La donna/velo in testa paglino/tunica bianca/cappotto arancino/sotto veste bleu/il fondo del quadro marmorino, cenericcio il panneggio del campo nero il panno sul malato violetto il medico vestito verdone il letto dorato – la sedia argentata pavimento di marmo mischio/Il celebre Girodet dipinse della stessa grandezza nel 179[?] Calcidonio Casella copiò in casa di Girodet nella stessa epoca » (« La femme/la tête couverte d'un voile couleur paille/tunique blanche/manteau orangé/veste bleue/Le fond du tableau marmoréen cendré/Le drapé autour du lit (del campo) noir/la draperie sur le malade violette/le médecin est vêtu de vert foncé, le lit doré/le siége argenté/le sol de marbres mélangés/Le célèbre Girodet l'a peint de cette même dimension en 179[3] Calcidonio Casella l'a copié dans la maison de Girodet à la même époque. »).

217. La composition comprenant cinq personnages est connue par deux dessins, l'un conservé au musée Bonnat (inv. 2135) et l'autre, crayon, lavis gris, rehauts de blanc, H. 19,4 cm ; L. 25 cm, apparu à l'hôtel Drouot, étude Delvaux le 28 mars 2001, n° 9. Elle fut gravée par Étienne Loche. La lettre indique : *girodet-Trioson invt/imp. Lith. De Villain, rue de sévre n° 23/lith. Par E. Loche. / Anthiochus et Stratonice. / ....son poulx se hastoit et se haulsoit... Adonc Erasistratus par ces signes... faisant un vrai – semblable discours que ce ne pouvoit estre autre que Stratonice Plut.* » Voir Bellenger, Le girodisme d'Ingres, 1999, Center 19, C.A.S.V.A, p. 45-51. ill. p. 48-49.

218. À rapprocher des œuvres du catalogue Pérignon, 1825, n° 101 et 104 ou 21. L'un deux fut exposé dans le catalogue de l'exposition du musée de Montargis en 1967, N° 18.

219. Ces tableaux sont à comparer aux œuvres que William Hamilton avait fait réaliser par Pietro Fabris (né en Angleterre et actif de 1754 à 1792), les illustrations du supplément de *I Campi phlegraei*, publié à Naples en 1779. Le supplément consacré à la minéralogie et à la géographie du Vésuve comprend six vues des éruptions de 1760, 1777 et 1779. Il marque l'entrée de la vulcanologie dans les sphères de la curiosité. La bibliographie des védutistes napolitains est vaste. Voir par exemple Renato Mammucari, *Napoli e i suoi colori, dai campi* phlegraei *di W. Hamilton alla scuola di posilipo,* Velletri, 1989.

220. « Quand aux études du Vésuve Je crois avoir de quoi satisfaire Votre curiosité et orner votre Cabinet d'histoire naturelle depuis longtems j'ai prié et je continue de rappeler a un homme de mérite qui ma promis une esquisse de l'effet de nuit de la dernière eruption qui eut lieu après mon départ » Venise le 5 pluviofe l'an 3 de la Répe Fe une et Indivisible, fonds Pierre Deslandres, t. III, n° 68. Une des vues correspond au n° 18 du catalogue Girodet, Montarg 1967, l'autre est dans une collection particulière français

221. Lettre Anne Louis Girodet à Buchot, [Venise], [same 24 mai 1794], Affaires étrangères, t. 251, f°s 202, publi par Montaiglon et Guiffrey, 1907, t. XVI, p. 369, n° 950 et lettre d'Anne Louis Girodet-Roussy à Trioson, Venis 12 prairial an II [samedi 31 mai 1794], fonds Pierre De landres, déposé au musée de Montargis, t. III, n° 51.

222. Lettre de François Noël à Buchot, Venise, 5 prairial II, [samedi 24 mai 1794], Affaires étrangères, t. 251, f° 18 publiée par Montaiglon et Guiffrey, 1907, t. XVI, p. 36 n° 9501.

223. Lettre d'Anne Louis Girodet au docteur Trioson, Venis 12 prairial an II [31 mai 1794], fonds inédit Pierre Desla dres, t. III, n° 51.

224. La correspondance de Girodet en Italie doit être l avec précaution. Il n'a pas avec Trioson la liberté de ton de pensée qu'il a, par exemple, avec son camarade d'atel Gérard. Il faut aussi composer avec les lacunes de cette c respondance et la lire à la lumière des événements. Ain à l'appréhension de la censure de « l'inquisition » vatica il faut probablement ajouter l'intégration par les épistolie de la surveillance jacobine. « J'attends actuellement de v nouvelles tous les courriers, jen ai besoin dans la crair de l'inquisition de la poste de ce pays cy je nose me pe mettre aucune Reflexion. Je crains même que cette let ne vous parvienne pas. et il est peut etre prudent pour surete des correspondances et pour quelles ne soient po interceptées de laisser les papiers publics seuls raisonn des evénemens », lettre inédite d'[Anne Louis Girodet] docteur Trioson, Rome, 6 juillet 1791, *ibidem*, t. III.

225. Lettre inédite d'Anne Louis Girodet au docteur Triosc Venise, 25 prairial an II [13 juin 1794], *ibidem*, t. III, n° 5

226. Lettre d'Anne Louis Girodet à Mme Trioson, Venis 6 vendémiaire [an III] [27 septembre 1794], *ibidem*, t. n° 62 ; publiée par Coupin, 1829, t. II, p. 444-451, let n° 57.

227. François Cacault (1743-1805). peintre et professeur mathématiques, ce Nantais est avant tout un homme pc tique qui, après avoir été secrétaire d'ambassade à Naple député au Conseil des Cinq-Cents, ambassadeur à Ror finit sa carrière comme sénateur.

228. Lettre de François Cacault à Buchot, Florence, 15 pr rial an II [mardi 3 juin 1794], Affaires étrangères, t. 9 f° 202, publiée par Montaiglon et Guiffrey, 1907, t. X p. 370, n° 9503. Lettre d'[Anne Louis Girodet] à Triosc Venise, 25 prairial an II [vendredi 13 juin 1794], Mont gis, fonds Pierre Deslandres, t. III, n° 53. Lettre de Lo David à Anne Louis Girodet, Paris, [lundi] 14 juillet 17 non localisée, mentionnée par J L J David, 1880, p. 18 Wildenstein, 1973, p. 111, n° 1105.

229. Noël qui avait été dénoncé deux fois à la Conventi par Saint-Just et par Élie Lacoste, ayant tout à craindre de haine personnelle de Robespierre, envoya sa démission Comité de Salut public avant la chute de ce dernier 27 jui 1794. Selon Coupin, 1829, p. xij, « ce fut au moment mê où la position de Noël devenait très critique, que Giro s'attacha à lui ».

30. Lettre d'Anne Louis Girodet à Trioson, Naples, [diman-
ie] 3 novembre 1793, Montargis, fonds Pierre Deslandres,
III, n° 45 ; publiée par Coupin, 1829, t. II, p. 439-440,
56.
31. Antoine Étienne Girodet est incarcéré pendant deux
ois, à Pressures, près de Clamecy, du 11 novembre 1793
1 brumaire an II) au 11 janvier 1794 (22 nivôse an II)
. Charrier, *Histoire religieuse du département de la Nièvre
endant la Révolution*, 1923, p. XXII cité par Lafont, 2001,
I, p. 90).
32. AN, F. 17. 1290 dossier 3, 3e division Académie de
ance à Rome.
33. Voir cat. 68.
34. Lettre inédite d'Anne Louis Girodet à Mme Trioson,
enève, [vendredi] 9 octobre [1795], fonds Pierre Deslan-
es déposé au musée de Montargis, t. III, n° 80.
35. Lettre inédite, Jacques Louis David à Anne Louis Giro-
et, [Paris], [22 pluviose an VI] [12 février 1798], *ibidem*,
IV, n° 100.
36. Voir cat. 41.
37. En 1808, voir Voignier, 2005, p. 10-11.
38. Ce couvent fut détruit comme plus tard la demeure de
irodet par les transformations urbaines de Paris. Il se trou-
ait près de la place Vendôme. L'adresse de Girodet à Paris
evint à partir de cette date, 55 rue Neuve-Saint-Augustin,
maison-atelier se trouvait à l'emplacement de l'actuelle
e Daunou (voir Voignier, 2005).
39. Leroy, 1892, p. 43-45
40. Voir *supra*, note 143.
41. Coupin, 1829, t. II, p. 286-287, note en bas de page
37 : « Je vous propose donc, citoyen général, d'indiquer
gouvernement, 1er dix peintres qui seront chargés de
présenter les actions et les triomphes de la liberté fran-
ise. Leurs tableaux auront treize pieds sur dix, et seront
yés 15,000 francs, avec une prime de récompense digne
la munificence nationale, pour celui qui aura remporté le
ix ; 2°dix statuaires qui seront chargés de représenter les
ands hommes dont la révolution s'honore, ou des figures
égoriques en l'honneur de la liberté. Chaque statue en
âtre, de six pieds de proportion, sera payée 4,000 francs.
n choisira les quatre meilleurs pour être exécutées de la
ême grandeur en marbre, et la matière sera fournie par le
uvernement ; elles seront payées chacune 12,000 francs,
ec l'expectative d'une figure colossale, comme prime de
compense à celui qui remporterait le prix : ces statues
raient envoyées dans les différents départements ; 3°
fin, dix architectes qui seraient chargés de composer dix
ojets pour des monuments nationaux, dont les modèles
raient exécutés en plâtre ; ces projets et modèles seraient
yés chacun [...] Les concurrens seront leurs propres
ges : ce mode seul convient à des artistes libres. »
42. Lettre d'Anne Louis Girodet à Julie Candeille, [Paris],
i-décembre 1807, Orléans, Société historique et archéo-
gique, don Becquerel (17 septembre 1860) ; publiée par
an Nivet, « Quelques lettres du peintre Girodet-Trioson
Mme Julie Simons-Candeille, conservée dans les collec-
ons de la Société archéologique et historique de l'Orléa-
is », *Bulletin de Société archéologique et historique de l'Orléanais*, t. XVII, n° 138, 4e trimestre 2003, p. 24, lettre n° 14, f° 1, r.

243. Voir cat. 66.

244. Voir cat. 22.

245. Voir cat. 10, 42 et 51.

246. Bibliothèque d'Angers, ms 1271 (1042).

247. Ordonnance du 31 décembre 1816, archives privées, fonds d'Arrodes de Peyriague. Gérard et Didot furent faits chevalier cette même année, Gros, Guérin et Forbin en 1819. L'ordre de Saint-Michel avait été fondé en 1469, le nombre des chevaliers était limité à 100. Voir aussi.N. O /3/822, dossier Saint Michel pièce D, dossier Girodet. Desèze, commandeur des ordres du roi, a la charge de cet ordre.

248. « Voici mon cher Coupin, un évènement** qui ajoute un bien cruel poids aux douleurs personnelles. De quelle autre révolution doit-il être le signal, et dans quel abîme serons-nous précipités ? » (lettre de Anne Louis Girodet à Coupin de la Couperie, Bourgoin, 17 février [1820]) ; publiée par Coupin, 1829, t. II, p. 311-312, lettre n° 13.

249. Dessin anonyme de la collection Hennin, Paris, Bibliothèque nationale de France. Le portrait de Girodet, à supposer qu'il ait jamais été réalisé, n'est pas connu.

250. Isaiah Berlin, *The Roots of Romanticism*, The A.W. Mellon Lectures in Fine Arts, 1965 The National Gallery of Art, Washington DC, Londres, 1999, donne le meilleur et le plus complet panorama de cette réaction en Europe.

251. Lettre de Girodet à S.A.R. Monsieur, frère du roy, lieutenant général du royaume 30 juillet 1814 avant même que Gérard ne fût nommé premier peintre de Louis XVIII (1817). Archives privées, fonds d'Arrodes de Peyriague.

252. *Le peintre*, poème en six chants ; et *Veillées*, fragments, Coupin, 1829, t. I

253. Coupin, 1829, t. I, p. lxxxvj.

254. Le 29 septembre 1820, la duchesse de Berry avait donné le jour au fils posthume du duc de Berry, Henri, duc de Bordeaux.

255. Laugier en avait fait l'estampe.

256. *La Décade philosophique, littéraire et politique (1794-1807).* Les articles de ce journal montrent l'importance et la contribution multiforme des idéologues à la constitution des sciences humaines ainsi qu'aux fondements du libéralisme démocratique contemporain et de ses institutions sociales.

257. Coupin, 1829, t. I p. xvj

258. *Ibidem.*

259. Delécluze, 1863, p. 270.

260. Les relations de Girodet et la littérature ont fait l'objet en 2003 d'une thèse de doctorat de Sidonie Lemeux-Fraitot. Ici, voir *infra* l'essai de Marc Fumaroli.

261. Coupin, 1829, p. 338-344

262. Pour les illustrations de Girodet, voir Barthélémy Jobert *infra*.

263. Lettre à Bernardin de Saint-Pierre, datable de la remise de son dessin pour l'illustration de *Paul et Virginie*, Firmin-Didot, 1806, Coupin, 1829, t. II, p. 279.

264. Delécluze, *Journal*, 1948, p. 67

265. « Ah ça ! Il est fou, Girodet ? Il est fou ou je n'entends plus rien à l'art de la peinture il noua fait des personnages de cristal » (Delécluze, *Journal*, 1948, p. 67).

266. Quatremère fait écho aux paroles prononcées par Garnier sur la tombe de Girodet et reproche à l'État de n'avoir pas avoir soutenu son génie à l'aune de ses mérites. Quatremère de Quincy, « Éloge historique de M. Girodet, peintre », 1er octobre 1825, in *Recueil de notices historiques*, Paris, 1834, t. I, p. 308-334.

267. Lettre à Bernardin de Saint-Pierre datable de la remise de son dessin pour l'illustration de Paul et Virginie, Firmin-Didot, 1806. Coupin, 1829, t. II, p. 279.

268. Coupin, 1829, t. I, p. xlvj.

269. Lettre d'Anne Louis Girodet au docteur Trioson, Rome, 24 octobre 1791, fonds Pierre Deslandres, t. III, n° 21 ; publiée par Coupin, 1829, t. II, p. 395-397, lettre n° 44. et même note que 272 la Lettre à Bernardin de Saint-Pierre. Coupin, 1829, t. II, p. 279 où il affirme à propos d'*Ossian* : « c'est une pure inspiration c'est donc une création ».

270. Wettlaufer, *Pen vs. paintbrush : Girodet, Balzac, and the myth of Pygmalion in post-revolutionary France*, 2001, p. 272.

271. Voir sur cette question « Mythes et mass-media », in Mircea Eliade, *Aspects du mythe*, Paris, 1963.

272. Delécluze, *Journal*, 1948, p. 61. Voir le passage sur la visite à l'atelier pour voir *Ossian*.

273. *Ibidem*, p. 61.

274. *Ibidem*, p. 270-271.

275. En particulier celui de Bertin De Vaux et de Constance de Salm.

276. Delécluze, *Journal*, 1948, p. 270-271.

277. *Ibidem*, p. 65

278. Sur cette question, voir Voignier, 2005.

279. Barthélémy Jobert, *infra.*

280. Jean Guiffrey, *L'Œuvre de P.-P. Prud'hon*, Paris, 1924 (*AAF*, XIII) p. 395-395, n° 1043, dans le commentaire de *La Soif de l'or*, illustration de Prud'hon pour *La Tribu indienne* de Lucien Bonaparte ; le dessin perdu est connu par la gravure de Roger. Guiffrey rapporte sans y adhérer « une tradition que rapporte E. de Goncourt [*Catalogue raisonné de l'œuvre peint, dessiné et gravé de Prud'hon*, 1876] selon laquelle Prud'hon aurait représenté Girodet sous les traits d'Edouard, infâme Anglais qui marche sur le corps de sa fiancée indienne Stellina et de leur bébé ! pour piller l'or d'un tombeau. Je remercie Sylvain Laveissière de m'avoir communiqué cette information.

281. Lettres de Bertin à Fabre, 30 avril 1820 et 30 avril 1825 ; Léon-Gabriel Pélissier, « Les correspondants du peintre Fabre (1808-1834) », *Nouvelle revue rétrospective*, juillet-décembre 1896.

282. « Girodet était né avec de la fortune et elle s'accrut singulièrement en 1812, lorsque son père adoptif, M. de Triozon, lui légua encore la sienne en mourant. On estime qu'il avait de vingt-quatre à trente mille livres de rentes. Chose certaine, quoique difficile à croire, il avait tellement embrouillé l'administration de ses biens ; les contestations, les petits procès s'étaient tellement accumulés, que c'est tout au plus s'il avait de liquide l'argent habituellement nécessaire à son entretien » (Delécluze, 1863, p. 270-271). Sur l'endettement de Girodet, voir Voigner, 2005.

283. Delécluze, 1948, p. 134.

284. Delécluze, 1948, p. 272.

285. Coupin, 1829, t. I, p. xlviij. Le mot *folle* est à prendre dans son acception courante au XIXe siècle, « La folle du logis », ce qui appartient à l'imagination, à la tentation de la dérive, quand la « non-raison » prend le pas.

286. « [...] la grande quantité de lettres qui furent religieusement détruites le jour même de sa mort, selon la prière qu'il en avait faite à ses amis, prouve la place que ces affections occupaient dans son existance intérieure » (Coupin, 1829, t. I, p. xlviij).

287. Amélie Julie Candeille (1767-1834), fille du compositeur, musicien et chanteur d'opéra Pierre Joseph Candeille (1744-1827), est actrice, musicienne et écrivain (*Bathilde reine des Francs*, 1814) ; *Souvenirs de Brighton*, Londres et Paris, 1818 ; *Agnès de France ou le XIIe siècle*, 1821 ; elle joue à l'âge de six ans devant Louis XVI. Elle fait ses débuts à la Comédie-Française en 1785. Son opérette, *Catherine ou la Belle Fermière* (1792), fut un des grands succès du théâtre français pendant la Révolution. « Comme Archeanassa, la maitresse de Platon, comme Ninon de Lenclos elle resta belle jusqu'à l'âge de soixante-dix-sept ans », écrit Larousse. Son amant le plus illustre fut Vergniaud qui l'aima jusqu'aux marches de l'échafaud. Son deuxième mariage avec Jean Simons en fit la belle-mère de Melle Lange (Delécluze et Larousse la confondent avec cette dernière) En troisièmes noces, Julie Candeille épousa le peintre Antoine Hilaire Périer et finit sa vie à Nîmes. Voir Louis Schneider, « Julie Candeille », *Le Temps*, 22-25 septembre 1932 ; Phil. Nel, *Un biscuit de Sèvres dit la Belle Provençale, Emilie-Julie Candeille*, Toulon, 1930 ; Joseph F. Jackson, *Louise Collet et ses amitiés littéraires*, Yale University Press, 1937, p. 20-26.

288. Elle est conservée dans deux fonds. 31 lettres de Girodet sont conservées à la médiathèque d'Orléans, dans les collections de la Société historique et archéologique d'Orléans (don Becquerel, 17 septembre 1860) et 357 lettres de Julie Candeille, réparties dans cinq volumes reliés (don Filleul 1967) sont déposées par la bibliothèque Durzy de Montargis, au musée Girodet.

289. Cette rencontre est évoquée dans deux lettres : « le jour ou, il y a 8 ou 9 ans je vous vis pour la première fois au concert de la ruë de Cluny » (lettre d'Anne Louis Girodet à Julie Candeille, [Paris], [1808] Orléans, Société historique et archéologique d'Orléans) et : « [...] Madme le Févre était revenûe me voir il y a 8 jours. [...] touchée de son souvenir parce que j'ai eû de l'amitié pour elle, et parce qu'aussi, c'est chez elle que je vous ai rencontré » (lettre inédite de correspondance Julie Candeille, Montargis, musée Girodet, t. I, 1808, n° 77). Dans la notice biographique sur Anne Louis Girodet et Amélie Julie Candeille pour mettre en tête de leur correspondance secrète, recueillie et publiée après leur mort par..., ms. Bibliothèque Durzy Montargis, Julie écrit : « [...] ils s'étaient rencontrés chez Mad. Lefèvre (depuis comtesse de ST Didier) très jolie femme séparée de son mari par une foule d'avantures [...] Les causeries de cette jeune femme dont

Girodet, très prompt à s'enflammer, avait été quelque temps amoureux [...]

290. Lettre de Julie Candeille à Anne Louis Girodet, Passy, 14 octobre 1814, correspondance Julie Candeille, Montargis, musée Girodet, t. III, 1814, n° 33.

291. Voir aussi la lettre inédite de Julie Candeille à Anne Louis Girodet, [Paris], jeudi ? [octobre-novembre (?)] [1808], correspondance Julie Candeille, Montargis, musée Girodet, 1808, t. 1, n° 64.

292. Lettre inédite de Julie Candeille à Anne Louis Girodet, [Paris], dimanche ?? [1807] Correspondance Julie Candeille, Montargis, musée Girodet, t. I, 1807, n° 14.

293. Delécluze, *Journal*, p. 180, 1825.

294. « O mon ami, mon tant aimé girodet ! ... Je suis bien novice en peinture, et bien timide auprès de vous – mais dans votre art comme dans le mien, un sentiment fort, une amitié courageuse valent mieux pour celui qui travaille que tous les complimens et toutes les théories » (lettre inédite de Julie Candeille à Anne Louis Girodet, [Paris], 4 [novembre] [1810], correspondance Julie Candeille, Montargis, musée Girodet, 1810, t. II, n° 42).

295. « Votre 1er chant ne commence et suit pas bien l'intention, le but de l'ouvrage n'y sont pas assez indiqués. Il pèche encore par le manque d'ordre et de progression. – le Style (surtout/dans\ le début) en est extrêmement négligé. – [...] encombré de pléonasmes, d'Epithétes parasites ; de participes accumulés ; toutes taches qui sentent l'effort, et qui pire est, l'effort stérile. – à côté d'un vers [admirable ; à la fin d'une tirade pleine de verve ou de graces, deux rimes – bâtardes, une finale vulgaire trompent l'attente et détruisent le charme. [...] les rimes lâches, les termes prosaïques, – toutes ces infractions aux premières règles ne peuvent se pardonner dans un sujet classique. Votre Poème *des plaisirs du Peintre* n'était en effet qu'une promenade de votre muse secondaire dans les grands souvenirs de votre muse rêgnante. – moins utile, et, par conséquent moins prétentieux, ils avertissait moins l'attention et l'envie. – mais ici girodet,/la chance est bien autrement périlleuse\. C'est votre art perfectionné dont vous voulés transmettre les principes les plus – poëtiques dans la langue des Poëtes qui/si j'ose le dire\ ne vous est pas assez familière pour l'appeler à tant d'honneur. – [...] – et cet autre danger d'emprunter à Mr de Lille ? – mais le vers emprunté eût-il gagné au change, croyez vous que personne en convient ? – et si le contraire arrive (ce qui arrivera le plus souvent) doutez-vous que tout le peuple écrivassier ne crie au plagiat, au sacrilège ? » (lettre inédite de Julie Candeille à Anne Louis Girodet, [Paris], mercredi 15 juin [1808], correspondance Julie Candeille, Montargis, musée Girodet, 1808, t. I, n° 38 et 38 bis).

296. (lettre inédite de Julie Candeille à Anne Louis Girodet, [Paris], jeudi ?? [juillet-août (?) 1808] ; correspondance Julie Candeille, Montargis, musée Girodet, 1808, t. I, n° 68).

297. « J'ai une grace à vous demander ; c'est de ne plus m'envoyer votre femme de chambre. elle aime trop a deviner et a questionner. Si elle rencontrait encore chez moi quelqu'ouvrier ou quelque modèle que j'eusse mandé, son imagination active y pourrait voir des filles de mauvaise vie a peu pres comme don quichotte voyait des chevaliers dans des moulins à vent. je ne veux point risquer q'uelle aille debiter ses visions dans les maisons ou elle peut aller. C'est assez qu'elle vous en ait affligé vous et moi » (lettre d'Anne Louis Girodet à Julie Candeille, [Paris], [1808] Orléans, Société historique et archéologique d'Orléans).

298. « Nous voilà frère et sœur, et puisque je n'ai plus de frère, il faut bien que je te traite un peu mieux, toi qui es tout pour moi, et qui, jusqu'au tombeau, pourra, tant qu'il voudra, me tenir lieu de tout dans le monde./.Au revoir, mon ami. Je vous embrasse tendrement » (lettre inédite de Julie Candeille à Anne Louis Girodet, [Paris], jeudi ?? [octobre-novembre (?)] [1808], correspondance Julie Candeille, Montargis, musée Girodet, 1808, t. 1, n° 64). Ou encore « Adieu, gir... ; adieu, frère chéri [...] » (lettre inédite de Julie Candeille à Anne Louis Girodet, [Paris], vendredi ?? [1810] correspondance Julie Candeille, Montargis, musée Girodet, 1810, t. II, f° 51. Ou encore « Si vous songez aux inquiétudes de votre grande Sœur, écrivez-moi de Montargis : j'arrive, je me porte bien, et je vous aime./. » (lettre inédite de Julie Candeille à Anne Louis Girodet, [Paris], 2 mars [1810], correspondance Julie Candeille, Montargis, musée Girodet, 1810, t. II, n° 38).

299. « Vous avez donc songé à nous unir dans un même cadre comme nous pourrions l'être un jour sous le même toit et dans le même tombeau ! [...] Pour la 1re fois je me suis admirée moi-même : pour la 1re fois j'ai été glorieuse et jalouse de mon image – et cependant votre talent, tout magique qu'il soit, n'a pû vous apprendre qu'en faisant ce dessin d'imagination vous travailliez d'après nature. C'est ainsi qu'en effet, et à notre insue, nous avons cheminés depuis le 1er jour où je sentis que je vous appartenais. – Ma joûe collée sur votre joue... mes regards sur la direction des vôtres... attachée à vous comme votre ombre » (lettre inédite de Julie Candeille à Anne Louis Girodet, [Noisy-sur-Marne], 11 octobre 1807, correspondance Julie Candeille, Montargis, musée Girodet, 1807, t. I, n° 10).

300. « j'exige, pour prix de cet effort, que vous m'appeliés à l'ébauche des tableaux de 1812 – comme vous m'appelates pour Atala, et les clés de Vienne. » (lettre inédite de Julie Candeille à Anne Louis Girodet, [Paris], 4 [novembre] [1810], correspondance Julie Candeille, Montargis, musée Girodet, 1810, t. 2, n° 42). Dans la notice biographique sur Anne Louis Girodet et Amélie Julie Candeille pour mettre en tête de leur correspondance secrète, recueillie et publiée après leur mort par..., Ms. bibliothèque Durzy Montargis, Julie écrit comment elle influença la composition du tableau. Voir cat. 51.

301. En recevant le médaillon de leur portraits, Julie écrivit à Girodet : « Vous avez donc songé à nous unir dans un même cadre comme nous pourrions l'être un jour sous le même toit et dans le même tombeau ! » (lettre inédite de Julie Candeille à Anne Louis Girodet, [Noisy-sur-Marne], 11 octobre 1807, correspondance Julie Candeille, Montargis, musée Girodet, 1807, t. 1, n° 10 ; don du colonel Filleul, descendant des Becquerel en 1967.) Le langage des larmes qui associe la mort au sentiment amoureux définit cette sensibilité moderne qui fit le succès d'*Atala* de Chateaubriand. Le dessin original (ill. 34) fut retrouvé récemment, la gravure en fut assez largement diffusée.

302. « [...] amant et frère/je trouve tout en Lui [...] » Poème de Julie Candeille à Anne Louis Girodet, [Paris (?)] [juillet-août 1808] lettre inédite, correspondance autour de Julie Candeille et de Girodet, Montargis, musée Girodet, t. V, n° 5.

303. L'abbé Prévost, *Le philosophe anglois* ou *Histoire de Monsieur Cleveland, fils naturel de Cromwell*, Paris, F. Didot, 1731.

304. Thomas Crow a le premier attiré l'attention sur cette féminisation de prénom Anne (masculin et féminin dans la langue française), Crow, 1997, p. 319 : « Adieu, mon ami. Si vous venez pas, tantôt, me rendre réponse au sujet du graveur, j'irai, demain, la chercher chez vous entre 10 et 11 heures. Après quoi, ma chère Anne, je vous laisserai en repos » (lettre inédite de Julie Candeille à Anne Louis Girodet, [Paris (?)], lundi ?? [1813], correspondance Julie Candeille, Montargis, musée Girodet, 1813, t. 3, n° 20. « [...] calmez-vous, toutefois : le mal n'est pas bien grand. – mais – plus vous serez supérieur, et plus la vraie modestie dont vous avez si bonne part vous imposera la Loi d'économiser vos paroles. – courage ma chère Anne ; avant peu je te vois muette. » Lettre de Julie Candeille à Anne Louis Girodet, [Rheims], 20 août [1808] et « Nocturne. / A ma chère Anne / prenons ma lyre / pour abreger la nuit / l'amour m'inspire / sans effort et sans bruit ; / desir l'appelle / cet ami, mon trésor / belle plus Belle / le retient-elle encor ! [...] » (poème de Julie Candeille à Anne Louis Girodet, [Paris (?)] [juillet-août 1808]), lettre inédite, correspondance autour de Julie Candeille et de Girodet, Montargis, musée Girodet, t. V, n° 5 : Ma chère âme est une formule amoureuse tout à fait courante à la fin du XVIIIème comme à l'époque romantique. Le jeu amoureux porte sur les sonorités proches d'Anne et d'âme.

305. Voir cat. 10.

306. Abigail Salomon-Godeau, *Male Trouble, A crisis in representation*, Londres, 1997.

307. Coupin, 1829, t. I, p. xlviij.

308. *Ibidem*.

309. Voir, à ce sujet, marquis de Luppé, *Astolphe de Custine*, Monaco, Paris, éditons du Rocher, 1957, p. 96-101 ; Paul Morand, *Armance ne rime peut être pas avec impuissance*, Nouvelle NRF, 1er mai 1953, p. 929-932 ; « Custine, Stendhal et le romantisme », *Revue de Paris*, décembre 1959, p. 133-142 ; Denise Virieux éd. *Olivier, ou le secret de Madame de Duras*, J. Corti, 1971, p. 40-42 ; C. W. Thomson, « Les Clefs d'« Armance » et l'ambivalence du génie romantique du Nord », *Stendhal Club*, nouvelle série, n° 100, 15 juillet 1983, p. 520- 547.

310. Robert Bied, « Le rôle d'un salon littéraire au début du XIXe siècle, les amis de Constance de Salm », *Revue de l'Institut Napoléon*, n° 113, p. 121-160.

311. Copie, par Girodet, d'une lettre de [Germaine de Staël] à [Juliette Récamier], Francfort, [mi-novembre 1803], Montargis, fonds Pierre Deslandres, t. IV, n° 196.

312. « Madame, Votre obligeante bonté pour moi en Se voilant de la manière la plus aimable perce au travers du
Superbe voile dont elle s'est enveloppée : une faveur aus
inattendüe, surtout aussi peu méritée de ma part, me ren
drait excusable d'en être glorieux ; mais je ne puis oubli
que la modestie qui sert de parure au mérite doit etre l'ha
bit ordinaire de l'insuffisance, ainsi Je suis loin de croi
n'avoir pas besoin d'aide. jugés donc Madame avec qu
plaisir je vous voir venir a mon Secours. voilà mon tablea
fait. comment serais-je inquiet du sort de mon Euridyce
pourrait-elle ne pas plaire revetüe et embellie de la Ceintu
de Vénus. [...] « Si vous permettés a ma vive reconnais
sance de Soulever un coin du voile elle essayerait de S
decouvrir a vous toute entière, mais dans la crainte d'et
indiscrète elle se borne a vous prier de vouloir bien agré
ses hommages les plus repectueux. [...] Je Suis parti c
ce matin pour la Scandinavie. Je n'avais point oublié ma
J'avais différé de vous en remercier ; Ce pays est dit-on
pays des glaces. mais il parait qu'il s'y trouve aussi que
ques volcans. ils ne sont peut-être pas les seuls qui brule
Sous la neige. [...] « Si le 6 prochain pouvait vous co
venir et a Madame du Tremblay Je serais enchanté d'avo
l'honneur de vous recevoir mais avant madame J'aurai cel
d'aller prendre vos ordres » (minute d'une lettre d'Anr
Louis Girodet à une correspondante inconnue [1801 (?)
Montargis, fonds Pierre Deslandres, t. IV, n° 211).

313. Girodet et Gérard s'entretiennent de leurs « prir
cesses » les 13, 30 et 31 décembre 1789 et le 17 janvi
1790. Voir M.-J. Ballot, *La comtesse Benoist. L'Émilie*
Dumontier, 1914, p. 79 et le texte de J.-L. Champion dar
ce catalogue.

314. Notice biographique sur Anne Louis Girodet et Amé
Julie Candeille pour mettre en tête de leur correspondan
secrète, recueillie et publiée après leur mort par..., M
bibliothèque Durzy Montargis.

315. Delécluze, 1855, p. 272.

316. « Pendant que j'y étais [chez Girodet], une dame s'e
précipitée dans l'escalier en poussant des cris, on a eu
la peine à l'arrêter. Une autre dame en rentrant chez lui s'e
évanouie. Elle était sans connaissance, étendue sur un l
Deux autres dames pleuraient dans la salle basse » (Air
Martin, « 9 decembre 1824 - La mort de Girodet », *L'i*
termédiaire des chercheurs et des curieux, 30 déc. 189
n° 640, p. 784.

317. Lettre inédite de Julie Candeille à Anne Louis Girod
[Paris (?)], lundi ?, [1809], correspondance Julie Candeil
Montargis, musée Girodet, 1809, t. 2, n° 22 ; don du col
nel Filleul, descendant des Becquerel, en 1967.

« [...] cher girodet, j'ai enfin trouvé le moyen de vo
aimer sans rivales. tant qu'il m'importait d'être l'objet de v
desirs le/moins beau\ de vos modèles pouvait me caus
un juste effroi ; mais à présent que je ne veux de vous q
le meilleur, et qu'il dépend de moi me taire et de garder r
part, vous jugez si elle est bonne et si rien au monde pour
me l'arracher. Il est bien vrai que je vous aime comr
jamais on n'a aimé. Il me manquait de me l'entendre di
par toutes les lectrices de mon ouvrage et de perdre jusqu
la volonté du désaveu. [...] si c'est un défaut que de vo
aimer outre mesure, j'aime mieux en profiter par l'aise qu
me donne en l'avouant que de m'imposer plus longtem

mbarras d'un mystère qui m'étouffe sans me cacher. et
oi cacher ? – N'êtes-vous pas un homme très estimable ?
e suis-je pas une femme décente ? N'est-il pas naturel que
us trouvions dans les rapports qui nous/unissent\ une
ule de raison pour y tenir, et y attacher plus de prix avec le
ns ? Et quand l'un des deux mettrait dans son attachement
peu de cette exagération que le bon Mr de St. Victor n'a
s voulu me reprocher, où serait donc le mal ? Mon parti
t pris : je ne me contrains plus : la contrainte, d'ailleurs
t une des ruses de l'amour, et je ne veux plus rien avoir
démêler avec lui. cependant je n'irai plus vous voir le
atin, ou quand par hasard j'irai, vous en serez prévenu.
ne m'informe point de vos actions, mais je serais fâchée
en découvrir aucune qui altérat l'espèce de vénération que
porte à votre caractère. Vous ne sauriez être assez/pur\,
sez grand pour justifier mon culte. Il y a dans vos habi-
des privées je ne sais quoi de mal interprété qui vous fait
t et me fatigue. Observez vous, mon ami, entourez-vous
eux. Je tiens à votre/considération\ comme à ma peau,
tuerais, je crois, le malheureux qui oserait me démontrer
que des bruits populaires ont quelquefois voulu me faire
tendre. [...] (lettre partiellement citée par Darcy Grimaldo
isby, 2002). L'auteur voit dans cette lettre un aveu de
omosexualité de Girodet mais le masculin de modèle en
nçais vaut pour les modèles des deux sexes.

8. Voir cat. 96.

9. Darcy Grimaldo Grisby (2002) écrit que Girodet était
jay », et décrit *La Révolte du Caire* comme une lutte entre
ssifs sodomisés et actifs sodomites, p. 124, 152 et suiv.

0. Edmund White, *Fanny*, Paris, 2004.

1. Dominique Fernandez, *L'amour qui ose dire son nom,
t et homosexualité*, Paris, 2001.

2. Coupin, *Dissertation sur la grâce comme attribut de la
auté*, 1829, t. II, p. 129-183

3. « Dans le choix de deux défauts, disait-il souvent à ses
ves, Je préfère le bizarre au plat ». Coupin, 1829, t. I,
xlvj. Voir aussi Susan Houghton Libby, *Originality, Imi-
ion, and Genius : A.-L. Girodet-Trioson and French Art
eory and Criticism, 1785-1824*, Ph.D. thesis, University
Maryland, College Park, 1996.

4. Note manuscrite de Girodet, carnet du Louvre, inv. RF
204-54231.

Marc Fumaroli,
de l'Académie française

La Terreur et la Grâce :
Girodet, poète de *La Peinture*

« L'exercice des arts et la culture des lettres tendent [...] à se rapprocher sans
cesse. Horace a dit *Ut pictura poesis* ; il s'ensuit donc *Ut poeta pictor*.
La poésie et la peinture ont en effet pour but unique l'imitation de la nature ;
l'un en décrit les belles formes et les peint à l'esprit ; l'autre les fixe sous
les yeux. L'une et l'autre vivent des mêmes passions et des mêmes images.
Comment donc le peintre et le poète ne seraient-ils pas naturellement disposés
à des échanges mutuels d'inspirations, de sentiments, d'idées, de langage[1] ? »
Baudelaire

Aux yeux mêmes de ses plus fervents panégyristes contemporains,
l'œuvre de Girodet «peintre d'histoire», passée l'époque féconde de
ses débuts, a paru tarir de son vivant. L'abondance et la splendeur
de sa production dessinée, pour beaucoup restée secrète jusqu'à
sa publication posthume par la gravure, n'ont pu compenser
cette impression croissante de stérilité. On attendait d'un Girodet
des tableaux toujours plus superbes et surprenants. Or son
perfectionnisme, le rendant toujours plus insatisfait de lui-même,
l'obligea toujours davantage à raturer et recommencer plusieurs
fois la même composition. Le tête-à-tête du peintre avec une
toile qu'il rêve sublime et qu'il a lui-même abîmée sans recours
est entré dans la légende du génie romantique et de sa mélancolie
autodestructrice. Balzac, qui portait Girodet très haut, a peut-être fait
de lui le modèle de son Frenhofer, ce peintre fictif du XVIIᵉ siècle,
célèbre contemporain de Poussin, dont le *Chef-d'œuvre inconnu* a été si
longtemps retravaillé par l'artiste selon des techniques contradictoires[2]
qu'il est devenu, dirions-nous aujourd'hui, aussi abstrait qu'un Jackson
Pollock, à l'exception d'un morceau «figuratif» sublime, un pied
de femme, d'un modelé exquis et parfait, émergeant seul du chaos.
Girodet a frôlé en effet cet extrême naufrage imaginé par Balzac au
cours de l'interminable genèse nocturne, à la lumière de chandelles,
d'un *Pygmalion et Galatée*, son ultime grand «tableau d'histoire»,
exposé au Salon de 1819. Le grand peintre était convaincu d'avoir,
avec cette œuvre, franchi un seuil de son propre art. De cette toile
grattée, repeinte, léchée pendant treize ans, et que la critique, lors
du Salon de 1819, opposa au scandaleux *Radeau de la Méduse* de
Géricault, la légende romantique n'a voulu sauver que de très belles
parties.

Deux explications contemporaines : Quatremère et Delécluze

Quatremère de Quincy, dans l'éloge historique du peintre qu'il prononça le 1er octobre 1825 devant l'Académie royale des beaux-arts [3], a proposé une explication sociologique et politique de cette production de plus en plus rare et difficile chez un artiste aussi supérieurement doué. À la mort de Louis XIV, affirme l'orateur académique, « les formes et les dehors de la société perdirent pour les arts, qui en sont les décorateurs, ces hautes proportions dont le génie a besoin. Bientôt, les Grands ambitionnant l'honneur de ne plus le paraître, on se trouva importuné du *decorum* des dignités, de la majesté et de l'élévation des palais, de la richesse des intérieurs. L'architecture, ministre docile des mœurs, dut se prêter, avec les arts qui forment son cortège, à toutes les sortes de rapetissements ». Les tableaux d'histoire, les statues de marbre, perdirent ainsi, non seulement leur fonction sociale, politique et religieuse naturelle et vivante, mais leur couple générateur : le mécène princier ou le pontife qui veut un décor à sa mesure haute et l'artiste appelé à combler cette grande ambition. Quand sous Louis XVI, le comte d'Angiviller, directeur des Bâtiments du roi, ayant compris selon Quatremère cette mutation prédémocratique, voulut néanmoins, et à titre de « luxe » d'État, sauver et même restaurer les grands genres en déshérence de la peinture et de la sculpture, il en passa commande aux artistes, mais « sans besoin », « sans destination », dans la seule intention de « meubler les collections », de « peupler les expositions publiques », ce qui condamnait leurs œuvres à finir funérairement « dans les Musées et les Galeries d'art ». Le tableau des *Horaces* de David « fut de ce nombre ». Autant dire, un siècle avant Marcel Duchamp, que c'est le Musée, sans médiation par la fonction sociale ou par la délectation privée, qui est désormais la principale cause finale de l'œuvre d'art. Dans cet éclairage de « fin de l'art », dont Baudelaire à son tour s'entretiendra avec Manet, Girodet, qui en aurait été la première victime, sort infiniment grandi.

Mais cette lumière de foudre était encore au lointain horizon. Le « grand exemple » donné par David par son chef-d'œuvre de 1785 entraîna une « conversion du goût », préparée par « le retour à l'antique » des décennies précédentes. Et c'est « sous l'influence de cet heureux renouvellement » retardateur que Girodet « entra dans la route que lui avait bien tracée son maître ». N'ayant pas eu comme David à se défaire des « faux principes » de l'art rocaille, il donna rapidement, à Paris, et surtout à Rome, des fruits nombreux et prometteurs. Quatremère se demande pourquoi ce précoce et abondant début d'un immense artiste a été suivi par tant d'intervalles improductifs et d'enfantements rares et difficiles. Enfant prodige de l'école de David, il ne trouva pas, après son retour à Paris, les conditions saines et naturelles de l'exercice de son art

et de l'« émulation régulière » dont le « vrai savoir » est le juge. Le temps de Michel-Ange et de Raphaël, celui des Carrache et de leurs mécènes magnanimes et magnifiques, le temps de Le Brun et du Grand roi, étaient passés. Certes, dans ses principes, l'Académie idéale avait été restaurée : à l'école de David, le « grand goût » avait été reconduit au centre de l'Art, et un jeune génie digne des siècles d'or avait mûri sous ses auspices. Mais le monde que l'Académie idéale suppose pour produire naturellement ses fruits, déjà faussé à la fin de l'Ancien Régime, disparut dans la Révolution. Successivement, Girodet dut subir « l'interrègne de la raison » (entendons la Terreur) qui le restreignit au dessin d'illustration, puis fut obligé sous le Directoire et le Consulat à prêter son génie à une mode « ossianesque » à laquelle il dut condescendre, puis à subir sous l'Empire le effets d'un renouveau aggravé des commandes à la d'Angiviller, mais cett fois dictées par « les intérêts » d'un pouvoir impérieux, qui arrachait l'art aux « riantes et hautes régions de la poésie et de l'histoire » pour mieux l'asservir à l'universel reportage des grandes heures et victoires militaires de l'Empereur. David et plusieurs autres de ses élèves, Gros, Guérin et Gérard, se prêtèrent sans état d'âme à cet asservissement de la peinture d'histoire aux éditoriaux du *Moniteur*. Toujours selon Quatremère, Girodet, officiellement honoré mais intérieurement froissé, dut en grondant payer tribut à ces « genres inférieurs », avec ses superbes tableaux de *La Révolte du Caire* et de *La Reddition de Vienne* qui tranchent, surtout le premier, sur la production des artistes fonctionnaires de Napoléon. En compensation, il se passa pour ainsi dire commande à lui-même d'un tableau répondant à sa vraie vocation pour la représentation de « la nature » universelle, étrangère et supérieure aux circonstances : *Scène de déluge,* exposée au Salon de 1806.

C'était un chef-d'œuvre, mais, soutient Quatremère, qui faisait parade d'une science consommée devenue « sans destination » et « sans objet », contrainte à se prendre elle-même pour sa propre fin, puisque ne trouvant autour d'elle ni point de comparaison ni émulation. Ainsi s'expliquerait la tragédie intime de Girodet, « personne déplacée » dans le siècle des révolutions démocratiques. Son chef-d'œuvre le plus achevé et incontestable, *Atala au tombeau,* inspiré par un frère d'âme, Chateaubriand et porté pour ainsi dire par la gloire vivante de ce grand poète, ne lui valut guère d'autres commandes du même ordre. Il chercha de plus en plus exclusivement après 1806 un refuge privé dans la poésie antique et la figuration de cette poésie, en exil d'une société qui ne réservait plus aucune fonction vivante au peintre poète d'histoire. Ayant entrevu avec Ossian, et surtout avec Chateaubriand, un point de contact entre son idéal académique et la demande sociale de son époque, il sollicita des poètes grecs et latins ce qu'il n'attendait plus ni des mécènes ni du public contemporains et, prenant la plume, il devint lui-même le poète élégiaqu des Idées du peintre poète qu'il portait en lui, mais qu'aucun public ne pressait plus de passer sur la toile de l'idée à l'acte.

Girodet, dans cette profonde interprétation qu'en propose Quatremère (vigoureux esprit «réacteur» qui reste injustement censuré par l'histoire de l'art) aurait donc incarné au seuil de l'ère moderne la passion de l'artiste académique au sens suprême et poétique du terme, quand l'Académie, privée du Prince et du public auxquels ses artistes ont vocation, doit se retirer dans l'intériorité solitaire et dans l'apologie écrite de son art, repliée sur son propre génie créateur, endeuillée de ne pouvoir créer pour personne. Paradoxalement, c'est en se montrant fidèle à l'idéal «classique» jusqu'à frôler le désastre que Girodet a pu entrer dans la légende romantique et moderne des «peintres maudits». En écrivant son poème Le Peintre, en traduisant et en illustrant pour lui-même Anacréon, en imitant plusieurs poètes grecs et latins, en multipliant les esquisses de grands sujets de tableaux d'histoire irréalisés, Girodet poète et dessinateur, émigré sur le Parnasse avec ses âmes sœurs d'autrefois et d'aujourd'hui, aurait écrit les Mémoires d'outre-tombe d'un grand art académique en voie de devenir sans public et sans objet.

Non moins «classique» que Quatremère, mais beaucoup moins bien disposé envers un Girodet qui, à ses yeux, avait trahi le chef de l'École, Delécluze, dans son essai sur Jacques Louis David, dont il avait été lui aussi l'élève, mais invariablement fidèle et sans talent, a voulu voir au contraire dans l'imagination de son ex-camarade, «très ardente, et cependant peu fertile, disposition fort commune en France», et dans sa pente démesurée à la poésie écrite, les symptômes d'une bizarrerie stérilisante pour un peintre :

«Son goût pour les lettres et pour la poésie est peut-être celui qui a contribué à lui faire perdre le plus de temps et à altérer le plus sa santé. On a imprimé après sa mort une imitation en vers des odes d'Anacréon, et un poème en six chants, intitulé Le Peintre, précédé d'un discours préliminaire et suivi de notes. Ces ouvrages, qui furent commencés vers 1807, le poème en particulier, rappellent La Navigation, les Fleurs, Le Printemps d'un proscrit et autres poèmes descriptifs et admiratifs imités de l'Imagination de Delille [4].»

L'élève de David, qui aurait dû lui succéder à la tête de l'École française de peinture, se serait donc gaspillé et gâché en devenant à contretemps l'élève graphomane du suranné Delille. À l'éclairage sublime proposé par Quatremère, s'oppose point par point la version terre à terre répandue durablement par Delécluze, perfide sous ses allures de gros bon sens médical, d'un Girodet prématurément détruit par une maladie littéraire en tous temps fatale aux peintres.

L'idée académique, ses constantes, ses renaissances

Bienveillants ou malveillants, ces contemporains avaient l'avantage sur nous, prisonniers des catégories rétrospectives de «néoclassicisme» et de «romantisme», d'être initiés au même monde mental que Girodet, et d'interpréter à peu près dans ses propres termes «la vie dans l'Art» de ce peintre. Nous sommes exposés à ne pas comprendre ce qui se cache sous les termes d'Académie et d'École [5] qui étaient alors des évidences, chargées de sens grave, partagées par Girodet et Quatremère comme par Delécluze. L'art pour nous, quand ce mot garde encore un sens, n'est plus qu'un terrain vague sans repères ni frontières, où se dire artiste c'est faire œuvre d'art. L'expression fréquente chez Delécluze : «les nobles principes de l'Art», toujours menacés d'oubli, de trahison ou de décadence, est devenue lettre morte. L'idée que nous nous faisons de la «création» en général, sinon de la «créativité» dispensée à tous, a écrasé ce que l'ancienne Académie entendait, pour les peintres comme pour les poètes, par les notions d'imitation, d'émulation et d'originalité, qui situaient les arts visuels comme l'art poétique dans la sphère d'une tradition et dans un ordre de comparaisons autorisant le jugement de goût et la hiérarchisation des talents. Qui songe encore parmi nous à distinguer des «genres», littéraires ou artistiques, et à goûter les œuvres des poètes et des artistes selon les critères et les nuances de la grandeur, de la grâce, de la force, de la douceur, du sublime, autant de facettes ou de degrés de la Beauté ? Pour revenir dans le monde idéal de l'académie où Girodet artiste et poète se sentait chez lui, et où il était si anxieux pourtant d'affirmer sa singularité, il faut reconstituer tout l'édifice objectif et symbolique de l'Art tel qu'il l'entendait. Son contemporain Schiller ne voyait de remède à «la barbarie» qu'une «éducation esthétique de l'humanité». C'est une véritable rééducation esthétique qu'exige de nous la personnalité inséparablement artistique et poétique de Girodet.

Il nous est difficile de ressaisir l'importance qu'a pu revêtir, dans la même École davidienne, la subtile différence entre un «peintre d'histoire»-poète, tel que l'entendent Quatremère et Girodet, et le «peintre d'histoire» tout court, tel que l'entend Delécluze et tel que l'incarne à ses yeux le chef de l'École, David. Nous sommes surpris de découvrir que pour Quatremère, et sans aucun doute aussi pour Girodet, un abîme pouvait séparer les «tableaux d'histoire» à sujets officiels et contemporains, que Girodet nomme d'apparat et dont David, lui-même et plusieurs autres disciples du maître ont laissé de très nombreux et célèbres exemples, et le «tableau d'histoire» poétique, se référant comme la «docte Antiquité» à la «Nature universelle» et non pas aux circonstances. Cette distinction, mise en cause par le romantisme, était pourtant une évidence non seulement pour Girodet, mais pour tout le XVIIIᵉ siècle académique : dans son poème L'Art de peindre, publié en 1760, Watelet subordonne, à l'intérieur du «grand genre d'histoire», «l'invention pittoresque», qu'il ne circonscrit pas aux sujets contemporains, à l'«invention poétique», réservée au «génie» qui ose s'élever à la contemplation de la Nature ou représenter la beauté et la grâce humaines sous leurs traits héroïques :

Et vous, de nos secrets sublimes interprètes
Artistes éloquents, Coloristes poètes,
Homère, Le Corrège, Albane, Anacréon,
Virgile, Raphaël, Michel-Ange, Milton,
Apprenez aux mortels empressés sur vos traces
Les pouvoirs du génie et le charme des grâces.

Nul doute que pour un Quatremère ou un Girodet, ces faibles alexandrins d'un «amateur libre» de l'Académie royale, publiés avec l'*imprimatur* officiel de Cochin et de Pierre, réfléchissaient encore trop la décadence «rocaille» dont David avait «guéri» en France l'art de peindre. La clef de voûte de l'Académie, même sous Louis XV, n'en demeurait pas moins l'*Ut pictura poesis*. Maniériste ou classicisante, rocaille ou réformée par le «retour à l'antique», l'Académie gardait ses constantes, parmi lesquelles figurait au premier chef le parallélisme entre le peintre d'histoire et le poète ou l'orateur, peintres par la parole, les uns et les autres interprètes d'une «Nature» réfléchie par l'esprit à travers les prismes idéaux de la Beauté et de ses nombreuses inflexions, du sublime à la grâce, et selon les divers genres imitatifs, verbaux ou visuels, qui en représentent les facettes à l'imagination.

La notion même d'artiste peintre, émancipé de l'artisanat manuel, élevé au rang de l'orateur et du poète, était inséparable depuis le XVe siècle italien de l'idée d'Académie, société réunissant antiquaires, philologues et poètes, élargie peu à peu aux peintres, sculpteurs et architectes lettrés dans une convergence et une conversation fécondes en œuvres inspirées par l'antique et *dignes* des «hautes proportions» de leurs destinataires et mécènes princiers. Dans son éloge de Girodet, Quatremère va jusqu'à réhabiliter l'idée proprement platonicienne de Beauté, dont les théoriciens du maniérisme italien, un Lomazzo ou un Zuccari, avaient fait l'étoile des Académies d'artistes : le portrait qu'il fait de Girodet est celui d'un génie des formes, d'un Michel-Ange français dévoré par cette idée qu'il est seul à entrevoir et qui a disparu du ciel de la société moderne. En fait, la visée idéale de l'art académique, lorsqu'elle se sent, comme c'était le cas pour Girodet, menacée de l'intérieur par le désespoir d'atteindre son but, ou qu'elle se voit assaillie de l'extérieur par la «décadence» et la «barbarie», rejoint la mélancolie et le sentiment d'exil qui sont au cœur du romantisme, lui aussi ne cessant d'entrelacer et d'apparier l'image et le verbe pour approcher la «Beauté moderne», plus insaisissable encore

que la «Beauté» selon l'Académie, car les voies et les vocations auxquelles celle-ci appelait étaient du moins balisées par les chefs-d'œuvre des poètes et des artistes antiques, italiens de la Renaissance, français du Grand Siècle.

C'est sur la notion de *dignité* (en latin *decorum, convenientia*) qu'achoppa dès les années 1740 l'art «rocaille», jugé par ses critiques de plus en plus nombreux, comte de Caylus en tête, déshonorant pour une Académie royale et compromettant pour la majesté et l'autorité de son protecteur, le roi de France. Malgré cette ardente polémique, le maître académique de l'art rocaille, François Boucher, avait été élevé à l'office de premier peintre du roi en 1765. Aux yeux d'un Girodet, c'était un scandale qu'il eut toujours à l'esprit. Pour lui, comme pour les premiers adversaires du «rocaille», les chairs de gynécée, les attitudes abandonnées, les nuages et les éclairages d'opéra des «tableaux d'histoire» à sujets mythologiques de Boucher étaient faits pour l'alcôve ou le boudoir et non pour les palais et monuments publics : une dérision des «nobles principes de l'art». Un retour aux sources antiques ou renaissantes, et aux disciplines sévères de la peinture d'histoire qui en dérivaient, s'imposait à l'Académie chargée de former et d'autoriser les artistes des Bâtiments royaux, si toutefois l'institution, «dégénérée» depuis la Régence, était capable de retrouver le sens originel de sa mission : élever l'art royal à l'idée de Beauté et le rendre ainsi digne de l'idée de grandeur attachée à la royauté. Boucher avait poursuivi une idée «corrompue» de la grâce ; il en avait fait, selon un mot attribué à Socrate, une «courtisane». En rupture brutale avec cette «corruption», David était revenu à une idée «régénérée» du Beau idéal, volontiers résumée dans ses académies héroïques et viriles. Il faut bien voir pourtant que Boucher et David parlaient le même langage du Beau académique, alors même qu'ils en visaient des facettes opposées. On a prêté à David, non sans vraisemblance, ce mot sur le premier peintre de Louis XV, auquel il était apparenté : «N'est pas Boucher qui veut!»

Le maître français du « retour à l'antique » : David

Jacques Louis David, élève de Joseph Marie Vien qui avait eu pour mentor le comte de Caylus, avait été l'artiste lauréat d'une Académie royale qui, depuis au moins 1747, était hantée, à Paris comme à Rome, par le désir d'un «retour à l'antique» et par la volonté de réformer son propre enseignement, l'un et l'autre desseins visant à une restauration : rendre à l'institution les «nobles principes» de l'Académie «poussiniste» de Charles Le Brun et du «grand goût» de Versailles, effacer les traces du petit goût «rocaille» qui, dès la mort de Colbert, avec le triomphe des «rubénistes» dans l'Académie royale, puis l'entrée dans ses rangs de Watteau, avait par étapes perverti l'enseignement, compromis les arts royaux et troublé le jugement du public. Si David et son «école», profitant de la chute de l'Ancien Régime, ont pu souhaiter et obtenir en 1793 a mort de l'Académie royale, c'est qu'ils la jugeaient irréformable et inséparable d'un cadre monarchique et aristocratique devenu décidément incapable de grandeur et de vraies beautés.

La réforme de l'Académie royale, amorcée par Caylus, Coypel et Marigny sous Louis XV[6], avait été cependant reprise avec vigueur par le comte d'Angiviller sous Louis XVI : il est vrai qu'elle n'avait porté son premier fruit incontestable et vertueux que dans *Le Serment des Horaces* de David, exposé au Salon de 1785. Cette année-là, d'Angiviller avait su répondre à l'enthousiaste marquis de Bièvre, qui lui demandait de nommer sans plus tarder David directeur de l'Académie de France à Rome :

« Si comme je l'espère M. Ménageot [l'actuel Directeur, élève de Boucher] rétablit l'ordre, la décence, l'amour de l'étude, leur inspire le respect pour les grands maîtres et la passion pour l'antique, j'espère que si David y va après lui, dans dix ou douze ans nous aurons une École, des maîtres habiles et des jeunes gens qui auront appris à les respecter[7]. »

Le triomphe de David au Salon attestait la justesse de la politique de réforme de d'Angiviller, inaugurée trop timidement par ses prédécesseurs. Le directeur des Bâtiments du roi pouvait compter sereinement sur le peintre des *Horaces* pour parachever un jour cette réforme. Mais ni David ni la plupart de ses élèves n'étaient patients et la Révolution flatta leur hâte : le réformisme de l'administration royale fut pris de vitesse par le radicalisme jacobin, et l'Académie de peinture et sculpture, à qui David devait beaucoup, fut détruite avec la monarchie. Celui qui aurait dû devenir Premier peintre du roi vota la mort de Louis XVI et sut se proclamer dictateur des Arts de la République jacobine. Quand l'Académie renaîtra, sans reprendre encore son ancien nom, ce sera dans le cadre de l'Institut créé par la République directoriale, dont la section « Beaux-Arts » sera dominée par David, son ancien professeur Vien et leurs élèves.

La « peinture d'histoire » réformée avait pour présupposés pédagogiques l'étude du corps héroïque d'après l'antique et le modèle vivant, l'étude de l'anatomie et de l'ostéologie, l'étude de l'expression des passions, l'étude du drapé, l'étude de la perspective géométrique et aérienne, celle de la composition dramatique et du « costume » d'après les bas-reliefs, les gravures sur pierre dure et les peintures de vase des Anciens grecs et romains, l'émulation avec les maîtres du « grand genre d'histoire » dans l'Académie idéale : Raphaël, le Dominiquin, Le Sueur et Poussin, et enfin le traitement des grands lieux communs poétiques de l'épopée, de la tragédie et de l'histoire de la Grèce et de Rome.

Le Serment des Horaces, composé par David dans la fièvre et applaudi à Rome, puis exposé au Salon à Paris, fut en 1785 l'aboutissement et le manifeste complets de cette réforme profonde du « tableau d'histoire » rêvée par Caylus et son protégé Vien, souhaitée par d'Angiviller, et mise en œuvre par le peintre au prix d'une longue et sévère ascèse personnelle. L'accueil ébloui des *Horaces* au Salon rallia à David et à son exemple toute une génération d'aspirants au grand prix de Rome et à la gloire.

Une éducation de prince des Lumières

Anne Louis Girodet, comme Chateaubriand et Bonaparte, appartenait à cette génération qui arriva à l'âge d'homme en 1789. Au cours de cette année climatérique, il est l'enthousiaste témoin de la Révolution en marche : il fait un dessin des têtes coupées de Foulon et de Berthier et se procure des papiers de la Bastille, échappés des nombreux dossiers épars des archives de la prison forteresse en voie de démolition. De surcroît, c'est aussi en 1789 qu'il obtint le grand prix de Rome. Le brillant élève de David, suivant le *cursus studiorum* académique, put donc partir quelques mois plus tard, en avril 1790, pour la capitale du « retour à l'antique », grand atelier où son maître avait peint *Le Serment des Horaces*. Il partait aussi pour une capitale religieuse dont le gouvernement ecclésiastique et le peuple « superstitieux », il allait vite le découvrir, regardaient les jeunes artistes français comme autant de révolutionnaires et d'athées dangereux. « Patriote », « philosophe », ses cheveux blonds coupés court « à l'antique » pour bien marquer sa différence avec les ci-devant à longs cheveux poudrés et noués en catogan, le jeune artiste se solidarisa avec ses camarades persécutés par la « réaction » ultramontaine. Mais, avant tout, il était résolu à se tailler, dans le grand Musée vivant de l'antique Rome, une gloire d'artiste toute sienne. Il y prit aussitôt ses distances avec la discipline étroite que le règlement de l'Académie de France à Rome, installée alors au palais Mancini, imposait à ses pensionnaires. Dans ses lettres au docteur Trioson, il échafaude un programme de réformes qui donnerait plus de liberté de mouvements et plus d'indépendance matérielle aux lauréats du concours. Le règlement administratif de l'Académie recréée par Colbert lui semble garder beaucoup trop de la mesquine et humiliante tradition de l'apprentissage artisanal. Prenant les devants, il oriente lui-même ses études et ses réflexions dans un sens qui devait lui permettre d'affirmer sa singularité à l'intérieur de l'« école » de David.

Recommandé par l'architecte Boullée, le jeune Girodet était entré dans l'atelier de David en 1783, il avait seize ans, et cela au moment où le peintre, protégé par le comte d'Artois, futur Charles X, venait d'être élu membre de l'Académie royale, ce qui permettait à ses élèves, bien qu'il n'eût pas encore accédé au rang de professeur, de concourir pour le prix de Rome. Le jeune Girodet s'était déjà exercé, dans les classes de l'Académie royale réformée, aux diverses et sévères disciplines du «tableau d'histoire». De 1783 à 1789, auprès de David, il acheva de se rendre maître et virtuose de ce savoir-faire que, dans sa correspondance de Rome, il n'hésite pas à qualifier de «métier». Même le «métier» appris chez un David ne faisait pas un artiste aux yeux du jeune Girodet : selon les vues originaires des Académies de la Renaissance, c'est la poésie, fleuron d'une culture encyclopédique, qui fait l'*artiste*. David se rendra compte plus tard, après avoir vu l'*Endymion* et l'*Hippocrate* envoyés de Rome par Girodet et exposés au Salon de 1793, qu'un malentendu le séparait de celui qu'il comptait néanmoins, avec Drouais, mort trop tôt à Rome, avec Fabre, Gros, Gérard et Guérin, parmi ses disciples les plus accomplis et doués. Selon Delécluze, toujours du parti de David contre Girodet, il aurait déclaré à ses élèves, en 1793 : «Girodet est trop savant pour nous ; copions tout simplement la nature, et ne nous donnons pas tant de souci pour bien faire ; ça vaut mieux quand ça vient tout seul [8].» Plus tard, toujours selon Delécluze, il aurait dit encore :

«Voyez Girodet, voilà cinq ans qu'il travaille, comme un galérien, dans le fond de son atelier, sans que personne voie rien de lui. Il est comme une femme qui serait toujours dans les douleurs de l'enfantement sans accoucher jamais. J'aime bien la peinture, mais si on ne pouvait la faire qu'à ce prix, je la laisserais là [9] !»

David et Girodet provenaient tous deux d'un milieu bourgeois. Parisienne, la modeste famille de David était «dans le bâtiment», mais elle touchait déjà par quelques-unes de ses alliances à des architectes du roi (Desmaisons, Sedaine) et à un peintre du roi (Boucher). David fit ses études au collège de Beauvais, au Quartier latin, jusqu'à la classe de rhétorique. Il exigea toujours des candidats à son enseignement une bonne connaissance du latin.

Quoique provinciale, la famille de Girodet, attachée à la maison d'Orléans, appartenait à la Robe. Elle était beaucoup mieux alliée, fortunée et lettrée que la famille d'artisans du futur maître d'Anne Louis. Le père adoptif qui veilla sur les études de Girodet à Paris, dès avant la mort de son père en 1784 et celle de sa mère en 1787, le médecin Benoît François Trioson, homme de cour, homme du monde, attaché à la maison des tantes de Louis XVI et à celle du comte d'Artois, stimula le zèle et le goût de l'adolescent pour les études, tout en adressant à temps et avec discernement sa vocation d'artiste aux meilleurs professeurs de l'heure. Ce parfait honnête homme des Lumières se montra l'infatigable mentor d'un autre Télémaque, un peu comme le fut le président de Malesherbes, pendant une période beaucoup plus brève, pour le Chateaubriand des années 1787-1792. Sauf que l'enfant et l'adolescent «sauvage» de Combourg fait figure de

cancre en comparaison du fils adoptif du docteur Trioson, élève idéal de l'*Encyclopédie* et poussé par son propre zèle et par la volonté de ses parents naturels, puis de son père adoptif, à devenir un Pantagruel du XVIIIᵉ siècle, fort en thème des lettres, des arts, des sciences, de la musique, ferré en tous savoirs. David ne fut jamais pour lui qu'un de ses précepteurs, celui qui lui a enseigné le meilleur «métier» possible de peintre. Son horizon à lui était infiniment plus vaste. Encore adolescent, Girodet reçut en cadeau les œuvres de Condillac composées pour l'éducation du prince de Parme. Il fut en effet lui-même élevé en prince des Lumières, pourvu de précepteurs qui l'instruisirent en mathématiques, en physique, en géographie, en sciences naturelles, en même temps qu'il se perfectionnait au collège des Quatre-Nations, le meilleur de Paris, en grec, en latin, en éloquence et en poésie. Citant Pline, dans la préface de son poème *Le Peintre*, il pourra implicitement s'identifier à Pamphile, «l'illustre maître d'Apelle», dont l'auteur romain de l'*Histoire naturelle* avait pu écrire : *Primus in pictura, omnibus litteris eruditus* : «Sans rival comme peintre, et savant en toutes les disciplines de l'esprit [10].»

La théologie n'était pas matière de ce copieux programme d'éducation inspiré par la philosophie sensualiste de Condillac. La poésie, au sens virgilien où on l'entendait dans les années 1780-1800, en tenait lieu. Le jeune Girodet avait d'emblée compris l'Académie idéale dans un sens vaste, englobant toutes les sciences de la Nature et transposant ce savoir rationnel dans les arts imaginatifs de la musique, de la poésie et de la peinture.

La variété et l'étendue des lumières de Girodet, ainsi que la grâce de ses manières et de son style écrit, le singulariseront toujours parmi les peintres. Son érudition sans pédantisme lui attira toujours la sympathie de gens de lettres, qui l'accueillirent et le favorisèrent comme l'un des leurs. Aussi le champ de ses relations et amitiés s'étendit-il très tôt bien au-delà du milieu des artistes et même, à la faveur des relations du docteur Trioson et de la parenté de madame Girodet mère avec la famille Becquerel (déjà physicienne et minéralogue de père en fils), dans les cercles scientifiques vers lesquels l'attiraient ses propres études et sa curiosité sans rivages. Dès ses années de collège, il s'employa à se constituer une forte bibliothèque de véritable bibliophile et il ne cessa de l'accroître par la suite, la complétant par un cabinet d'estampes et de médailles et, à l'exemple de son mentor Trioson, par un cabinet d'histoire naturelle. Il ne manquait rien au jeune Girodet, pas même la science du monde. Quand l'élégante Élisabeth Vigée-Lebrun se rendit à Rome en 1791, elle le remarqua aussitôt parmi les pensionnaires de l'Académie. Elle fait dans ses *Mémoires* une mention particulière de cet artiste de bon ton, qui avait comme elle fréquenté à Paris les poètes Delille et Écouchard-Lebrun, ainsi que l'écrivain d'art Watelet.

J. DELILLE,
exposé, après sa mort, au Collège de France,
dessiné par GIRODET-TRIOSON, le 1 mai 1813.

Girodet peintre, poète et citoyen de la république des lettres

Dès les années 1783-1789, par l'intermédiaire d'une amie du docteur Trioson, le jeune élève de David avait pu fréquenter, entre autres compagnies parisiennes, la société qu'attiraient autour d'eux Julie de Farcy, Lucile de Chateaubriand et François-René, leur frère cadet : c'est peut-être dans ce cercle de jeunes gens de son âge qu'il connut le poète Écouchard-Lebrun, le critique littéraire La Harpe, l'écrivain d'art Lemierre et le publiciste Ginguené, ancien condisciple de Chateaubriand au collège de Rennes[11]. Autre lieu de rencontre fréquenté par le jeune peintre et le futur auteur d'*Atala ou les amours de deux sauvages dans le désert :* le salon de Pierre Robert, intendant des finances du comte d'Artois, et de sa femme née Françoise Bazin, où Girodet fut introduit par Trioson et Chateaubriand par Fontanes. À partir de 1807, les deux jeunes gens se retrouvèrent dans le salon rouvert à Paris par Françoise Robert, lettrée, musicienne et peintre, fille d'une femme de chambre de la reine Marie-Antoinette et élevée à Versailles. Pour cette héritière du cercle de la reine, et surtout pour Girodet, ex-« patriote » qui avait peint en 1792-1793 un *Autoportrait au bonnet phrygien,* la Restauration renouera des liens anciens forgés par la domesticité de leurs deux familles à la cour de Louis XVI. Tout naturellement, Girodet sollicitera en 1814 du frère de Louis XVIII, sans succès, le titre de premier médecin de sa Maison pour le docteur Trioson et celui de premier peintre pour lui-même. Il n'avait sacrifié que très brièvement son atavisme royaliste à l'enthousiasme général de 1789-1791.

La bonne compagnie restaurée à Paris sous le Consulat avait donc réuni une seconde fois Girodet et Chateaubriand : l'écrivain était alors la vedette du *Mercure de France,* créé par son ami Fontanes, tandis que le peintre fréquentait la rédaction de la *Décade philosophique,* périodique des idéologues (Ginguené, Cabanis) contre lequel polémiquait *Le Mercure.* Les réserves de Girodet et de Chateaubriand envers l'évolution du Consulat en Empire, quoique inspirés de principes différents, les rapprochèrent encore davantage : ils furent ensemble les favoris du périodique d'opposition créé par les frères Bertin, le *Journal des débats.* Ils avaient aussi en commun l'amour de Rome et de l'Italie, où Girodet avait séjourné en 1790-1794 et Chateaubriand, plus récemment et brièvement, en 1802-1804. Entre l'auteur du *Génie du christianisme* et le peintre ami et disciple des idéologues, c'était une patrie partagée : l'un tenait Rome et l'Italie pour la terre mère du catholicisme des arts, et l'autre pour l'antique terre-mère des arts tout court. Le portrait de Chateaubriand par Girodet, exposé au Salon de 1810, représentera l'écrivain méditant sur fond de ruines romaines et de lumière italienne. Peu de temps avant sa mort, Girodet écrira à son ancien condisciple Fabre, installé à Florence : « *Italiam, italiam* ! voilà ce que disaient les compagnons d'Énée en y abordant ; et moi, je le dis en la regrettant. » Tel sera aussi l'un des motifs récurrents des *Mémoires d'outre-tombe*[12].

Le peintre et l'écrivain avaient laissé en Italie des amis communs, le vénérable antiquaire Séroux d'Agincourt, le peintre Fabre et le paysagiste Boguet, que Chateaubriand reverra avec plaisir lors de son retour à Rome au titre d'ambassadeur de Charles X, en 1827. Si bien qu'il a pu écrire, dans ses *Mémoires,* se souvenant de ses amitiés dans la Rome des peintres et des sculpteurs : « Je voudrais être né artiste : la solitude, l'indépendance, le soleil parmi les ruines et les chefs-d'œuvre, me conviendraient[13]. »

Avec l'amour de Rome, le peintre et l'écrivain partageaient aussi la religion laïque de la poésie et des poètes. Girodet connaissait depuis longtemps Jacques Delille, le plus célèbre d'entre les poètes français, l'auteur adulé des *Jardins ou l'Art d'embellir le paysage* (1782). Delille avait fait partie, comme le docteur Trioson, de la cour du comte d'Artois. Chateaubriand n'avait rencontré le prince de la poésie française qu'en émigration, à Londres, où résidait aussi le comte d'Artois. Un autre célèbre poète, Louis de Fontanes, fuyant le Directoire, les avait présentés l'un à l'autre en 1798. Girodet prit Delille pour son maître en poésie, alors que Chateaubriand était depuis longtemps, littérairement et moralement, ailleurs. Quoique prosateur, Bernardin de Saint-Pierre passait alors pour le plus grand rival de Delille dans la poésie dite « descriptive ». Il est très probable que Girodet l'a connu personnellement lui aussi dès avant 1789, et il est certain qu'il a renoué avec lui en 1803. Chateaubriand avait entre-temps, avec les fanfares d'*Atala* et du *Génie du christianisme,* surclassé Bernardin, qu'il ne chercha jamais à connaître.

À la différence de Chateaubriand, Girodet n'avait pas gravement souffert de la Terreur : il était alors en Italie. Il put donc persévérer à l'intérieur de la République des Lettres des Lumières et d'Ancien Régime presque comme si de rien n'était, alors que Chateaubriand, « de l'autre côté d'un fleuve de sang », inaugurait le « mal du siècle » et une « nouvelle littérature » imprégnée de mélancolie chrétienne.

Disciple des philosophes sensualistes, Girodet n'était l'écolier de David que dans le « métier » de peintre d'histoire. Son Académie idéale n'était pas seulement l'« école » du maître du « retour à l'antique », mais cette république des lettres encyclopédique que célébra Condorcet dans son testament de 1793 : là coopèrent tous les esprits éclairés pour élever l'expérience sensible de la Nature à sa connaissance rationnelle et cumulative. À la veille de la Révolution, il était admis qu'au centre et au sommet de ce banquet des esprits, il revenait au poète de procéder, selon sa propre voie, celle de l'imagination, à la métamorphose en monde idéal du monde sensible exploré par les sciences. Dans son poème inachevé, *Hermès*, André Chénier définissait ainsi, en 1789-1790, sa propre vocation de poète peintre de la Nature :

> Je vois l'être et la vie et leur source inconnue,
> Dans les fleuves d'éther tous les mondes roulants ;
> Je poursuis la comète aux crins étincelants,
> Les astres et leurs poids, leurs formes, leurs distances ;
> Je voyage avec eux dans leurs cercles immenses.
> Comme eux, astre, soudain je m'entoure de feux,
> Dans l'éternel concert je me place avec eux ;
> En moi, leurs doubles lois agissent et respirent,
> Je sens tendre vers eux mon globe qu'ils attirent.
> Sur moi qui les attire, ils pèsent à leur tour
> Les éléments divers, leur haine, leur amour,
> Les causes, l'infini s'ouvre à mon œil avide.
> Bientôt redescendu sur notre fange humide
> J'y rapporte des vers de nature enflammés.

En 1807, dans son poème *Le Génie de l'homme*, un ami de Chateaubriand et le fiancé malheureux de sa sœur Lucile, Charles Julien de Chênedollé, profère pour la poésie l'ambition encore plus vaste d'être la fine pointe du « génie » humain, appelé à « peindre » en Beauté, par et pour l'imagination, la Nature entière et la seconde Nature que l'homme a créée à son propre usage, la société :

> L'homme appelle mes vers : je chante son Génie.
> Je le peindrai d'abord sur les pas d'Uranie,
> Et par elle éclairé, poursuivant dans les Cieux
> Des orbes enflammés le cours mystérieux ;
> Puis, du globe observant les changements antiques,
> On le verra des monts dessiner les portiques ;
> Enfin de sa pensée épier les trésors,
> Et du corps social dévoiler les ressorts.

Quand le « romantique » Alfred de Vigny voudra rendre un hommage posthume à son ami Girodet, mort en décembre 1824, il écrira dans son poème *Beauté idéale* des vers qui recoupent l'enthousiasme de Chénier et celui de Chênedollé pour la Beauté cachée dans la Nature et que le cœur de l'homme rêve de connaître tout entière :

> Où donc est la beauté dont rêve le poète ?
> Aucun d'entre les arts n'est son digne interprète,
> Et souvent il voudrait par son rêve égaré
> Confondre ce que Dieu pour l'homme a séparé.
> Il voudrait ajouter les sens à la peinture.
> À son gré, si la Muse imitait la Nature,
> Les formes, la pensée et tous les bruits épars
> Viendraient se rencontrer dans le prisme des arts,
> Centre où de l'univers les beautés réunies
> Apporteraient au cœur toutes les harmonies.

Le poète de la « Pléiade 1820 » se borne à mettre au conditionnel l'ambition pour la poésie qui, au futur immédiat, avait prévalu à la fin du siècle des Lumières et que le peintre Girodet avait embrassée : miroir-sorcière réfléchissant la Nature explorée par les sens, la science et la philosophie de l'homme. Les recueils poétiques du XVIIIe siècle tardif, comme les grandes synthèses en prose de Buffon et de Bernardin de Saint-Pierre, ont l'ambition de décrire et de résumer la beauté de la Nature dévoilée par les Lumières. Ils s'intitulent *Les Saisons*, *Les Mois*. Jacques Delille est leur prince, qui publiera en 1806 de vastes compositions commencées avant 1789, l'*Imagination* (1806) et *Les Trois Règnes de la nature* (1808). Les prosateurs n'étaient pas en reste : les *Études de la nature* de Bernardin de Saint-Pierre (1784), augmentées en 1788 d'une utopie, *L'Arcadie*, et d'une idylle, *Paul et Virginie*, rivalisaient en ambition avec le *De natura rerum* de Lucrèce. Le reste de son existence, Bernardin travailla à la fresque colossale des *Harmonies de la nature*, qui parurent après sa mort, en 1815. « Peintre » de la Bretagne, des forêts du Nouveau Monde, de la campagne romaine, des paysages de Grèce, de Palestine et d'Égypte, des forêts germaniques, des Alpes suisses, du lac de Constance, à bien des égards Chateaubriand s'est situé lui aussi, depuis ses premières poésies jusqu'aux *Mémoires d'outre-tombe*, dans cette lignée ambitieuse de poètes peintres des cieux, de la terre, de l'homme et de la société.

Paysagiste en Italie au côté de Péquignot, peintre à Paris en 1801 de quatre tableaux ayant pour sujet les *Saisons*, et en 1808 d'un tableau représentant un *Déluge*, Girodet appartient à cette génération de poètes peintres : la représentation idéale de la nature humaine et de ses passions, bjet majeur du « peintre d'histoire », n'est pour lui qu'une facette de cette poésie dite « descriptive » de la Nature universelle que Delille a pu qualifier de « matérialiste [14] », puisqu'elle s'appuie sur l'expérience sensible pour élever l'esprit humain à la contemplation des « correspondances » et des consonances cosmiques. Le XIXᵉ siècle de Victor Hugo et de Baudelaire n'a jamais renié cette haute ambition.

Citoyen-né de la république des Lettres, le jeune Girodet dut aux attaches de sa famille dans la ville de Loches (dont le château était l'une des résidences de la comtesse d'Artois) de connaître les parents d'Alfred de Vigny, avant même la naissance du poète. Il se rendit plusieurs fois à Loches avant la Révolution. Il s'y lia à la future mère de Vigny, elle-même peintre. L'amitié qui lia sous la Restauration l'illustre peintre au jeune poète, auteur en 1826 des *Poèmes antiques et modernes* (dont un *Déluge*), avait donc été préparée de longue main. Dans ses *Mémoires*, Vigny évoquera les visites de Girodet chez ses parents, à Paris, quand lui-même n'était encore qu'un enfant, sous l'Empire :

« Si le soir, sous la lampe, mon père me lisait Homère, survenait Girodet aux yeux de flamme qui faisait passer sous la lumière les traits merveilleux de Flaxman, ce grand sculpteur à qui il eût fallu les carrières pentéliques et tout le marbre et le porphyre de l'Orient [15]. »

À la façon de Quatremère évoquant Girodet, Vigny voit en John Flaxman un sculpteur dont le génie a dû se replier dans le dessin et dans la compagnie de ses frères d'âme, les poètes du sublime (Homère, Dante, Shakespeare, Milton), faute d'un mécénat péricléen qui aurait mis à sa disposition non le seul papier, mais le marbre, l'ivoire et le porphyre de Phidias. Si l'on adopte ce schème mélancolique, la vocation de Girodet pour la poésie ne fut pas une conduite d'échec déclarée sur le tard par un peintre devenu stérile, mais le principe d'emblée générateur d'une vocation de peintre poète. David avait été célébré par André Chénier, en 1791, dans son ode *Le Jeu de paume*, où il amplifiait la thèse de Winckelmann sur le grand art, épanoui dans la liberté républicaine et inévitablement dégradé dans la servitude des cours :

La patrie, à son art indiquant nos beaux jours,
A confirmé mes antiques discours :
Quand je lui répétais que la liberté mâle
Des arts est le génie heureux ;
Que nul talent n'est fils de la faveur royale,
Qu'un pays libre est leur terre natale.
Là, sous un soleil généreux,
Ces arts, fleurs de la vie et délices du monde,

Forts, à leur croissance livrés,
Atteignent leur grandeur féconde [16].

Chénier a reconnu chez le jeune David la « liberté mâle » qui avait fait fleurir dans l'art et la vie des républiques antiques « la grandeur féconde » et la « grâce auguste et fière ». Ce peintre « régénéré » savait représenter l'homme et la société selon l'optique du Beau idéal définie à la fois par Rousseau et par Winckelmann. Mais avait-il l'étoffe du poète peintre *de la Nature* que le même Chénier chante dans son *Hermès* ? Très tôt, *uomo universale* par ses études, Girodet crut avoir plus de titres que David à réincarner cette race suprême d'artistes que l'Antiquité avait égalée à celle des Homères, des Hésiodes, des Pindares, poètes d'une poésie dont le grand angle, autant cosmique que moral et social, avait été rouvert en France par Buffon, Delille et Bernardin de Saint-Pierre. Du même âge et de la même ambition qu'André Chénier, il demandait comme lui à la source antique « le génie qui inspire les images et les mots / Où l'univers entier vit, se meut et respire / Source vaste et sublime et qu'on ne peut tarir [17]. »

L'idéal de poète qui habitait Girodet, loin de se circonscrire au « métier » de peintre d'histoire et de renfermer son ambition dans l'« école » de David, le poussait tout naturellement à entrer comme convive au banquet des Lumières, où toutes les sciences qui accompagnaient les progrès de l'esprit humain attendaient du poète « inventeur » la synthèse de leurs connaissances dans le miroir de son imagination. « Histoire », en grec comme en latin, signifie à la fois le progrès du connaître et le récit qu'on en fait. Homère et Hérodote avaient été « historiens » dans les deux sens et Girodet, encyclopédiste, poète et peintre d'histoire, comprenait ainsi sa vocation. Il entendait puiser en poète dans sa mémoire, éclairée par son imagination, les idées allégoriques qui résumaient dans ses tableaux, parties pour le tout, ses savoirs sur la nature universelle, celle de l'homme et des éléments. Cette vocation ne date donc pas de l'après-Révolution, elle lui est venue avant 1789, du plus profond des Lumières. Il était naturel, dès lors que son idée léonardesque de la peinture-poésie-encyclopédie ne trouvait pas assez d'écho, qu'il en vînt un jour à entreprendre d'écrire un poème panorama de son univers mental de peintre poète historien. Travailleur acharné et volontiers solitaire, il n'en participait pas moins d'une Académie idéale, en d'autres termes du mythe de la république universelle des lettres, les grands morts comme les vivants, unissant et faisant dialoguer entre eux les « historiens » au sens antique du mot, doctes et éloquents dans les arts visuels, la poésie et les sciences, autant de « phares » au sens que Baudelaire donnera à cette image, fille des Lumières.

Tout au long de sa vie, on le voit affilié à des sociétés qui réunissent artistes, poètes, musiciens et savants. Sous le Directoire, il figure dans l'*Atelier d'Isabey,* portrait de groupe où ce peintre a représenté en 1798 les habitués de son cercle. Il fréquente dès 1797 les salons de la princesse Constance de Salm, compagnie où il converse avec Alexandre de Humboldt, Paul-Louis Courier, Talma et Houdon. Il fait aussi partie de la brillante société que son condisciple de l'atelier de David, François Gérard, réunit à partir de 1795, tous les mercredis soir, dans son appartement du Louvre. Les peintres s'y mêlent aux sculpteurs, aux gens de théâtre, aux gens de lettres et aux gens du monde. À la même époque, il adhère à la Société des arts fondée par le peintre Boilly, élargie au début de la Restauration à de riches amateurs susceptibles de passer commande d'œuvres d'art. Il est élu en 1817 à la «Société des enfants d'Apollon», fondée au XVIIIe siècle et recréée après la Révolution sous la forme d'une académie privée se recrutant par cooptation et regroupant, à égalité, peintres, sculpteurs, architectes, musiciens, dramaturges, acteurs et chanteurs, médecins, milieu nutritif pour «la fraternité des arts». Lui-même, qui faisait alterner dans son atelier, clos à d'autres qu'à ses élèves, les travaux du peintre et ceux du poète, consent le vendredi soir à recevoir dans son propre salon quelques invités pour un concert, auquel, violoniste, il lui arrive de participer. Même devenu misanthrope, ce mélancolique n'a jamais rompu avec l'idéal de sociabilité savante et mondaine élevé par les Lumières au rang de congrès philosophique permanent. Quand il fut enfin élu à l'Académie des beaux-arts, au début de la Restauration, il collabora au *Dictionnaire des Arts* que mettait en œuvre le secrétaire perpétuel, Quatremère de Quincy, par plusieurs importants articles et il lut plusieurs conférences devant ses confrères, qui renouaient ainsi avec la tradition académique inaugurée en France par Charles Le Brun et illustrée au XVIIIe siècle par le comte de Caylus [18].

Girodet à Rome, capitale européenne du « retour à l'antique »

Les lettres de Rome adressées par le jeune peintre au docteur Trioson, dans le temps où il composait son *Sommeil d'Endymion,* décrivent le tableau auquel il travaille comme s'il s'agissait d'une idylle grecque de conception inédite, prenant le large du genre héroïque «à la romaine» où excellait David. Quatremère de Quincy a bien vu que le premier mérite du tableau tient à un tour de force de peintre poète : sa mise en scène et son éclairage accroissent singulièrement la portée de l'«académie» marmoréenne, inspirée de l'antique, qui en est le sujet apparent : un Endymion endormi révélé comme en rêve par la pluie amoureuse de rayons de lune que lui adresse une Diane invisible. Cette pluie de lune est analogue à la flamme de Psyché qui avait arraché l'Amour à la nuit et au mystère, ou à la pluie d'or jupitérienne qui avait inondé Danaé : elle

épargne au berger dont Diane est éprise le sort de Sémélé incendiée par la foudre excessive du roi des dieux. Concentré du genre de l'idylle et de sa mythologie du désir, ce tableau est aussi et surtout une «Harmonie de la Nature» nocturne, de son *sfumato* lumineux, de son humidité, de sa fraîcheur. La lumière filtrée à travers le prisme d'une buée nocturne et la beauté virile au repos aimantent le désir d'une divinité vierge. Double allégorie, l'une, morale et nuptiale, de la volupté chaste, et l'autre, quasi scientifique, d'un aspect rare de la Nature, la forêt par une nuit de pleine lune. Grand poète cosmique, Lucrèce avait fait de Vénus Genitrix l'aima[–] chaleureux de toute la Nature. Girodet révèle une autre aimantation naturelle, symbolisée par la lumière froide et bleutée de Diane obombra[–] sans le toucher un corps miroir. Le peintre poète a inventé une impalpable «Grâce» hermaphrodite, fort éloignée de la «grâce auguste et fière» qu'André Chénier avait célébrée dans le *Serment des Horaces* et le *Je* [–] *de paume* de David. À plus forte raison, prend-il le large du désir rassasié [–] content que son maître, futur jacobin, avait représenté dans son «idylle» peinte en 1788, *Pâris et Hélène,* et destinée à la chambre à coucher du comte d'Artois et de sa maîtresse, Mme de Parabère !

Dans le «tableau» liminaire des *Martyrs* (1809), qui montre la vierge et timide Cymodocée, par une nuit de lune, découvrant le bel Eudore endormi dans les bruyères, Chateaubriand s'est-il inspiré, comme il l'a prétendu dans une note de l'édition de 1810, de la célèbre toile de Girodet qu'il avait pu voir exposée de nouveau au Salon de 1802 ? Ou bien a-t-il, après coup, remarqué cette coïncidence dans l'atelier du peintre, pendant qu'il posait pour son portrait [19] ? Le fait est que l'idée poétique commune du désir aimanté par une grâce chaste qui, d'une façon ou d'une autre, avait rapproché le portraitiste et son modèle, les éloignait l'un et l'autre de David, capable de concevoir la grandeur héroïque et virile, mais non «la grâce plus belle encore que la beauté». Ni dans son *Pâris et Hélène* de 1788, ni à plus forte raison dans son vulgaire *Sapho et Phaon* de 1809 peint pour le prince Youssopof, le néoclassique David n'avait pu sortir du physique de l'amour rassasié que l'on avait tant reproché au maître de l'Éros rocaille, François Boucher.

Girodet comptait manifestement sur ses dons de poète, servis par son savoir mythologique et scientifique, pour affirmer sa différence dans l'école davidienne, à métier égal de peintre. Comme *Le Serment des Horaces,* son *Endymion* s'est voulu un manifeste. Le manifeste d'un peintre de tableaux d'histoire «à l'antique», oui, mais qui est d'abord poète au sens où l'entendaient André Chénier, Bernardin de Saint-Pierre et Charles de Chênedollé, disposant d'une lyre et pas seulement d'un pinceau. Les chefs-d'œuvre de David dans le «grand genre» historique, le[–] *Horaces* et le *Brutus,* se voulaient «poussinistes», dans la lignée des sévères tableaux d'histoire de Poussin peints dans les années 1650, le *Coriolan,*

Testament d'Eudamidas. David était
[pr]osateur, et non poète. Girodet a délaissé
[le] Poussin stoïcien et le David vieux-
[ro]main, aussi bien que David érotique,
[p]our s'imposer par une «harmonie de la
[n]ature» qu'auraient pu goûter Léonard,
[le] Corrège, Annibal Carrache ou le
[Gu]ide.

Au début de son séjour à Rome,
[i]solant de la routine de l'Académie
[de] France, et tout à la gestation de son
[pr]opre monde idéal, il avait fait de son
[at]elier, loué en dehors du palais Mancini,
[s]a studio bibliothèque et cabinet
[d']antiques, d'où ne sortit longtemps
[au]cune œuvre. Comme Drouais avant
[lu]i, Girodet avait peu ou prou les moyens, grâce à sa fortune personnelle
[et] aux libéralités de son père adoptif, de cette indépendance studieuse
[et] de ce loisir d'abord improductif, sauf de copies partielles des fresques
[de] Michel-Ange à la Sixtine. Il apprenait à lire dans le texte les poètes
[ita]liens, Dante, l'Arioste, le Tasse, il fréquentait le théâtre et l'opéra ; il
[fai]sait si abondamment l'amour qu'il contracta le «mal italien».

Le cercle de ses amitiés fut d'abord extérieur au petit monde docile au
[dir]ecteur Ménageot. Il se lia étroitement à l'architecte Charles Percier et
[à] son inséparable ami Fontaine, tous deux comme lui antiquaires avisés et
[pa]ssionnés. C'est par Percier qu'il se lia à John Flaxman, le génie anglais
[du] «retour à l'antique», qui illustrait alors à Rome l'*Iliade* et l'*Odyssée*,
[sel]on la technique «au trait» inventée par Bouchardon et Caylus pour
[le]ur *Recueil des pierres gravées de la collection du roi* publié à Paris quarante
[an]s plus tôt, en 1750, précédé par le *Traité des pierres gravées antiques* de
[le]ur ami commun Pierre-Jean Mariette. Cette entreprise fut l'une des
[so]uches mères majeures du «retour à l'antique» dans les arts du dessin, en
[Fr]ance et en Europe. À partir de 1807, Girodet reprendra à son compte la
[te]chnique au trait pour illustrer des poètes grecs.

Il fallut de nombreux mois à Girodet, à Rome, avant que ses
[no]uvelles études littéraires et sa découverte de l'art gréco-romain et
[de]s arts italiens mûrissent en idées de tableaux. En même temps que
[l']idylle de l'*Endymion*, il peignit en hommage au docteur Trioson un
[H]ippocrate refusant les présents d'Artaxerxès, «tableau d'histoire» illustrant
[le] patriotisme grec, et qu'il aurait souhaité de proportions encore plus
[m]onumentales. Cette fièvre inventive fut soutenue par l'amitié de
[de]ux peintres français résidant à Rome à leur propre compte, François
[G]érard, un condisciple de l'atelier de David et son familier, le paysagiste

Jean-Pierre Péquignot que Girodet
tenait pour un génie et dont il déplora
toujours la mort prématurée.

Les idéaux grecs du *kaloskagathos*
et de sa féconde *scholé*, réalisés dans
une existence d'artiste, se conjuguent
alors chez Girodet avec le sentiment
enivrant, commun à Winckelmann et à
André Chénier, du génie poétique grec
indissociable de la liberté républicaine.
S'il approuva de loin et d'abord
la Révolution, c'est qu'elle lui fit
espérer une nouvelle Athènes à la fois
politique et artistique. L'admiration et
la sympathie qu'inspirait ce jeune titan
bien élevé lui valurent partout, à Naples,
à Florence, à Gênes, à Venise, lorsqu'il dut fuir une émeute francophobe
du peuple de Rome en 1793, des amitiés instantanées et agissantes. À
Venise, où il arriva en 1794 malade et coupé de ses ressources, puis
à Paris où il revint l'année suivante, le «chevalier» François Noël,
ambassadeur de la Convention à Venise, puis, à Paris, adjoint à la
Commission de l'Instruction publique du Directoire, ne lui ménagea ni
les secours d'urgence à Venise, ni l'appui dont il avait besoin à Paris pour
obtenir atelier et logement au Louvre.

Comme Girodet, François Noël était un ami des «idéologues» de
la *Décade philosophique*, Ginguené, Garat, Cabanis. Appelé par lui à
dessiner un frontispice allégorique (*La Philosophie du polythéisme*) pour
son savant *Dictionnaire de la fable*, Girodet fut sollicité pour collaborer
aussi à la rédaction de l'ouvrage et de ses rééditions augmentées.
Il publia notamment à l'entrée «Saisons» de l'édition de 1803, le
«programme» qu'il avait écrit lui-même des quatre tableaux traitant ce
sujet composés par lui en 1801-1803, sur commande du roi d'Espagne,
pour la Casa del Labrador à Aranjuez. Les *Saisons* de Girodet sont
des allégories féminines, et non de simples paysages. Pour le peintre
poète en effet, comme pour l'«idéologue» Noël et avant lui pour le
chancelier Bacon, la Fable antique n'est pas du tout abolie par la science
moderne. Elle était pour les Anciens la science de la Nature résumée
par des figures anthropomorphes. Elle reste pour les Modernes le mode
allégorique sous lequel l'imagination poétique peut représenter la
Nature scientifiquement connue. Dans le *Dictionnaire* de Noël, l'entrée
«Endymion» rend un superbe hommage au «citoyen Girodet». L'article,
après avoir rappelé que la fable d'Endymion, selon certaines sources
grecques, cachait la réalité d'un roi d'Élide retiré sur le mont Latinos où

III. 39 Girodet (d'après),
Frontispice gravé de Virgile
Coll. part.

Cecini pascua, rura, duces.

il se livrait à l'«étude des corps célestes», décrit ainsi le célèbre tableau du Salon de 1793 :

> «Endymion, presque nu et d'une beauté idéale, dort dans un bosquet ; l'Amour, déguisé en Zéphyr, mais qu'on reconnaît à ses ailes de vautour et à son air malin, écarte le feuillage et par l'intervalle qu'il laisse ouvert, un rayon de lune, où respire toute la chaleur de la passion, vient mourir sur la bouche du beau dormeur. Le reflet de la lune et la teinte des objets et du corps d'Endymion même ne laissent aucun doute sur l'heure où l'action se passe et sur la présence de la déesse. Voilà comme les artistes, peintres et poètes, peuvent rajeunir les sujets tirés de la vieille mythologie [20].»

En note de la préface du *Dictionnaire* de Noël, première édition de 1801, figurait un long poème de Creuzé célébrant la «mythologie d'Ossian». C'est ce poème qui servit de programme à Girodet pour son tableau *Ossian recevant les guerriers français dans ses palais aériens*, commande du premier consul pour Malmaison. Dans l'édition 1803 du *Dictionnaire,* à l'article «Erse (Poésie)», s'ajouta une description très circonstanciée du tableau de Girodet, «cet ouvrage extraordinaire», dont «toute la scène est éclairée par des météores [21]». Les poèmes attribués à Ossian étaient à la mode. Le Premier consul se flattait de ne s'en séparer jamais. François Noël ne cache pas qu'il les trouve «secs, uniformes et tristes», ce qui rend d'autant plus méritoire «l'imagination brillante» du peintre qui s'est si bien tiré de la commande officielle. Noël, Girodet et leur ami Dureau de la Malle s'adonnaient ensemble à la traduction des poèmes érotiques de Catulle, qu'ils préféraient de beaucoup à Ossian. Comme l'atteste un «programme» irréalisé écrit de sa main, Girodet de son propre mouvement, plutôt que de représenter l'«Élysée celte» et les généraux auxquels survivait le Premier consul, avait projeté de se représenter lui-même en poète, un *volumen* antique en main, transporté sur un Parnasse classique qui aurait fait surgir, à ses yeux saisis d'admiration, «les guerriers illustres et les plus sages d'entre les Grecs : Pelopides et Épaminondas, et avec Homère, suivi de Virgile, Pindare, Anacréon, Théocrite, Horace, Sapho, Ésope, Sophocle, Euripide, Aristophane, Plaute [22]». C'eût été *L'Apothéose d'Homère* d'Ingres, mais onirique, mouvementée et frémissante.

Peinture et poésie sous le Consulat et l'Empire

1. Une facette du « retour à l'antique » : l'idylle grecque et la Grâce.

À la même époque, à Paris, Girodet fréquentait le cercle lettré des frères Pierre et Firmin Didot, dont le père, François Ambroise, imprimeur du comte d'Artois (encore et toujours lui !) avait conçu avec David, en 1787, une collection de classiques latins *in-folio* illustrés par les élèves du peintre. David avait chargé Girodet de l'*Énéide* et Gérard des *Bucoliques* et des *Géorgiques*. Le «retour à l'antique» du XVIIIe siècle, victoire des «Anciens» sur les «Modernes», a triomphé par les arts visuels plus encore que par les textes anciens. Le projet des Didot peut sembler à première vue recommencer le Virgile *in-folio* commandé par Richelieu à l'Imprimerie royale que le cardinal avait créée au Louvre, et dont le frontispice avait été dessiné en 1641 par Nicolas Poussin, ou encore le Virgile de la collection *Ad usum Dephini* mise en œuvre sur les mêmes presses par Colbert. Ces deux précédents éditoriaux illustres, conformément à la tradition de la Renaissance, publiaient le texte antique sans illustration, sauf un frontispice allégorique, le texte fameux se suffisant à lui-même. La nouvelle entreprise des Didot traitait au contraire le texte de Virgile comme un recueil de «tableaux» écrits destinés à fournir des sujets de tableaux d'histoire «à l'antique» dessinés, puis gravés.

À sa parution en 1798, ce Virgile, et surtout l'*Énéide* illustrée par Girodet [ill. 39], suscitèrent l'enthousiasme. Les Didot commandèrent alors à Girodet de nouvelles illustrations pour leur Racine, l'«Euripide des Français». Elles parurent en 1801 et les dessins originaux furent exposés au Salon de 1804, avec toute la dignité de «tableaux d'histoire».

Avec les illustrations de John Flaxman pour Homère, puis pour Dante, c'était là le suprême aboutissement d'un genre créé par Bouchardon et Caylus dès 1737, avec les dessins monumentaux du sculpteur, *Ulysse évoquant l'ombre de Tirésias*, et le *Sacrifice à Cérès*, gravés par Caylus qui en avait donné les sujets. Les gravures avaient été diffusées en feuilles indépendantes par Pierre Jean Mariette. Caylus, fort du succès de cette initiative, avait par la suite publié un recueil non illustré de *Tableaux tirés de l'*Iliade *et de l'*Odyssée *d'Homère et de l'*Énéide *de Virgile*. Mâchant le travail pour les peintres peu lettrés, l'apôtre français du «retour à l'antique» avait découpé les trois épopées en «tableaux» qu'il décrivait, en prose, avec toutes les indications utiles à leur transformation en tableaux d'histoire «à

JH. BERNARDIN DE St PIERRE

ntique». À Rome comme à Paris, pour
anglais Gavin Hamilton comme pour le
ançais David, les «Tableaux» de Caylus
aient devenus le livre de chevet des
istes du «retour à l'antique». Un demi-
cle plus tard, les frères Didot et Girodet,
mme Flaxman, reprenaient la méthode
 Caylus, mais cette fois en rapportant les
ets de «tableaux d'histoire» aux *textes
ginaux* des poètes anciens. Être peintre
ète pour Girodet, c'était aussi cette
quentation directe et personnelle de la
ésie des Anciens.
 Girodet dessinera plus tard pour lui-
ême, cette fois «au trait» (l'invention
 Bouchardon et Caylus), cent soixante-dix dessins du même genre
ustrant des épisodes de l'*Énéide*, et une autre série nombreuse illustrant
 idylles d'Anacréon. Alléché, Bernardin de Saint-Pierre **[ill. 40]**, parent
r alliance des Didot, sollicita de Girodet en 1803 une des illustrations
'il souhaitait pour une édition Didot de son *best-seller* de 1788, *Paul
Virginie*. C'était une façon d'élever cette idylle en prose au rang d'un
lassique» susceptible d'offrir des idées de «tableaux» à un peintre du
etour à l'antique». Le dessin qu'il obtint de Girodet, *Le Passage du torrent*,
ura à son tour, comme les dessins du peintre pour la *Phèdre* des Didot,
 Salon de 1804. Le luxueux ouvrage parut en 1805 et fut présenté à
mpereur.
 Deux ans plus tard fut exposé triomphalement au Salon le grand
bleau d'histoire de Girodet, *Atala au tombeau*, véritable retable profane,
non plus simple dessin : l'idée de ce chef-d'œuvre était inspirée des
età d'Annibal Carrache, comme le dessin *Le Passage du torrent* l'avait été
 L'Enlèvement de Déjanire du Guide. Néanmoins, dans ce passage du
ssin au tableau d'histoire, Girodet ne pouvait marquer plus nettement
 préséance de Chateaubriand, jeune auteur triomphal d'une poignante
ylle chrétienne, sur Bernardin, et sur son idylle exotique, déjà décolorée.
 Chez les frères Didot, rivaux français du grand typographe italien
 «retour à l'antique», le Parmesan Bodoni, Girodet trouvait la même
ssion littéraire que lui-même pour la poésie idyllique grecque et
 dérivés romains, thèmes de traductions en français autant que de
nspositions visuelles. Firmin Didot publia en 1805 une version
nçaise versifiée des *Bucoliques* de Virgile, accompagnés de plusieurs
ylles de poètes grecs. Au même moment, le poète Millevoye s'adonnait
 et exercice d'humaniste sur les mêmes textes poétiques. Girodet
nsacrera désormais une bonne part de son temps de «Trappiste» des arts

visuels à traduire en prose, à paraphraser en
vers et à illustrer de «tableaux» dessinés, les
auteurs grecs d'*Idylles* que Firmin Didot
traduisait lui aussi en vers. La traduction
des classiques grecs et latins répondait dans
les lettres d'alors à l'imitation des maîtres
antiques et italiens dans les arts visuels.

Le «retour à l'antique» dans la
«peinture d'histoire» n'avait pas joué
seulement sur le registre héroïque : il s'était
employé aussi à réussir sur un registre du
Beau où l'art rocaille s'était cru sans rival,
celui de la grâce. Suivant l'impulsion de
Caylus, son Mentor, Vien s'y était essayé
le premier, avec sa *Marchande d'amours*
«pompéienne» du Salon de 1763 [23]. *Le Serment des Horaces* de David, en
1787, était une page d'histoire de la République *romaine*. Or la grâce et
les Grâces étaient tenues pour le privilège des Grecs : Winckelmann en
avait fait le principal mérite de l'Apollon du Belvédère, attribuée par
lui à un sculpteur grec [24]. À son tour, David s'était essayé à la grâce en
1788 dans son *Pâris et Hélène*. Il n'était pas doué pour le «je ne sais quoi»
grec, il s'arrêtait à la robuste «vénusté» romaine. Dans la mythologie
grecque, Vénus seule n'est que la Beauté, elle ne peut être «plus belle
que la beauté» qu'à la condition d'être en compagnie des trois Grâces.
Le *Printemps* de Botticelli figure cette esthétique allégorique, la liant à
Mercure et à Flore, les deux divinités de la parole qui enchante [25]. David
laissa inachevé en 1800 son portrait de Juliette Récamier, qui passait
aux yeux des connaisseurs, et pas seulement parisiens, pour l'incarnation
de cette grâce hellène qui hanta Girodet dès 1790-1793 et qu'il tenta
de capturer une dernière fois pendant la Restauration, sous les traits de
Galatée, dans son *Pygmalion* présenté au Salon de 1819. C'est l'année où
Chateaubriand-Pygmalion réussissait à dégeler l'inaccessible Juliette, statue
vivante de la Grâce pour Girodet comme pour Canova et pour deux
autres élèves de David, Guérin et Gérard, tous trois intimement liés à la
fascinante déité de l'époque.

De son côté, à Bruxelles, David avait repris la quête de la grâce qu'il
avait abandonnée depuis son *Sapho, Phaon et l'Amour* de 1809 : tour à tour
il peignit un *Amour et Psyché* (1817), un *Télémaque et Eucharis* (1818) et un
Mars désarmé par Vénus et les Grâces (1824). Mais ni en 1788, ni en 1800, ni
en 1809, ni en 1817-1824, le François Boucher du «retour à l'antique»
ne put jamais montrer autre chose que des couples repus, même Sapho
et Phaon, alors que les fragments de Sapho connus, entre autres, par une
citation du *Traité du sublime*, avaient inspiré à Racine les vers les plus

déchirants de sa *Phèdre,* adressés à un Phaon-Hippolyte chaste, d'autant plus désiré pour sa grâce qu'il restait insensible à la soif de l'amante !

La grâce grecque éveille en effet un désir du divin qui se sait d'avance impossible à assouvir. Elle n'est chez elle que dans les idylles mêlées de pudeur ou de deuil. C'est pourquoi, dans *Les Martyrs,* Chateaubriand peut faire de la vierge grecque Cymodocée, aimée d'Eudore, une préfiguration de la passion dans l'ère chrétienne, telle que l'ont chantée Dante et Pétrarque, épris d'une Grâce, Laure ou Béatrice, dont il lui est interdit de jouir dans le monde sensible.

La grâce et les Grâces, qui rendent Vénus à la fois irrésistible et intouchable, répondaient pourtant au caractère galant prêté depuis toujours aux Parisiens et aux Parisiennes. Leur goût pour les idylles de Florian et de Parny traversa intact la Terreur et Paul-Louis Courier sous l'Empire se rendit célèbre pour le seul motif d'avoir découvert à Florence et publié une version complète de l'idylle-élégie grecque en prose de *Daphnis et Chloé,* célèbre en France depuis le XVIe siècle par la traduction qu'en avait donnée Jacques Amyot. Comment les élèves de l'école davidienne n'auraient-ils point cherché à rivaliser, sur ce registre à proprement parler *national,* autant français que grec, avec leur professeur ? Gérard, après David, tenta à son tour de fixer par le portrait de Juliette Récamier l'insaisissable idéal de grâce qui avait fait de cette Parisienne une légende grecque. Selon le Chateaubriand des *Mémoires,* Gérard, après David, aux yeux mêmes du modèle, avait échoué. Aussi, à la demande de son éternel amoureux transi, le prince Auguste de Prusse, Mme Récamier se délivra du tableau de Gérard en le lui envoyant à Berlin ; en échange, le prince lui fit cadeau, tableau d'autel pour le salon de l'Abbaye-aux-Bois, de *Corinne au cap Misène,* où il avait obtenu de Gérard qu'il fondît, dans le visage allégorique de Corinne, les traits de Juliette Récamier et ceux de Germaine de Staël, unies par une immortelle amitié.

Un riche Italien, Giovanni Battista Sommariva, devint en 1806 le mécène attitré de la veine gracieuse du « retour à l'antique » français[26]. Ancien gouverneur bonapartiste de Milan, détesté de ses compatriotes et replié avec une copieuse fortune à Paris, cet arriviste avisé et doué, se voulant aristocrate français, s'attribua un titre de marquis et se donna un *pedigree* en favorisant, dans ses achats d'œuvres d'art et ses commandes généreuses aux artistes, « cette partie libre, aimable, brillante, ionienne, voluptueuse des beaux-arts » (Sainte-Beuve *dixit*) qui avait rendu la France d'Ancien Régime, son aristocratie et ses mœurs irrésistibles en Europe, et cela, aussi bien au temps calme de la mode rocaille qu'au temps agité de la mode néogrecque. Sommariva poussa la passion généalogique jusqu'à se faire l'ultime chevalier servant de Sophie d'Houdetot, allégorie survivante et flétrie, dans sa retraite de Sannois, de la Grâce rocaille : elle avait

enflammé l'imagination de Rousseau et le bourgeois gentilhomme itali⟨en⟩ prit auprès d'elle la place vacante du poète des *Saisons,* Saint-Lambert.

Aussitôt installé dans la capitale française, Sommariva passa command⟨e⟩ à Girodet d'un *Pygmalion,* destiné à rejoindre dans la collection du mécène l'*Aurore et Céphale* de Guérin, exposé au Salon de 1798, qu'il acheta en 1808 et le *Psyché enlevé par les Zéphyrs* de Prud'hon, exposé au Salon de 1808, qu'il acheta en 1810. En 1819, enfin possesseur du *Pygmalion,* il compléta son anthologie de la grâce, qui comptait aussi *L'Amour et Psyché,* l'un des derniers tableaux de David, par la *Madeleine pénitente* de Canova, autre idylle, mais élégiaque et chrétienne. Il détenait déjà deux statues de son compatriote, qu'il contribua mieux que person⟨ne⟩ à faire connaître en France ; il commanda encore, peu avant de mourir, a⟨u⟩ sculpteur Tadolini, une réplique du déjà légendaire couple idyllique du maître vénitien, son *Amour et Psyché* de 1789. Sommariva avait en vain cherché à acheter à Girodet son *Endymion* qui, de l'avis du collectionneu⟨r⟩ et à juste titre, relevait de ce registre de la grâce grecque. Pour compense⟨r⟩ son refus, Girodet promit à Sommariva un *Narcisse et Écho,* pour lequel il fit des esquisses, mais qu'il n'eut pas le temps de peindre.

De tous les élèves de David, c'est le grand lettré Girodet qui s'acharn⟨a⟩ le plus à réussir dans ce genre de beauté pour lequel il estimait que son maître n'était pas fait. Il s'en est voulu le poète et le théoricien autant qu⟨e⟩ le peintre. Il en a écrit avec feu, mais de sorte à se désespérer lui-même d⟨e⟩ jamais pouvoir en incarner l'idée :

« On a toujours été persuadé, et il semble même convenu, que ce charme aussi varié qu'étendu, si puissant et si délicat, si apparent et s⟨i⟩ voilé, qui se laisse entrevoir et qui ne se produit pas, qui ne prétend point conjuguer et qui attache, qui ne cherche point à étonner et qu'on admire, qu'on aime enfin passionnément et qui ravit dès qu'o⟨n⟩ l'aperçoit, que ce charme, véritablement magique, aimable Protée et fertile en métamorphoses, et auquel on a donné le doux nom de Grâce, élude en se jouant, les poursuites les plus subtiles de l'analyse, et ne peut être emprisonné par une définition. Comment définir en effet ces rapports directs des sentiments, des pensées et des sensation⟨s⟩ avec des formes extérieures et les expressions de la physionomie ? Cette parfaite concordance et cette harmonie complète de l'être physique et moral, qui s'exhalent comme les parfums réunis de la vertu, de l'esprit et de la beauté ? Ce serait en vain sans doute que nous l'essaierions, et aucune de nos définitions insuffisantes ne dirait autant, ni si bien, que le seul mot charmant de Grâce, si vivement senti par tous ceux que son charme peut séduire. Ses nuances fugitives ne sont-elles pas semblables à ces images diaphanes et impalpables des poètes, qui s'évanouissent dès qu'on croit les saisir, e⟨t⟩

qui se dissipent, comme une vapeur
légère, dans le sein mystérieux des
vents et des nuages [27].»

Fondant les trois Grâces en une seule
[fi]gure céleste, et en séparant celle-ci
[d]e la pulpeuse Vénus, cette admirable
[ima]ge entrelace les mêmes thèmes que
[C]hateaubriand reprendra en sourdine
[da]ns le «Livre Récamier», supprimé
[de]s *Mémoires d'outre-tombe*, où le
[m]émorialiste tente en vain de cerner
[le] secret de la fascination exercée par
[Ju]liette, à Paris sur Benjamin Constant et
[G]ermaine de Staël, à Rome sur Antonio
[C]anova, avant qu'elle ne s'exerce à jamais sur lui-même :

«Je craindrais de profaner aujourd'hui par la bouche de mes années
un sentiment qui conserve dans ma mémoire toute sa jeunesse et
dont le charme s'accroît à mesure que ma vie se retire. J'écarte mes
vieux jours pour découvrir, derrière ces jours, des apparitions célestes,
pour entendre du bas de l'abîme les harmonies d'une région plus
heureuse [28].»

Pour le grand écrivain, Pygmalion qui avait obtenu de Vénus qu'elle
[an]imât pour lui la statue de la Grâce –, la possession, si elle avait eu lieu,
[n'a]vait rien changé. La réputation de Mme Récamier, en formant avec lui
[u]n couple de légende, était restée aussi aérienne *après* qu'*avant*.
[An]acréon passait pour être à l'idylle grecque ce qu'Homère était
[p]our le poème héroïque. Girodet se fit donc traducteur et imitateur de
[l'an]tique poète de Téos. Découvert et publié au XVIe siècle par Henri
[Es]tienne, Anacréon devenu français avait connu dans le royaume une
[vo]gue interrompue. Sur-le-champ, il avait été adopté par Ronsard et
[le]s poètes de la Pléiade, au XVIIe siècle par La Fontaine et Chaulieu, au
[XV]IIIe siècle par nombre de poètes galants. Girodet s'attacha si ardemment
[et] constamment à purifier Anacréon de ses impures scories «rocaille»
[et] à restituer ce qu'il y avait d'élégiaque dans ses idylles amoureuses
[qu']il en vint non seulement à écrire et prononcer, devant l'Académie
[de]s beaux-arts, une conférence qui définissait la grâce inhérente à cette
[po]ésie amoureuse, mais à exposer deux ans plus tard, au Salon de 1819, un
[vé]ritable *memorandum* de cette catégorie poétique, esthétique et érotique,
[u]n *Pygmalion et Galatée*, commandé et commencé treize ans plus tôt. Tout
[e]st d'ailleurs passé comme si David, le chef d'école exilé à Bruxelles et

son savant disciple devenu *de facto* «chef
de l'École» à Paris, avaient tous deux,
chacun de son côté, dans les années
1815-1817, cherché dans l'idylle et dans
la grâce le salut du «retour à l'antique»
menacé par les «barbares».

C'est tout de même l'ancien élève de
David qui avait eu le premier, et cela dès
1793, l'intuition que rien n'importait
autant au «retour à l'antique» en France,
si l'on voulait nettoyer le goût français
de ce qu'il appelait les «afféteries
faussement gracieuses de Pierre de
Cortone, de Boucher et de Fragonard»,
que de retrouver le secret de la «manière
grecque» de l'idylle : dans ce domaine exquis et redoutable réservé aux
Charites, compagnes d'Aphrodite [29], Le Brun et même, malgré plusieurs
essais d'un goût douteux, David, n'avaient pu pénétrer dans le secret
royaume des voluptés idéales, ignoré aussi bien de Louis XIV et du comte
d'Artois que de Napoléon.

2. Delille et « la poésie descriptive »

En l'Italien Sommariva, Girodet trouva un amateur qui s'attachait à
cette facette de l'Académie davidienne et qui collectionnait tableaux et
œuvres d'art contemporains relevant du genre de l'idylle grecque, païenne
ou christianisée. Avec les frères Didot, le peintre d'*Endymion* rencontra
des amateurs éclairés et passionnés du texte des poètes idylliques grecs.
Ces affinités avec les Didot eurent sur la vie créatrice de ce peintre
poète d'autres conséquences : l'approfondissement de son goût pour le
genre universel et copieux de la poésie «descriptive», dont l'idylle était
une espèce gracieuse et brève. L'idylle avait eu des débuts «rocaille», sa
maturité à la veille de la Révolution avec Bernardin et Parny, mais le
«retour à l'antique» l'avait enhardie, sur le modèle de Virgile passant des
Bucoliques aux *Géorgiques*.

Les deux frères Didot invitèrent Girodet à se joindre à eux, chez le
maître du grand genre «descriptif», Jacques Delille, place Royale, pour
des dîners poétiques suivis ou précédés d'un atelier de traduction. Delille
devait sa première célébrité à sa traduction en vers des *Géorgiques*, avant
d'imiter Virgile dans les «tableaux» de *L'Homme des champs* et des *Jardins*.
Le vieil homme était en train de publier ses plus ambitieux recueils,
commencés avant la Révolution, *L'Imagination* (1806), et *Les Trois Règnes
de la nature* (1808). Ils étaient restés inédits du fait des «événements». En
1811, Delille publia encore, suite de tableaux rétrospectifs de la «douceur

de vivre» sociale sous l'Ancien Régime, les trois chants du poème *La Conversation*. Ce fut son chant du cygne. Il mourut en 1813.

En 1807, quand Girodet se mit à fréquenter assidûment le salon de Delille, celui-ci n'était plus, tout comme Bernardin de Saint-Pierre, qu'un survivant des belles-lettres prérévolutionnaires, embaumé par l'Empire. Mais nul ne semblait s'en douter. Il demeurait, admiré et imité de toutes parts, patriarche et prince incontesté du lyrisme «descriptif» français. Il faudra attendre la Restauration, et la Pléiade romantique de 1820, Hugo, Lamartine, Vigny, pour faire tomber tout à coup et définitivement ses œuvres dans «la vieillerie poétique». De son vivant, il avait échappé au malheur qui avait frappé Bernardin de Saint-Pierre, qui vit son règne sur la prose «descriptive» brusquement interrompu, dès 1801, par le succès d'*Atala*, aussitôt suivi par le triomphe des «tableaux» du *Génie du christianisme*. La poésie haletante, passionnée, visionnaire de la prose de Chateaubriand avait fait passer sur le public un «frisson nouveau», rechristianisant à la fois le «retour à l'antique» et les «harmonies de la nature» du siècle précédent.

Historien littéraire au galop, Chateaubriand a interprété lui-même dans ses *Mémoires* la mutation du goût dont il était l'auteur : la prose d'*Atala,* du jour au lendemain, avait définitivement démodé celle de *Paul et Virginie,* alors que les alexandrins de *La Conversation* de Jacques Delille, peut-être plus surannés encore, avaient bénéficié d'un sursis d'arrière-saison :

« La littérature du XVIIIe siècle, écrit-il dans ses *Mémoires* [30], à part quelques beaux génies qui la dominent, cette littérature placée entre la littérature classique du XVIIIe siècle et la littérature romantique du XIXe, sans manquer de naturel, manque de nature : vouée à des arrangements de mots, elle n'est ni assez originale comme école nouvelle, ni assez pure comme école antique. L'abbé Delille était le poète des châteaux modernes, de même que le troubadour était le poète des vieux châteaux ; les vers de l'un, les ballades de l'autre, font sentir la différence qui existait entre l'aristocratie dans la force de l'âge et l'aristocratie dans la décrépitude : l'abbé peint des lectures et des parties d'échecs dans les manoirs, où les troubadours chantaient des croisades et des tournois.»

Passant du dessin *Le Passage du torrent* illustrant *Paul et Virginie* au «tableau d'histoire» *Atala au tombeau*, qui résume le roman de Chateaubriand, Girodet avait parfaitement interprété ce *crescendo* de la prose «descriptive» française. Mais pour Delille, il n'avait, au moins pour le «métier» du vers, aucun point de comparaison aussi tranché.

Les vrais débuts romantiques du fils de ses amis de Loches, Alfred de Vigny, n'intervinrent que fort avant dans la Restauration, après la mort du peintre poète. Les poètes les plus originaux de l'Empire, Fontanes, Chênedollé, Millevoye, tenaient Delille pour leur maître. Comment le peintre Girodet en aurait-il jugé autrement ? Entre 1807 et 1813, la gloire crépusculaire du poète des *Jardins* demeurait intacte, son art des vers n'avait pas trouvé de rival, pas même chez Fontanes qui ne publiait plus. Méditant un poème sur sa «vie dans l'Art», Girodet tint pour providentielle la chance que lui valaient ses amis Didot de pouvoir bénéficier des conseils du célèbre poète. Delille ne fut pas moins flatté de trouver un disciple chez un peintre tel que Girodet. Aussi, pendant six ans, le peintre versificateur se mit-il à l'école de Delille, comme il s'était mis, entre 1783 et 1789, pour devenir peintre, à l'école de David. Sauf que David, en 1783, touchait déjà au sommet de sa course, tandis que Delille en 1807, se trouvait au déclin de la sienne.

Delille relut donc, corrigea et commenta les premiers fragments intitulés *Les Veillées*, puis *Les Plaisirs du peintre*, ébauches successives du poème en gestation. Girodet de son côté relut et étudia, pour y trouver l'élan, le souffle, le rythme et le ton qui pouvaient convenir au sien, celui des poèmes de Delille qui touchait le plus près à son propre dessein, *L'Imagination*, achevé, de l'aveu de son auteur, dans les années 1785-1794. Un commentateur contemporain de ce poème a bien mis en évidence que ses «descriptions» offraient d'analogies avec l'art universel du «peintre d'histoire» :

«Écrire sur l'imagination, c'est peindre un peintre, a dit M. de Boufflers ; et il faut que ce peintre se peigne lui-même. Mais quel peintre ! Celui de l'univers, de l'infini, qui anime, qui élève la nature en y joignant l'idéal [31].»

On peut donc se demander si les six chants du poème finalement intitulé *Le Peintre*, que Girodet passa tant de nuits et tant d'années à peaufiner jusqu'à sa mort et qu'il laissa achevé, sauf une partie des annotations en prose, n'est pas littérairement un fossile, dont la forme, sinon les intentions, datent d'avant 1789, bien qu'il n'ait été publié, posthumément, qu'en 1829, avec près d'un demi-siècle de retard, à l'heure où s'annonce le triomphe de la poésie romantique. Les poèmes écrits par Fontanes sous l'Empire, restés inédits, et que Sainte-Beuve publiera seulement en 1837, vingt ans après la mort de leur auteur, en plein midi de la journée romantique, ont passé alors et depuis, aux yeux de l'histoire littéraire, pour un négligeable bouquet de fleurs séchées. L'histoire de l'art n'a eu aucune raison de ne pas réserver le même dédain au poème de Girodet.

De surcroît, l'ascendant littéraire de Delille sur Girodet ne cessa pas avec la mort de l'auteur de *L'Imagination* en 1813. Firmin Didot, son disciple en versification, et intime ami de Girodet, devint l'interlocuteur et le correcteur attitré du peintre poète au cours de la lente genèse du poème *Le Peintre*. Fontanes, poète de l'«ancienne école», mais très supérieur à Firmin Didot, avait joué le même rôle de censeur auprès de Chateaubriand au cours de la genèse des *Martyrs,* De 1804 à 1809. Mais René ne lui céda jamais qu'à regret et en résistant des quatre fers. Novice dans le métier du vers français, Girodet fit-il preuve de plus de docilité envers Delille et son disciple Firmin Didot? Son adhésion au «métier» de David ne l'avait pas empêché de faire preuve d'«originalité» envers son maître dans l'art de peindre. Il chercha à le dépasser et, admirateur de Hogarth, il s'aventura même sur le terrain de la satire et de la caricature, peu fréquenté par David. N'en alla-t-il pas de même avec Delille, son maître dans le métier des vers?

Son appétit pour la littérature anglaise, Shakespeare, Milton et Byron l'apparentait à Chateaubriand. Ce penchant, qui ne put devenir une mode parisienne que sous la Restauration, était, sous un Empire résolument classique et anglophobe, une déviation inquiétante de la norme «romaine» du régime. D'autres poètes que Delille, et moins placides que lui, influèrent sur l'évolution du poème *Le Peintre*.

3. Le retour à l'antique et le tableau d'histoire « d'apparat » ou pittoresque

Malgré ses réserves envers l'Empire et le mécénat impérial, en dépit d'une indépendance matérielle qui ne l'obligeait pas à produire à tout prix, Girodet dut à un ami et confrère bien en cour du docteur Trioson, le célèbre chirurgien et baron d'Empire Larrey, les commandes officielles qui lui permirent de rivaliser en bonne place aux Salons avec Gros et Guérin. Il appellera «tableau d'apparat» le genre de reportage militaire et politique que l'Empereur et sa cour attendaient des peintres de l'Institut (dont lui-même n'était pas encore), le considérant inférieur au «tableau d'histoire poétique» qui traite un sujet touchant à la «nature universelle» et ne s'enfermant pas dans une circonstance d'époque. En honorant ces commandes selon le sujet «pittoresque» qui lui était assigné, il s'est efforcé de faire coïncider autant que possible les deux postulations. Dans la *Révolte du Caire*, il réussit superbement à dépasser le fait divers militaire de la campagne de Bonaparte en Égypte en s'inspirant d'un épisode célèbre de la *Jérusalem délivrée* du Tasse [32] : l'intérêt pour la «nature universelle» des grandes passions et des puissants attachements humains, soumis à l'épreuve de la guerre, put ainsi l'emporter sur le reportage d'actualité. Pour *La Remise des clefs de Vienne à l'Empereur,* il n'a pas manifestement

trouvé l'idée capable d'élever à l'universel poétique la prose de cette cérémonie officielle.

Comme Chateaubriand, il avait sous le «Grand Consulat» placé de vifs espoirs politiques en Bonaparte et cru trouver en lui un prince magnanime et magnifique digne de son art. C'est pour le consul qu'il avait conçu en 1801, au lieu de l'aimable tableau décoratif qui lui était demandé pour Malmaison, une superbe élégie funèbre dédiée aux soldats des armées républicaines, conduits par leurs généraux, compagnons de victoire de Bonaparte, et reçus comme des ombres glorieuses au paradis guerrier d'Ossian. L'Homère écossais élevait à la poésie universelle la gloire due en tous temps à la grandeur et à la servitude militaires. Reprenant à grande échelle l'effet de froide luminescence qui lui avait réussi dans son *Endymion*, Girodet inventa pour cette rencontre d'outre-tombe un milieu d'ombres fantomatiques et transparentes. David irrité aurait déclaré, selon Delécluze, après avoir vu le tableau, et hors de portée de son ancien élève : «Il est fou Girodet! Ce sont des personnages de cristal qu'il nous a faits là. Quel dommage, avec tout son beau talent, cet homme ne fera jamais que des folies, il n'a pas le sens commun [33].»

L'«originalité [34]», dont Girodet poète réclamera les droits à l'intérieur des «nobles principes de l'art» rétablis par David, n'était pas toujours du goût du maître de l'École. Sans doute le Premier consul félicita le peintre en termes qui l'émurent. Mais l'intendance ne suivit pas et des tracasseries de tous ordres disputèrent à Girodet l'accrochage qui convenait à son chef-d'œuvre et la récompense qui lui était due. Les commandes de «tableaux d'histoire pittoresques» qu'il devra à Larrey ne furent pour lui que des pis-aller.

4. Entre le sublime et la grâce : le retour à l'antique et le tableau d'histoire « poétique »

Ce n'est ni à l'Empereur, ni à sa cour, qu'il dut la commande d'un tableau dont le sujet convenait mieux à ses ambitions de peintre poète, mais à un royaliste persécuté par l'Empereur, Bertin l'Aîné, grand ami de Chateaubriand. Celui-ci avait rencontré à Londres, en 1798, le brillant fils cadet de la famille, Bertin de Vaux, qui l'avait présenté à son frère en 1800, lorsque Chateaubriand eut regagné Paris. Bertin l'Aîné et Chateaubriand s'étaient retrouvés à Rome en 1802, l'un exilé par le Premier consul, l'autre secrétaire d'ambassade de l'oncle de Bonaparte, le cardinal Fesch. Leur intimité était devenue telle que Bertin l'Aîné se chargea d'aller accueillir Pauline de Beaumont mourante à Florence et de la conduire auprès de son ami à Rome. Après la mort de Pauline, il accompagna et réconforta Chateaubriand à Naples et en Campanie. Leur solidarité ne se démentit plus jusqu'en 1830. Lorsque Chateaubriand rentré de son voyage en Orient emménagea à la Vallée-aux-Loups dans l'été 1807,

Girodet, qu'on lise *Atala* ; si l'on n'a pas lu ce magnifique épisode, qu'on vienne voir le tableau de Girodet[35].»

Dédaignant d'illustrer une scène particulière du roman poème, Girodet avait inventé un «groupe» dramatique et sculptural qui en résumait les Idées essentielles : le bonheur sensuel combattu par la religion chrétienne et prévenu par la mort ; le désespoir et la séparation sublimés par l'Art. Une lumière blanche d'aube et d'albâtre enveloppe la grâce «à l'antique» d'Atala, faisant de la jeune morte une sainte Cécile, vierge et martyre chrétienne, «statue de la virginité endormie», soutenue et bénie par un Nicodème du désert, l'ermite Souël : Chactas, l'Indien cuivré dont le jeune corps puissamment musclé est contracté par le chagrin comme un *ignudo* ou un esclave de Michel-Ange, atteste la soumission de la virilité païenne et de son désir charnel à la grâce grecque et chrétienne.

Cette Piétà profane, qui n'était pas faite pour plaire à David, ni aux amis idéologues de Girodet, ne pouvait pas non plus passer pour un tableau de dévotion. Le peintre poète profane, formé à l'école philosophique de Condillac et de Condorcet, illustrait la théologie peu orthodoxe du *Génie du christianisme* et accueillait la «religion des modernes», comme il avait admis la religion barbare d'Ossian, parmi les sources légitimes de son inspiration poétique et artistique.

En 1807, Chateaubriand et Bertin l'Aîné venaient d'essuyer la colère de l'Empereur, l'un pour avoir défié Napoléon dans un article du *Mercure de France*, l'autre pour l'avoir frondé dans le *Journal de l'Empire*. Chateaubriand dut abandonner le *Mercure* et Bertin renoncer à la direction de son *Journal*. Girodet n'était pour rien dans cette tempête politique. Il s'était contenté de publier cette année-là, dans le *Mercure*, un premier *Fragment* fort innocent de son futur poème *Le Peintre*. Il se compromit davantage en exposant au Salon de 1810 un portrait de Chateaubriand, à un moment où l'écrivain, déjà fort mal en cour, était en butte à un tir de barrage de la presse impériale, dirigé contre son roman de résistance à la tyrannie, *Les Martyrs*, publié l'année précédente. Le portrait de l'écrivain, dont le modèle n'était pas même nommé sur le cartouche, avait été relégué dans l'ombre par Vivant-Denon, maître du Louvre et de l'accrochage du Salon. Visitant le Salon, Napoléon, bien informé, se le fit montrer. Girodet avait représenté Chateaubriand «noir» tanné par le soleil d'Italie et d'Orient, et plongé sur fond de paysage romain dans une fière mélancolie «civile», fort étrangère au zèle martial de mise sous l'Empire. L'Empereur se contenta de dire moqueusement, selon le Chateaubriand des *Mémoires* : «Il a l'air d'un conspirateur qui descend par la cheminée.» La presse ne se hasarda pas à louer le tableau.

Girodet avait composé l'effigie de Chateaubriand selon la même idée poétique qui lui avait inspiré un autoportrait dessiné en vue

Bertin l'Aîné qui, comme son frère, aimait les arts et admirait Girodet, demanda au peintre de recommencer pour *Atala* ce qu'il avait si bien fait pour l'*Énéide* et pour *Paul et Virginie*, mais cette fois en passant du dessin au tableau d'histoire. C'était une aubaine pour Girodet : Chateaubriand, après Ossian, allait lui permettre de renouer avec le tableau d'histoire «poétique», d'un intérêt universellement humain.

Bertin l'Aîné, fondateur et propriétaire du *Journal des débats*, devenu en juillet 1805 *Journal de l'Empire*, avait largement ouvert ses colonnes à Chateaubriand. Il fit aussi du *Journal,* où le compte rendu des Salons était assuré par Jean-Baptiste Boutard, son beau-frère, peintre et ami de Girodet, une trompette de la renommée pour l'auteur du *Sommeil d'Endymion.* La commande du patron de presse à Girodet d'un tableau prenant pour sujet l'idylle funèbre de Chateaubriand mettait le sceau sur cette collaboration et ces amitiés croisées. *Atala au tombeau* fut exposé au Salon en octobre de l'année suivante, 1808. Dans le *Journal de l'Empire,* l'ami Boutard célébra le tableau de Girodet comme un double visuel du roman de Chateaubriand :

«La plume de M. de Chateaubriand et le pinceau de Girodet pourraient seuls rivaliser de poésie et de style ; c'est à l'un des deux de révéler tout ce que l'autre a mis de sentiments, de religion, et de douleur dans cette scène ; si l'on veut se faire une idée du tableau de

'illustrer son poème *Le Peintre,* et intitulé *L'artiste méditant sur les ruines* ʼ*Athènes* [ill. 42]. Le peintre assis sur les ruines au pied de l'Acropole et e poète debout et accoudé devant le Colisée et les ruines de Rome, ymbolisent l'indépendance intime de l'artiste, qui trouve ses ressources 10rales et créatrices, nouveau Pétrarque, non dans son temps, dont sa 1élancolie s'écarte, mais auprès des ruines, des tombeaux et des grands 10rts de l'Antiquité. On retrouvera l'esprit de ces deux compositions ans la péroraison de la conférence académique de Girodet consacrée « l'originalité dans le dessin », et où il oppose au ciel bas et lourd e la barbarie moderne l'enthousiasme pour les Idées universelles et nmortelles dont l'artiste poète est le relais :

> « Que les beaux-arts entretiennent donc religieusement ce feu sacré
> dont la docte antiquité a légué l'héritage inappréciable aux siècles
> qui l'ont suivie, pour la transmettre aux siècles qui doivent les suivre
> encore. Que les dieux des Grecs soient toujours leurs dieux et l'objet
> constant de leur culte ; alors l'artiste, dont le noble instinct l'élève
> à la contemplation du beau et du sublime, laissera librement errer
> son génie au gré de ses inspirations : toutes seront heureuses ; c'est
> à lui qu'il sera réservé de produire encore de neuves et touchantes
> imitations de cette beauté céleste, toujours inaccessible aux esprits
> comme au sens du vulgaire [36]. »

Personne ne commanda à Girodet la *Scène de déluge* qu'il exposa u Salon de 1811, et à laquelle il songeait sans doute depuis les copies 'après le Michel-Ange de la Sixtine qui l'avaient occupé au début de n séjour italien. C'est peut-être le tableau qui s'approche le plus de idéal qu'il se faisait du *grand* tableau d'histoire poétique, retrouvant le énie et la hauteur d'inspiration de l'antique. Girodet a voulu représenter n drame de caractère universel, qui soumet les forces et les sentiments umains à l'épreuve suprême d'un cataclysme, toutes « harmonies de la ature » interrompues. Cette *Scène* représente en gros plan un groupe de ersonnages de la même famille, le grand-père porté comme Anchise ar son fils, auquel se suspend la mère, entraînée elle-même dans les flots ui montent par son fils adolescent : les trois âges de la vie, les deux sexes. ous muscles contractés, l'homme héroïque au-dessus des eaux du déluge arc-boute à un roc qui s'effrite et à un arbre qui cède sous le poids. ʼest un équivalent pictural du groupe antique de Niobé et de ses enfants oudroyés, ou de celui du Laocoon et de ses fils étranglés par le serpent ʼApollon. Girodet s'est souvenu de ces célèbres statues hellénistiques et e souvenir s'est recoupé avec celui du *Milon de Crotone* de Puget et des amnés du *Jugement dernier* de la Sixtine, fresque que Girodet avait étudiée t dont il avait copié des détails. Tout le spectre des passions lacérantes,

l'angoisse, le désespoir, la peur, le vertige, mêlées à l'amour filial et conjugal frappé d'impuissance, s'enchaîne dans les gestes et les expressions de cette famille héroïque sur le seuil de l'écroulement et de la mort. Le peintre a réussi à faire consonner la *terribilità* visuelle de Michel-Ange et de Puget avec celle que déclenchent les vers de *L'Enfer* de Dante et du *Paradis perdu* de Milton.

Le peintre si attaché par ailleurs aux émotions délicates de l'idylle-élégie et de sa grâce s'est donc transporté aux confins du sublime lié à la terreur, cette face de Gorgone de la Beauté que les *Recherches philosophiques* d'Edmund Burke avaient décrite et canonisée en 1757, rendant ainsi à Shakespeare et à Milton le rang poétique qui leur était dû dans une Europe voltairienne trop exclusivement régie par Boileau, par son *Art poétique* et par sa version atténuée du *Traité du sublime*. Si l'Angleterre a exercé une fascination aussi profonde sur un Chateaubriand et un Girodet, c'est qu'elle était la patrie de Shakespeare et de Milton ; Burke avait montré pourquoi et comment ces « barbares » étaient sublimes, levant du même coup la censure française qui pesait sur Dante et sur Michel-Ange et rompant en visière le refus français d'admettre ce qu'il entrait d'effrayant dans le sublime antique d'Homère, d'Eschyle et de Sophocle, dans le pathétique de la statuaire hellénistique, et plus généralement dans les « convulsions » de la Nature et les « révolutions » de la Société. Tout un pan du « retour à l'antique » européen, celui dont l'Anglais John Flaxman était alors le plus grand interprète, avait trouvé sa théorie dans les *Recherches* de Burke. Pas plus que David, Winckelmann n'allait de ce côté. L'auteur de l'*Histoire de l'art chez les Anciens* ne voulait voir dans le groupe antique de Niobé que le calme au sein même des plus violentes émotions ; il ne mettait rien au-dessus de l'Apollon du Belvédère, divinement serein au milieu même de l'euphorie du triomphe [37]. Winckelmannien autant que disciple d'Horace et de Boileau, David n'a jamais représenté la terreur dans ses tableaux sans la «purifier» par la grandeur et le calme, et cela, même au temps où, dans la réalité, il se solidarisait allègrement avec la Terreur sanglante que faisait régner le Comité de salut public.

Hanté qu'il était par une idée de la grâce hellène plus fidèle à l'antique que celle dont David était capable, retenu dans sa prose et ses vers par les convenances chères à Boileau et à Delille, Girodet n'en a pas moins voulu, dans cette *Scène de déluge*, dépasser les limites à l'intérieur desquelles David concevait le Beau. En 1806, avec ce tableau, il fit franchir à «l'École française» un pas décisif en direction d'un sublime lié directement à la terreur, ouvrant ainsi la voie à Géricault, dont la grappe confuse de damnés du *Radeau de la Méduse* relèvera explicitement, sans alibi allégorique, du sublime burkéen, défiant, au Salon de 1819 le manifeste de grâce «à l'antique» de Girodet, le *Pygmalion et Galatée*, exposé la même année. Le *Radeau* rivalisait en fait non avec *Pygmalion*, qui relevait d'un tout autre mode, mais avec le *Déluge* sublime et terrible de Girodet, exposé treize ans plus tôt.

La critique du Salon de 1806 avait senti le péril. On avait reproché à Girodet d'avoir fait «grimacer» son héros et d'avoir montré un enfant assez «dénaturé» pour entraîner avec lui sa mère dans la noyade en s'accrochant à sa chevelure. Girodet prit la peine de répondre lui-même, déniant avoir cherché le moindre effet d'horreur. De fait, la *Scène de déluge*, avec toute son «originalité», n'osait rien qui compromît «les nobles principes de l'art». Le peintre avait multiplié les voiles d'idéal qui atténuaient la brutalité tragique de l'épisode représenté : noblesse du dessin des deux «académies» masculines, dépouillement de tout détail «pittoresque», et même *équilibre* du groupe statuaire, laissant entièrement à imaginer *hors tableau* sa proche dislocation. Parmi les «nobles principes» que défiait ouvertement *Le Radeau de la Méduse*, tableau d'histoire «pittoresque» comme *La Révolte du Caire* et *Les Pestiférés de Jaffa*, figurait au premier chef le précepte du théâtre classique français, strictement respecté par Girodet dans sa *Scène de déluge*, de ne jamais montrer sur la scène l'horreur du sang versé, des affres de la mort et du chaos.

Reste que le peintre poète de la grâce grecque s'était aventuré, en 1806, jusqu'au seuil de la transgression. Plus sensible à la vigueur «à l'antique» du dessin de la *Scène* de Girodet qu'à la périlleuse nuance de sublime que le peintre avait osée, le jury de l'Institut lui accorda la préférence du Prix décennal sur le tableau *Les Sabines* de son ancien maître David. Entre l'audace de l'*Endymion* et celle du *Déluge*, Girodet,

grand stratège des Salons, en avait risqué encore une autre, d'un genre différent. En 1799, invoquant l'autorité antique d'Aristophane et de Juvénal et l'exemple anglais de Hogarth, il avait poussé «l'originalité» du peintre d'histoire jusqu'à la virulence de la satire personnelle. S'étant vu refuser par son modèle, une actrice de la Comédie-Française, le portrait qu'elle lui avait commandé, il ne se contenta pas de lui renvoyer le tableau mis en pièces : il peignit une toile allégorique qui la représentait en *Nouvelle Danaé*, recevant dans son giron la pluie d'or de ses amants, sous les yeux de son époux caricaturé en dindon. Il exposa ce pamphlet visuel au Salon de 1799. Il le retira deux jours plus tard, exprimant des regrets. Il n'en avait pas moins fait franchir une première fois, au «tableau d'histoire», la classique ligne rouge qui lui interdisait en France la satire blessante et la caricature *ad hominem*.

Girodet était à l'étroit dans les limites du «retour à l'antique» davidien comme Chateaubriand l'était dans celles de la poétique classique où ses amis Fontanes et Joubert auraient souhaité le circonscrire. Et pourtant, sous l'Empire, l'auteur des *Martyrs* et de l'*Itinéraire* sut «jusqu'où aller trop loin». C'est ensuite, pendant et surtout *après* la Restauration, qu'il se délivra des bandelettes dont il avait, en rechignant, subi le joug sous Bonaparte. Parmi les nombreux «tableaux d'histoire pittoresques» des *Mémoires d'outre-tombe*, tout en rendant le culte dû aux Grâces, il a pratiqué aussi bien l'ironie noire et féroce de la satire personnelle que le sublime lié à la terreur et à l'horreur théorisé par Burke : ses «tableaux» de la retraite de l'armée des Princes après Valmy, ou de la retraite de la Grande Armée dans l'hiver russe n'ont rien à envier ni à la *Scène de déluge* de Girodet ni au *Radeau de la Méduse* de Géricault.

Girodet, devenu *de facto* chef de «l'École française» après l'exil de David à Bruxelles en 1815, chercha sur le tard à légitimer par une théorie de «l'originalité» ses propres écarts contrôlés. Cette tardive apologie *pro domo sua* de son indépendance défendait celle-ci d'avoir jamais trahi les «nobles principes de l'art». La preuve devait en être *Pygmalion*, le tableau emblématique de «l'École» exposé au Salon de 1819 en même temps que Géricault y faisait scandale avec son «barbare» *Radeau*.

Pour étayer aux yeux de la postérité ce manifeste pictural de l'idéal de «grâce», il laissait à sa mort, en 1824, deux ouvrages inédits : le recueil de ses traductions et illustrations des poètes idylliques grecs et les six chants de son poème : *Le Peintre*. Il revint à son fidèle élève Coupin de publier en 1829 la partie encore immergée de l'œuvre apologétique du successeur de David à la tête de «l'École française», enterré quatre ans plus tôt en grande pompe au Père-Lachaise, en présence de Chateaubriand. Son «règne» avait été bref, et ses anciens condisciples de l'atelier de David, à en croire les *Souvenirs* de Delécluze que ces funérailles attendrirent, pleurèrent en lui le *palladium* qui aurait pu, s'il avait vécu plu

ngtemps, défendre la bonne doctrine contre la révolution romantique
n marche, avec d'autant plus d'autorité qu'il avait lui-même connu et
onjuré en partie les tentations d'«originalité» auxquelles s'abandonnaient
ns frein les «barbares».

5. Mnémosyne, temps et lieux d'une « vie dans l'Art »
Contrairement à ce qu'ont supposé Quatremère et Delécluze, les
x chants du poème *Le Peintre* ne furent pas un pis-aller auquel aurait
couru Girodet, soit, selon Quatremère, pour se consoler d'une époque
ui ne le comprenait pas, soit, selon Delécluze, pour compenser par
art des vers sa stérilité croissante dans l'art de peindre. Cette longue
oulée d'alexandrins aux frontières de la prose est à la fois une œuvre de
ombat en faveur des «nobles principes de l'art», un plaidoyer *pro domo
a* qui légitime sa propre «originalité» à l'intérieur de ces principes
: un vaste panorama des lieux de l'invention communs aux peintres
u «retour à l'antique», tels qu'il les avait lui-même habités en poète.
irodet est sans doute moins «original» dans l'art des vers que dans l'art
e peindre. Mais s'il doit son métier de poète à Jacques Delille et à son
cole, il n'en a pas été un plat imitateur. D'emblée il avait récusé pour
poème dont il rêvait le genre didactique, dont les archétypes français
u XVIIᵉ siècle étaient *L'Art poétique* de Boileau et le *De Arte graphica*
De l'Art du dessin») du peintre Charles Dufresnoy, composé en Italie
u seuil du siècle de Louis XIV. Il avait été tenté par le modèle que lui
ffraient *L'Imagination* et *La Conversation* de Delille, qui n'enseignaient
as de «règles», mais faisaient partager au futur poète ou au lecteur de
oésie la vagabonde expérience du monde propre à «l'âme sensible» du
oète des *Jardins* et à son imagination heureuse, sereine et bienveillante.
es *Veillées du peintre*, *Les Promenades du peintre d'histoire avec ses élèves*,
tres successivement envisagés par Girodet, auraient dû être l'équivalent
our les peintres du «retour à l'antique» de ce que voulaient être, pour
s poètes de l'admiration et de la description du monde, les confidences
u coin du feu du bon Delille. Mais en 1807, au moment où il
ommençait à peindre *Atala au tombeau*, Girodet lut avec émotion, de
n propre aveu, *Les Plaisirs du poète ou les pouvoirs de la poésie*, de Charles
ubert Millevoye (1782-1816), et il y trouva une inspiration fraternelle
la sienne. De santé très fragile, Millevoye avait été l'élève de Fontanes
l'École centrale logée dans l'ancien collège des Quatre-Nations, où
irodet avait fait ses études littéraires. Comme Girodet, il était regardé
ec faveur par Delille qui, dans *L'Imagination*, augurera pour lui la
oire d'un «Raphaël» de la poésie française. Son lyrisme pouvait être
ersonnel et funèbre, comme dans son *Poète mourant,* ou enthousiaste
ambitieux pour son art, comme dans *Les Pouvoirs de la poésie*, où il
crit :

Le poète a parlé : tous les temps, tous les lieux
Évoqués à la fois, s'assemblent sous ses yeux
Il honore, ou flétrit, accuse ou divinise,
À sa voix la vertu triomphe et s'éternise.
Au tribunal du monde il cite le pervers,
Il condamne leur nom à vivre dans ses vers
La vertueuse horreur de sa muse irritée
Poursuit jusqu'aux enfers leur ombre épouvantée.

Il avait inventé un genre d'épopée brève qui avait tous les traits du
«tableau d'histoire pittoresque» : *Charlemagne à Pavie, Alfred, Belsunce* ou
La Peste de Marseille, véritables incunables, comme plusieurs «tableaux»
des *Martyrs* de Chateaubriand, pour les futurs «poèmes d'histoire» de *La
Légende des siècles.* Ayant eu accès aux inédits d'André Chénier, il composa
sur ses traces de parfaites *Élégies* «à la manière grecque» qui auraient pu
servir de sujets à des disciples de Girodet : *Combat d'Hésiode et d'Homère,
Adieux à Hélène, Homère mendiant,* et des *Idylles* non moins hellènes :
Corydon, Pollion. Il publia ces «Émaux et camées» avant la lettre en 1811.
Comme Girodet, c'était un infatigable traducteur des poètes grecs : il
publia une traduction partielle en vers de l'*Iliade,* fort admirée. L'édition
en 1822 de ses *Œuvres complètes* en deux volumes, chez Ladvocat, l'éditeur
de Chateaubriand, fut un événement littéraire.

Le nouveau titre que Girodet adopta provisoirement après 1807,
Les Plaisirs du peintre, est calqué, de son propre aveu, sur celui de
Millevoye. Renonçant aux *Veillées* et à *La Promenade*, il recommença
son poème, dialoguant désormais avec la jeune poésie. Même s'il s'est
refusé jusqu'au bout à suivre Montaigne et Rousseau [38] et à faire de son
«moi» le principe générateur de son tableau de la «vie dans l'art» du
peintre d'histoire, les six chants achevés qu'il laissa à sa mort, sans aller
jamais jusqu'à l'autobiographie, tenaient largement de l'autoportrait.
Dans la préface, il affirme que l'architecture de son poème suppose «la
théorie régénératrice qui a relevé la peinture en France», renouant avec
la noblesse antique de l'art. Sa propre «vie dans l'art», retracée dans le
poème, se veut celle du peintre d'histoire exemplaire, «régénéré» à l'école
de David [39], mais dans l'interprétation «originale» qu'il en donne, élevant
l'imagination inventive du peintre au sentiment de l'humanité et de la
Nature universelle propre aux poètes de «génie».

6. La vocation et l'éducation du peintre d'histoire
La pierre angulaire du poème, posée dès les débuts du premier chant,
suppose que l'Académie «régénérée» préexiste au jeune peintre poète de
«génie» qu'une vocation précoce prédestine à en devenir l'illustration.
Cette vocation ne doit rien à la naissance noble, ni à la tradition familiale,

comme c'était le cas dans les dynasties artisanales des anciennes guildes, condamnant l'apprenti à l'imitation répétitive du « métier » d'une « brosse héréditaire ». L'Artiste du « retour à l'antique » est incompatible avec l'Ancien Régime féodal et avec ce qui en subsistait même dans l'Académie de Colbert. Sa vocation se manifeste par son appétence d'enfant à laisser « captiver ses regards » par « le spectacle imposant de la nature », et à tenter imprudemment, trempant sa plume dans l'encre, ou recourant aux charbons, d'en reproduire les traits sur toute surface à portée de sa main.

> Ce n'est point un talent, c'est plus, c'est un prodige
> Nulle règle, nul frein ne le saurait lier ;
> Il débute en grand maître avant d'être écolier [40].

Même le « noir tableau d'autel » qu'il contemple à l'église, pendant la messe, ou « la vieille estampe en bois » de son missel « le plongent dans l'extase et le ravissement ». Lorsque ses études ont commencé, il griffonne des esquisses en marge de ses thèmes latins et grecs, dans les blancs des livres ; il s'isole de ses camarades pour peindre sur son pupitre, pétrir de la glaise, sculpter du bois, modeler de la neige. Déjà il rêve de gloire et d'émulation avec des rivaux. Ses parents voudraient l'orienter autrement :

> Son invincible instinct s'obstine à les braver.

Mais s'il récuse par avance l'Académie au sens administratif, il n'en est pas moins fait pour l'Académie idéale. On peut même dire que la fonction a créé son organe. « Le peintre rêve de Rome », capitale de l'univers de l'Académie idéale comme elle l'était de l'Académie colbertiste. Il s'initie au « métier » dans les ateliers des professeurs de l'Académie royale, mais il se rapproche de l'Académie idéale dans l'atelier de David, où il a pénétré comme les athlètes grecs célébrés par Pindare dans l'arène olympique ; ce « fils des arts » brûlant de « verve chaleureuse », de « transports violents », de « fougue impétueuse », emporte le concours et « conquiert le voyage de Rome », « ivre de son talent », « ivre de sa victoire ». Chez Girodet poète, il arrive aux deux Académies, la réelle et l'idéale, de se superposer, sans se confondre pourtant jamais. Élève héroïque et idéal, mais aussi fils idéal, il dépose au pied de ses parents les lauriers qu'il a acquis malgré leurs réserves et leur résistance. Transposé à la troisième personne, c'est bien là l'autoportrait du jeune Girodet [41], disciple de David dans son atelier avant de devenir son rival, dévoré d'une généreuse ambition de gloire dans l'arène de la peinture-poésie.

La tentation autobiographique surmontée par le poète taraudait le peintre depuis longtemps. Il l'avait assouvie, et déjà de façon indirecte, dans les trois portraits successifs du fils du second mariage de son propre père adoptif, Benoît-Agnès Trioson de Ruehaus (1790-1804), pour lequel Girodet s'était épris d'une affection quasi identificatrice. Le premier portrait de l'enfant, peint en 1796-1797, exposé au Salon de 1798, le représente triste et rêveur, endeuillé par la mort récente de sa mère, orphelin prématuré comme le peintre l'avait été [42]. Il a levé les yeux de l'in-folio illustré qu'il était en train de feuilleter, Les Figures de la Bible. Girodet a représenté un bilboquet sortant de sa poche, un jeu de cartes étalé dans le tiroir ouvert du bureau, mêlé à un encrier. L'enfant rêve au-dessus d'images, il a délaissé ses jeux et peut-être les dessins à l'encre que lui inspirent les gravures de la Bible. On croirait une illustration avant la lettre des débuts du poème Le Peintre.

Le deuxième portrait a été peint et exposé au Salon deux ans plus tard, en 1800, comme si le peintre réfléchissait dans la croissance de ce frère d'une génération plus jeune sa propre autobiographie de peintre poète. L'adolescent debout, de profil, le visage posé sur le bras et la main gauche dans une attitude mélancolique analogue à celle prêtée dix ans plus tard à Chateaubriand, s'appuie sur un fauteuil Voltaire où sont dispersés une grammaire latine grande ouverte, un violon aux cordes cassées, un crayon, une coquille de noix vide, un papillon épinglé, un hanneton, un pain entamé et une feuille où est inscrite une maxime de La Rochefoucauld. Cette « vanité » semble résumer l'éducation encyclopédique et pensive que le Docteur Trioson veille à donner à son fils, comme il l'avait fait vingt ans plus tôt pour son protégé Girodet : humanités classiques, musique, dessin, philosophie naturelle, philosophie morale. La rêverie qui fait un moment délaisser l'étude au jeune garçon veut témoigner d'un génie poétique naissant et déjà inquiet, tel que Girodet se représentera lui-même indirectement à cet âge dans le poème Le Peintre.

En 1803, Girodet achèvera un troisième portrait de Benoît-Agnès commencé beaucoup plus tôt. La mort de l'adolescent l'année suivante l'empêcha de l'exposer au Salon de 1804. C'est un double portrait, représentant Le Docteur Trioson donnant une leçon de géographie à son fils, thème d'éducation familiale conforme aux conseils de Rousseau et qui fut peut-être inspiré par la gravure royaliste du comte de Paroy, La Leçon de géographie de Louis XVI au Dauphin dans la tour du Temple [43]. Représenté de profil, le jeune homme attentif appuie la main gauche sur un exemplaire des Commentaires de la guerre civile de César, tandis que son vieux père tournant son visage vers lui désigne du doigt sur un globe terrestre le théâtre africain où se régla le conflit opposant César et Pompée. À l'arrière-plan, un buste d'Hippocrate posé sur une bibliothèque. Hommage à l'éducation des Lumières que le docteur avait donnée à son fils bien-aimé, et élégie funèbre en hommage à un génie naissant fauché en pleine croissance.

Raphaël.

Benoît Agnès, à qui Girodet donna sans
[d]oute des leçons de dessin, aurait pu devenir
[le] peintre d'histoire dont le poème *Le Peintre*
[se]ra le portrait moral. Se rendant à Rome, il
[au]rait, après tant de peintres européens depuis
[le] XVIᵉ siècle, connu l'épreuve initiatique
[d]e la traversée des Alpes, qui avait été pour
[G]irodet, comme pour Chateaubriand la
[tr]aversée de l'Atlantique et la découverte
[de]s «forêts du Nouveau Monde», l'initiation
[a]u sublime de la Nature. Comme il arrive
[à] plusieurs reprises dans le poème, ce moment décisif est marqué par un
[br]ef passage de la troisième personne au «je» lyrique :

Moi-même, riche alors de jeunesse, d'espoir
Et des illusions d'un avenir immense
Quand je quittai le sol, le doux sol de la France
À l'aspect imprévu de ces rocs menaçants,
Un désordre nouveau bouleversa mes sens ;
Mes regards dévoraient les cieux et les abîmes,
Et mon âme nageait dans ces grandeurs sublimes [44].

Dans l'Italie des Muses

Une fois à Rome, l'imagination, «ce sens générateur» du peintre poète
[d']histoire, prend possession des grands repères permanents de l'Académie
[id]éale et du retour à l'antique : les ruines de l'*Urbs* qui, comme les ruines
[d]e la Grèce visitées par le Chateaubriand de l'*Itinéraire*, sont hantées par
[l']ombre d'«illustres morts» réveillés et imaginés à l'appel de leur nom ;
[le] Vatican, «chef-d'œuvre de l'Europe», où «l'œil affamé d'images» du
[p]eintre s'enivre des fresques de Raphaël et de Michel-Ange comme il
[s']émeut des splendeurs de la nature italienne. À Tibur, il va se remémorer
[le]s *Odes* d'Horace ; à Naples, il va rêver, avec Horace encore, aux voluptés
[à] jamais disparues de Baies, enviant le bonheur d'un insouciant et
[ig]norant *lazzarone* ; il va aussi se recueillir, en se récitant l'*Énéide*, sur «le
[to]mbeau de Virgile», où il imagine un «dialogue des morts» entre le
[p]oète des *Géorgiques* et son émule français Delille, suivant un «itinéraire»
[ba]lisé par les mêmes réminiscences classiques qui furent aussi en 1804,
[ap]rès Girodet, celles de Chateaubriand et de son ami Bertin à Naples
[et] en Campanie. Et à l'instar de Chateaubriand qui, encore ignorant de
[l']Italie, avait pourtant prêté à son René une ascension mémorable du
[Vé]suve, Girodet poète ne décrit pas le Vésuve qu'il a pu voir, mais l'Idée
[du] Vésuve en pleine éruption, plongeant tout à coup Naples insouciante
[da]ns la panique, autre spectacle de nature et de passions humaines capable

d'éveiller chez le peintre le sentiment mêlé
du sublime et du terrible. La géographie
de Rome et du Latium, de Naples et de
la Campanie, où se répondent Nature, Art
et Poésie, déploie ainsi à l'imagination du
peintre poète un théâtre de mémoire et
d'invention qui réunit les différents registres
des beaux-arts et les différents genres des
belles-lettres : le sublime de l'épopée, de la
tragédie et de Michel-Ange, la douceur de
Virgile et de Raphaël, la grâce voluptueuse
des odes d'Horace et des idylles d'Anacréon. L'Italie, sur le territoire
autorisé aux pensionnaires de l'Académie de France à Rome, est un
réceptacle des idées classiques de beauté, léguées par l'Antiquité, enterrées
par la barbarie, retrouvées par la Renaissance et réveillées par les fouilles
d'Herculanum et de Pompéi :

Trésors que réservaient, sous la cendre légère
Les siècles d'ignorance aux siècles de lumières.

Mais la beauté qui triomphe du temps n'efface ni la destruction, ni
l'usure de l'âge, ni la mort, elle est inséparable du deuil, du regret et de
la noire mélancolie sur fond desquels le peintre la perçoit : les «trésors»
révélés dans les cendres de Pompéi portent les traces de la lave brûlante
et les émerveillements eux-mêmes de la jeunesse, devenus souvenirs,
ont perdu leur fraîcheur première. Rompant encore avec la troisième
personne, Girodet s'abandonne au «je» lyrique prélamartinien d'un
Millevoye :

Beaux vallons, frais coteaux, grottes inspiratrices
Antres voluptueux, attrayants précipices,
Désolés par Vulcain, par Bacchus consolés,
Champs du Vésuve ô vous, que mes pas ont foulés,
Avant qu'à mes yeux luise une dernière aurore,
Puissé-je, en mes vieux jours, vous contempler encore !
Que sont-ils devenus, ces trop rapides jours,
Qui sous ton ciel riant, belle Parthénopée,
Berçaient mon âme, alors, d'un doux rêve occupée.

L'évocation de la Sicile «sol magique et fait pour inspirer», puis de
Venise, «asile […] des beaux-arts réunis» complète ce panorama d'une
Italie-Musée vivant, mémoire du grand art et de la grande poésie. De la
Révolution, dans le poème *Le Peintre*, il ne reste que le sentiment d'un

grand malheur français, souffert à distance en Italie par un peintre tout à son art et qui a eu la chance d'en partager les travaux et les jours avec un ami au grand cœur : le chant III du poème s'achève sur un éloquent éloge funèbre du génie du paysagiste Péquignot, second Poussin, second Claude, mais incompris et mort trop tôt.

7. Topique de la peinture d'histoire et religion de l'art

L'autre moitié du poème, ses trois derniers chants, sont consacrés à vagabonder parmi les « lieux communs » historiques et moraux de la peinture poétique. Autant de repères et de balises de l'univers spirituel du peintre poète, autant de sources de l'invention, actuelles ou possibles, pour ses tableaux.

Au centre de ce théâtre de mémoire, l'antique Grèce, où Girodet n'est jamais allé, mais où son imagination revient toujours, et où il invite les jeunes peintres d'histoire à se rendre, préparant un mouvement que l'Académie de France à Rome n'autorisera à ses pensionnaires que sous le Second Empire. C'est en Grèce que l'art « docte » de peindre a été inventé et été porté à ses sommets, quoique ses chefs-d'œuvre aient tous été détruits ; c'est en Grèce que les plus grands honneurs ont été rendus aux peintres, et c'est là aussi que les peintres ont fondé leur art sur la plus vaste et profonde « histoire naturelle ». C'est là aussi qu'une « légende dorée » de l'art de peindre est apparue, exaltant ses postulations profondes et sa royauté parmi toutes les vocations du génie humain. Le feu sacré s'est éteint en Grèce depuis longtemps, comme en Égypte, mais le schéma historiographique humaniste affirme qu'il n'a pas disparu. Transporté à Byzance, il a résisté à l'iconoclasme ; en Italie, il a flambé pendant la Renaissance et maintenant, dans le sillage de Joseph Marie Vien et de David, il s'est rallumé en France. Malgré son hellénocentrisme, Girodet ne circonscrit pas l'imagination, ni éventuellement l'inspiration du peintre poète français aux seules terres classiques. Auteur d'un célèbre tableau ossianesque, il avait anticipé dès 1801 l'élargissement « libéral » auquel Mme de Staël procéda dans *De l'Allemagne* (1809), mis au pilon par un

Empereur devenu « résolument classique », en juxtaposant aux littératures du Midi celles du Nord dont « Ossian » était « l'Homère ». Il n'hésite pas, dans *Le Peintre,* à suivre en Terre sainte le Chateaubriand de l'*Itinéraire*, et à proposer la « lugubre splendeur/Désert que Jéhovah remplit de sa grandeur », le Moyen-Orient, à l'invention des artistes « régénérés ». Orientalistes avant la lettre, Gros dans *Les Pestiférés de Jaffa* et lui-même dans *La Révolte du Caire*, s'étaient aventurés en Palestine et en Égypte ottomanes, en pionniers de la geste bonapartiste et surtout, dans le cas de Girodet, en lecteur assidu, comme Chateaubriand, de la *Jérusalem délivrée*. C'est encore Chateaubriand qui entraîne Girodet inciter ses élèves à rêver aux « déserts du Nouveau Monde », que le peintre avait laissé entrevoir en 1808 dans l'arrière-fond d'*Atala au tombeau*.

Revenu « sur le sol natal », au retour de ces voyages, son « cœur français » délivré des préjugés du XVIIIe siècle philosophique contre le Moyen Âge et les antiquités nationales, le peintre d'histoire s'attendrit sur les « tourelles gothiques/Dominant les sommets de nos bois romantiques », et sur « les casques en débris et d'argile souillés/Les tronçons de poignards, les vieux heaumes rouillés » que déterre « la charrue du laboureur ». Convaincu, sinon converti par le *Génie du christianisme*, il éprouve des « transports » à la vue des églises et couvents de France ruinés et déserts, se remémorant l'abbé de Rancé « commentant saint Benoît après Anacréon ». De beaucoup, il préfère toutefois Flore, Cérès, les nymphes et les naïades chères aux Anciens et à Ronsard, s'enchantant avec elles des paysages agrestes de la patrie et invitant les « peintres savants », amis de la solitude et de l'étude, à les découvrir « sur le motif », comme Poussin et Claude avaient découvert les paysages du Latium, et à y butiner, comme ces grands maîtres, les baumes de l'âme sensible, « de nos biens mensongers les moins imaginaires ». Il y a quelque prophétie (en même temps que la mémoire de Pétrarque à l'Isle-sur-Sorgue et au mont Ventoux) à désigner ainsi la France comme un Latium ou une Campanie restant à « historier » par ses paysagistes.

Le peintre d'histoire a aussi sa topique morale, fort analogue à celle du poète. Il lui est naturel d'aspirer à la gloire, mais, sitôt célèbre, il sera assailli par « les Zoïles des arts ». Aussi doit-il, sans se laisser déconcerter, répliquer sans crainte aux attaques et redoubler de chefs-d'œuvre pour faire taire les blasphémateurs : pas de lauriers sans épines pour l'artiste vivant, qui peut néanmoins compter sur le temps pour obtenir pleine justice. Si l'émulation entre artistes est un aiguillon du génie, pourquoi faudrait-il la laisser dégénérer en jalouse envie ? Les génies rivaux, comme Virgile et Horace, peuvent et doivent être amis, et ignorer les mœurs de cour :

Rome a vu le Poussin, aussi libre qu'heureux
Recherché par les Grands, bien qu'il s'éloignât d'eux.

La république des arts, comme la république des lettres, est une
[a]cadémie d'égaux. Aux yeux de Girodet, Charles Le Brun, «peintre-
[Cé]sar», «d'orgueilleuse mémoire», et son «esclave» le sculpteur
[G]irardon, sont le parfait contre-exemple de la fière et modeste grandeur
[d']âme désintéressée d'un Poussin et d'un Puget. La pointe indirecte
[p]orte contre David, dictateur des arts sous Robespierre, puis courtisan
[d]e l'Empereur.

Pour autant (et sur ce point aussi Girodet philhellène se sépare du
[D]avid jacobin et robespierriste), le peintre d'histoire «ennobli par la
[cé]lébrité» n'est pas tenu de mépriser les faveurs que son art lui vaut de
[la] part des «beautés». Chateaubriand, dont l'imagination est volontiers
[ana]créontique et voluptueuse, a pu demander à la poésie «de la gloire
[p]our être aimé»: il affirme dans ses *Mémoires* que les femmes préférent
[le]s poètes de sa sorte au tout-puissant, mais brutal, Napoléon. Avant lui, le
[po]ète du *Peintre* s'était félicité de cette élection féminine:

L'heureux enfant des arts sait plaire à la beauté.
On la voit préférer, dans le mortel qu'elle aime,
Le bandeau d'Apollon au plus beau diadème,
Les lauriers de l'artiste aux palmes du héros.

Le peintre poète fait alors appel, dans la légende dorée de la peinture
[g]recque, à la célèbre anecdote du généreux Alexandre cédant à Apelle
[sa] très belle maîtresse Campaspe, dont le peintre était devenu amoureux
[en] faisant son portrait, tandis qu'elle-même, ravie de se voir si belle
[en] ce miroir, s'était éprise du portraitiste. L'amour n'est pas seulement
[un]e grâce accordée au génie poétique, il est inhérent à sa capacité de
[re]présenter la grâce. Girodet demande à une autre anecdote grecque,
[re]prise en latin par Ovide, d'illustrer encore plus directement cette
[heu]reuse alliance d'Apollon et de Vénus. Ici encore, Girodet est par
[av]ance en accord intime avec Chateaubriand: le mythe de la Sylphide,
[qu]i occupe, on le sait, une place considérable dans l'autoportrait

du poète des *Mémoires d'outre-tombe*, est une variante avouée de la
fable ovidienne de Pygmalion. Le long récit par Girodet des amours
du prince sculpteur Pygmalion et de Galatée sa statue, morceau de
bravoure digne d'un Théophile Gautier, conclut le chant V du *Peintre*.
Chateaubriand put le lire en 1829 dans les *Œuvres posthumes* du peintre,
et il n'est pas exclu que ce petit chef-d'œuvre ciselé par son propre
portraitiste ait fait du chemin dans son esprit. Loin de se contenter
de paraphraser Ovide, Girodet, sur le canevas antique, s'est livré à
une description-exégèse du tableau qu'il exposa au Salon de 1819,
et qu'il tenait pour l'expression la plus haute de son art. À la lecture
de cette *ecphrasis*, on comprend mieux ce qu'a été pour le peintre la
longue genèse de ce tableau, une exploration du plus profond de son
expérience créatrice, la découverte du lien entre sa nature de *vir eroticus*
affamé d'un introuvable idéal de grâce et sa vocation de peintre poète
acharné à figurer cette idéale féminité. Aucun autre commentaire ne
peut mieux justifier la singulière figure d'Éros, que Girodet a insinuée
entre le prince sculpteur amoureux et sa statue prête à s'animer, que ses
propres alexandrins:

«Le dieu malicieux se rit de l'impossible:
Il paraît, le bloc cède et le marbre est sensible.»

Le chant VI voudrait ajouter à cet horizon grec le ciel chrétien dont
Chateaubriand avait fait la vraie patrie moderne des arts et des lettres.
Mais Girodet, ancien lecteur de Condillac et collaborateur du *Dictionnaire
de la fable* de François Noël, peine à condamner le paganisme. Il s'attarde
sur le sol attique:

Ainsi la vérité suivait l'allégorie;
Ainsi la beauté seule, admirée et chérie,
Excitait chez les Grecs ces sublimes élans
Qui faisaient à sa vue éclore les talents.
Tous ces dieux, asservis aux passions humaines,
Partageaient des mortels les plaisirs et les peines;
Ils enseignaient à l'homme à vivre pour jouir,
Et le culte des sens n'avait point d'avenir.

Il dénie à la Rome antique, comme Winckelmann, toute originalité
artistique. S'il la félicite d'avoir fait triompher sur ses fables le «vrai
dieu et son culte», s'il se réjouit que Byzance chrétienne ait étouffé
l'iconoclasme, s'il y voit éclore les «beautés nouvelles» que la religion
du Christ a ouvertes aux artistes du pinceau, l'art chrétien n'y refleurit
pas avant que transporté en Italie, encouragé par le mécénat des papes

de la Renaissance, il ait laissé surgir librement le génie de Raphaël, de Michel-Ange, du Dominiquin, disciples modernes de l'art antique : « Ce n'est plus le pinceau qui fait peindre, c'est l'âme. » Sans doute. Mais le peintre poète ne peut s'empêcher de revenir à la Grèce, célébrant le génie de l'antique Protogène, capable d'impressionner assez Démétrius pour obtenir de lui qu'il renonce à envahir et saccager Rhodes, ou la sublimité de l'art de Phidias, qui « atterrait d'un regard de ses dieux/ L'athée au cœur d'airain ». Du *Génie du christianisme*, Girodet ne retient, pour nourrir l'invention du peintre, outre le *Coeli enarrant gloriam Dei* de la Bible, archaïque version du culte rendu à la Nature par les Lumières, l'ultraviolet du spectre de la beauté morale, la charité évangélique, première version de la « sensibilité » philanthropique des Lumières. En définitive, ce qui fait le peintre poète, son bonheur et sa gloire, c'est le « sublime avantage » qu'il a reçu avec son talent, principe générateur de sa prudence, de sa vertu, de sa piété, de sa force d'âme, de son détachement vis-à-vis des choses fortuites, bref de la grâce qui conduit sa vie et qui le rend heureux même au désert et en prison, pourvu qu'il puisse s'y livrer à son Art. Le vulgaire, du haut en bas de l'échelle sociale, « stérile » parce que « sans culture », ne connaît en comparaison qu'un usage « vide » du temps :

> *Tandis que pour l'artiste un siècle n'est qu'un jour*
> *Sans cesse travaillant, méditant tour à tour,*
> *Son travail avec lui porte sa récompense.*
> *Durable est son bonheur, pure est sa jouissance !*

Par-delà les religions et les époques successives, plus ou moins hospitalières, l'art inventé par les Grecs est devenu le mode d'existence poétique et indépendante propre à ses initiés, avec sa spiritualité, sa morale, sa sociabilité qui peuvent en recouper d'autres, mais qui n'ont d'autre loi que l'art lui-même et la grâce qu'il impartit à ses élus. Victorieuse de l'Académie administrative, qui elle-même était un progrès sur l'artisanat héréditaire, l'Académie idéale a créé, avec son propre type de civisme librement exercé, un univers dont les « lieux » mnémotechniques, imaginatifs et esthétiques l'emportent sur les règles et les dogmes. Le poème *Le Peintre*, après avoir exploré cet univers, peut s'achever sur un hymne à la gloire de Raphaël, « ange de la Peinture », « Apelle moderne », maître d'une grâce que n'a pas su retrouver intacte son disciple Jules Romain. Raphaël a beau avoir raccourci sa vie par excès de plaisir amoureux, il n'en avait pas moins presque parfait avant de mourir, à la fois pur et impur, et on est tenté de dire, achevant la pensée de Girodet, « par-delà le Bien et le Mal », ce chef-d'œuvre absolu de la peinture antique, moderne et chrétienne, *La Transfiguration*.

Loin d'être un fossile comme ses modèles dans le métier du vers, le poème posthume de Girodet, publié à la fin de la Restauration, est un moment et un monument magnifique de la genèse de la religion romantique de l'art.

notes

« L'œuvre et la vie de Delacroix », 1863, *Œuvres com-*
es, éd. Claude Pichois, Paris, Gallimard, « Bibliothèque
a Pléiade », t. I, p. 746.

Voir la préface d'Adrien Goetz à son édition du *Chef-*
uvre inconnu, Paris, Gallimard, « Folio », p. 17-18.

Recueil des notices historiques lues dans les séances
liques de l'Académie royale des beaux-arts par M. Qua-
ère de Quincy, secrétaire perpétuel de cette Académie,
is, Leclerc, 1834, p. 308-334.

Delécluze (1855), 1983, p. 269.

Les notions d'école, d'atelier, d'académie, utilisées
s les monographies, n'ont pas encore fait l'objet d'une
de sémantique et historique d'ensemble. Sur l'histoire
académies d'artistes, outre le livre pionnier et classi-
de Nicolas Pevsner (1939), on lira avec fruit l'essai de
Goldstein, *Teaching Art : Academies and Schools from*
ari to Albers, Cambridge University Press, 1996.

Voir Thierry Le François, *Charles Coypel, peintre du*
1694-1752, Paris, Arthéna, 1994.

David, cat. exp., chronologie.

Delécluze, 1855, p. 264.

Ibidem.

Coupin, 1829, t. I, p. 7.

Lemeux-Fraitot, 2003, p. 46-48.

Ibidem, p. 164.

Mémoires d'outre-tombe, éd. J.-C. Berchet, Garnier,
, L. XXIX, ch. 6, p. 211.

J. Delille, *L'Imagination,* Paris, 1808, t. I, p. 35, pré-
.

Lemeux-Fraitot, 2003, p. 99.

André Chénier, *Œuvres complètes,* éd. G. Walter, Paris,
imard, « Bibliothèque de la Pléiade », 1958, p. 157.

Ibidem, p. 131.

Elles ont été recueillies dans Coupin, 1829, t. II, p. 93-
.

Voir dans le recueil *Chateaubriand et les arts* les études
Stéphane Guégan et Sylvain Bellenger, p. 111-152.

Noël, 1803 (nouvelle édition), t. I, p. 475.

Ibidem, p. 502-503.

Lemeux-Fraitot, 2003, p. 278.

Thomas Gaethgens, Jacques Lugand, *Joseph-Marie*
n (1716-1809), Paris, Arthéna, 1988, p. 172.

Voir dans Édouard Pommier, *Winckelmann, inventeur*
l'histoire de l'art, Paris, Gallimard, 2003, le chapitre
notion de grâce chez Winckelmann », p. 53-94, où la
férence de Girodet est citée, n. 1, p. 55 et commentée
1. L'auteur cite l'éloge par Cicéron des orateurs attiques
elui d'Apelle par Quintilien : *gratia praestantissimus,*
comparable pour la grâce », et rappelle que ce « je ne
quoi » des rhéteurs s'applique aussi, à la Renaissance,
charme social de l'homme du monde, inséparable de
désir de complaire aux femmes belles et spirituelles.
s l'art, comme dans l'attitude sociale, la grâce efface les
es, le « métier », l'étiquette. Dès 1543, comme le fera
det, Varchi sépare la beauté, inopérante à elle seule,

de la grâce dont le charme est irrésistible. Winckelmann,
souvent représenté en contemplation des trois Charites
grecques, fait de même. Il distingue de Vénus charnelle
une grâce d'autant plus désirée qu'elle est « céleste »,
« hors de l'atteinte des sens » et indemne des maniéris-
mes sociaux.

25. Voir Charles Dempsey, *The Portrayal of Love, Botti-*
celli's « Primavera » and Humanist Culture at the Time
of Lorenzo the Magnificent, Princeton University Press,
1992.

26. Voir F. Haskell, « Un mécène italien de l'art néoclassique », in *De l'art et du goût,* Paris, Gallimard, 1989, p. 107-
144.

27. Coupin, 1829, t. II, p. 132

28. *Mémoires d'outre-tombe,* t. III, p. 726.

29. Dans le *Dictionnaire,* éd. cit., 1803, t. I, p. 605-607,
les Grâces ont droit à une très copieuse entrée, étayée par
une longue citation de Chrysippe. Elles sont ainsi définies :
« les Anciens attendaient de ces divinités bienfaisantes les
plus précieux de tous les biens. Leur pouvoir s'étendait à
tous les agréments de la vie. Elles dispensaient aux hommes non seulement la bonne grâce, la gaîté, l'égalité d'humeur, la facilité des manières, et toutes les autres qualités
qui répandent tant de charme dans la société, mais encore
la libéralité, l'éloquence, la sagesse. La plus belle de toutes
leurs prérogatives, c'est qu'elles présidaient aux bienfaits et
à la reconnaissance. » Ces vierges ravissantes et souriantes
faisaient donc désirer les voluptés chastes des plaisirs du
cœur, de l'esprit et de la société. Le contraire des *geishas* et
des *Miss O'Murphy* de Boucher.

30. *Mémoires d'outre-tombe,* t. I, XI, p. 590.

31. Lemeux-Fraitot, 2003, p. 258.

32. Levitine, 1978. Girodet s'est certainement inspiré pour
sa mêlée des descriptions de bataille de l'*Énéide* (Chant VII,
176-473) et de la *Jérusalem* (Chant XX, 28-100), où dans
les deux cas un couple solidaire (Nisus et Euryale chez Virgile, Gildippe et Odoart chez le Tasse), concentre l'attention
du lecteur. Le futur consul Charles-François Lebrun, futur
duc de Plaisance, avait publié, en 1774, une traduction de
la *Jérusalem,* reprise récemment par Françoise Graziani
dans GF Flammarion, 1997.

33. Delécluze, 1855, p. 266

34. Girodet a consacré à cette notion une dissertation sous
le titre *De l'originalité dans les arts du dessin,* qu'il faut rac-
corder à celles qu'il a dédiées à la notion de « génie » et
à celle de « grâce » (Coupin, 1829, t. II, p. 187-227). Don
du génie naturel, l'originalité ne rejette pas « les goûts, les
opinions, les systèmes établis », mais elle les transcende,
comme la grâce transcende la beauté.

35. Lemeux-Fraitot, 2003, p. 359.

36. Coupin, 1829, t. II, p. 204.

37. Voir Pommier, 2003, le chapitre « La notion de grâce
chez Winckelmann », p. 83 et le chapitre « Le sentiment du
beau », p. 95-116.

38. Coupin, 1829, t. II, p. 44.

39. *Ibidem,* p. 54-58.

40. *Ibidem,* p. 40.

41. Lemeux-Fraitot, 2003, « Les humanités de Girodet »,
p. 116-131.

42. In *ibidem,* p. 139-141.

43. *Ibidem,* p. 145.

44. Coupin, 1829, t. I, p. 59.

Abigail Solomon-Godeau

Endymion était-il gay?
Interprétation historique, histoire de l'art homosexuelle et historiographie queer

Contrairement à beaucoup d'œuvres importantes de Girodet dont conditions de production et de réception restent assez mal connues, *Sommeil d'Endymion*, peint à vingt-quatre ans pendant son séjour à Académie de France à Rome, s'accompagne d'une documentation très mplète[1]. Dès les premiers stades de la conception, conformément à ses ouches ambitions, Girodet décide de faire «quelque chose de neuf» artir de ce qui n'était peut-être qu'un banal exercice scolaire de type cadémie». Plusieurs dessins préparatoires sont parvenus jusqu'à nous ns l'un de ses carnets, à quoi s'ajoute une étude à l'huile. Nous avons remarques de l'artiste sur l'élaboration et l'exécution du tableau dans correspondance, notamment une lettre de juillet 1791 au docteur ioson où il évoque l'imprudence commise en employant de l'huile olive : la peinture n'avait toujours pas séché au bout de six semaines, et dû tout gratter pour repeindre les figures. Nous avons encore l'avis

favorable formulé par François-Guillaume Ménageot, le directeur de l'Académie de France à Rome, et les réactions non moins favorables des académiciens après l'envoi de l'œuvre à Paris. Si la présence du *Sommeil d'Endymion* au Salon de 1793 a suscité assez peu de commentaires dans la presse (on était alors au début de la Terreur), d'autres témoignages attestent son succès auprès des critiques et du public. David lui-même exprime son approbation[2]. Après le Salon de 1793, le tableau figure au Salon de l'Élysée en 1797 et à nouveau au Salon officiel de 1814. On en trouve de nombreuses descriptions et appréciations à partir de la Restauration, dans des publications très diverses, dont les différents guides du musée du Luxembourg où l'œuvre de Girodet fut accrochée à la suite de son acquisition par Louis XVIII en 1818. Elle est entrée dans les collections du Louvre peu après la mort de l'artiste en 1824. Gravée au burin, lithographiée, elle a fait l'objet de multiples copies et répétitions par toute une série d'artistes, sans compter les emprunts flagrants, les pastiches et autres adaptations. On retiendra plus particulièrement son célèbre détournement dans le *Sarrasine* (1830-1844) de Balzac, où elle devient un portrait du beau castrat dont le héros est tombé amoureux [3]. Il semblerait donc que, indépendamment de notre perception actuelle du tableau et de son effet d'étrangeté, cette œuvre n'enfreignait nullement son « horizon d'attente [4] » à l'époque de Girodet et sous la Restauration.

L'érotisme de ce tableau – qui tient autant à son sujet mythologique qu'à la présentation de corps masculins séduisants (et, disons-le, à leur facture, leur modelé et leurs rehauts luministes) – trouve un écho implicite dans bon nombre des comptes rendus de l'époque [5]. Certes, le langage qui sert à évoquer l'érotisme dans les commentaires de la fin du XVIIIe siècle et du début du XIXe siècle obéit entièrement à un système de conventions, autorisant ainsi, selon le modèle de Winckelmann, des effusions passionnées devant la beauté physique [6] qui seraient impensables dans la critique moderne et, à plus forte raison, postmoderne. Mais cette phraséologie ne déborde nullement l'horizon d'attente de l'œuvre, ses conditions de possibilité, et constitue une forme de discours particulière sur l'idéal masculin qui est totalement imbriqué dans le thème du tableau [7]. Cela dit, la question qui se pose dans notre présent historique porte sur notre horizon d'attente à nous. En d'autres termes, pourquoi et comment le sens, la portée et l'effet du *Sommeil d'Endymion* de Girodet sont-ils devenus le lieu d'un débat sur la subjectivité, la sexualité, l'homosexualité, l'homoérotisme et l'homosocialité ? Étant donné, aussi, que toute lecture convaincante d'un produit culturel du passé doit se réfracter au prisme des subjectivités contemporaines, comment transposer correctement les perceptions et subjectivités du passé ? Enfin et surtout, comment le tableau de Girodet a-t-il acquis une valeur emblématique dans le projet, poursuivi au sein de la discipline de l'histoire de l'art, de construire une histoire homosexuelle ou, autrement, une histoire de l'art queer [8] ?

L'absurdité affichée par le titre « Endymion homosexuel ? » est donc destinée à orienter la réflexion vers toutes ces questions, en partant de l'idée que le regard du spectateur instaure certaines relations qui supposent ou requièrent des projections, des identifications ou des investissements libidinaux. Naturellement, ni le tableau ni un personnage du tableau ne possède d'identité « sexuelle » ou même érotique de quelque espèce. Comme Maurice Denis l'écrivait en 1890 : « Se rappeler qu'un tableau, avant d'être un cheval de bataille, une femme nue ou une quelconque anecdote, est essentiellement une surface plane recouverte de couleurs dans un certain ordre assemblées [9]. » Malgré tout, l'histoire de l'art occidental, et c'est peut-être l'une de ses particularités culturelles, témoigne d'une tradition vénérable par quoi le sujet représenté est en

mesure de susciter des émotions et des réactions de même nature que celles que l'on éprouve normalement à l'égard d'une autre personne. Il existe alors, à côté du mythe classique de la *mimésis* (la représentation confondue avec la chose réelle, comme dans la fameuse anecdote de Pline sur les raisins de Zeuxis et le rideau de Parrhasios), un mécanisme analogue d'investissement érotique, par quoi l'objet inanimé excite le désir comme si la figure peinte ou sculptée était un être de chair [10]. Enfin, l'acte de peindre en soi, surtout lorsqu'il s'agit d'un artiste homm[e] façonnant un nu féminin, possède lui aussi une longue tradition de métaphores amoureuses. De la brosse de Titien caressant Vénus (*dixit* Paul Valéry) à l'identification sexuelle de Renoir avec son pinceau (« je peins avec ma queue [11] »), les artistes et les critiques perçoivent souvent l[a] dimension libidineuse (hétérosexuelle) de l'acte de création.

Ce phénomène trouve une illustration évidente dans le mythe de Pygmalion et Galatée, un sujet qui a d'ailleurs occupé Girodet pendant six longues années. C'est aussi un phénomène associé au fétichisme, une formation substitutive qui a de multiples résonances en histoire de l'art. Quoi qu'il en soit, et concernant cette sorte de relation à forte charge érotique avec les œuvres d'art, il serait bon d'en revenir aux écrits de Winckelmann (et à ceux de ses successeurs) où l'on peut lire des réacti[ons] à la sculpture et à la peinture qui frappent par leur façon de renvoyer à u[n] mode de perception profondément sensuel. Reste à savoir si ces envolée[s] doivent se comprendre comme l'expression spontanée et sincère du dési[r] de l'auteur, ou alors comme une forme de discours très convenue, sans lien véritable avec la subjectivité personnelle de l'auteur, et cela fait part[ie] de la difficulté d'interpréter les sources historiques [12].

Il va sans dire – et je le dirai quand même – que les mythes alliant l'acte de création artistique au pouvoir de transmutation (ou d'animatio[n]) que possède l'artiste s'intéressent explicitement au sujet masculin. On a bien du mal à opérer la transposition mentale nécessaire pour que ce so[it] la force du désir de la sculptrice qui transforme sa statue en incarnation vivante de l'homme de ses rêves. Pourtant, la sexuation (et ses corollaires compensateurs) du mythe ne doit pas nous empêcher de voir l'origine ou la nature du désir lui-même, qui n'est ni une prérogative masculine, [ni] forcément hétérosexuel dans ses objets. Donc, pour en revenir au *Somm[eil] d'Endymion*, face à ce qu'il pouvait représenter pour les contemporains [et] ce qu'il représente pour nous, aujourd'hui, il faut prendre en compte les déterminations d'ordre à la fois historique et psychologique, symboliqu[e] et imaginaire, chacune avec son inscription dans le temps, l'espace et la culture.

Dans un contexte historique, il importe de se rappeler notamment qu'à partir des années 1820 les idées sur le beau idéal en peinture et en sculpture subissaient une opération de changement de sexe quasi

irurgicale. Cela nous permet de cerner la nature de la transition
tre l'ère néoclassique et les idéologies «modernisées» de la différence
xuelle au XIXᵉ siècle. Alors que des artistes de l'époque néoclassique
ntonio Canova en est un excellent exemple) pouvaient faire alterner
différemment les modèles masculins et féminins de beauté idéale,
ns la période de la monarchie de Juillet, il devient de plus en plus
ident que l'expression sensuelle, érotisée et idéalisée du corps humain
it être féminine. Dès 1817 même, on discerne dans la critique d'art
e certaine ambivalence devant les images du corps masculin qui
nblent par trop féminisées [13]. Il est à noter également que, à la date de
xposition de sa *Grande Odalisque* au Salon de 1819, Ingres, formé à
telier de David comme Girodet, est d'ores et déjà un spécialiste du nu
ninin. Dès 1867, le beau idéal tel qu'il s'incarne dans le nu masculin
raît indéniablement retardataire à des observateurs aussi traditionalistes
art que Théophile Gautier (qui avait un faible pour le sujet) : «Nous
nons beaucoup *Le Sommeil d'Endymion*. L'idéal de la beauté, chez
modernes, se porte vers la femme et il est rare qu'un peintre de
s jours l'ait cherché dans l'expression du type viril le plus parfait [14].»
tte réflexion révèle la distance critique déjà bien installée entre deux
tèmes plastiques de représentation et de réception, le moderne étant
côté de la prédominance de la féminité comme domaine convenable,
même obligatoire, de l'expression du beau et de l'érotique. Ce
angement profond n'est peut-être pas sans rapport avec le déclin de
fortune critique de Girodet tout au long du XIXᵉ siècle et pendant
e bonne partie du XXᵉ siècle, alors même qu'il a peint des nus
ninins, dont plusieurs ont connu une large diffusion sous forme de
nographies. Il est vrai que l'art néoclassique lui-même est passé de
ode, supplanté successivement par le romantisme, le réalisme et autres
olutions du style. C'est ainsi que George Levitine a pu évoquer
nt trente ans de délaissement lorsqu'il a rédigé en 1978 la préface à
dition de sa thèse de 1952 sur Girodet [15]. Il notait en même temps
e deux expositions importantes avaient contribué au regain d'intérêt
ur les peintures de Girodet : «The Age of Neoclassicism» à la Royal
ademie de Londres en 1972 et «De David à Delacroix, la peinture
nçaise de 1774 à 1830» à Paris, Detroit et New York, en 1974-1975,
i ont permis de redécouvrir des artistes perdus de vue au fond de la
lée entre les deux sommets David et Géricault. Au cours des vingt
nées suivantes, les travaux sur Girodet ont notablement progressé et,
rtout, les spécialistes ont commencé à regarder de plus près les aspects
son art qui recoupent les thèmes de la subjectivité, de l'érotisme et
la différence sexuelle. C'est là que Girodet et, singulièrement, *Le*
mmeil d'Endymion ont commencé à revêtir toute leur importance
ns l'exhumation d'une histoire oubliée (ou refoulée) des artistes

homosexuels, ou queer, de leurs sujets, de leur public, de leur clientèle
et de leur fortune critique.

D'une certaine façon, et en grande partie au sein de la recherche
anglophone, le regain d'intérêt pour ces aspects de la vie et l'œuvre de
Girodet reflètent de nouvelles tendances de l'histoire de l'art en soi. Mais,
si l'on a pu formuler des questions sur la sexualité et sa représentation,
c'est aussi à la suite des mouvements féministe et homosexuel, avec
leur cortège d'études théoriques et scientifiques [16]. En outre, ces deux
mouvements ont attiré l'attention sur l'histoire occultée des femmes
artistes et sur les œuvres d'artistes homosexuels. Par conséquent, s'il fallait
définir une histoire de l'art homosexuelle, un critère serait l'affirmation de
l'*existence* historique d'artistes homosexuels, jointe au réexamen de leurs
œuvres sous l'angle de l'identité sexuelle présumée. Dans une certaine.
mesure, l'entreprise consiste à «sortir du placard» différents artistes.
Dans une autre mesure, peut-être plus concluante, il s'agit de «sortir du
placard» l'histoire de l'art. Pour citer Whitney Davis, un des principaux
acteurs de l'histoire de l'art aussi bien homosexuelle que queer : «Il
serait facile de considérer ce phénomène général [le refoulement
de l'histoire de l'homosexualité dans les arts plastiques] comme une
conséquence obligée de la vieille homophobie universitaire et d'une
myriade d'obstacles extérieurs qui ont empêché d'engager le moindre
projet d'envergure. […] Le paradoxe, c'est qu'il n'y a pas vraiment besoin
d'interventions du dehors pour faire rentrer l'histoire de l'art dans le
placard, si l'on peut dire, chaque fois qu'elle menace d'en sortir, parce que
l'histoire de l'art est déjà *dans* le placard. En fait, l'invention de l'histoire
de l'art, la collecte de ses données, leur exposition et leur interprétation se
situent fondamentalement dans un placard, c'est-à-dire la façon commode
et, jusqu'à un certain point, nécessaire dont les historiens de l'art évitent
les tensions sociales pénibles et les questions personnelles douloureuses
en transposant l'expression subjective directe de l'érotique homosexuelle
dans des substituts que le discours disciplinaire de l'histoire de l'art
a érigés en répertoire vaste, mais particulièrement stérile, de centres
d'intérêt réputés objectifs. L'histoire homosexuelle n'est justement pas un
des centres d'intérêt objectifs qui gouvernent la recherche et la réflexion
des historiens de l'art sur les personnes du passé, pour la bonne raison que
sa réalité *subjective* est perpétuellement niée à leurs yeux [17].»

Si les grands textes critiques font souvent allusion à l'«homosexualité»
de divers peintres ou sculpteurs (comme dans les pages que Vasari
consacre à Sodoma), jusqu'à une époque récente, en dehors des études
psychanalytiques, la recherche en histoire de l'art se penchait rarement
sur les aspects psychosexuels des artistes et de leurs œuvres. D'un côté,
la volonté de construire une histoire de l'art homosexuelle découle
logiquement de la démonstration par les féministes que la sexualité

joue un rôle fondamental dans «la formation des relations sociales, les croyances et les faits historiques, les identités et les comportements individuels ou collectifs [18]». De l'autre, il y a un grand débat sur la question de savoir si la «sexualité» en soi a vraiment une histoire et dans ce contexte, le travail fondateur de Michel Foucault dans son *Histoire de la sexualité* (inachevée) interroge cette notion globalisante autant qu'il en retrace l'évolution. De même, quand une histoire de l'art homosexuelle se donne pour mission de mettre en lumière l'existence d'artistes, de collectionneurs ou de discours homosexuels, elle est souvent anachronique par son recours à des conceptions modernes de l'identité sexuelle. C'est certainement l'une des raisons pour lesquelles la plupart des recherches sur les artistes homosexuels se concentrent sur l'art moderne et contemporain. Mais mon propos sera de dire que, si le fait d'envisager l'art ou les artistes modernes dans une optique homosexuelle soulève des problèmes épistémologiques, conceptuels ou autres, les difficultés paraissent plus insurmontables encore quand on a affaire à des périodes (ou des cultures) plus anciennes.

La forme la plus élémentaire (intellectuellement parlant) de l'interprétation de Girodet *et* du *Sommeil d'Endymion* dans ce genre d'optique est illustrée par un texte relativement récent de Dominique Fernandez : «Dès 1791, Jean-Baptiste Regnault et François-Xavier Fabre exposent au Salon leurs tableaux sur Achille et Abel. Mais c'est Girodet qui, au Salon de 1793, avec le célèbre *Endymion* baignant dans la lumière glauque d'un paysage irréel élève l'érotisme homosexuel à la dignité d'une cérémonie secrète. Pour ceux qui préfèrent les corps plus drus et plus nerveux à la morphologie un peu molle et grasse du personnage principal – il ressemble davantage à un castrat qu'à un athlète grec –, Girodet a placé le jeune Amour, qu'il a peint de profil tout en prenant soin de dessiner avec précision son sexe, détail que la position du garçon ne rendait pas indispensable. 1793 : l'année de la Terreur, l'année où la France, en guerre contre l'Europe coalisée, est soumise à une dictature militaire, mais cela n'empêche pas le Salon d'accueillir officiellement le tableau, qui remporte un succès prodigieux. De Girodet, lui-même homosexuel, les dessins ne sont pas moins révélateurs […] [19].» On ne voit pas très bien ce que vient faire ici la «cérémonie secrète», mais c'est le postulat catégorique d'un «érotisme homosexuel» du tableau, et de son pendant «Girodet, lui-même homosexuel», qui est discutable. Ces catégories sont à manier avec précaution quand on parle de peintures *ou* d'artistes de la fin du XVIIIe siècle. Je ne dis pas cela pour «délivrer» Girodet d'une étiquette présumée négative, afin de lui restituer une hétérosexualité supposée normale, mais bien pour contester l'utilité même de ces catégories modernes par excellence. Comme la plupart des auteurs contemporains qui travaillent sur la question en conviennent

eux-mêmes, la catégorie de l'«homosexuel» est une invention moderne qui ne se laisse pas aisément projeter sur la catégorie prémoderne correspondant au crime profane ou au péché religieux de «sodomie» [20]. Cette notion, servant à désigner une identité psychosexuelle, ne concord pas, n'en déplaise à Foucault, avec les conceptions prémodernes de la sodomie ou de la pédérastie, qui ne les rattachent pas à des caractères constitutifs de l'individu, mais les définissent en termes d'interdictions. «L'homosexualité, écrit Foucault, est apparue comme une des figures de la sexualité lorsqu'elle a été rabattue de la pratique de la sodomie sur un sorte d'androgynie intérieure, un hermaphrodisme de l'âme. Le sodomit était un relaps, l'homosexuel est maintenant une espèce [21].»

Girodet et son *Sommeil d'Endymion* occupent néanmoins une place importante dans l'élaboration actuelle d'une histoire de l'art homosexuelle et dans le projet de construire une historiographie queer [2] Étant donné que, vers la fin du XIXe siècle, une subculture distincte s'éta déjà constituée à Paris autour des relations homosexuelles (masculines), avec ses lieux de drague, ses bistrots, son argot, ses codes et ses rituels, on serait fondé à supposer l'existence d'une véritable culture des relations sexuelles entre hommes, ou entre hommes et jeunes garçons [23]. Au vu de ce contexte social, il ne semble pas complètement anachronique de réfléchir aux liens possibles entre la peinture de deux nus masculins à fort codage érotique et une subculture homoérotique attestée par des documents d'archives. Cela dit, l'intérêt que *Le Sommeil d'Endymion* peut revêtir pour une histoire de l'art homosexuelle reste hypothétiqu tant qu'il s'appuie sur la biographie de Girodet (d'autant que rien ne prouve l'appartenance de l'artiste à cette subculture). Tout porte à croire, justement, qu'il y avait un malaise dans la vie intime de Girodet, ce qui n'a rien d'étonnant au regard de sa personnalité manifestement compliquée sinon névrotique (blocages artistiques, querelles avec ses amis, attitude autodestructrice dans l'affaire Lange et autres, déprimes, hypocondrie, etc.). Depuis les allusions ambiguës de son biographe Pierr Alexandre Coupin aux liaisons de l'artiste jusqu'aux interprétations récentes des lettres de Julie Candeille [24], le récit de l'existence de Girode donne amplement matière à spéculation. À cet égard, l'évocation de la vie érotique de Girodet par Sylvain Bellenger est un modèle d'élégance historiographique, qui a le mérite, en outre, de n'exclure aucune forme particulière de conduite ou d'orientation sexuelle [25].

Si la récupération de Girodet et de son *Endymion* par une histoire de l'art homosexuelle peut se justifier au regard de sa biographie, les arguments les plus convaincants résident dans le tableau lui-même. C'est d'abord l'atmosphère d'érotisme onirique, renforcée par la complicité tacite entre un Zéphyr au sourire perplexe et le spectateur (masculin) implicite [26] vis-à-vis d'Endymion endormi, qui suggère une interprétatio

moérotique. Viennent ensuite la morphologie des deux corps masculins
, enfin, l'absence corporelle de la déesse.

Plusieurs auteurs relatent l'épisode : Pausanias, Apollodore, Lucien
divers mythographes français. Girodet connaissait tous ces livres et
avait accès [27]. Mechthild Fend ajoute à la liste des sources littéraires
iconographiques de Girodet les recueils des *Antiquités d'Herculanum*
uramment utilisés par les artistes de la fin du XVIIIe siècle [28]. En 1801,
ns son *Dictionnaire de la fable*, François Noël décrit le tableau de son ami
irodet, car nul à ses yeux n'a « rendu aussi poétiquement [29] » le mythe
Endymion. Il est toutefois indéniable que, du fait de l'élimination de
déesse Séléné-Diane, toujours représentée dans les interprétations
térieures (ou ultérieures) du mythe, et de l'introduction de Zéphyr,
utes les relations physiques et visuelles interviennent entre des
rsonnages masculins et, bien sûr, le spectateur (masculin) implicite [30].
ns son étude indispensable sur ce tableau, Whitney Davis examine les
fférentes versions écrites de l'histoire du beau berger et de la déesse
ne éperdue d'amour. Ce que l'on retrouve invariablement, c'est l'idée
l'immortalité accordée à Endymion, dont la jeunesse et la beauté
stent intactes au prix d'un sommeil éternel. Le mythe d'Endymion
organise par conséquent autour du fantasme de l'exemption de

mortalité. L'autre constante est le pouvoir de la beauté physique (un
thème récurrent de la mythologie, comme on le sait), assez irrésistible en
l'occurrence pour pousser la chaste Séléné (ou Diane) à devenir esclave
de son désir. La structure du mythe, pourrait-on dire, « élève » Endymion
(à l'immortalité) et « rabaisse » la déesse (au rang d'amoureuse folle). À
un autre niveau du récit, les rôles actif et passif s'inversent dans la mesure
où Séléné devient le sujet désirant et Endymion l'objet désiré. Peut-être
pas complètement passif, d'ailleurs, puisque l'une des variantes du mythe
lui fait procréer cinquante filles avec Séléné malgré sa léthargie. Whitney
Davis semble penser que c'est la version illustrée par Girodet, car il écrit à
propos d'Endymion : « Il subit les choses, et son corps ne peut que réagir.
Il accomplit des actes phalliques sans désir phallique [31]. » En décidant de
supprimer le personnage féminin de Séléné pour le remplacer par un
rayon de lune, Girodet crée une incertitude sur le moment exact du
mythe qui est représenté dans son tableau.

Si l'élimination de la déesse, l'apparition du beau Zéphyr écartant les
branches d'arbres et, même, le corps androgyne d'Endymion autorisent
à qualifier le tableau d'homoérotique au moment historique de sa
réception, c'est finalement en vertu d'une certaine conception de
l'intentionnalité artistique, une conception, disons-le, contestable à bien

des égards. En d'autres termes, s'il semble évident que Girodet *a voulu* montrer un Endymion aussi beau et désirable, voire érotique, que le Zéphyr (manifestement influencé par des précédents maniéristes dans les œuvres de Parmesan et par les jeunes gens séduisants de Caravage), cela ne permet en aucun cas de déterminer la sexualité de Girodet ni, surtout, la façon dont les spectateurs ont perçu, déchiffré ou interprété le tableau [32]. Je ne le dis pas pour cautionner un point de vue comme celui de Thomas Crow qui, dans divers articles sur les élèves de David et dans son livre *L'Atelier de David* [33], semble se donner le plus grand mal pour désérotiser ces sortes de peintures afin de mieux insister sur l'idéologie jacobine et la logique de la concurrence entre artistes. Je ne le dis pas non plus pour nier d'emblée l'existence de spectateurs qui ont pu percevoir le tableau sur un mode homoérotique et éprouver du désir pour l'un des personnages ou les deux. Au contraire, il semblerait que le plaisir des sens procuré par la beauté désirable des nus masculins allait de soi pour les artistes néoclassiques, tout comme l'érotisme patent des nus féminins était un fait acquis pour les artistes (souvent les mêmes). Reste qu'il n'est pas du tout facile de faire le tri entre le plaisir visuel éprouvé par le spectateur du XVIIIe siècle, sa délectation sensorielle et esthétique (qu'un «sujet gracieux» se devait d'attiser) et son désir (illicite et étroitement surveillé s'il portait sur un objet du même sexe).

Un des premiers auteurs à avoir proposé explicitement une lecture homosexuelle de l'*Endymion* est James Smalls, dans un article paru en 1996 : «Je soutiens que la signification profonde du *Sommeil d'Endymion* réside moins dans la présence d'un corps masculin androgyne en 1791, que dans une subjectivité appliquée par l'artiste à l'organisation de l'histoire et de la pratique culturelle. C'est cette subjectivité volontairement marquée, couplée à la conversion de l'art en instrument de résistance à divers niveaux et de constitution d'une identité moderne, qui rend Girodet et son œuvre captivants et en même temps embarrassants pour l'histoire de l'art. [...] Le tableau est particulièrement inquiétant parce qu'il fournit un exemple de mise en évidence d'une vraie thématique de la sexualité homoérotique dans l'art de la fin du XVIIIe et du début du XIXe siècle [34].» James Smalls va plus loin : «À n'en pas douter, les mille façons dont Girodet représente le désir homosexuel servent à contester et rejeter les catégories conventionnelles. En donnant une inflexion queer à la tradition, autrement dit en bousculant le néoclassicisme et ses schémas sexuels rigides et homophobes, il ne reflète pas une identité sexuelle primordiale dans la culture, il en crée une autre. Son homoérotisme s'intègre dans une quête délibérée de l'originalité, où les ingrédients du désir érotique sont déconstruits en geste subversif, mais aussi magnifiés selon les paramètres conventionnels des divisions et définitions homme-femme [35].»

Une difficulté soulevée par cette lecture du tableau tient à l'allégation de Smalls que *Le Sommeil d'Endymion* «rejette les catégories conventionnelles». Même en laissant de côté l'idée d'un art de «résistance» (alors que *Le Sommeil d'Endymion* a remporté un formidable succès d'estime), on voit bien que les thèmes et les motifs homoérotiques n'ont rien de si exceptionnel à l'époque néoclassique. Dès le milieu du XVIIIe siècle à Rome (creuset du néoclassicisme), les peintures, les sculptures et les estampes illustrant des sujets tirés d'Ovide, d'Anacréon ou, pourquoi pas, d'Homère, mettent souvent en scène l'amour d'Apollon pour Hyacinthe et Cyparisse, ou l'enlèvement de Ganymède par Jupiter[36]. On voit s'exprimer plus couramment encore le goût néoclassique pour l'éphèbe plus ou moins androgyne, cet adolescent gracieux dont la statuaire et la littérature de l'Antiquité classique fournissent les modèles, et que l'on retrouve non seulement dans les sculptures de Canova, mais jusque dans les peintures républicaines de David [37].

En outre, il n'est pas du tout sûr que la période néoclassique se distingue particulièrement par son homophobie. Les philosophes des Lumières sont assez partagés sur le sujet, mais certains, comme Diderot, inclinent à considérer les relations homosexuelles comme un paramètre culturel susceptible de varier en fonction du «climat», ou de ce que l'on appellerait aujourd'hui l'«environnement». Dans les milieux aristocratiques et à la cour, les formes de sexualité «déviantes» semblent presque toujours tolérées, discrètement passées sous silence, ou étouffées par une administration compréhensive [38]. Il est à noter que, dans la France du XVIIIe siècle, les poursuites pour sodomie se sont très vite raréfiées. La dernière exécution, particulièrement horrible, ordonnée par la justice dans une affaire de mœurs a eu lieu en 1783 [39]. La Révolution abolit toutes les lois qui prennent leur origine dans le droit canon, y compris les sanctions pénales à l'encontre de la sodomie. (Le délit de pédérastie sera réinscrit dans le code pénal en 1832.) De toute façon, l'évolution des mentalités et de la justice à l'égard des actes homosexuels ne peut être isolée du contexte plus général des changements survenus dans les idées sur la sexualité et sur la différence sexuelle. Quand on regarde l'ensemble de la culture néoclassique – par quoi il faut entendre non seulement des formes d'art aussi élitaires que la peinture, la sculpture et la littérature, mais aussi les instances sociales, les institutions, le culte de l'amitié romantique et même la diminution des poursuites pour sodomie –, on a l'impression que le «placard» néoclassique n'était pas aussi verrouillé qu'on aurait pu le croire, du moins pas pour les bien nés, les privilégiés et autres intellectuels. La vogue des corps d'éphèbes, des situations qui inversent les rôles sexuels et, plus encore, des images d'adolescents indolents, inertes ou désemparés, l'omniprésence de ces motifs et la diversité de leurs formulations, tout cela contredit hypothèse d'une « placardisation » visuelle et soulève même des questions de tout autre nature.

En outre, indépendamment de la façon dont le XVIIIe siècle entendait la figure du « sodomite », du « giton » ou du « pédéraste », ces inclinations naturelles n'allaient pas forcément de pair avec l'efféminement, et encore moins avec l'androgynie [40]. De même que, dans l'Antiquité classique, la masculinité est en corrélation avec la position active, et la féminité avec la position passive. Le comportement homosexuel masculin obéit aux mêmes classifications. Il faut donc établir une distinction entre masculinités phallique et non phallique, active et passive, tout comme il faut envisager les activités de pédérastie, fellation, sodomie et autres en tenant compte des diverses significations que leur attribue la culture du XVIIIe siècle. Tout cela pour dire que, étant donné les différences historiques entre les catégories du comportement sexuel au XVIIIe siècle et au début du XIXe d'une part, et de l'autre, la conception moderne de l'« homosexuel », il est indispensable de trouver un troisième terme, permettant de décrire les relations entre hommes, y compris sexuelles, en évitant le double écueil de la pathologie et de l'anachronisme.

C'est pourquoi j'ai estimé ailleurs que le terme le plus adéquat pour parler des masculinités néoclassiques, et le plus pertinent du point de vue historique, était celui d'« homosocialité [41] ». Cette notion, théorisée par l'historienne de la littérature et « fondatrice » de la recherche queer Eve Kosofsky Sedgwick, englobe toute la gamme des relations au sein des groupes sociaux, culturels et institutionnels masculins [42]. Pour Eve Kosofsky Sedgwick, les différentes formes d'affection, de rivalité, d'appartenance et de solidarité masculines ne se déterminent pas en fonction de la présence ou l'absence de relations sexuelles, mais en fonction des mécanismes de pouvoir et de désir qui sous-tendent diversement toutes les sortes de relations masculines. L'homosocialité, produit et manifestation des sociétés patriarcales, désigne un système homme-femme qui peut tolérer, voire légitimer les relations sexuelles entre hommes (ou entre hommes et jeunes garçons, sur le modèle des liens pédérastiques entre *érastès* et *erômenos* dans la Grèce antique) ou, au contraire, les proscrire pénalement. Ce qui reste constant, malgré tout, c'est que les femmes sont exclues des réseaux de pouvoir et d'autorité, et qu'elles constituent un objet d'échange entre hommes. L'homosocialité sert ainsi à conforter la domination masculine alors même qu'elle vise à instaurer et maintenir des relations hiérarchiques dans des groupes strictement masculins. Dans la mesure où la période de la Révolution et de l'après-Révolution, qui est celle de Girodet, prend cette homosocialité au pied de la lettre (par exemple l'univers culturel masculin de l'École des beaux-arts à Paris

et de la villa Mancini à Rome, l'atmosphère des ateliers d'artistes, les amitiés fortes et souvent teintées de rivalité nouées dans ces milieux, le rétablissement de l'autorité hypervirile incarnée par Napoléon et son régime autocratique, à quoi s'ajoute l'éviction politique des femmes après 1793), on pourrait dire que le scénario présenté dans *Le Sommeil d'Endymion* est extrêmement surdéterminé.

Étant donné l'ouverture du néoclassicisme aux sujets homoérotiques, la « lecture » iconographique des formes de désir fait naître une autre difficulté, assez comparable aux problèmes d'interprétation posés par les commentaires de l'époque. Les lectures iconographiques se révèlent en effet singulièrement périlleuses. Elles peuvent très bien inciter à penser qu'une peinture évoquant l'érotisme hétérosexuel signale la sexualité « normative » de l'artiste, qu'un tableau religieux traduit la foi de celui qui l'a peint, etc. De plus, s'agissant de peinture d'histoire prémoderne, il se peut que l'artiste ait dû traiter un sujet imposé par l'École des beaux-arts, le mécène ou le commanditaire. Ou alors, il a peut-être simplement repris un sujet notoirement apprécié du public (comme l'étaient vraisemblablement les multiples Endymion, Ganymède, Hyacinthes et Amours successifs peints sous le Consulat, l'Empire et la Restauration).

Autrement dit, le postulat que les choix iconographiques (par exemple la décision de peindre Ganymède) procèdent de la subjectivité du peintre, de ses désirs ou de sa libre expression constitue en soi un anachronisme. Cette idée d'une union indissoluble de l'artiste et de l'œuvre est en fait totalement moderne, et c'est le schéma sur lequel se fondent les modèles plus traditionnels de l'histoire de l'art. La création artistique conçue comme une forme d'expression personnelle autonome est une notion qui se fait jour peu à peu vers la fin du XVIIIe siècle, et qui résulte de l'affirmation du sujet bourgeois.

Avec Girodet, nous avons affaire à un peintre dont la carrière chevauche non seulement deux siècles, mais aussi deux *épistémè* artistiques. Ainsi, la réalisation matérielle du *Sommeil d'Endymion* répond à l'obligation officielle d'exécuter une étude de nu grandeur nature dans le cadre des méthodes immuables de l'enseignement académique. Pourtant, dès 1791, à l'École des beaux-arts et plus encore à l'atelier de David, les jeunes artistes commencent à se cabrer contre les orthodoxies de la formation artistique et à manifester un désir grandissant de délimiter eux-mêmes leur territoire artistique [43]. Si, d'une certaine façon, le tableau prend son origine dans le strict respect des règles pédagogiques de l'Ancien Régime, l'individualisme manifesté par Girodet dans sa façon de le peindre annonce les paradigmes naissants de l'originalité et de l'innovation en art. Le tableau lui-même témoigne de ces déterminations contradictoires. Alors que, dans sa forme, il représente l'accomplissement d'une tâche imposée par l'institution (une étude de nu masculin grandeur nature), son contenu s'en éloigne considérablement, car Girodet a peint deux nus au lieu d'un, ajouté un contexte narratif qui n'était pas nécessaire pour une académie, modifié l'iconographie du sujet (déesse escamotée, Zéphyr ajouté) et inventé un effet de mise en scène extraordinaire (le rayon de lune dans le bosquet feuillu). Aux partisans d'une lecture homosexuelle, qui tiennent à souligner la dimension homoérotique du sujet (étayée en partie par la déesse absente), on objectera que rien n'empêchait Girodet de peindre plutôt un Ganymède, un Hyacinthe, voire un pâtre endormi, si tel était son propos.

Tout cela pour dire que s'il ne fait aucun doute que Girodet a « inventé » le stratagème de la disparition de la déesse, il ne l'a peut-être pas fait, ou pas uniquement, pour évoquer le désir homo ou « hommo »-sexuel [44]. Nous verrons plus loin ses autres motivations possibles, car je voudrais d'abord examiner les difficultés supplémentaires soulevées par l'interprétation de James Smalls.

Sans s'appuyer sur aucun élément vérifiable dans la vie et la personnalité de l'artiste, il déclare que les caractères psychosexuels qu'il lui attribue « doivent être la clé de voûte de tout examen de l'œuvre de Girodet [45] ». C'est une assertion discutable en soi, qui semble reposer sur la possibilité de connaître intimement un sujet que personne n'a plus traité depuis longtemps et sur une conception dévaluée de l'intentionnalité artistique [46]. Si l'on admet qu'une histoire de l'art homosexuelle ne peut s'ancrer utilement dans la vie personnelle de l'artiste (ne serait-ce qu'en raison de sa nature irréductiblement inconnaissable), si l'on admet que, dans cette période précise, le sujet en soi ne révèle pas forcément les inclinations sexuelles de l'artiste, et si l'on admet enfin que la culture néoclassique présente tous les signes de l'homosocialité, comment allons-nous insérer cet artiste et cette œuvre dans le projet de construire une histoire de l'art queer ?

C'est là, peut-être, qu'il convient d'examiner les différences entre une histoire de l'art homosexuelle et celle qui se qualifie de queer. Ce qui est en jeu dans la première, c'est l'idée d'une identité sexuelle plus ou moins stable, censée s'exprimer à travers l'œuvre, tout comme l'œuvre exprimerait à son tour l'identité sexuelle de l'artiste. Or, c'est très difficile à démontrer, on l'a constaté avec Girodet. En outre, l'histoire de l'art homosexuelle part de ce que l'on considère comme la présence objective et tangible d'une identité reconnaissable chez l'artiste ou dans le contenu visiblement homosexuel de l'œuvre. Ainsi, James Saslow affirme dans l'introduction de son histoire de l'homosexualité dans les arts plastiques : « On aura beau ergoter sur l'intérêt et le sens de l'art homosexuel, il est là et bien là [47]. »

Ce « là » englobe de toute évidence différents lieux. Mais il ne se laisse pas situer aisément, comme je l'ai laissé entendre. L'art homosexuel est-il enraciné dans l'orientation sexuelle de l'artiste ? Les artistes homosexuels font-ils par définition de l'art homosexuel ? Que dire alors des œuvres créées par des artistes réputés hétérosexuels sur des sujets réputés homosexuels, comme le *Jupiter et Ganymède* peint par Anton Raphaël Mengs pour son ami Johann Joachim Winckelmann ? Le « là » désigne-t-il le contenu, le sujet de l'œuvre, quel qu'en soit l'auteur ? En fait, même face à des représentations pures et simples d'actes homosexuels explicites, comme les vases grecs ou les images pornographiques du XVIIIᵉ siècle, on a encore du mal à repérer ce « là ». Chez les Anciens, en tout cas, on peut parler d'une acceptation et d'une représentation non déguisée des actes homosexuels [48]. Étant donné l'anonymat des peintres de vases, et l'utilisation probable de ces céramiques dans les banquets [49] de la Grèce antique (auxquels ne participaient que des hommes, hormis les hétaïres, musiciennes et danseuses), peut-on en déduire autre chose que la banalisation de ce type de relations et de leur figuration devenue en soi une convention artistique ? Une catégorie organisée autour du sujet représenté ne peut pas concerner uniquement, ni systématiquement les œuvres créées par des artistes homosexuels ou à l'intention d'un public homosexuel. Par exemple, ce n'est pas parce qu'un tableau montre des « lesbiennes » au lit, comme *Paresse et Luxure (Le Sommeil)* de Gustave Courbet, qu'il a un rapport quelconque avec de « vraies » lesbiennes. (On peut en dire autant de l'immense majorité des images « lesbiennes », historiquement réalisées par des artistes masculins pour un public masculin [50].) Inversement, Rosa Bonheur, sans doute lesbienne dans la vie réelle [51], et contemporaine de Courbet, s'est spécialisée dans la peinture animalière et les scènes rurales. Toujours dans le même ordre d'idées, il arrive que les motifs apparemment homoérotiques, tels que les amours d'Apollon ou Diane et Callisto (encore que, dans cet épisode, Diane soit en réalité Jupiter), n'appartiennent pas le moins du monde à la catégorie des images homosexuelles, comme on vient de le voir. Alors doit-on situer le caractère d'« homosexualité » dans la façon dont une œuvre touche tel ou tel public en particulier ? Ne pourrait-on penser que – abstraction faite de l'artiste, des conventions plastiques et du public visé – n'importe quelle œuvre où le spectateur perçoit une évocation de sa propre identité homosexuelle doit être considérée de ce fait comme une œuvre homosexuelle ? Mais quand on a situé ainsi une identité sexuelle en particulier, on n'a rien dit du tout en fin de compte, puisque les spectateurs peuvent ajouter toutes sortes de projections conscientes, d'identifications fantasmées et de productions de sens pas toujours conformes à leur orientation sexuelle, à leur identité d'homme ou de femme, ni, encore moins, aux intentions de l'artiste. En outre, si c'est une idée de l'existence de la sexualité dans le champ de l'image qui est en jeu, on en restreint grandement la portée si on se limite aux représentations

actes sexuels ou aux sujets érotiques tels que les définit une culture
[do]nnée.

Il faut d'ailleurs distinguer le sexuel de l'érotique. Les représentations
[ér]otiques peuvent entrer dans le domaine du sexuel, mais le sexuel ne
[pr]end pas toujours la forme de l'érotique, comme lorsqu'il s'incarne
[da]ns le symbole phallique, par exemple. Ce qui revient à dire que le
[do]maine du sexuel, ou de l'érotique, ne concorde pas toujours avec
[le] signifiant pictural et ne s'y manifeste pas forcément. En somme, si
[o]n doit affirmer l'existence de la sexualité dans l'art sous la forme
[de] ce que Jacqueline Rose appelle la « sexualité dans le champ de la
[vi]sion[52] », il ne faut surtout pas oublier les divergences entre le sexuel et
[la] *représentation* de l'érotique. Une image de la Vierge à l'Enfant n'est pas
[un]e scène érotique, pas plus qu'un saint Sébastien criblé de flèches, mais
[ce] n'est pas exclu pour autant que ces représentations puissent réveiller
[le]s désirs inconscients, y compris dans la libido. Dans la mesure où l'on
[ad]met l'idée que la composante sexuelle de la subjectivité humaine est
[éla]borée par des mécanismes inconscients tels que le refoulement, le
[dé]ni, le fétichisme, le déplacement et la projection, elle se manifeste par
[co]nséquent sur un mode symptomatique, et non pas programmatique.

À cet égard, il n'est pas inutile de rappeler les deux voies différentes
frayées par Freud lui-même dans sa théorisation des liens entre la
sexualité et l'œuvre d'art. La première le conduit à fonder l'examen
de l'œuvre de Léonard de Vinci sur une « analyse » de l'artiste,
d'après les informations biographiques existantes. C'est la voie de la
psychobiographie, ou interprétation de l'œuvre par le biais d'une lecture
psychanalytique de la vie. Par la suite, on s'aperçoit que Freud explore
ces mêmes liens en s'appuyant uniquement sur l'analyse de l'œuvre.
Dans ses études sur le *Hamlet* de Shakespeare, sur les personnages de
Dostoïevski ou sur la *Gradiva* de Jensen, c'est sur le texte (ou sur les
personnages créés par l'écrivain) qu'il se penche pour mettre au jour
les traces des mécanismes de l'inconscient et leur signification. Cette
deuxième démarche est privilégiée dans la recherche contemporaine
sur la littérature, tandis que la psychobiographie reste une sorte de
sous-genre de l'histoire de l'art. Selon cette deuxième méthode, donc,
l'exégèse ou l'herméneutique d'un texte, d'un film, d'un tableau
s'attache à dévoiler des choses latentes, comme dans l'interprétation
des rêves, et passe progressivement du niveau de la dénotation à une
chaîne foisonnante de connotations. La sexualité ne saurait s'assimiler à

un pur contenu, ni encore moins se réduire à un acte. C'est un champ dynamique où entrent en jeu divers instincts, désirs, pulsions dont les objets changent sans cesse. Comme le fait observer Jacqueline Rose, c'est dans ce qui « perturbe » le texte, dans ce qu'il recèle de symptômes, problèmes, contradictions, incohérences, fissures, que l'on commence à entrevoir les contours de ce à quoi l'œuvre se collette, ce qu'elle ne peut pas dire, ce qu'elle renie, ce qui se révèle dans son organisation interne.

Contrairement à l'histoire de l'art homosexuelle dont James Smalls, James Saslow ou Dominique Fernandez fournissent des exemples, le projet plus complexe d'histoire de l'art queer, illustré par Whitney Davis ou Satish Padiyar, ne présuppose aucune identité sexuelle transhistorique. Un autre aspect important est la remise en question de la fixité des catégories sexuelles, identités et positions énonciatives. De ce point de vue, l'histoire de l'art queer se rapproche davantage de la théorie de la déconstruction que des recherches historiques identitaires. Elle s'inspire surtout des travaux de Judith Butler et d'Eve Kosofsky Sedgwick [53]. Dans un excellent tour d'horizon de l'« homosexualisme [54] », Whitney Davis retrace la longue évolution qui aboutit à ces deux types de démarches. L'homosexualisme, explique-t-il, s'attache à explorer « la teneur homoérotique personnelle et esthétique des œuvres d'art ou d'autres formes culturelles, ainsi que leur signification historique ». Il en repère les prémices dans les écrits de J. J. Winckelmann et sa conception de l'*angeborenlich*, « la nature innée de la sensibilité esthétique homoérotique (à distinguer de la simple attirance pour la sodomie ou la pédérastie) [55] ». La recherche « gaie et lesbienne », ajoute Whitney Davis, admet la réalité de l'homosexualité comme identité vécue du sujet, historiquement et actuellement. « Elle a transformé l'homosexualisme en consolidant ses ambitions scientifiques et libératrices profondes mais diffuses, en réussissant à professionnaliser la présentation de ses données factuelles et de ses arguments concrets. […] C'est dans une large mesure, mais pas exclusivement, la création et le terrain d'action de professeurs et d'étudiants qui se disent gais ou lesbiennes, « homosexuels » *et* « homosexualistes » [c'est lui qui souligne] [56]. »

La théorie queer, comme le souligne Whitney Davis, est venue abolir les dualismes homo-hétéro, normal-déviant. « La "théorie queer" à son tour essaie de "théoriser", pourrait-on dire, certains aspects des préoccupations personnelles, rhétoriques et analytiques de l'homosexualisme traditionnel, par exemple son insistance sur une esthétique de la marginalité (et les formes de détournement et de résistance qui vont avec), sur la psychologie du moi divisé, sur les figures de sens telles que l'ironie ou le paradoxe, et sur la stylisation

particulière, l'inflexion et la prolifération des textes et des énoncés. Tous ces aspects peuvent être autant de thèmes concrets pour la critique ou l'histoire, aussi bien que pour l'art lui-même, comme ils le sont depuis le XVIIIᵉ siècle. Mais la théorie queer les relie aux dernières avancées de la philosophie de la conscience ou de l'individualité, et de la littérature ou de l'art, jusqu'à proposer implicitement une théorie générale de l'identité subjective et de la création esthétique, de la personne et du texte, qui les dépathologise, les démarginalise (ou, peut-être, les universalise) et les débarrasse de leur perception déterminante de leur propre inacceptabilité, anormalité ou impossibilité. Cette démarche, qui se fonde sur l'apport théorique et empirique de la recherche « gaie et lesbienne » et des disciplines connexes, peut exiger une déconstruction littéraire et historique, voire phénoménologique ou psychologique, de l'homosexualité même [57]. »

Malgré les travaux de Whitney Davis sur Girodet et de Satish Padiyar sur le néoclassicisme français en général, les analyses du *Sommeil d'Endymion* centrées sur les questions de subjectivité et de sexualité ont tendance à privilégier les données iconographiques et biographiques, tout en présupposant une catégorie plus ou moins immuable de l'homosexuel. Or, comme j'ai essayé de le démontrer, en situant Girodet et son œuvre dans le contexte de l'histoire de l'art homosexuelle, on se heurte à des difficultés à la fois épistémologiques et historiques inhérentes à cette entreprise. Cela dit, ce qui brille par son absence au niveau théorique, tant dans les analyses homosexuelles que queer, c'est la prise en considération des thèmes de la différence sexuelle, de la féminité, de la sociologie des sexes et, bien entendu, de la femme. Ces lacunes résultent elles-mêmes de l'absence des points de vue féministes, et c'est l'une des caractéristiques frappantes de la théorie queer contemporaine, en tant que théorie, qu'elle semble souvent faire l'impasse précisément sur ce que la pensée féministe a de plus productif pour un renouvellement de la réflexion sur la sexualité et la représentation. De fait, on discerne dans certains travaux scientifiques une propension à gommer la problématique de la différence sexuelle – et de la femme – de même que Girodet a évacué la déesse. Tout se passe comme si la culture néoclassique était vide de femmes. Par exemple, une étude extrêmement subtile et stimulante, Satish Padiyar confronte *Léonidas aux Thermopyles* (1814) [ill. 48] de David à *La Philosophie dans le boudoir* (1795) de Sade, pour y isoler les figures de l'homoérotique, notamment ce qu'il appelle l'« enchaînement » de corps masculins. Dans le tableau de David, ce motif correspond au groupe de trois jeunes Spartiates enlacés qui jettent des couronnes de laurier en offrandes. Dans le livre de Sade, il est illustré par une gravure représentant une orgie sexuelle. En voulant établir une sorte

'analogie entre l'image sadienne et l'inconscient érotique de la
communitas exclusivement masculine présentée par David, Satish Padiyar
e garde de remarquer (ou de signaler) qu'au moins un des personnages
odomisés dans la gravure est bel et bien une femme [58]. De même, la
cture pourtant très fine de Whitney Davis omet d'expliquer pourquoi
irodet a choisi un mythe qui donne le rôle du sujet désirant actif et
ntreprenant à une femme.

Ce qui frappe quand on regarde attentivement le tableau,
nanimement salué à l'époque, c'est l'étrange déformation anatomique
'Endymion, jointe à des incohérences morphologiques. Les mains
nt énormes, beaucoup plus grandes que les pieds. Cela ne se voit
as trop dans les reproductions, parce que les deux mains sont dans
ombre, mais quand on examine le tableau, on s'aperçoit que la main
roite est presque aussi grosse que la tête tout entière. Le visage, orienté
e telle sorte que le rayon de lune tombe sur les lèvres, subit un
ccourci qui comprime radicalement le profil et engendre de nouvelles
éformations : la gorge, le cou et la mâchoire paraissent étrangement
onflés, épais et disproportionnés. Alors que les corps d'éphèbes sont
n principe svelte et harmonieusement musclés, celui d'Endymion ne
isse quasiment rien deviner de sa conformation musculaire. De plus,
bas du corps se présente de face au spectateur (et non pas à la déesse
visible), tandis que le thorax et la tête se tournent vers le rayon de
ne, qui « frappe sur sa bouche [59] ». Pourtant, aucune torsion n'apparaît
niveau de la taille. On dirait un corps façonné dans une substance
olle comme la cire. (L'absence de torsion caractérise aussi l'Endymion
ulpté sur un sarcophage romain qui a fourni un modèle à Girodet,
ais là, c'est le corps tout entier qui est de face, dans le même plan que
tête.)

Si je dresse cet inventaire anatomique, c'est pour faire deux
servations. Premièrement, Girodet est un artiste de grand talent,
rmé à l'atelier de David, qui connaît aussi bien l'anatomie masculine
e personne. Ses nus masculins exécutés dans la même période
testent sa maîtrise du dessin d'après le modèle vivant. On n'observe
cune déformation comparable dans les images d'éphèbes peintes par
autres artistes de l'époque, tels que François-Xavier Fabre **[ill. 47]**,
an-Baptiste Regnault ou Pierre-Narcisse Guérin **[ill. 49]**. De
opos délibéré ou non, Girodet a représenté un personnage dont la
nformation s'écarte notablement du modèle du jeune éphèbe, et
dérobe même *de l'intérieur* à l'exactitude morphologique [60]. Ce qui
mble particulièrement remarquable, c'est que la théorie académique,
traités et les recueils de modèles indiquent bien que le corps féminin
éalisé ne doit rien laisser voir de sa structure osseuse et musculaire. Le
rps féminin se traduit en lignes courbes, galbées et sinueuses obéissant

aux principes directeurs de la grâce et de la mollesse. On dirait que
Girodet a modelé l'anatomie d'Endymion selon les lois du nu féminin,
tout comme il a utilisé les motifs traditionnellement féminins du ruban
dans les cheveux, des longues boucles brillantes tombant sur les épaules,
et du bras replié derrière la tête. Deuxièmement, s'il y a une chose
dont les artistes néoclassiques, les académiciens et les critiques parlent
tout le temps, c'est bien l'exactitude de l'anatomie et de son rendu.
Les épaules, les hanches, les bras et même les rotules sont inspectés et
commentés en fonction de ces critères, qui permettent au moins un
jugement « objectif ». Alors, comment se fait-il que personne n'ait relevé
les bizarreries anatomiques de l'Endymion de Girodet ?

Faute de trouver une réponse dans les archives, je dirai que, malgré
ses distorsions (comparables à cet égard aux déformations plus radicales
encore subies par les corps de femmes dans plus d'un portrait d'Ingres),
le tableau en soi arrive à créer une impeccable illusion de perfection
perçue comme telle au moment de la réception. Le réalisme minutieux
des feuilles d'arbres (des essences italiennes identifiables), la transcription
fidèle des plis du manteau jeté à terre, le chien endormi, le Zéphyr de
facture délicate, sa tignasse frisée et ses ailes ocellées soigneusement
détaillées, sans oublier le clair de lune opalescent, tout cela a pour effet
de contrer l'irréalisme du corps d'Endymion. Préfigurant là encore
les portraits de femmes d'Ingres, il est tout à la fois anatomiquement
grotesque et picturalement, ou optiquement, parfait. Ce n'est pas

tellement une question de vraisemblance du personnage, mais plutôt de force de conviction au sein du fonctionnement interne du tableau. Cette impression de perfection physique, cette incarnation visionnaire de la beauté masculine sensuelle, sont en fait inséparables des attributs fétichistes d'Endymion. Le fétiche, depuis Freud, se définit entre autres par sa survalorisation. Son charme étrange et son sortilège séducteur tiennent à la perfection intacte qu'il est censé restaurer, au comblement qu'il opère[61]. Si le bras replié derrière la tête reproduit la position du personnage sur le sarcophage romain dont s'est inspiré Girodet (et celle du *Faune Barberini*), c'est un motif plus communément associé au nu féminin, qui fait songer à Giorgione, Titien et d'autres artistes de la Renaissance. Pour autant que le spectateur perçoive cette filiation picturale, fût-ce de manière subliminale, le corps d'Endymion renvoie à tous ces autres corps nus destinés à évoquer un abandon sensuel, sinon une invite sexuelle, et explicitement offerts au spectateur ou à son substitut (par exemple le satyre).

Pour toutes ces raisons, et compte tenu de la culture visuelle du néoclassicisme dans son extension la plus large, on est fondé à voir dans *Le Sommeil d'Endymion* le symptôme d'un déni (la différence sexuelle) et l'accomplissement fantasmé du désir que la différence sexuelle existe, certes, mais sans aucun lien avec la dualité homme-femme, ni même avec les femmes. Ce que l'on a pu percevoir à juste titre comme une forme d'excès dans l'androgynie du personnage, dans sa molle passivité, dans l'étalage charnel de sa nudité et dans ses allusions à la pose des nymphes ou des déesses endormies, est donc un symptôme de ce qui a été refoulé et mal endigué. Cependant, contrairement à ce qu'en déduit James Smalls («cet aveu d'excès désamorce tout ce qui est réprimé et expose au grand jour la banalisation de l'homosexualité qui est latente dans le néoclassicisme[62]»), ce n'est pas l'«homosexualité» ni l'identité homosexuelle (de Girodet ou d'Endymion) qui génère le

scénario énigmatique du tableau, loin de là. L'excès signale quelque chose de très fort qui est en jeu dans la culture néoclassique elle-même et, à cet égard, on peut dire que *Le Sommeil d'Endymion* se conforme parfaitement à sa vocation fétichiste (d'où la réaction enthousiaste de tant de spectateurs à l'époque) : sa trame narrative nie la mort (omniprésente en cette période révolutionnaire des années 1790, dans vie réelle comme dans les discours), sa facture picturale nie la différence sexuelle, et ses ressorts psychologiques nient la castration.

D'autres interprétations sont évidemment possibles, même sans sortir du cadre de références féministe. Pour Mechthild Fend, par exemple, la féminisation morphologique et iconographique du corps d'Endymion ne dénote pas vraiment le refoulement du féminin (incorporé symptomatiquement dans le corps masculin, selon moi), mais, au contraire, l'aveu, conscient ou non, que la différence sexuelle et la féminité sont des questions qu'il faut aborder en face, traiter à fond ou résoudre (ou les trois à la fois). Mechthild Fend pense que le sujet choisi par Girodet relie la féminité (comme idéologie) à la femme (comme acteur historique), toutes deux exclues de l'idéal révolutionnaire de fraternité qui imprègne aussi bien le champ politique et social que le milieu étroitement circonscrit de l'atelier d'artiste. C'est ce couplage instable de la féminité et la femme qui constitue à la fois un thème et un problème dans le tableau de Girodet. Au lieu de considérer que la différence sexuelle et la féminité sont précisément refoulées dans le tableau, Mechthild Fend pense que Girodet donne corps (au sens propre) et substance artistique à sa perception de la situation équivoque de l'une et de l'autre[63].

Cela expliquerait pourquoi Girodet a voulu se servir d'un mythe qui fait intervenir à la fois la masculinité et la féminité, mais avec une inversion des rôles actif et passif, ou tout au moins une ambivalence.

e même, on peut voir dans *Le Sommeil d'Endymion* ou dans *L'Amour olescent pleurant sur le portrait de Psyché qu'il a perdue* de Charles Meynier our prendre un autre exemple de la période) **[ill. 50]** des indices de ruption de la féminité comme symptôme de ce qui est insuffisamment foulé (sur les plans politique, culturel et psychologique).

Tout cela pour dire que ce qui se manifeste dans *Le Sommeil Endymion*, c'est une constellation de désirs, de croyances, de oductions imaginaires, de projections culturelles (le beau idéal, par emple, ou l'Antiquité classique) et d'idéologies (de la masculinité la féminité, de la beauté) qui sont tout sauf individuelles, et qui prennent leur origine dans la subjectivité d'aucune personne en rticulier. Sous cet angle, Girodet, comme n'importe quel artiste, est truchement par quoi s'exprime tout ce qui constitue son système de terminations temporelles, culturelles et historiques, y compris celles i ne peuvent être dites, nommées ou représentées clairement, alors ême qu'elles irriguent son existence consciente et inconsciente. L'*art i fait du *Sommeil d'Endymion* un tableau remarquable appartient en opre à Girodet, tout comme son interprétation originale du mythe. ais, je le répète, l'ensemble des questions soulevées par cette œuvre it attirer notre attention sur la nature de l'imaginaire culturel de poque, et non pas sur les subjectivités individuelles des peintres. Au u de se demander si Girodet a couché avec ses modèles masculins, on rait envie de comprendre, par exemple, pourquoi les représentations la féminité, et singulièrement de la féminité érotisée, sont beaucoup oins fréquentes dans la période néoclassique et révolutionnaire qu'à utes les époques précédentes ou suivantes de l'art français depuis la enaissance. De même, on aimerait savoir pourquoi et comment les ages de corps masculins sensuels et désirables ont aussi complètement dé la place aux corps féminins dans le courant du XIXe siècle. En ison de quelles circonstances historiques la masculinité physique npreinte de sensualité est-elle devenue inacceptable, pendant que la minité s'imposait de plus en plus comme le seul lieu «convenable» une expression de l'érotique? À quelles fins ces deux modalités corps érotisé ont-elles été adaptées ou employées? *Le Sommeil Endymion,* situé dans le temps à la charnière entre deux systèmes représentation, et deux modèles de production artistique, soulève manquablement des questions qui obligent à remettre à plat la guration du masculin *et* du féminin, même si le second ne s'incarne ns aucun personnage. Il faut admettre, à tous points de vue, que si l'on ut théoriser le rôle de l'érotique dans les arts plastiques, de la sexualité ns le champ de la vision, on doit compter avec le fait que la sexualité ns toutes ses variantes se bâtit sur le socle de la différence sexuelle, et us les beaux rêves révolutionnaires de créer un monde sans différences n'y feront rien : la différence sexuelle, les relations entre hommes et femmes, aujourd'hui comme hier, demeurent une problématique fondamentale dans l'art et dans la vie.

Enfin, concernant les deux projets d'histoire de l'art homosexuelle et queer, on est en droit de se demander où sont les avantages de méthodes qui continuent à privilégier la personne de l'artiste en considérant qu'elle ne fait qu'un avec son œuvre. De même que le narcissisme de l'artiste (masculin) s'appuie sur un mythe (à la Pygmalion) où la faculté quasi divine de conférer la vie est une possibilité masculine, le domaine de l'histoire de l'art lui-même trahit l'investissement narcissique de ceux qui la produisent. Ces producteurs de l'histoire de l'art ont presque toujours été des Européens ou, depuis une date plus récente, des Américains avec une nette prédominance des hommes. Cette donnée ressort de n'importe quelle analyse des idées qui sous-tendent les discours et les exclusions constitutives de la discipline, surtout quand le sujet tourne autour du nu, de l'érotique, du corps (masculin ou féminin) ou de l'androgyne. Rien d'étonnant, dans ces conditions, si l'histoire de l'art homosexuelle reflète les désirs et les projections narcissiques de ses producteurs, à partir du moment où ils affirment qu'il existe une histoire de l'art homosexuelle plus ou moins distincte, et qu'il faut la sortir du placard où elle est enfermée. Dans la mesure où l'on a tout lieu de remettre en cause l'appareil disciplinaire de l'histoire de l'art *en soi*, et pas seulement à cause de ses exclusions, omissions, lacunes et dénégations, l'ajout d'artistes homosexuels, d'œuvres homosexuelles ou même de discours homosexuels ne fait que renforcer la croyance que ce genre d'ouverture finira par corriger des insuffisances qui sont en réalité inhérentes à l'organisation même de la discipline. Je dirai plutôt qu'une histoire de l'art homosexuelle dont tous les efforts visent à installer un Michel-Ange homosexuel à la place du Michel-Ange asexué, à remplacer le Girodet célibataire par un Girodet homosexuel, adhère au même schéma individualiste que l'histoire de l'art la plus conventionnelle et s'en tient à une conception extrêmement discutable de l'«auteur». Cette démarche se soustrait à la nécessité intellectuelle et politique de repenser l'histoire de l'art elle-même, un travail qui exige de l'historien une égale prise en compte des déterminations historiques, culturelles *et* sexuelles, où les questions de différence sexuelle, de rapports hommes-femmes et de subjectivité sexuée dépassent largement les contingences des choix d'objets individuels, aussi bien dans l'œuvre d'art qu'au-dehors.

Traduit de l'anglais par Jeanne Bouniort

notes

1. Les sources d'information essentielles commencent par la « Notice historique » de Coupin et d'autres documents réunis dans *Œuvres posthumes*, 1829. Elles sont répertoriées dans Pruvost-Auzas, cat. exp. *Girodet, 1767-1824*, 1967, cat. 13, avec bibliographie.

2. « Je ne crois pas que Corrège, le fameux Corrège, ait pu faire, pour la forme et le coloris, un plus bel Amour que celui que fit M. Girodet » (J. L-J. David, 1880, p. 502).

3. On ne sait pas très bien si Balzac a vraiment regardé le tableau ou s'il a travaillé d'après des descriptions. Voir Thomas Crow, « B/G », in Stephen Melville et Bill Readings (dir.), *Vision and Textuality*, Durham, Duke University, et Basingstoke, Macmillan, 1995 ; Mechthild Fend, *Grenzen der Männlichkeit. Der Androgyn in der französischen Kunst und Kunsttheorie 1750-1830*, Berlin, Reimer, 2003, p. 161-172 ; et Alexandra K. Wettlaufer, « Girodet/Endymion/Balzac : Representation and Rivalry in Post-Revolutionary France », *Word and Image*, vol. 17, n° 4, 2001, p. 401-411.

4. Terme forgé par Hans Robert Jauss. Voir notamment, en français, Hans Robert Jauss, *Pour une esthétique de la réception*, traduit de l'allemand par Claude Maillard, Paris, Gallimard, 1978, et réédition, 1990.

5. Par exemple, au Salon de 1793 : « Ce tableau est vraiment original et pour l'invention heureuse et poétique et pour l'effet hardi et piquant. Le dessin en est d'un grand caractère, le pinceau large et moelleux ; il règne en général, dans ce tableau, une teinte bleue qui n'est pas assez vraie » (*Explication par ordre des numéros et Jugement motivé des ouvrages de peinture, sculpture, architecture et gravure exposés au Palais national des arts, précédé d'une introduction*, Paris, H. J. Jansen, s. d., p. 42-43, dans la *Collection Deloynes*, t. 18, n° 458). Au Salon de 1814 : « Déjà l'Amour écarte le feuillage ; une lumière vive annonce l'approche de la déesse et éclaire en partie la figure d'Endymion ; elle frappe principalement sur sa bouche, qui s'embellit d'un sourire voluptueux, avant-coureur des plaisirs qui lui sont destinés. Jamais une idée plus ingénieuse n'a été rendue avec plus de charme. L'attitude de l'Amour est gracieuse et légère ; celle d'Endymion, noble et élégante. L'exécution suave et moelleuse de cette figure, l'effet magique de la vapeur lumineuse qui l'environne, et la manière large et historique avec laquelle le paysage est traité, répondent au mérite de l'invention poétique ; l'inspiration se fait sentir partout. » (M.S. Delpech, *Examen raisonné des ouvrages de peinture, sculpture et gravure, exposés au Salon du Louvre en 1814*, Paris, chez Martinet libraire, 1814, p. 52.)

6. François Miel, à propos d'*Un Zéphyr se balançant au-dessus de l'eau* de Prud'hon : « Quel mortel n'est pas sensible à la grâce ? Tous les hommes sont subjugués par son pouvoir divin ; un petit nombre d'êtres privilégiés savent la rendre [...]. Comment définir en effet le charme indéfinissable qui respire partout dans ces mouvements simples et naïfs, et dont le principe n'est imprimé nulle part ? Comment décrire ces nuances délicates et variées qui, toujours mobiles, toujours fugitives, même après qu'elles ont été transportées sur la toile, échappent encore à l'œil qui croit les saisir, et semblent donner un démenti à l'art qui a prétendu les fixer ? Où trouver le secret de cette magie ? [...] Je l'avouerai, en présence du tableau je me sentais, pour ainsi dire, sous le charme, et j'étais peu capable de juger » (M.M. [François Miel], *Essai sur le Salon de 1817, ou examen critique des principaux ouvrages dont l'exposition se compose*, Paris, Delaunay, 1817, p. 211-212).

7. Voir à ce sujet Alex Potts, *Flesh and the Ideal : Winckelmann and the Origins of Art History*, New Haven et Londres, Yale University Press, 1994.

8. Quelques livres et articles qui inscrivent *Le Sommeil d'Endymion* et Girodet dans le projet de création d'une histoire de l'art homosexuel ou d'une historiographie queer (ce qui n'est pas la même chose) : Whitney Davis, « The Renunciation of Reaction in Girodet's *Sleep of Endymion* », in Norman Bryson *et al.* (dir.), *Visual Culture : Images and Interpretations*, Hanover, University Press of New England, 1994 ; James M. Saslow, *Pictures and Passions : A History of Homosexuality in the Visual Arts*, New York, Viking Penguin, 1999 ; Dominique Fernandez, *Le Rapt de Ganymède*, Paris, Grasset, 1989 ; Dominique Fernandez, *L'Amour qui ose dire son nom, art et homosexualité*, Paris, Stock, 2001 ; et James Smalls, « Making Trouble for Art History », *Art Journal*, hiver 1996, p. 20-28. Voir également Satish Padiyar, « David/Sade », *Art History*, vol. 23, 2000, p. 365-395 ; et Satish Padiyar, « Homoeroticism in Neoclassical Poetics : French Translations of the Ideal Male Nude in Late Eigthteenth Century Word and Image », thèse, université de Londres, 1999.

9. Pierre Louis [Maurice Denis], « Définition du néo-traditionnisme », *Art et critique*, 23 et 30 août 1890. Repris dans Maurice Denis, *Le Ciel et l'Arcadie*, textes réunis et présentés par Jean-Paul Bouillon, Paris, 1993, p. 5.

10. Sur ces deux phénomènes et leurs diverses formes dans l'histoire de l'art, voir David Freedburg, *The Power of Images : Studies in the History and Theory of Response*, Chicago, University of Chicago Press, 1986.

11. Jean Renoir, *Pierre-Auguste Renoir, mon père*, Paris, Hachette, 1962, réédition, Paris, Gallimard, 1990, p. 220.

12. Voir ce commentaire de Cicognara sur le *Pâris* d'Antonio Canova : « Tous les sens y goûtent un plaisir plus aisé à éprouver qu'à décrire. [...] Le ciseau qui fait cette statue est le dernier instrument auquel on songe en la voyant, car s'il était possible de sculpter le marbre en le caressant au lieu de le tailler et de le creuser rudement, je dirais que cette statue a été formée en usant le marbre qui l'entourait à force de caresses et de baisers » (Leopoldo Cicognara, *Lettere ad Antonio Canova*, présentées par Gianni Venturi, Urbino, Argalia, 1973, p. 54, lettre du 24 juillet 1813). Sur les réactions féminines à des sculptures de nus masculins, voir Chloe Chard, « Arms to Be Kissed a Thousand Times » : Reservations about Lust in Diderot's Art Criticism », in Gill Perry et Michael Rossington (dir.), *Feminity and Masculinity in Eighteenth Century Art*, Manchester, Manchester University Press, 1994.

13. Commentaire de Pierre-Marie Gault de Saint-Germain sur *Énée racontant à Didon les malheurs de la ville de Troie*, de Pierre-Narcisse Guérin : « C'est encore une faute grave que de donner à ce héros [Énée], alors dans son neuvième lustre environ, les traits efféminés de la nature adolescente » (P.-M. Gault de Saint-Germain, *Choix des productions de l'art les plus remarquables exposées dans le Salon de 1817*, Paris, Didot l'aîné, 1817, p. 7). Déjà en 1814, certains critiques s'interrogent sur la pertinence des idéaux « féminisés ». Voir le *Dialogue raisonné entre un Anglais et un Français, ou revue des peintures, sculptures et gravures exposées dans le musée royal de France le 5 novembre 1814*, Paris, Delaunay, 1814, p. 14 : « La tête d'Endymion ne ressemble-t-elle pas trop à celle d'une femme ? » Et à nouveau, dans *Un tour au Salon ou revue critique des tableaux de 1817, par Sans-gêne et Cadet Buteux*, Paris, Pélicier, 1817, p. 25 : « La constitution molle et efféminée qu'on lui reproche annonce son caractère et ses inclinations criminelles. » Dans la représentation de certains personnages (en l'occurrence Égisthe), les aspects efféminés sont acceptables dans la mesure où ils dénotent des vices de caractère, attestant ainsi une nouvelle inflexion du sens donné à ces attributs.

14. Théophile Gautier, *Guide de l'amateur au musée du Louvre* (1867), Paris, Séguier, 1994, p. 15.

15. On doit à George Levitine la première et principale monographie en anglais, *Girodet-Trioson : An Iconographical Study*, New York et Londres, Garland, 1978.

16. Il est significatif que le premier article sur l'« homoérotisme » chez Caravage soit paru seulement en 1971. Voir Donald Posner, « Caravaggio's Homo-erotic Early Works », dans *The Art Quarterly*, vol. 34, 1971, p. 301-324.

17. Whitney Davis, « Founding the Closet : Sexuality and the Creation of Art History », *Art Documentation*, vol. 11, n° 4, hiver 1992, p. 172-173. C'est lui qui souligne. Voir également son texte intitulé « Winckelmann Divided : Mourning the Death of Art History », in Whitney Davis, *Gay and Lesbian Studies in Art History*, New York, Howarth Press, 1994, p. 141-159.

18. Natalie Boymel Kampen, dans sa préface à Natalie Boymel Kampen et Bettina Ann Bergmann (dir.), *Sexuality in Ancient Art : Near East, Egypt, Greece, and Italy*, Cambridge, Cambridge University Press, 1996.

19. Dominique Fernandez, *L'Amour qui ose dire son nom, art et homosexualité*, Paris, Stock, 2001, p. 197-198.

20. L'adjectif allemand *homosexual* employé par Karl Westphal en 1869 est entré dans la langue anglaise en 1870, et sa variante française est attestée en 1891. Michel Foucault parle de « l'incertitude du statut de la sodomie » dans son *Histoire de la sexualité, 1. La volonté de savoir*, Paris, Gallimard, 1976, réédition, 2003, p. 52. Voir également David M. Halperin, *Cent Ans d'homosexualité et autres essais sur l'amour grec*, traduit de l'anglais par Isabelle Châtelet, Paris, Epel, 2000 ; et John J. Winkler, *Désir et contraintes en Grèce ancienne*, traduit de l'anglais par Sandra Boehringer et Nadine Picard, Paris, Epel, 2005. Sur la sodomie, de la Renaissance au XIXe siècle, et la modernité de la catégorie de l'homosexuel, voir notamment G.S. Rousseau, « The Pursuit of Homosexuality in the Eighteenth Century : « Utterly Confused Category » and/or Rich Repository ? », in Robert Purks Maccubbin (dir.), *T'is Natu*
Fault : Unauthorized Sexuality during the Enlightenm
Cambridge, Cambridge University Press, 1987, p. 1
168 ; Alan Bray, *Homosexuality in Renaissance Engla*
Londres, Gay Men Press, 1982 ; Terry Castle, *The Ap*
ritional Lesbian : Female Homosexuality and Modern C
ture, New York, Columbia University Press, 1993 ; et Ma
B. Duberman, Martha Vicinus et George Chauncey, Jr. (d
Hidden from History : Reclaiming the Gay and Lesbian P
New York, New American Library, 1989.

21. Foucault, 2003, p. 59.

22. Et aussi dans les recherches féministes. Voir Fe
2003 ; et Mechthild Fend, « Nebulöse Identitäten : G
dets Schlaf des Endymion », in Gerhard Härle *et al.* (d
Ikonen des Begehrens. Bildsprachen der männlichen
weiblichen Homosexualität in Literatur und Kunst, Stuttg
Metzler, 1992 ; Abigail Solomon-Godeau, *Male Trouble*
Crisis in Representation, Londres, Thames and Huds
1997 ; et Viktoria Schmidt-Linsenhoff, « Male Alterity in
French Revolution : Two Paintings by Anne Louis Giro
at the Salon of 1798 », in d'Ida Blom, Karen Hageman
Catherine Hall (dir.), *Gendered Nations : Nationalism*
Gender Order in the Long Nineteenth Century, Oxford, B
2000, p. 81-105.

23. Voir Michael Rey, « Parisian Homosexuals Cre
A Lifestyle 1700-1750 : The Police Archives », dans
Nature's, 1985 ; et Claude Courouve, *Les Assemblées d*
manchette, documents sur l'amour masculin au XVIIIe *si*
et pendant la Révolution, Paris, chez l'auteur, 2000.

24. Extrait de la « notice historique » de Coupin : « Il
un autre sentiment qui domine et entraîne souvent les ê
doués d'une sensibilité ardente et d'une grande viva
d'imagination et auquel, dès lors, Girodet ne dut pas
étranger. Il ressentit, en effet, plusieurs affections p
sionnées et il les entretint avec une extrême discrétion
grande quantité de lettres qui furent religieusement détru
le jour même de sa mort, selon la prière qu'il en avait
à ses amis, prouve la place que ces affections occupa
dans son existence intérieure. Malgré toute sa circonsp
tion, ceux de ses amis intimes et de ses élèves, qui le c
taient peu, purent s'apercevoir des visites fréquentes
recevait après les longues journées de travail à l'atelie
respecterai sa réserve, et je n'essaierai pas de souleve
voile que lui-même a posé avec respect sur ces jouissan
dont le mystère est un des premiers charmes ; cepend
je dirai qu'il s'aperçut, mais trop tard, peut-être, que
liaisons l'entraînaient trop loin et que sa vie, comme pei
s'en trouvait singulièrement abrégée ; je suis même fon
croire que son imagination lui donna souvent le chang
que ses forces physiques souffrirent du rôle que *la*
lui imposait : ceux qui pensent que les passions son
des éléments, une des conditions du génie, excuse
cette faiblesse » (Coupin, 1829, t. I, p. xliij). Dans son
Extremities : Painting Empire in Post-Revolutionary Fra
(New Haven, Yale University Press, 2004), Darcy Grim
Grigsby suppose, sur la foi d'une lettre de Julie Cand
à Girodet, que la jeune femme a surpris l'artiste en flag
délit avec un de ses modèles masculins, que leur lia

estée platonique et que, finalement, elle s'est résignée lui inspirer aucun désir. C'est faire dire beaucoup de ses à une lettre où rien de tout cela n'est écrit précisé-t, mais ce qui me frappe surtout, c'est la même volonté chez Dominique Fernandez, James Saslow et d'autres, fixer » l'identité sexuelle de Girodet et de se référer à la raphie de l'artiste pour interpréter ses œuvres.

Sylvain Bellenger, « Girodet et la littérature, Chabriand et la peinture », in Marc Fumaroli (dir.) *Chabriand et les arts*, Paris, de Fallois, 1999, p. 115-116 : irodet] ne trouve son équilibre que dans l'atelier, celui David d'abord, puis le sien [...]. Pour Girodet, dont ait la fragilité émotionnelle, cet aspect ne saurait être igé. C'est pour l'atelier et pour ne pas entraver son ail qu'il refuse d'épouser Julie Candeille [...] qui lui ande le mariage. Il lui dit qu'il est impuissant et comme insiste, il déclare avoir mauvais caractère et battre les estiques. Elle renonce mais correspondra toute sa vie lui. Si d'autres témoignages sont nécessaires pour trer ses relations difficiles avec les femmes, il suffit de eler le tableau qui fut l'événement du Salon de 1799, *ortrait de Mlle Lange en Danaë* [...]. Mais son univers tif fut assez troublé pour alimenter chez ses exégètes rumeur d'homosexualité. Notre capacité à concevoir, giner ou fantasmer les identités sexuelles préfreudien- incite à la prudence et il semble plus raisonnable de avec Sainte-Beuve que Girodet appartient en tout cas à ce de ceux qui se tourmentent eux-mêmes. »

Non pas que ce tableau n'ait jamais eu aucune specta-, mais, historiquement, le spectateur supposé est tou-s masculin, tout comme l'être humain considéré dans trait.

Whitney Davis, « The Renunciation of Reaction in Giro- *Sleep of Endymion* », *loc. cit.*, passe en revue les dif-ntes descriptions des rapports entre la déesse Séléné et ymion. Dans certaines versions, Endymion reste com-ement passif, dans d'autres, il donne cinquante filles à né pendant son sommeil, ce qui fait dire à Davis que ythe et son interprétation par Girodet présentent des ations sur le thème de la différence entre acte et désir liques.

Dans *Grenzen der Männlichkeit*, 2003, Mechthild Fend oduit deux planches de l'édition italienne *Le pitture che d'Ercolano e contorni incise con qualche spiega-e*, 5 vol., Naples, 1757-1765. La première représente ymion, Diane et un petit Amour, et la seconde Bacchus prochant d'Ariane endormie dont le corps est dévoilé un satyre. La position de cette Ariane mollement éten- un bras replié sous la tête, ressemble beaucoup à celle Endymion de Girodet (t. III, pl. III, p. 15, et t. II, pl. XVI, 03, respectivement).

Noël, 1801, t. I, p. 518.

E. Lajer-Burcharth, 1999, p. 253, est l'une des rares à er que ce scénario reflète l'orientation psychosexuelle irodet et son identification avec le *féminin*. « Je vou- souligner que ce qui mérite réflexion, c'est l'adhésion artiste homme à la féminité : à un corps de femme *et* ésir féminin. Bien plus que les relations avec d'autres hommes (qu'il s'agisse de ses rivaux parmi les élèves de David ou des spectateurs homosexuels), c'est le rapport du peintre avec les femmes qui semble être au cœur de son autoreprésentation en Endymion. Et c'est un cœur inquiet, car on dirait que l'adhésion de Girodet à la féminité se double d'une certaine insécurité quant à la position que le corps masculin délimite dans le champ du désir par rapport à celui de la femme. En témoigne, par exemple, le déplacement effectué par cet apparent étalage de nudité masculine concernant la déesse Séléné, que Girodet désincarne totalement. Présentée sous la forme d'un clair de lune diffus, la femme est ici une figure du désir résolument effacée derrière son objet masculin. Selon moi, cet effacement visuel évident peut se comprendre comme l'indication d'une certaine incertitude sur la place réelle du sujet masculin par rapport au sujet désirant féminin. »

31. Davis, « The Renunciation of Reaction in Girodet's *Sleep of Endymion* », *loc. cit.*, p. 180.

32. Dans une lettre à Emmanuel Pastoret, chargé par Napoléon de préparer un rapport sur l'état des beaux-arts en France, Girodet explique par des considérations fort pragmatiques sa décision de supprimer la déesse : « L'invention m'en fut inspirée par un bas-relief de la villa Borghèse. J'ai même presque copié l'Endymion antique, mais j'ai cru devoir ne point représenter la figure de Diane. Il m'a semblé inconvenant de peindre, dans le moment même d'une simple contemplation amoureuse, une déesse renommée pour sa chasteté. L'idée du rayon m'a paru plus délicate et plus poétique, outre qu'elle était neuve alors. Cette pensée m'appartient tout entière, ainsi que celle de la figure du jeune Amour, sous la forme de Zéphyr qui sourit en écartant le feuillage. » Coupin, 1829, t. II, lettre XVII, p. 339-340.

33. Crow, 1995.

34. Smalls, « Making Trouble for Art History », *loc. cit*, 1996, p. 22.

35. *Ibidem*, p. 24.

36. Voir les nombreux exemples cités par Michael Preston Worley, « The Image of Ganymede in France 1730-1820 : The Survival of Homoerotic Myth », *The Art Bulletin*, vol. 76, 1994, p. 630-634. Lui aussi y déchiffre un scénario homosexuel en filigrane.

37. Ainsi, le personnage de Pâris dans *Les Amours de Pâris et Hélène* (1788) de David, exposé au Salon de 1789 en même temps que *Les licteurs rapportent à Brutus le corps de ses fils*, correspond en tout point au type de l'éphèbe. Les adolescents idéalisés sont très nombreux dans ses œuvres ultérieures, des *Sabines* (1799) à *Léonidas aux Thermopyles* (1814). Voir Lajer-Burcharth, 1999 ; Grigsby, 2004 ; Potts, 1994 ; et Solomon-Godeau, 2003.

38. On trouvera une bonne analyse historique de la législation sur la sodomie, mise en relation avec l'art néoclassique en France, dans la thèse de Satish Padiyar déjà citée, « Homoeroticism in Neoclassical Poetics ».

39. Le prêtre défroqué Pascal a subi la torture et la peine de mort par le feu, mais il était accusé en outre de viol sous la menace d'une arme à l'encontre d'une personne mineure.

40. L'analyse approfondie du tableau de Girodet par Whitney Davis (« The Renunciation of Reaction », *loc. cit.*) et les recherches passionnantes de Satish Padiyar (« Homoeroticism in Neoclassical Poetics », thèse citée) donnent une vision plus détaillée et plus nuancée des relations homosexuelles masculines à l'époque, tant sur le plan des lois que des mentalités. Sur le contexte historique, voir D.A. Coward, « Attitudes to Homosexuality in Eighteenth-Century France », *Journal of European Studies*, vol. 10, 1980 ; Randall Trumbach, « Sodomitical Subcultures, Sodomitical Roles and the Gender Revolution of the Eighteenth-Century », in Robert Purks (dir.), *T'is Nature's Fault : Unauthorized Sexuality during the Enlightenment*, Maccubbin, Cambridge, Cambridge University Press, 1987 ; Michel Rey, « Police et sodomie à Paris au XVIIIe siècle, du péché au désordre », *Revue d'histoire moderne et contemporaine*, t. XXIX, 1982 ; et Jeffrey Merrick, « Sexual Politics and Public Order in Late Eighteenth-Century France », *Journal of the History of Sexuality*, vol. 1, 1990.

41. C'est autour de cette notion que j'ai axé mon analyse des masculinités néoclassiques dans *Male Trouble*, 1997.

42. Eve Kosofsky Sedgwick, *Between Men : English Literature and Male Homosexual Desire*, New York, Columbia University Press, 1985.

43. C'est l'une des thèses développées par Thomas Crow dans *Emulation*, 1995. L'attitude du groupe d'élèves de David qui se faisaient appeler les Barbus est révélatrice à cet égard. Voir George Levitine, *The Dawn of Bohemianism*, University Park, Pennsylvania State University Press, 1978 ; et Sylvain Bellenger, « David et son temps », in *Mille Peintures des musées de France*, Paris, Gallimard, 1993, p. 332-334.

44. J'emprunte ce néologisme à Luce Irigaray. Dès lors que les sociétés patriarcales se caractérisent par leur incapacité d'accepter ou de penser la différence sexuelle, remarque-t-elle, toutes les relations psychosexuelles masculines interviennent dans un univers d'« hommo-sexuation », où la « femme » et la « féminité » sont toujours une sorte de mirage solipsiste pour l'homme, une image spéculaire ou, soulignons-le, un fétiche. Voir Luce Irigaray, *Speculum, de l'autre femme*, Paris, Minuit, 1979 ; et Satish Padiyar, « Homoeroticism in Neoclassical Poetics », thèse citée.

45. James Smalls, « Making Trouble for Art History », *Art Journal*, hiver 1996, p. 25.

46. Voir William Kurtz Wimsatt, *The Verbal Icon : Studies in the Meaning of Poetry*, Lexington, University Press of Kentucky, 1954, en particulier les deux premiers textes, écrits en collaboration avec Monroe C. Beardsley, « The Intentionalist Fallacy » et « The Affective Fallacy ».

47. James M. Saslow, *Pictures and Passions : A History of Homosexuality in the Visual Arts*, New York, Viking Penguin, 1999, p. 3.

48. Ces représentations font, bien sûr, la part des tabous propres à la civilisation grecque. Ainsi, un citoyen adulte n'est jamais dans le rôle passif, un jeune garçon n'est jamais le partenaire actif. Dans les scènes de pédérastie peintes sur les vases grecs, l'*érastès* offre des cadeaux à l'*erômenos*, le caresse ou pratique le *coitus interfemorus*.

49. Même les vases offerts par les citoyens adultes à leurs jeunes amants étaient décorés par des peintres qui restaient en dehors du circuit des désirs. On reste ici dans le domaine de la représentation conventionnelle, qui peut nous apprendre quelque chose sur les mœurs sociales et sexuelles dans l'Antiquité gréco-romaine, mais à un niveau qui relève plus de l'anthropologie que de la psychanalyse.

50. Cela ne veut pas dire qu'aucune peinture de scène érotique féminine ne procure du plaisir, ou une excitation, chez des spectatrices d'orientations sexuelles diverses.

51. Voir Danielle Digne, *Rosa Bonheur ou l'insolence, l'histoire d'une vie, 1822-1899*, Paris, Denoël-Gonthier, 1980 ; et Marie-Jo Bonnet, *Les Femmes dans l'art*, Paris, La Martinière, 2004.

52. Jacqueline Rose, *Sexuality in the Field of Vision*, Londres, Verso, 1985.

53. Judith Butler, *Bodies that Matter : On the Discursive Limits of Sex*, Londres, Routledge, 1993 ; Eve Kosofsky Sedgwick, *Between Men : English Literature and Male Homosexual Desire*, New York, Columbia University Press, 1985.

54. Whitney Davis, « Homosexualism : Gay and Lesbian Studies, and Queer Theory in Art History », in Mark A. Cheetham, Michael Ann Holly et Keith Moxey (dir), *The Subjects of Art History*, Cambridge, Cambridge University Press, 1998, p. 115-142.

55. *Ibidem*, p. 115.

56. *Ibidem*, p. 117.

57. *Ibidem*, p. 117.

58. Satish Padiyar, « David/Sade », *Art History*, t. XXIII, 2000, p. 365-395. En voulant démontrer que le *Léonidas aux Thermopyles* renvoie à l'idéal républicain de fraternité et à son corollaire, l'idéal politique de la *communitas* (qui trouve un écho dans le contenu homoérotique sous-jacent), il laisse de côté le « problème » posé par les femmes pour ces sortes de projets utopiques. L'oubli des femmes dans les allusions à l'idéal politique de la *communitas* a pour symétrique l'oubli de la femme dans la gravure sadienne.

59. Voir note 5.

60. Voir par exemple les nus de François-Xavier Fabre, son *Saint Sébastien expirant* et sa *Mort d'Abel*, ou n'importe quel éphèbe sculpté par Canova. La version de Girodet est, à ma connaissance, le premier exemple de nu masculin idéal aussi fortement stylisé, même si les personnages inspirés ensuite par l'*Endymion* de Girodet sont relativement désarticulés eux aussi, si *L'Amour adolescent pleurant sur le portrait de Psyché qu'il a perdue* (1792) de Charles Meynier paraît encore plus simplifié, et si le Céphale (*L'Aurore et Céphale*, 1810) et le Morphée (*Iris et Morphée*, 1811) de Pierre-Narcisse Guérin semblent encore plus efféminés.

61. Voir « Le fétichisme » (1927), dans Sigmund Freud, *La Vie sexuelle*, traduit de l'allemand par Denise Berger, Jean Laplanche *et al.*, Paris, PUF, 1969, p. 133-138.

62. James Smalls, *loc. cit.*, 1996, p. 22.

63. Fend, 2003, en particulier p. 62-68.

III. 51 Girodet, *Autoportrait au bonnet phrygien*
Gouache sur ivoire, coll. part.

Un théâtre de miroirs
les autoportraits de Girodet

« Ainsi il faut se transformer soi-même entièrement en acteur […]
devant un miroir, pour être à la fois acteur et spectateur [1]. »
Samuel van Hoogstraeten (1678)

Contrairement à l'idée reçue, l'autoportrait d'artiste, de la Renaissance à
fin du XVIIIe siècle, ne doit pas se lire comme le résultat d'une recherche
d'une introspection, mais bien plutôt comme une mise en scène de
image. C'est de spectacle plutôt que de confession qu'il s'agit. Dürer
peint dans les atours d'un grand seigneur ou se représente de manière
ntale, à la manière des représentations médiévales du Christ, empreinte
voile de Véronique [2]. L'autoportrait à la Renaissance est aussi chargé
ne double fonction, montrer l'effigie de l'artiste et en même temps
e une démonstration de son savoir-faire [3]. Cela jouait en particulier
ur les femmes artistes qui ne faisaient pas de tableaux d'histoire comme
démontré Joanna Woods-Marsden à propos de Sofonisba Anguissola [4].
nsi, le jeune Parmigianino joue avec les illusions du réel en peignant
1 *Autoportrait dans un miroir convexe* [5], paradoxal révélateur des enjeux
mme des moyens de la peinture – la main du peintre y apparaît, énorme,

au premier plan. Enfin Rembrandt, bien qu'il semble, tout au long de ses
autoportraits, peints ou gravés chaque année de sa vie, l'enquêteur inquiet
de sa propre image et des effets du temps, « est moins intéressé par son moi
que par l'exploitation de ses capacités de mime en vue de produire une
encyclopédie des sentiments humains [6]. » Concevoir en fait l'autoportrait,
de la Renaissance à 1800, comme un instrument d'autoanalyse, paraît bien
un anachronisme [7]. Le mot même n'existe pas et n'apparaît en français
qu'au XXe siècle [8]. L'expression consacrée était « portrait de l'artiste par
lui-même [9] », ce qui laisse sous-entendre qu'un portrait de l'artiste par
quelqu'un d'autre aurait la même valeur. Poussin se résout à faire son
propre portrait demandé par Fréart de Chantelou, après avoir songé le
demander à Mignard ou à d'autres peintres de portraits [10].

C'est l'âge des Lumières qui déplace la vérité sur le terrain de la
sincérité et de l'expérience, selon les *Confessions* de Rousseau où l'auteur

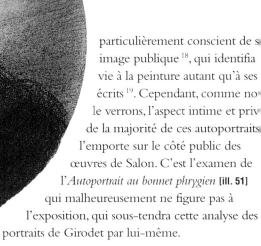

déclare en préambule à ce
long autoportrait littéraire qu'il
voudrait «pouvoir en quelque
façon rendre son âme transparente
aux yeux du lecteur [11]». Quentin
de La Tour, portraitiste obsédé par
la perfection et voulant comme son
siècle «rendre [la nature] telle qu'on
la voyait», sans l'embellir [12], se représente
toujours avec un léger sourire aux lèvres
comme pour montrer qu'il a réussi son
entreprise [13]. Joseph Ducreux pousse les exemples
de son maître à l'extrême et transforme l'expression dans
ses autoportraits jusqu'à la grimace, se montrant du doigt dans
un miroir [14]. L'autoportrait à cette époque est une étude avant d'être le
portrait de soi-même. C'est ce que revendique Chardin quand il expose
son autoportrait aux bésicles en 1771 comme «tête d'étude» sans préciser
le nom du modèle [15]. Proust rendit un hommage vibrant à la vérité de ce
pastel et à son air de dire «avec un ton fanfaron et attendri : "hé bien oui,
je suis vieux !" [16]» Ces autoportraits sont exemplaires de la représentation
rousseauiste, en particulier parce que la technique du pastel favorise
l'instantané et la ressemblance, autant de conventions de représentation.
J. T. Clark [17] dans un remarquable essai pose sur l'autoportrait les questions
essentielles. L'auteur doit avoir l'apparence de quelqu'un qui se regarde
dans un miroir où son image regarde elle-même dans un miroir, dans une
phrase destinée à être sans fin. L'artiste peut être garant de ce qu'il voit,
mais il n'est pas nécessairement le meilleur juge de ce à quoi il ressemble.
À quoi Clark ajoute que, dans un autoportrait, le regard doit signifier
que le peintre a porté un œil froid, objectif, sur son sujet. L'autoportrait
doit d'abord avoir l'air de ressembler au genre qui le définit. Pour cela,
l'artiste dispose de toute une série de conventions, de poses pour décrire la
décontraction, l'instantané, le pessimisme, etc.

Montrer son portrait

Comme pour tout autre tableau, le moment de vérité est celui de
l'exposition publique où s'achève l'aliénation de l'image. Le tableau cesse
alors d'être le miroir reflétant l'artiste pour devenir l'objet du regard des
autres. L'artiste, ou plutôt son portrait, regarde alors celui qui le contemple,
comme le comprend Ducreux dont l'image se montrant du doigt dans
le miroir se retourne contre le spectateur devenu lui-même l'objet de sa
dérision.

C'est dans ce contexte qu'il faut interpréter les autoportraits de
Girodet. Ils donnent des renseignements très précieux sur un homme,

particulièrement conscient de s
image publique [18], qui identifia
vie à la peinture autant qu'à ses
écrits [19]. Cependant, comme no
le verrons, l'aspect intime et priv
de la majorité de ces autoportraits
l'emporte sur le côté public des
œuvres de Salon. C'est l'examen de
l'*Autoportrait au bonnet phrygien* [ill. 51]
qui malheureusement ne figure pas à
l'exposition, qui sous-tendra cette analyse des
portraits de Girodet par lui-même.

Portraits d'apprentissage

Les trois autoportraits de jeunesse sont les plus fascinants pour la
connaissance de l'artiste. Les deux premiers sont particulièrement préci
pour l'analyse puisqu'ils sont restés inconnus pendant près de deux siècle

L'*Autoportrait au foulard et au chapeau*, conservé au Cleveland Museum
of Art (cat. 18) est un très beau dessin au crayon noir et rehauts de blanc.
Il porte une inscription sur le montage d'époque : *autoportrait de Girodet.*
Autoportrait certes, et bien ressemblant quand on le compare aux
autres ; il y semble extrêmement jeune. Les cheveux bouclés et longs
jusqu'aux épaules sous un chapeau taupé de couleur foncée. Il porte
une redingote ou un manteau sur un gilet rayé, le cou entièrement
recouvert d'un foulard à carreaux noué plusieurs fois. Ce foulard ressem
à s'y méprendre à celui qu'il porte sur son portrait en médaillon par
Isabey [20] [ill. 52]. Bien que le portrait d'Isabey soit de profil, ces deux
effigies de Girodet semblent presque contemporaines. Le jeune homme,
légèrement de trois quarts, esquisse l'ombre d'un sourire avec une petite
lueur malicieuse dans l'œil, mais aussi un air de détermination que l'on
retrouvera. À cette période précoce, Girodet est déjà l'excellent artiste de
on admire le jeu des matières entre le peluicheux du chapeau, le drap sec
du manteau et le soyeux du gilet à rayures contrastant avec les carreaux
du foulard et le plissé de la chemise blanche. C'est un dandy avant la lett
se représentant avec assurance dans ce dessin manifestement daté des
mois précédant le voyage de Girodet en Italie, fin 1789 ou début 1790 [21]
Il aurait donc vingt-deux ou vingt-trois ans. Son costume est celui d'un
voyageur habillé de pied en cap, prêt à prendre la diligence, mais est-ce
celle de Montargis qu'il prend de Paris lorsqu'il est dans l'atelier de Dav
où se prépare-t-il déjà pour le grand voyage romain ?

Cette question épineuse de la datation des autoportraits est essentiel
pour l'extraordinaire *Autoportrait au bonnet phrygien* [22], peint à la gouache
un médaillon d'ivoire de 6 cm de diamètre.

**cat. 18 Autoportrait au foulard
et au chapeau**
VERS 1790
Crayon noir, craie noire et rehauts de blanc,
21,6 x 17,5 cm
**Cleveland, The Cleveland Museum of Art,
Delia E. Holden Fund,** inv. 1978.79

Hist. Adrian Ward-Jackson, Londres.
Exp. 1989, Cleveland ; 1994-1995,
Cleveland.

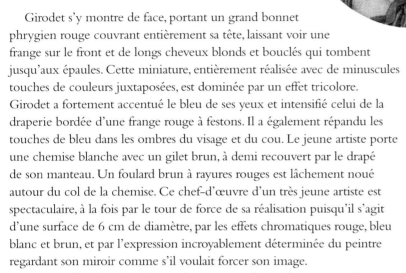

Ill. 52 Girodet, *Autoportrait au bonnet phrygien*
(taille réelle)

Girodet s'y montre de face, portant un grand bonnet phrygien rouge couvrant entièrement sa tête, laissant voir une frange sur le front et de longs cheveux blonds et bouclés qui tombent jusqu'aux épaules. Cette miniature, entièrement réalisée avec de minuscules touches de couleurs juxtaposées, est dominée par un effet tricolore. Girodet a fortement accentué le bleu de ses yeux et intensifié celui de la draperie bordée d'une frange rouge à festons. Il a également répandu les touches de bleu dans les ombres du visage et du cou. Le jeune artiste porte une chemise blanche avec un gilet brun, à demi recouvert par le drapé de son manteau. Un foulard brun à rayures rouges est lâchement noué autour du col de la chemise. Ce chef-d'œuvre d'un très jeune artiste est spectaculaire, à la fois par le tour de force de sa réalisation puisqu'il s'agit d'une surface de 6 cm de diamètre, par les effets chromatiques rouge, bleu blanc et brun, et par l'expression incroyablement déterminée du peintre regardant son miroir comme s'il voulait forcer son image.

Les premières études qui mentionnent ce minuscule autoportrait, resté dans la descendance de l'artiste et totalement inconnu jusqu'à sa réapparition en 1999, le datent de 1790, avant même le départ de Girodet pour Rome [23]. Plusieurs raisons nous font pencher pour une date plus tardive. Tout d'abord l'inscription ancienne au dos de la miniature : *portrait de Girodet fait à Rome par lui-même*, et surtout le bonnet phrygien à consonance radicalement révolutionnaire souligné par l'insistance des couleurs bleu blanc rouge. L'histoire du bonnet phrygien et son rôle dans la Révolution montre que cette combinaison de symboles patriotiques paraît prématurée en 1790.

Histoires de bonnets
Girodet quitte Paris en avril 1790, avant la première grande fête révolutionnaire de la Fédération, le 14 juillet 1790. Ces fêtes ont eu une importance capitale dans le déroulement même de la Révolution [24]. L'apparition du bonnet rouge qui diffère du bonnet phrygien par l'absence de pattes rabattues sur les oreilles, dans ces manifestations et sa diffusion avec d'autres symboles et accessoires dans le public, s'opère alors que Girodet est à Rome. Il est difficile d'imaginer qu'il ait anticipé le port des symboles révolutionnaires avant son départ, même s'il s'agit d'un autoportrait autant expérimental que privé. Le bonnet rouge a commencé à être porté à Paris au printemps 1792. Sa célébrité s'est accrue lorsque le régiment des Suisses de Châteauvieux l'arbore à la fête de la Liberté le 15 avril 1792 [25]. En juin, Louis XVI en fut coiffé publiquement [26]. À la fin de l'année 1792, cette coiffe était devenue le symbole de la sans-culotterie [27]. Pierre Larousse [28] donne une définition pour chaque bonnet : le bonnet phrygien, coiffe des affranchis, est plutôt un emblème de la Liberté et de la République, alors que le bonnet rouge est porté par les

révolutionnaires les plus exaltés. À partir de 1789, la Liberté est identifiée par le bonnet phrygien et après renversement de la monarchie en août 1792, la femme au bonnet phrygien devient aussi l'allégorie de la République [29]. Aileen Ribeiro a montré que la symbolique des deux bonnets a été confondue ou rapprochée par les artistes qui les utilisaient indistinctement, fait déjà remarqué à l'époque [30].

Le bonnet phrygien de Girodet
L'autoportrait de Girodet montre distinctement un bonnet phrygien. Un bonnet semblable coiffe l'homme chargé d'un lourd fardeau, à gauche au premier plan, dans le dessin préparatoire pour *Le Serment du Jeu de paume*, montré par David au Salon de 1791 [31]. Girodet le mentionne dans une lettre à Trioson datée de Rome le 23 juin 1791 : «[Gérard] m'a dit que vous aviez été voir le dessin du tableau de M. David qu'il trouve fort beau. Comment le trouvez-vous vous-même ? Je lui en ai demandé un croquis car je suis curieux d'en connaître la composition [32].» Bien entendu, Girodet ne pouvait pas avoir vu ce dessin, mais il puise à cette époque aux mêmes sources, les statues antiques de Rome. Peut-être avait il vu dans l'atelier de son maître les carnets que celui-ci avait ramenés d'Italie.

Une difficulté s'installe dans la datation de ce petit autoportrait au bonnet avec la lettre que Girodet écrit à Gérard de Turin le 5 mai 1790 : «[…] Cette saison est la pire de toutes pour ce passage, à cause de la fonte des neiges. Elles seront fondues quand tu viendras me rejoindre. Dis-moi si M. David est de retour et ne te borne pas, en m'écrivant, à répondre à mes questions. Sais-tu si Isabey a fini mon portrait dessiné, […] l'as-tu fait coller et encadrer, l'as-tu donné à M. Trioson ? Je te rembourserai quand viendras. Fais mille amitiés de ma part à Pajou. Ne parle pas à M. Trioson de mon portrait en miniature [33].»

Les premiers commentateurs de cette œuvre ont tous identifié l'autoportrait sur ivoire au «portrait en miniature» dont Trioson devait ignorer l'existence. Sa dissimulation est associée au fait que Girodet se représentait en révolutionnaire [34]. En conséquence, ce portrait aurait bien été fait à Paris, avant le voyage pour Rome où Girodet arrive le 10 mai 1790. Poussant plus loin l'identification du «portrait en miniature» avec l'autoportrait au bonnet phrygien, il a été avancé que ce dernier avait ser à Isabey pour réaliser son portrait de Girodet. C'est omettre qu'Isabey avait eu de nombreuses occasions dans l'atelier de David de croquer le profil de son condisciple et ami. Il paraît curieux, pour ne pas dire absurd que Girodet ait confié à Gérard un petit autoportrait de face, coiffé d'un bonnet, pour qu'Isabey s'en inspire et le représente de profil drapé dans grand manteau plus proche d'un manteau de voyage que d'une draperie. On peut logiquement penser que «l'autoportrait en miniature» de la lett

...*st pas* l'autoportrait au bonnet phrygien mais une autre œuvre qu'il reste ...écouvrir.

Cheveux courts ou cheveux longs, une question de chronologie

Un autre argument avancé en faveur d'une datation avant Rome ...ncerne la coupe de cheveux de l'artiste qui raconte au docteur ...ioson le 1er février 1791 qu'il porte les cheveux courts «à la Brutus[35]», ...euve supplémentaire aux yeux des commentateurs de son ardeur ...volutionnaire. Or ses cheveux ont été longs, puis courts, puis longs, sans ...blier les moments où il les a perdus. Reprenons donc le fil de cette ...stoire de cheveux. En 1792, Chinard offre à Girodet le médaillon en ...re cuite qu'il a modelé [ill. 21], et dans lequel l'artiste porte les cheveux ...urts. Il est datable du printemps 1792 puisque Girodet, conscient du ...nger qu'il courait à ressembler à un jacobin, laissa repousser ses cheveux ...s le mois de mars ainsi qu'il l'écrit le 27 mars au docteur Trioson[36]. Les cheveux de Girodet repoussent, mais ils tombent aussi, et pour une ...nne raison que l'artiste donne à David dans une lettre du 20 mai 1794 : ...chute de ses cheveux, due à la syphilis, l'a obligé à porter perruque[37]. ...rodet a donc porté plus souvent les cheveux longs que courts en ...lie, quand ce n'était pas une perruque et les cheveux longs du modèle ...nterdisent donc pas ce petit autoportrait d'avoir été peint à Rome.

Conclusion en forme d'hypothèse sur la question du bonnet

Porter un bonnet phrygien dès le début de 1790 équivalait à un geste ...allégeance révolutionnaire, revendication fortement augmentée par la ...mbolique des trois couleurs, anticipant clairement sur le déroulement ...s événements politiques. Ce portrait dont le format suggère un ...age privé, voire clandestin, pouvait-il devenir public dans les années ...90-1791 ? Certes, les miniatures quittent alors les tabatières pour ...e exposées en tant qu'œuvre d'art à part entière au Salon comme ...souligné Tony Halliday à propos du Salon de 1791[38]. Dans cette ...rspective, on peut douter que Girodet ait voulu s'afficher comme ...intre de miniature quand seule la peinture d'histoire correspondait ...on ambition. Quelle que soit la date de cet autoportrait sur ivoire, ...'agissait bien d'une effigie privée, destinée à le rester. Des sources ...directes qui passent par les souvenirs du fils du docteur Larrey ...noncent que Gérard, avec lequel Girodet est très lié avant de partir ...ur Rome, se serait aussi peint en «farouche républicain». Pendant ...période royaliste, il avait tenté en vain de récupérer cet autoportrait ...mpromettant[39]. L'autoportrait de Gérard en républicain est inconnu, ...ne peut préjuger de l'apparence qu'il s'était donnée. En revanche, ...érard fut membre du tribunal révolutionnaire et aurait inquiété Gros ...1793[40]. Il avait peut-être plus à dissimuler que ne pense Larrey fils.

L'interrogation et la concentration de Girodet dans son *Autoportrait au bonnet phrygien* imposent d'évoquer ici l'autoportrait inquiet d'un autre artiste fait un peu plus tard. L'*Autoportrait à la palette* de David [ill. 53], peint en prison en 1794, livre avant tout une interrogation anxieuse sur son identité d'artiste : la palette rappelle au public ce que le regard semble questionner, le métier de peintre[41]. Cet autoportrait, peint à quarante-six ans, ne s'accorde pas plus d'une trentaine d'années comme si, en effaçant le temps, David effaçait symboliquement ses années jacobines : j'étais un peintre et je le suis toujours.

Pour clore ce développement, et puisqu'il s'agit toujours d'hypothèse, il serait plus convaincant de penser que Girodet a peint cet autoportrait à Rome, après avoir été tenu au courant des événements parisiens par des lettres et des gravures apportées par des visiteurs comme Gérard, lorsqu'il se sent le plus radical, en compagnie de Chinard et de ses autres camarades artistes. Ce serait donc en 1792, au moment où il s'est engagé à peindre l'effigie de la République, en application de la circulaire Monge qui prescrivait que tous les bâtiments officiels de France porteraient les armes de la République au lieu des fleurs de lys. Les artistes qui les ont réalisées, Girodet, Laffitte, Mérimée et Péquignot, s'étaient donc portés volontaires pour la représenter sur les écussons de l'Académie de Rome. La mise en place des écussons sera brutalement interrompue par l'assassinat de Basseville le 13 janvier 1793, et la fuite des élèves de l'Académie.

Gênes

Fuyant Rome, Girodet, accompagné de son ami Péquignot, arrive en avril à Naples[42] où il passa seize mois à étudier les paysages de Campanie et à soigner sa syphilis qui s'était doublée de complications pulmonaires. Dès le premier rétablissement de sa santé, il entreprend le voyage de retour

cat. 19 **Portrait de l'artiste**

1795

Huile sur toile, 49 x 37 cm

Versailles, musée national des châteaux de Versailles et de Trianon, inv. MV 4642 (inv. 3710 ; LP 194)

Hist. peint à Gênes en 1795 ; offert par l'artiste à Gros en échange de son autoportrait ; coll. Gros ; inventaire après décès n° 350 : « *Le Portrait de Girodet, jeune, prisés six cents francs* » ; vente Gros, n° 145, acheté huit cent quatre-vingt-dix-neuf 899 francs par le peintre et expert Thomas Henry pour le compte des musées royaux.

Exp. 1934, Paris, n° 186 ; 1936, Paris, n° 308 ; Turin, 1961 ; 1967, Montargis, n° 19 ; 1977-1978, Munich, Hambourg n° 269 ; 1980, Paris ; 1982, Stockholm, n° 44.

Bibl. Coupin, 1829, t. I, p. lix ; Chesneau, 1862, p. 71-72 ; Jouin, 1888, p. 80 ; Brière, *BSHAF*, 1911 (1), p. 209-216 ; Brière, *BSHAF*, 1911 (2), n° 56, p. 381, ; Constans, t. I, 1995, n° 2237, p. 395 ; Bajou, Lemeux-Fraitot, 2002, p. 59, 105.

54 Gros, *Autoportrait*, 1795

Huile sur toile, Versailles, musée national des châteaux Versailles et de Trianon

vers la France et s'arrête à Gênes. Une grave rechute l'immobilise et Gros accueille et le soigne dans la demeure de ses amis Meuricoffre à Gênes. Ils partagent leur activité picturale et échangent leurs autoportraits. Girodet a vingt-huit ans **(cat. 19)** et Gros vingt-quatre **[ill. 54]**. Les deux autoportraits sont réunis chez Gros après la mort de Girodet. Ils sont à nouveau réunis à Versailles, celui de Gros fut légué par sa veuve et celui de Girodet fut acquis par les musées nationaux à la vente de la succession de Gros.

Ces tableaux n'ont pas été exposés du vivant des artistes et le premier commentaire de l'autoportrait de Girodet figure dans le catalogue de vente des *Tableaux, esquisses, dessins et croquis* du baron Gros en 1835 : *Girodet*, 145. Son portrait peint à l'âge de vingt-deux ans environ. Il s'est représenté ajusté d'une chemise pittoresquement plissée, les cheveux longs et tombants sur les épaules, la tête coiffée d'un chapeau gris dont les bords, un peu relevés, ne cachent rien du visage [43].» Le chapeau porté par Girodet est un chapeau clair, de style similaire au chapeau foncé de Gros dans son portrait par Gérard, peint vers 1790 (Toulouse, musée des Augustins) [44]. L'*Autoportrait* que Gros peint [45] et donne à Girodet le représente la tête nue, les cheveux longs, vêtu d'une draperie blanche. Ernest Chesneau, plus d'un demi-siècle après, le décrit en ces termes : «Sous le front légèrement fuyant, ombragé de longs cheveux bouclés, de grands yeux bruns, fort beaux, s'ouvrent étonnés, curieux, naïfs, avides de voir et de savoir, pleins de lumière. Ils illuminent cette large et fraîche physionomie, très douce et très amoureuse, sensuelle même, quoique pure et réellement candide. L'intelligence y paraît évidente, mais plus encore les facultés aimantes : la tendresse, l'expansion, l'amour [46].»

La comparaison des deux autoportraits montre leur similarité de format, de mise en page et les poses identiques. La draperie qui les enveloppe est de la même couleur blanche, les bustes sont de trois quarts avec la tête presque de face. Loin d'affirmer une intemporalité antique, cette sorte de toge souligne au contraire la mode française radicale issue de l'atelier de David. Celle de Girodet montre une bordure de festons à la grecque, dont la forme ressemble à s'y méprendre au manteau rouge et bleu de son portrait au bonnet phrygien. Girodet avait-il conservé cette draperie, accessoire dont un artiste peut changer les couleurs à sa guise, dans son périple italien ?

La pose des deux amis, dans leurs portraits, reprend la tradition qu'imposait l'échange des portraits, dans le cursus académique. Il semble que, privés de tout encadrement institutionnel, les deux peintres réinventent pour eux-mêmes l'émulation des ateliers et de l'École des beaux-arts. Gros se peint en coloriste, avec un métier brossé mais aussi avec une sorte de naïveté qui s'apparente à celle des élèves les plus «grecs», les «barbus» de l'atelier de David [47]. À l'opposé, Girodet expose fièrement tout le métier qu'il a parfait en Italie, celui d'un maître du clair-obscur, celui de l'auteur d'*Endymion*, celui aussi d'un artiste «bohème» avant la lettre puisque, à la toge antique, il ajoute le chapeau. Certes, Girodet aimait se coiffer d'un chapeau et il avait la réputation de le porter tout le temps, y compris chez lui où il le brûla un soir en lisant à la chandelle [48], mais il préfigure ainsi une extravagance vestimentaire qui se développera à Paris avec les romantiques.

Son air de voyageur des temps anciens, le visage émergeant de l'obscurité, sérieux et tranquille, comme pour s'assurer de son sort et sa détermination, n'est plus celui du très jeune homme des deux premiers autoportraits. L'impression reste juvénile, mais ses yeux et ses cheveux sont assombris, c'est un adulte qui revient en France : «Vous me trouverés peut être bien changé chère concitoyenne comment plusieurs années de maladie, d'inquiétudes et de persécutions n'auraient elles pas influé sur moi [49]», écrira-t-il quelques mois plus tard à Madame Trioson. Avec le médaillon de Chinard, Girodet conservera ses premiers autoportraits toute sa vie, une

réplique de son autoportrait de Gênes remplaçant celui qu'il avait donné à Gros. Ils resteront dans sa descendance jusqu'à la fin du XXᵉ siècle.

Retour à Paris

Girodet a aussi dessiné un certain nombre d'autoportraits où il se montre jusqu'à la fin de sa vie avec de longs favoris et la même coiffure courte, dissimulant tant bien que mal une calvitie précoce. À l'exception de son autoportrait de face au crayon, dont nous parlerons plus loin, tous ces autoportraits sont de profil, comme pour illustrer les propos célèbres de David d'Angers sur le profil qui dévoile mieux le caractère[50].

L'*Autoportrait de profil, la tête penchée*, conservé au Louvre (cat. 20), à la technique brillante et enlevée, est l'image type de l'inspiration. L'œil perçant, qui frappait tous ses contemporains de Delécluze à Vigny est relevé vers un interlocuteur ou vers une idée qu'il essaierait de capter. La violence rentrée, l'énergie de la pensée dans l'expression sont soulignées par le casque de la chevelure éclaircie par la lumière soulignant l'arête du nez et du menton. C'est cet autoportrait que Coupin a fait lithographier, le retournant pour qu'il serve de frontispice au premier volume des *Œuvres posthumes de Girodet-Trioson* paru en 1829[51]. Fidèle à son habitude d'hagiographe vigilant, Coupin a gommé les aspérités de l'autoportrait original, l'adoucissant pour immortaliser une figure plus policée, plus accessible. La tête de Girodet et précisément son autoportrait, servit aux développements de Delestre, le premier biographe de Gros, sur la physiognomonie[52]. Comme si la double vocation artistique de Girodet avait élargi son front, Delestre choisit de reprendre ce même frontispice dérivé de l'autoportrait plutôt que de s'en remettre au portrait peint ou sculpté par d'autres artistes. Sous le portrait, il ajoute la légende « Girodet, poète dans ses peintures et peintre dans ses poésies, avait un front étendu ». Sans jamais connaître la fortune du masque mortuaire de Géricault qui figura comme une effigie romantique dans tous les ateliers, celui

de Girodet, archétype de l'artiste cérébral, fut accaparé par l'idéologie phrénologique[53]. En 1808, Girodet dessina son *Autoportrait avec Julie Candeille*, largement diffusé par la gravure, mais dont l'original, retrouvé dans une collection particulière, est reproduit dans ce catalogue pour la première fois [ill. 33]. Girodet y a les cheveux courts comme sur son médaillon de Chinard qu'il conservait chez lui, et accentue la ressemblance entre Julie et lui-même[54]. Suivant Vélasquez, il avait déjà songé à se rendre spectateur de sa propre peinture et, pendant la période romaine, clin d'œil amical à Trioson autant que revendication de paternité artistique, il avait repris son profil par Chinard et l'avait introduit à l'extrême gauche de son tableau d'*Hippocrate refusant les présents d'Artaxerxès*[55] (cat. 14).

À la fin de sa vie, Girodet dessina son *Autoportrait*[56] de face [ill. 58], assis à une table, un manteau drapé sur l'épaule, le crayon à la main. Ce portait à l'air inspiré et pensif fut lithographié après sa mort pour servir d'ouverture à son *Énéide*, et devint en quelque sorte le testament du maître à ses élèves et le portrait officiel de la postérité.

Paul-Claude-Michel Carpentier reprit cette image posthume et en tira un portrait[57] [ill. 57]. Dans cette « mise en couleurs » de la lithographie, Carpentier entoure le maître des accessoires qui résument ses intérêts et sa carrière, mais surtout le rend plus réel en rétablissant la calvitie telle qu'il l'avait connue mais que le dessin avait si bien atténuée. Il a enfin réveillé les yeux bleus de l'artiste et son regard intense, farouche, qu'Alexandre Colin l'un de ses élèves les plus proches, a si bien saisi dans une caricature de profil qui montre Girodet portant un foulard noué au sommet de sa tête, et des moustaches à la bacchante, comme un fauve prêt à bondir [ill. 56].

La vérité du miroir

Ce n'est donc pas la confession rousseauiste de soi ou la recherche du vrai moi qui guident les autoportraits de Girodet, mais bien plutôt la représentation assumée de son fantasme : l'artiste révolutionnaire, l'artiste

cat. 20 **Autoportrait en buste,
de profil gauche**
Fusain et estompe sur papier, 25 x 20 cm
Paris, musée du Louvre, département des Arts graphiques,
inv. RF 36152

Hist. D'après les annotations au verso du cadre, le dessin
proviendrait des coll. Ponce-Camus, Mme Tripier-Lefranc, née
Vigée-Lebrun, A. Vitu (vente, Paris, 2 décembre 1891, n° 241) ;
annotations de la main d'Henri Becquerel (voir sa signature) ;
coll. Deslandres ; acquis par le musée du Louvre en 1976.
Exp. Jamais exposé.
Bibl. Jamais publié.

III. 56 Colin, *Portrait-charge de Girodet*
Dessin, coll. part.

III. 57 Carpentier, *Portrait de Girodet*
d'après son autoportrait
Peinture à la cire sur toile, Montargis, musée Girodet

III. 58 Girodet (d'après), *Autoportrait*
Lithographie, coll. part.

bohême, à la grecque mais en chapeau de voyageur, le maître du dessin enveloppé d'un grand manteau à sa table, prêt à dessiner ou à enseigner. Non pas par souci d'introspection, car Girodet appartient encore à une autre génération, mais pour une représentation dont il est le premier spectateur, les autoportraits de Girodet semblent la mise en scène de son théâtre privé, comme si l'artiste mimait devant son miroir des fantasmes, des essais de comportement, en vue de les vivre, ou de les éviter dans sa vie publique.

L'image publique de Girodet recoupe néanmoins celle qu'il se donne à lui-même. En 1798, Boilly montre au Salon une *Réunion d'artistes dans l'atelier d'Isabey* [58] **[ill. 55]**, où Girodet, si peu social, est assis au premier plan, isolé des autres et regardant le public avec l'air mélancolique de ses autoportraits [59], comme s'il s'était extrait du brouhaha et émergeait d'un songe. Chez Girodet, l'autoportrait n'est pas encore une recherche de soi comme à l'époque romantique, mais plutôt une projection de ses fantasmes, une mise en scène de l'image de lui-même qu'il veut donner

aux autres, mais surtout à lui-même. Comme Rembrandt dans ses autoportraits, Girodet est un grand utilisateur d'accessoires et chapeaux ; manteaux et draperies lui ont servi sur la scène de son petit théâtre d'art et d'essai. Il n'utilisera de miroir comme accessoire que dans des œuvres publiques à tout point de vue, comme les deux représentations de Danaé [60].

Vérité derrière le miroir ou miroitement d'un jeu de masque derrière lequel se cachent d'autres masques, l'autoportrait dissimule les images qu'il simule. Orson Welles a porté à son comble les implications des images dans le miroir dans la scène finale de son film de 1948, *The Lady from Shangai*, où toutes les images de Rita Hayworth reflétées dans ce palais des glaces sont brisées une à une par des coups de pistolet avant que la dernière protection ne tombe et que la diabolique héroïne ne s'écroule à son tour.

Girodet, avait, lui, gardé tous ses miroirs, rangés soigneusement après usage, jusqu'à la fin.

notes

1. Samuel van Hoogstraeten, élève de Rembrandt, conseillait à ses propres élèves de s'étudier devant un miroir pour comprendre les sentiments des personnages des peintures d'histoire, dans son traité *Inleyding tot de hooge schoole der schilderkonst*, Rotterdam, 1678, p. 109-110, cité par Ernst van de Wetering, « Les multiples fonctions des autoportraits de Rembrandt », cat. exp. *Rembrandt par lui-même*, Londres, National Gallery et La Haye, Mauritshuis, Cabinet royal de Peintures, 1999-2000 (éd. fr., Swolle, 1999, p. 21).

2. Pascal Bonafoux, *Moi ! Autoportraits de XXᵉ siècle*, Milan, 2004, p. 40 : « Le miroir où se regarde le peintre est la métaphore du linge et du voile qui furent appliqués sur le visage du Christ comme il est la métaphore du plan d'eau sur lequel Narcisse se penche. »

3. Van de Wetering, in cat. exp. *Rembrandt*, 1999, p. 30-32.

4. Joanna Woods-Marsden, *Renaissance Self-Portraiture*, New Haven et Londres, 1998, p. 192-194.

5. Parmigianino (1503-1540), *Autoportrait au miroir convexe*, vers 1521-1524, Vienne, Kunsthistoriches Museum.

6. Norbert Schneider, *The Art of the Portrait*, Cologne, 1999, p. 113 ; voir aussi Van de Wetering, in cat. exp. *Rembrandt*, 1999.

7. H.-J. Raupp, *Selbstbildnisse und Künstlerporträts von Lucas van Leyden bis Anton Raphael Mengs*, cat. exp., Brunswick, Herzog Anton Ulrich-Museum, 1980, cité dans Van de Wetering, in cat. exp. *Rembrandt*, 1999, p. 19.

8. Le mot n'a d'entrée ni dans le *Grand Larousse universel du XIXᵉ siècle* ni dans le *Littré*. Le *Petit Robert* signale son apparition vers 1950.

9. Voir par exemple inventaire après décès de Gros in Bajou-Lemeux-Fraitot, p. 59 et p. 94 : « (350) Le portrait de Girodet, Jeune [...] (885) Le portrait de M. Gros étant jeune, peint par lui-même. »

10. Chantelou souhaitait depuis 1647 un portrait de Poussin. Ce dernier pense à Mignard « qui est celuy que je cognois qui les (portraits) fet le mieux » puis décide de faire lui-même deux portraits pour ses mécènes, Chantelou (1660, musée du Louvre) et Pointel (1649, Berlin, Staatliche Museen, Gemäldegalerie). Voir Pierre Rosenberg in cat. exp. *Nicolas Poussin 1594-1665*, Paris, RMN, 1994, p. 425-431.

11. Jean-Jacques Rousseau, *Les Confessions*, in *Œuvres complètes*, Paris, coll. « Bibliothèque de la Pléiade », t. I, livre IV : « Je voudrais pouvoir en quelque façon rendre [son] âme transparente aux yeux du lecteur, et pour cela je cherche à lui montrer sous tous les points de vue [...]. »

12. Diderot, *Salon de 1769*.

13. Albert Besnard et Georges Wildenstein, *La Tour, la vie et l'œuvre de l'artiste*, Paris, Les Beaux-Arts, 1928, p. 76-77 ; Xavier Salmon, *Le Voleur d'âmes, Maurice Quentin de La Tour*, Versailles, Art Lys, 2004, p. 47-63.

14. Joseph Ducreux (1735-1802), *L'Artiste sous les traits d'un moqueur*, huile sur toile, Paris, musée du Louvre.

15. Jean-Baptiste Siméon Chardin (1699-1779), *Autoportrait dit Portrait de Chardin* aux *bésicles*, Louvre. Salon 1771, n° 39 : « Trois têtes d'étude, au pastel, sous le même numéro ». Un autre autoportrait est cité dans l'inventaire après décès du sculpteur Pigalle : « le portrait en pastel de M. Chardin peint par lui-même ». Voir Pierre Rosenberg, cat. exp. *Chardin 1699-1779*, Paris, RMN, 1979, p. 366.

16. Marcel Proust, « Essais et articles », in *Contre Sainte-Beuve*, Paris, Gallimard, coll. « Bibliothèque de la Pléiade », 1971, p. 377.

17. J. T. Clark, « Gross David with the Swoln Cheek. Essay on Self-Portraiture », in Michael S. Roth (éd.) *Recovering History*, Stanford University Press, Stanford, 199.., p. 274-276.

18. Pour ses relations avec la presse, voir *supra* A. Sérullaz ton, et pour ses relations avec le public, voir *supra* S. Bellenger, « Trop savant pour nous », et notice de *Une scène de déluge*, cat. 42.

Coupin, 1829, t. II, a publié les écrits de Girodet : Le
tre et Les Veillées.

Jean-Baptiste Isabey, Portrait de Girodet, crayon noir et
mpe, diam. 11,7 cm, Paris, ENSBA, inv. MU 8645.

Anne Lafont le date du début des années 1790 ou
avant le départ pour Rome : Lafont, 2001, p. 63-64,
57. On pourrait aussi le placer en 1789, année où il fait
rtrait dessiné de Gérard, daté de 1789, reproduit dans
orrespondance de François Gérard, peintre d'histoire,
s, 1867.

Gouache sur ivoire, diamètre 6 cm, portant au revers
vieille étiquette avec la mention manuscrite : portrait de
det fait à Rome par lui- même.

: Famille Becquerel-Despréaux ; galerie Talabardon et
ier, Paris, 1999 (avec le buste de Girodet par Desprez,
37] ; galerie Hazlitt, Gooden & Fox, Londres ; coll.

Nineteenth Century French Drawings and Some Sculp-
Londres, Hazlitt, Gooden & Fox, 2000, n° 3, repr. ;
nt, 2001, p. 63-64, cat. 58 ; Lemeux-Fraitot, 2003,
1

Marie-Louise Biver, Fêtes révolutionnaires à Paris,
s, PUF, 1979, p. 11-31.

Jennifer Harris « The Red Cap of Liberty. A Study of
s Worn by French Revolutionary Partisans 1789-
4 », Eighteenth-Century Studies, vol. 14, n° 3, prin-
s 1981, Columbus (Ohio), p. 283-312.

Anonyme, Louis Seize, 1792, d'après la peinture de
ph Boze de 1775, BNF.

L'habit complet des sans-culottes fut porté pour la pre-
e fois par un chanteur comme le montre le tableau de
y, Simon Chenard en costume de sans-culotte portant
rapeau à la fête de la liberté de la Savoie le 14 octobre
2 (Paris, musée Carnavalet, n° 8 du cat. des pein-
s) mais contrairement à ce qu'on a pu rapporter, il ne
e pas de bonnet rouge mais un bicorne à cocarde trico-
Voir Pierre Arrizoli-Clémentel, « Les arts du décor »,
Bordes et R. Michel (dir.), Paris, 1988, p. 305.

Pierre Larousse, Grand Dictionnaire universel du
siècle, t. II, 1867, p. 977 : « bonnet phrygien, coiffure
ine, haute, retombant ordinairement sur le côté de la
comme celle que portaient les anciens Phrygiens, et
ut plus tard adopté pour les esclaves affranchis […]
t particulièrement d'un bonnet semblable à cette coif-
antique, qui est devenu l'emblème de la liberté et de
épublique personnifiées. » « Bonnet rouge, Bonnet de
rouge, adopté pendant la Révolution par les révolu-
aires les plus exaltés, et qui devint à cette époque un
e de patriotisme. Par ext. Révolutionnaire, républicain
nt : C'est un bonnet rouge. Le parti des bonnets rou-
»

Voir de plus amples développements in cat. exp. La
cature française et la Révolution, 1789-1799, Los An-
s, 1988.

Aileen Ribeiro, The Art of Dress. Fashion in England
France 1750-1820, New Haven et Londres, 1995,
6-147. Ribeiro cite A.E. Gibelin, De l'origine et de la
e du bonnet de la liberté, Paris, 1796, p. 26.

31. (Versailles RF 1914) Voir Philippe Bordes, Le Serment
du Jeu de paume de Jacques-Louis David, Paris, 1983.
32. Lettre à Trioson datée de Rome le 23 juin 1791 (Coupin, t. II, p. 391)
33. Lettres adressées au baron François Gérard, peintre
d'histoire, par les artistes et les personnages célèbres de
son temps, deuxième édition publiée par le baron Gérard,
son neveu, t. I, Paris, 1886, p. 134-138, lettre n° 4.
34. Nineteenth Century French Drawings, 2000 ; Lafont,
2001, p. 315-316 ; Lemeux-fraitot, 2003, p. 151-152.
35. « […] jai – supprimé mon perruquier et même la poudre et la pommade et je porte les cheveux courts a l'antique
dans ce nouveau costume je ressemble dit-on a un buste
de Brutus qui a tué césar qui est au Muséum du Capitole,
avoir l'air d'un tirannicide et 12 écus romains ou environ de
plus a employer/par an\ a mes etudes, cest quelque chose
que tout cela […] » (lettre d'Anne Louis Girodet au docteur
Trioson, Rome, 1er février 1791, n° 15, fonds Pierre Deslandres, déposé au musée Girodet de Montargis, t. III, n° 14 ;
Coupin, t. II, 1829, p. 379-385, lettre n° 39. « N° 15 », d'une
écriture différente, de la main de Trioson [?])
36. « le change hausse tous les jours et chasse dici tous
les français, il sentend en cela avec le gouvernement qui
le surveille de trés près nous avons même été inquietés et
Mr Ménageot me conseille de reprendre ma premiere coiffure attendu que l'on a repandu dans rome que les cheveux
coupés et sans poudre etaient tous Jacobins commes les
miens sont très courts je ne peux encore y remettre que de
la poudre, et aussi tot que je pourrai me faire la plus petite
queue possible, je m'en ferai un anchre et une protection »
(lettre datée de Rome, 27 mars 1792, fonds Pierre Deslandres, déposé au musée Girodet de Montargis, t. III, n° 25 ;
Coupin, t. II, 1829, p. 411-414, lettre n° 48).
37. 1794. Lettre de Girodet à [Louis David], Venise,
1er prairial an II [20 mai 1794] « … Si j'avais suivi ma première idée qui était de retourner à Paris lorsque je me vis
attaqué de cette infâme maladie, me livrer aux bons soins
et aux lumières du Citoyen Trioson mon amy, je me serais
épargné bien de l'argent et bien des souffrances, mais la
honte de me présenter à lui dans cet état m'en a empêché,
et je n'ai pas même eu le courage de lui avouer jusqu'à
présent quoique je sois bien persuadé qu'actuellement
je serais guéri et peut-être depuis longtemps. Ayant à lui
faire cette confession, c'est encore un autre poids qui me
pèse. Mes camarades à Rome l'ont tous ignoré, quoique je
me fusse mis au lait pour toute nourriture, et que la chute
soudaine de mes cheveux m'eut obligé de porter perruque.
Ils attribuaient cela à mon travail et croyaient que mes cheveux ne tombaient que parce que je ne mettais ni poudre ni
pommade. Obligé de m'enfuir de Rome comme je vous l'ai
marqué dans le tems, ma chaude-pisse à peine legérement
diminué au bout de 10 mois du régime le plus rigoureux »,
Besançon, bibliothèque municipale, ms. 1441, 434-435 ;
Mark Ledbury, « Unpublished letters to Jacques-Louis
David from his pupils in Italy », The Burlington Magazine,
CXLII, n° 1166, mai 2000, p 300 (présente transcription).
38. Tony Halliday, Facing the Public, Portraiture in the
aftermath of the French Revolution, 1999, Manchester

University Press, Manchester et New York, 1999, p. 30-32 :
« Quoique sans numéro, M. Isabey, nous ne vous oublierons pas ; vous êtes le premier peintre en miniature, vous
dessinez à merveille et vous avez une très belle couleur. »
(Chéry, 1791).
39. Marie-Juliette Ballot, une élève de David, la comtesse
Benoist, L'Émilie de Dumoustier, Paris, 1914, p. 78-79 :
Gérard « […] s'était peint lui-même, à l'époque de la Révolution, en farouche républicain. Il donna ce portrait à ma
mère, qu'il devait épouser. Le mariage fut rompu, et Gérard
voulut ravoir son portrait. Mais toutes ses démarches, l'intervention même de son illustre ami de Humboldt, furent
inutiles, et le portrait du républicain devenu royaliste nous
est resté ». François Gérard était amoureux de Marie-Eli-
sabeth Leroulx-Delaville, qui deviendra Madame Larrey.
Elle était élève de David comme sa sœur Marie-Guillemine,
future Madame Benoist, Larrey. Rien dans ces renseignements ne donne une indication sur la date de ce portrait.
40. Tripier Le Franc, 1880, p. 73.
41. Jacques Louis David, Autoportrait, Paris, musée du
Louvre, inv. 3705. Sur ce tableau, voir en particulier la pas-
sionnante analyse qu'en fait Lajer-Burcharth, 1999, p. 33-
47.
42. Voir supra S. Bellenger, « Trop savant pour nous ».
43. « […] Il régnait une intimité tellement fraternelle entre
Gros et Girodet qu'en arrivant à Gênes l'un et l'autre et craignant que des circonstances indépendantes de leur volonté
les obligeassent à se séparer, ils se donnèrent un gage d'estime et de réciproque attachement en et cimentèrent la durée
par un échange de portraits qui devait perpétuer à leur vue
le souvenir d'une franche et indissoluble amitié. » Gaston
Brière, « Note sur des portraits de Gros, Girodet et Gérard »,
BSHAF, 1911, p. 209-216
44. Gros fera lui-même un portrait de Gérard tête nue,
voir Alan P. Wintermute, article sur le portrait de Gros par
Gérard, in Wintermute (éd.), 1789 : French Art During the
Revolution, New York, Colnaghi, 1989, p. 214-218.
45. Musée national de Versailles, MV 4786, INV 5080 ;
LP 5081, Toile h. 0,49 ; l. 0,40
Donné par Gros à Girodet à Gênes en 1795, racheté
par Gros à la vente après décès de Girodet. Et légué par
Mme Gros le 5 mars 1841 léguant « son portrait en buste
avec une draperie blanche, peint par lui-même en Italie » ;
Claire Constant, Musée de Versailles. Les peintures, Paris,
1995, n° 2373 ; Bajou/Lemeux-Fraitot, p. 216 et p. 94
(autoportrait de Gros dans l'inventaire Girodet n° 55, puis
dans l'inventaire 885).
46. Ernest Chesneau, La Peinture française au XIXe siècle.
Les chefs d'école, Paris, 1862, p. 71-72.
47. George Levitine, The Dawn of Bohemianism. The Barbu
Rebellion and Primitivsm in Neoclassical France, The Pennsylvania State University Press, 1978.
48. Lettre d'Anne Louis Girodet au docteur Trioson, Rome,
1er février 1791 n° 15, fonds Pierre Deslandres, déposé au
Musée Girodet de Montargis, t. III, n° 14 ; Coupin, t. II,
1829, p. 379-385, lettre n° 39. « N° 15 », d'une écriture
différente, de la main de Trioson (?) : « … encore ne faut-il
pas quil marrive d'accidents et je crois que vous êtes per-

suadés que tous ne viennent pas de mauvaise conduite. par
exemple il y a huit jours quen lisant le soir je brulai mon
chapeau à la chandelle de maniere a ne pouvoir plus men
servir. on ne Brûle pas ses chapeaux tous les jours mais
tous les jours il peut arriver des petits accidens qui y ressemblent plus au mons… »
49. Lettre inédite d'Anne Louis Girodet à Mme Trioson,
Genève, 9 octobre [1795], fonds Pierre Deslandres déposé
au musée Girodet de Montargis, t. III, n° 80.
50. André Bruel (éd.), Les Carnets de David d'Angers,
Paris, Plon, 1958, t. I, 1828-1837, p. 16 : « Je découvre
mieux le caractère d'une personne dans un profil que dans
une face. Le soleil ne dessine sur terre que des silhouettes. »
51. Coupin, 1829.
52. J.-B. Delestre, De la physiognomonie, Paris, Renouard,
1866, p. 188-189, fig. 248.
53. Un exemplaire conservé au musée d'histoire de
la médecine d'Aix-en-Provence, un autre au musée de
l'Homme.
54. Voir S. Bellenger, supra, « Trop savant pour nous ».
55. Voir cat. 14.
56. Lithographie de Lambert, 1825, Fac-similé du portrait de Girodet-Trioson dessiné par lui-même et tel qu'il
l'a laissé à sa mort. La lithographie de Lambert fut mise
en frontispice de l'édition des compositions de Girodet
pour L'Énéide, publiée par Pannetier en 1825. Le dessin de
Girodet est conservé au musée des Beaux-Arts d'Orléans et
lithographié à nouveau en 1867 par Lafosse.
57. Paul-Claude-Michel Lecarpentier, dit Carpentier (1787-
1877), Portrait de Girodet d'après son autoportrait, peinture
à la cire sur toile, Montargis, musée Girodet. La peinture
conservée au musée Magnin et longtemps attribuée à Girodet lui-même, serait en fait une copie ou réplique du tableau
de Carpentier.
58. Louis-Léopold Boilly, Réunion d'artistes dans l'atelier
d'Isabey, 1798, Paris, musée du Louvre. Girodet est assis
au premier plan à droite et regarde le spectateur. Voir Sylvain Laveissière, in cat. exp, Boilly, un grand peintre français de la Révolution à la Restauration, Lille, 1988, cat. 24,
p. 84-85.
59. Une étude récente (Lemeux-Fraitot, 2003, p. 310) a
proposé une autre identification de Girodet dans le tableau
de Boilly en l'échangeant avec celle du peintre de fleurs
Vandael qui s'appuie à la table. L'identification traditionnelle
datant d'une époque où de nombreux artistes représentés
vivaient encore (voir S. Laveissière, note précédente), on
ne peut retenir cette nouvelle hypothèse, faute d'arguments
nouveaux et sûrs autres que de ressemblance supposée.
60. Voir Danaé, cat. 35, et Mlle Lange en Danaé, cat. 41.

Stéphane Guégan

Ni rouge ni blanc
Girodet et le nouvel ordre des choses

Pour L.-A. P., fin connaisseur d'A. L. G.

« Je suis fort sensible aux pertes que le nouvel ordre des choses vous a fait éprouver mais je crois que le seul parti sage est [...] tâcher de voir les privations particulières comme une suite nécessaire du système d'amélioration générale », Girodet à Trioson, 1er février 1791 [1].

« Je vois rarement Bertin ; nos demeures ne sont pas voisines et nos occupations sont encore plus distantes. Il est tout entier à la politique que je ne sais pas, que je n'aime pas, et dont je me soucie guère. Pourvu que nos députés ne soient pas jacobins [...] », Girodet à Fabre, 20 juin 1819 [2].

Qu'en est-il de la politique dans la vie de Girodet ? Du politique dans peinture ? La réapparition en 1999 de l'*Autoportrait au bonnet phrygien* porta sa pierre au débat qui n'a cessé de diviser les historiens modernes puis Frédéric Antal [3], aux yeux duquel Girodet s'était situé d'emblée à le distance du style et du supposé jacobinisme de David. La question, 'il tranchait à sa façon, peut être posée autrement aujourd'hui et le rcours politique de Girodet réexaminé. Ce rejeton de la bourgeoisie éanaise a-t-il pleinement adhéré à la Révolution française dès 1789 ? st-il détaché de la République en se rapprochant de Bonaparte k ans plus tard, puis de l'Empire en sympathisant avec l'opposition /aliste des frères Bertin et du *Journal des débats* ? Entre Louis XVI, qu'il lmenait dans sa correspondance romaine, et Louis XVIII, qui le couvrit honneurs et de commandes, l'auteur d'*Endymion*, le portraitiste de hateaubriand et de Cathelineau, a évidemment fait du chemin. Chemin

de Damas ou simple faculté d'adaptation en des temps agités, propices à la palinodie ? Apostasie républicaine ou continuité libérale, inaperçue jusque-là ? Nous voudrions montrer à la suite en quoi le ralliement de Girodet à Louis XVIII relevait autant de l'opportunisme que de la fidélité à soi. Servant tous les régimes sans abdiquer son indépendance, les « doux délires » de sa peinture ni ses premiers élans républicains, Girodet ne s'est guère mêlé d'action politique directe, contrairement à son maître David [4]. Pour autant, l'histoire de l'art s'égarerait à ignorer son attachement précoce à la « noble cause des réformes » ou à tenir pour négligeable la continuité patriotique et idéologique que contient son modérantisme. Girodet ne s'est pas contenté de s'adapter aux bouleversements du monde artistique qu'entraîna la Révolution, il a voulu et su tirer parti des événements et des régimes qui se sont succédé pendant trente-cinq ans. Opportuniste et indocile, il eut au moins la noblesse de ne pas trahir sa jeunesse.

Page 108 :
cat. 55 Girodet, *La Révolte du Caire,* détail

cat. 104 Girodet, *Bayard refusant les présents
de ses hostesses à Brescia,* détail

Apprentissages

Avant de revenir à la tourmente révolutionnaire, il faut s'intéresser aux origines familiales du peintre, à la culture intellectuelle où s'inscrivent de façon durable ses ambitions sociales et son évolution politique. Détour d'autant plus nécessaire que l'historiographie des trente dernières années a montré une fâcheuse tendance à simplifier, voire à caricaturer l'itinéraire du peintre afin d'y déceler les raisons idéologiques de son rejet précoce des codes davidiens. L'*Endymion*, à l'aune de ces analyses expéditives, ne pouvait être que le fait d'un artiste opposé au combat politique qu'incarnaient David et sa romanité virile. Des travaux récents nous permettent de mieux cerner la trajectoire de Girodet, d'y évaluer la part des déterminations collectives et celle des inclinations personnelles, entre la fin des années 1770 et le séjour italien, vingt ans plus tard [5]. Une partie du destin de Girodet s'est joué avant même qu'il n'intègre l'atelier de David. Comme Chateaubriand, son exact contemporain et son double à bien des égards, le peintre est fils des Lumières, l'héritier d'un siècle qui critique ou combat l'absolutisme, la société d'ordres et les anciens privilèges davantage que le système monarchique lui-même [6].

Né sous Louis XV au sein de la bonne bourgeoisie du Gâtinais, dont il allait vite exploiter toutes les ressources et les appuis, le peintre eut pour père un homme à entregent et dont les lectures ne sont pas indifférentes. Qu'Antoine Girodet (1723-1784) ait dû cette position très enviable au service du duc Louis-Philippe d'Orléans, père de Philippe Égalité, a suffi pour troubler quelques historiens. On a tôt fait d'embrigader ces

Girodet, attachés à la branche cadette, du côté des réfractaires au «sens de l'histoire [7]». Pareille approche procédait d'une vision périmée de la France pré-révolutionnaire. L'hypothèse d'une «opposition structurelle des Lumières et de l'Ancien Régime [8]» apparaît aujourd'hui peu conforme à la société et à la culture politique antérieures à 1789. Dans le cas de la maison d'Orléans, humiliée par Louis XIV lors du mariage forcé du futur Régent en 1692 et toujours plus éloignée de la Couronne jusqu'à la rupture des années 1780, une telle approche est encore moins opératoire. Antoine Girodet, de surcroît, touchait par ses lectures à deux des vecteurs de la pensée réformiste du temps, le jansénisme d'un côté [10], Montesquieu et Rousseau de l'autre. Bien qu'il soit téméraire de préjuger de son effet précis sur son fils, la culture paternelle n'a pu être sans conséquence.

Sans parler des liens familiaux avec la robe parlementaire et l'idéal maçonnique, la bibliothèque dont hérita Girodet nourrit sans doute une défiance, appelée à se développer à Rome, envers les excès du pouvoir royal d'un côté et les abus de l'Église ou de la papauté de l'autre. Soit la tyrannie et la superstition que dénonçaient à l'envi les philosophes depuis Beyle et Voltaire. Ce qui fut avant tout chez les Girodet une éthique familiale, celle d'une Église ressourcée à la parole vive du Christ comme celle du bien public dont le monarque et son conseil devraient être garants, ne prit une dimension politique nouvelle qu'à l'été 1789. Position conforme par ailleurs aux idées du docteur Trioson, médecin éclairé et grand ami de la famille, père substitutif du peintre après la mort du père biologique en 1784, lié quant à lui au service du comte d'Artois, que Girodet sollicitera en vain plus tard… Rien ne permet donc de parler de quelque «radicalisation» du peintre avant que n'éclate la Révolution [11]. Ni le choix, cinq ans auparavant, de l'atelier de David, où il faut cesser de voir une précoce officine républicaine, ni les déboires académiques, dont la portée ne fut pas immédiate. Ce qui rapprocha le jeune Girodet du peintre de *Bélisaire* ne saurait être réduit à leurs affinités ou dispositions progressistes. Aussi puissants ont été, à l'évidence, les liens de sociabilité et l'impact irrésistible sur la génération montante du «génie fier et indépendant» de David, pour le dire comme *Les Mémoires secrets* en 1787 [12]. Le prix de Rome accordé à Drouais en 1784 contribua aussi grandement au prestige de l'atelier. Durant les années qui le séparaient encore d'un succès similaire, Girodet s'appropria la vulgate davidienne et l'appliqua à des thèmes porteurs, de la tyrannie vengée des Tarquins à l'arbitraire princier frappant Bélisaire. Mais doit-on enfermer cette phase de la carrière de Girodet dans la stricte dépendance stylistique du peintre des *Horaces*?

Outre le passage dans l'atelier de Brenet, qui dura près d'un an à partir de septembre 1784, le grand dessin offert à Trioson en 1789, *Bayard refusant les présents à Brescia* (Chicago, The Art Institute), marque un

emier affranchissement par son intérêt pour l'histoire de France et le
oût déjà troubadour, étranger aux premiers davidiens **(cat. 104)**. Au-delà
ce que ce beau dessin doit à la vogue de l'estampe anglaise [13], il faut
uligner la résonance patriotique que pouvait prendre, à la veille de la
évolution, le thème du preux et probe chevalier. Parmi les premiers
oleaux ordonnés par le comte d'Angiviller pour le Louvre figurait
Bayard de Durameau, exposé au Salon de 1777 au titre des traits de
rtu exemplaires. Autant que la générosité célébrée par Girodet, la
ntinence du chevalier attestait la noblesse sans faille d'un des grands
rviteurs de la Couronne. Proche de Turgot et des réformistes de l'État
onarchique, d'Angiviller entendait servir cette cause autant que son
i [14]. De simples notables pouvaient au même moment s'emparer de la
émoire de Bayard et concilier à leur manière propagande royale et idéal
s Lumières. Preuve en est le concours organisé par quelques Grenoblois
1787 afin d'honorer le grand homme et la reconnaissance de sa patrie,
ncours dont Chinard sortit vainqueur [15]. Le sculpteur lyonnais, qui
vait par la suite servir avec ardeur les idées de la Révolution et croiser
irodet à Rome, choisit de représenter Bayard adoubant François Ier
Marignan. Sur la base du monument, plus narrative, Chinard devait
oquer plusieurs épisodes de la vie du chevalier dont celui de Brescia.
duc d'Orléans s'était associé à cette souscription publique dont
chec n'invalide pas la portée symbolique. Il se peut même que Girodet
ait été informé [16]. Par la suite, il resta particulièrement sensible aux
vers composants du passé national. Attachement de cœur et de tête
i le porte, autant qu'un Chateaubriand, vers les débris monumentaux
l'ancienne France et la pureté chevaleresque qu'il prête à l'époque
nt ils témoignent [17]. L'exemple précoce du *Bayard* permet de ne pas
nfondre ce souci patrimonial avec l'expression d'un royalisme originel
rémanent.

L'épisode romain (1790-1793) fait aussi obstacle à un tel contresens.
a été beaucoup glosé ces dernières années et apprécié de façons
verses, selon que l'on croit ou non à l'activisme républicain du jeune
rodet [18]. Il nous semble que cet engagement est indéniable, voire de
rtée durable malgré le rejet des premiers excès de la Révolution
s avant sa phase terroriste. Rome en sera moins le théâtre que
catalyseur. Le jansénisme familial ne préparait guère le nouveau
nsionnaire du palais Mancini à se montrer clément envers la papauté.
en qu'aimant le luxe et pratiquant déjà une forme de dédain
stocratique, Girodet va se révéler l'un des éléments les plus subversifs
l'Académie romaine jusqu'à son départ forcé en janvier 1793. Car,
gré des événements politiques, de l'échec de Varennes en juin 1791
qu'à la déchéance du roi en août 1792, les relations des Français
ec Pie VI et la population romaine ne cessèrent de se détériorer. Loin

de Paris et malgré la lenteur et le caprice des lettres et des journaux,
Girodet vibrait au rythme de la capitale et des fièvres de la jeune
République, de la fête de la Fédération en juillet 1790 à la chute de
Robespierre à l'été 1794. Il n'est en rien un isolé, enfermé dans son
œuvre qu'il veut neuve et anti-davidienne, ou prisonnier de sa syphilis,
cadeau empoisonné des «filles» du Corso dont parle sa correspondance
avec le complice Gérard [19]. Son patriotisme, en proportion inverse de
sa santé tôt délabrée, s'est affirmé et affermi dans la lutte. On ne saurait
en ignorer pour autant les hésitations dès les débordements parisiens de
septembre 1792.

L'Italie des patriotes

En chemin vers Rome, Girodet traversa le Dauphiné qui avait
versé précocement, comme on sait, dans l'action révolutionnaire. Et,
dès son arrivée à Turin le 5 mai 1790, il avouait à Gérard avoir été
molesté par la population d'un village qui l'avait pris pour un émigré ; il
mentionnait aussi quelques châteaux brûlés et autres «excès» locaux [20].
La lettre qu'il expédia le même jour au docteur Trioson, moins
alarmiste, n'en fait pas moins état des officiers suisses et d'émigrés, «un
assortiment complet de Domestiques [21]» qui font aussi route vers l'Italie.
Reste que le jeune homme n'a rien d'un enragé : «J'ai vu le Roy [de
Sardaigne] et toute sa cour assister a une messe en musique mais je n'y
ai [pas] vu […] le comte […] d'artois. le roy a l'air d'un homme d'esprit
et fort affable.» Dès son arrivée à Rome, l'hostilité de Girodet envers
le pape s'exprima pourtant sans détour. Il avait quitté Paris à l'époque
où l'on brûlait en effigie Pie VI pour s'être opposé à la constitution
civile du clergé, il est témoin en Italie des effets de ce qu'il nomme à
plusieurs reprises «l'inquisition». C'est l'affaire Cagliostro, dont Girodet
fut préoccupé jusqu'à son dénouement [22]. Ce franc-maçon, qui sera
condamné à la prison à vie et verra ses livres brûlés en place publique,
suscite «les frayeurs de Sa Sainteté et de ceux qui se partagent le
gouvernement [23]». Maçon lui-même, comme le sont le docteur Trioson
et Gérard, le peintre va dès l'hiver 1790-1791 fréquenter la phalange
la plus progressiste parmi les artistes français de Rome, celle qui se
regroupe autour de Wicar, Topino-Lebrun et Hennequin, tous élèves de
David [24]. Belle et Chinard, qui connurent l'un et l'autre les rigueurs de
la police papale, animèrent aussi cette communauté secrète et patriote.
Gérard, durant son séjour romain, se joignit à eux tout naturellement [25].
En juin 1791, Girodet se soucie du *Serment du Jeu de paume* auquel
travaille David et dont celui-ci montrera le dessin au Salon en
septembre [26]. David à qui il voue des sentiments contradictoires,
œdipiens si l'on préfère, admiration et défiance mêlées, et dont il ne
partage pas apparemment l'affection pour le club des Jacobins [27].

Les rapports de Girodet avec le directeur de l'Académie évoluèrent de même sous l'effet des événements. D'abord très bons, ils se dégradèrent au printemps 1791, alors que Ménageot ne faisait plus mystère de ses penchants royalistes et accueillait les tantes de Louis XVI avec le même empressement qu'y mettait le cardinal de Bernis, l'ambassadeur de France. La fuite de Varennes en juin met en émoi le clan aristocratique et le pape, qui communie les filles de Louis XV «de sa main pendant que nous autres il nous excommunie [28]». Après l'arrestation de Louis XVI à Varennes, que Girodet approuve, la situation se tend : «la guerre Civile me paraît inévitable», écrit-il le 6 juillet 1791 [29]. Le ton se durcit encore, une semaine plus tard, envers le roi : «il faudrait lui faire son procès en forme ; lui faire flairer l'échafaud d'un peu près, puis que toute la Nation lui accordât sa grâce pour pousser la clémence jusqu'à son dernier terme [30]». Et à propos des tergiversations du roi à signer la Constitution, hésitations qui firent échouer le portrait de Louis XVI ébauché par David : «[…] quand a moi je vous assure que ni lui ni sa cher et fidèle compagne ne m'inspirent pas grande compassion ce sont a coup sur des sournois qui enragent en dedans et cedent a la force et a la necessité mais qui ne balanceraient pas de ressaisir la moindre partie de leur autorité première même au prix de tout le sang français [31]». La même lettre stigmatise les mœurs dispendieuses de Ménageot et la condition plus misérable des pensionnaires. Il en vient, le 25 novembre 1791, à proposer à Trioson la suppression de l'Académie de France à Rome «grande bergerie royale pour loger douze moutons avec quelque fois un âne a la tête (je ne dis pas cela pour notre chef actuel)». Mieux valait en somme laisser à quelques élus le choix du pays vers lequel ils se sentaient appelés à se perfectionner, selon leur génie. Italie, Flandre ou Suisse, peu importait. Pour autant, à la même époque, Girodet refusa de vendre son *Endymion* à des «princes polonais», rétorquant qu'il était pour le roi [32].

Dans la radicalisation des idées de Girodet, l'année 1792 fut déterminante. Impatienté par «Messieurs les émigrés [33]» et par la vie de prince romain que menait Ménageot, puis par sa passivité devant la menace qui pesait de plus en plus sur les pensionnaires, le peintre s'arma contre la réaction prévisible. Le bruit se répandait en effet que la population voulait mettre à sac l'académie par la faute de «plusieurs imprudens qui ont eu assez peu de jugement et de réflexion pour aller semer publiquement les opinions nouvelles, sous les yeux d'un gouvernement qui les a en horreur [34]». Les «massacres» de septembre 1792 avaient mis le comble à l'exaspération du peuple romain. Girodet ne semble pas avoir cédé à l'ivresse des septembriseurs. Un dessin et une lettre en témoignent : «Le massacre des Suisses, de madame de Lamballe, et dernièrement des prêtres, achèvent de compléter les justes craintes de voir se renouveler les Vêpres siciliennes [35].» Il cosigne alors, voire rédige

l'*Adresse des pensionnaires de l'Académie de France à la Convention,* qui fut remise le 12 décembre 1792 à Nicolas-Jean Hugou de Basseville, le nouveau légat de la République [36]. Celui-ci fit évacuer l'Académie le 9 janvier, après avoir pris la décision de faire remplacer au fronton les fleurs de lys par les armes de la République. Dans une lettre datée de ce jour, Girodet faisait ses adieux à l'Italie en prophétisant la campagne d'Italie, à laquelle il se ralliait par avance : «Peutetre aussi quelque jours verrons nous le capitole renaître des cendres du vatican et le Tybre défroqué cest alors que je reverrai Rome avec plaisir [37].» À dire vrai, tout comme Mérimée, Lafitte et Péquignot, Girodet resta quelques jours de plus. Aussi le 13 était-il la victime de la populace romaine mettant à sac le palais Mancini après avoir découvert la suppression des symboles monarchiques. Girodet en réchappa, non Basseville. Puis il prit la fuite vers Naples, s'empressant d'envoyer à David la relation de l'événement afin de la rendre publique et d'attirer l'attention de la Convention sur le sort des artistes chassés de Rome. Dès juin 1793, au moment où la Montagne liquidait les Girondins, Michel de Cubières, avec la complicité peut-être du peintre et assurément de David, faisait paraître *La Mort de Basseville ou la conjuration de Pie VI dévoilée.* L'attitude héroïque des Franç. voire du peintre en particulier, y était instrumentalisée pour les besoins de la Terreur débutante [38]. Cette brochure enflammée devait contribuer fonder la réputation du peintre patriote.

Financièrement exsangue, «vu que je suis un Sans culotte dans la signification la plus étendüe de ce mot [39]», épuisé par la maladie, Girode ne goûta pas longtemps le répit que laissait aux Français un roi de Naples «plus philosophe que ses confreres [40]». Dès le 1er mars 1793, la ville lui semble devenue un Vésuve politique : «notre revolution a ici ur nombre prodigieux de partisans [41]». Lui qui correspondait avec David [42], fréquentait le médecin Domenico Cirillo et les libéraux de son cercle, pour lequel il dessine et fait graver le portrait de son maître, devint vite suspect et indésirable comme les autres Français. Sa maladie ne lui permet plus de différer son départ vers le Nord. Parvenu à Ariano, à mi-chemin de Ferrare et de Venise, il est emprisonné pendant quatorze jours à la mi-avril 1794 parce qu'il porte la cocarde tricolore et conserv sur lui des documents compromettants. Peu après son arrivée à Venise, il écrit à Trioson : «Si tu veux savoir ce q'uest devenu mon infâme rival le Sr fabre il est à florence bassement et ignominieusement declaré royaliste [43].» Depuis son départ de Rome, la maladie n'a aucunement écorné le patriotisme du peintre, du moins le manifeste-t-il à toute occasion. Protégé par François Noël, représentant de la France à Venise, s'imaginait en chantre des soldats de l'an II, assumant à Paris, où il pens rentrer à l'hiver 1794, son «devoir de citoyen [en traçant] sur la toile les prodiges de vertu des jeunes héros [44]». Il devait passer en Vénétie une

59 Piranesi, *Palazzo Mancini*
…avure, coll. part.

60 Anonyme, *Assassinat de Hugou de Basseville*
…vure, coll. part.

…née peu productive au regard de son projet de décorer l'ambassade de …ance de sujets «analogues a notre glorieuse révolution». Étrangement, … correspondance vénitienne ne se fait pas l'écho de la chute de …obespierre le 9 thermidor! Prudence ou épuisement physique dû à …syphilis, il retarda son retour en France et ne prit qu'en mars 1795 la …ute de Gênes où son ami Gros lui apporta le soutien de son amitié. Il y …gna le beau portrait de Giuseppe Fravega, daté ostensiblement de l'an III … la République française. Mais quelle république? Il faut attendre …pendant le 11 mai 1795 pour que la correspondance de Girodet fasse …usion à «la tirannie de robespierre [45]». Ce rejet de la Terreur, dont …ioson et son propre frère avaient eu à souffrir passagèrement, indique … artiste déjà disposé à s'inscrire dans le contexte du Directoire et sa …litique, répressive le cas échéant, d'équilibre.

Sortir de la Terreur

Arrivé à Paris le 13 octobre 1795, Girodet n'eut de cesse pendant près … dix-huit mois d'obtenir le paiement de sa pension non versée depuis …sac du palais Mancini et réparation pour les pertes qu'il avait subies [46]. …patienta longtemps mais l'administration du Directoire lui fit droit. …s traités de paix de l'armée d'Italie ne profitèrent pas seulement aux …sses de l'État et aux directeurs si gourmands. Passé maître dans l'art de …réclamation, Girodet s'efforça dans le même temps de se faire accorder … logement au Louvre et un atelier plus grand que ceux qui lui avaient … attribués, dès juin 1795, par l'entremise de Noël. Il lui fallait en effet …nposer par une grande machine tout en ménageant les nouvelles …entes de la demande privée. Un examen rapide des Salons de l'époque …ontre que le tableau à «effet» dans le goût anglais et le portrait sensible …mportent alors sur la froide leçon de civisme [47]. Le succès de Gérard, …venu son rival, dans ces deux directions en était la preuve. Pour autant, …mme l'atteste le projet des *Sabines*, David et ses émules partageaient … désir de donner une image qui concentrât l'idéologie du Directoire, …rtée à la célébration guerrière et à la concorde anti-factieuse plus qu'au …te égalitaire. Le remaniement gouvernemental de l'été 1797 était …core tout frais lorsque Girodet saisit le nouveau ministre des Relations …érieures, Talleyrand [48]. La lettre qu'il lui expédie le 28 juillet atteste sans …ute une bonne perception des forces en présence. Peut-être Girodet a-…l su ou deviné que l'ancien évêque d'Autun avait des vues sur l'Orient …que la chute possible des Antilles françaises désignait l'Égypte ottomane …mme la seule alternative coloniale. Au-delà de l'altérité ethnique …ère au peintre d'*Hippocrate*, la missive est significative d'une époque …xpansion guerrière: «Le citoyen Girodet, jaloux d'offrir à sa patrie …ommage de ses faibles talents désire les employer à l'exécution d'un …leau national du plus grand intérêt, la présentation de l'ambassadeur de

La Porte au Directoire de la République française. L'opposition et le contraste du luxe asiatique et de la dignité du costume constitutionnel, l'expression respectueuse de l'ambassadeur Ottoman, mais surtout l'attitude imposante du Directoire et des ministres de la République, enfin les glorieux trophées qui ont encore rehaussé l'éclat de cette pompe ont excité son enthousiasme [49].»

La lettre resta sans réponse et le projet sans lendemain. Néanmoins, la réalisation en ces mêmes mois du *Portrait de Jean-Baptiste Belley* ne saurait être dissociée des appétits coloniaux de la République et de la question de l'abolition. Le tableau fut exposé une première fois en octobre 1797, quelques semaines après que le coup d'État de fructidor eut décapité le péril d'une restauration monarchique, puis au Salon de 1798. On continue à s'interroger sur les circonstances et les motivations qui poussèrent Girodet à peindre le portrait de Belley, esclave affranchi par la carrière militaire et devenu député de Saint-Domingue. Certains historiens doutent encore que l'initiative en revienne à l'artiste [50]. C'est pourtant l'hypothèse qui est de loin la meilleure. À partir du témoignage contemporain du Danois Bruun Neergaard, Tony Halliday a rappelé en effet que le tableau était encore visible dans l'atelier de Girodet en 1800 [51]. Si le député n'en avait pas été satisfait après l'avoir commandé au peintre, il eût empêché sans doute sa double exposition. À l'inverse, le succès qu'il remporta au Salon de 1798 semble exclure l'idée que Belley ait pu renoncer à en prendre possession. Outre la possibilité qui lui était offerte d'affirmer sa fidélité à l'héritage révolutionnaire au-delà de la Terreur, Girodet a sans doute perçu l'opportunité de traiter, et peut-être d'exploiter ensuite par la gravure, un sujet tout à la fois de circonstance et d'étonnement [52]. La présence dans le tableau du philosophe Raynal, mort en 1796, incline à penser que Girodet destinait plutôt le tableau à quelque personnalité ou à quelque cercle de l'intelligentsia éclairée qu'il fréquentait alors [53].

En 1793, deux ans après que les premières révoltes noires eurent éclaté sur l'île de Saint-Domingue, cet esclave affranchi prit part aux luttes qui opposaient les armées de la République à celles du général Galbaud, hostile à la République. Le 29 août, l'envoyé de la Convention, Léger Félicité Sonthonax, abolissait l'esclavage afin de se concilier les mutins et de conserver le contrôle de la partie française de Saint-Domingue, menacée par les Espagnols et les Anglais. Le 4 février 1794, Belley et deux autres représentants de l'île se présentèrent à l'assemblée, lors d'une séance historique où fut confirmée l'abolition. Le modèle de Girodet n'incarnait pas la révolte des esclaves mais l'affranchissement de quelques élus, le tournant républicain de Saint-Domingue et son maintien dans l'économie nationale. De même, la référence à Raynal sous la forme d'une effigie de marbre doit-elle être lue selon la bonne perspective. Après avoir été abolitionniste sous l'Ancien Régime pour le bien du « genre humain », Raynal dénonça les conséquences de ses propres idées au regard des nécessités coloniales. Son évolution politique ne fut pas moins marquée : en 1791, cet homme des Lumières condamna publiquement les excès de la Révolution et devint l'ennemi des Jacobins. Après Thermidor, a fortiori au moment où le Directoire pratiquait « l'équilibre », le buste de Raynal était lourd d'une lecture rassurante. S'il s'agit donc bien d'une initiative personnelle, le portrait de Belley situe Girodet parmi ces mêmes républicains modérés. Le décret qui mettait fin à l'esclavage en 1794 apparaissait d'autant plus apte à être invoqué en 1797 que l'île se soulevait à nouveau et affrontait les officiers de « couleur » du Directoire… Belley était de ceux-là. La distinction entre le bon et le mauvais nègre, pour utiliser le terme péjoratif dont use le peintre, redevenait d'actualité [54].

Pour afficher un modérantisme plus qu'approprié sous le Directoire, Girodet n'en restait pas moins attaché à David qu'on tenait encore vers 1800 pour un « démocrate enragé [55] ». Alors que le Virgile de Didot paraissait enfin, les deux hommes continuaient à s'écrire comme l'atteste la lettre cosignée que le peintre reçut de son maître et de son ami Mulard. Elle nous apprend que Girodet avait vécu une bonne partie du second semestre 1797 auprès de Trioson, très affectés tous deux par le décès précoce du beau-fils du docteur. David, sans détour, encourageait Endymion à sortir de « ce sommeil léthargique qui réjouit tes envieux […] […] terrasse-les, mon bon ami, tu le peux, tu le dois, confonds les petites intrigues de ces petits tyrans subalternes qui veulent reculer ta gloire de quelques momens [56] ». Mulard, dans la même lettre, soulignait

l'intérêt de David pour Girodet et l'engageait aussi à produire un nouv coup d'éclat. David ne travaillait-il pas de son côté, avec les Sabines, « à reculer encore une fois les bornes de la peinture [57] » ? Afin d'y parvenir lui-même, Girodet s'attela à d'autres sujets capables de prouver que son génie était à la hauteur de son patriotisme. Désigné parmi les lauréats d concours de l'an VII en mars 1799, soutenu par Noël au ministère de l'Intérieur, il se vit confier la réalisation d'un grand tableau commémor l'assassinat des plénipotentiaires français par les Autrichiens [58]. Mais le co de Rastadt s'effaça, après celui de Brumaire, devant d'autres priorités et d'autres patrons…

Car Girodet s'était vite inséré dans le nouveau contexte social du Directoire en acceptant de peindre, en 1798, une Danaé (Leipzig) pour l'hôtel particulier de Charles Gaudin, qui se situait rue du Mont-Blanc Percier et Fontaine, qui dirigeaient les travaux, associèrent encore Giroc à la décoration du cabinet du palais d'Aranjuez (cat. 36-37) et surtout aux travaux de Malmaison (cat. 21) à partir de juillet 1800 [59]. C'était se rapprocher des Bonaparte comme Gros l'avait fait dès 1796 en Italie. À destination du salon de compagnie de leur résidence de Rueil et après avoir imaginé un tout autre sujet, l'attentat de la rue Saint-Nicaise [60], Girodet conçut un tableau à thème ossianesque mais à vocation martial et nationale, L'Apothéose des héros français morts pour la patrie pendant la gu de la liberté. Contrairement à la toile de Gérard qui lui faisait pendant, cette grande allégorie cristalline et énergique faisait largement écho au circonstances politiques du temps, la guerre contre l'Autriche conclue le traité de Lunéville en février 1801 et le conflit ouvert avec l'Anglete qui se prolongea jusqu'à la paix d'Amiens en mars 1802 [61]. Le tableau saluait donc les officiers tombés au champ d'honneur depuis 1792, Des comme Kléber, tout en stigmatisant l'aigle autrichienne, chassée par le coq gaulois, et la barbarie anglaise à travers ses avatars tirés d'Ossian. Le livret du Salon de 1802 devait préciser néanmoins qu'il s'agissait d'un « hommage offert à Napoléon Bonaparte par A. L. Girodet [62] ». Auparava le général mais aussi Lucien Bonaparte, Talleyrand et Mme Tallien, les puissants du moment en somme, avaient défilé dans l'atelier pour voir ce tableau où Girodet conjuguait le « fruit de [ses] veilles » et la ferveur patriotique, flattait le nouveau chef plus qu'il n'en critiquait par avance appétits de pouvoir personnel [63].

De l'aigle à l'ogre

Grand bien lui fit : l'Ossian de 1802, payé 12 000 francs, lui ouvrit en la carrière [64]. En janvier de l'année suivante, Denon, devenu directeur du Louvre, l'associait à la commission d'artistes, tels David et Vincent, appelés à juger des projets « qui ont été exposés au musée pour célébrer la Paix d'Amiens et la Loi sur les cultes [65] ». En novembre 1803, le mêm

III. 61 Girodet, *Portrait posthume de Charles Marie Bonaparte (1746-1786)* Huile sur toile, Versailles, musée des châteaux de Versailles et de Trianon

temps donc que celui du même modèle par Mme Benoist[70]. Est-ce à dire que le médecin de Napoléon était particulièrement proche du milieu davidien ? Le tableau de Girodet le fait apparaître en buste, sobre et presque grave malgré ses cheveux d'aventurier et son regard perçant. Sur les bords du col de l'uniforme court le motif de la chaîne, qui pourrait signifier l'amitié indéfectible unissant Larrey et Girodet, voire symboliser l'appartenance maçonnique commune aux deux hommes et à une partie de ceux qui soutinrent la carrière de Girodet et déterminèrent sa situation sociale.

Bien qu'il ait témoigné en 1807 d'un peu d'agacement à se laisser « enrégimenter » parmi les cohortes d'artistes que Denon mit au service de la propagande impériale[71], Girodet fut donc particulièrement favorisé par le nouveau régime, qu'il servit jusqu'à la fin. Sans parler des projets avortés ni de son « succès » lors des prix décennaux **(cat. 42)**, sans analyser ici les décors de Compiègne ou la série des trente-six portraits en pied de l'Empereur, Girodet a laissé deux des grandes images du règne. En mars 1806, Denon lui faisait attribuer la commande d'un tableau aujourd'hui injustement négligé. Il représente pourtant avec un éclat inespéré un sujet plutôt statique, *Napoléon reçoit les clefs de la ville de Vienne à Schönbrunn, 13 novembre 1805*. « M. Girodet a fait un nouveau chef-d'œuvre, écrivait Denon à l'Empereur le 15 août 1808, et son beau talent a prouvé qu'il n'y avait de sujets ingrats en peinture que pour les êtres sans génie et sans énergie[72]. » Le 22 octobre 1806, il était élevé à la dignité de chevalier dans l'ordre de la Légion d'honneur, en même temps que Gros, Prud'hon et Horace Vernet. On sait par une lettre de Julie Candeille que le peintre fut très sensible à cette distinction[73] ; on sait aussi que Denon s'employa sans compter à la lui faire obtenir. Car le grand ordonnateur de la politique artistique de Napoléon fut tout sauf néfaste à Girodet. Et si *La Révolte du Caire* **(cat. 55)**, l'autre grande page d'histoire commandée pour les Tuileries, déçut les espérances de Denon en 1810, il semble peu raisonnable d'y voir un tableau ouvertement hostile au régime[74]. Pour autant, l'historien éprouve quelque difficulté à concilier dans son analyse les faveurs de Girodet sous l'Empire et certaines de ses relations sociales et intellectuelles d'alors.

En plus de David, toujours suspect de jacobinisme malgré sa position de premier peintre de l'Empire, Girodet fréquenta également et de façon assidue, semble-t-il, le milieu des idéologues et notamment son cher Cabanis, milieu qu'effrayait depuis 1804 l'évolution de l'Empire vers le despotisme. Ces intellectuels, gens de plume et de presse, artistes et musiciens, scientifiques et économistes, subissaient de plein fouet ou de manière oblique la censure impériale. Cependant les cercles où Girodet tenait une place éminente n'étaient pas de couleurs homogènes. Le Salon de la comtesse de Salm, par exemple, était ouvert aux idéologues

enon proposait à Chaptal, ministre de l'Intérieur, de faire acheter *Endymion*, resté dans l'atelier, en même temps que la *Phèdre* de Guérin. s deux tableaux passaient alors pour exceptionnels, leur prix aussi. Il est ssible que la somme exigée par Girodet ait fait capoter la transaction. ujours est-il que les relations du peintre avec le nouveau pouvoir et famille du Premier consul n'en furent pas altérées. Par l'entremise David, dont il ne s'était pas coupé malgré une légende persistante, rodet devint peut-être le professeur de Louis Bonaparte à partir de la 1801[66]. Il devait rester proche du futur roi de Hollande et de la reine ortense de Beauharnais sous l'Empire[67]. Au Salon de 1804, dès avant le re, il exposait sans tarder le *Portrait en pied de feu M. Bonaparte, père de M. l'Empereur*, tableau perdu qu'il devait répéter l'année suivante pour adame mère. Commandé par Lucien Bonaparte, l'effigie paternelle nbolisait, il est vrai, les ambitions dynastiques de tout un clan. On y ait notamment le père de Napoléon désigner « un rouleau non écrit, doit être tracée un jour la vie d'un héros »[68]. Dominique Larrey servit s doute les intérêts du peintre dans cette opération de séduction[69], le irurgien en chef de la campagne d'Égypte fut également le modèle un des trois portraits montrés au Salon de 1804 par Girodet, en même et aux libéraux de *La Décade philosophique*, au royaliste Pajou comme au républicain Houdon, à Guérin comme à Talma et à Beyle, il relevait d'une sociabilité exigeante plus que de positions partisanes, qui eussent été peu compatibles au reste avec les fonctions de Joseph de Salm. Le décor de leur somptueux hôtel du faubourg Saint-Germain, comme l'a noté Philippe Julian, faisait une place aux bonnets des comtes d'Empire [75]. Le sentiment d'appartenir à l'élite intellectuelle de la nation et à l'héritage des Lumières l'emportait, à l'évidence, sur l'opposition feutrée de certains habitués à Napoléon. Et puis, là encore, les fraternités maçonniques faisaient sans doute taire les divergences et facilitaient l'accès aux places et aux académies du quai Conti. La loge des Neuf Sœurs, dont le grand maître en 1776 avait été le duc de Chartres, patron et protecteur du père de Girodet, comptait notamment de nombreux frères rue du Bac [76].

Raymond de Sèze n'est pas connu pour avoir fréquenté le salon de Constance de Salm. Mais celui qui fut l'un des brillants avocats de Louis XVI, lors de son procès, appartenait cependant à la loge des Neuf Sœurs. Girodet peignit son portrait en 1806 à la demande de l'épouse du modèle. Ses «courageux travaux [77]», pour parler comme le peintre, sont rappelés par l'allusion explicite à Cicéron, défenseur du roi des Galates face à César. Faut-il en inférer des «sympathies royalistes» ou se borner à noter plus simplement que Girodet se saisit de cette occasion pour dire *sotto voce* son rejet de toute tyrannie, fût-elle celle du «bien public», et son admiration pour les caractères indépendants [78]. Sylvain Bellenger rappelle ici même que Sèze était acquis à la République et à l'idéal girondin dès avant le procès de Louis XVI. Son légitimisme ne date que des années de la Restauration, qui l'anoblit et le hissa dans la haute administration. Les milieux royalistes avec lesquels fraya Girodet, il faut y insister, ne prêchent pas tous la contre-révolution avec la même intransigeance et défendent les principes de la monarchie constitutionnelle à l'anglaise plus que le retour à l'absolutisme. Ils soutinrent d'abord en Napoléon un projet de «restauration» tempéré par les institutions civiles et le respect des libertés. C'est la dérive autoritaire du régime dont l'assassinat du duc d'Enghien sonna comme l'annonce, c'est la vassalité progressive imposée aux arts et aux lettres qui poussa le milieu royaliste, Chateaubriand le rappellera en 1814, à s'opposer autant qu'il se pouvait au despote [79].

Le peintre et son double

Sans doute le cheminement de Girodet, à bien des égards, est-il comparable à celui du grand écrivain, depuis l'enthousiasme des années consulaires à la dissidence privée et très camouflée de la période impériale. Cette évolution est-elle liée de même aux rapports de plus en plus orageux qu'entretenaient les censeurs du régime et les frères Bertin ? Le *Journal des débats* dont ils étaient propriétaires, devenu *Journal*

de l'Empire en 1805, leur fut confisqué en 1811 [80]. S'il est encore difficile d'évaluer avec précision quand et comment se nouèrent les liens de l'artiste avec les Bertin, ces «patriotes de 89» convertis à la monarchie par la Terreur, notons que les premiers vers que Girodet ait jamais publié parurent dans leur journal le 27 septembre 1804. Ils étaient consacrés aux *Pestiférés de Jaffa*, tableau et poème peu soupçonnables de royalisme ou d'anti-bonapartisme. À cette date, comme le rappelle ici même Andrew Shelton, *Les Débats* s'étaient déjà faits, en la personne de Boutard l'avocat dithyrambique du peintre [81]. Et, à partir de 1802, Girodet réalisa un certain nombre de portraits, tableaux et dessins, de Bertin l'Aîné, de Bertin de Veaux, de l'épouse et de la belle-mère de ce dernier. Le premier devait lui commander *Atala au tombeau* et conserver l'œuvre malgré les difficultés financières qu'allait entraîner la confiscation des *Débats*. Né avec la Révolution, ce titre couvrait à l'origine l'information parlementaire et fut racheté par les Bertin en janvier 1800 à la faveur du coup d'État de brumaire, qui mit fin d'autorité à un grand nombre de périodiques, et au prix d'une association avec l'imprimeur Le Normant [82]. Ils en firent en quelques années l'étendard de l'idéal monarchique et constitutionnel mais aussi, et surtout peut-être, la plus brillante feuille littéraire et artistique de la capitale. Sa renommée et son succès commercial inégalé pendant la période tenaient au panache des rédacteurs, tels Geoffroy pour le théâtre ou Boutard pour les beaux-arts, beau-frère par ailleurs de Bertin l'Aîné et franc-maçon comme lui [83]. Très soucieux de la réception critique de son œuvre, Girodet n'eut qu'à se féliciter du soutien indéfectible de Boutard. Seules sa véhémence dans l'enthousiasme et sa rage de polémis[te] indisposaient le peintre. Il est vrai que la modération de ton était peu courante aux *Débats*. La critique du siècle des Lumières, philosophique comme esthétique, et de ce que Bertin de Vaux appelait «l'esprit de la révolution» y était plus ardente que dans les colonnes du *Mercure de Fra[nce]* conduit au même moment par Fontanes et Chateaubriand [84]. Toujours en délicatesse avec le pouvoir politique depuis le Directoire, les deux frères avaient connu l'auteur d'*Atala* en exil, qui à Londres en 1798, qui à Rome en 1802-1803. Durant son séjour en Italie, Bertin l'Aîné fit aussi la connaissance de Fabre, dont le royalisme, on l'a vu, était connu de Girodet lui-même. Tant que l'ambition des *Débats* fut de contribuer à la refondation sociale et culturelle chère à Napoléon, leur défense de la religion et du siècle de Louis XIV, leur diabolisation inépuisable du siècl[e] des Lumières n'inquiétèrent pas l'autorité politique.

Très surveillé par la censure impériale, le journal le plus lu de l'époq[ue] versa après 1804 dans l'éloge trop appuyé de l'ancienne monarchie, qui semblait plus équilibrée dans le partage des pouvoirs que le règne du nouveau Néron et la «Terreur recommencée [85]». Napoléon voulut le confisquer dès 1805, mais il se contenta, on l'a vu, d'en faire changer

titre. Il composa avec cette opposition sourde, toujours oblique, dans
mesure même où la renommée des *Débats* l'empêchait d'abattre
tel magistère sans donner foi à l'arbitraire qui lui était précisément
proché. Tout l'équilibre du régime fut d'ailleurs dans ce rapport de
rces à dosages variables. De sorte que la confiscation des *Débats* en
11 peut se lire comme un signe de la «dérive totalitaire» et suicidaire
l'Empire. Girodet, on l'imagine aisément, ne pouvait ignorer cette
uation lorsqu'il accepta de peindre pour Bertin l'Aîné *Atala au tombeau*,
posé au Salon de 1808, et fit le portrait de Chateaubriand l'année
ivante. Nous avons dit ailleurs comment cette dernière œuvre fut
que par une presse muselée [86]. Et s'il ne faut pas exagérer la proscription
e l'enchanteur eut à subir à partir de 1807, on ne peut tenir pour
utre le rapprochement entre l'écrivain et le peintre à partir de cette
te. Il est amusant de noter que Girodet choisit *Le Mercure de France* du
août 1807 pour publier en hommage à Vien son «Fragment d'un essai
étique sur l'école française», quelques semaines seulement après que
hateaubriand eut, dans ces mêmes colonnes, fustigé Napoléon à travers
éron [87]. C'est bien cela que le portrait de 1809 entendait exalter, la
oble indépendance» de Chateaubriand et ses réticences, sinon son refus,
obéir», autant que son aura de grand poète moderne. Le double parfait
peintre, en somme, son égal par le rejet des destins ancillaires et des
des périmés. Car il suffit de lire les *Mémoires* de Delécluze, document
sentiel sur le Consulat et l'Empire, pour comprendre que le milieu des
rtin n'était pas politiquement homogène et que les complicités d'ordre
hétique y comptaient pour beaucoup [88]. Ne voyons pas en Girodet un
mme qui aurait rongé son frein sous l'Empire et attendant son heure
ur faire éclater au grand jour son royalisme anti-républicain. Certes,
fréquentation de ces monarchistes libéraux et la lecture des écrits
litiques de Chateaubriand, depuis *L'Essai sur les révolutions* de 1797, ont
éparé le peintre à mieux accepter le régime instauré par Louis XVIII, à
voir la monarchie selon la Charte, pour citer le livre que Chateaubriand
paraître en 1816 et dont Girodet possédait un exemplaire [89]. Le
béralisme aristocratique» qui s'y définissait appelait, loin de toute dérive
ra, le régime censitaire, soit le roi et les libertés publiques dont il était
rant [90].

Non moins qu'un Géricault [91], Girodet pouvait se féliciter de vivre
1814 les «heureux événements qui viennent d'avoir lieu à Paris [92]».
l fit obédience dès le Salon suivant aux Bourbons restaurés et exposa
Portrait de M. Sèze méditant la défense du Roi Louis XVI et une nouvelle
sion de celui de Chateaubriand [93], il rappelait avant tout ses titres
ciens à la générosité de Louis XVIII en remontant *Endymion*, la *Scène*
déluge et *Atala*. Dès le 31 juillet 1814, il avait écrit au comte d'Artois,
is en vain, afin d'être de la «maison [94]» de Monsieur. Il s'en faut

pourtant que la couronne ne l'ait négligé par la suite. Il reçut commande
le 6 mai 1816 d'un *Saint Louis dans sa prison en Égypte*, destiné aux
Tuileries, dont le nouveau décor célébrait la mémoire de Louis XVI et
de ses saints patrons [95]. En juin de la même année, il était associé à la série
des généraux vendéens [96]. Quelques semaines plus tard, on lui confiait,
privilège plus insigne encore, la réalisation du grand tableau qui aurait dû
figurer dans l'église de la Madeleine, au-dessus du monument consacré à
Louis XVI. En juin 1817, il fut élevé dans l'ordre royal de Saint-Michel ;
en 1818, pour le Louvre qu'il importait d'enrichir, Forbin faisait acheter
au peintre *Le Sommeil d'Endymion*, *Une scène de déluge* et la répétition de
l'*Atala*. Un an plus tard, Bertin l'Aîné cédait au musée, fort cher, la version
princeps. Tel Bonaparte visitant avec Joséphine le peintre en 1802 pour
voir l'*Ossian*, Louis XVIII, accompagné de la famille royale, vint même
dans l'atelier de la rue Neuve-Saint-Augustin découvrir la *Galatée* avant
le Salon de 1819. Par souci d'apaisement et volonté de renouer avec son
mécénat traditionnel, la Couronne ne négligea pas, il est vrai, les chantres

de l'épopée napoléonienne, Gros et Gérard en premier lieu, et les fit même barons tous deux, contrairement à Girodet [97]. Il convient aussi de remarquer que ce dernier n'apporta pas un zèle appuyé à la réalisation des commandes royales. L'homme, il est vrai, était déjà mourant… Seuls les portraits de Bonchamps et Cathelineau furent réalisés. Encore furent-ils livrés huit ans après avoir été confiés au peintre ! D'autres détails biographiques sont, bien sûr, plus troublants. En janvier 1820, Girodet était admis au chevet du duc de Berry, il dessina le prince sur son lit de douleur avant de faire graver une allégorie relative à la naissance du duc de Bordeaux. On pourrait citer aussi sa correspondance avec la duchesse de Berry où il témoigne du «dévouement à votre A. R. et à sa dynastie sacrée [98]». Il ne fut pas pour autant un ultra de la contre-Révolution ni un sujet servile comme l'attestent une lettre de Töpffer et la façon dont il ironisait lui-même, en 1819, sur les passions politiques de Bertin [99]. Quoique certains historiens récents aient cédé à la tentation, gardons-nous de tenir l'œuvre et l'attitude de Girodet sous la Restauration pour l'expiation docile de ses engagements antérieurs. Le message des portraits vendéens n'est pas de vengeance, mais de réconciliation [100].

notes

1. Coupin, 1829, t. II, p. 379-385.

2. Pélissier, 1896, p. 125-129.

3. Voir Frédéric Antal, « Reflections on Classicism and Romanticism - II », *The Burlington Magazine*, vol. 68, n° 396, mars 1936, p. 130-139.

4. Voir Philippe Bordes, « *Brissotin enragé, ennemi de Robespierre* : David, conventionnel et terroriste », in Régis Michel (dir.), 1993, t. I, p. 321-347.

5. Voir Lemeux-Fraitot, 2003, p. 21-125, à qui nous devons une connaissance accrue du milieu familial et de la sociabilité éclairée qui fut celle de Girodet entre le milieu des années 1780 et sa mort.

6. Sur ces vies parallèles et convergentes qui furent celles de Chateaubriand et Girodet, voir Fumaroli (dir.), 1999.

7. Albert Boime, *Art in an Age of Revolution 1750-1800*, Chicago, University of Chicago Press, 1987, p. 446-451.

8. Voir Keith Michael Baker, *The Political Culture of the Old Regime*, Oxford, Pergamon Press, 1987.

9. Voir Guy Antonetti, *Louis-Philippe*, Paris, Fayard, 1994, p. 9-51.

10. Voir Lemeux-Fraitot, 2003, et Catherine Maire, *De la cause de Dieu à la cause de la Nation. Le jansénisme au XVIIIe siècle*, Paris, Gallimard, 1998.

11. Il nous paraît difficile par ailleurs de lui attribuer, sinon la copie, la paternité du dessin anonyme représentant les suppliciés de la prise de la Bastille, Delaunay, Foulon et Berthier de Sauvigny (Paris, Bibliothèque nationale de France, cabinet des Estampes), repr. dans Crow, 1995, p. 120.

12. *Les Salons des Mémoires secrets*, édition établie et présentée par Bernadette Fort, Paris, École nationale des beaux-arts, 1999, p. 331.

13. Sur la question de l'influence anglaise sur les davidiens, Philippe Bordes, « Jacques-Louis David's Anglophi-lia on the Eve of the French Revolution », *The Burlington Magazine*, août 1992, p. 482-490.

14. Voir Crow, 1995, p. 175-209.

15. Voir en dernier lieu cat. exp. *L'Esprit créateur. De Pigalle à Canova. Terres cuites européennes 1740-1840*, Paris, musée du Louvre, RMN, 2003 et notamment la notice que James David Draper a consacrée au projet de Chinard. J'aurais tendance à penser que la position dominante de Bayard, voire sa taille supérieure à celle de François Ier, n'est pas nécessairement « une rare démonstration de réciprocité entre un monarque et un souverain ».

16. Philippe Bordes a déjà rapproché les deux *Bayard*. Voir « Dardel, élève de Pajou », in Guilhem Scherf (dir.), *Augustin Pajou et ses contemporains*, Paris, 1999, p. 509-527.

17. Georges Sauvé, *De Louis XV à Poincaré. Une famille témoigne*, Paris, Albatros, 1990, p. 141, cite une lettre de Girodet à Fanny Robert, datant du début des années 1820, où le peintre évoque, en regard des « sujets du style antique », « ceux du genre qu'on appelle aujourd'hui anecdotique ou chevaleresque ou romantique ou tout comme il vous plaira ».

18. L'épisode romain est brillamment évoqué par Crow, 1995.

19. Voir l'apport décisif de Mark Ledbury, « Unpublished letters to Jacques-Louis David from his pupils in Italy », *The Burlington Magazine*, t. CXLII, n° 1166, mai 2000.

20. Gérard, 1886, t. I, p. 134-138, lettre n° 4.

21. Fonds Pierre Deslandres, déposé au musée Girodet de Montargis, t. III, n° 3. Quant à l'orthographe de la citation, voir la note 100.

22. Voir Crow, 1995, p. 125-127 qui analyse entre autres les réactions parisiennes à la « tyrannie » de Pie VI, notamment le rôle des écrivains Michel de Cubières et Gorsas.

23. Lettre d'Anne Louis Girodet au docteur Trioson le 20 juillet 1790 ; Coupin, 1829, t. II, p. 368-372, lettre n° 36.

24. Les signatures maçonniques apparaissent dans la correspondance de Girodet dès l'automne 1789. Sidonie Lemeux-Fraitot, 2003, p. 150 fait l'hypothèse qu'il appartenait à la Loge des Neuf Sœurs comme certains de ses proches, Joseph Vernet, Delille, Cabanis, Pastoret, de Sèze, etc. La franc-maçonnerie, sans avoir été nécessairement un vecteur réformiste, en fut parfois le passage modeste et le plus souvent modéré. C'est aussi un lieu de sociabilité propice au clientélisme, Girodet sut en utiliser le levier.

25. Voir les informations données par Lafont, 2001, p. 85-95.

26. Lettre d'Anne Louis Girodet au docteur Trioson, Rome, 23 juin 1791, fonds Pierre Deslandres, déposé au musée Girodet de Montargis, t. III, n° 17 ; Coupin, 1829, t. II, p. 391-393, lettre n° 42.

27. Lettre d'Anne Louis Girodet à François Gérard, 28 septembre 1790 : « Il [David], me dit-il, du Club des Jacobins, qu'il paraît affectionner beaucoup » [voir Gérard, 1886, p. 161-163].

28. Lettre d'Anne Louis Girodet au docteur Trioson, 19 avril 1791, déposé au musée Girodet de Montargis, t. III, n° 16.

29. Lettre [d'Anne Louis Girodet] au docteur Trioson, Rome, 6 juillet 1791, fonds Pierre Deslandres t. III, n° 18.

30. Lettre de Girodet à Gérard, 28 juillet 1791 ; voir Gérard, 1886, p. 172-180.

31. Fumaroli, 1999, lettre de Girodet à Mme Trioson, 20 septembre 1791, fonds Pierre Deslandres, t. III, n° 17.

32. Lettre d'Anne Louis Girodet au docteur Trioson, 25 novembre 1791 ; Coupin, 1829, t. II, p. 368-372, lettre n° 36.

33. Lettre d'Anne Louis Girodet au docteur Trioson, 3 janvier 1792, déposé au musée Girodet de Montargis, t. III, n° 23.

34. Lettre d'Anne Louis Girodet au docteur Trioson, 3 octobre 1792, *ibidem*, n° 28.

35. *Ibidem*. Par ailleurs, la liste des ouvrages de Girodet dressée par Coupin fait apparaître, à une date indéterminée mais antérieure à 1814 selon le biographe, une *Scène allé-rique* dont la description atteste l'horreur que lui inspirèrent les massacres de septembre 1792 : « Des fantômes présentent à un septembriseur leurs têtes qu'il a fait couper ; il est à ch... et cherche à se dérober à ce spectacle par la fuite : l'un des fantômes lui lance sa tête » (Coupin, 1829, t. I, p. lxxxii).

36. Le 25 novembre précédent, David avait fait suppri... le poste de directeur de l'Académie de France à Rome n'avait pu se faire attribuer le 20…

37. Lettre d'Anne Louis Girodet au docteur Trioson, 9 ... vier an II [1793], déposé au musée Girodet de Monta... t. III, n° 31.

38. Quant à Cubières, voir note 22 et Crow, 1995, p. ... 163, et l'hypothèse très stimulante que le peintre à tra... la voix duquel Cubières relate les événements romains ... autre que Girodet.

39. Lettre d'Anne Louis Girodet au docteur Trio... 9 février 1793, fonds Pierre Deslandres, t. III, n° 35.

40. *Ibidem*.

41. Lettre d'Anne Louis Girodet à Mme Trioson, 1er ... 1793, *ibidem*, n° 38.

42. En mars 1793, Girodet se plaint auprès de Trioso... désintérêt de David.

43. Lettre d'Anne Louis Girodet au docteur Trio... 3 messidor an II [21 juin 1794], déposé au musée Gir... de Montargis, t. III, n° 55. Sur la rancune de Girodet en... Fabre, voir Ph. Bordes, « Girodet et Fabre, camarades d... lier », *Revue du Louvre*, XXIV (1974), p. 393-396.

44. Lettre d'Anne Louis Girodet au docteur Trioson ... thermidor an II [8 août 1794], déposé au musée Girode... Montargis, t. III, n° 61.

45. Lettre d'Anne Louis Girodet au docteur Trioson, 11 ... an III [1795], *ibidem*, n° 71.

46. Voir Lafont, 2001, p. 129-143.

47. Pour une analyse particulièrement stimulante ... champ artistique tel qu'il évolue et s'ouvre entre Therm...

2 décembre 1804, voir Philippe Bordes, *Portraiture*
...aris Around 1800. Cooper Penrose by Jacques-Louis
...d, San Diego, Timken Museum of Art, 2003, notam-
... p. 1-41.

...Voir Emmanuel de Waresquiel, *Talleyrand. Le prince*
...obile, Paris, 2003, p. 241-245.

...Lettre d'Anne Louis Girodet à Talleyrand, 28 juillet
..., cité par Leroy, 1892, p. 45.

...Voir notamment Grimaldo, 2002, p. 35.

...Voir Halliday, 1999, et notamment les p. 106-113.
...s en faire la démonstration, Helen Weston, 1994, avait
...proposé de rendre à Girodet l'initiative du tableau
...ce qui reste l'une des meilleures études consacrées à
...vre.

...Voir Halliday, 1999, p. 107. Le dessin au crayon noir
...l'encre de l'Art Institute of Chicago pourrait renforcer
...othèse d'un projet de gravure avorté.

...Intelligentsia parisienne mais aussi franc-maçonnerie :
...égard, la triple ponctuation visible à la base du buste
...aynal dans le portrait de Belley nous semble signifi-
...e. Lors d'un examen commun du tableau à Versailles,
...ompagnie de Bruno Chenique et Valérie Bajou, cette
...re nous a semblé plausible. Des signes maçonniques
...emeurant figurent sur la base du buste de Raynal (Mar-
...e, musée des Beaux-Arts) qu'Espercieux exposa au
...n de 1796. C'est au même Espercieux que David donna
...des grandes feuilles pour les Sabines (voir cat exp.
...ues Louis David, musée du Louvre et musée national
...ersailles, Paris, RMN, 1989, p. 340-341).

...Voir entre autres la lettre de Girodet à l'épouse de Lar-
...autour de l'hiver 1804, sorte de notice biographique où
...le de son portrait « du Nègre » [Bruxelles, musée royal
...Armée, fonds Brouwet, carton : Musiciens-Peintres-
...pteurs, dossier Girodet-Trioson].

...Voir Ph. Bordes, 2003.

...Lettre de David et Mulard, 22 pluviôse [an VI]
...évrier 98) ; Coupin, 1829, t. II, p. 312-314. Mulard,
...le ton de cette lettre atteste des liens étroits avec Giro-
...était assez proche de David par ailleurs pour se voir
...cacer le *Buste de femme* (fait en prison) du maître (voir
...e Rosenberg et Louis-Antoine Prat, 2002, t. I, n° 156).

...*Ibidem*.

...Le sujet était imposé par le ministère de l'Intérieur.
...nt à ce concours pour lequel Girodet reçut un prix de
...ière classe avec Lethière et Peyron, voir Brigitte Gal-
...« Concours et prix d'encouragement », cat. exp. *La*
...lution française et l'Europe 1789-1799, Paris, Galeries
...nales du Grand Palais, 1989, t. III, p. 846-848.

...Voir Bernard Chevallier, *Malmaison. Château et*
...aine des origines à 1904, Paris, RMN, 1989, p. 84-86.
...illeurs, l'auteur a mis au jour dans les comptes de Mal-
...on un certain nombre de paiements liés à des travaux
...einture décorative difficiles à situer.

...Une esquisse montrant *Hercule terrassant un monstre*
...identifiée par Bernard Chevallier dans une collection
...culière parisienne.

...Voir Levitine, 1956, p. 39-56 et Jérémie Benoît, cat.
...Marengo. Une victoire politique, Musée national des
châteaux de Malmaison et Bois-Préau, Paris, RMN, 2000, p. 169-170.

62. Sur le contexte politique du Salon de 1802 voir Margaret Fields Denton, « A Woman's Place : The gendering of genres in post-revolutionary French painting », *Art History*, vol. 21, n° 2, juin 1998, p. 222-231.

63. Selon J. Benoît, 2000, Girodet « avait peint une critique envers celui que la mort des généraux de la Révolution avait laissé seul maître de la République. C'était donc de la part de l'artiste une sorte de rappel à l'ordre ». L'hypothèse paraît audacieuse et peu conforme au ralliement des différentes sensibilités politiques qui s'opère autour de Bonaparte à cette date.

64. Marie-Anne Dupuy, Isabelle le Masne de Chermont et Elaine Williamson, *Vivant-Denon, directeur des Musées sous le Consulat et l'Empire. Correspondance (1802-1815)*, Paris, RMN, 1999, t. I, p. 273.

65. *Ibidem*, p. 46.

66. Lettre de David à Girodet, 1er brumaire an 10 [1er novembre 1801] (coll. part. : « Au citoyen Girodet, cour du Muséum / Je me suis présenté chez vous ce matin, mon cher Girodet, avec le citoyen Louis Bonaparte ; je n'ai pas eu le bonheur de vous rencontrer, et nous sommes convenus avec lui de nous y présenter demain 2 à 9 heures du matin. Je souhaite que cette heure vous convienne, dans tous les cas vous me le feriez dire, ou bien mieux, votre silence serait un consentement. / Le citoyen Bonaparte veut apprendre à dessiner. Je n'ai pas cru pouvoir lui indiquer un meilleur maître sous tous les rapports. / Salut et amitié. / David » (Je remercie Philippe Bordes de m'avoir très aimablement communiqué ce document). La veille, Girodet avait pris part à la fête donnée en l'honneur de Vien dans l'atelier de David. S'il fallait d'autres preuves des liens maintenus entre le maître et son disciple, on pourrait citer la lettre de David à Isabey, en date du 14 octobre 1806, qui annonce son intention de réunir ses principaux élèves, Fabre, Gérard, Girodet, Gros et lui [voir Niel, *AAF*, 1855, p. 105-106]. L'exil ne mettra pas fin à cette fidélité (voir la lettre de Girodet à David, 1er octobre 1822, Institut néerlandais, fondation Custodia, inv. 1978-A.2589).

67. Il a portraituré à plusieurs reprises les deux époux. Quant aux différentes versions du portrait de la reine Hortense, voir Lamorelle, 2002.

68. Sur ce portrait et sa symbolique dynastique, on renverra à Halliday, 1999, p. 169-171.

69. Voir la lettre de Girodet à Pannetier du 13 juin 1805 ; fonds Archives des Yvelines, J. 2075.

70. Voir Margaret A. Oppenheimer, « Three Newly Identified Paintings by Marie-Guillemine Benoist », *Metropolitan Museum Journal*, XXXI, 1996, p. 143-150.

71. Voir la lettre de Girodet à Julie Candeille, daté du milieu de décembre 1807 : « Nous sommes tous enrégimentés quoique nous ne portions point l'uniforme pinceau à droite crayon à gauche. En avant marche — et nous marchons » (Nivet, 2003, p. 24).

72. Dupuy, Le Masne de Chermont et Williamson, 1999, t. II, p. 1339.

73. Correspondance de Julie Candeille, Montargis, musée
Girodet, t. II, 1810 [*sic*], n° 46 ; don du colonel Filleul, 1967.

74. C'est la thèse de Grimaldo, 2002, p. 105-163 à la suite de Rubin, « Aesthetic Subversion of Politics in Girodet's *Riots at Cairo* », in Donald D. Horward, John L. Connolly et Harold T. Parker (dir.) *The Consortiom on Revolutionary Europ, 1750-1850*, 1980. Pour une position différente, voir Guégan, 2003a.

75. Philippe Jullian, « 150 ans après la Princesse de Salm », *Connaissance des arts*, juin 1976, p. 84-89.

76. Bied, *Revue de l'Institut napoléonien*, 1977, p. 121-160. Amiable, 1989, ne cite pas Girodet parmi les frères de la loge…

77. Sevin, 1992, p. XVII.

78. Voir Nevison Brown, 1980, p. 338-339 et Grigsby, 1995, p. 363-451, pour un avis contraire.

79. Voir Marc Fumaroli, 2003, p. 612-615.

80. Sur cette confiscation dont profita Denon, Elaine Williamson, « La presse et la propagande impériale », in Daniela Gallo (dir.), *Les Vies de Dominique Vivant-Denon*, actes du colloque organisé au musée du Louvre par le Service culturel du 8 au 11 décembre 1999, Paris, La Documentation française - Musée du Louvre, 2001, p. 153-173.

81. On renverra ici aux fines analyses d'Andrew Shelton ainsi qu'à Siegfried, 1994, et Grigsby, 1995, p. 398-403. Nous avons aussi tenté d'approcher la complicité des deux hommes dans Guégan, 1999, p. 137-152.

82. Voir *Le Livre du centenaire du Journal des débats, 1789-1889*, Paris, Plon, 1889 et le grand livre d'André Cabanis, *La Presse sous le Consulat et l'Empire*, Paris, 1975.

83. La lettre de Girodet à Boutard, le 28 septembre 1806, en remerciement de son article favorable à *Une scène de déluge*, porte une signature maçonnique (Paris, bibliothèque d'Art et Archéologie Jacques Doucet, autographes, carton 15, Girodet, Mf B VII 5865). Même signe d'appartenance quand le peintre écrit à Bertin l'Aîné le 20 novembre 1811 (*Dessins, tableaux, autographes […]*, Brissonneau et Daguerre, Thierry Bodin, expert, Paris, hôtel Drouot, 21 mai 2003, n° 104).

84. Voir Jean-Claude Berchet, « Le Mercure de France et la Renaissance des lettres », in Jean-Claude Bonnet, *L'Empire des Muses. Napoléon, les Arts et les Muses*, Paris, Belin, 2004, p. 21-58.

85. Selon l'expression de Marc Fumaroli, voir note 79.

86. Voir Guégan, 1995.

87. Voir en dernier lieu J.-Cl. Berchet, in *L'Empire des Muses*, 2004.

88. Voir Delécluze, 1862, notamment les p. 76-155.

89. Voir l'inventaire après décès du peintre publié et parfaitement analysé par Sidonie Lemeux-Fraitot, in Bajou et Lemeux-Fraitot, 2002, p. 233.

90. Voir Jean-Paul Clément, *Chateaubriand*, Paris, Flammarion, 1998, p. 254-258.

91. Voir Bruno Chenique, « Géricault, le Salon de 1814 et les semaines saintes d'un mousquetaire républicain », in Actes du colloque « La provocation, une dimension de l'art contemporain (XIXe-XXe siècle) », sous la direction d'Eric Darragon, Paris, 2004, p. 65-68.

92. Ada-Shadmi Banks, « Two Letters from Girodet to Flaxman », *The Art Bulletin*, 1979, t. LVI, n° 1, p. 100-101.

93. Au Salon de 1814 montra aussi le portrait du comte Jean-Baptiste de Saint-Victor, royaliste et catholique, collaborateur du *Journal des débats* durant l'Empire, où il connut la prison.

94. Le 31 juillet 1814, trois mois après le débarquement de Louis XVIII à Calais, Girodet demande au comte d'Artois, frère du roi, la possibilité de devenir son premier peintre (lettre de Girodet à Monsieur frère du roi, n° 116, Paris, vente d'autographes, Cottenet, 30 mars 1882 [cité par Lafont, 2001], p. 92).

95. Voir Geneviève et Jean Lacambre, « La galerie de Diane aux Tuileries sous la Restauration », *Revue du Louvre*, 1975, n° 1, p. 39-50.

96. Pour une étude d'ensemble de cette commande, voir en dernier lieu Guégan, 2003b. Par ailleurs, Guillaume Nicoud m'a signalé que l'inscription visible dans le portrait de Bonchamps a changé en cours de réalisation. Où l'on aurait dû lire « Dieu et le Roi », on lit désormais « Grâce aux prisonniers ». Qu'il en soit lui-même remercié.

97. Gros en 1816, Gérard en 1819.

98. Lettre inédite de Girodet à la duchesse de Berry, 1819 (?) ; fonds Coupin, Archives des Yvelines, J. 2075.

99. Dans une lettre envoyée à sa mère le 19 avril 1820, Rodolphe Töpffer relate un dîner chez un cousin de Paris au cours duquel il fit la connaissance de Paulin Guérin « qui est un ultra » et de Girodet qui le charme : « Il a parlé peinture en homme qui sait ce qu'il dit, et j'ai vu avec grand plaisir qu'il faisoit le plus grand cas des Anglois, surtout comme gens à effet » (Rodolphe Töpffer, *Correspondance complète*, éditée et annotée par Jacques Droin, avec le concours de Danielle Buyssens et de Jean-Daniel Vandaux, t. I, Genève, Droz, 2002, p. 442). Quant aux passions politiques de Bertin, voir la lettre citée en exergue et référencée en note 2.

100. Quand la chose est possible, nous citons la correspondance de Girodet sans modification d'orthographe et de ponctuation. Au-delà de la bibliographie citée en notes, cet article a largement profité des conseils avisés de Sylvain Bellenger, Philippe Bordes, Aude Lamorelle et Guillaume Nicoud, non moins que de la correspondance du peintre établie et brillamment éclairée par Bruno Chenique. Le retour aux manuscrits a permis à ce dernier d'exhumer un grand nombre de passages censurés par Coupin et de signes d'obédience maçonnique.

« La lumière amoureuse de la déesse des nuits [1] »
Exactitude mythologique et divagations astronomiques : Girodet, les astres et les Ombres

« Le jour m'a révélé les charmes de la nuit [2]. »

« Les figures de votre tableau sont de véritables ombres […] [3] » aurait déclaré le Premier Consul à Girodet, devant *L'Apothéose des héros français*. Les « Ombres » des héros de cristal se meuvent dans cette « ambiguïté spatiale », née de cette géniale réinvention du *sfumato*, bien décryptée par George Levitine [4]. Girodet, préludant, dans son poème *Le Peintre* [5], aux accents de Baudelaire, à moins que ce ne soit à l'Apollinaire de « La chanson du mal aimé », évoque, à propos de Hogarth, l'inspiration de ces soirs de demi-brume en Angleterre, à l'atmosphère indéfinissable : « sur les trottoirs fangeux de la brumeuse Londre [*sic*], / Quel homme teint du spleen [6]… » Lui-même ? Pourquoi Girodet, contrairement aux principes des ateliers, aime-t-il peindre entre chien et loup, la nuit, aux chandelles [7], ou grâce à cet « appareil d'éclairage mobile dont la lumière pouvait véritablement remplacer celle du soleil [8] », prouesse technologique objet de curiosité scientifique fabriqué pour lui, raconte Coupin, par

Pennetier [9] ? Ses élèves eux-mêmes « suivaient son pinceau un flambeau à la main […] [10] », faisant de nécessité symbole. Plus qu'un procédé, d'ailleurs risqué [11], pour prolonger le temps du travail – ou allonger les ombres –, cette exploration nocturne « dont il usait le plus souvent au-delà des limites de ses forces [12] » semble permettre un état second, volontairement recherché, propice à la création. Un clair-obscur halluciné dont, avant les romantiques, Girodet devient le maître – ou l'esclave.

Ainsi, dans les *Sujets de tableaux et allégories*, il imagine *Morphée* : « des ailes de papillon nocturnes sortent de sa tête », et il tient des pavots dont « la graine se change en vapeur dont s'échappent les songes [13] ». Son manteau n'est pas blanc mais « blanchâtre », « la lune brille au milieu des constellations [14] », comme dans la vaporeuse *Danaé* [15]. Cet état intermédiaire entre veille et sommeil, lumière et ombre, lune et soleil, netteté et imprécision permettrait-il à l'artiste de saisir mieux ce flou

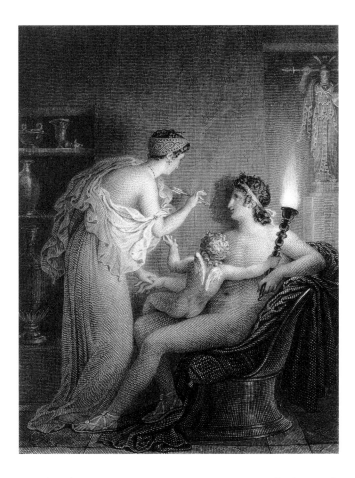

qui est une des manifestations de ce qu'il nomme «la grâce» : «Voyez même, sur les vitres de nos habitations, ces paysages indécis et bizarres que pendant de longues nuits, la main glacée de l'hiver y a tracés, et dont l'imagination se sert comme d'un canevas […] [16] » –, comme les fameuses taches sur les murs chères à Léonard, premier inventeur du *sfumato* ? Dans la même *Dissertation sur la Grâce*, Girodet livre à son lecteur une description ornée qui est un pendant matinal, amoureux et solaire, aux amours nocturnes d'Endymion. Il y proclame encore son goût pour ces heures de transition, les couleurs du crépuscule du matin – il peint *L'Aurore* en 1815 [17] – faisant pendant à celles de la nuit : «Que celui qui a vu, du sommet de l'Etna, l'aurore se lever sur les mers de Sicile, vous dise de quel enchantement il fut transporté à la vue de la verdure encore incertaine des îles, se colorant par degré, à travers les vapeurs bleuâtres du matin […], lorsqu'enfin il contempla la belle Sicile, […] souriant, comme l'épouse nouvelle, à l'astre bienfaisant qui la caresse et qui la féconde [18].»

C'est naturellement dans une atmosphère nocturne que les deux artistes qui le montrent à l'atelier, Menjaud et Dejuinne, ont voulu le plonger [19]. Chez Dejuinne, on retrouve même, au fond de la composition, comme un emblème ou un signe de reconnaissance, le tableau d'*Endymion* et la lune réelle, sous les nuages, par la fenêtre. La vision mythologique dialogue avec la réalité. Girodet ressemble alors à Drouais, tel qu'il le fait revivre dans son vaste poème : «Veillant à la lueur de sa lampe nocturne, / De plus vastes projets suspendent son sommeil ; / Son pinceau vigilant voit lever le soleil [20] […].» Pinceau qui veille aussi chez Girodet, mais pour traduire ce qui devint sa marque : le clair-obscur, le demi-jour, les ombres – et les Ombres.

Le plein soleil, Alfred de Vigny le soulignera, n'entrera chez Girodet qu'avec la mort, l'arrivée chez les Ombres d'un héros de la peinture qui avait emprunté la lyre d'Orphée, sinistre «apothéose» du peintre-poète :

«Je sens encore […] toute la tristesse qui me pénétra lorsque […] je vis ouvert au soleil et à la foule ce sanctuaire [21] […].» Girodet voulait-il faire de ce «sommeil léthargique» dont David lui faisait autrefois reproche [22], une source de renouveau, sa signature, son secret pour évoquer les fantômes ? Confondre, comme Pygmalion, Apelle, Endymion, Orphée, le soupirant de la fille de Dibutade qui inventa la peinture **[ill. 62]**, – sujet que Girodet traita [23] – l'ombre et la proie [24] ?

Quand il salue son ami Girodet, Bernardin de Saint-Pierre, en 1806, sensible comme tous les contemporains à la richesse sémantique de ce subtils usages de la lumière, fait apparaître en premier lieu l'image «du bel Endymion endormi dans une forêt, éclairé de la lumière amoureuse de la déesse des nuits [25]». Rien d'étonnant chez celui qui avait fait placer en frontispice de l'édition de luxe de *Paul et Virginie*, à laquelle collaboraient notamment Girodet et Isabey, sous son portrait par Lafitte gravé au burin par Ingouf **[ill. 63]**. Une clef, sur un tiroir ouvert, projette une ombre révélatrice du projet de Bernardin qui veut livrer les clefs du monde sous le masque de la fiction –, une intrigante représentation symbolique du globe terrestre [26], entre ombre et lumière là encore. Bernardin commente lui-même l'image en forme de *moto* : «On voit dans des nuages le globe de la terre en équilibre sur ses pôles couverts de deux océans rayonnants de glaces. Il a le soleil à son équateur ; et en lui présentant tour à tour les sommets glacés de ses deux hémisphères, il en varie deux fois par an les pondérations, les courants, et les saisons. Cette devise, que j'ai fait graver sur mon cachet, a une légende qui peut aussi bien s'appliquer aux lois morales de la nature qu'à ses lois physiques : *Stat in medio virtus, librata contrariis.* "La vertu est stable au milieu, balancée par les contraires [27]."»

Dans le «Préambule» de cette édition Didot de *Paul et Virginie*, après avoir commenté *Le Passage du torrent*, l'illustration dont Girodet lui avait

J. H. BERNARDIN   DE SAINT-PIERRE

fert le dessin – en attendant, peut-être, un «tableau grand comme
[na]ture [28]» –, Bernardin de Saint-Pierre entreprend une défense de ses
[thé]ories astronomiques personnelles, auxquelles il mêle des aperçus
[my]thologiques et des considérations morales [29]. Abandonnant «le chemin
[de]s pamplemousses [30]» où badinent ses personnages, Bernardin bataille
[de]puis au moins 1788, et la 3e édition de ses *Études de la nature*, pour
[fai]re admettre à la communauté scientifique une extravagante théorie,
[la]quelle quelques-uns de ses contemporains, dans la décennie 1790,
[sem]blent avoir cru, selon laquelle la lune ne serait pour rien dans le
[phé]nomène de la marée, qui s'expliquerait par les fontes successives des
[gla]ces des pôles [31]. Dans le «Préambule» où il dit sa gratitude à Girodet
[po]ur *Le Passage du torrent*, il consacre, pratiquement sans transition, une
[trent]aine de pages à un délirant plaidoyer *pro domo*, antinewtonien, où il
[jou]e avec la lune, «astre en harmonie passive avec le soleil, et active avec
[la t]erre [32]» et les récits anciens, chinois, égyptiens ou indiens des «divers
[dél]uges [33]». Les fumeuses théories scientifiques de M. de Saint-Pierre [34]
[pou]rraient-elles fournir une clef pour comprendre Girodet, ses effets
[lun]aires et l'absence de dimension biblique de sa *Scène de déluge* ? Pour
[co]mprendre pourquoi, en 1791, Endymion, en bon lecteur de Bernardin,
[ne] semble que faiblement attiré par l'astre des nuits. Permettraient-elles,
[au] passant, de comprendre aussi, en 1800, la *Sapho* de Gros **[ill. 64]** [35],
[co]mme l'image poétisée d'une femme qui ne se jette pas dans la mer mais
[s'é]lance, la lyre tendue, attirée par la lune [36] ? La «Sappho» de Girodet,
[so]ur idéale d'Endymion, sans attendre l'aquarelle de Chassériau [37], se
[don]nera, elle, sans ambiguïté à la lune **[ill.35]** [38]. La controverse n'est pas
[clo]se sous l'Empire, quand paraît l'édition Didot de *Paul et Virginie*.

    Le thème d'Endymion est lui-même crypto-astronomique, depuis que
[Gio]van Battista Marino, en 1623, avait qualifié le télescope de Galilée de
[«no]uvel Endymion» et que Guerchin avait, en 1647, glissé une lunette

dépliée entre les mains du jeune berger **[ill. 65]** [39]. Girodet, dans la décennie
1790, a connu les fictions plus ésotériques que scientifiques de Bernardin,
qui ont dû éveiller en lui bien des résonances [40]. Girodet a fréquenté
Bernardin [41] et possède dans sa bibliothèque les 12 volumes de ses
Œuvres complètes [42]. Il lui avait écrit, à propos d'*Endymion*, que son tableau
se voulait d'abord réel : «la distribution de la lumière et de l'ombre,
je ne l'ai point inventée [43] […]». La figuration mythologique, chère à
Girodet, accompagne toujours chez Bernardin la défense des théories
scientifiques : ce savant amateur brouille ses paysages littéraires – «nuage
obscur», «lac argenté» [44] –, comme ses démonstrations astronomiques
d'interventions fabuleuses. L'aurore devient l'Aurore, et, fort à propos
au milieu d'un passage plutôt obscur et aride, répand «des corbeilles
de roses [45]», le soleil devient l'«Apollon de notre système», orchestrant
«des harmonies lunisolaires et solilunaires qui s'entrelacent sans cesse [46]
[…]». Brouillard scientifique et savant, bien accordé au *Dictionnaire de la
fable* de Noël auquel avait contribué Girodet. Bernardin, concluant son
austère «Préambule» par l'évocation plus heureuse d'un volcan d'Islande
au milieu des glaces [47], décrit «l'aurore boréale» qui vient le couronner :
«Des légions de cygnes tracent autour de sa cime de longues spirales, et,
joyeux de descendre sur cette terre hospitalière, font entendre au haut
des airs des accents inconnus à nos climats. Les filles d'Ossian, attentives,
suspendent leurs chasses nocturnes pour répéter sur leurs harpes ces
concerts mélodieux ; et bientôt de nouveaux Pauls viennent chercher
parmi elles de nouvelles Virginies [48].» On croit voir déjà les lithographies,
aux contours flous de vignettes agrandies, qu'Aubry-Lecomte tirera, en
1821, de cette aurore boréale du romantisme qu'avait été *L'Apothéose des
héros* [49].

    Dans la *Deuxième Veillée* de Girodet, visite imaginaire au musée des
Antiques, le char d'Apollon semble mu par le système de Bernardin :

III. 64 Gros, *Sapho à Leucate*
Huile sur toile, Bayeux, musée Baron-Gérard

III. 65 Guerchin, *Endymion*
Huile sur toile, Rome, Galleria Doria-Pamphilj

« Il peut, en un clin d'œil, des cieux jusqu'à la terre, / Et de la terre aux cieux, et des cieux aux enfers, / Voler d'un pôle à l'autre et voir tout l'univers [50]. » Dans la poésie antique, Girodet semble chercher cette image cohérente de l'univers, rendant raison des phénomènes visibles sans leur enlever leur poésie, que son ami Bernardin trouve dans les divagations astronomiques. Les astres, la lune en tête, sont des intermédiaires amoureux [51], qui reflètent et transmettent les sentiments. Les nuées, les ombres, venues du ciel ou de la terre, au contraire les masquent. Illustrant Anacréon [52], Girodet, pour l'ode VII, joignit par exemple au thème du volcan en éruption, le croissant de la lune [ill. 66]. Dans l'ode XLV, *Les Flèches de l'Amour*, il ajoute un autre volcan qui ne figure pas dans le texte grec qu'il illustre – et, affirme l'édition posthume, traduit lui-même.

Dans l'illustration de l'ode XLIX, *Sur un disque d'argent* [ill. 67], se superposent symboliquement trois cercles : celui de la lune, celui de l'orbe du monde comme sur l'emblème de Bernardin et celui, essentiel, du miroir. « Quel burin magique a donc pu ciseler la mer sur ce métal docile, et répandre ses flots écumeux autour de ce disque d'argent ? » : la gravure, parfait miroir du dessin, permet donc de remplacer le miroir grec qui contenait l'image cosmique de la mer tout entière, en un cercle. Astronomie, cosmogonie et mythologie se répondent.

C'est au fond par ce syncrétisme que Girodet correspond à Bernardin : des entrailles de la terre auxquelles on accède par le volcan aux astres du ciel, du minéral au végétal [53], la peinture doit permettre de comprendre le monde, de le traduire en symboles et en allégories aussi raffinées et complexes que leur modèle ; la peinture doit donner à voir un microcosme [54]. C'est la lumière, directe ou réfléchie, qui véhicule l'amour. La littérature doit l'expliquer, en faire une leçon morale, que Paul et Virginie déchiffreront. Girodet a mis en images ce qu'il attend d'un tableau, miroir fragmenté d'un réel peuplé d'ombres, d'obscurités, de clartés insoutenables, de héros morts et de divinités cachées. Il joue d'une esthétique du reflet, de la duplication, du miroitement. *Pygmalion*, bien sûr, en témoigne au plus haut point, mais aussi, sur fond de *sfumato* traduit

ODE VII
sa course avec l'amour

ODE XLIX.
sur un disque d'argent

III. 66 Girodet (d'après), *Sa course avec l'Amour*, (*Anacréon*, ode VII)
Lithographie, coll. part.

III. 67 Girodet (d'après), *Sur un disque d'argent*, (*Anacréon*, ode XLIX)
Lithographie, coll. part.

pointillé et de récurrents effets lunaires, de nombreuses planches de la
... de dessins que ses élèves ont gravés après sa mort, en particulier dans
... recueils intitulés *Anacréon, Sappho* et *Moschus*.

L'illustration de l'ode IX d'Anacréon, *La Colombe et le passant* [ill.],
... ntre un tableau. Une « Vénus à la coquille » semble inspirer le poète
... s'adresse à une colombe – l'éventail, la fumée de l'encens évoquent
... nivers de *L'Odalisque* d'Ingres, comme la planche XI du même
... ueil, *Sur l'emploi de la vieillesse*, préfigure *Le Bain turc* [55]. Le thème du
... eau rival du réel se retrouve dans l'ode XXVIII, *Portrait de sa maîtresse*
... Portrait divin, tu vas parler » – où le rayon de la lune matérialise,
... mme dans *Endymion*, le souffle de l'amour qui, ici, donne la vie.

L'ode XXIX, permet peut-être de mieux comprendre la mythologie
... sonnelle du peintre, son esthétique, et ce constant appel aux astres.
... *mour fait le portrait de Bathylle* [ill. 68] : l'Amour écrit le nom du
... dèle, en capitales grecques, plus lisibles que celles de l'inscription
... ompréhensible qui figure sur l'arbre d'*Endymion* [56]. Le texte exprime
... e ambiguïté sexuelle qui rappelle celle du célèbre tableau : « Peins-
... ces cheveux ondoyants, d'un noir d'ébène […] ils semblent
... échir les feux dorés de l'astre du jour, et qu'un art insensible marie
... monieusement ces teintes opposées […]. Que ses yeux noirs, doux et
... s à la fois, […] laissent douter s'ils sont ceux de Mars, ou bien ceux de
... nus. » La réponse figure peut-être, en latin, sur le cachet de Bernardin.
... beauté absolue, comme la vertu, est « *librata contrariis* ». Les deux pôles
... s'opposent pas, ils se complètent, l'un baigné de soleil, l'autre caché
... mi les nuées et les ombres. Le système philosophico-astronomique
... 'auteur de *Paul et Virginie* ne fonctionne pas si mal dans l'univers de
... odet. « Si Paul venait à se plaindre, on lui montrait Virginie […]. Si
... ginie souffrait, on en était averti par les cris de Paul [57] […]. »
... e poète, sur le dessin, donne des conseils au peintre, mais le modèle,
... est absent. Les cheveux [58] – on pense aux « filles d'Ossian » –, comme
... yeux, sont des miroirs – ce miroir que tient Danaé et qui révèle son
... lle ou, dans l'univers anacréontique, l'héroïne aux cheveux dénoués

de l'ode XX, *À sa maîtresse* : « Que ne suis-je ton miroir fidèle, douce
et jeune beauté ! Je réfléchirais tes traits ravissants […]. Que ne suis-je
l'onde pure qui baigne et caresse tes appas. » Paul et Virginie et *Le Passage
du torrent* ne sont pas loin. Le poète rêve d'être à lui seul la nature tout
entière, qui enveloppe l'objet de son amour. Le peintre, qui donne à
voir dans son œuvre un reflet de cette beauté, devient ainsi miroir et
interprète, d'où son ambition, littéraire, de « traducteur ». Le geste du
peintre, est, en miroir, le geste de l'Amour peintre – mais le modèle n'est
pas le « beau Bathylle », c'est l'horizon vide, la ligne parfaite d'une mer
abstraite, sans nuages ni vaisseaux.

Ces illustrations, trop peu regardées jusqu'à présent, fournissent
peut-être une clef cachée du système iconographique de Girodet, qui
ne dissocie pas astronomie, mythologie et poésie. L'ode XLIV, *Sur un
songe* [ill. 69] renvoie, comme une dernière variation musicale, toujours
sur le même thème – Girodet jouait-il de sa guitare [59] ? –, au *Sommeil
d'Endymion*. Les pavots de Morphée et les luttes de Girodet pour travailler
au milieu de la nuit prennent tout leur sens, cohérents avec le projet du
peintre. Seulement, c'est cette fois un vieillard, celui que Girodet n'eut pas
le temps de devenir, un poète, qui s'endort sous la lune – et les théories de
Bernardin semblent retournées aux brumes. Son image s'élève au-dessus
de lui, comme un Ossian barbu tenant sa lyre, Ombre partant rejoindre les
Ombres, revêtu des ailes de l'immortalité.

III. 68 Girodet (d'après), *L'Amour fait le portrait de Bathille* (Anacréon, ode XXIX)
Lithographie, coll. part.

III. 69 Girodet (d'après), *Sur un songe* (Anacréon, ode XLIV)
Lithographie, coll. part.

notes

1. Bernardin de Saint-Pierre, *Paul et Virginie*, Préambule [à propos d'*Endymion* de Girodet], éd. de Jean Ehrard, Paris, Gallimard, « Folio », 1984, p. 61.
2. Girodet, *Le Peintre*, in Coupin, 1829, t. I, p. 61, à propos des sculptures de Michel-Ange à San Lorenzo de Florence.
3. Coupin, 1829, t. II, p. 281.
4. Levitine, 1952, p. 197. Girodet reprit cette formule de mise en scène historico-politique des Ombres dans un espace irréel, avec son dessin *Saint Louis accueillant Louis XVI et sa famille*, où il représenta le duc et la duchesse d'Angoulême, voir cat. p. 00.
5. Voir *supra* la contribution de Marc Fumaroli.
6. Coupin, 1829, t. I, p. 99.
7. *Ibidem*, p. xliij. Le mot « chandelles » est en italique, comme si Coupin citait les propres mots de Girodet devant ses élèves stupéfaits : « Il pria ses élèves de lui apporter *des chandelles.* »
8. *Ibidem*, p. xliv. Coupin écrit Pennetier. Il s'agit sans doute d'Antoine Claude Pannetier (1772-1859), chimiste et ami de Girodet. Voir la biochronologie de Bruno Chenique, sur CD-rom.
9. Voir à ce sujet Andreas Blüh et Louise Lippicott, *Light! The Industrial Age 1750-1900, Art, Science, Technology and Society*, cat. exp., Amsterdam, Van Gogh Museum et Pittsburgh, Carnegie Museum of Art, Thames & Hudson, 2000, p. 108-109.
10. Coupin, 1829, t. I, p. xliij.
11. C'est à ce propos que Coupin rapporte l'anecdote du domestique, « le type de la bêtise » qui met en péril le tableau en faisant tomber la lampe, et la colère hors de mesure de Girodet (t. I, p. xlix).
12. *Ibidem*, t. I, p. xliv.
13. *Ibidem*, t. II, p. 236.
14. *Idem*.
15. Voir cat. 35.
16. Coupin, 1829, t. II, p. 157.
17. Sujet central de la chambre de l'impératrice à Compiègne, *L'Étoile du matin* ou *L'Aurore*.
18. Coupin, 1829, t. II, p. 152-153.

19. Alexandre Menjaud, *Les Adieux de Girodet* atelier, 1826 [ill. 1], et François Louis Dejuinne, G peignant Pygmalion et Galatée en présence de Somm huile sur toile, coll. part. [ill. 307], ainsi que l'esquiss
20. *Le Peintre*, in Coupin, 1829, t. I, p. 109, à prop *Marius à Minturnes* de Drouais.
21. Lettre à Julie Candeille, juin 1826, n° 26-19, in *respondance d'Alfred de Vigny*, sous la dir. de Mad Ambrière, t. I, Paris, PUF, 1989.
22. Lettre de David à Girodet, Coupin, 1829, t. II, p. :
23. Voir cat. 10 et 135.
24. Voir à ce sujet Bernard Marcadé, « Les fantômes peinture », in *Les Cahiers du Musée national d'art mod* n° 40, été 1992, p. 49-65, en particulier pour son ar du mythe de Dibutade, où il souligne le rôle de l'c dans l'invention mythique de la peinture et ses paragr « Le phasme et le phantasme » et « Lâcher la proie l'ombre ».
25. Bernardin de Saint-Pierre, p. 60-61.
26. Le dessinateur n'a pas été jusqu'à rendre visi théorie de Bernardin de Saint-Pierre : son globe ter est un vrai cercle. Bernardin défendait l'idée de pôle pas aplatis mais légèrement allongés, question que l'A mie de Lyon avait choisie pour sujet de concours, en à la suite de la publication des trois volumes des *Étu* la Nature.
27. Bernardin de Saint-Pierre, p. 56-57.
28. Voir *infra* la contribution de Barthélemy Jobert.
29. Ce faisant, Bernardin se rattache bien à cette lig philosophes des sciences, en perte de vitesse à la XVIIIe siècle mais propre à séduire le jeune Girodet, f de pensée dont Denise Longeot a bien analysé l'es flement à propos de la naissance d'une cristallograp d'une minéralogie vraiment scientifiques (« La genèse cristallographie et de la minéralogie scientifique », i *Huitième siècle*, n° 3, 1971, p. 253-264).
30. Bernardin de Saint-Pierre, p. 137.
31. « Comment la lune peut-elle attirer nos mers attirer en même temps l'air, élément plus étendu, léger, plus mobile, qui les environne ? », écrit notar Bernardin (p. 101), s'opposant à Newton, que Voltair défendu et, surtout, à Laplace, qu'il ne nomme pas.

Ibidem, p. 102.

Ibidem, p. 99.

Outré, il cite lui-même la réaction d'un rédacteur du
nal de Paris : « Je crois même qu'il me renouvela à ce
le conseil d'ami qu'il m'avait plusieurs fois donné dans
journal, de ne me plus mêler d'écrire sur les marées, où
entendais rien, et d'en laisser le soin à nos astrono-
», *ibidem*, p. 41. Déjà, dans le *Mercure de France* du
ctobre 1788 (p. 56-81), le critique anonyme qui livrait
mpte rendu des *Études de la nature* de Bernardin de
t-Pierre contestait vivement la valeur scientifique de sa
rie des marées. L'obstination de Bernardin en fut ren-
e.

Bayeux, musée Baron-Gérard.

Voir A. Goetz, « Sapho à Leucate », in cat. exp. *L'In-
ion du sentiment*, Paris, musée de la Musique, 2002,
4-157.

Dessin à l'aquarelle, 1846, musée du Louvre, départe-
des Arts graphiques.

Le texte qui accompagne la pl. 9 du recueil *Sappho*,
en 1829, est éloquent – et astronomique (p. 7) : « La
pâlit dans les cieux ; / Déjà sur un autre hémisphère /
pléïades brillent les feux : / La nuit avance sa carrière,
/ Et je veille encor, solitaire, / Sans amant, mais avec
our. » Dans la pl. 3, *Songe de Sapho* [*sic*], la lune se
de nuages qui se répandent jusque dans le lit de la
femme ; dans la pl. 14, *Sapho [sic] implore le secours
énus*, c'est un volcan qui fume à l'horizon et une nuée
le glisser sur le sol.

Tableau à la Galleria Doria-Pamphili de Rome.

Dès 1789, date de la première édition séparée de *Paul et
nie*, distincte des *Études de la nature*, Bernardin consa-
une large part de son « Avis sur cette édition » à mettre en
un système scientifique qui a pu fournir des structures
n floues elles aussi – à l'imaginaire de Girodet. Il rap-
ses théories sur la botanique, les volcans, le cours de
s influencés par les « pics électriques » des montagnes
tirent les nuages, les aurores boréales liées selon lui à la
llisation des glaces polaires… (voir *Paul et Virginie*, éd.
rre Trahard, Garnier Frères, 1964, p. CXLVII-CLX)

Voir « Lettres de Bernardin de Saint-Pierre à Girodet
4-1805) », in *Bulletin de la Société d'Émulation de*

l'arrondissement de Montargis, nᵒ VIII, 1854, p. 1-15 et la
Correspondance de Bernardin de Saint-Pierre publiée par
L. Aimé-Martin, 4 vol., Ladvocat, 1826.

42. Inventaire après décès de Girodet, sous le nᵒ 242, avec
Les Nuits de Young et, presque après, sous le nᵒ 244 une
Histoire du ciel en 2 vol. difficile à identifier avec exacti-
tude.

43. Correspondance avec Bernardin de Saint-Pierre, Coupin, 1829, t. II, p. 275.

44. Bernardin de Saint-Pierre, p. 99.

45. *Ibidem*, p. 103.

46. *Ibidem*, p. 102.

47. Girodet possédait chez lui – son inventaire après décès
en témoigne (nᵒ 112) – une caisse de lave volcanique ; il
avait peint lui-même plusieurs études du Vésuve, de jour
et de nuit, conservait dans ses cartons des études de volcans et avait chez lui une étude d'après l'Etna, œuvre du
prédestiné Achille-Etna Michallon. Dans sa bibliothèque,
on trouve un livre sur les volcans d'Italie, sans doute les
Observations sur les volcans des Deux Siciles de William
Hamilton parues en 1776.

48. Bernardin de Saint-Pierre, p. 97-98. Dans la suite du
texte, l'auteur donne une interprétation politique de l'aurore
boréale, image de l'Empire venant achever la Révolution.
Cette lecture politique des phénomènes astronomiques
se développait à la même époque autour des débats qui
agitaient les astronomes au sujet des comètes, voir Simon
Schaeffer, « Authorized Prophets : Comets and Astronomers
after 1759 », in *Studies in Eighteenth-Century Culture*,
vol. 17, p. 45-74 et en particulier la comparaison entre
Napoléon et la comète, p. 56.

49. Bernardin de saint-Pierre s'enthousiasme pour le
tableau, p. 61.

50. Coupin, t. I, p. 373.

51. Pour illustrer l'idylle *Invocation d'un berger* (pl. 10 du
recueil *Moschus*, texte p. 12), Girodet dessine l'étoile la
plus brillante du ciel, intermédiaire entre Vénus et les hommes : « Hespérus, brillant flambeau de l'aimable Vénus !
Hespérus, auguste ornement de la nuit azurée, dont l'éclat
le cède autant à la lune qu'il l'emporte sur les autres astres,
salut, étoile chérie ! […] Prête-moi ta lumière pour remplacer celle de la lune […]. »

52. Pérignon, 1825. Dominant les trois compositions pour
l'Amour mouillé (ode III), un coin de ciel nocturne, battu par
les vents, laisse apparaître le croissant de la lune.

53. Sur la curiosité botanique de Girodet, voir la notice
d'*Atala au tombeau*, *infra*.

54. Voir, dans *Le Peintre* (Coupin, 1829, t. I, p. 59) cette
description d'un paysage-microcosme primitif, tel que l'artiste put le voir lors de son passage des Alpes : « Le peintre,
concentré dans ses réflexions, / S'arrache avec regret à ces
rochers sauvages / Où la terre et les cieux, confondant leurs
ravages, / Semblent du vieux chaos les éléments épars. »

55. Voir la contribution de Barthélémy Jobert, *infra*.

56. Voir cat. 10.

57. Bernardin de Saint-Pierre, p. 119-120.

58. Voir la véritable composition « en cheveux », très
étonnante, que constitue la planche 8 du recueil *Sappho* :
« Toutes ses compagnes ont pieusement coupé leur belle
chevelure sur sa tombe » (p. 6).

59. Mentionnée dans son *Inventaire après décès*, voir
Bajou et Lemeux-Fraitot, 2002.

Andrew Shelton

Girodet et Boutard
Portrait d'une alliance artistico-jounalistique au temps de Napoléon

La maturation artistique d'Anne Louis Girodet-Trioson coïncide avec [n]aissance de la presse française moderne. Le jeune artiste animé de [gra]ndes ambitions a conquis le prestigieux prix de Rome depuis à peine [un]e semaine, lorsque l'Assemblée nationale nouvellement constituée [vot]e, le 26 août 1789, la Déclaration des droits de l'homme, dont [l'ar]ticle 11 garantit au citoyen la liberté d'exprimer ses opinions et de les [com]muniquer par l'imprimé[1]. Cette liberté d'expression demeurera un [idé]al théorique bien plus qu'une réalité concrète pendant la quasi-totalité [du] siècle suivant[2]. Malgré tout, la levée initiale des entraves à la presse [ins]taure une logique de débat public qui transforme définitivement la vie [po]litique et culturelle en France.

[…] Girodet a mesuré les conséquences de cette situation, bien mieux, [peu]t-être, que n'importe quel autre artiste de sa génération[3]. Dès lors, il [s'e]fforce inlassablement, avec un bonheur inégal, d'utiliser le pouvoir de la presse pour défendre ses intérêts professionnels. Jacques Louis David, qui fut d'abord le maître de Girodet avant de devenir son rival, a même accusé ses amis journalistes d'avoir voulu obtenir « à coups de plume » ce qu'il aurait dû acquérir lui-même « à coups de pinceau[4] ». Les effets de cette attitude résolument « interventionniste » à l'égard de la presse se font sentir dans les réactions des critiques aux tableaux de Girodet. Ils sont mis en évidence et analysés au fil des pages du présent catalogue. Nous allons nous pencher ici sur les relations de l'artiste avec l'homme qui fut sans conteste le plus important de tous ses amis journalistes (et celui que David visait à coup sûr par ses allusions mentionnées plus haut) : Jean-Baptiste Boutard.

À la veille de la Révolution, une critique d'art plus ou moins professionnelle existe en France depuis une cinquantaine d'années[5]. Paradoxalement, l'émancipation de la presse en 1789 commence par freiner cette activité bien plus qu'elle ne favorise son expansion. Comme le souligne Jeremy Popkin, les rédacteurs et les directeurs de journaux de la période révolutionnaire concentrent tous leurs efforts sur la politique, car ce qui fait vendre, c'est le récit au jour le jour des bouleversements sociopolitiques qui se produisent à un rythme vertigineux dans la capitale, pas la chronique des manifestations artistiques et culturelles [6]. (Cette situation explique d'ailleurs pourquoi les premiers envois de Girodet au Salon ont suscité étonnamment peu de commentaires dans les gazettes.) Le coup d'État du 18 brumaire an VIII [9 novembre 1799], qui porte Bonaparte au pouvoir, et la mise en place d'une censure extrêmement répressive dès janvier 1800 infléchissent radicalement la dynamique interne de la presse [7]. Les publications qui ne s'occupent pas de politique échappent normalement aux mesures draconiennes prises à l'encontre de la presse sous le Consulat et l'Empire [8], ce qui engendre une prolifération de revues spécialisées dans les domaines culturels et scientifiques. Si les informations politiques restent le point fort des grands quotidiens nationaux, elles se résument souvent à des articles banalement insipides et des textes de lois édictés par le gouvernement, pratiquement identiques d'un journal à l'autre. Pour se différencier, les directeurs de ces publications commencent à accorder une plus grande place aux informations culturelles, concernant aussi bien les sciences, les techniques, la littérature et le théâtre que les arts plastiques [9]. En fait, la législation astreignante imposée à la presse par le régime napoléonien a sensiblement contribué à l'une des innovations journalistiques les plus importantes et les plus fécondes du XIXe siècle : le feuilleton, une rubrique exclusivement consacrée aux affaires culturelles, qui occupe une bande horizontale en pied de page, bien séparée des autres articles. Ce n'est pas un hasard si le feuilleton devient la tribune privilégiée des salonniers jusqu'à la fin du XIXe siècle.

Le feuilleton fait son apparition en janvier 1800, dans le quotidien généralement considéré comme le support essentiel du discours politique et culturel dans la France du début du XIXe siècle, le *Journal des débats*. À sa création en 1789, ce journal était destiné à recueillir les textes de lois et les comptes rendus des débats parlementaires. Les frères Bertin, prénommés tous deux Louis François, le rachètent à la fin de 1799 [10]. Ce sont des éditeurs ambitieux, qui ont d'abord soutenu la Révolution, avant de basculer dans l'opposition royaliste face aux excès de la Terreur. En absorbant plusieurs autres titres de la presse monarchiste, le *Journal des débats* compte bientôt parmi les journaux politiques les plus prestigieux et les plus largement diffusés en France. Sa réussite est tout de même fragilisée par les sympathies légitimistes affichées par ses directeurs, qui en font un insupportable poil à gratter pour Bonaparte. La purge de la presse consécutive à la loi censoriale de 1800 a épargné les Bertin (le dictateur ne pouvait peut-être pas se permettre à ce moment-là

d'interdire un journal qui se vendait aussi bien [11]), mais ils sont harcelés par le gouvernement, jetés en prison et même exilés, pour finir par se v⟨o⟩ confisquer en 1811 le capital du quotidien rebaptisé *Journal de l'Empire* en 1805. Après la chute de Napoléon en 1814, les Bertin reprennent les commandes du journal, lui rendent son ancien titre et le maintiennent dans son rôle de principal organe de la haute bourgeoisie centriste jusqu⟨'à⟩ la seconde moitié du XIXe siècle.

Pour la chronique des Salons, le *Journal des débats* fait appel à un jeune étudiant en architecture, qui n'est autre que le frère de l'épouse de Berti⟨n⟩ l'Aîné [12]. Ce critique d'art attitré va très vite devenir le représentant le plus influent de la profession à l'époque napoléonienne, avant de tomber dans l'oubli par la suite. Aujourd'hui, on ne sait pratiquement rien sur Jean-Baptiste Boutard [13]. Né à Paris en 1771, il a conservé ses fonctions au *Journal des débats* de 1800 à 1823, tout en cessant de rendre compte des Salons après 1814 [14]. En 1816, Boutard, qui partage apparemment les sympathies royalistes de son beau-frère, accepte le poste de chef de la division des Beaux-Arts au département de la Maison du roi, et continue ⟨à⟩ donner de temps en temps des articles au *Journal des débats* jusqu'à sa mo⟨rt⟩ en 1838.

La nature exacte des relations que Boutard entretenait avec Girodet reste, hélas, aussi mal connue que les circonstances de sa vie en général. Les documents les plus éclairants à cet égard sont deux textes où chacun des deux hommes essaie de justifier ses liens avec l'autre, face à la polémique grandissante. Le plaidoyer de Girodet se trouve dans un manuscrit non daté, conservé à l'Institut national d'histoire de l'art [15]. C'est un texte assez échevelé, sans doute le brouillon d'une lettre que l'artiste comptait envoyer à un courrier des lecteurs comme il le faisait souvent pour se défendre contre les attaques dans la presse. Girodet déclare avoir connu Boutard au collège [16]. Le séjour de Girodet en Itali⟨e⟩ les a séparés, puis ils se sont revus à Paris grâce à des relations commune⟨s⟩. Le peintre a pu constater avec plaisir que son ami s'intéressait toujours autant aux arts. Déjà, à l'époque de leurs études, Boutard aimait à accompagner Girodet à ses cours de dessin auprès du professeur attaché à l'établissement où ils étaient tous deux pensionnaires. Depuis leurs retrouvailles, ajoute Girodet, les deux hommes ont souvent des discussi⟨ons⟩ passionnées sur l'art, et il prend bien soin de souligner que les points de vue respectifs du théoricien et du praticien divergent sur bien des chapitres. Girodet entre enfin dans le vif du sujet : l'explication de la faveur, de plus en plus mal acceptée, que lui témoigne Boutard dans les pages du *Journal de l'Empire* [17]. Girodet, qui a déjà reproché à son ami de⟨se⟩ laisser entraîner par son affection à des éloges parfois trop appuyés enve⟨rs⟩ ses œuvres [18], certifie tout de même que les appréciations de Boutard reflètent ses convictions intimes et son honnêteté professionnelle :

naccessible à l'influence des suggestions étrangères, surtout si les motifs
en eussent pas été irréprochables, également qu'étranger à toutes les
bales et à tous les partis auxquels se prostituent trop souvent tant de
umes folliculaires, M. Boutard exposa toujours ses opinions avec le
ractère de probité et de franchise qui fait la base de sa conduite et dont
ne s'est jamais départi. Les jugements quels qu'ils soient furent toujours
résultat de ses sentiments particuliers. C'est ce que savent tous ceux qui
connaissent intimement et ce que peuvent même préciser ceux qui ne
connaissent que par ce qu'il a écrit [19]. »

De son côté, Boutard livre une version analogue de ses rapports avec
rodet, en plus sobre et plus structuré, dans son compte rendu du Salon
1812. Après avoir réfuté les rumeurs persistantes qui lui prêtent un rôle
cisif dans la victoire de Girodet au concours des prix décennaux deux
s auparavant, le critique entend saisir cette occasion de se « défendre
ntre une calomnie [20] » propagée par ceux qui mettent son admiration
ur l'artiste sur le compte de sa longue amitié avec lui. Il fait valoir (un
u inexactement) que, si cette amitié dure depuis plus de vingt ans, c'est
lement en voyant la *Scène de déluge* achevée en 1806 qu'il a acquis la
rtitude de la suprématie artistique de Girodet. Il veut bien s'avouer
upable d'avoir parfois glissé un peu vite sur les défauts des œuvres de
n ami, pour s'attarder davantage sur leurs qualités, mais jamais il ne
ofesse une admiration qui ne soit pas profondément sincère. Donc,
core une fois, le goût et le jugement de Boutard l'emportent sur ses
ntiments d'amitié dans le soutien qu'il apporte à l'artiste.

Boutard entame sa carrière d'exégète de Girodet en publiant son
emier « Salon » dans le *Journal des débats* en 1800 [21]. Si les œuvres de
rtiste ne lui inspirent pas que des louanges à cette occasion, il ne tarde
s à s'imposer comme le plus fidèle allié de Girodet dans la presse. En
02, Boutard rédige deux articles dithyrambiques dans le *Journal des
ats* à seule fin de vanter les mérites de *L'Apothéose des héros français
rts pour la Patrie pendant la guerre de la Liberté* (cat. 21), un tableau très
ntroversé [22]. Dès 1804, il place Girodet au tout premier rang des artistes
son temps [23]. À la date du Salon de 1806, et plus encore en 1808 [24],
commentaires de Boutard sur les tableaux de Girodet prennent la
me d'un panégyrique éhonté, faisant naître des soupçons de partialité
de collusion qui vont poursuivre pendant dix ans à la fois le critique
le peintre [25]. Ce n'est évidemment pas le lieu ici de passer en revue la
sse des articles que Boutard a consacrés à Girodet en quinze années
xercice de la profession de salonnier au *Journal des débats*, et encore
ins les innombrables protestations indignées que ses flagorneries
sumées ont suscitées dans le reste de la presse. Je préfère essayer de
ner les principaux fondements théoriques des jugements de Boutard,
espérant pouvoir ainsi appréhender sur des bases plus solides les

réflexions du critique à propos de différents tableaux de son ami. Ces
réflexions abondamment citées dans la littérature sur Girodet (y compris
dans le présent catalogue) ont des liens, pas toujours clairement perçus,
avec les préoccupations théoriques bien marquées et bien précises de
Boutard.

Si le nom de Boutard évoque encore quelque chose de nos jours, c'est
une doctrine artistique sclérosée, dont il aurait été l'un des plus farouches
partisans à l'époque napoléonienne. De fait, il défendait énergiquement
les trois grands principes de l'esthétique classique telle que l'a systématisée
l'Académie : inviolabilité de la hiérarchie des genres, infaillibilité des
Anciens et de leurs continuateurs sous la Renaissance italienne, et enfin
obligation d'idéaliser la nature au lieu de se contenter de la reproduire
simplement. Cela dit, on aurait tort d'imaginer Boutard en parfait
réactionnaire. Si la peinture d'histoire monumentale reste à ses yeux
intrinsèquement supérieure, il n'hésite pas pour autant à accorder une
grande place aux genres dits mineurs dans ses comptes rendus de Salons.
De même, il manifeste un intérêt particulièrement bienveillant envers les
femmes artistes qui, dit-il, se retrouvent cantonnées dans les domaines
du portrait et de la nature morte, non point par manque de talent, mais
faute d'avoir accès à l'enseignement académique [26]. Son adhésion globale
à la doctrine esthétique du beau idéal ne le rend pas aveugle, non plus,
au caractère de plus en plus stéréotypé des compositions à personnages
créées au sein de l'école de David. Il est même l'un des premiers à
dénoncer les pastiches de sculptures antiques qui tiennent lieu de figures
« académiques » dans les peintures de maints élèves de David [27].

Finalement, ce qui différencie Boutard du tout-venant des
néoclassiques de son temps, c'est sa position intransigeante sur
l'importance relative de la forme et du fond ou, dans le langage de
l'époque, du « faire » et de la « pensée ». Susan Siegfried souligne, dans
ce qui reste à ce jour la meilleure analyse des écrits de Boutard, que ce
formaliste dans l'âme tenait l'excellence de la facture et la perfection de
la ligne et de la couleur pour les deux piliers de la réussite artistique [28].
Il ne cesse de reprocher aux peintres de chercher à relater des histoires
exagérément compliquées qui lui semblent inadaptées à un art plastique
par nature, et non pas intellectuel (d'où sa méfiance à l'égard de
l'allégorie [29]). À un moment, il se vante de ne jamais lire dans le livret du
Salon les « notices qui font plus de dix lignes [30] ». Pour Boutard, le contenu
d'un tableau doit se comprendre sans le secours de l'écrit.

L'attachement de Boutard aux thèses formalistes l'oppose directement
aux artistes, de plus en plus nombreux, qui prétendent travailler
d'imagination au lieu de s'appuyer sur une imitation idéalisée des
données de l'observation. Pour Boutard, ce genre de propos relève de la
pire espèce de charlatanisme, celle qui vise à faire oublier l'incompétence

du peintre en invoquant quelque «génie» aussi vague qu'illusoire. «Il est plus facile de se persuader soi-même qu'on a du génie, que de se faire accroire qu'on sait peindre», avertit le critique, dans un violent réquisitoire contre l'art, selon lui, radicalement (et ridiculement) cérébral des «peintres penseurs», également qualifiés de «méditatifs», qui forment une secte dissidente de l'école de David. Il ajoute : «Cependant, dans les arts, je dis même dans ceux qui semblent offrir le champ le plus vaste aux élans du génie, la difficulté, et partant le mérite, est dans l'exécution bien plus que dans l'invention. Demandez aux poètes, consultez les peintres, ils vous diront qu'il est plus facile de penser un gros volume que d'écrire une belle page, de dessiner et de colorier un pied ou une main que de concevoir toute l'histoire de France en allégories[31].»

C'est avec ce genre de déclaration que Boutard passe pour un complet réactionnaire, un traditionaliste effarouché qui tente désespérément de stopper la vague montante de la peinture romantique sous-tendue par le culte du génie, de la nouveauté et de l'originalité. Or, la position de Boutard est beaucoup plus subtile en fin de compte. S'il tient autant à souligner la primauté de la forme dans l'art, ce n'est pas seulement pour essayer de perpétuer la tradition académique strictement codifiée du beau idéal, mais aussi, plus essentiellement, pour préserver la dimension plastique fondamentale de la peinture, et donc sa spécificité. L'attitude de Boutard sur cette question ressort très clairement de ses articles consacrés aux prix décennaux, où il pose le principe d'un «génie de la peinture» qui serait l'apanage des grands peintres. «Je veux dire une aptitude particulière à apercevoir la forme et les autres apparences des objets et à les reproduire sur la toile, précise-t-il; une *aptitude particulière* à sentir et connaître les rapports que les parties du corps de l'homme ont entre elles, l'action qu'elles exercent les unes sur les autres, la multitude infinie de leurs combinaisons dans tous les mouvements qu'elles se donnent à elles-mêmes, qu'elles reçoivent d'un effort étranger et de l'action intérieure des passions; enfin, l'aptitude à apprécier exactement jusqu'à quel degré de beauté idéale on peut élever le modèle pris dans la nature sans sortir des bornes de l'imitation[32].» Boutard n'essaie pas de récuser catégoriquement la notion de génie ou sa relation avec l'art. Il cherche à définir et à mettre en avant un *certain type* de génie, propre à cette sphère de la créativité humaine en particulier.

En affirmant la prééminence de la forme et de la technique sur toutes les considérations de contenu, Boutard en arrive à remettre en cause la valeur historique de la peinture et, par extension, sa capacité de véhiculer un discours politique. Selon lui, l'histoire et l'art sont incompatibles. Les protocoles professionnels qui régissent l'un ne peuvent donc s'appliquer à l'autre de manière tant soit peu cohérente. Là encore, la différence réside dans ce que Boutard considère comme les limites

inhérentes à la dimension plastique de l'art. Quand il aborde la question des anachronismes dans la peinture d'histoire, il explique que les tableaux peuvent ressusciter des souvenirs, mais sans jamais rien nous apprendre que nous ne connaissions déjà par ailleurs[33]. Dans ces conditions, le récit d'événements historiques n'est pas du ressort de la peinture. Pour mieux enfoncer le clou, Boutard va jusqu'à affirmer que les chefs-d'œuvre de l'Antiquité classique et de la Renaissance italienne n'apportent absolument aucune information sur l'état de la société où ils ont vu le jour. C'est leur beauté qui en fait tout le prix : «Je persiste à soutenir que ce n'est pas pour transmettre les faits de leur histoire à la postérité que des peuples qui connaissent l'usage de l'écriture font des tableaux[34].» L'histoire est du domaine de l'écriture. L'art doit s'en tenir à la création désintéressée de pures beautés plastiques.

L'art, étant foncièrement étranger aux registres factuel et historique, ne fait pas bon ménage non plus avec la politique, toujours selon Boutard. Son point de vue sur la question se révèle surtout dans ses réticences maintes fois exprimées à l'encontre de la peinture de bataille, un genre en plein essor qui constitue la forme de propagande picturale la plus voyante sous le Premier Empire. La plupart du temps, on attribue cette attitude à ses convictions secrètement royalistes[35], alors qu'en fait, ce n'est pas vraiment le contenu politique des scènes de batailles qu'il conteste, du moins ouvertement, mais bien plutôt le risque que ce contenu porte atteinte à l'intégrité *esthétique* de l'œuvre d'art. Devant le nombre inaccoutumé de peintures de batailles exposées au Salon de 1806, Boutard fait cette observation : «Il faut remarquer qu'encore que ces morceaux d'apparat ne soient pas en général ceux où l'art se montre avec plus d'avantage, ils contribuent plus cependant à la splendeur d'un siècle, et donnent une plus haute idée de son caractère que ne font les chefs-d'œuvre purement techniques. Ces derniers ne prouvent que la science et le génie de quelques artistes; les autres attestent la disposition générale d'une génération qui se plaît aux grandes choses, et l'action d'un gouvernement qui les encourage[36].» Pour Boutard, les tableaux de batailles sont d'abord et avant tout des documents qui ne reflètent ni le génie pictural ni le savoir-faire de tel ou tel artiste, mais le climat politique et moral de la société à un moment donné.

À force d'affirmer la primauté de la forme et de la technique, qui s'oppose catégoriquement à la sensibilité romantique naissante et son insistance sur l'inventivité et l'originalité de l'expression, Boutard finira par passer pour un réactionnaire invétéré, comme je l'ai déjà dit. Or, si l'on replace ses conceptions dans la perspective plus générale de l'histoire de la modernité en Europe, elles semblent extraordinairement prophétiques. Son mépris des sujets «littéraires» ou «tendancieux» compliqués et sa position intraitable sur la spécificité

mode d'expression, ajoutés à
nportance cardinale qu'il accorde
x composantes purement formelles
techniques de l'art, tout cela
éfigure les grands axes de la doctrine
oderniste qui allait dominer l'art
cidental, de Paul Cézanne à Jackson
llock. En somme, la lecture de
n nombre des analyses les plus
rcutantes de Boutard évoque un
rsonnage qui ressemble plus à un
écurseur de Clement Greenberg [37]
'à un passéiste acharné à enfermer
t dans un carcan de conventions
ulées.

Qu'il faille qualifier les idées
fendues par Boutard de rétrogrades,
ancées, attardées dans leur
ditionalisme ou précoces dans
r modernisme, elles sont souvent
ficiles à concilier avec celles qui
ident les choix de son artiste préféré,
st-à-dire Girodet. Comme les historiens de l'art ne se sont pas fait
te de le souligner depuis quelque temps, ce peintre «protoromantique»
r excellence attachait énormément d'importance, surtout au début
sa carrière, à l'aspect de la création artistique sur lequel Boutard
urrissait les plus grands doutes : l'originalité et l'inventivité du contenu,
la prérogative qui autorise l'artiste à imaginer au lieu de représenter
plement [38]. Du reste, cette divergence théorique fondamentale
ce souvent Boutard dans une situation délicate lorsqu'il s'agit de
mmenter telle ou telle œuvre de son ami en particulier. On trouverait
ficilement un tableau plus contraire au credo formaliste de Boutard que
Apothéose des héros français (cat. 21), une allégorie politique incroyablement
llucinatoire et compliquée (la notice occupe cinq pages bien tassées
ns le livret du Salon) où l'artiste cherche, d'une part, à démontrer sa
ulté d'invention picturale et, de l'autre, à gagner la faveur du nouveau
rigeant politique de la nation [39]. Là comme ailleurs, Boutard n'en
ntinue pas moins à apporter un soutien inébranlable aux travaux de
n ami, arguant que le plus admirable, dans L'Apothéose des héros français,
st la façon dont Girodet parvient à donner libre cours à la «fougue de
n imagination [40]» sans compromettre la beauté plastique du tableau. De
me, le critique fait preuve d'une prodigieuse sélectivité visuelle devant
Scène de déluge et La Révolte du Caire, quand il ferme les yeux sur le

III. 70 Page du *Journal de l'Empire*, 27 septembre 1806

renouvellement radical des répertoires expressifs de la peinture d'histoire et de la scène de bataille, respectivement, pour s'arrêter sur leur exécution irréprochable [41].

Il serait tentant de rejeter en bloc les écrits de Boutard au vu de la mauvaise foi où il semble s'obstiner dans ses réflexions sur certains des tableaux les plus importants de Girodet. Ce serait méconnaître profondément la complexité de la critique d'art et son utilité possible pour l'histoire de l'art. Même si elle se targue souvent de ne rien faire d'autre, la critique d'art est totalement incapable d'offrir un reflet parfait de l'objet d'art, de transposer en mots le projet pictural de l'homme ou de la femme qui l'a créé. Par conséquent, il ne faut jamais s'en servir pour essayer de déterminer le sens profond d'une œuvre d'art en particulier, ce que le philosophe et critique littéraire Roland Barthes appelle le «signifié dernier [42]» du texte. L'apport historique de la critique d'art consiste à nous permettre de resituer l'œuvre dans le cadre discursif qui présidait à sa production et sa consommation initiale, et d'où elle tire son sens en dernière analyse. Les écrits de Boutard sur Girodet ne sauraient donc fournir aujourd'hui la preuve que cet artiste était un formaliste pur et dur, mais un moyen d'inscrire ses œuvres dans le débat de plus en plus passionné sur les mérites comparés de la forme et du contenu, de l'expressivité et du savoir-faire technique, de la pure recherche esthétique et de l'attachement à la vocation historique et politique de l'art. Les écrits de Boutard revêtent évidemment un intérêt historique supplémentaire du fait de ses relations personnelles avec l'artiste et de son appartenance (en grande partie fortuite) au journal le plus prestigieux de son temps. Il ne faudrait pas oublier pour autant que Boutard, comme tous les autres critiques, représente seulement une facette d'une réalité infiniment complexe et éternellement sujette à caution, que son discours ne construit qu'un Girodet parmi tant d'autres qui occupèrent une place considérable dans le monde de l'art parisien de l'après-Révolution.

Traduit de l'anglais par Jeanne Bouniort

notes

1. L'histoire de la presse sous la Révolution a donné lieu à une bibliographie énorme, cela va sans dire. Outre les études plus pointues citées ci-après, je me suis surtout servi de l'ouvrage de référence de Claude Bellanger et al., *Histoire générale de la presse française*, 3 vol., Paris, PUF, 1969, t. I, *Des origines à 1814*, p. 405-447. J'ai consulté également le tour d'horizon plus récent fourni par Jeremy D. Popkin, *Revolutionary News : The Press in France, 1789-1799*, Durham et Londres, Duke University Press, 1990.

2. Le même article 11 de la Déclaration des droits de l'homme de 1789 (placée ensuite en tête de la Constitution de 1791), qui garantit la liberté de presse, prévoit aussi que les citoyens devront «répondre de l'abus de cette liberté», ce qui est la porte ouverte à toutes les restrictions futures. Voir Popkin, 1990, p. 169-170.

3. Les relations entre Girodet et la presse n'ont toujours pas fait l'objet de travaux scientifiques approfondis. Pour l'instant, les considérations les plus utiles à ce sujet se trouvent dans deux thèses de doctorat rédigées par des universitaires américains : George Levitine, *Girodet-Trioson : An Iconographical Study*, New York et Londres, Garland, 1978; et Susan H. Libby, «Originality, Imitation and Genius : A.-L. Girodet-Trioson and French Art Theory and Criticism, 1785-1824», University of Maryland, 1996.

4. J. L.-J. David, 1880, t. I, p. 502, d'après des notes inédites de David sur ses principaux élèves.

5. Sur l'histoire de la critique d'art en France au XVIIIe siècle, voir Richard Wrigley, *The Origins of French Art Criticism : From the Ancien Régime to the Restoration*, Oxford, Clarendon Press, et New York, Oxford University Press, 1993 (réédité en 1995).

6. Popkin, 1990, p. 106. Les retombées sur la critique d'art sont analysées par Susan Locke Siegfried, «The Politicisation of Art Criticism in the Post-Revolutionary Press», in Michael R. Orwicz (dir.), *Art Criticism and Its Institutions in Nineteenth-Century France*, Manchester, Manchester University Press, 1994, p. 9-28.

7. Voir André Cabanis, *La Presse sous le Consulat et l'Empire, 1799-1814*, Paris, Société des études robespierristes, 1975.

8. L'article premier de l'arrêté du 27 nivôse an VIII [17 janvier 1800] qui institue la censure en exempte les «journaux s'occupant *exclusivement* des sciences, arts, littérature, commerce, annonces et avis» (Cabanis, 1975, p. 319).

9. Siegfried, «The Politicisation of Art Criticism», *loc. cit.*, 1994, p. 11-12.

10. Sur l'histoire du *Journal des débats* et les frères Bertin, voir Léon Say, 1889, «Bertin l'Aîné et Bertin de Vaux», p. 14-47; Bellanger *et al.*, 1969, t. I, p. 559-561; et Eugène Hatin, *Histoire politique et littéraire de la presse en France*, 8 vol., Paris, Poulet-Malassis et De Broise, 1859-1861, réimpression en fac-similé, Genève, Slatkine, 1967, t. VII, p. 436-545.

11. Hatin, *ibidem*, t. VII, p. 451.

12. Contrairement à ce qu'affirment plusieurs auteurs, Boutard n'était pas marié à la sœur des Bertin. On trouvera des informations précises à ce sujet, et sur les activités culturelles de la famille Bertin, dans la monographie de Hans Naef, *Die Bildniszeichnungen von J.-A.-D. Ingres*, 5 vol., Berne, Benteli Verlag, 1977-1980, 1979, t. III, p. 114-135.

13. La biographie de Boutard reste à écrire. Les données les plus intéressantes du point de vue de l'histoire de l'art sont réunies, d'après des notices de dictionnaires biographiques et autres sources anciennes, dans l'article de Susan Locke Siegfried, «The Politicisation of Art Criticism», *loc. cit.*, 1994, et dans la thèse de Darcy Grimaldo Grigsby, «Classicism, Nationalism and History : The *Prix Décennaux* of 1810 and the Politics of Art under Post-Revolutionary Empire», University of Michigan, 1995, p. 398-403.

14. Outre ses nombreux articles pour *Le Journal des débats*, on doit à Jean-Baptiste Boutard un répertoire des termes techniques et théoriques des beaux-arts intitulé *Dictionnaire des arts du dessin, la peinture, la sculpture, la gravure et l'architecture par M. Boutard, auteur des articles Beaux-Arts publiés dans le «Journal des débats» depuis l'an 1800 jusqu'à l'année 1823*, Paris, Le Normant Père, 1826.

15. Paris, INHA, département de la bibliothèque et de la documentation, bibliothèque d'art et d'archéologie Jacques Doucet, mf B VII, fol. 5885-5887. J'ai appris l'existence de ce manuscrit en lisant la thèse de Darcy Grimaldo Grigsby, «Classicism, Nationalism and History», 1995 (p. 400-402).

16. De même, dans sa notice nécrologique de Girodet, Boutard écrit qu'il «en était à son cours de philosophie quand nous l'avons vu manier le pinceau pour la première fois» (*Journal des débats politiques et littéraires*, 14 décembre 1824, p. 1).

17. Girodet parle du *Journal de l'Empire* au lieu du *Journal des débats*, ce qui permet de situer le manuscrit dans la période 1805-1814. Sachant que le soutien systématique de Boutard a commencé vers 1808 seulement à soulever une polémique dans la presse, on peut supposer que Girodet a écrit son plaidoyer après cette date.

18. Dans une lettre passablement cérémonieuse adressée à M. Boutard le 28 septembre 1806, Girodet remercie le critique du *Journal de l'Empire* pour son «indulgence» à propos de la *Scène de déluge* exposée au Salon. Voir Coupin, 1829, t. II, p. 300. La seule autre lettre de Girodet à Boutard qui soit publiée à ce jour est beaucoup plus chaleureuse, et datée du 7 mai 1821 (*ibidem*, p. 301-302).

19. Manuscrit cité note 15, fol. 5886.

20. M.B. [Jean-Baptiste Boutard], «Salon de 1812 - n° IX, M. Girodet-Trioson», *Journal de l'Empire*, 12 décembre 1812, p. 4. Boutard récuse plus succinctement la même accusation dans son quatrième article sur les prix décennaux (*Journal de l'Empire*, 26 septembre 1810, p. 2).

21. «Salon de l'an VIII, Girodet et Gérard», *Journal des débats*, 11 brumaire an IX [2 novembre 1800], p. 2.

22. «Peinture», *Journal des débats*, 2 messidor an X [21 juin 1802], p. 2-3, article écrit après la présentation du tableau dans l'atelier de Girodet à l'été 1802; et «Salon de l'an dix - n° V, Girodet», *Journal des débats*, 9 vendémiaire an XI [1er octobre 1802], p. 1-3.

23. M.B., «Salon de l'an XII - n° IX (M. Girodet)», *Journal des débats*, 24 brumaire an XIII [15 novembre 1804]. Boutard énumère les différents points sur lesquels Girodet surpasse le savoir-faire des autres élèves de David et du maître en personne.

24. M.B., «Salon de l'an 1806 (n° III), M. Girodet», *Journal de l'Empire*, 2 septembre 1806, p. 1-3; M.B., «Salon de 1808 - n° IV, M. Girodet», *Journal de l'Empire*, 24 octobre 1808, p. 1-3; et M.B., «Salon de 1808 - n° IX, M. Girodet», *Journal de l'Empire*, 19 novembre 1808, p. 1-4.

25. Une dénonciation singulièrement cinglante et sans détour du soutien apporté par Boutard à Girodet en 1808 figure dans la plaquette satirique *Première journée d'Cadet Buteux au Salon de 1808*, Paris, Aubri, 1808, p. 3-7. L'auteur englobe dans son accusation les frères Bertin, en particulier l'aîné, beau-frère et employeur de Boutard, ami personnel de Girodet et, de plus, propriétaire du principal envoi de Girodet au Salon de 1808, *Atala au tombeau* (cat. 73).

26. «Salon de l'an VIII, portraits peints par des femmes», *Journal des débats*, 6 brumaire an IX [28 octobre 1800], p. 1-2. L'ouverture d'esprit dont il fait preuve à cet égard ne l'empêche pas de tourner parfois en ridicule les femmes qui essaient de s'élever au-dessus de leur place assignée dans la hiérarchie des genres. Voir, par exemple, ses remarques au sujet des tableaux de Marguerite Gérard dans son «Salon de l'an dix - n° III, Gianni, Mlle Gérard, Roehn, César Van Loo», *Journal des débats*, 30 fructidor an X [17 septembre 1802], p. 3.

27. Voir notamment les commentaires de Boutard sur *L'Enlèvement d'Iphigénie* de Benjamin de Rolland, un obscur élève de David, dans «Salon de l'an IX – n° X, Huë, Rolland, Senave», *Journal des débats*, 10 vendémiaire an X [2 octobre 1801].

28. Siegfried, «The Politicisation of Art», *loc. cit.*, 1994, p. 16-22.

29. Voir notamment les réflexions de Boutard sur *La Mélancolie* de François-André Vincent dans «Salon de l'an IX - VIII, Vincent, Meynier», *Journal des débats*, 3 vendémiaire an X [25 septembre 1801], p. 2.

30. «Salon de l'an IX - n° IX, Garnier, Isabey, Prudh'hon, Chatillon», *Journal des débats,* 8 vendémiaire an X [30 septembre 1801], p. 2.

31. «Salon de l'an IX - n° V, Demarne, un mot sur les peintres méditatifs», *Journal des débats*, 28 fructidor an IX [15 septembre 1801], p. 3. Voir également le «Salon de l'an VIII», *Journal des débats*, 14 brumaire an IX [5 novembre 1800], p. 3 : «Dans l'exercice des arts comme dans les habitudes de la vie ordinaire, cette bizarrerie, qu'on veut bien appeler *de l'originalité*, est le signe de l'orgueil et de la médiocrité; on fait autrement que les autres pour n'avoir ni la peine de faire aussi bien, ni la honte d'avoir fait moins bien.» Sur les «penseurs», voir George Levitine, *The Dawn of Bohemianism : The Barbu Rebellion and Primitivism in Neoclassical France*, University Park, Pennsylvania State University Press, 1978.

32. M.B., «Exposition des tableaux admis au concours pour le prix décennal (IIe article)», *Journal de l'Empire*, 10 septembre 1810, p. 3 (c'est moi qui souligne).

33. M.B., «Prix décennaux (quatrième article)», *Jou de l'Empire*, 26 septembre 1810, p. 1 : «Les personn muets de la peinture rappellent bien, et très bien quel fois, à notre souvenir des faits dont nous avions conr sance; mais cette connaissance première, ils n'auraier nous la donner. Le tableau le mieux composé ne sa de lui-même nous apprendre un seul fait *particulier*, moins une série de faits.»

34. *Ibidem,* p. 2.

35. Voir les réflexions séduisantes, mais pas entière convaincantes me semble-t-il, sur les connotations impériales présumées des articles de Boutard, in Sieg «The Politicisation of Art Criticism», 1994, p. 16-22.

36. M.B., «Salon de l'an 1806 - n° Ier», *Journal de pire*, 16 septembre 1806, p. 2. Boutard exprime le m dédain pour la peinture de bataille à l'occasion des décennaux : «En exigeant des peintres et des sculpt chargés de travailler sur des sujets nationaux qu'ils se ferment dans l'imitation stricte et minutieuse des faits costume, on les prive de presque toutes les ressource l'art, on le jette en quelque sorte hors de ses voies.» M «Exposition des ouvrages de sculpture admis au conc pour les prix décennaux (IIIe article)», *Journal de l'Em* 14 septembre 1810, p. 1.

37. Les conceptions théoriques énoncées dans bien écrits de Boutard présentent des similitudes étranges celles que l'on trouve dans les textes fondateurs de Cle Greenberg, tels que «Avant-Garde and Kitsch» (193 «Towards a Newer Laocoon» (1940). Ces textes sont re et accompagnés d'analyses passionnantes rédigées Timothy J. Clark et Michael Fried, in Francis Frascina (*Pollock and After : The Critical Debate*, New York, Ha and Row, 1985, et réédition, New York, Routledge, 2 p. 21-88. Voir également «Avant-garde et kitsch», in *Culture*, traduit de l'anglais par Ann Hindry, Paris, Ma 1989, p. 9-28.

38. L'analyse la plus récente et la plus fouillée de ce p artistique de Girodet est celle que propose Susan H. L. 1996.

39. Sur l'originalité calculée du tableau, voir Libby, *ibi* p. 117-164. Sur les liens entre son iconographie comp et les variations incessantes de la situation politiqu France, voir G. Levitine, 1978, p. 173-195.

40. «Peinture», *Journal des débats*, 2 messidor [21 juin 1802], p. 2-3. Boutard conclut son article pa mots : «N'en déplaise aux artistes penseurs, il y a beau plus de mérite et de difficulté à faire, je dis à dessin peindre un bon tableau, qu'à imaginer un poème à tre sur toile.» Les réflexions de Boutard sur *Ossian e guerriers* ont suscité un article incendiaire, où il est ac d'exalter le «mécanisme de l'art» au détriment de la c tion : L.V., «Tableau de Girodet. Un mot, en passant deux mots du feuilleton des Débats», *Journal des arts sciences et de la littérature par une société d'homme lettres et d'artistes*, n° 211, 5 messidor an X [24 juin 18 p. 14-16.

41. À propos de la *Scène de déluge*, Boutard écrit : « le tableau de M. Girodet ne se fait pas admirer seuleme

ıx qui attachent surtout du prix à l'invention d'un sujet, au
oix des situations, à l'expression des passions, à ce qu'on
pelle enfin la pensée ; il n'étonne pas moins par l'habileté
l'artiste, qui a su se préparer, dans un petit nombre de
ures, une multitude de moyens de faire l'application de
science ; en sorte qu'en même temps qu'il semble aux
ns du monde n'avoir voulu que disposer et leur faire voir
e des plus terribles scènes dont leurs cœurs puissent
e émus, les artistes reconnaissent qu'il s'est proposé à
même, et qu'il a surmonté, ce que la peinture a de plus
ıdes difficultés. » M.B., « Salon de l'an 1806 (n° III),
Girodet », *Journal de l'Empire*, 27 septembre 1806, p. 2.
ns ses commentaires ultérieurs sur la *Scène de déluge*
occasion des prix décennaux, en 1810, Boutard accorde
peu plus d'attention à l'originalité de la composition et à
ventivité de l'iconographie, mais il estime encore que le
leau méritait surtout de recevoir un prix en raison de sa
ılité d'exécution. M.B., « Exposition des tableaux admis
concours pour le prix décennal (I⁰ article) », *Journal de
npire*, 1⁰ septembre 1810, p. 1-2 ; et M.B., « Prix décen-
ıx (quatrième article) », *Journal de l'Empire*, 26 septem-
1810, p. 1-4, où Boutard répond aux remarques du
ne critique et futur homme d'État François Guizot dans le
ırnal de Paris. Dans *La Révolte du Caire*, Boutard admire
ncipalement le talent avec lequel Girodet a su dépasser
conventions de la peinture de bataille et leurs limites
nétiques pour introduire des nus magnifiquement dessi-
. M.B., « Salon de 1810 - n° IX, M. Girodet », *Journal de
npire*, 21 décembre 1810, p. 1-4.
ıaçon dont la *Scène de déluge* et *La Révolte du Caire*
ouent les conventions de leurs genres respectifs est ana-
e avec la plus grande intelligence par Darcy Grimaldo
gsby, dans sa thèse « Classicism, Nationalism and
tory », 1995, p. 363-451, et dans son livre *Extremities*,
2, p. 105-163.
Roland Barthes, « La mort de l'auteur » (1968), in
vres complètes*, nouvelle édition revue, corrigée et
sentée par Éric Marty, Paris, Le Seuil, 2002, t. III, p. 44.
les répercussions de ce texte fondateur dans l'histoire
art, voir les analyses éclairantes de Griselda Pollock,
gency and the Avant-Garde : Studies in Authorship and
ory by Way of Van Gogh », *Block*, n° 15, 1989, p. 4-15,
Artists Mythologies and Media Genius, Madness and
History », *Screen*, vol. 21, n° 3, 1980, p. 57-96.

Susan Libby

« **Je préfère le bizarre au plat** »
Ossian et l'originalité

« *Bizarre, fantasque, capricieux [...]*, termes qui marquent tous un défaut dans l'humeur ou l'esprit ; par lequel on s'éloigne de la manière d'agir ou de penser du commun des hommes [1]. »

L'avertissement de Girodet à ses élèves, « je préfère le bizarre au plat [2] », semblerait plus logique venant d'un Matthew Barney que d'un peintre néoclassique. En tout cas, ce genre de formule prend à rebours les théories traditionnelles qui voudraient que le bizarre soit la conséquence fâcheuse d'une originalité mal comprise. Mais, depuis le début, l'individualité artistique est la grande affaire de Girodet, qui a très vite adopté le bizarre comme corollaire triomphal de l'originalité. Par ses entorses systématiques aux doctrines régissant la création artistique, en particulier dans ses œuvres de jeunesse, il a contribué à transformer ce qui passait pour une forme d'aberration au XVIIIe siècle en une marque du génie, reconnue comme telle à la date de sa mort en 1824. Son acte de rébellion esthétique le plus novateur réside peut-être dans *L'Apothéose des héros français morts pour la Patrie pendant la guerre de la Liberté* (Salon de 1802), un tableau dont il explique longuement les hardiesses dans une lettre à Bernardin de Saint-

Pierre. Les réactions dans la presse, radicalement divisées sur les intentions transgressives du peintre, portent ces stratégies créatives sur la place publique.

Comme on va le voir, la création d'*Ossian* **(cat. 21)** et son accueil au Salon participent du rôle joué par Girodet à la charnière entre le règne de la raison au XVIIIe siècle et la valorisation de l'inventivité personnelle au siècle suivant. Personne ne conteste les mutations considérables intervenues dans la conception de l'art et du métier d'artiste vers la fin du XVIIIe siècle, lorsque le principe d'imitation de la nature a commencé à céder la place à la notion d'expressivité individuelle, autrement dit à l'idée moderne de l'autonomie créative de l'artiste, que sa vision singulière dispense d'adhérer à la perception courante de la réalité extérieure, et donc à celle du public [3]. Écrivain et théoricien tout autant que peintre, Girodet est au plus haut point qualifié et motivé pour diriger ses

ambitions intellectuelles et artistiques considérables vers l'incarnation de cet idéal. L'évolution des mentalités met en jeu des mécanismes extrêmement complexes et Girodet n'est jamais qu'un des acteurs d'une scène culturelle beaucoup plus vaste. Malgré tout, la réalisation d'*Ossian* et la réaction du public à ce tableau éclairent l'un des aspects les plus méconnus et les plus attachants de Girodet : son rôle catalyseur dans la montée en puissance des conceptions modernes du génie et de l'originalité.

Si *Le Sommeil d'Endymion*, son premier envoi au Salon (1793), traduit un ardent désir d'originalité[4], c'est avec *Ossian*, commandé pour le château de Malmaison, que Girodet pénètre dans le domaine du bizarre. Ce tableau constitue une œuvre très étrange, aujourd'hui comme hier. Au milieu de la composition touffue, le barde aveugle ouvre les bras aux officiers de Bonaparte morts au combat, tandis que des jeunes filles rousses accourent à leur rencontre en jouant de la harpe ou en portant des offrandes. À l'arrière-plan (si l'on peut encore appeler arrière-plan cette partie d'une évocation éblouissante de l'immatériel), on aperçoit dans le brouillard une multitude de guerriers ossianiques, avec leurs casques et leurs boucliers. Le tableau en reproduction présente des tonalités jaunes caractéristiques des compositions à dominante gris argent, et les formes se découpent nettement.

Dans la réalité, on se retrouve face à un déploiement époustouflant d'anatomies aux contours fondus dans la brume. Les silhouettes, peintes dans des tons gris clair ponctués du roux des chevelures, se désagrègent comme la vapeur qui se dissipe. L'illusion d'immatérialité est si forte que l'on a l'impression de pouvoir passer la main à travers la toile pour atteindre le royaume d'Ossian. Cette prouesse technique a son

importance, car les objectifs de Girodet peintre, qui vise à sublimer les corps solides en éther impalpable, sont directement liés aux buts qu'il poursuit en théoricien et en adepte de l'originalité. Les comptes rendus dans la presse revêtent des allures de débat public sur l'esthétique, où les critiques réagissent à la réhabilitation plastique du bizarre proposée par Girodet.

Mais avant d'en venir à la conception d'*Ossian* et à son accueil, il convient de souligner certaines constantes de la théorie artistique en France, étant donné que tout, dans ce tableau, s'en écarte délibérément. Les théoriciens du début du XVIIIe siècle, par exemple Roger de Piles, Jean-Baptiste Dubos, Charles Batteux ou Michel-François Dandré-Bardon, souscrivent en général au modèle classique centré sur l'imitation de la nature. Ils appréhendent la création artistique en termes d'oppositions binaires, telles que réel-imaginaire, raison-irrationalité ou conformité-transgression[5]. Ces notions issues de l'esthétique classique restent vivaces au XIXe siècle, comme l'attestent les discussions autour de Girodet. L'artiste, très cultivé, devait sûrement connaître les traités de tous ces auteurs. Du reste, il cite nommément Dandré-Bardon dans ses écrits ultérieurs.

Les antinomies perçues par les théoriciens du XVIIIe siècle servent à séparer le vraisemblable (imitant la nature) de l'invraisemblable (éloigné de la nature), et à privilégier le premier en discréditant le second. Imiter la nature, c'est donner une représentation rationnelle (fidèle) de la réalité visible. En dévier, c'est risquer à tous les coups de produire du monstrueux et de l'incompréhensible (irrationnel) ou, si l'on préfère, du bizarre. On conçoit mal qu'un artiste aboutisse à d'heureux résultats par la pure invention au sens actuel du terme, c'est-à-dire par l'opération consistant à faire naître les images de son esprit, sans passer

21 Girodet, *L'Apothéose des héros français*, détail

: l'intermédiaire de la nature ou d'un autre art, afin de créer de belles
vres. Quand ces auteurs reconnaissent la possibilité de l'invention pure,
st le plus souvent pour la condamner sévèrement. Dubos, appliquant
précepltes de l'*Art poétique* d'Horace à la peinture, met en garde contre
recherche d'originalité, qui ne «produira que des chimères bizarres»
ez un artiste dont le cerveau devient «incapable de [lui] représenter la
ture telle qu'elle paraît aux autres hommes[6]». Batteux estime également
e l'on ne peut laisser l'esprit humain livré à lui-même. C'est pourquoi
onvient de toujours s'appuyer sur la nature, quitte à l'arranger un peu
ur les besoins du bon goût et de l'esthétique, tandis que l'imagination
églée ne produira jamais que les terribles monstres et les chimères
oncés par les théoriciens, «un chaos plutôt qu'un monde[7]». On
onnaît là un thème qui traverse en permanence la théorie de l'art
çaise : la singularité engendre l'incompréhensibilité, qui est une
action aux normes, tandis que la conformité donne le jour à une
nographie aisément reconnaissable par tous et donc utile à la société.
tte dualité du singulier et du collectif se résorbera dans l'interprétation
derne du génie, où, désormais indissociable de l'originalité, il sera
çu comme un corollaire obligé de la singularité. Girodet consacrera
e grande partie de sa carrière à la défense de cette idée.
À l'époque, les mots «original» et «originalité» s'emploient rarement
s le discours théorique sur l'art, ou alors dans un sens péjoratif, à
elques exceptions près. Comme le souligne Roland Mortier, dans
rance du XVIIIe siècle, l'originalité «reste une denrée suspecte[8]»
ucoup plus longtemps qu'en Angleterre ou en Allemagne.
ncyclopédie de Diderot distingue les deux valeurs positive et négative
l'originalité dans les beaux-arts, non sans réaffirmer la conviction

qu'elle a tôt fait de dégénérer en bizarrerie : «Peinture, tableau *original* se prend en bonne et en mauvaise part ; en bonne, lorsque dans un tableau tout y est grand, singulièrement nouveau ; et en mauvaise, lorsqu'on n'y rencontre qu'une singularité bizarrement grotesque[9].» La pure invention de formes dictée par la sensibilité personnelle de l'artiste semble possible, mais inefficace et malencontreuse. Dans ces conditions, la création artistique représente un équilibre précaire entre inspiration et raison, un jeu dangereux qui a pour objet d'atteindre la *mimesis* parfaite sans glisser sur la pente de la folie.

Parmi les prédécesseurs de Girodet au XVIIIe siècle, c'est surtout Denis Diderot qui admettait clairement que l'«originalité» dans son acception actuelle pouvait être souhaitable pour un peintre, qui admirait l'enthousiasme artistique tant décrié par les autres théoriciens et qui exaltait la conception moderne du génie comme créateur indépendant. En outre, il manifestait un souverain mépris pour l'enseignement académique ou n'importe quel système de règles censées gouverner la production artistique[10], avec un aplomb bien fait pour séduire le jeune et indocile Girodet. Cela dit, il est difficile de déterminer dans quelle mesure Girodet avait eu accès aux écrits de Diderot, car on oublie souvent que l'illustre philosophe exprimait des opinions minoritaires en son temps.

Avec *Ossian*, Girodet tente de démontrer, n'en déplaise à Batteux, que le chaos peut être encore un «monde». Il explique ses objectifs dans un texte, remarquable pour l'époque, qui énonce une théorie authentiquement moderne de la création artistique, en forme d'apologie du bizarre. C'est une longue lettre adressée à Bernardin de Saint-Pierre, dans laquelle Girodet déclare que ce tableau (*Ossian*) «est tout à fait [sa] création, sans [qu'il se soit] inspiré d'aucun modèle, ni pour le dessin, ni

pour la couleur, ni pour les effets, encore moins pour la conception [11] ».
Par là, il affirme haut et fort sa rupture avec l'enseignement traditionnel.
N'ignorant pas les dangers de l'entreprise, il recourt à une métaphore
qui deviendra plus tard un lieu commun romantique : «Eh bien, quand
on échouerait, il est beau de tomber des cieux. Icare ne put s'y soutenir
[…] et sa chute fut presque un triomphe [12].»

Girodet énumère tous les aspects d'*Ossian* inventés de toutes pièces,
et revendique fièrement sa déviance artistique en des termes qui
auraient horrifié la plupart de ses prédécesseurs : «La couleur grisâtre
[…] n'est pas non plus une imitation de quelque ouvrage de l'art, je
n'en connais aucun qui en fournisse l'idée ; c'est une pure inspiration :
c'est donc une création. […] La nature ne m'a donc point fourni ce
genre d'effet, ou si elle m'en eût offert le modèle, encore devrait-on
convenir que l'application en est neuve : c'est donc encore une sorte
de création [13].» Girodet dit exactement le contraire de Batteux, qui
proclamait : «L'esprit humain ne peut créer qu'improprement. […] en
dégradant la nature, il se dégrade lui-même et se change en une espèce
de folie. […] Le génie […] ne doit donc, ni ne peut sortir des bornes
de la nature même. Sa fonction consiste, non à imaginer ce qui ne peut
être, mais à trouver ce qui est. Inventer dans les arts n'est point donner
l'être à un objet, c'est le reconnaître où il est et comme il est [14].»

La réaction de David va d'ailleurs dans le même sens (même si
Girodet la présente sous un jour différent dans sa lettre [15]). Jean-Étienne
Delécluze rapporte que David, consterné par l'œuvre de son ancien
élève, s'écria : «Ah ça, il est fou, Girodet!… il est fou, ou je n'entends
plus rien à l'art de la peinture. Ce sont des personnages de cristal qu'il
nous a faits là… Quel dommage! avec son beau talent, cet homme ne
fera jamais que des folies… il n'a pas le sens commun [16].» Girodet fournit
pourtant une justification de ce que David considère comme un affront
au sens commun. Dans sa lettre à Bernardin de Saint-Pierre, il se targue
d'avoir su s'écarter magistralement de la nature, et il plaide aussi pour une
utilisation rationnelle du déraisonnable en faisant valoir que si des êtres
sont en réalité «des nuages, des vapeurs», on serait malvenu à leur donner
l'apparence de corps solides : «On a reproché de la confusion aux figures
dans ce tableau ; mais ce sont des nuages, des vapeurs qui, quoique sous la
forme humaine, conservent leur propriété de se presser, de se confondre,
sinon totalement, puisqu'il n'en résulterait plus aucune sensation, du
moins dans quelques parties, de manière à ne pas offrir des corps solides
qui seraient alors absurdes, portés sur des nuages. […] Cette difficulté,
si toutefois je pouvais me flatter de l'avoir surmontée, serait encore une
conquête nouvelle pour la peinture [17].»

Si la fidélité à la nature est absurde quand il s'agit de peindre des
êtres vaporeux, il faut y renoncer pour obtenir un tableau véridique.

cat. 21 Girodet, *L'Apothéose des héros français*, détail

Le raisonnable devient donc absurde et c'est le souci de vérité qui
réclame l'invention pure. Par une acrobatie mentale qui transforme
l'irrationnel en son contraire, et va même jusqu'à le redéfinir comme
une protection contre l'absurdité, Girodet mêle la théorie et la pratique
dans une sorte de manifeste de l'originalité dont le bizarre devient un
ingrédient indispensable. Le bizarre est à présent un triomphe, à l'instar
de la chute héroïque d'Icare. La lettre de Girodet se présente tout entière
comme une réfutation minutieuse de l'esthétique traditionnelle. La
démonstration plastique qui l'accompagne renouvelle les paramètres
classiques de la peinture : si la validité de la peinture repose sur sa fidélité
à des réalités naturelles comme l'espace et le volume, sans parler des unités
aristotéliciennes de temps, de lieu et d'action, Girodet va incorporer le
tangible dans l'idée et le symbole au sein d'une allégorie anachronique,
réussissant par là ce qui était supposé impossible, et interdit, au peintre.

Ossian provoque des réactions diamétralement opposées chez les
critiques, qui encensent ou éreintent la démarche imaginative de
Girodet. Mais qu'ils soient pour ou contre, ils se sentent tous obligés de
s'interroger sur des points essentiels de la conception dominante de la
création artistique : quels liens unissent la peinture à la nature ? L'artiste
peut-il être fondé à «sortir des bornes de la nature» et, si oui, à quel
moment ? Ces dérives de l'imagination signalent-elles un talent supérieur
ou sont-elles de simples bizarreries ? *Ossian* place les critiques devant une
série de données picturales difficiles à verbaliser et très nouvelles, voire
sans précédent. Au lieu de décrire et juger, ils se lancent en fait dans un
réexamen public de l'esthétique traditionnelle.

Les commentaires favorables à *Ossian* vantent sa nouveauté et son
audace. Un article dans *Le Journal des débats* souligne l'originalité du
tableau (en employant pour une fois l'épithète «original» dans un

s élogieux) et présente Girodet comme un héros qui a accompli
 saut intrépide dans l'inconnu : «Ce qu'il faut remarquer, c'est que
te composition vraiment originale offrait à l'art des difficultés toutes
uvelles à surmonter. […] cette lumière des météores […] dont on n'a
 de modèle ici-bas […] prouve combien, malgré toute la fougue de
 imagination, il est […] maître de son art [18].»
Les comptes rendus franchement hostiles dénoncent sur le mode
bituel les infidélités à la nature, les invraisemblances de la représentation
es manquements à la règle classique des unités de temps, de lieu et
ction. Certains critiques relaient le discours de Dubos et de Batteux.
n d'eux déclare que «ce tableau n'est autre chose que le fruit d'une
agination en délire, ou plutôt ce n'est pas un tableau [19]». Un autre
rme : «La peinture est tellement l'esclave de la nature que, dès qu'elle
t s'affranchir de son autorité, elle s'égare et se perd. On pourrait dire
e toutes les fois qu'elle lui fait une infidélité, elle n'enfante que des
nstruosités; cette réflexion s'applique un peu au tableau de Girodet
résentant *La Réception des héros français qu'Ossian a chantés* [20].» Face à
e œuvre comme *Ossian*, il n'y aurait donc qu'une chose à faire, à savoir
r sa fonction de tableau, puisqu'elle ne satisfait pas aux exigences de la
nture. Cette négation reproduit le dualisme qui sous-tend la théorie
stique régnante : d'un côté de la ligne de démarcation, nous avons la
nture, reconnaissable à son ancrage dans la raison et à son respect du
de de vision dominant, et, de l'autre, le monstrueux, méconnaissable
s sa singularité, par conséquent impossible à peindre. Girodet redéfinit
aison et l'absurde dans sa lettre à Bernardin de Saint-Pierre et, de
me, en présentant au public un tableau aussi singulier, il amorce une
exion très moderne sur les conditions que l'art doit remplir pour
e reconnu comme tel. Ce que laissent entrevoir les fissures esthétiques
arues sur le terrain de la critique de Salon, c'est une autre idée du rôle
l'artiste. Non seulement la peinture doit rester fidèle à la nature, selon
radition, mais l'artiste aussi. La peinture est à la nature ce que le peintre
 à la société. Avec *Ossian*, et malgré l'hommage manifeste à Napoléon,
odet endosse le rôle de l'artiste rebelle, caractéristique du romantisme
 de la modernité.

Épilogue

Le rapprochement entre Girodet et Matthew Barney peut paraître
ficiel et pourtant, à leurs époques respectives, ils ont provoqué
eu près le même scandale. Comme son homologue américain
ntemporain, Girodet a bousculé les définitions de l'art (au moins dans
n de ses tableaux et une grande partie de ses écrits) non sans remettre
itablement en cause les présupposés de son temps sur les attributs de
rt et des artistes. Les discussions autour de Barney ne remettent peut-

être pas en cause la nature artistique de ses œuvres, les définitions figées
n'ayant plus cours depuis Duchamp (ou, selon Arthur Danto, depuis la
Caisse de Brillo de Warhol [21]), mais elles soulèvent des interrogations sur
son rôle d'artiste, qui rappellent les réactions suscitées par les offensives de
Girodet contre les conventions. Un critique remarque admirativement :
«Les mises en scène de Barney sont tellement déjantées qu'il est bien
le seul en mesure de dire comment les choses doivent se passer. C'est
son univers à lui [22].» Mais pareille présomption à la Icare peut encore se
retourner contre son auteur. «Le Bayreuth de Barney serait plutôt son
Waterloo, écrit Roberta Smith. […] Barney, disons-le, a fabuleusement
réussi à exaucer ses premiers rêves, un peu vagues, de pouvoir, de
domination et de suprématie artistiques. […] Le cycle *Cremaster* est une
quête de l'originalité en soi. C'est un combat interminable et désordonné,
où, comme la plupart des jeunes artistes, [il] n'a jamais toutes les bonnes
réponses à la fois [23].» L'artiste en pleine possession de son univers créatif
(«maître de son art») ou fourvoyé par son délire mégalomaniaque
(«la peinture est tellement l'esclave de la nature que, dès qu'elle veut
s'affranchir de son autorité, elle s'égare et se perd») : les termes du
discours esthétique sur l'originalité ont infiniment moins varié que l'art.

La définition du «bizarre» citée en exergue d'après l'*Encyclopédie* de
Diderot l'assimile formellement à la singularité, au non-respect de la
norme collective : «[…] on s'éloigne de la manière d'agir ou de penser du
commun des hommes.» C'est exactement ce que Girodet a constamment
cherché à faire : s'éloigner des modes d'action et de pensée courants,
transformer en don ce que l'on tenait autrefois pour un défaut. Si cet
écart volontaire est devenu par la suite un aspect essentiel des notions de
génie et d'originalité, on le doit en partie aux initiatives de Girodet, à
commencer par *Ossian*.

Traduit de l'anglais par Jeanne Bouniort

notes

1. Jean d'Alembert et Denis Diderot, *Encyclopédie, ou dictionnaire raisonné des sciences, des arts et des métiers*, 35 vol., Paris, Briasson, 1751-1780, t. II, p. 268.

2. Girodet faisait souvent cette remarque à ses élèves. Voir la « notice historique » de Coupin, 1829, t. I, p. xlvj. La formule est citée également par Delécluze, 1855, rééd. Paris, 1983, p. 270.

3. Plusieurs études fondamentales jettent un excellent éclairage sur l'évolution complexe des notions de génie, d'originalité et de création artistique en général, notamment M.H. Abrams, *The Mirror and the Lamp : Romantic Theory and the Critical Tradition*, New York, Oxford University Press, 1953 ; et Renssalaer W. Lee, « *Ut Pictura Poesis* : The Humanistic Theory of Painting », in *Art Bulletin*, vol. 22, n° 4, 1940, p. 197-269. Parmi les publications plus récentes, on retiendra : Moshe Barasch, *Theories of Art from Plato to Winckelmann*, New York, New York University Press, 1985 ; Moshe Barasch, *Modern Theories of Art from Winckelmann to Baudelaire*, New York, New York University Press, 1990 ; Annie Becq, *Genèse de l'esthétique française moderne, de la raison classique à l'imagination créatrice, 1680-1814*, Paris, Albin Michel, 1994 ; et John Hope Mason, *The Value of Creativity : The Origins and Emergence of a Modern Belief*, Aldershot, Ashgate, 2003. Il faut citer en outre les études plus critiques de Pierre Bourdieu, avec Alain Darbel et Dominique Schnapper, in *Les Règles de l'art, les musées d'art européens et leur public*, 2ᵉ édition revue et augmentée, Paris, Minuit, 1992 ; Rosalind Krauss, *L'Originalité de l'avant-garde et autres mythes modernistes*, traduit de l'anglais par Jean-Pierre Criqui, Paris, Macula, 1993 ; et Robert S. Nelson et Richard Shiff, *Critical Terms for Art History*, Chicago, University of Chicago Press, 1996, p. 103-115.

4. Voir en particulier Thomas Crow, « Observations on Style dans History in French Painting of the Male Nude », dans Bryson, Holly, Moxey (éd.), 1994, p. 141-167 ; Thomas Crow, « Revolutionary Activism and the Cult of Male Beauty in the Studio of David », in Bernadette Fort (dir.), *Fictions of the French Revolution*, Evanston, Northwestern University Press, 1991, p. 65 ; Alexandra K. Wettlaufer, *Pen vs. Paintbrush : Girodet, Balzac and the Myth of Pygmalion in Postrevolutionary France*, New York, Palgrave, 2001, p. 31-61 ; et Alexandra K. Wettlaufer, « Girodet/Endymion/Balzac : Representation and Rivalry in Post-Revolutionary France », *Word and Image*, vol. 17, n° 4, 2001, p. 401-411.

5. Charles Batteux, *Les Beaux-Arts réduits à un même principe*, Paris, Durand, 1746, et édition critique établie par Jean-Rémy Mantion, Paris, Aux amateurs de livres, 1989 ; Jean-Baptiste Dubos, *Réflexions critiques sur la poésie et la peinture*, 2 vol., Paris, J. Mariette, 1719, 1733 et suiv., et réédition Paris, École nationale supérieure des beaux-arts, 1993 ; Michel-François Dandré-Bardon, *Traité de peinture suivi d'un essai sur la sculpture pour servir d'introduction à une histoire universelle relative à ces beaux-arts*, 2 vol., Paris, Desaint, 1765, et réimpression, Paris et Genève, Minkoff, 1972 ; Roger de Piles, *Conversations sur la connaissance de la peinture et sur le jugement qu'on doit faire des tableaux*, Paris, N. Langlois, 1677, et réimpression, Genève, Slatkine, 1970 ; et Roger de Piles, *L'Idée du peintre parfait*, Paris, N. Langlois, 1699, et réédition, Paris, Le Promeneur, 1993. Michel Foucault analyse la peur de l'irrationnel au XVIIIᵉ siècle dans son *Histoire de la folie à l'âge classique*, Paris, Gallimard, 1972.

6. Dubos, 1733, partie E, section O, p. 15.

7. Batteux, 1746, p. 10.

8. Roland Mortier, *L'Originalité, une nouvelle catégorie esthétique au siècle des Lumières*, Genève, Droz, 1982, p. 93 et *passim*.

9. D'Alembert et Diderot, 1751-1780, t. XI, p. 648.

10. Les « Salons » de Diderot contiennent des réflexions particulièrement subtiles et percutantes sur la création artistique et sur la place de l'artiste. Voir Denis Diderot, *Œuvres*, édition établie par Laurent Versini, t. IV, *Esthétique, théâtre*, Paris, Robert Laffont, 1996. Voir également Else Marie Bukdahl, *Diderot, critique d'art*, t. I, *Théorie et pratique dans les « Salons » de Diderot*, traduit du danois par Jean-Paul Faucher, et t. II, *Diderot, les salonniers et les esthéticiens de son temps*, traduit du danois par Jacques Piloz, Copenhague, Rosenkilde et Bagger, 1980 et 1982.

11. Lettre de Girodet à Bernardin de Saint-Pierre, non datée, reproduite dans Coupin, 1829, t. II, p. 277.

12. *Ibidem*, p. 279.

13. *Ibidem*, p. 279-280.

14. Batteux, 1746, p. 10-11.

15. D'après Girodet, David aurait dit qu'*Ossian* « ne ressemblait à [la production] d'aucun maître ni d'aucune école ; qu'il n'avait jamais vu de tableau auquel il pût le comparer » (lettre à Bernardin de Saint-Pierre, reproduite dans Coupon, 1829, *t.* II, p. 278). Ce commentaire était sans doute moins élogieux que Girodet n'a voulu le croire.

16. Delécluze, 1985, p. 266.

17. Coupin, 1829, t. II, p. 280-281.

18. Un abonné, « Le tableau destiné au Premier consul », in *Journal des débats*, 2 messidor an X [21 juin 1802], p. 3.

19. *Revue du Salon de l'an X ou examen critique de tous les tableaux qui ont été exposés au muséum*, Paris, an X [1802], deuxième supplément, p. 184.

20. « Salon de l'an X », *Journal de la décade*, dans la *Collection Deloynes*, n° 804.

21. Arthur C. Danto, *After the End of Art : Contemporary Art and the Pale of History*, Princeton, Princeton University Press, 1997, p. 3-19 (*Après la fin de l'art*, traduit de l'anglais par Claude Hary-Schaeffer, Paris, Le Seuil, 1996, p. 18-25).

22. Chris Conti, « Matthew Barney : Cremaster Cycle 4 and 5 », in *Dialogue*, mai-juin 1999, p. 19.

23. Roberta Smith, « Matthew Barney : The Cremaster Cycle », *Artforum*, vol. 41, n° 9, mai 2003, p. 1.

Jean-François Lemaire

L'environnement
médical de Girodet

Tour à tour le plus proche ami de son père, le soutien de sa mère
enue veuve, son tuteur puis son père adoptif, le docteur Trioson aura
ompagné Girodet durant la plus grande partie de sa vie, jusqu'à sa propre
t survenue en 1815. À première vue, le portrait que le peintre fait en
0 de cet homme à l'autorité si naturelle incite à le ranger parmi les
édecins des Lumières» au plus près même de Vicq d'Azyr (1748-1794)
d'Antoine Petit (1726-1794), les deux personnalités dominantes de la
lecine française au tournant de la clinique auxquels, par ailleurs, il est lié
ne manière ou d'une autre[1]. À moins qu'il ne soit l'un de ces élus aux
s généraux qui donneront le meilleur d'eux-mêmes à la Constituante,
te à perdre la tête trois ans plus tard. Ou peut-être les deux à la fois?
ture trompeuse, car Trioson n'aura été ni l'un, ni l'autre!
Docteur de l'université de Montpellier, médecin par quartier
omte d'Artois, médecin des armées du roi», les trois titres qui

ronflent dans les éditions successives de l'*Almanach royal* soulignent
son niveau social sans rien nous dire de la place qu'il occupe au sein
de la communauté médicale ou qu'il tient dans la considération de
ses confrères. Jusqu'aux dernières années de l'Ancien Régime, le titre
de Montpellier demeure recherché[2], car cette faculté se considère
toujours alors comme la première de France, ce qu'elle peut revendiquer
historiquement depuis sa fondation au XIIIᵉ siècle, mais ce qu'elle n'est
plus vraiment pour la qualité de son enseignement. Le chic, pour les
futurs médecins appartenant à des familles fortunées est même de
mener leurs études à Paris, d'aller à leur terme, d'acquérir en quelques
mois le bonnet envié à Montpellier, puis de revenir le faire valoir dans
la capitale ou à la Cour. Le titre de médecin par quartier (trimestre) du
comte d'Artois, dès lors qu'il est vacant et que le candidat est honorable,
s'achète, comme la plupart des emplois ou «charges» de l'époque. Quant

III. 72 Anonyme, *Portrait de Vicq d'Azyr*
Dessin, Paris, musée d'Histoire de la médecine

à celui de médecin des armées du roi, il ne signifie pas que le titulaire ait été militaire à un moment de sa vie, mais seulement que l'intéressé a, durant un certain temps, été responsable de la santé de différentes unités cantonnées non loin de chez lui ou encore, de façon plus ponctuelle, payé de sa personne lors d'une épidémie affectant celles-ci. Son octroi présente deux avantages : il flatte le bénéficiaire et ne coûte rien aux finances royales.

Il existe cependant une clé pour nous permettre aujourd'hui de situer la valeur d'un médecin de l'époque, c'est de mesurer la place qu'il occupe, par sa présence ou ses «mémoires», au sein de la prestigieuse Société royale de médecine où, sous la baguette de Vicq d'Azyr, les «lumières» se bousculent au point d'en être parfois aveuglantes et dont les publications sont alors innombrables. Or, le nom du futur père adoptif de Girodet n'apparaît nulle part, ni dans la liste des membres[3], ni dans les sommaires, alors que, dans le même temps, les contributions du Dr René-Georges Gastellier, «bête noire» de Trioson à Montargis, sont assez conséquentes, toutes accompagnées de commentaires élogieux. Faut-il dès lors s'étonner de voir, dès le début de l'année 1791, Trioson renoncer à exercer la profession et ne plus s'occuper que d'agrandir son château montargois[4], de gérer sa quinzaine de propriétés, voire d'apprendre la géographie à ses enfants. Or, au moment de cette retraite prématurée, Girodet, à Rome, n'a pas encore entamé le tableau *Hippocrate refusant les présents d'Artaxerxès*, symbolisant le désintéressement du médecin au travers des siècles et destiné à son protecteur. Il peindra cette toile, l'année suivante, «tous les jours depuis six heures du matin jusqu'à huit heures du soir».

Bien que rien dans la correspondance entre les deux hommes n'y fasse allusion, cette œuvre, qui devait avoir un pendant[5], paraît bien dépasser pour l'artiste le niveau d'un hommage à l'activité quotidienne de son protecteur, réalisée dans un mouvement de gratitude pour tout ce qu'il lui doit. En outre, tirée de cette même correspondance, une séquence laisse perplexe. Il ne faudra pas moins de deux ans à Trioson pour diagnostiquer la sévère syphilis contractée par son protégé, alors que divers indices, indépendamment de son âge et de son isolement familial, auraient dû lui permettre de comprendre plus rapidement de quoi il s'agissait. Dès 1792, le médecin, à la fois sur le plan conceptuel et sur le plan pratique, est décidément bien éloigné de la médecine.

En Italie, deux praticiens vont tour à tour se pencher sur cette syphilis «invétérée». Le premier, Pierre Louis Maloet[6] (1730-1810), est un émigré qui a accompagné dans leur fuite les filles de Louis XV et soigne Girodet durant séjour de celui-ci à Rome. Le second, Domenico Cirillo (1734-1799), l'un des champions de la République parthénopéenne, prend le relais à Naple À première vue, tout les oppose, mais to deux sont, eux, d'excellents médecins. T en appartenant à la maison des vieilles et royales demoiselles, Maloet a durant plusieurs années fréquenté à Paris l'hôp de la Charité. Dès lors, aucune misère humaine ne lui est étrangère. Cirillo, de son côté, appartient à cette petite vingtaine de médecins consultés par correspondance aux quatre coins de l'Europe. Il a séjourné à Londres et Paris et ses propres travaux sur la syphilis, publiés à Venise en 1783, seront traduits en allemand, en anglaise et en français. Leurs soins seron éprouvants, mais efficaces. Le peintre guérira, conservant néanmoins d'assez pénibles séquelles qui le feront souffrir toute sa vie.

De retour en France, Girodet retrouvera Trioson, mais celui-ci, accablé de deuils, de protecteur deviendra bientôt son protégé. Deux autres médecins figureront alors parmi les proches de l'artiste, du moins dans les moments où Napoléon n'était pas en campagne. Court de taille, mais musculeux, le premier des deux est le chirurgier Dominique Larrey, chirurgien en chef, tantôt de la Garde, tantôt de la Grande Armée, et ce serait même à Girodet qu'il doit son surnom de «Hercule-basset» qui, de face, lui convient parfaitement. Au début de la Révolution, c'est dans l'atelier de David et par l'intermédiaire d'Élisabeth Laville[7], qui y étudiait la peinture et que le chirurgien épousera, que se forgeront entre les deux hommes de solides liens qu subsisteront jusqu'à la mort du peintre et dont une lettre porte un évident témoignage. Au lendemain d'Eylau (février 1807), l'Empereu avait décidé de mettre l'accent – une fois n'est pas coutume – sur le dévouement du service de santé qui, aux ordres de Larrey, avait, dès la fin de la bataille, organisé l'évacuation des blessés, donnant indistinctement les premiers soins aux Français et aux Russes. Vivant-Denon avait aussitôt ouvert un concours où une vingtaine de candid se pressaient. Pensant que Girodet figurerait parmi eux et avait toutes les chances de l'emporter, le chirurgien lui écrivait sans tarder : «Si

vous concourrez, comme je l'imagine […], je vous prie de (me) faire figurer près de la porte d'une grange où j'avais justement réunis les blessés de notre garde impériale. Cette proposition, mon cher ami, est d'autant plus fondée que j'étais le seul chef ayant dirigé sans désemparer le pansement de tous les blessés. C'est moi qui ai fait presque toutes les grandes opérations aux soldats blessés […] Mon collègue M. Percy n'a fait que paraître dans cette terrible journée et n'a point pratiqué une seule opération[8].»

Larrey pensait avoir écarté ainsi un souci qui l'obsède : éviter que, pour la postérité qui ne manquera pas de faire grand cas de cette toile, le chirurgien Percy, qui lui fait de l'ombre auprès de l'Empereur, ne prenne la place qu'il considère lui revenir[9]. Mais on ne saurait être trop prudent. Si d'aventure Girodet ne participait pas au concours, ce serait alors Gros qui devrait l'emporter. Aussi, ajoute-t-il : «L'avantage d'être peint par vous, mon ami, augmentera la satisfaction de mon cœur, si j'ai le bonheur d'occuper un petit coin de votre toile. Si contre mon attente, vous ne vouliez point traiter ce sujet, veuillez engager M. Gros à m'accorder cette satisfaction. C'est une vérité de plus qu'il placera dans son tableau […].»

Mais Larrey perdra la partie. Girodet, surchargé de travail, renoncera à concourir. Toutefois la commission aura été faite. Dans la première esquisse brossée par Gros, qui a effectivement obtenu la commande, Larrey est bien à l'honneur. Mais bientôt viendra l'ordre de Napoléon de donner cette place à Percy !

L'autre médecin, le chirurgien François Ribes, suit Larrey comme son ombre, Béarnais comme lui et tous deux liés par une indéfectible amitié durant toute leur vie. Dans la mesure où Girodet est l'ami de Larrey, il ne peut qu'être celui de Ribes. Que ce soit à Paris, dans les rares moments qu'ils peuvent consacrer à l'exercice civil de leur métier, lorsqu'on voit l'un au chevet d'un patient, l'autre n'est pas bien loin[10]. À plus forte raison aux armées et nul n'est surpris lorsque Ribes, recensant ses états de service, énumère «20 grandes batailles, 17 combats, 3 sièges» soulignant sa présence à Ulm, Austerlitz, Wagram, Eylau, Friedland ou La Moskowa. Les deux chirurgiens ne seront éloignés l'un de l'autre qu'en 1814, lorsque, au titre de la maison de l'Empereur, Ribes sera désigné pour figurer dans la suite de Pie VII regagnant ses États. Il saura alors se faire apprécier du pape, ce qui lui vaudra peu après les bonnes grâces des Bourbons, et il fera partie des chirurgiens chargés de l'autopsie de Louis XVIII. Il est alors devenu l'un des praticiens les plus sollicités de la capitale, partageant son temps entre de flatteuses relations, une clientèle huppée, l'Académie royale de médecine et des écrits scientifiques de bon niveau. C'est de ce moment que date son portrait.

Ill. 74 Girodet, *Portrait du docteur Ribes*
Huile sur toile, Montargis, musée Girodet

Durant cette seconde période de sa vie, une œuvre de Girodet a trait à la médecine. Certes, elle peut paraître modeste, s'agissant de la gravure placée en frontispice du premier volume des œuvres de Vicq d'Azyr publiées en 1805. Dans un décor néoclassique sont réunis, sous l'œil d'Hippocrate, les acteurs et les attributs susceptibles d'illustrer le passage de la médecine livresque à la médecine clinique : l'observation éclairée par le génie de la Science, présente un cadavre à la Médecine qui elle-même se tourne vers la Peinture. Trois étudiants, qui ont suivi l'évolution de l'affection «au lit du malade», attendent, avides d'ouvrir le corps, puis d'observer les lésions. Au premier plan, sur le sol, gisent plusieurs ouvrages d'érudition. La formation des médecins va désormais reposer sur l'anatomopathologie dont la connaissance, qui commence sur la table d'autopsie, se poursuit par l'étude de peintures représentant les organes lésés dans telle ou telle maladie.

Pour l'histoire de la médecine, cette simple gravure est essentielle. S'y trouvent pour la première fois représentées l'observation inlassablement prônée par Vicq d'Azyr et la leçon du cadavre. Or, c'est à partir de l'association de ces deux entités que la médecine moderne va se développer.

notes

1. Comme Trioson, Vicq d'Azyr apparient à la maison du comte d'Artois (médecin-consultant). Quant à Petit, il lui est apparenté par sa mère.

2. Pour en juger, on notera (*Almanach royal* de 1779 par exemple) que cinq médecins par quartier du roi sur huit relèvent de cette faculté et quatre sur quatre par quartier du comte d'Artois.

3. Une candidature de Trioson comme membre honoraire, titulaire ou « regnicole » (médecin installé dans le royaume) ne pouvait avoir qu'une issue favorable, mais encore fallait-il qu'il l'ait souhaité et publié – même peu – sur quelque sujet médical.

4. En 1791, Girodet l'interroge avec humour sur les travaux en cours dans son château, en particulier ceux visant « les cours, anticours, arrière-cours, archicours et basse-cours »

(25 novembre 1791). C'est l'année où Trioson se détache de la médecine.

5. Dans « *Girodet et Trioson, les tableaux de l'amitié* » (*Revue de l'art*, nº 123, 1999), A. Lafont hésite sur ce qui aurait été cependant : « *Hippocrate conduit auprès de Démocrite en démence présumée* » ou le chevalier Bayard, à Brescia, refusant un cadeau qu'il n'estimait pas justifié. Certes, dans cette seconde hypothèse, Bayard se montre aussi désintéressé qu'Hippocrate, mais dans un contexte tout à fait différent. Cependant, la préoccupation de Girodet n'était pas de peindre deux exemples de désintéressement, mais deux séquences alors très connues de la vie d'Hippocrate qui, au XVIIIe siècle, demeurait pour tout médecin la référence incontournable. De toute évidence, le pendant envisagé aurait lui aussi concerné le Maître de Cos.

6. On trouve dans les textes deux graphies pour ce nom, Maloet au XIXe siècle et Malouet au XXe siècle.

7. Élisabeth Laville était la fille du dernier – et éphémère – ministre des Finances de Louis XVI. Très liée avec la femme de David, elle vécut même au foyer du peintre durant la Terreur.

8. Bibliothèque nationale de France, département des Manuscrits, correspondance de Larrey NAF 5876 p. 116.

9. Durant les campagnes napoléoniennes, les deux chirurgiens ne cesseront de se chamailler pour la première place du Service de santé. L'Empereur ne tranchait pas, favorisant tantôt l'un, tantôt l'autre. En 1807, Larrey s'inquiète d'autant plus que Napoléon penche alors vers Percy. Ce que confirmera la fin de cet épisode.

10. Chacun des deux fait appel à l'autre, soit comme consultant, soit pour l'assister lors de l'intervention. Voir, par exemple, l'opération subie par Fanny d'Arblay en 1811 (F. d'A., *Souvenirs d'une Anglaise à Paris et à Bruxelles*, trad. fr., Paris, José Corti, 1992).

Girodet et l'estampe

Ce n'est que récemment que l'histoire de l'art a commencé à véritablement tenir compte de l'estampe dans l'étude et l'analyse de la peinture française de la fin du XVIII⁰ siècle et du début du XIX⁰ siècle. Cantonné dans un premier temps à l'estampe originale, c'est-à-dire aux gravures ou aux lithographies exécutées par les peintres eux-mêmes, cet intérêt s'étend désormais également, quoique encore timidement, à l'estampe de reproduction ou d'interprétation, celle d'après leurs peintures ou leurs dessins exécutée par des graveurs de métier. Girodet a très peu gravé lui-même : une gravure à la pointe, signée de lui, représentant son ami Chatillon **[ill. 75]**. Rapidement exécutée, séduisante dans son inachèvement même, elle n'était sans doute pas, dans l'esprit de son auteur, destinée à une large diffusion. Elle tient plutôt du témoignage amical destiné à un cercle restreint, celui des relations et des connaissances, à la rigueur des amateurs d'estampes enlevées, à la manière des collectionneurs de croquis et d'esquisses dessinées. À ce titre, elle s'intègre sans peine à l'album représentant les membres de l'atelier de Girodet, aujourd'hui conservé au département des Estampes de la Bibliothèque nationale de France **[ill. 76]**. Mais l'activité de Girodet en matière d'estampes est loin de s'être limitée à cette seule feuille. Elle est en réalité considérable, tant en quantité que pour ce qu'elle représente dans son processus créatif, s'étendant chronologiquement sur l'ensemble de sa carrière. On ne peut comprendre Girodet sans les illustrations des *Œuvres* de Racine, sans celles, pour lesquelles il travailla durant vingt ans, de l'*Énéide* ou de l'*Anacréon* publiés après sa mort. Ses relations avec Bernardin de Saint-Pierre ont, au-delà d'affinités littéraires ou philosophiques, été en même temps celles d'un illustrateur et d'un écrivain. Et la série des têtes d'expression d'après *Ossian*, également parues après son décès témoigne aussi bien du travail au sein de l'atelier du

gravé par A.L. GIRODET

maître, des relations qu'il pouvait entretenir avec ses élèves, qu'elle montre les possibilités ouvertes par la lithographie, nouvelle technique alors en plein essor. L'estampe est au cœur de la création chez Girodet parce qu'elle se trouve au croisement de ses multiples intérêts intellectuels, notamment la relation entre peinture et littérature, fondement intime de son art.

Estampe et éducation artistique

Comme tous les artistes de son temps, c'est par la gravure que Girodet s'est artistiquement formé. La connaissance directe qu'il put avoir de la peinture européenne, au moins avant son départ pour l'Italie, fut certes d'abord, comme celle de ses contemporains, fondée sur les tableaux alors visibles, plus ou moins facilement, à Paris : essentiellement ceux des collections royales (une partie en avait été régulièrement accessible au palais du Luxembourg entre 1750 et 1777), ceux des collections particulières, que l'on pouvait visiter et étudier sur autorisation (et notamment ceux des ducs d'Orléans, conservés au Palais-Royal avant leur vente par le futur Philippe-Égalité en 1791, suivie de leur passage et de leur dispersion en Angleterre) et bien entendu ceux des églises et des communautés religieuses. Il n'y avait pas de musée : le Louvre, inaugurant un mouvement français et européen, favorisé par la dispersion des œuvres à la suite des conflits de la Révolution, puis de l'Empire, n'ouvrit qu'en 1793. La gravure de reproduction était donc essentielle. Elle était facilement accessible à la Bibliothèque royale dont le cabinet des Estampes, fondé sous Louis XIV et constamment enrichi depuis lors, tenait le premier rang dans les collections européennes. Il était bien connu des artistes, qui pouvaient venir y trouver documentation et références, en dehors des portefeuilles que chacun avait pu se constituer pour lui-même, au gré de ses intérêts. Girodet eut ainsi, comme tous les artistes, une collection de gravures[1] dont, au dire de Coupin, il usa quand son tour fut venu de former des élèves : « Souvent, après les travaux de la journée, Girodet tirait de son immense collection de gravures un assez bon nombre de compositions de Michel-Ange, Raphaël, Jules Romains

et Poussin (ces quatre maîtres formaient, pour ainsi dire, le noyau de ses collections) ; il commentait et faisait l'analyse de leurs ouvrages avec une rare sagacité, et, surtout, avec un enthousiasme plein de verve et de naturel[2]. » La circulation naturelle de l'estampe au sein des ateliers était en outre renforcée par le fait que Paris, depuis plus d'un siècle, était au cent du commerce de la gravure en Europe, tant pour la production que pour la diffusion, que ce soit par l'existence d'une communauté prospère de marchands et d'éditeurs ou par le biais des ventes publiques, où la capitale tenait le premier rang. En cela, Girodet ne se distingua pas de se contemporains.

Il en alla ainsi pour la place essentielle que tint l'estampe dans son apprentissage technique du dessin, puis de la peinture. Comme il était naturel à l'époque, il apprit à dessiner en reproduisant des gravures, en particulier de détails anatomiques, comme en témoignent diverses mentions dans les lettres qu'il écrivait alors à sa mère. Lorsqu'il dit en être au paysage dans son apprentissage du dessin, c'est en réalité d'après gravure, et non d'après nature, qu'il travaille[3]. De même lorsqu'il aborde l'anatomie : « J'ay fini tous mes dessins d'anatomie Je moccupe à me mettre en état de dessiner d'après nature a l'academie ce printems prochain. Je mapplique beaucoup a la phisique et je suis exactement le cours d'Experiences de Mr Brisson au College de Navarre[4]. » On voit que Girodet sépare bien le « dessin d'anatomie », entendons d'après gravure, et le dessin anatomique « d'après nature », c'est-à-dire d'après le modèle vivant, qui prend la suite, l'un et l'autre s'intégrant dans une formation scientifique plus complète dans le cas de Girodet. Celui-ci apprit ainsi son art en partie par l'estampe. Que l'un de ses premiers projets en la matière ait été la publication d'un cours de principes de dessin n'a donc rien d'étonnant. Girodet, dès 1787, avait ainsi pris des arrangements avec un graveur (on ne sait lequel). Deux ans plus tard, en septembre 1789, il n'en avait pas encore terminé. Il semble d'ailleurs, à l'en croire, que le graveur ait été financièrement intéressé à l'affaire, voire qu'il en ait fait tout le fond : « Les arrangements que j'ai pris il y a deux ans avec un graveur, relativement aux principes que j'ai commencés, exigent que je continue ce qui en reste à faire, et que je mette en ordre ce qui est fait, pour qu'il puisse les mettre au jour. Ce serait de la dernière malhonnête de partir [en Italie] en le laissant dans l'embarras relativement à cet objet écrit-il ainsi au docteur Trioson[5]. Il termina en effet peu après les dessins originaux (conservés au musée de Montargis) et récupéra les planches, achevées ou non (il n'est pas sûr d'ailleurs qu'elles aient été éditées en 1790, aucun exemplaire n'en ayant été retrouvé) : elles figurent à sa vente après décès (« plusieurs planches gravées d'après des principes de dessin autre planches gravées et à graver[6] »). Achetées par un éditeur, Basset, elles furent publiées par lui en 1826[7].

III. 76 Colin (d'après), *Girodet entouré de ses élèves*
Lithographie, Paris, Bibliothèque nationale de France

Techniques

Dès la fin de ses années d'apprentissage, Girodet avait donc pris
ectement des contacts avec le monde des éditeurs et des marchands
estampes. Ceux-ci n'allaient plus s'interrompre : jusqu'à sa mort,
e part importante de son activité allait être orientée par ou pour la
avure et, à partir de la fin de l'Empire, par ou pour la lithographie.
r ces années comptent parmi les plus intéressantes dans l'histoire
l'estampe. D'abord d'un point de vue technique, avec plusieurs
volutions successives qui modifièrent profondément, outre son
hétique même, ses conditions de production et de diffusion,
incipalement, et dans un ordre chronologique, la mise au point de
gravure sur bois de bout, l'invention de la lithographie et celle de la
avure sur acier[8]. Soulignons d'emblée un point capital : Girodet ne
nble pas avoir été véritablement intéressé par la gravure sur bois de
ut ou la gravure sur acier, alors qu'il fut, comme d'autres élèves de
vid d'ailleurs, un des propagateurs de la lithographie en France aux
buts de la Restauration. Pour ce qui est de la gravure sur acier, mise
point en Grande-Bretagne et plus particulièrement à Londres dans
premières années du XIXe siècle, c'est probablement parce qu'elle ne
réellement introduite à Paris qu'à la fin de sa vie, dans les années
20, que Girodet, d'ailleurs engagé alors dans d'autres travaux, ne s'en
éoccupa pas[9]. Il en alla peut-être un peu différemment de la gravure
bois de bout. Il paraît vraisemblable que Girodet connut assez vite
te innovation technologique et ce qu'elle pouvait apporter, grâce
x Didot, en contact avec la Grande-Bretagne sur cette question
nt même que la paix fût complètement revenue[10]. Il en va tout
féremment de la lithographie[11] : ce n'est certes pas Girodet qui à
oprement parler l'introduisit en France. En revanche, il fut de ceux
l'imposèrent comme un moyen d'expression artistique à part
tière, ouvrant ainsi la voie aux artistes qui, après Géricault, Charlet,

Delacroix, Achille Devéria, Raffet (pour ne s'en tenir qu'aux Français
de la génération romantique), en firent une des techniques privilégiées
de l'estampe originale. Mise au point par le Bavarois Aloys Senefelder
en 1796-1798, elle fut très vite connue, tant en France qu'en Angleterre,
grâce à l'éditeur de musique Johann Anton André, qui voulut exploiter
commercialement le nouveau procédé, établissant ainsi des ateliers
d'impression à Londres, avec son frère Philipp, en 1800-1801, puis
à Paris, avec un autre de ses frères, Friedrich (1801-1802). Quand
Girodet connut-il précisément ce nouveau procédé ? On ne sait, ni
d'ailleurs quand il commença à le pratiquer, ou la fit pratiquer à ses
élèves : vers 1810 selon toute probabilité. Il en avait en tout cas mesuré
les possibilités. Alors que l'on cantonnait la lithographie à une simple
technique de reproduction, ou à celle d'une illustration courante
et marginale (en particulier pour les pages de titres des partitions
musicales), il en montra les possibilités esthétiques par une série de
feuilles indépendantes imprimées par Engelmann et publiées en 1816.
Godefroy Engelmann, Charles de Lasteyrie, vite suivis par François
Delpech et Charles Motte, imprimeurs et éditeurs, furent en effet,
peut-être autant que les artistes, ceux qui imposèrent définitivement
en France la lithographie, comme au même moment un Charles
Hullmandel (le futur éditeur de la *Suite anglaise* de Géricault) de l'autre
côté de la Manche. Plusieurs autres peintres célèbres, Guérin, Gros,
firent de même : on oublie trop souvent que la lithographie, associée,
et à raison, à l'école romantique, a d'abord été pratiquée, et en réalité
popularisée, par des artistes associés au classicisme, en tout cas à l'école
de David. Girodet fait ici partie d'un mouvement, ou d'un engouement,
plus général, tout en y gardant, comme on le verra plus loin, une
certaine originalité.

III. 77 Girodet, *Virgile couronné par les Muses*
Dessin, Angers, musée des Beaux-Arts

III. 78 Girodet, *Énée sacrifiant à Neptune* (*Énéide*, livre V)
Dessin, Stanford, Stanford University Art Museum

III. 79 Girodet (d'après), *Énée sacrifiant à Neptune* (*Énéide*, livre V)
Gravure, Paris, Bibliothèque nationale de France

Girodet et Didot : « Virgile »

C'est au moment où il partit pour l'Italie que commencèrent ses relations avec l'un des éditeurs les plus entreprenants de Paris, Pierre Didot, qui allait, pendant plus de dix ans, orienter toute une part de son travail vers la gravure d'illustration. En matière d'estampe, les éditeurs londoniens, depuis le milieu du siècle, étaient devenus de redoutables concurrents pour leurs confrères parisiens, aussi bien pour l'estampe «en feuilles» que pour le livre illustré. L'un des principaux, Boydell, avait lancé, en 1786, une édition des œuvres complètes de Shakespeare à laquelle devait collaborer la fine fleur des artistes britanniques, comme Reynolds, Füssli ou Benjamin West. Didot décida d'y répondre en publiant des recueils illustrés de plusieurs des grands auteurs français du XVIIe siècle (La Fontaine, Boileau, Racine) en même temps que celles d'un grand classique, Virgile. S'il lança à peu près de front tous ces projets dans les premières années de la Révolution [12], le *Virgile* fut en réalité le premier à être véritablement engagé [13]. Didot voulait en confier les dessins au seul David. Celui-ci (on était en 1790-1791), surchargé de travail et d'occupations avec notamment l'exécution du *Serment du Jeu de Paume*, partagea la tâche entre ses deux élèves les plus doués du moment, Gérard et Girodet. Ainsi que le raconte Didot dans le prospectus du *Virgile* publié en 1797, «sept années entières, et sept années de révolution, se sont écoulées depuis le début de cette entreprise qui cependant n'a point souffert d'interruptions [...]. Jaloux d'élever au Prince des Poètes un monument digne de sa gloire, je crus que je ne pourrais y réussir complètement qu'avec l'aide et la réunion de tous les autres qui pouvaient y concourir. Je fis part de mon projet à David, le premier peintre de la France et peut-être de l'Europe. Il l'accueillit avec enthousiasme, et s'offrit à faire les dessins lui-même ; ou du moins, si ses occupations ne lui permettaient pas d'y mettre assez de suite, il se proposa d'en confier quelques-uns à deux de ses élèves [14].» Girodet ne fut donc qu'indirectement engagé, au même titre qu'un camarade d'atelier, Gérard, qui d'ailleurs obtint de faire la plus grande partie des dessins demandés (seize sur un total de vingt-trois, Girodet étant chargé du frontispice et de six illustrations seulement [15]) [ill. 78]. Soulignons d'entrée le rôle majeur de David dans cette commande. C'est lui qui servit d'intermédiaire, y compris dans les paiements de Didot à Gérard et à Girodet, et c'est en fait lui qui dirigea artistiquement le projet, maintenant ses anciens élèves dans une sujétion certaine, puisqu'ils devaient lui envoyer leurs compositions pour corrections et reprises. Ce n'est donc pas dans ce travail que Girodet s'émancipa de la tutelle de David, comme il le fit au même moment en peignant *Hippocrate* et *Endymion*, d'autant que si ce *Virgile* devait lui rapporter un revenu dont il avait bien besoin (les conditions exactes du partage des sommes payées par Didot à David ne nous sont pas connues, pas plus d'ailleurs que leur total [16]), c'était en cachette du docteur Trioson dont il attendait toujours les versements. Il écrit ainsi de Rome, à Gérard rentré à Paris : «Quand tu verras M. David, je te prie de lui faire entendre que j'aurais été bien aise qu'il ne parlât pas à M. Trioson de l'argent qu'il doit m'envoyer. C'était une poire pour la soif que je n'aurais plus. M. Trioson ne manquera pas, à la première fois que je lui demanderais de l'argent, de me répondre que ce que M. David m'envoie doit m'aider beaucoup. Informe-toi là dessus à M. David de ce qu'il a dit au docteur, à qui je n'ai point parlé, ce qui aura encore l'air de dissimulation, lui ayant dit que ne gagnerais point d'argent ici. Informe-toi de tout cela, c'est-à-dire demande à M. David s'il a dit à M. Trioson combien il devait m'envoyer d'argent, pour quel chef c'était (ce qui serait une bien grande inconséquence de sa part, puisqu'il m'a lui-même recommandé le secret) et réponds-moi bien exactement, et promptement [17].» Que David ait gardé la haute main sur le *Virgile* est certain : les paiements de Didot l'attestent, comme les lettres de Girodet à ce sujet. Il semble bien que ce soit lui, en particulier, qui ait travaillé avec les graveurs chargés d'exécuter les planches (il existe des épreuves d'état portant son nom, alors qu'elles sont signées dans l'édition définitive de Gérard ou de Girodet). Certains se rappelèrent, plus tard, avoir collaboré avec lui, non avec ses élèves, au moment de la gravure des cuivres. Et il est probable que certains des dessins définitifs d'après lesquels la gravure fut faite (tous n'ont pas été retrouvés) aient pu être de lui, non de Gérard ou de Girodet, ou en tout cas que les feuilles de ces derniers furent très largement retouchées par lui avant de passer chez les graveurs [18]. Entre David d'une part, Gérard et Girodet de l'autre, il s'agit donc moins d'une collaboration que de la poursuite des rapports antérieurs entre un maître et ses élèves. Là où le séjour en Italie, puis le début d'une carrière indépendante à Paris, aurait pu les émanciper d'une tutelle encore étroite, le *Virgile* permet au contraire de perpétuer les pratiques de l'atelier parisien, même si il ne s'agit plus ici de peinture, mais de dessin et de gravure. D'ailleurs David n'avait pas une pratique ou une expérience de l'estampe qui aurait pu justifier sa position d'un point de vue purement technique. Les dessins d

rgile sont donc bien des œuvres sous tutelle, qui participent, d'une certaine façon, de l'émancipation de Girodet, ou plutôt de sa non-émancipation par rapport à David. Il est d'ailleurs surprenant qu'au moment même où, en peignant *Endymion*, il rompait stylistiquement avec son maître, il en soit resté si proche et si dépendant avec ces dessins. Ne négligeons pas l'aspect financier, certainement important : Girodet avait besoin de cet argent, et dut donc satisfaire les exigences finalement très autoritaires de David. Mais il semble les avoir acceptées somme toute sans grandes réticences, comme l'atteste le ton de ses lettres à ce sujet. Quoi qu'il en soit, David ne se priva pas de corriger son élève, sans que celui-ci se rebellât d'aucune façon : « Mon cher maître, lui écrit-il par exemple en janvier 1791, je n'ai que le temps de vous dire que nous vous envoyons 4 compositions ; Gérard *Vénus apportant les armes à son fils* ; *Tu, Marcellus eris*, au lieu de *Énée consultant la Sybille* ; et *La Mort de Didon*. Moi, je vous envoie l'ancien essai de *La Mort d'Anchise* ; *Les Dieux pénates d'Énée lui apparaissant pendant son sommeil* ; et *Ascagne combattant en l'absence de son père*. Vous deviez recevoir en place de celui-ci *Énée abordant en Italie*, mais ce sera pour le prochain envoi. Je ne sais si vous avez déjà reçu quatre compositions et nos deux portraits. Faites-nous passer le plus tôt possible vos intentions sur les changements que vous jugerez nécessaires. Aussitôt votre réponse reçue, nous y mettrons avec zèle et promptitude [19]. »

L'ensemble des dessins aujourd'hui conservés ne permet pas d'apprécier le détail complet des corrections apportées par David et de la progression du travail des trois protagonistes, car Gérard et Girodet ne travaillèrent probablement pas isolément, au moins pendant leur séjour commun en Italie et même après. « Fais entendre à David, écrit ainsi Girodet à Gérard en juillet 1791, que ma figure m'empêche actuellement de m'occuper de dessins, mais d'ici un mois ou cinq semaines je m'y remets et ne finirai que quand tous seront terminés. Tu peux être assuré de cela.

Quant à toi, je te prie instamment, vu le peu de temps que j'ai d'ici à la Saint Louis, de t'occuper toi-même de ceux dont tu t'es chargé. Ce sera à ton tour de te reposer quand je me mettrai aux miens [20]. » Mais ces corrections purent être importantes : Carol Osborne a ainsi souligné, dans l'illustration du livre V (90-93), *Énée sacrifiant à Neptune sur la tombe d'Anchise*, les importantes différences entre le dessin de Girodet, conservé au Stanford University Art Museum, et la gravure définitive par Massard (pour laquelle manque le dessin définitif), voyant probablement à juste titre la main de David dans le fait qu'Énée, primitivement représenté habillé, est figuré nu dans la gravure [ill. 79]. Le *Virgile*, peut-être parce qu'il s'agit d'une œuvre issue d'une triple collaboration, est ainsi perméable à la peinture du temps, à commencer par celle de Girodet lui-même : le *Songe d'Énée* [ill. 81] est par exemple très proche de la composition de l'*Endymion* (il faut d'ailleurs remarquer qu'au Salon de 1793, où le tableau fut exposé, figurait aussi la gravure de Godefroy pour *Le Songe d'Énée*, dite « d'après le citoyen David »), et *Énée et ses compagnons abordent dans le Latium* (cat. 108), qui annonce *Ossian* par sa composition, offrirait plusieurs réminiscences de David (la figure agenouillée, inspirée du *Saint Roch*, et le groupe de trois figures, à droite, reprise du *Serment des Horaces*). On ne peut nier le lien très étroit entre *La Mort de Pallas* du Metropolitan Museum et *La Douleur et les regrets d'Andromaque* de David (1783, Paris, ENSBA, en dépôt au Louvre). Par ailleurs, Gérard suit Girodet de près dans son illustration du livre XII (gravée par Copia), où la figure d'Énée reprend celle d'Horace dans *La Mort de Camille*, et Ingres, pour son *Napoléon trônant* est aussi proche du frontispice *Virgile couronné par les Muses* (également gravé par Copia) [21]. Et le dessin d'*Orphée et Eurydice* illustrant le livre IV des *Géorgiques*, donné à Gérard, est très proche de dessins et d'une esquisse de Girodet sur le même sujet, sans que l'on sache qui est, au juste, l'inventeur de la composition [22].

Même si son succès ne fut pas complètement ce que Didot avait espéré (à sa mort, en 1853, une bonne partie de l'édition était encore dans ses entrepôts, invendue), le *Virgile* fut bien reçu, plus d'ailleurs, semble-t-il, pour sa typographie et la blancheur de son papier que pour les illustrations proprement dites. Il avait été prévu de tirer, mais après achèvement de l'édition, des suites complètes à part (le tirage de tête étant donc entièrement réservé à l'édition imprimée), «pour les amateurs qui seraient curieux de les faire encadrer pour orner un cabinet, ou de les conserver en portefeuilles […]». Didot ajoutait : «Cette collection sera très précieuse, exposée de suite à la vue, elle rappellera sans cesse les beaux vers de Virgile, et retracera avec délices une grande partie des sujets nobles ou touchants que renferme son immortel ouvrage [23].» Dans son *Prospectus*, l'imprimeur avait insisté d'abord sur les gravures, ensuite sur la typographie et le papier. Mais la réaction des amateurs semble avoir été inverse, et le succès causé davantage par la blancheur du papier et la beauté des caractères (Didot avait accordé une très grande attention à ce dernier point, faisant fondre un nouveau caractère, le «Didot», concurrençant ainsi le «Bodoni» et le «Baskerville», la recherche graphique ne s'arrêtant bien évidemment pas, pour cet éditeur-imprimeur, à la seule illustration). Un rapport fut en effet demandé à l'Institut sur cette nouvelle publication. Signé de Camus, Lassus, Naigeon, Vincent et Regnault, il insiste sur ces points et se contente de rappeler que «les originaux des gravures du Virgile ne sont point, il est vrai, des tableaux ; mais ce sont des dessins d'excellents artistes, Girodet et Gérard [24].» Le *Virgile* fut néanmoins, pour Girodet, une réelle ouverture : ouverture technique d'une part, avec la nécessité de produire des dessins qu'on pourrait dire d'«exposition», destinés à la gravure, ouverture théorique également, avec la nécessaire réflexion sur le rapport précis de l'image et du texte qu'elle illustre. Au contraire de la peinture, l'édition illustrée juxtapose en effet l'un et l'autre, obligeant l'artiste à une plus grande fidélité au texte sans abdiquer pour autant son originalité propre. Girodet a sans aucun doute mûri, avec le *Virgile*, sa réflexion et sa pratique de la confrontation entre la peinture et la littérature. Carol Osborne a émis l'hypothèse d'un «consultant éditorial, connaissant son *Virgile* et capable de l'aider dans l'interprétation picturale des passages clés de l'œuvre», tant l'adéquation des illustrations de Girodet au poème de Virgile lui paraît remarquable [25]. Mais, grand lecteur, ayant sans aucun doute déjà réfléchi sur la question, il n'en avait pas besoin et fut sans aucun doute son propre conseiller. Le *Virgile* fut ainsi une occasion, déclenchant chez lui un processus créatif qui ne s'arrêta plus de toute sa carrière, lui permettant de mêler diverses orientations complémentaires : la création picturale, la réflexion théorique, son goût pour la littérature et, plus tard, la création littéraire même, par le biais de la traduction. L'*Énéide* allait d'ailleurs, de ce point de vue, constituer un axe majeur.

Girodet et Didot : Racine

Plus immédiatement, c'est encore Didot qui engagea Girodet dans un projet analogue : l'illustration des œuvres de Racine. On a vu que celle-ci, comme le *Virgile*, s'inscrivait dans une entreprise de grande envergure lancée par l'imprimeur dès les débuts de la Révolution, et qui bénéficia d'ailleurs de l'accueil des presses de Didot dans l'enceinte du Louvre en 1797, aux côtés des artistes hébergés dans le palais depuis l'Ancien Régime. Le prestige qu'il en retira (les publications qu'il y faisait ont depuis couramment été dénommées «éditions du Louvre», ce qui est le cas et du *Virgile* et du *Racine*) rejaillit également sur les peintres qu'il employait, le livre illustré passant du statut d'entreprise commerciale à celui d'œuvre d'art à part entière. Girodet est de ce point de vue caractéristique, puisque les deux séries de dessins qu'il exécuta pour le *Racine* furent exposés par lui au Salon, sous son nom, en même temps que ses peintures. Mais l'ensemble de dix dessins destinée au *Racine* traduit aussi une nette évolution par rapport à ceux du *Virgile*, tant dans les conditions de leur exécution que dans ce qu'ils purent représenter pour Girodet. «Je dois faire ici mention des dessins que j'ai composés pour le *Virgile* et le *Racine* in-folio, imprimés par M. Didot» écrit-il dans une lettre récapitulant sa carrière à Pastoret, chargé par l'Empereur d'établir un tableau des arts en France [26]. «C'est un tort pour les dessins de n'être que des dessins, ajoute-t-il, et cependant ils exigent la même conception et presque les mêmes études qu'un tableau, lorsqu'on s'y pique d'y mettre du style et du caractère ; il n'y a que le procédé d'exécution qui soit différent. L'artiste qui réussit dans ces sortes de dessins, ne peut être qu'un peintre d'histoire, ou un statuaire en droit d'attendre des succès dans ce qui constitue son genre proprement dit. Il est à remarquer que jusqu'alors on n'avait pas publié en France d'éditions de ces grands poètes, ni, je crois, d'autres ouvrages avec des compositions aussi soignées ; c'est du moins ce que suggèrent les compositions de ceux de mes habiles confrères qui ont travaillé comme moi pour ces éditions. Quelques grands maîtres du siècle de Louis XIV avaient, il est vrai, donné des dessins ou croquis pour orner des frontispices d'ouvrages, mais ils paraissent y avoir mis eux-mêmes peu d'importance, puisqu'ils ne peuvent augmenter leurs titres de gloire, et que la plupart sont inconnus aujourd'hui.» Récapitulant «ses principaux ouvrages depuis 1789», il cite naturellement *Endymion*, *Hippocrate*, *L'Apothéose des héros français*, les *Figures allégoriques* (*Les Saisons* d'Aranjuez) puis le *Racine* et le *Virgile* et enfin le *Déluge*. Girodet mettant donc ses deux séries d'illustrations sur le même plan que ses tableaux d'histoire les plus importants, mais le *Racine* a certainement joué un rôle majeur dans la prise de conscience commencée avec le *Virgile* de ce qu'c'est qu'illustrer un texte majeur.

Didot ne garda pas un très bon
[sou]venir de l'exécution du *Racine*,
[com]me en témoigne Paul Lacroix (le
[«B]ibliophile Jacob »), qui recueillit ses
[sou]venirs à ce sujet peu avant sa mort[27].
[« J']avais commencé, dit-il [il s'agit de
[Di]dot] avec une noble et touchante
[naï]veté, par le *Virgile in folio*, qui parut
[en] 1798, et par l'*Horace in folio*, qui le
[sui]vit de près ; mais ce n'était rien auprès
[du] *Racine*, auquel je travaillais depuis
[hui]t ans et qui vit le jour en 1801 :
[gra]ver et fondre les caractères, fabriquer
[le] papier, composer et imprimer les
[tro]is volumes *in folio*, ce ne fut pas là
[le] plus difficile, avec des ouvriers aussi
[ex]cellents que ceux qui s'étaient formés dans notre imprimerie ; oui,
[j'au]rais pu certainement réaliser mon projet, si gigantesque qu'il fût, de
[pu]blier ainsi dans le format *in folio* une collection des grands écrivains
[an]ciens et modernes. Mais la pierre d'achoppement a été l'exécution
[des] dessins et des gravures pour les estampes de mon *Racine* : j'aurais
[com]mandé sans peine une armée de cent ouvriers compositeurs,
[cor]recteurs et imprimeurs ; j'ai failli perdre la tête, quand je me suis vu
[au]x prises avec six ou huit peintres et douze ou quinze graveurs. C'était
[la T]our de Babel, avec la confusion des langues. J'en suis venu pourtant
[à m]es fins, et le *Racine* a été publié ; mais je n'ai pas osé tenter un nouvel
[ess]ai du même genre, et le *Molière* que j'avais projeté avec des estampes
[gra]vées d'après des dessins de Taunay, de Duplessis-Berteaux, de Monsiau
[et] d'autres grands artistes, n'a jamais été sous presse.» Le problème
[prin]cipal fut l'inclusion de Prud'hon, de l'initiative de Didot lui-même,
[qui] l'appréciait, ce qui provoqua une altercation assez vive avec David,
[qui] détestait Prud'hon et prétendait garder la main sur l'équipe engagée
[sur] ses conseils, comme pour le *Virgile*. Mais à ceci près, Didot suivit les
[mê]mes principes, comme d'ailleurs les mêmes hommes, tant les graveurs
[qu]e les auteurs des dessins. Deux différences notables séparent néanmoins
[net]tement le *Racine* du *Virgile*. En premier lieu le rôle de David, qui, peut-
[êtr]e majeur aux débuts du projet, en 1792, lorsqu'il fallut déterminer qui
[dev]ait fournir les illustrations, devint ensuite beaucoup moins important, en
[par]ticulier pour les corrections apportées aux compositions des uns et des
[aut]res. Une explication peut être trouvée dans sa propre activité, aussi bien
[art]istique que politique, qui l'aurait empêché de se consacrer autant qu'il
[au]rait voulu à un travail peut-être fastidieux pour lui. Une autre serait
[l'in]dépendance plus grande prise par les différents artistes impliqués, ou

les conséquences d'un travail désormais
bien au point entre les différents
intervenants, Didot, les dessinateurs et
les graveurs (dont plusieurs sortaient
d'ailleurs, comme Massard et Copia, de
l'atelier de David). Le choix, par Didot,
de donner à un seul les illustrations de
la même pièce favorisait d'autre part
une indépendance plus grande pour
chacun, chargé de concevoir son travail
comme un tout, complémentaire et
parallèle à la fois au texte de Racine[28].
Didot, qui voulait que «l'ensemble de
l'ouvrage [produise] sans bizarrerie une
variété piquante » et offre «le spectacle
intéressant d'une lutte honorable de
talents distingués[29] », répartit ainsi les douze pièces de Racine entre
sept artistes, chacun ayant une pièce non divisée. Moitte eut à faire *La
Thébaïde*, Chaudet *Britannicus*, *Esther* et *Athalie*, Gérard *Alexandre*, *Bajazet*
et *Iphigénie*, Serangeli *Bérénice*, Peyron *Mithridate*, Taunay *Les Plaideurs* et
Girodet *Phèdre* et *Andromaque*. Cette dernière tragédie avait été auparavant
attribuée à Prud'hon, qui avait exposé, au Salon de 1793, un dessin
représentant *Pyrrhus et Andromaque*[30]. Il semble que Prud'hon ait gardé
la commande jusqu'en 1796-1797 (avec d'ailleurs peut-être *La Thébaïde*,
qui lui avait aussi été attribuée), qu'elle ne soit donc passée qu'assez
tardivement à Girodet, et que celui-ci exécuta très rapidement ses dessins,
exposés au Salon de 1800, avant la publication des premières livraisons du
Racine par Didot, en 1801, ceux pour *Phèdre* l'étant au Salon de 1804[31].
Son travail pour le *Racine* se situe ainsi à la fin des années 1790, alors que
sa position à Paris s'est affermie, et son indépendance vis-à-vis de David
renforcée. Coupin notait ainsi, à juste titre, une évolution entre le *Virgile*
et les compositions pour *Andromaque*, fortement marquées par David, et
celles de *Phèdre*, plus originales et dégagées de son influence : «Dans le
commencement de sa carrière, Girodet éprouvait pour le beau antique
une admiration portée jusqu'à l'idolâtrie : persuadé que l'excellence de
l'art consistait principalement dans la précision, la finesse et la beauté des
contours, il porta cette précision jusqu'à la sécheresse, ainsi qu'on peut le
remarquer dans l'*Hippocrate*, dans les dessins de *Virgile* publiés par M. Didot
l'aîné, et dans ceux qu'il fit pour la tragédie d'*Andromaque* ; mais, il ne
tarda pas à s'apercevoir que cette précision ne suffisait pas pour rendre
la souplesse et la grâce de la nature, et les compositions de la tragédie de
Phèdre sont, déjà, un témoignage de la modification de ses idées : aussi
disait-il à ses élèves qu'il fallait tout sacrifier à la correction du dessin, mais

III. **81** Girodet, *Rodogune empêche Antiochus de boire la coupe empoisonnée* (Corneille, *Rodogune*, acte V)
Huile sur panneau, coll. part.

III. **82** Girodet (d'après), *Andromaque* (acte IV, scène V)
Gravure, Paris, Bibliothèque nationale de France

III. **83** Girodet (d'après), *Andromaque* (acte III, scène VII)
Gravure, Paris, Bibliothèque nationale de France

que cette correction devait être puisée dans l'étude de la nature. Il ajoutait au reste que, dans toute espèce d'imitation, il y avait un choix à faire, et, à cette occasion, il disait plaisamment que Raphaël n'aurait pas peint un soulier comme un homme vulgaire [32].»

Mis à part leur exposition au Salon, indépendante des gravures [33], le destin des dessins définitifs de Girodet pour le *Racine* fut analogue à ceux exécutés pour le *Virgile*. Restés entre les mains de Didot, qui les fit relier avec la gravure correspondante dans une édition de luxe offerte à son frère Firmin, ils furent vendus (sans succès, faute d'enchères suffisantes) par celui-ci en 1810. L'ensemble fut démembré par la suite, et tous ne sont pas aujourd'hui retrouvés. Mais les dessins préparatoires conservés, ainsi que les gravures, permettent de mesurer l'ambition et la réussite de Girodet, réussite déjà affirmée dans *Andromaque* mais devenue complète avec *Phèdre*. Les cinq compositions d'*Andromaque* sont essentiellement unies par leur décor, très simple et réduit à l'essentiel par l'artiste qui, pour ces scènes toutes d'intérieur, se concentre sur les personnages. Il est ainsi possible, dans un double mouvement, soit de «lire» la tragédie au travers des images prises en suite (seule possibilité laissée aux acquéreurs des gravures tirées à part du texte), soit de les apprécier en regard des vers précis qu'elles illustrent, puisque Girodet a cherché, suivant la tradition, à représenter le moment critique, moment critique de la scène mais aussi de la pièce. On assiste ainsi à la deuxième scène du premier acte, lorsque Oreste, ambassadeur des Grecs auprès de Pyrrhus, lui demande de tuer Astyanax pour que celui-ci ne venge pas Hector, son père défunt [34]. Vient ensuite la deuxième scène du deuxième acte, où Oreste retrouve Hermione, elle-même amoureuse de Pyrrhus qui lui préfère Andromaque [35]. Le déroulement de l'action est implicitement contenu dans les gestes d'Oreste, étonné du revirement d'Hermione en sa faveur, de Cléone, suivante d'Hermione, qui le soutient, et de l'attitude d'Hermione elle-même, à la fois réservée et prête à laisser croire à Oreste qu'elle lui est à nouveau favorable, son regard traduisant toutefois son attitude réelle, pleine de duplicité. L'illustration du troisième acte (scène VII) [**ill. 83**] revient aux autres protagonistes, Pyrrhus proposant le mariage à Andromaque comme seule issue pour sauver Astyanax, et ne lui laissant que le reste de la journée pour se décider [36]. C'est ensuite au tour d'Hermione de menacer Pyrrhus, qui admet l'avoir trahie pour Andromaque (acte IV, scène V) [37] [**ill. 82**]. La dernière illustration, attendu quant à son choix, représente Hermione rejetant Oreste après que celui-ci a tué Pyrrhus [38]. Le choix des scènes de *Phèdre* est analogue dans la détermination des moments cruciaux de la tragédie : aveu par Phèdre à Œnone de son amour incestueux envers Hippolyte (acte I, scène III) [39] **(cat. 112)** ; déclaration de son amour à Hippolyte (acte II, scène V) [40] **(cat. 113)** ; Hippolyte se détourne de son père Thésée au moment où celui-ci revient chez lui, et lui indique son épouse, Phèdre, comme la seule à pouvoir lui donner une explication de sa froideur (acte III, scène V) [41] **(cat. 114)** ; Thésée, persuadé par Œnone de l'amour coupable d'Hippolyte envers Phèdre, chasse son fils (acte IV, scène II) [42] **(cat. 115)** ; mort de Phèdre, confessant à Thésée son amour pour Hippolyte (dont le cortège funèbre, suivie par Aricie, est montré à l'arrière-plan), en présence de Théramène, le gouverneur d'Hippolyte, et de Panope, servante ayant remplacé Œnone après son suicide [43]. Il existe néanmoins, plus que dans la série d'*Andromaque*, une unité des différents dessins avec la présence, dans chacun, de la statue d'un dieu ou d'une déesse, qui préside, ainsi, immobile, à la tragédie humaine, et double en conséquence le registre de la représentation.

On peut suivre avec beaucoup plus de précision que pour le *Virgile* les étapes suivies par Girodet dans l'élaboration des dessins destinés au *Racine*. Là encore, tout n'a pas été conservé ni n'a été retrouvé, mais les

ilitudes entre les diverses feuilles aujourd'hui connues permettent
tablir un schéma général, que Girodet l'ait ou non suivi pour chacune
dix compositions. Le fait même que plus de dessins préparatoires
t été conservés pour le *Racine* que pour le *Virgile* est significatif
soin apporté par Girodet à sa création. Après une étape qui nous
appe mais qui est fondamentale, celle du choix de la scène, Girodet
mmence, traditionnellement, par de rapides croquis de mise en place
nsemble, exécutés au crayon ou à la plume. C'est à partir de ces croquis
un travail beaucoup plus approfondi se concentre sur les personnages
-mêmes, aboutissant à ces feuilles étonnantes et restées parmi ses
sins les plus célèbres où ils sont représentés nus, sans décor, mais dans
isposition définitive **(cat. 111)**. Cette manière de concevoir d'abord
le nu est bien évidemment héritée des années d'apprentissage chez
vid, qui n'avait cessé de procéder ainsi avant d'habiller les figures de
tableaux, y compris sur la toile même (ainsi dans la version finale du
ment du Jeu de paume ou, peut-être, dans le *Bara*). Girodet, néanmoins,
plus loin : le soin apporté à ces dessins préparatoires en fait des
vres à part entière, étranges justement dans le dépouillement des
sonnages qui existent par eux-mêmes, par leurs attitudes, sans décor
ans costume. C'était pousser le plus loin possible la réflexion sur le
âtre et sur la représentation. En éliminant tout l'accessoire, Girodet
concentre sur ce qui fait l'essentiel de la scène, le jeu de l'acteur, ses
tes, son expression. La qualité de ces feuilles les met d'ailleurs à part,
r fait doublonner, en quelque sorte, mais de manière plus personnelle,
dessins définitifs, tout aussi soignés, mais dans un autre genre. Girodet
t davantage contraint par la commande qui lui avait été faite et par
estination des œuvres, inscrite d'emblée dans la tradition esthétique
la gravure d'illustration. Sa réflexion sur la représentation de la scène
matique, et partant sur la peinture d'histoire, au moins autour de 1800,

apparaît finalement avec beaucoup plus d'acuité dans ces quelques dessins
qui sont plus que des études, des œuvres qu'il put considérer comme
terminées, mais destinées à rester privées et ignorées du public, au moins
de son vivant.

«Quant à mes rivaux les anglois, compareront–ils raisonnablement
leur *Shakespeare* à notre *Racine*, leurs dessins pour cette édition à ceux de
nos Gérard, Girodet, Prud'hon, Chaudet et autres?» écrivait Didot en
janvier 1797 dans une pétition au ministre de l'Intérieur afin d'obtenir
un local de l'État pour y loger ses presses (ce sera finalement le Louvre) [44].
Il semble avoir ainsi investi le *Racine* d'une charge particulière : d'abord
dans le cadre, bien établi, de la concurrence entre la France et l'Angleterre
pour ce qui est du livre et plus généralement de l'estampe, concurrence
exacerbée dans les dernières années de l'Ancien Régime et qui se
poursuivait, malgré l'interruption causée, depuis 1793, par la guerre entre
les deux pays. Dans sa très courte introduction, il commence certes par
remercier les artistes : «les dessins, commencés l'an Ier de la République
[donc en 1792-1793], ont été suivis sans interruption, mais avec le temps
qu'ont jugé nécessaire à leurs compositions des Artistes distingués, livrés
d'ailleurs à des travaux particuliers, et bien éloignés de faire un objet
de lucre d'une occupation pour laquelle ils avaient établi entre eux une
rivalité honorable. Tous en effet se sont chargés de ces dessins avec le
plus grand intérêt : mais je dois un tribut de reconnaissance particulière
aux citoyens Girodet, Gérard, et Chaudet, qui seuls en ont fait les deux
tiers. Accoutumés déjà aux éloges mérités du public, ils en recueilleront
de nouveaux, sans doute, pour le succès des soins qu'ils ont prodigué à
cet ouvrage.» Mais après avoir salué aussi son frère Firmin, il souligne
la constance et le désintéressement qu'il lui a fallu pour mener à bien
l'entreprise, «au milieu des secousses inséparables d'une révolution, et
toujours affligeante pour les arts», poussé «par le désir ardent d'élever

à la gloire de Racine un monument qui devînt pour ainsi dire national ». Cette « édition remarquable » est ainsi, « dans tous ses éléments, le produit de l'industrie nationale », puisque le papier vient de la manufacture d'un autre « artiste justement célèbre », Montgolfier, à Annonay. Et elle paraît « sous les plus heureux auspices, accueillie par la paix, et décorée du nom immortel du héros qui en a agréé l'hommage », Bonaparte, à qui l'ouvrage est dédié. Didot ne parle pas d'un combat – tout aussi patriotique finalement –, la lutte de l'esprit, entre deux conceptions de la littérature et de la scène dramatique ou tragique, entre Racine et Shakespeare, qui se cristallisera quelques années plus tard dans les débats du romantisme. Mais les dessins de Girodet s'inscrivent consciemment dans cette perspective, comme le montrent notamment le choix précis des scènes, celui, très étudié, des attitudes traduisant d'ailleurs, très probablement, la dramaturgie alors en vogue à Paris et en particulier le succès de Talma [45]. L'exposition des dessins au Salon, en deux fois, dont une près de trois ans après leur publication sous forme d'estampes, montre bien le prix qu'il leur attachait : il s'agissait pour lui d'œuvres essentielles, au même titre que des peintures, tant pour l'effort de conception que pour la difficulté de l'exécution, l'estampe, qui les justifiait au départ, devenant en définitive accessoire. Il aurait donc été naturel que Girodet poursuivît en peinture son travail sur le théâtre classique français. Or, mis à part une petite esquisse, déjà assez poussée, illustrant *Rodogune* de Corneille, rien ne témoigne autrement, chez lui, de cette veine. Peut-être les succès de Guérin en ce genre, qui finit par s'en faire une spécialité, dissuadèrent-ils Girodet de peindre un grand « tableau théâtral » : les deux artistes ne cessèrent de se répondre de Salon en Salon, au *Phèdre et Hippolyte* du Salon de 1802 (musée du Louvre) succédant la suite de dessins exposée en 1804, Guérin, après *Oreste annonçant à Hermione la mort de Pyrrhus* (musée des Beaux-Arts de Caen), peignant encore *Andromaque et Pyrrhus*, exposé au Salon de 1810 (musée du Louvre). Il est tout aussi possible que Girodet n'ait pas jugé nécessaire d'aller plus loin en estimant avoir fait le tour de la question, et qu'il soit naturellement passé à d'autres types de sujet, le *Racine* constituant ainsi le relais entre *Ossian* et *Une scène de Déluge*. Nous devons considérer ces dessins, ainsi qu'il le faisait lui-même, comme l'une de ses œuvres majeures : il y confrontait en effet de plus en plus directement, et d'une manière de plus en plus réfléchie, les deux orientations de son activité créatrice : la peinture et la littérature, qui

III. 84 Girodet (d'après), *Passage du torrent*, illustration pour *Paul et Virginie*
Gravure, coll. part.

Dessiné par A. L. Girodet   *Gravé par B. Roger.*

PASSAGE DU TORRENT.

N'aie pas peur, je me sens bien fort avec toi

allait de plus en plus occuper son temp[s] et retenir son attention dans les années suivantes.

Paul et Virginie : Girodet et Bernardin de Saint-Pierre

Le travail effectué pour Didot allait trouver un prolongement immédiat avec la vignette exécutée pour le *Paul et Virginie* de Bernardin de Saint-Pierr[e], vignette dont le dessin original fut exposé aux côtés de ceux de *Phèdre* lors du Salon de 1804 [46]. Bernardin était le cousin des Didot. À leur suite, il entreprit une édition illustrée de son ouvrage le plus célèbre et le plus populaire, faisant appel à des artistes qui avaient en partie déjà travaillé pour eux : Girodet, Gérard, Prud'hon, Moreau le Jeune, Isabey et Laffitte. Girodet, dans un premier temps, refusa, et Chaudet fut charg[é] de l'illustration prévue pour lui, *Paul et Virginie traversant la rivière noire* [ill. 84]. Mais Chaudet, à son tour, dut renoncer à la réaliser, ayant été chargé d'une statue du Premier Consul. Bernardin demanda donc de nouveau sa collaboration à Girodet, précisant ce qu'il voulait : « Paul et Virginie traversant la rivière noire. L'un et l'autre sont dans la fleur de l'adolescence. Paul porte dans ses bras Virginie qui ne peut plus marche[r]. Tous deux sont nu-pieds, et Paul porte un chapeau et ses cheveux cour[ts] et Virginie une capote sur ses cheveux longs. La rivière noire est un larg[e] torrent qui coule au milieu d'une forêt. Elle est parsemée de grosses roches. Les rivages sont escarpés et bordés de grands arbres qui réuniss[ent] des deux côtés leurs sommets et jettent sur les eaux une sombre obscur[ité] relevée çà et là par des ondes écumantes [47]. » Girodet déclina encore une fois la proposition de Bernardin, alléguant l'impossibilité de tenir les délais prévus et affirmant aussi avoir renoncé « à ce genre aride de travail » depuis les dessins faits pour Didot. Il laissait néanmoins la porte ouverte au cas où les délais pourraient être repoussés [48]. C'est ce qui advint, les relations entre les deux hommes devenant semble-t-il assez étroites, d'abord pour le travail portant sur l'édition elle-même (Girode[t] notamment, étant consulté par Bernardin sur le paiement demandé par les graveurs pour leurs planches), sur la mise en couleurs du *Passage de l[a] rivière noire*, mais allant aussi au-delà : Girodet, dans sa lettre à Bernardin[,] louait ses « talents supérieurs », et la reconnaissance qu'il éprouvait « pou[r] les leçons […] puisées dans la lecture de ses ouvrages ». Aimé Martin, pl[us] tard, affirma que « Girodet se plaisait à répéter que ce livre [*Paul et Virgi[nie]* lui avait appris à voir la nature et à sentir Virgile [49] ». Bernardin compta

III. 85 Girodet (d'après),
Bathilde, reine des Francs
Gravure, coll. part.

...s aucun doute parmi les admirations
...éraires de Girodet, ce dont témoigne
...ignette, ainsi que le portrait dessiné
...tiné lui aussi à la gravure pour figurer
... frontispice de l'édition posthume de
... œuvres, publiée en 1818 [50]. En effet, il
...llait plus, désormais, donner beaucoup
... temps à ces travaux de librairie, réservant
... quelques images qu'il exécuta en ce
...re à des amis ou des relations proches,
...nme Jean-Baptiste de Saint-Victor, le
...ducteur d'Anacréon, ou plus tard aux
...mans historiques de Julie Candeille
...nme *Bathilde, reine des Francs* **[ill. 85]**. *Paul
...Virginie traversant la rivière noire* clôt une période où Girodet illustre des
...tes littéraires parce qu'on le lui a demandé ou commandé. Son activité
...la matière va en fait connaître à partir du milieu des années 1800 un
...veloppement encore plus considérable. Mais il en sera désormais le seul
...ponsable, rendant ses créations, en quelque sorte, plus personnelles.

Les publications posthumes : *Anacréon, Énéide, Sappho-Bion-Moschus, Les Amours des Dieux*

« Les travaux que Girodet avait exposés, pendant sa vie, aux regards
... public, suffiraient seuls à assurer sa renommée ; sa mort prouva non
...lement que l'on ne connaissait qu'une bien faible partie de ce qu'il
...it produit, mais encore que le rôle de peintre ne suffisant pas à son
...ivité brûlante, il avait voulu prendre rang parmi les écrivains. Les
...hesses que contenaient ses portefeuilles furent mises successivement
...s les yeux du public. Ainsi l'on a publié, d'abord, cinquante-quatre
...mpositions puisées dans *Anacréon* ; ensuite seize compositions
...résentant *les amours des Dieux* ; enfin seize autres compositions sur
...pho. Il reste encore à paraître vingt-six sujets empruntés à *Moscus* et
...Bion. Il avait également fait seize dessins dont les sujets lui avaient été
...rnis par *le poème de Musée* qu'il a traduit, ainsi que seize nouvelles
...mpositions d'après *Ossian*. Mais, ces deux suites ont été vendues. Dans
...te énumération, je ne parle pas d'une grande quantité d'autres dessins
...ne formaient pas un corps d'ouvrage, et qui se trouvent maintenant
...séminés ; mais, ce qui surtout mérite une attention particulière, ce sont
...cent soixante compositions, environ, sur *Virgile*, que M. Pannetier,
...ve et ami de notre grand peintre, a acquises, et parmi lesquelles il a
...isi les plus terminées, au nombre de vingt-quatre, que les élèves de
...odet ont reproduites par la lithographie, avec un soin et une fidélité
...ne de l'affection qu'ils portaient à leur maître [51]. » Coupin, dans les

Œuvres posthumes, expose avec une grande
clarté la problématique des autres suites
d'illustrations dues à Girodet : laissées
inachevées à sa mort, elles l'avaient en
réalité occupé depuis parfois plus de
vingt ans. Ses élèves ou ses amis, ainsi que
Becquerel, son parent, achetèrent l'essentiel
à sa vente après décès, puisque seules
leur échappèrent les suites de *Musée* [52] et
d'*Ossian*.

La première question posée par ces
diverses suites est donc d'abord d'ordre
chronologique. Elles ont toutes été
publiées après la mort de Girodet :
Anacréon [53] et l'*Énéide* [54] en 1825, *Les Amours des dieux* [55] en 1826,
Sappho, Bion, Moschus [56] en 1829. Mais elles correspondent en fait à un
travail commencé probablement pour l'*Énéide* dès le début des années
1800, lorsque s'achèvent les deux projets de Didot, relancé en tout cas
définitivement en 1807 [57], un peu plus tard pour les autres suites, et
poursuivi avec plus ou moins de constance jusqu'en 1824, Girodet ayant,
dès l'origine, pensé à une publication en série, accompagnant ou non un
texte traduit par lui ou par un autre. La physionomie finale des pièces doit
certes beaucoup à ses élèves et en particulier à Coupin, maître d'œuvre
de ces publications posthumes, ainsi qu'à la famille de Girodet, qui prirent
en main la diffusion de cette œuvre dessinée où s'était concentrée une
grande part, méconnue du public, de son activité créatrice. La vente après
décès favorisa une prise de conscience : « *Anacréon,* facilement terminé,
recommandait la mémoire du peintre à toute la jeunesse amoureuse. Mais
sa suite de dessins d'après l'*Énéide*, spécialement dédiée aux poètes, dont
la nature lui révéla souvent les inspirations et l'harmonieux langage lui
promettait, outre la gloire de faire ce qu'aucun peintre, excepté Raphaël,
n'avait fait avant lui, celle de léguer aux élèves de peinture une galerie
de choix, où s'exerceraient, à l'envi et ses propres élèves, et ceux de ses
rivaux. Ses élèves, ses anciens amis ne pouvaient retenir leurs pleurs ; un
cri d'effroi leur échappa à l'idée de voir passer en Angleterre l'*Énéide*,
l'*Anacréon*, tous les trésors du portefeuille de leur maître : un Anglais en
offrait jusqu'à 100 000 écus… M. Becquerel, proche parent de Girodet,
et digne interprète de ses intentions, comme de celles de l'héritier légal,
spécula pour l'honneur de ce dernier, et pour celui de la nation, en
refusant l'offre étrangère. Il se chargea de l'*Anacreon*, et M. Pannetier,
ami inconsolable de l'auteur d'*Atala*, prit à son compte, aidé des beaux
talents et du dévouement exemplaire de MM Dejuines, Aubry Leconte,
Chatillon, Coupin, Monanteuil, etc., cette publication des dessins de

cat. 119 **L'ombre d'Hector apparaît à Énée**
dit aussi **Le Songe d'Énée**, *esquisse*
(Énéide, livre II, 270-279)

Huile sur toile, 29 x 34 cm
Montargis, musée Girodet, inv. 82-17

Hist. Atelier de l'artiste : « huit compositions historiques sur
bois et sur toile dont plusieurs sont tirées de l'*Énéide* » (*État
descriptif des objets d'art…*, n° 370, Voignier, 2005, p. 38, Lemeux-
Fraitot, 2002, p. 352) ; vente après décès : « Énée pendant son
sommeil, est averti par Hector d'assurer son salut par la fuite et
de soustraire aux flammes les dieux de sa patrie. Il lui apparaît
tel qu'il était lorsqu'Achille le traînait à son char. Dans le
fond on aperçoit la ville de troye en feu. Esquisse peinte très
terminée inspirée par le livre II de l'*Énéide*. B. l. 12. h. 9 1/2 p. »
(Pérignon, n° 22) ; acquis par Pannetier pour 950 francs, n° 42
du procès-verbal de la vente (Voignier, 2005, p. 96) ; coll.
Pannetier ; Paris, coll. part. ; acheté par le musée de Montargis
en 1982.
Bibl. Pérignon, 1825, n° 22 ; Coupin, 1829, p. lxxj : « Énée,
pendant son sommeil, est averti par l'ombre d'Hector de se
soustraire à la mort par la fuite » ; Lafont, 2000, p. 45 (repr.
ill. 10, p. 46) ; Bajou, Lemeux-Fraitot, 2002, p. 352 ; Voignier,
2005, p. 38, 96.

cat. 120 **L'ombre d'Hector apparaît à Énée,**
dit aussi **Le Songe d'Énée**
(Énéide, livre II, 270-279)

Crayon, lavis brun et gris, rehauts de blanc, 23,9 x 32,1 cm
Montargis, musée Girodet (dépôt du Louvre), inv. RF 34731

Illustration du texte « Il ne me répond rien. Mais d'un ton plein
d'effroi, poussant un long soupir : « Fuis, dit-il, sauve-toi. »

Hist. Atelier de l'artiste (*État descriptif des objets d'art…*, n° 373,
Voignier, 2005, p. 38) ; vendu par Denis Becquerel Despréaux
et son épouse Rosine née Girodet à Antoine César Becquerel
(Lemeux-Fraitot, 2002, p. 175) ; vendu par lui à Claude
Pannetier (1772-1859), élève de Girodet (Lemeux-Fraitot,
2002, p. 196) ; coll. M. de la Bordes ; sa vente, Paris, hôtel
Drouot, 15 avril 1867, n° 24 ; coll. Ambroise Firmin-Didot ;
coll. François Didot en 1930 (Henri Boucher, « Girodet
illustrateur, à propos des dessins inédits sur l'*Énéide* », *G.B.A.*,
nov. 1930, t. IV, p. 308) puis par descendance ; vente Pierre
Firmin-Didot, Paris, hôtel Drouot, 17 novembre 1971, n° 14
(repr.) ; acquis par le Louvre à cette vente.
Exp. 1989, Paris, n° 41 (repr.) ; 1994, Paris, n° 92 ; 2002, Paris,
n° 37 (repr. p. 162).
Bibl. Coupin, 1829, t. I, p. lxxxi ; Michel, 1989 (2), p. 69 et
suiv. ; Boucher, 1930, *op. cit. supra* ; Lafont, 2000, p. 45 (repr.
fig. 11 p. 46) ; Lemeux-Fraitot, 2002, p. 175, 196 ; Voignier,
2005, p. 38.

III. 86 Girodet (d'après), *L'ombre d'Hector apparaissant à Énée*
(*Énéide*, livre II)
Lithographie, coll. part.

...néide qui, plus elle s'étendra, et plus elle proclamera les droits de
... Becquerel et ceux de M. Pannetier à la reconnaissance du pays qui
... doit la conservation de ces deux monuments uniques en leur genre,
... tout à une époque ou tout abonde en France dans les arts du dessin,
... peut-être, disent quelques vieux chicaneurs… Hors peut être
... vention, et le respect de ces principes que dans les arts comme dans
... mœurs, on ne brave pas impunément [58].» Nul doute qu'il fallait mettre
... les yeux d'un large public, par le biais de l'estampe, ces suites de
... positions où se révélait l'étendue de l'inspiration de Girodet, lui dont
... tableaux avaient toujours été jugés trop rares : «Quand une exposition
... lique a rappelé les amis des arts dans ses ateliers […], quand on a
... l'immense quantité de travaux en tous genres, d'études, de croquis,
... dessin terminés, d'esquisses arrêtées, de tableaux même entièrement
... nts, dont l'exécution avait rempli sa vie», écrit Émeric-David dans son
... pte rendu de l'*Anacréon* et des *Amours des Dieux* [59], «c'est alors que
... écondité de son imagination s'est pleinement manifestée […] Mieux
... valu sans doute créer des peintures rivales de l'*Endymion*, de la *Scène*
... *Déluge*, de l'*Hippocrate*, de l'*Atala* ; mais commande-t-on au génie ?
... in d'un feu qu'il avait peine à modérer, Girodet éprouvait un besoin
... sistible de donner un corps aux images des historiens et des poëtes qui
... aient ému. Livrée à ses inventions, sa verve n'a pas enrichi nos musées
... utant de grands ouvrages qu'elle aurait pu le faire ; mais une multitude
... productions ingénieuses, répandues dans tous les cabinets, attesteront
... si son talent et contribueront à perpétuer sa gloire.»

... La publication de ces suites gravées ou lithographiées fut rapide, la
... part étant publiées dans l'année ou dans les dix-huit mois qui suivirent
... ort du peintre. Il fallait, c'est évident, profiter de l'effet de mode, du
... ur en grâce consécutif à la disparition de Girodet et surtout de sa
... te après décès, qui avait révélé le fond d'atelier à un large public. Le
... ci de prolonger sa mémoire n'exclut pas, chez ses élèves, sa famille et
... amis, celui de rentrer dans leurs frais, de l'achat des dessins originaux à
... écution des planches ou des pierres, de leur impression à leur édition.
... s cela n'empêche pas la fidélité : tous ont affirmé avoir suivi au plus
... s les compositions originales. L'usage du trait, lithographié ou gravé
... atillon, dans l'*Anacréon* ou *Sappho*, se contentant de rajouter, quand
... essaire, quelques très légères indications à la roulette), est, outre un

souci esthétique qui vient sans aucun doute de Girodet lui-même, la
conséquence d'une volonté d'achèvement rapide, mais aussi de la fidélité
aux dessins laissés par le maître. Coupin se flatte ainsi de ce que Chatillon,
dans l'*Anacréon*, n'ait pas terminé les dessins laissés inachevés par Girodet,
et se soit contenté d'indiquer, par une ligne finement pointillée, les
lignes manquantes [60]. Julie Candeille souligne, dans son compte rendu de
l'*Anacréon* et de l'*Énéide*, que Pannetier, le responsable de cette dernière
publication, s'est gardé de corriger les compositions de Girodet dans ce
qu'elles pouvaient avoir de fautif, de manière à leur donner un accent de
vérité encore plus net : «M. Pannetier a poussé le respect pour la memoire
du maitre jusqu'à ne pas souffrir que d'habiles élèves se permissent
de rectifier quelques oublis échappés à la rapidité du premier jet. Et
nous l'en féliciterons, puisque cette précaution constate d'autant plus
évidemment l'authenticité de ces admirables dessins, de ces dessins tels
que la mort les a surpris, et tels qu'elle les a consacrés par ces omissions
mêmes dont la médiocrité aurait eu soin de se défendre [61].» La réalité
fut peut-être un peu moins simple. Nous ne disposons plus aujourd'hui
de tous les documents nécessaires, les séries de dessins à l'origine de ces
publications, c'est-à-dire les groupes complets achetés à la vente après
décès par Pannetier, les élèves de Girodet en société, ou conservés par
la famille, ayant été dispersés depuis. On peut néanmoins, lorsque la
comparaison est possible, remarquer les simplifications de forme apportées
par les lithographes de l'*Énéide* ou ceux de *Sappho* aux dessins de Girodet,
L'ombre d'Hector apparaît à Énée, illustration du livre II de l'*Énéide*, étant
un des rares exemples où nous pouvons nous référer au dessin et à une
esquisse peinte. Il est vrai que l'on constate de mêmes rapports entre
dessins et estampes dans les gravures de Chatillon pour *Anacréon*, pourtant
en partie exécutées sous les yeux de Girodet. C'est là où le recours aux
élèves prend tout son sens : en conservant l'esprit du maître, les discussions
et la pratique au sein de l'atelier, il garantit l'authenticité des estampes par
rapport aux dessins d'origine. **(cat. 119, 120 ; ill. 86)**

Cette simplification, voulue par le trait, répondait sans aucun doute
aux objectifs premiers de l'artiste. Girodet, en effet, ne s'était pas caché de
vouloir réaliser, sur les auteurs classiques qu'il aimait et admirait, un travail
analogue à celui de Flaxman, modèle de tant d'artistes de la fin du XVIIIe
et du XIXe siècles, et dans la suite duquel il se place ici consciemment. Il
voulait aussi poursuivre, mais de manière plus personnelle, ce qu'il avait
fait pour Didot. En réalité, les suites d'illustrations d'auteurs célèbres,
anciens ou modernes, accompagnant ou non le texte original ou traduit,
semblent s'être multipliées à cette époque. Le phénomène, qui se poursuit
au moins jusqu'au romantisme, reste encore à étudier dans son ensemble,
mais on est rétrospectivement frappé de leur multiplicité et de la variété
des auteurs ainsi traités, d'Homère et Virgile à Dante ou Goethe.

Virgile

C'est la suite de l'*Énéide* et accessoirement celle des *Géorgiques* qui a occupé Girodet avec le plus de constance, dans le quart de siècle qui sépare sa disparition des illustrations exécutées pour Didot[62]. En témoigne la multitude de croquis et de dessins qui s'y rapportent, croquis et dessins aboutissant à la suite lithographiée par différents élèves de Girodet sous la direction de Pannetier [ill. 87, 88]. Celui-ci acheta, à la vente après décès, l'ensemble des dessins terminés, publiés ensuite en recueil[63]. Plusieurs points d'ensemble sont ici à souligner, et en premier lieu le fait que Pannetier ne fit qu'achever une œuvre méditée par Girodet et déjà en grande partie terminée, au moins quant aux dessins. Le second fait, tout aussi important, est le choix de la technique lithographique. Comment l'expliquer, alors que Girodet, pour une autre entreprise analogue, *Anacréon*, qu'il avait eu le temps de mettre pratiquement définitivement en place, avait fait le choix de la taille-douce? Des considérations financières ont pu jouer, la lithographie étant moins coûteuse et plus rapide à mettre en œuvre que la gravure sur cuivre pour un travail de plusieurs dizaines de feuilles. Le fait de recourir aux élèves du maître également: en effet, comme on le verra plus loin, c'est cette technique que Girodet avait privilégiée au sein de son atelier où Chatillon, graveur en taille-douce, apparaît quelque peu isolé au milieu de nombreux lithographes. La pierre avait également l'avantage de se prêter aussi bien que le cuivre à la reproduction d'un dessin au trait, sans ombres et sans hachures. Or c'était l'effet recherché, sur le modèle des illustrations de Flaxman (qui connurent d'ailleurs, après les tirages originaux sur cuivre, de nombreuses rééditions sous forme lithographique)[64]. Pannetier dut ainsi trouver légitime d'employer une technique relativement peu coûteuse et rapide, qui avait été approuvée par Girodet lui-même et lui permettait aussi d'employer ses élèves, gage d'une certaine authenticité aux yeux des amateurs et des critiques, tout en sauvegardant la principale caractéristique voulue par Girodet d'un strict point de vue esthétique: un dessin réduit à la pureté de la seule ligne ou du seul trait, une suite de dessins illustrant un texte, mais sans celui-ci. C'était suivre doublement Flaxman, pour lequel Girodet éprouvait une grande admiration. La rupture est ainsi très forte avec le *Virgile* de Didot. D'un point de vue bibliophilique, la disparition du texte renvoie les deux volumes de Pannetier en dehors de la catégorie du livre illustré, appelé, avec la lithographie, à connaître de nouvelles et notables modifications. Ils ne comportent d'ailleurs pas d'introduction ou d'avant-propos: il s'agit de purs livres d'images, dont le format, oblong, est en soi déjà significatif. Le processus d'épuration manifeste dans le considérable *corpus* dessiné de Girodet autour de l'illustration de Virgile va dans un sens analogue: le détail disparaît comme la narration, la forme seule devient significative.

On peut s'interroger sur ce choix, puisque plus de trente ans séparent les premières publications de Flaxman de celle, posthume, de Girodet, mais il faut tenir compte de ce que le projet, s'il a germé dans l'esprit de Girodet au moment où il finissait les illustrations pour Didot, a duré près d'un quart de siècle: quand Girodet l'a commencé, il était, si l'on peut dire, davantage d'actualité que lorsqu'il a paru. Girodet fut d'ailleurs le seul artiste majeur, en France, à se lancer dans une pareille entreprise, se singularisant ainsi encore une fois par rapport aux autres peintres d'histoire de sa génération. Finalement, c'est peut-être le seul souci d'une esthétique épurée, affinée, qui le soutint dans cette entreprise à laquelle nous devons une bonne part de son œuvre dessiné outre ce recueil qui, publié aux débuts du mouvement romantique, alors que l'estampe et plus particulièrement la lithographie s'orientait dans une voie toute différente, en privilégiant le «beau noir» par rapport au «beau blanc», vint sans aucun doute trop tard. C'est ce qui ressort en tout cas des deux principales critiques, pourtant favorables sur le fond à Girodet, publiées à cette occasion par Boutard, dans le *Journal des débats*[65], et par Julie Candeille, dans les *Annales de la littérature et des arts*[66].

Anacréon

L'*Anacréon* est, de toutes les publications posthumes de Girodet, probablement la plus importante. Pas seulement, même si ces points sont essentiels, parce que la gravure en a été en grande partie exécutée de son vivant, ni parce qu'il est aussi l'auteur du texte, c'est-à-dire de la traduction originale d'*Anacréon* illustrée par ses propres images, mais bien parce que, thématiquement et esthétiquement, ils se situent au cœur de son œuvre. Celle-ci peut en effet se caractériser par une réaction contre ce que les sujets davidiens avaient de trop héroïque, de trop masculin, et, d'une certaine manière, de trop tendu. Mis à part *Hippocrate* (et quelques portraits), ses grands tableaux sont tous en rupture délibérément, avec ceux de son maître, entraînant, de la part de ce dernier, les jugements que l'on connaît. *Anacréon* résume cette veine, où la femme est particulièrement mise en valeur ainsi que les sujets aimables légers, sans autre leçon morale apparente que celle de jouir de la vie et de ses plaisirs, le tout traduit dans des compositions aux lignes relâchées et souples. Les corps se détendent, l'atmosphère s'allège, l'histoire cède la place à la mythologie et la leçon morale de l'Antiquité à l'évocation d'un simple âge d'or. Les deux compositions de l'ode XIV, *Son combat contre l'Amour* [ill. 89, 90], sont emblématiques de cette tendance: l'Amour, dans la première, décoche ses traits contre un guerrier dont la figure fait un lointain écho au *Serment des Horaces* (et encore plus dans le dessin préparatoire, avec ses traits redoublés). Il triomphe dans la seconde d'un soldat vaincu et étendu à terre. Girodet n'est pas le seul, dans les

ux premières décennies du XIXe siècle, à avoir travaillé dans cette
ection, à avoir choisi la Grèce de préférence à Rome. Gérard avait
t *L'Amour et Psyché,* Guérin, débutant par *Le Retour de Marcus Sextus,*
ndra plus tard *Aurore et Céphale*. David y viendra lui-même à la fin
sa vie, et Gros après lui, sans que le succès, d'ailleurs, ne couronne
r eux cette nouvelle orientation. Mais il y a chez Girodet un réel
timent anacréontique, qui correspond à sa personnalité la plus intime.
illustrations d'*Anacréon* sont d'ailleurs les seules pour lesquelles il
engagé la gravure avant sa mort : il leur accordait donc une priorité
taine, et cela déjà est significatif.

Deux sources principales nous renseignent sur les circonstances dans
quelles Girodet exécuta cette suite : la préface donnée par son ami
ques-Benjamin de Saint-Victor à sa traduction des *Odes* d'Anacréon,
ue en 1810, et celle de Coupin à la publication de 1826. Il semble
s un premier temps que des discussions autour du texte même
nacréon aient entraîné Girodet et Saint-Victor à envisager un travail
mmun, Saint-Victor fournissant le texte, et Girodet les images. Alors
e la traduction de Saint-Victor était déjà bien avancée, Girodet se
ra de l'entreprise et Saint-Victor publia son travail sans les illustrations
vues de l'artiste, celui-ci fournissant néanmoins deux vignettes, qui,
utées à deux autres de Bouillon (les quatre étant gravées par Girardet),
stituèrent toute l'illustration d'un livre très classique de forme, où le
te avait pris une place prépondérante. Saint-Victor, « son ami », dans
dédicace à Girodet, souligne bien qu'il s'agissait là d'un renversement
mplet par rapport au projet d'origine, renversement dont le peintre,
la multiplicité de ses travaux, est le seul responsable : « Vous savez, mon
, que j'ai entrepris cette traduction d'Anacréon uniquement pour
ompagner les belles compositions que vous avez faites d'après ce poète
ieux ; compositions que je ne puis mieux louer qu'en disant qu'elles
t dignes de vous et d'un modèle aussi excellent. C'eût été pour moi
e sorte d'immortalité qu'une semblable association ; aussi, quelle que
la gloire que vous procurent des travaux plus importants, et celle
en doit recueillir un jour l'école française, je ne puis m'empêcher de
retter quelquefois que ces chefs-d'œuvre de votre pinceau m'aient
é d'un si précieux témoignage de votre confiance et de votre amitié.
nore le parti que vous jugerez à propos de prendre par la suite, soit
e le suffrage du public en ma faveur vous détermine à revenir à vos
iens projets, soit que le mauvais sort de mon ouvrage vous porte
ous féliciter de les avoir abandonnés ; mais je suis persuadé que
mmage que je vous en fais aujourd'hui vous sera toujours agréable,
ce que vous avez la certitude que j'aime autant votre personne que
mire votre talent [67]. » Saint-Victor laissait donc ouverte une publication
art des dessins de Girodet : celui-ci, en effet, y revint, probablement

autour de 1820 : sa suite d'illustrations était pratiquement terminée à sa
mort, et la gravure, par Chatillon, en était d'ailleurs déjà bien entamée,
comme l'atteste la présence, dans l'inventaire après décès de Girodet, non
seulement de dessins achevés prêts à être gravés, mais aussi de cuivres et
d'épreuves.

Il revint à Coupin d'en assurer l'achèvement et la publication en
liaison avec les héritiers de l'artiste : « Les compositions que ce poète a
inspirées à Girodet furent, pour ainsi dire, une occupation de toute sa
vie ; il ne s'était d'abord proposé de faire qu'un certain nombre de dessins
qui devaient accompagner la traduction de M. de St-Victor ; mais, sous
sa main féconde, le nombre de ces dessins s'accrut bientôt au-delà de
ce qu'il avait lui-même projeté ; ce fut alors qu'il sentit naître le désir de
publier lui-même son ouvrage. M. de St-Victor, dans sa préface, a rendu
compte de ces circonstances et du regret qu'il avait éprouvé, lorsqu'il
avait dû renoncer à l'espoir de voir les compositions de Girodet unies
à sa traduction [...] L'*Anacréon* était sur le point de paraître lorsque la
mort est venue enlever à la France le grand peintre dont elle déplorera
longtemps la perte. Ce qui peut faire supposer, avec toute vraisemblance,
qu'il regardait cette collection comme terminée, c'est qu'il avait composé
et fait graver l'apothéose d'Anacréon [68]. » Coupin avance ainsi une

Pl. 16.

ODE XIV

son combat avec l'Amour.

(première composition)

Ill. 89 Girodet (d'après), *Son combat avec l'Amour*, (*Anacréon*, ode XIV pl. 16)
Lithographie, coll. part.

Pl. 17.

ODE XIV

son combat avec l'amour

(deuxième composition)

Ill. 90 Girodet (d'après), *Son combat avec l'Amour*, (*Anacréon*, ode XIV, pl. 17)
Lithographie, coll. part.

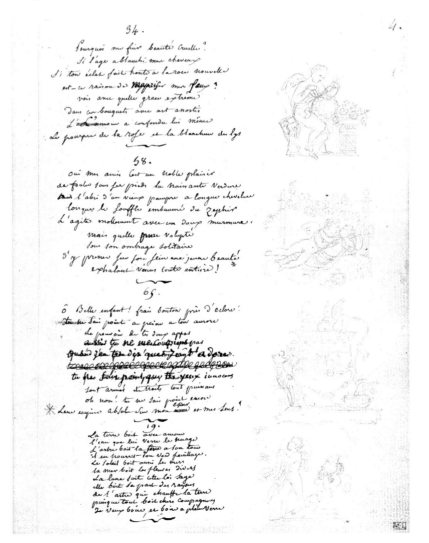

Ill. 91 Girodet, *Poème et Dessins anacréontiques*
Dessin, Paris, musée du Louvre, département des Arts graphiques

Ill. 92 Girodet, *Dessins préparatoires pour Anacréon*, ode XVI et ode XI
Dessin, Paris, musée du Louvre, département des Arts graphiques

…lication complémentaire à celle de Saint-Victor quant au report par …rodet de la publication de ses dessins : ce n'est pas seulement le surcroît …s travaux et des commandes dans les dernières années de l'Empire qui …aurait empêché l'achèvement rapide, mais aussi la fécondité que le …vail sur Anacréon aurait provoqué chez l'artiste.

…Il aurait pu en ajouter une troisième, qui semble être en réalité la …ncipale : c'est que parallèlement à l'image, Girodet, pour la première …s dans un ouvrage de ce type, allait être aussi responsable du texte : …a Harpe, poursuit Coupin, avait dit en parlant de ce poète : "il a une …llesse de ton, une douceur de nuances qui ne peuvent se retrouver …ns une version. Il composait d'inspiration, et l'on traduit d'effort : …traduisons point Anacréon." Girodet n'a point été arrêté par cet …athème, il a laissé la traduction de la plupart des odes, dans laquelle …trouve, sinon une très grande fidélité, du moins une richesse et une …rmonie d'expressions très remarquables ; elle est pleine de chaleur et …poésie : comme Anacréon, il l'a écrite d'inspiration. C'est aux secours …airés et bienveillants de M. Moreau de Champlieux, ancien élève de …cole normale, et de M. Aug. Coupin, mon frère, que je dois d'avoir pu …mpléter cette traduction ; nous nous sommes efforcés de reproduire le …ète avec cette fidélité qui n'exclut ni le mouvement, ni l'élégance ; les …mmes instruits sauront apprécier la difficulté de ce travail.» Si le texte …blié n'est donc pas complètement celui de Girodet, Coupin l'ayant en …rtie remanié comme celui des *Œuvres posthumes*, il n'en reste pas moins …e nous avons là le témoignage, unique à cette époque, d'une création …uble, le peintre ayant choisi les mots qu'il allait illustrer, et dans un …me mouvement. C'est ici que se place le carnet récemment acquis par …département des Arts graphiques du musée du Louvre **[ill. 91, 92]**. …Celui-ci s'articule avant tout sur le texte (qui ne suit pas l'ordre des …es, même si au final la plupart s'y trouvent), écrit à la plume et à …cre sur le *recto* des feuillets, l'illustration se déployant, au crayon, soit …s les marges du texte, avec une série de vignettes qui sont autant de …*ginalia* décoratives, essentiellement composées de motifs antiques, soit …regard, sur le *verso* du feuillet précédent, Girodet adoptant pour ce faire, …lus souvent, le format horizontal qui sera celui de ses compositions …finitives. Il est raisonnable de penser, le texte étant, au moins dans les …miers feuillets, très net et sans corrections, que la mise au point de …dernier a précédé celle des images, plus libres, où le croquis rapide, …remière pensée, alterne avec des dessins plus poussés ou plus finis, …ches, parfois, de ce qu'ils seront dans la publication posthume. …Celle-ci sera fondée sur d'autres dessins, dont plusieurs aujourd'hui …t reliés dans un recueil factice, à leur place dans le texte imprimé …cueil conservé dans une collection particulière). Ce même recueil …mporte d'autres dessins correspondant aux compositions gravées

par Chatillon, mais qui ne paraissent pas être de la main de Girodet quoique eux aussi identiques aux illustrations auxquelles ils se rapportent. Plusieurs feuilles ont par ailleurs été retirées de ce recueil depuis qu'il a été constitué au siècle dernier. Les modalités précises de l'exécution des gravures nous échappent donc, et notamment les corrections apportées par Girodet à Chatillon [69]. On soulignera enfin l'existence d'esquisses peintes, qui reprennent en tout ou en partie ces dessins, ainsi celle du musée Fabre à Montpellier pour l'ode LV, *Ses voluptés* **(cat. 131 ; ill. 95)** et celle du musée Girodet à Montargis pour l'ode XXIII, *Contre l'or* **(cat. 132 ; ill. 96)**. Elles sont la preuve, comme les esquisses analogues en rapport avec les illustrations de Moschus ou des *Amours des Dieux*, que le travail de Girodet sur les auteurs anciens ne se limitait pas à la banale exécution d'illustrations, mais s'intégrait étroitement à une démarche créatrice d'ensemble. Comme l'a remarqué Émeric-David, «les odes d'Anacréon, dessinées par Girodet, seront indubitablement comptées parmi les productions les plus propres à honorer son beau talent. Ce n'est point ici un livre orné de figures ; ce sont plutôt des figures mises à la place d'un livre. Il fallait, pour accomplir un travail de cette nature, s'identifier avec le poëte dans ses ouvrages, partager ses sentiments pour les exprimer avec justesse, se persuader qu'on était, comme lui, environné des Grâces et des Amours, pour donner à ces rians objets leur vrai caractère. Anacréontique par la pensée, il fallait encore se montrer anacréontique par le style […]. L'artiste a pleinement satisfait à toutes ces conditions. C'est Anacréon lui-même qu'on voit deux fois, chantant ses plaisirs dans ses odes, les éprouvant dans les tableaux du peintre, et il est aussi voluptueux dans la peinture que dans ses chants [70].»

Quoi qu'il en soit, la date donnée en tête de la première «imitation d'Anacréon» dans le carnet du Louvre, 4 janvier 1808, apporte une donnée essentielle tant à la compréhension qu'à la chronologie du projet. Celui-ci était auparavant, traditionnellement, daté des alentours de 1810. Il faut donc le faire remonter d'au moins deux ans, ce qui le rend contemporain d'*Atala*. Par ailleurs, on constate que le texte précède ici l'image. On peut donc faire l'hypothèse que les discussions avec Saint-Victor ont d'abord porté sur le texte, et que c'est par l'écriture que Girodet s'est dans un premier temps confronté à Anacréon. L'image est venue ensuite, et c'est cette double orientation, correspondant aux deux vocations profondes de Girodet, littéraire et picturale, qui l'aurait amené à se désengager du premier projet, celui d'illustrer Saint-Victor, pour donner une sorte d'œuvre d'art «totale», où il serait à la fois l'auteur du texte et de l'image. Ce n'est d'ailleurs pas contradictoire avec l'explication fournie par Saint-Victor : Girodet, pour créer ses illustrations, aurait eu le besoin de revenir à Anacréon, de l'adapter pour lui-même (d'où, d'ailleurs, le terme d'imitation qu'il emploie, et non de traduction). Et

le carnet du Louvre témoignerait d'un état d'avancement de son travail rendu nécessaire par son appropriation des odes au moyen de sa propre traduction.

La création littéraire, par le biais de la traduction, a ainsi accompagné la création picturale, sans que l'une ait pris complètement le pas sur l'autre et sans qu'on puisse dire, dans le détail, laquelle précède l'autre. Le cas n'est pas complètement unique à cette époque : Guérin avait ainsi «inventé» le sujet du *Retour de Marcus Sextus* [71], et trente ans après lui, Delacroix ira plus loin en proposant pour *La Mort de Sardanapale* un «faux» texte dans le livret du Salon de 1827, en fait très probablement écrit par lui [72]. Mais justement il s'agit là d'exceptions, et pour ces peintres, et plus généralement pour l'époque. Girodet est en réalité le seul, alors, à avoir mené de front peinture et littérature, non séparément, mais avec l'objectif d'une publication où les deux auraient eu leur place. Ne sous-estimons pas la part littéraire : elle comptait pour lui, puisqu'elle a en partie justifié son retrait du projet engagé avec Saint-Victor. Elle ne vaut aussi que parce qu'elle s'intègre à la part dessinée, dans une création motivée par l'imitation littéraire des Anciens, puis sa transposition dans l'image. En tête du carnet du Louvre, Girodet avait écrit, suivi de ses initiales GT, «L'originalité excite la curiosité», l'un des derniers feuillets portant une citation tout aussi significative de Jean-Baptiste Rousseau : «Loin de me piquer de ne rien devoir qu'à moi-même, j'ai toujours cru avec Longin que l'un des plus sûrs chemins pour arriver au sublime était l'imitation des écrivains illustres qui ont vécu avant nous. Puisqu'en effet rien n'est si propre à nous élever l'âme et à la remplir de cette chaleur qui produit les grandes choses que l'admiration dont nous nous sentons saisis à la vue des ouvrages de ces grands hommes.» C'était résumer sa démarche.

Le peintre est ainsi complémentaire du poète, mais parce que lui-même est poète. Pour la plupart des odes, Girodet a ainsi choisi le «moment propice», qui synthétise tout le texte. Mais il lui est arrivé également d'illustrer une même ode par plusieurs dessins : ainsi, pour l'ode III, *L'Amour mouillé*, dans la première feuille, l'Amour, mouillé, est guidé vers le feu ; dans la deuxième, il bande son arc ; dans la troisième, il s'envole ayant décoché son trait. Girodet développe aussi plus subtilement la narration d'Anacréon. L'artiste sait ainsi jouer de la variation : les deux compositions de l'ode XXXIV *À une jeune fille* paraissent au premier abord assez proches. Dans la première Anacréon courtise la jeune fille, dans la seconde également. Mais dans la seconde il tend la main vers l'Amour pour prendre de ses mains la guirlande de fleurs qu'il veut passer au cou de la jeune fille et si celle-ci semble le repousser dans l'une et l'autre feuille, elle est en réalité déjà consentante dans la seconde, ce que manifeste son changement de position, puisque vue d'abord de dos, elle

se présente ensuite de face. Pour reprendre le texte de Girodet, «ne me fuis pas, beauté charmante : si les neiges du temps couvrent ma chevelure, si la brillante fleur de la jeunesse rayonne sur ton visage, pourquoi repousserais-tu mes tendres vœux ? Vois dans ces fraîches couronnes, dont l'Amour vient t'offrir l'hommage, avec quelle grâce voluptueuse il a su marier le pourpre de la rose à la blancheur des lys.»

Sappho, Bion, Moschus et *Les Amours des dieux*

Thématiquement proches de l'*Anacréon*, les deux autres publications posthumes d'estampes d'après les œuvres de Girodet s'inscrivent logiquement dans sa suite ou dans celle de l'*Énéide*, que ce soit la série d'images éditée en tant que telle (*Les Amours des Dieux*) ou illustrant un texte en traduction, ici en partie de Girodet (*Sappho, Bion, Moschus*) [73]. Coupin, pour ce dernier volume, précisait même que «pour Bion, comme pour Sappho, comme pour Moschus, le texte ne devient nécessaire que pour l'intelligence des dessins [74]». Constitué de trois parties, il comprend ainsi l'introduction de Coupin puis, pour chaque auteur, les textes illustrés par Girodet, suivis à chaque fois de gravures par Chatillon sur le modèle de l'*Anacréon*. Il existe ainsi un recueil analogue à celui conservé pour l'*Anacréon*, avec la même provenance (Becquerel)

cat. 131 **Ses voluptés,
esquisse (Anacréon, ode LV)**

Huile sur toile, 17,2 x 22 cm

Inscription sur la paroi de la grotte, en grec : *ANAKP/
KAAOS*

Montpellier, musée Fabre, inv. 825.1.124

Illustration du texte

« Quel plaisir ravissant, ô mes amis, de fouler sous ses pas ces riantes prairies tapissées d'une épaisse et molle verdure, et que parfument délicieusement les haleines embaumées des zéphyres ! quels spectacle plus agréable que celui de cette vigne superbe, étalant aux regards enchantés le luxe de ses pampres errants ? mais quelle douce volupté, sous son ombrage mystérieux, d'y presser dans ses bras un beauté charmante exhalant Vénus tout entière. »

Hist. Atelier de l'artiste, « après le n° 392 sur un meuble sans n° d'ordre » (*État descriptif des objets d'art…*, Voignier, 2005, p. 41) ; vente après décès, Pérignon, n° 23, acheté 960 francs par Girardin (comte Bregy de Girardin ou ses frères ?), n° 121 du procès-verbal de la vente (Voignier, 2005, p. 98) ; coll Fabre ; don Fabre, 2 avril 1825.

Exp. 1936, Paris, n° 314.

Bibl. Pérignon, 1825, n° 31, p. 14 : « Une autre esquisse représentant Anacréon et une jeune fille dans une grotte ; l'Amour est près d'eux. Le Paysage offre aussi un effet de soleil couchant. T. l. 9 p. h. 7 p ». L'exemplaire de la bibliothèque des musées nationaux porte l'inscription manuscrite :« La jeune fille a passé son bras autour de la tête d'Anacréon qu'elle rapproche de la sienne ; de son côté, Anacréon a passé son bras dessous l'épaule droite de la jeune fille ;leurs bouches se rapprochent… c'est de la volupté sans brutalité. Ils sont à l'entrée d'une grotte, étendus sur une peau – l'amour s'est niché dans la draperie, il regarde le groupe en riant, une de ses jambes est relevée sur l'autre avec une sorte de petit mouvement voluptueux. » ; Coupin, 1829, t. I, p. lxxiii ;Anon. ?, *Inventaire général des richesses d'art de la France…*, 1878, t. I, p .212 ; catalogue du musée, 1890, n° 206 ; Benoît, 1897 (1975), p. 322 ; Anon., *Catalogue des peintures et sculptures… Musée Fabre*, 1904, n° 277, p. 78 ; catalogue du musée, 1926, n° 570 ; Nevison Brown, 1980, p. 61 ; Lafont, 2000, p. 45 ;Voignier, 2005, p. 41, 98.

Œuvre en rapport

Lithographie par Chatillon pour le recueil *Anacréon, Recueil de Compositions dessinées par Girodet, et gravée par M. Chatillon, son élève, avec la traduction en prose des Odes de ce poète, faite également par Girodet*, Paris, 1825 (ode LV, pl. 49), publié chez Chaillou-Potrelle en 1825.

cat. 132 **Contre l'Or,
esquisse (Anacréon, ode XXIII)**
Huile sur panneau, 16,8 x 22,2 cm
Montargis, musée Girodet, inv. 001.4

Illustration du texte
« Si nos jours pouvaient se prolonger à prix d'or, je souffri
tout, plutôt que de ne point accumuler sans cesse. Alors, dès
la mort viendrait pour me frapper, je saurais, en la payant,
dérober à ses coups. Mais, puisque l'on ne peut ainsi rachete
vie, pourquoi gémir des arrêts de l'immuable Destin ? Ou
la mort est inévitable, l'or devient inutile. Que désormais
soins se bornent à boire un vin parfumé, à table avec mes an
ou, couché sur un lit propice aux doux mystères, à presser d
mes bras une beauté voluptueuse ! »

Hist. Atelier de l'artiste (probablement n° 371 de l'*État desc*
des objets d'art…, Voignier, 2005, p. 38) ; coll. Becque
Despréaux, sans doute n° 286 de son inventaire après dé
(« sujet d'Anacréon dans son cadre doré », Voignier, 2005, p.
coll. Becquerel vers 1967, témoignage d'Hélène Toussaint
le voit chez un descendant Becquerel avec l'autoportrait
Girodet peint sur ivoire (voir *supra*) ; marché de l'art parisien
2001 ; achat du musée Girodet avec la participation du FR
Région Centre, 2001.
Bibl. Benoît, 1897 (1975), p. 322 ; Fend, 2003, p. 145-147 (r
ill 73) ; Lemeux-Fraitot, 2002, p. 369 ; Voignier, 2005, p. 38

Œuvre en rapport
Lithographie par Chatillon pour le recueil des *Odes* d'Anacré
(ode XXIII, pl. 24), publiées chez Chaillou-Potrelle en 182

ODE XXIII
sur l'emploi de la vie

III. 96 Girodet (d'après), *Contre l'Or* (Anacréon, ode XXIII)
Lithographie, coll. part.

et actuellement dans la même collection particulière, qui garde, intercalé
dans le texte, les dessins originaux de Girodet d'après lesquels les gravur
ont été exécutées [75]. L'esthétique en est la même que celle de l'*Énéide*,
avec une réduction de la forme au trait, mais il ne s'agit peut-être pas d
dessins définitifs. Il existe aussi une esquisse peinte au musée Girodet, à
Montargis **(cat. 133)**, pour la deuxième scène de l'*Enlèvement d'Europe*, qu
reprend la composition lithographiée, et peut s'expliquer par l'intérêt
de Girodet pour ce poème de Moschus [76], bénéficiant, d'ailleurs, dans le
Sappho, de trois illustrations le développant en détail, non sans humour p
endroits.

Plus intéressantes, quant au travail de l'atelier et à la technique de
l'estampe, sont les lithographies des *Amours des Dieux* [77]. Les œuvres
originales d'après lesquelles ses élèves [78] ont travaillé ont en effet une
forme beaucoup moins homogène que les trois autres suites d'illustratio
Il ne s'agit pas, en effet, d'un ensemble conçu par Girodet comme
un tout, accompagnant un texte reconnu comme l'étaient l'*Anacréon*,
l'*Énéide*, ou *Sappho*, mais d'un rassemblement d'œuvres diverses, dessins
ou esquisses peintes, que seul leur thème unit. L'esquisse peinte conserv
au Cleveland Museum of Art, *Aurore et Céphale* (lithographiée par
Chatillon ; **cat. 128**) invite à se poser la question des œuvres originales
utilisées pour les *Amours des Dieux* **(cat. 127-130)**. Le catalogue de la vente
après décès mentionne une peinture et plusieurs dessins [79], l'inventaire
plusieurs lots s'y rapportant [80]. Des dessins sont conservés dans des
collections particulières (*Jupiter et Io*, *Diane et Endymion* **[ill. 98]**, *Borée et
Orythie*, *Pygmalion et Galathée*, *Apollon et Daphnée*, *Mars et Vénus*, *Pan et
Syrinx*, *Léda et le cygne*). Peut-être a-t-il existé d'autres esquisses peintes,

cat. 133 **L'Enlèvement d'Europe, esquisse**
Huile sur papier marouflé sur toile, 19,1 x 24,6 cm
Montargis, musée Girodet, inv. 988-26

Hist. Atelier de l'artiste, « après le n° 392 sur un meuble sans n° d'ordre » (*État descriptif des objets d'art…*, Voignier, 2005, p. 41) ; vente après décès, Pérignon, n° 23 : « Autre esquisse peinte, terminée presque au point d'un tableau dans plusieurs parties, représentant le sujet de l'enlèvement d'Europe. La composition est enrichie par les dieux marins qui entourent le groupe principal T. l ; 9 p. h. 7 p. » ; adjugé 1 700 francs à Letellier, n° 3 du procès-verbal de la vente (Voignier, 2005, p. 96) ; vente Fouques Duparc, Paris, 8 mai 1919, n° 119 ; achat de Guiffrey, conservateur des peintures du Louvre ; coll. Guiffrey ; achat du musée du Louvre en 1977.
Exp. 2002, Florence, n° 121 (repr.)
Bibl. Pérignon, 1825, n° 23, p. 12. L'exemplaire de la bibliothèque centrale des musées nationaux porte l'inscription manuscrite : « Le taureau est blanc, il porte la tête haute, elle est peu terminée, son corps porte Europe étendue sur son dos. La tête est appuyée sur les deux mains enlassées qu'elle a posées sur celle du dieu. Il règne dans l'expression de la tête une sorte d'abattement, d'inquiétude, d'un regret inutile – l'amour s'est niché dans la draperie volante qui l'enveloppe – comme les dieux marins placés sur le premier plan sont bien enlevés et d'un beau ton ! C'est un véritable tableau que cette esquisse » ; Coupin, 1829, p. lxxj (mentionnée comme appartenant à M. Letellier) ; Anon., *La République du Centre*, 1er octobre 1977 ; Lafont, 2000, p. 45 ; Poignault, 2000, p. 68-70 ; Bajou, Lemeux-Fraitot, 2002, p. 369-370 ; Dumoulin, Bussière, Trausch, 2002 (repr. p. 211) ; Voignier, 2005, p. 41, 96.

Œuvre en rapport
Lithographie de Chatillon pour le recueil *Sappho, Bion, Moschus.*

7 Girodet (d'après), *L'Enlèvement d'Europe*
ographie, coll. part.

mais la technique des dessins qui subsistent (estompe, pierre noire, et craie en particulier) insiste moins sur le trait que sur la teinte et le rendu des volumes. Il était donc naturel d'abandonner la lithographie au trait pour cette série, voulue ou non par Girodet, et qui touche à l'estampe de reproduction, et d'employer un des meilleurs imprimeurs-éditeurs de Paris dans cette technique, Godefroy Engelmann.

En quelques années à peine, le *corpus* des œuvres de Girodet connu du public et des critiques avait donc été considérablement augmenté : « Quelle variété, quelle abondance d'idées, que de grâces, que de savoir, que de chaleur ! Élégant, noble, spirituel, digne des Grecs, lorsqu'il peint des sujets grecs, énergique et vrai lorsqu'il représente des héros modernes, toujours à la hauteur de ses sujets, Girodet se montre dans toutes ses compositions éminemment poëte et peintre » conclut Émeric-David dans son compte rendu des *Amours des Dieux*[81]. « Puisse sa collection de sujets de *Sapho* [sic], son *Anacréon*, son *Virgile*, son *Endymion*, son *Hippocrate*, ainsi que les ouvrages des autres maîtres, ses émules, qui ont ramené parmi nous la simplicité et la grandeur antiques, maintenir chez nos jeunes artistes l'amour de l'étude, et opposer une digue insurmontable à l'esprit de licence qui déjà semble se manifester dans la peinture ! », écrivit-il également. Même si l'effort de publication des élèves et des amis de Girodet fut considérable (et en fait sans équivalent dans le siècle), on peut douter de l'influence de ses compositions sur la nouvelle génération romantique, à laquelle fait allusion Émeric-David : elle regarda ailleurs, y compris chez Girodet, dont les peintures les marquèrent plus que ses suites d'estampes, venues trop tard et dont ni le sujet, ni le style ne correspondaient aux tendances alors à l'œuvre dans l'art français.

Girodet et la lithographie. Le problème de l'estampe de reproduction

En lithographiant et en publiant *Les Amours des dieux*, les élèves de Girodet ne faisaient pas que publier une série d'illustrations de plus d'après leur maître. Ils poursuivaient, en fait, une entreprise commencée du vivant même de Girodet et sous sa direction, la reproduction, au moins en partie, de son œuvre peint, et dans un but affiché de meilleure diffusion autant que de meilleure compréhension de celui-ci, entreprise inséparable de la pratique de la lithographie au sein même de l'atelier. On a vu dans quelles conditions Girodet avait pu connaître et pratiquer, dès l'Empire, ce nouveau procédé. Il en comprit très vite toutes les possibilités, ainsi que l'attestent les souvenirs d'Ambroise Firmin-Didot. Signalant, dans son *Étude sur Jean Cousin*, que «comme ses illustres prédécesseurs, Albert Dürer, Holbein, Lucas de Leyde, Cranach, Burgmaier, Schaufelein et autres grands artistes, Jean Cousin fut séduit par l'idée de pouvoir reproduire par la gravure en relief les traits dessinés de sa propre main, avantage qui fit préférer longtemps à la taille-douce le procédé plus expéditif de la gravure sur bois, parce qu'il rendait plus fidèlement ce que l'artiste lui-même y avait tracé», il ajoutait une note capitale pour comprendre les rapports entretenus par Girodet avec la lithographie : «Cette idée, d'une reproduction fidèle, a plu de tout temps aux grands artistes. N'ai-je pas vu Girodet s'appliquer à dessiner sur des pierres lithographiques un grand nombre de ses compositions et suivre avec un vif intérêt les progrès de ce nouveau procédé qui le séduisait par cela même, me disait-il, qu'il lui permettrait de reproduire, sans le secours d'un autre interprète, et par ses propres mains, son propre ouvrage ? De même j'ai vu sur la fin de sa carrière mon parent Hersent s'appliquer avec ardeur à la photographie naissante, parce qu'il voyait la nature reproduite par elle-même sans le secours d'un interprète [82].»

Parce qu'elle lui permettait d'être au plus près de la création de l'élément d'impression, la lithographie fut donc au cœur de l'approche que Girodet eut de l'estampe à partir de 1810, relançant complètement ses projets et son activité en la matière. Dès le milieu de l'Empire, on commençait, à Paris, à s'en emparer, en particulier dans les ateliers des anciens élèves de David, Gros et Girodet notamment. Mais Girodet diffère de ses contemporains dans l'usage même qu'il

fit de la lithographie. Celle-ci ne se réduisait pas seulement, pour lui, à une nouvelle technique d'estampe originale, où l'auteur de l'élément d'impression [ill. 99] est aussi l'auteur du dessin reproduit. Il y voyait, en fait, une possibilité nouvelle offerte à l'estampe de reproduction. La diffusion par la gravure des grands tableaux d'histoire était jusqu'alors réservée aux burinistes, graveurs professionnels ayant appris leur métier par un long apprentissage, et seuls jugés capables de rendre la subtilité d'un tableau. Les burinistes parisiens jouissaient depuis le XVIIᵉ siècle d'une réputation sans égale en Europe [83], à peine concurrencée, à partir de 1750, par les confrères britanniques, et ce, dans une double direction, par l'apparition de graveurs anglais à la technique aussi sûre d'une part, et de l'autre par le recours à de nouvelles techniques (le pointillé, l'aquatinte et surtout la manière noire) [84]. Encore ces dernières, gravures de teintes non de trait, étaient-elles esthétiquement jugées inférieures au burin. La Révolution n'avait qu'à peine interrompu cette tradition de la reproduction des grands tableaux d'histoire dans de grandes planches gravées au burin (et accessoirement à l'eau-forte). Bervic avait obtenu un triomphe avec sa gravure de *L'Éducation d'Achille* d'après Regnault, véritable manifeste de la «taille rangée». Tardieu, Massard interprétaient les œuvres de David ou de Gérard [85]. Mais Girodet restait quelque peu en retrait : le travail pour Didot l'avait-il éloigné des discussions nécessaires entre l'artiste et son graveur ? Il lui avait, plus probablement fait prendre conscience que le graveur restait un interprète et que l'artiste, malgré tout, ne pouvait tout transmettre de son œuvre originale, étant obligé d'en passer par lui. La distance ainsi établie lui paraissait-elle rédhibitoire ? La lithographie allait lui permettre de se passer de graveur et d'envisager d'interpréter lui-même ses œuvres. Il était de ce point de vue original parmi les peintres d'histoire de son temps : la lithographie, trop proche du dessin (on parlait d'ailleurs alors couramment de *dessins lithographiques*), restant considérée comme inférieure à la gravure en taille-douce, surtout dans ce qui allait bientôt devenir le camp classique. Il est donc essentiel de noter que Girodet a envisagé de faire reproduire ses tableaux d'histoire par la lithographie, et en particulier le plus singulier d'entre eux, *Ossian,* dont il écrivait à Bernardin de Saint-Pierre que «le genre du dessin [lui] appartenait», car «on est généralement convenu que les formes que j'ai représentées

sont celles d'aucunes
...tés françaises, grecques
...romaines ». Lorsqu'il
...aille, dans la même lettre,
...qui est pure création chez
...car ne s'appuyant sur
...un modèle et relevant
...c de sa seule inspiration,
...couleur grisâtre qui
...ne dans ces êtres à

...ni transparents », « les effets résultants, d'une part, du coloris, et, de
...tre, de la distribution des lumières et des ombres », « les lumières
...éclairent la scène » et qui sont « des lueurs météoriques qui n'ont
...a teinte des rayons du soleil, ni celle de la lune, ni celles des feux
...restres », il semble poser un problème insoluble au graveur chargé de
...rendre. Et encore plus lorsqu'il insiste sur ce qu'on lui a reproché,
...confusion des figures dans ce tableau » : « […] ce sont des nuages, des
...eurs qui, quoique sous la forme humaine, conservent la propriété
...se presser, de se confondre […]. Il fallait bien, ajoute-t-il, perdre
...vent les contours, les fondre, les identifier avec les brouillards dans
...quels ces figures nagent, se meuvent, et qui forment eux-mêmes
...r substance. Elles devaient paraître poreuses, pénétrables, et n'offrir
...e des êtres dont la vie est comme effacée, des émanations des corps
...ants avec la propriété d'en conserver les formes [86]. » La lithographie,
...permet justement le rendu facile des teintes et des dégradés de tons
...les fondant, était donc particulièrement adaptée esthétiquement
...r reproduire au mieux *Ossian*, dans l'esprit comme dans les formes.
...is elle s'adapte aussi à la plupart de ses autres tableaux. Et, alors
...seul *Hippocrate* (par Massard) et *Endymion* (par Chatillon) **[ill. 100]**
...ient été gravés, la lithographie fut le moyen privilégié par Girodet
...ur, dans les quinze dernières années de sa vie, mettre ses tableaux
...es compositions sous les yeux du public : elle seule lui permettait
...le toucher avec le plus de fidélité possible. Il terminait sa lettre à
...nardin de Saint-Pierre en souhaitant la gravure de ses œuvres, qui
...le pourrait permettre d'établir un jugement solide sur celles-ci, en les
...tant sur le même pied (l'*Hippocrate* et surtout l'*Ossian* souffrant de
...que les figures n'y sont point de grandeur naturelle : « si quelque jour
...trois tableaux, comme je le désire, sont gravés, ce niveau d'égalité
...blira peut-être entre l'*Endymion*, l'*Ossian* et l'*Hippocrate* des rapports
...comparaison contraires à ceux de l'opinion jusqu'ici établie »).
...'est dans cette perspective qu'il faut apprécier le développement
...la pratique lithographique chez les élèves de Girodet, dont on
...marquera que si certains d'entre eux menèrent une honnête carrière

de peintre, d'autres, plus
nombreux, au premier
rang desquels Aubry-
Lecomte, se distinguèrent
plus particulièrement dans
cette technique dont ils
firent leur métier. Il s'agit
là, sans aucun doute, d'une
conséquence directe de
leur travail au sein même

de l'atelier, travail qu'en l'absence d'indications plus précises on peut
néanmoins déduire des indications données par Coupin dans *Œuvres
posthumes*, par Pérignon dans le catalogue de la vente après décès, ainsi
que des titres des diverses publications posthumes, lithographiées ou
non. Coupin, établissant la liste des estampes exécutées par et d'après
Girodet, établit une différence nette entre celles réalisées « du vivant
de Girodet », « sous sa direction » ou « après sa mort », insistant sur
l'apport de l'artiste à ce travail [87]. La *Danaé* de 1798 offre par exemple
« plusieurs différences avec l'original », le champ étant plus large et
la draperie tombant sur le corps ayant plus d'ampleur. Mais Aubry-
Lecomte, qui l'a exécutée, ayant travaillé sous la direction de Girodet, il
est légitime de penser que celui-ci a voulu ces changements, corrigeant
ainsi, dans l'estampe, les défauts supposés de son tableau, ou plutôt
poursuivant dans la lithographie sa création première, un peu comme
le fera Ingres par la suite, beaucoup plus systématiquement. Aubry-
Lecomte a ainsi reproduit ou interprété, mais sous la direction du
maître, de très nombreuses de ses compositions : *Le Départ*, *Le Combat*,
La Victoire et *Le Retour du guerrier* au château de Compiègne, le *Portrait
de Chateaubriand*, celui de *De Sèze* et celui de *Madame de Prony*, la *Tête
d'odalisque, vue de face et coiffée d'un turban rouge*, *Ariane* et *Érigone*, deux
« dessins terminés », auxquels il faut ajouter, on y reviendra, les dessins
d'après *Ossian*. Ce qui frappe à la lecture de cette liste est, au premier
abord, une certaine disparité thématique et de genre : Girodet n'a pas,
semble-t-il, hiérarchisé le travail d'Aubry-Lecomte (qui ne fut pas le
seul à œuvrer ainsi sous sa direction, puisqu'on trouve aussi, dans la liste
de Coupin, Chatillon et Dassy, ainsi que Laugier pour des gravures),
ou plutôt il a choisi de faire reproduire aussi bien des peintures que
des dessins, ses tableaux d'histoire les plus célèbres comme ses figures
allégoriques ou ses portraits, moins connus peut-être du public. Mais
apparaît également un autre élément capital, la présence, dans la liste
de Coupin, de dessins intermédiaires d'après lesquels les lithographies
ont été exécutées : si le statut des deux autoportraits de profil (1822) et
de face (1824), respectivement lithographiés par Lambert pour servir à

l'*Énéide* et par Sudre pour les *Œuvres posthumes*, est bien celui d'œuvres autonomes, comme les deux *Paysages*, dessins lithographiés par Chatillon là encore après la mort de Girodet, ou encore *Le Serment des sept chefs de Thèbes* (cat. 100 ; ill. 101), « grand dessin sur papier de couleur, rehaussé de blanc », lithographié par Aubry-Lecomte « dans la même dimension que l'original », apparaissent aussi des dessins intermédiaires entre le tableau et la lithographie. Certains, de la main de Girodet, ayant servi à l'exécution de commandes par ses élèves, ont ensuite, naturellement, servi à d'autres pour en exécuter l'estampe : les *Génies de Bacchus*, de *Bellone*, de *Pomone*, de *Flore*, de *La Paix*, de *La Guerre*, de *La Victoire* et de *La Renommée*, peints par Dubois à Compiègne d'après les dessins de Girodet, Chatillon en ayant lithographié quatre « du vivant de son maître », ou, toujours dans les tableaux pour Compiègne, de *La Force*, *L'Éloquence*, *La Justice* et *La Valeur* « lithographiés d'après les dessins et depuis la mort de Girodet, par M. Lambert ».

C'est surtout le cas de l'« *Ossian*. Dessin d'une grande dimension fait, d'après le tableau, par M. Chatillon, et retouché dans toutes ses parties, par Girodet, qui a fait quelques additions à sa première composition ». On voit que ce dessin est une œuvre collective, à la fois celle d'un maître et de son élève (même si leurs rapports, au moment de l'exécution du dessin, relèvent davantage de l'amitié), et d'un peintre avec son futur lithographe. Chatillon, en l'occurrence, ne lithographia pas le dessin (la grande lithographie d'après celui-ci, acquis par Pannetier à la vente après décès, et publiée en 1831 par Villain, est due à Garnier), mais la démarche est caractéristique : elle fut en effet suivie par Girodet et d'autres de ses élèves pour les têtes d'études d'après Ossian, lithographiées par Aubry-Lecomte et publiées en 1821-1822. Le titre est en lui-même déjà très explicite : *Collection de têtes d'études d'après le tableau peint en 1801, par M. Girodet-Trioson, Membre de l'Institut, & représentant les ombres des Héros français reçues dans les Palais aériens d'Ossian, lithographiées sous sa direction par Aubry-Lecomte, son élève*[88]. L'intervention de Girodet est encore plus explicite si on prend en compte le descriptif de certains dessins dispersés lors de sa vente après décès : « Ces dessins, explique le catalogue, faits avec le plus grand soin par les élèves de M. Girodet, et sous ses yeux, ont été pour la plupart retouchés par lui et ont servi pour la lithographie[89]. » Plusieurs dessins correspondant aux descriptions de l'inventaire et de vente ont été identifiés, en particulier deux au musée de Clamecy (*La Victoire* et *Evirallina, Malvina jouant de la harpe*) et un autrefois dans la collection Becquerel, *Un barde et trois jeunes filles*, lithographiés sous le titre de *Darthula, Caïrbar, Collama, Slisama, Semo, Bragela* [ill. 102, 103, 104]. La technique en est très similaire à celle des dessins retrouvés pour *Le Amours des Dieux* (pierre noire, estampe, sanguine et rehauts de craie blanche), et leur unité formelle, ainsi que l'absence des autres dessins de la même série, rend impossible toute différenciation entre les mains de Girodet, d'Aubry-Lecomte et des autres membres de l'atelier. Mais celle-ci est-elle vraiment justifiée ? On voit bien que Girodet a envisagé la lithographie de ses œuvres comme une nouvelle étape de sa propre création, mais en collaboration étroite avec ses élèves, dans un travail collectif où la formation par l'imitation se fait au plus près du maître. Le recours au dessin (la lithographie, extension naturelle de l'activité dessinée, n'en étant qu'une nouvelle technique) prend ici tout son sens : il est à la fois la base de la formation de tout artiste, mais dans ce cas précis, également le moyen d'associer le plus étroitement possible le professeur et l'élève dans la diffusion de l'œuvre. Girodet, avec ses élèves, ne fait pas qu'imiter Raphaël veillant à la diffusion de ses compositions en étroite collaboration avec Marc-Antoine et la lithographie ne fait que prendre le relais du burin ou de la pointe. Avec elle Girodet semble avoir trouvé le moyen de concilier la reproduction la plus fidèle de ses œuvres et la voie la plus efficace de formation et d'enseignement, tant par imitation que par une réelle assimilation. Logique, en conséquence, est le choix de têtes, qui sont des têtes d'étude mais aussi d'expression (et on en trouve aussi d'après la *Une scène de déluge*). Logique aussi, le faible nombre de lithographies dans le *corpus* reconnu des estampes de Girodet : plus complet que Coupin, qui lui attribue un *Portrait de Coupin de la Couperie* de 1817 [ill. 105], Henri Béraldi lui donne une *Feuille contenant des figures étrusques, Essais lithographiques au pinceau, à la plume, au crayon* datée du 20 juillet 1820, un *Croquis : feuille d'arbre, tête*

III. 101 Girodet (d'après),
*Serment des sept
chefs de Thèbes*
Lithographie, Montargis,
musée Girodet

...hat, *profil de femme, au trait*, *L'Amour jouant de la flûte devant le berger* ...s, au trait et une composition d'après *Ossian* (« Il étend les bras vers ...rochers sur lesquels des cadavres sont battus par les flots. Derrière ...un prisonnier lié à un arbre », en fait *Le Chant d'Armin pleurant ses* ...nts[90]). Il cite également un *Pie VII d'après David, grande tête*, signé ...rodet lith et dirx» qui entre donc dans la catégorie des lithographies ...cutées collectivement, et s'interroge sur le caractère autographe des ...s d'étude : « Girodet, écrit-il, passe pour avoir mis la main aux têtes ...udes tirées d'Ossian, lithographiées d'après lui par Aubry-Lecomte ...1821. Mais celui-ci était parfaitement capable de les grener à lui tout ...l. En somme, les lithographies de Girodet sont peu de choses[91].» ...ı de choses certes quant au nombre[92], voire quant aux sujets, qui ...otent avant tout une recherche technique. Mais révélatrices aussi ...ne attitude nouvelle envers l'estampe, favorisée par l'apparition d'une ...velle technique, rompant conceptuellement avec les techniques ...itionnelles de la gravure en taille-douce, ce que Girodet semble ...ir parfaitement compris.

...La position finalement très originale de Girodet quant à l'estampe se ...nprend encore mieux si on le compare à quelques contemporains. ...prendrai ici trois cas aujourd'hui assez bien connus entre lesquels ...odet se place chronologiquement, David d'une part, représentatif ...conceptions très classiques en la matière, héritées du XVIIIe siècle, ...icault et Delacroix de l'autre, plus prompts à comprendre les ...ations techniques du début du XIXe siècle, et à les mettre au service ...leurs ambitions esthétiques[93]. David fut loin d'avoir une attitude ...forme durant toute sa carrière face à la gravure d'interprétation ...près ses œuvres[94]. D'abord réservé, y compris lorsque le succès lui ...ı dans les années 1780, prêt semble-t-il à faire graver ses tableaux en ...nde-Bretagne et non en France[95], à commencer par le plus célèbre ...ntre eux, *Le Serment des Horaces*, il fut plus déterminé pendant la ...volution, avec des fortunes diverses[96]. L'Empire le vit à nouveau ...ı désintéresser, et il fallut son exil à Bruxelles pour qu'il y revînt, ...c probablement à la base des considérations financières. Il semble ...ı que la diffusion de l'œuvre de David ait moins dû à l'estampe

qu'à la présentation régulière de ses tableaux au Salon et, à partir du Consulat, dans son atelier ouvert aux visiteurs. Le cas de Géricault[97] et celui de Delacroix[98] sont plus complexes : l'un et l'autre ont pratiqué directement l'estampe, la lithographie pour Géricault, la lithographie et la gravure sur cuivre pour Delacroix. Tous deux ont entretenu des liens privilégiés avec leurs éditeurs, à l'origine de quelques-uns de leurs projets majeurs, la *Suite anglaise* de Géricault, publiée par Hullmandel, le *Faust* de Delacroix qui lui avait été demandé par Motte. Les genres qu'ils ont abordés sont nettement plus variés que ceux de Girodet, s'étendant de l'estampe animalière aux caricatures politiques. Et pourtant, Girodet apparaît plus proche de ses cadets que de David, en particulier par le choix privilégié de la lithographie, par sa conception avancée de l'estampe de reproduction, par ce qu'elle révèle aussi d'original et de neuf et qu'on pourrait aisément rapprocher de Delacroix dans ses *Feuilles de médailles antiques* de 1824-1825. Alliant le classicisme du sujet à la modernité de la forme, ouvrant des voies nouvelles quant aux rapports entre l'artiste et son public, à mi-chemin entre deux mondes mais plus ouvert vers le dix-neuvième siècle, tel apparaît, en définitive, Girodet au regard de l'estampe.

)2 Girodet (d'après), *L'Apothéose des héros français*, détail des généraux
graphie, Paris, Bibliothèque nationale de France

)3 Girodet (d'après), *L'Apothéose des héros français*, détail de Starno
graphie, Paris, Bibliothèque nationale de France

notes

ans sa vente après décès, les estampes et livres illus- jurent aux numéros 544-902. Elles sont aussi bien nes qu'anciennes. Les livres illustrés et publications , généralement coûteux, occupent les numéros 656- onc une place assez importante dans la collection.
oupin, 1829, t. I, p. xxxviii-xxxix.
ettre à sa mère du 3 novembre 1774, fonds Pierre ndres, déposé au musée Girodet de Montargis, t. I,
ettre à sa mère du 26 décembre 1782, fonds Pierre ndres, *ibidem*, t. I, n° 79.
ettre au docteur Trioson, écrite de Loches, le 2 sep- 1789, in Lemeux-Fraitot, 2003, t. II, p. 79 [original vé au musée de Montargis].
oir *ibidem*, *t.* I, p. 164. Les planches gravées forment 55 de la vente après décès.
ahier de Principes, Imitation libre de l'Antique et s nature, dessiné par Feu Girodet-Trioson et gravé par trand, sous la direction de Mr Chatillon professeur de à l'École RaleMre fr St Cyr.
our une synthèse d'ensemble, qui replace ces pro- s techniques dans la continuité de l'évolution de npe au XVIIIe siècle, je me permets de renvoyer ici à ert, « L'estampe : un siècle de mutations », in Tho- N. Gaehtgens et Krzysztof Pomian (dir.), *Histoire que de l'Europe. Le XVIIIe siècle*, Paris, Le Seuil, 1998, -213.
oir Basil Hunnisett, *Engraved on Steel. The History of e Production using Steel Plates*, Aldershot, Ashgate hing, 1998.
ur les débuts de la gravure sur bois de bout en , en particulier les essais tentés à l'initiative de la é d'encouragement pour l'industrie à partir de 1805 miter les livres illustrés sur bois parus en Grande- ne, l'action des Didot et celle de Thompson, voir Blachon, *La Gravure sur bois au XIXe siècle. L'âge du ebout*, Paris, L'Amateur, 2001, p. 39-71.
our les débuts de la lithographie, et plus spécialement nce, voir Michael Twyman, *Lithography, 1800-1850. echniques of Drawing on Stone in England and France heir Application in Works of Topography*, Londres, University Press, 1970, et Michael Henker, *De Se- er à Daumier : les débuts de l'art lithographique*, Munich, Haus der Bayerischen Geschichte, 1988.
m McAllister Johnson a fait le point sur les litho- es exposées au Salon au début de la Restauration, *Lithography : The Restoration Salons 1817-1824*, on, Ontario, Agnes Etherington Art Centre, 1977. Sur nann, voir Léon Lang, *Godefroy Engelmann, impri- lithographe : les incunables, 1814-1817*, Colmar, s Alsatia, 1977.
e *Virgile* fut demandé à David en 1790, le *Racine*, ore avec les conseils de David, en 1792, de même s *Contes* de La Fontaine demandés à Fragonard. En Didot payait Prud'hon pour ses dessins destinés à er les œuvres de Gentil Bernard, et commissionnait entre autres Gérard pour *Psyché* de La Fontaine, Chaudet pour *Les Saisons* de Saint-Lambert, Peyron et Regnault pour deux éditions séparées de Montesquieu (publiées en 1796).

13. Synthèse dans Osborne, *Pierre Didot the Elder and French Book Illustration 1789-1822*, New York et Londres, Garland Publishing, Inc., 1985, notamment le chapitre V, p. 84-112, entièrement consacré au *Virgile*. Voir aussi Lemeux-Fraitot, 2003, t. I, p. 244-249 et Anne Lafont, 2001, t. I, p. 147-150 et t. II, p. 431-439 et 442-466.

14. P. Didot, *Publius Virgilius Maro, grand* in-fol. *sur papier vélin superfin, imprimé au Louvre par P. Didot l'aîné, au nombre de 250 exemplaires seulement (tous numérotés et signés), ornés de 25 estampes d'après les desseins de Gérard et Girodet*, peintres. *Prospectus*, juin 1797, p. 1-3.

15. Outre le frontispice (dessin définitif au musée des Beaux-Arts d'Angers), *Énée devant Didon* (dessin définitif perdu), *Le Songe d'Énée (*dessin définitif perdu, dessin préparatoire dans une collection particulière à San Francisco), *Énée sacrifiant à Neptune sur la tombe d'Anchise* (dessin définitif perdu, dessin préparatoire au Stanford University Museum of Art), *Énée et ses compagnons abordant au Latium* (dessin définitif à Montpellier, musée Fabre), *Le Combat d'Ascagne* (dessin définitif perdu, dessin préparatoire dans la collection Rosenwald), *La Mort de Pallas* (dessin définitif à New York, The Metropolitan Museum of Art).

16. Voir le reçu signé par David à Didot de 1 200 livres « pour la suite de dessins que je lui fais de son édition de l'œuvre de Virgile », le 24 mai 1791, in André Jammes et Françoise Courbage, *Les Didot. Trois siècles de typographie et de bibliophilie 1698-1998*, cat. exp., Paris, Bibliothèque historique de la Ville de Paris, 1998, p. 42.

17. Henri Gérard, *Lettres adressées au baron François Gérard*, lettre XIII p. 171, cité par Osborne, 1985, p. 39.

18. Sur David et le *Virgile*, voir la synthèse d'Osborne, 1985, en particulier le chapitre V, p. 84-112. Arlette Sérullaz suppose une intervention finale de David au moment de la mise en page, peut-être plus tôt auprès de Gérard et de Girodet de manière à « conserver la cohérence stylistique des illustrations, puisqu'elles étaient dues à deux artistes bien différents », voir A. Sérullaz, « Quelques dessins de Gérard pour le Virgile des frères Didot », *Antologia di Belle Arti*, n° 2 (juin 1977), p. 22. Les planches gravées étaient toutes terminées en 1797, selon le *Prospectus*, p. 5.

19. Lettre à David du 18 janvier 1791, publiée par J. L.-J. David, 1880-1882, t. I, p. 59.

20. Gérard, *Lettres*, t. I, p. 178, lettre XIV, Rome, 13 juillet 1791. Il semble, à lire cette lettre, que Gérard et Girodet devaient fournir les dessins régulièrement à David, afin de maintenir et le rythme des corrections, et le travail régulier des graveurs chargés de les porter sur cuivre.

21. Les quatre premiers rapprochements ont été faits par Osborne, *passim*, le dernier a été suggéré par Jacques Lacambre, in cat. exp. *Le Néo-classicisme français. Dessins des musées de province*, Paris, Grand Palais, 1974, p. 69-70.

22. Voir Osborne, 1985, p. 248-249.

23. *Prospectus*, p. 3.

24. *Rapport fait à l'Institut national le 5 ventôse an VI, par le citoyen Camus, au nom d'une commission spéciale sur l'édition de Virgile (...)*, Paris, 1798, p. 8-9.

25. Osborne, 1985, p. 103.

26. La lettre est publiée par Coupin, 1829, t. II, 338-344, comme adressée à M. P..., qu'on peut dire être Pastoret par des allusions précises dans la lettre même. La liste des principaux ouvrages commence à la p. 339, la citation sur les dessins de Didot est à la p. 343.

27. Paul Lacroix (le Bibliophile Jacob), *Notice historique sur l'édition de Racine, dite du Louvre, et sur ses estampes*, Paris, 1875 (le passage cité ici est p. 5- 6). Lacroix put interroger non seulement Didot, mais son neveu Firmin-Didot, enfant lors de la publication du *Racine*, mais dont les souvenirs à ce sujet étaient précis, ainsi que son propre oncle Walckenaer, ami de la famille Didot. Appuyée sur des témoignages de première main, sa notice est donc historiquement précieuse, quoique parfois erronée dans le détail lorsqu'on dispose d'autres sources précises (en particulier sur les ventes, qu'il estime beaucoup plus nombreuses qu'elles ne le furent en réalité).

28. Sur le *Racine*, voir en dernier lieu la synthèse donnée par Osborne, 1985, p. 113-140.

29. *Prospectus* du *Racine* cité par Paul Lacroix, 1875, p. 15

30. Aujourd'hui à Cambridge, Mass., Fogg Art Museum. Il est à noter que Prud'hon avait choisi une autre scène que Girodet pour illustrer le premier acte, en préférant la quatrième, où Pyrrhus fait à Andromaque, sans succès, une première offre de mariage. Le dessin fut gravé en 1796 par Pélicier. Il est donc probable qu'à cette date Girodet avait déjà été préféré à Prud'hon. Voir Agnès Mongan et Miriam Stewart, *David to Corot. French Drawings in the Fogg Art Museum*, Cambridge, 1996, p. 266-267.

31. N° 170 du livret du Salon de 1800 pour *Andromaque*, n° 212 de celui de 1804 pour *Phèdre*.

32. Coupin, t. I, p. xxxix-xl.

33. Plusieurs gravures d'*Andromaque* furent exposées aux Salons de 1799 et de 1800.

34. Dessin définitif perdu, gravure par Mathieu.

35. Dessin définitif au Cleveland Museum of Art, gravure par Massard.

36. Dessin définitif perdu, gravure par Marais.

37. Dessin définitif perdu, gravure par Girardet.

38. Dessin définitif perdu, gravure par Massard.

39. Dessin définitif à New York, Pierpont Morgan Library, gravure par Massard.

40. Dessin définitif à Chicago, Art Institute, gravure par Massard.

41. Dessin définitif à Los Angeles, the J. P. Getty Museum, gravure par Le Bas.

42. Dessin définitif à Nantes, musée Dobrée, gravure par Chatillon.

43. Dessin définitif dans la collection Jeffrey Horwitz, gravure par Massard.

44. Pétition datée du 12 nivose an 5 (1er janvier 1797), Archives nationales, F17 1241, citée par Osborne, 1985, p. 1.

45. Carol Osborne, à juste titre, a souligné les liens entre David et Talma, et, partant, comment celui-ci a pu marquer les choix des artistes engagés dans le *Racine*. Même si certains des rapprochements graphiques qu'elle effectue peuvent paraître quelque peu hasardeux, il semble bien que les illustrations du *Racine* ont été marquées par son jeu et celui des autres acteurs du moment (voir en particulier p. 128-129 et ill. 239-240 p. 361). Voir Georges Wildenstein, « Talma et les peintres », *GBA*, mars 1960, p. 169-176.

46. Aujourd'hui reliée, avec les autres dessins originaux, dans l'exemplaire ayant appartenu à la femme de Bernardin, devenue ensuite celle d'Aimé Martin, exemplaire conservé à la Bibliothèque nationale de France, Réserve du département de l'Imprimé (RES ATLAS- Y2- 5). Le dessin fut gravé par B. Roger. Sur l'exécution de cette vignette, bien connue grâce à la correspondance de Girodet et à divers autres documents, voir en dernier lieu Lemeux-Fraitot, 2003, t. I, p. 249-254.

47. Lettre de Bernardin de Saint-Pierre à Girodet, 22 Germinal an XII (12 avril 1804), Paris, Bibliothèque de l'INHA, fonds Jacques Doucet, Carton 15, peintres.

48. Lettre de Girodet à Bernardin de Saint-Pierre, en réponse à la précédente, publiée par Coupin, t. II, p. 269-270.

49. Aimé Martin, « Apologie », in *Correspondance de J. H. Bernardin de SaintPierre [...]*, Paris, 1826, t. I, p. CXLIII, cité par Lemeux-Fraitot, 2003, t. I, p. 253-254.

50. Gravé par Frédéric Lignon. Le dessin original figure, relié, dans le même exemplaire de *Paul et Viriginie* que *Paul et Virginie traversant la rivière noire*.

51. Coupin, 1829, t. I, p. xxii-xxiii. Sur l'ensemble des suites illustrées publiées après la mort Ide Girodet, outre les différentes références propres à chacune données plus loin, on trouvera une première synthèse dans Lemeux-Fraitot, 2003, t. I, p. 389-401, le problème de l'anacréontisme du peintre, englobant l'analyse de *Pygmalion et Galatée*, faisant l'objet des p. 375-398.

52. Girodet donna une imitation ou traduction en vers de *Hero et Léandre*, de Musée, publiée par Coupin, 1829, t. II, p. 3-21. Plusieurs dessins de cette série sont conservés au département des Arts graphiques du musée du Louvre (RF 410 à RF 415), une esquisse peinte figure dans l'inventaire après décès au n° 168. Aubry-Lecomte a donné deux lithographies d'*Hero et Léandre* d'après Girodet.

53. *Anacréon. Recueil de compositions dessinées par Girodet et gravées par M. Chatillon son élève, avec la traduction en prose des odes de ce poète, faite également par Girodet, publié par son héritier et par les soins de MM. Becquerel et P. A. Coupin*, Paris, Chaillou-Potrelle, 1825.

54. *L'Énéide, suite de compositions dessinées au trait par Girodet et lithographiées par ses élèves*, Paris, Noël Aîné, 1825.

55. *Les Amours des dieux, recueil de compositions dessinées par Girodet et lithographiées par ses élèves avec un texte explicatif rédigé par P.A. Coupin*, Paris, Engelmann, 1826.

56. *Sappho, Bion, Moschus. Recueil de compositions dessinées par Girodet avec la traduction en vers par Girodet*

III. 104 Girodet (d'après), *L'Apothéose des héros français,* détail de Dathula, Caïrbar, Collama, Slisama, Semo, Bragela.
Lithographie, Paris, Bibliothèque nationale de France

de quelques-unes des poésies, Paris, Chaillou-Potrelle, 1829.

57. Lettres de Girodet à Pannetier, 23 novembre 1808. La date de 1807-1808 est confirmée dans une lettre de Girodet à Turpin de Crissé (Angers, musée Turpin de Crissé, non datée mais probablement de 1817).

58. Julie Simons-Candeille, « De Girodet et de ses deux ouvrages sur l'*Anacréon* et l'*Énéide* », *Annales de la littérature et des arts*, vol. 23, 1826, p. 302-304.

59. Émeric-David, « Beaux-Arts, Anacréon, recueil de compositions dessinées par Girodet, et gravées par M. Chatillon, son élève (…), Les Amours des Dieux, recueil de compositions dessinées par Girodet, et lithographiées par MM. Aubry-le-Comte […] », *Revue encyclopédique*, vol. XXX, mai 1826, p. 386-393 (le passage cité est p. 386-387).

60. Note de Coupin à l'ode XXVIII dans l'*Anacréon* : « Le dessin de cette composition, la seconde de l'ode XXXVIII, n'était pas entièrement terminé ; la figure de la jeune fille placée à côté d'Anacréon n'était que légèrement indiquée : c'est ce que M. Châtillon a cherché à rendre fidèlement par la manière dont il l'a gravée. ».

61. Simons-Candeille, « De Girodet et de ses deux ouvrages sur l'*Anacréon* et l'*Énéide* », *loc. cit*, p. 305 (nota).

62. La seule étude d'ensemble récente sur les illustrations de Virgile par Girodet (en y intégrant celles de Didot), est celle d'Angela Stief, *Die Aeneisillustrationen von Girodet-Trioson. Kunstlerische und literarische Rezeption von Vergils Epos in Frankreich um 1800*, Francfort, 1986.

63. Dans les dessins possédés par Pannetier, tous ne furent pas publiés. L'ensemble resta dans la famille Pannetier jusqu'en 1867, puis fut vendu aux enchères à cette date et acquis par la famille Firmin-Didot, avant d'être définitive-

ment dispersé en 1971 : voir *Ensemble exceptionnel de 146 dessins de Girodet provenant de la collection Firmin-Didot*, vente à l'hôtel Drouot, 17 novembre 1971 (maîtres Guy Loudmer, Hervé Poulain, Pierre Cornette de Saint-Cyr).

64. Girodet possédait, de Flaxman, aussi bien les gravures de Piroli que les lithographies de Seillet et Lacqueson (voir le catalogue de sa vente après décès, n°s 719-724).

65. Boutard, « Énéide, suite de compositions dessinées au trait par Girodet, et lithographiées par MM Aubry-le-Comte, Chatillon, Coupin de la Couperie, Dassy, Dejuine, Delorme, Monanteuil, Pannetier, ses élèves. Les Amours des Dieux, recueil de compositions dessinées par Girodet, et lithographiées par les mêmes, avec un texte explicatif, rédigé par M. P. A. Coupin, peintre », in *Journal des débats*, 2 janvier 1827.

66. Simons-Candeille, *loc. cit.*, p. 298-305.

67. *Odes d'Anacréon, traduites en vers sur le texte de Brunck, par J.B. de Saint-Victor*, Paris, 1818 (troisième édition revue et corrigée), la dédicace à Girodet n'est pas paginée.

68. Girodet, *Anacréon*, p. III, et p. IV pour la citation suivante.

69. Girodet semble avoir repris activement l'exécution des dessins en 1821, Chatillon exécutant les gravures au fur et à mesure, en se rendant parfois chez Girodet même, au Bourgoin (lettre de Girodet à A.C. Becquerel, 17 septembre 1823). Girodet disait achever les dessins « au coin de son feu », à Fabre, en mai 1823 (lettre du 23 mai 1823, publiée par Léon-Gabriel Pelissier, « Les correspondants du peintre Fabre (1808-1834) », *Nouvelle Revue rétrospective*, 5e semestre, juillet-décembre 1896, p. 136).

70. Émeric-David, « Beaux-Arts. Anacréon… », *loc. cit.*, p. 388.

71. Voir Régis Michel, « Guérin ou l'allégorie de l'émigration », in Philippe Bordes et Régis Michel (dir.), *Aux Armes & aux arts ! Les arts de la Révolution 1789-1799*, Paris, 1988, p. 86-88.

72. Voir Barthélémy Jobert, *Delacroix*, Paris, Gallimard-RMN, 1997, p. 81-82 et Vincent Pomarède, *Eugène Delacroix. « La Mort de Sardanapale »*, Paris, RMN, 1998, p. 14-25.

73. Voir la note 1, p. 1 de l'introduction au volume, écrite par Coupin : « La traduction des odes et fragments de Sappho, que j'ai intercalées dans cette notice, appartient : celle en vers, à Girodet, à l'exception de l'ode traduite par Boileau ; et celle en prose, sauf quelques corrections, à Moutonnet de Clairfons, qui, en général, a rendu le texte avec beaucoup de fidélité. »

74. *Ibidem*, note 1, p. 13.

75. 16 dessins pour *Sappho*, 1 pour *Bion*, 11 dessins pour *Moschus* (avec pour ce dernier un doute quant à l'authenticité de certaines feuilles, analogues à celles conservées dans le recueil d'*Anacréon* et probablement des contre-épreuves). Il existe également dans ce recueil, comme dans le précédent, des feuilles intercalées qui n'ont rien à voir ni avec le texte, ni avec l'illustration de *Sappho, Bion, Moschus*.

76. Il en avait laissé, comme pour les odes d'Anacréon, une imitation en vers (voir l'introduction de Coupin au *Moschus*).

77. Pour une synthèse sur *Les Amours des dieux*, voir Sylvain Bellenger, « Aurora and Cephalus : A Story of an Acquisition », *Cleveland Studies in the History of Art*, vol. 8, 2003, p. 188-199, et Jacqueline Boutet-Loyer dans *Girodet. Dessins du musée*, Montargis, musée Girodet, n° 87. Voir également, pour les dessins ayant servi aux lithographies, Anne Lafont, « Une collection autour d'un portrait de femme

de Girodet au Musée des Beaux-Arts du Canada », *Na[...] Gallery of Canada Review*, 1 (2000), p. 36-52.

78. Aubry-Lecomte, Chatillon, Counis, Coupin de la[...] perie, Dassy, Dejuine, Delorme, Lancrenon, et Mona[...] Pannetier, crédité dans la page de titre, ne semble p[...] fait, avoir travaillé pour cette série. Mais celle-ci n[...] connue, à l'heure actuelle, qu'à quelques très rares e[...] plaires, il est possible qu'il y ait collaboré et que son [...] se soit perdu ou n'ait pas été intégré à la publicati[...] page de titre ne mentionne pas le nombre de lithogra[...] total des *Amours des dieux*, qui est de seize dans les e[...] plaires conservés complets, et qui est le chiffre donn[...] Coupin, 1829, t. I, p. lxxix).

79. Pérignon, *Catalogue*, p. 15, n° 39.

80. Voir Bajou et Lemeux-Fraitot, 2002, p. 298, n° 332, n°s 290, 323, n°s 298 et 346, n° 360.

81. Émeric-David, « Beaux-Arts. Anacréon (…) », in [...] *Encyclopédique…*, p. 394.

82. Ambroise Firmin-Didot, *Étude sur Jean Cousin [...] de notices sur Jean Leclerc et Pierre Woeiriot*, Paris, [...] min-Didot, 1872, p. 14 pour le passage sur Jean Cou[...] la gravure sur bois, et note 3, p. 14-15 pour celui sur[...] det et sur Hersent. On doit à Charles Rosen et Henri [...] la redécouverte de ce texte dans *Romanticism and Re[...] The Mythology of Nineteenth Century Art*, New York [...] ton, 1984, p. 99.

83. Voir la synthèse récente de Norberto Gramacc[...] Hans Jakob Meier, *Die Kunst der Interpretation. Fran[...] che Reproduktionsgraphik, 1648-1792*, Munich et [...] Deutscher Kunstverlag, 2003.

84. Sur cette question, voir Timothy Clayton, *The E[...] Print, 1688-1802*, New Haven et Londres, Yale Univ[...] Press, 1997.

III. 105 Girodet (d'après), *Portrait de Coupin*
Lithographie, Paris, Bibliothèque
nationale de France

ndications sur l'estampe en France sous la Révo-
 et l'Empire in Victor I. Carlson et John W. Ittmann
Regency to Empire. French Printmaking 1715-1814,
nore, Museum of Arts et Minneapolis, Institute of Arts,

ettre de Girodet à Bernardin de Saint-Pierre, publiée
oupin, 1829, t. II, p. 272-283, les passages cités ici
p. 279-281, le dernier p. 183.

Coupin, 1829, t. I, p. Iv-Ixxxvi.

a publication était disponible chez Aubry-Lecomte et
Engelmann, l'imprimeur-éditeur.

ente après décès, n° 370 à 382. Voir les mises au
de Sylvain Bellenger et Jean-Michel Pianelli dans *La
nde d'Ossian illustrée par Girodet*, Montargis, musée
et Boulogne-Billancourt, bibliothèque Marmottan,
 p. 60-107, et de Sidonie Lemeux-Fraitot, in Bajou,
ux-Fraitot, p. 278-281.

oir *La Légende d'Osssian illustrée par Girodet*, op.cit.,
 p. 46-47.

enri Beraldi, *Les Graveurs du xixe siècle. Guide de
teur d'estampes modernes*, Paris, 1885-1892, réédi-
aget, Nogent-Le-Roi, 1981, t. VII, *Gavarni-Guérard*,
1-162. À noter que Prosper de Baudicour, dans son
ge *Le Peintre-graveur français continué*, Paris, 1861,
t mention que du portrait gravé de Chatillon pour
i est des estampes de Girodet, par un mépris pour
ographie qui n'est pas rare chez les amateurs et les
iens de la gravure : « Il a gravé à la pointe, et comme
 un petit portrait. C'est la seule pièce sur cuivre que
connaissons de lui ; ses lithographies n'étant pas de
domaine » (p. 326-327).

ui pourra toujours être augmenté par l'apparition de
s connues en un seul exemplaire, le caractère privé

de ces feuilles en ayant limité le tirage : ainsi de la *Scène
ossianique* (peut-être *Mavina jouant de la harpe près d'Ossian*) retrouvée chez les descendants des héritiers de l'artiste, reproduisant une petite huile sur toile autrefois dans
la collection His de la Salle : voir *La Légende d'Ossian ....*,
nos 18 et 19, p. 52-55.

93. Philippe Bordes a proposé une première vue d'ensemble de l'attitude des peintres français face à l'estampe entre
la Révolution et la Restauration, « *L'écurie dont je ne sortirai que cousu d'or*. Painters and Printmaking from David to
Géricault », in Serge Guilbaut, Maureen Ryan et Scott Wat-
son (dir.), *Théodore Géricault. The Alien Body : Tradition
in Chaos*, Vancouver, The University of British Columbia,
1997, p. 116-135, qui insiste sur les aspects commerciaux
autant que politiques ou esthétiques ayant pu, en particulier,
gouverner le choix fait par certains, et notamment Géricault,
puis Delacroix, en faveur de la lithographie.

94. Voir Philippe Bordes, « David et l'estampe », in François Fossier (dir.), *Delineavit et sculpsit. Dix-neuf contributions sur les rapports dessin-gravure du xvie au xxe siècle.
Mélanges offerts à Marie-Félicie Perez-Pivot, Professeur
émérite d'histoire de l'art à l'université Lumière-Lyon 2*,
Lyon, 2003, p. 171-179.

95. Il avait d'ailleurs suggéré à Didot, dans un premier
temps, de faire travailler un des plus célèbres graveurs alors
établis outre-Manche, Bartolozzi : voir D. et G. Wildenstein,
*Documents complémentaires au catalogue de l'œuvre de
Louis David*, Paris, 1973, p. 35 n° 293. Sur l'anglophilie
de David autour de 1790, voir Philippe Bordes, « Jacques-Louis David's Anglophilia on the Eve of the French
Revolution », in *Burlington Magazine*, août 1992, p. 482-
489. À noter que ce *Virgile* a finalement été aussi publié
en Angleterre, en 1800, dans une édition où les dessins de

Gérard et de Girodet ont été gravés par Bartolozzi, Neagle,
Fittler et Sharpe (édition dite *Fleet Street edition* : *Publius
Virgilius Maron* ; *Bucolica, Georgica, Aeneis*, Londoni,
apud A. Dulau & Co., Soho Square, MDCCC ; T. Bensley,
Printer, Bolt Court, Fleet Street, London). Quatorze dessins
sur vingt-trois originaux y sont reproduits, un quinzième
ayant été fourni par le dessinateur portugais Veira.

96. Vivant-Denon devait graver *Le Serment du Jeu de
Paume*, mais il n'arriva pas à terminer la planche. Il exécuta
aussi une gravure de la tête de *Le Pelletier de Saint Fargeau*
(David ayant passé contrat avec Tardieu pour la gravure
d'après le tableau), Copia faisant de même pour le *Marat*
(gravure du tableau par Morel).

97. Sur Géricault et l'estampe, voir François Bergot,
Géricault. Tout l'œuvre gravé et pièces en rapport, Rouen,
musée des Beaux-Arts, 1981-1982 et Emmanuelle Brugerolles (dir.), *Géricault. Dessins et estampes des collections
de l'École des Beaux-Arts*, Paris, École nationale supérieure
des beaux-arts, 1997, à compléter par James Cuno, « *Retour
de Russie* : Géricault and Early French Lithography », in
Guilbaut *et al.*, *Théodore Géricault...*, p. 145-159.

98. Sur Delacroix et l'estampe, voir en dernier lieu Barthélémy Jobert dir., *Delacroix. Le trait romantique*, Paris,
Bibliothèque nationale de France, 1998, à compléter par
Barthélémy Jobert, « Delacroix et l'estampe : chronologie,
techniques, collaborations », *Revue de l'Art*, 2000-2001,
p. 43-61.

ANNE LOUIS GIRODET-TRIOSON
A NOS CONCITOYENS

Que Girodet demeure

« Montargis, vieux berceau des nobles fils de France,
Vieux tombeau de l'Anglais qui sentit ta vaillance […]
Toi qui des lis courbés soutins la tige altière ;
Doux pays où mon œil s'ouvrit à la lumière. »
Girodet, *Le Peintre*, chant second

l revenait à Montargis, où est né Girodet, d'entretenir la mémoire de fant du pays. Le musée de Montargis porte le nom du peintre depuis 7, mais au-delà de ce simple hommage commémoratif, une politique ontariste et persévérante, réaffirmée en 2005 avec l'acquisition de *La n de géographie,* lui a permis de s'imposer comme lieu de référence r l'étude de l'œuvre du maître.

Ici est déposé le cœur de Anne Louis Girodet-Trioson, peintre stoire.» C'est dans l'église Sainte-Madeleine de Montargis que repose œur de Girodet. Ce dépôt voulu par les héritiers de l'artiste signale orce des liens qui unirent Girodet à sa cité natale. Celle-ci honore fant du pays dès 1832 en donnant son nom à une rue et à une place centre de la ville [1].

'action commémorative s'exprime pleinement en 1854, lors de réation du musée de Montargis. Certes, cinq œuvres de Girodet

seulement figurent dans le premier catalogue des collections, rédigé en 1857 : les Becquerel, auxquels l'artiste était doublement apparenté, et dont la bienveillance à l'égard du musée ne se démentira jamais, ont donné *La Mort de Camille,* exécutée en 1785 sur le sujet du prix de Rome, deux vues du château de Montargis, et deux dessins préparatoires pour *Joseph reconnu par ses frères.* Mais la volonté des animateurs du musée de donner une place centrale à Girodet est d'emblée affichée : «[…] en entrant, on voit un panneau se détacher comme une chapelle dont une console élégante semble former l'autel. C'est […] le sanctuaire du musée consacré à l'immortel Girodet. Sur la console se trouvent la palette du grand maître, ses pinceaux, précieuses reliques, sa main moulée en plâtre et une couronne de lauriers [2].» Henri de Triqueti s'associe à la célébration en offrant au musée un buste médaillon de Girodet portant l'inscription «Anne-Louis Girodet-Trioson, A nos concitoyens. Fait et offert par H de

Triqueti, 1853». La dédicace aux Montargois vaudra à l'artiste les remerciements de la ville.

Alors que Girodet, déjà grand artiste, devient un grand homme du Loiret[3], les animateurs du musée enrichissent les collections d'œuvres du maître : l'un des portraits en pied de *Napoléon Iᵉʳ en costume de sacre* commandés à Girodet en 1812 pour les cours de justice, acquis par la ville de Montargis en 1846, est donné au musée entre 1857 et 1864 ; Triqueti offre plusieurs dessins dans les années 1860 ; une copie de la *Scène de déluge* rentre dans les collections avant 1900. Pour autant, les œuvres de Girodet ne font pas l'objet d'une présentation particulière : dans la galerie à éclairage zénithal de l'hôtel Durzy, construit au début des années 1860, elles sont encore accrochées parmi les tableaux de l'école française au tout début du XXᵉ siècle.

Le centenaire de la mort de Girodet est célébré dans une certaine précipitation. Pourtant, dès décembre 1923, la Société d'émulation de l'arrondissement de Montargis s'engage à «provoquer tous les concours en vue de célébrer dignement le centenaire de notre gloire locale[4]» ; car «si Girodet est une gloire nationale, Montargis peut s'enorgueillir de lui avoir donné le jour[5]». La société décide d'apposer une plaque commémorative, le 9 décembre 1924, sur la façade de l'immeuble où Girodet est né. Au terme d'une recherche un peu rapide[6], un cortège, emmené par le sous-préfet, le maire et le curé, s'ébranle dans les rues de la cité pour gagner la supposée maison natale sur laquelle on appose une plaque portant la mention : «Dans cette maison est né, le 29 janvier 1767, Anne Louis Girodet-Trioson, peintre d'histoire[7].»

La naissance officielle du musée Girodet date de 1967. À l'occasion du bicentenaire de la naissance du peintre, Jacqueline Auzas, alors conservateur à Montargis, organ[...] au musée la première exposition rétrospective consacrée à l'artiste[...] outre de très importantes recherches, en partie reprises dans le catalogue d'exposition, Jacqueline Auzas suscite un exceptionnel regroupement d'œuvres : le musée du Louvre prête *Le Sommeil d'Endymion*, *Atala au tombeau*, le musée national du château de Malmaison *Ossian*, le duc de Luynes autorise le prêt de *Pygmalion et Galatée*. Annoncée par la presse locale comme «l'événeme[...] artistique le plus important depuis 1945[8]», l'exposition connaît un succ[...] public incontestable : de septembre à décembre 1967, elle accueille plus de 6 000 visiteurs «venus non seulement de Paris et de province, mais aussi de l'étranger[9]». Dans l'introduction du catalogue, le maire de Montargis avait proposé que la ville «se voit confier la responsabilité[...] d'un musée GIRODET où l'étude de ce grand peintre pourrait être continuellement poursuivie et approfondie». C'est chose faite le 29 décembre 1967 lorsque le musée de Montargis devient musée Giro[...]

Le succès de l'exposition de Jacqueline Auzas se mesure également à l'importance des dons consentis au musée : plus de 300 lettres de Julie Candeille à Girodet rejoignent les archives du musée à l'issue de la manifestation. Elle incite également l'État à déposer à Montargis la réplique d'*Atala au tombeau* peinte par Girodet et Pagnest.

En 1973, au moment où la ville achète *L'Indien*, la collection est présentée dans le «salon Girodet», qui, aménagé dès le début des année[...] 1860 au premier étage de l'hôtel Durzy, rend hommage à l'artiste : qua[...] œuvres du peintre (*Hippocrate refusant les présents d'Artaxerxès*, *Le Somme[...] d'Endymion*, *Atala au tombeau* et *La Révolte du Caire*) y sont reproduites[...] grisaille au plafond.

Les années 1970 voient le fonds de dessins du musée s'enrichir de [faç]on spectaculaire : la ville peut acquérir en vente publique les dessins [pré]paratoires à *L'Énéide* provenant de la collection Firmin Didot ainsi [qu]'une série de huit dessins illustrant la légende d'Ossian.

La collection comporte aujourd'hui près de cent trente dessins, en [gra]nde partie publiés en 1983 par Jacqueline Boutet-Loyer, conservateur [du] musée de 1977 à 1986 : académies, paysages italiens, études [pré]paratoires pour des peintures (dont *Une scène de déluge* et *La Révolte du* [Ca]*ire*), projets d'illustration composent cette collection, qu'un nombre [im]portant d'éditions originales illustrées complète.

[Sylvain Bellenger, conservateur de 1987 à 1992, fait l'acquisition du [som]ptueux *Portrait de Mustapha Sussen* en 1989, et obtient le dépôt du [fon]ds d'archives Pierre Deslandres, répondant ainsi aux vœux formulés [par] les élus en 1967 : ce fonds privé exceptionnel, qui comprend plusieurs [cen]taines de lettres, fait aujourd'hui du musée un lieu de recherche [ind]ispensable pour qui veut étudier le peintre.

À l'heure où, de municipal, le musée Girodet est devenu communautaire, l'importance de la collection apparaît telle qu'on ne peut plus limiter sa présentation au seul «salon Girodet». Un espace d'expositions temporaires permettra dans les années qui viennent d'explorer à nouveau l'univers de l'artiste [10]. Le musée entend aussi assurer son rôle de lieu de présentation permanente de l'œuvre du maître : en rappelant au néophyte les grandes dates de la carrière du peintre ; en présentant l'environnement artistique dans lequel Girodet évolua ; en proposant enfin une approche plus intime, au cœur de laquelle la famille Trioson occupe une place de choix. Les deux portraits peints du docteur Trioson, père adoptif de l'artiste, le *Portrait de Benoit Agnès Trioson*, ainsi que *La Leçon de géographie*, ne constituent pas seulement le fleuron de la collection du musée Girodet ; ils sont également le plus beau témoignage des liens qui unirent Girodet à son pays natal.

notes

1. L'école Girodet, construite en bordure de cette place à partir de 1927, a pris le nom de l'artiste dès 1930.

2. Ch. Brainne, « Montargis, la Ville, le théâtre, le musée, la foire », *Le Journal du Loiret*, 4 août 1863, cité par Gaston Leloup, « Montargis vu par un Orléanais en 1853 », *Bulletin de la Société d'Émulation de l'arrondissement de Montargis*, n° 48, mars 1980, p. 39. Les « précieuses reliques » ont été données par Antoine-César Becquerel en 1846.

3. Les cartes du Loiret éditées par Migeon au XIXe siècle figurent Girodet dans un cartouche.

4. *Bulletin de la Société d'émulation de l'arrondissement de Montargis*, n° 5, années 1923-1924, p. 75.

5. *Ibidem*, p. 82.

6. Les travaux de Gaston Leloup ont montré que l'emplacement exact de la maison natale de Girodet reste à découvrir : « La maison natale de Girodet », *Bulletin de la Société d'Émulation de l'arrondissement de Montargis*, n° 43, juin 1978, p. 51.

7. Cette plaque est aujourd'hui conservée au musée Girodet.

8. *La République du Centre*, 11 juillet 1967.

9. « Chronique des arts », *La Gazette des Beaux-Arts*, mars 1968.

10 C'est dans cet esprit que le musée Girodet organisa des expositions sur la représentation d'Ossian, en 1989, et sur l'illustration de *L'Énéide*, en 1997.

Catalogue

**cat.1 Académie d'homme
assis au bras levé**

Sanguine sur vélin, 68 x 45 cm.
Montargis, musée Girodet, inv. 885-25
Inscription en bas à droite : *Étude de Girodet pour son
prix de Rome*

Hist. Antoine-César Becquerel ; don au musée, 1866
Exp. 1983, Montargis, n° 4 a
Bibl. cat. musée Girodet, 1874, n° 107 ; *idem*, 1885,
n° 213 ; *idem*, 1937, n° 262 .

**cat.2 Académie d'homme
assis tournant la tête**

Fusain, pierre noire et rehauts de craie sur vergé bistre,
54 x 40,5 cm.
Montargis, musée Girodet, inv. 885-26

Hist. Antoine-César Becquerel ; don au musée, 1866
Exp. 1983, Montargis, n° 4 b
Bibl. cat. musée Girodet, 1874, n° 107 ; *idem*, 1885, n° 213.

L'enseignement de David

Le dessin d'après le modèle nu est la pierre
‍gulaire de l'enseignement dispensé à l'Acadé-
‍e royale de peinture et de sculpture depuis sa
‍dation en 1648 et durant tout le XVIIIᵉ siècle.
‍us l'impulsion de Jacques Louis David, l'étude
‍ l'anatomie évolue vers le nu à l'antique, don-
‍t naissance au genre de l'« académie » dont *Le*
‍*meil d'Endymion* (cat. 10), que Girodet peint
‍Rome en 1791, représente l'aboutissement à
‍ints égards. Avant cela, David et ses élèves Jean-
‍rmain Drouais et François Xavier Fabre ont
‍nt quelques remarquables académies peintes, où
‍nu acquiert une présence charnelle très forte et
‍tègre dans un schéma narratif.
‍Ces deux études d'après le modèle vivant, qui
‍ présentent comme de simples exercices, por-
‍t l'empreinte de l'enseignement de David. La
‍mière **(cat. 1)** est annotée au crayon : « Étude de
‍odet avant son prix de Rome. » Cela veut dire
‍elle date de sa première période de formation.
‍Quand Girodet entre à l'atelier de David en
‍84, il a tout juste dix-sept ans. David lui-même
‍té reçu à l'Académie royale de peinture l'année
‍cédente. Ses élèves peuvent participer aux cours
‍dessin d'après le modèle vivant qui ont lieu six
‍ par semaine et durent plusieurs heures chaque
‍. Peu après l'arrivée de Girodet à l'atelier de
‍vid, le maître repart pour Rome afin de peindre

Le Serment des Horaces. Le jeune homme va donc
étudier quelque temps auprès de Nicolas Guy
Brenet, un peintre d'histoire plus âgé, dont le style
conserve la souplesse et le moelleux du rococo. La
fermeté des contours, la finesse des hachures et la
vigueur du trait dans les études de Girodet donnent
à penser qu'il les a plutôt exécutées sous l'influence
de David, peu avant de partir pour Rome à son
tour. Il a obtenu deux médailles en 1784. Une *Académie d'homme debout* sans doute réalisée vers cette
date présente un modelé plus doux, avec des dégradés plus largement estompés qui donnent moins de
précision au dessin des muscles. Les deux feuilles
exposées ici dénotent davantage d'assurance et de
maîtrise. L'artiste était visiblement placé tout près
du modèle, et à la même hauteur, sans doute dans
l'exiguïté d'un atelier, et non pas dans la grande
« salle du modèle » à l'Académie. C'est ce que confirme l'ombre de l'homme assis au bras levé, qui
révèle la proximité du mur derrière. L'attitude très
étudiée des deux modèles traduit un intérêt pour le
mouvement assez éloigné du répertoire traditionnel des poses académiques.

Le dessin d'après le modèle nu, quand il sert
de fondement à la peinture d'histoire, possède de
ce fait une dimension plus ou moins narrative.
Aucune des deux feuilles ne se rattache clairement
à un sujet bien déterminé, mais les deux hommes

représentés sont saisis en pleine action à l'intérieur
d'une scène qui se déroule hors champ. Celui qui
lève le bras tend l'index vers le ciel. Ce geste, emprunté aux statues de gouvernants romains, évoque un personnage en train de donner un ordre
ou de souligner un point de son discours, comme
l'indique sa bouche ouverte. La torsion de l'autre
homme assis délimite une oblique à partir de l'angle inférieur gauche. Le modèle lève les yeux vers
un personnage invisible, auquel il semble jurer sa
fidélité ou offrir son aide. Sans accentuer exagérément l'anatomie, Girodet restitue la contraction
des muscles, suggérant encore plus fortement des
personnages impliqués dans une action totalement
absente des académies traditionnelles.

C. F.

cat.3 Jacques-Louis David
Le Serment des Horaces (réduction)
1786
Huile sur toile, 130,2 x 166,2 cm
Signé et daté en bas à gauche : *J.L. David faciebat/Parisiis, anno MDCCLXXXVI*
Toledo Museum of Art, Purchased with funds from the Libbey Endowment, Gift of Edward Drummond Libbey, inv. 50.308

Hist. réduction du tableau de David, peinte pour la galerie de peintures du comte de Vaudreuil en 1786 ; fait partie de la vente Vaudreuil, 26 novembre 1787 sous le n° 107 ; achetée (pour 5700 livres) par le marchand Lebrun ; revendue à l'imprimeur Didot en mars 1794 ; demeure chez ses descendants ; vente Paul Roux, 14 décembre 1936, n° 116. ; acquise par la galerie Wildenstein ; acquise par le musée de Toledo (USA) en 1950.
Exp. 1787, Paris, lot 107 ; 1826, Paris, n° 40 ; 1913, Paris, n° 25 ; 1937, Paris, n° 293 ; 1955, Rome-Milan-Florence, n° 27 ; 1964, Cleveland, n° 114 ; 1968, Londres, n° 179 ; 1980, Berlin, n° 29 ; 1982, Stockholm, n° 10 ; 2000, Philadelphie, n° 213.
Bibl. Lebrun, 1787, n° 107 ; Thiéry, 1787, t. II, p. 548 ; Bruun-Neegaard, 1801, p. 88 ; Landon, 1814, p. 4 ; Chaussard, 1824, p. 43 ; Thomé de Gamond, 1826, p. 233 ; cat. exp Paris, 1826 ;

Coupin, 1827, p. 53 ; Péron, 1839-1840, IX, pl. VI, n° 1 ; Seigneur, 1863, p. 364, David, 1867, p. 34, 41 ; Bellier de la Chavignerie et Auvray, 1868 [1979], t. I, p. 354 ; David, 1880, I, p. 59, 636 ; Dumoulin, 1907, LXVIII, p. 91, repr. ; cat. exp. Paris, 1913, n° 25 ; Cantinelli, 1930, p. 103 ; Holma, 1940, p. 48, 126 ; cat. exp. Paris, 1937, n° 293 ; Florisoone, 1948, p. 48 ; Levitine, 1952 [1978], p. 8-9 ; Hautecœur, 1954, p. 60-61 ; cat. exp. Rome-Milan-Florence, 1955, n° 27 ; Canaday, 1959, p. 11-12, repr. ; Dowd, 1960, XXIII, p. 7, repr. fig. 3 ; Levy, 1961, face à la p. 112 ; Wittmann, 1962, p. 44-45, repr. 11 ; cat. exp. Cleveland, 1964, n° 114 ; Gowans, 1964, p. 253, repr. 88 C ; Gowans, 1966, p. 19-20, repr., 80, 189 ; Grosser, 1964, p. 169, repr. ; Rosenblum, janv. 1965, vol. 107, p. 30-33 ; Wittmann, juin 1965, vol. 107, p. 324-325 ; Rosenblum, sept. 1965, vol. 107, p. 473-475 ; Rosenblum, déc. 1965, vol. 107, p. 633 ; cat. exp. Londres, 1968, n° 179 ; Wittmann, févr. 1968, vol. 108, p. 90-93 ; Neve, 1968, vol. 143, n° 3697, p. 65 ; Nicolson, févr. 1968, vol. 110, p. 62 ; Rosenblum, 1969, n° 3, p. 101 ; Rosenberg, 1969, n° 3, p. 99 ; Martin-Ibanez, 1970, p. 463-464, repr. ; Sérullaz, 1972, p. 41 ; Verbraeken, 1973, p. 245 ; Richardson, 1973, p. 226 (repr. P. 224) ; Wildenstein, 1973, p. 23, 208-209, 226-227 ; Cummings, 1974, p. 42 ; Henning, 1975, t. 62, n° 4, p. 112, repr. fig. 10 ; Duret-Robert, 1975, n° 285, p. 2, repr. ; Howard, 1975, p. 88, 89, repr.

fig. 157, 122 ; Wittmann, 1976, p. 51-52, repr. pl. 211 ; Schu [...] 1977, t. 76, n° 4, p. 64 ; Knight, 1978, n° 20, p. 28, repr. ; Mo [...] 1979, p. 46, repr. ; cat. exp. Berlin, 1980, n° 29 ; Nevison Bro [...] 1980, p. 27-28, 375 ; Stackelberg, 1980, p. 11, repr. ; cat. e [...] Stockholm, 1982, n° 10 ; Bordes, 1983, p. 19, 94 ; Ottani Cav [...] 1983, vol. 125, n° 958, p. 54 ; Wills, 1984, p. 58, repr. fig. 12, [...] 125, 184, 215, 217, 226 ; Bailey, 1989, vol. 130, n° 329, p. 25- [...] repr. fig. II, 69 ; Crow, 1989, p. 47 repr., 49 ; Schnapper, 19 [...] p. 162, repr. fig. 51 ; Wintermute, 1989, p. 118-119 ; Crow, 19 [...] p. 55-56, repr. fig. 1 ; Carr, 1993, t. 137, n° 37, p. 307, 308, 3 [...] repr. fig. 3 ; Crow, 1994, p. 143, 145 (repr. ill. 6), 163 ; The [...] ledo Museum of Art, 1995, p. 113, repr. ; Crow, 1995, p. 90, [...] (repr. pl. 69), 92, 102, 315, 316, 317 ; Pelfrey, 1996, p. 25-26, r [...] fig. 1.17 ; Crow, 1997, p. 110, 111 repr. ill. 28, 126, 391 ; P [...] 1997, vol. 277, n° 19, p. 1500, repr. ; Lafont, 2001, p. 48, 2 [...] 247, 536, repr. ; cat. exp. Philadelphie, 2000, n° 213 ; Bailey, 20 [...] p. 191, 192 (repr. pl. 176), 194, 297.

Œuvre en rapport

Jacques Louis David, Le *Serment des Horaces*, 1785, Paris, mu [...] du Louvre [ill. 110].

Le *Serment des Horaces* et Vaudreuil

En 1787, le guide des amateurs et des étrangers
[vo]yageurs à Paris, attirait l'attention du «touriste» qui
[vis]iterait l'hôtel de Vaudreuil sur un tableau de son
[cab]inet : «vis-à-vis de la cheminée, les Horaces, par
[M.] David, petit tableau de celui qui avait fait l'ad[mi]ration générale au Salon de 1785. […] [1] ». *Le Ser[me]nt des Horaces* peint pour la couronne pendant le
[de]uxième séjour de David à Rome en 1784-1785
[fu]t le manifeste de David, le défi formel et mo[que]ur qu'il lançait à l'école française avant de la réfor[me]r radicalement [2]. Le sujet renouait avec un enjeu
[pri]mordial de la tragédie française où Corneille en
[16]40 avait exposé ses principes d'une esthétique de la
[glo]ire, l'admiration remplaçant les sentiments aristo[téli]ciens de la terreur et de la pitié. Dès 1781, la pièce
[de] Corneille avait intéressé David comme le montre
[un] dessin d'*Horace vainqueur rentrant dans Rome* [3]. Le
meurtre patriotique de Camille, exécutée par son
[frè]re, est la sinistre clôture du combat singulier des
[frè]res Horace contre les frères Curiace. L'issue de ce
[com]bat devait donner la victoire à Rome face à sa
[riv]ale, Albe, mais le serment de vaincre ou de mou[rir] que les trois frères Horace prêtent fermement
[dev]ant leur père n'existe ni chez Tite-Live ni chez
[Co]rneille [4]. Le succès du tableau surpassa toutes les
[esp]érances et imposa David comme le peintre du
[mo]ment. *Le Serment des Horaces* eut une prodigieuse
[infl]uence sur l'école française et, au-delà, sur les usa[ges], les costumes et les arts décoratifs [5]. Le comte de
[Vau]dreuil en commanda à David une réplique ré[duit]e [6]. Cette réplique, outre ses dimensions, montre
[des] différences dans la profondeur des fonds sensible[me]nt éclaircis et dans les accessoires. Un fuseau placé
[aux] pieds du groupe des femmes et un socle de char[bon] dans le fond de la composition sont absents du
[tab]leau original. Trouver une réplique du *Serment des
[Ho]races* chez Vaudreuil, éminent courtisan du règne
[de] Louis XVI [7], grand fauconnier de France en 1780,
[cou]sin et amant de la princesse de Polignac, familier
[de] la reine, intime du comte d'Artois et protecteur de
[Ram]fort, de Beaumarchais et de Mme Vigée-Le[bru]n, n'a rien de surprenant. Le goût de ce collection[neu]r avisé correspond exactement à partir des années
[17]80 à celui de l'avant-garde artistique française que
[pro]meut l'administration royale [8]. Collectionner l'art
[con]temporain ne relevait pas d'un engagement autre
[que] celui du goût et l'accrochage de ses tableaux ne
[répu]gnait pas à faire cohabiter l'érotisme d'*Hercule et
[Om]phale* de Boucher avec la sévérité spartiate du *Ser[me]nt des Horaces*. La collection Vaudreuil est un parfait
[exe]mple du détachement idéologique avec lequel
[fut] perçu l'art du temps soutenu par d'Angiviller. Un
[art] qui portait en germe tout ce que Vaudreuil
[et] ses proches allaient haïr et combattre après 1789
[mi]ne tout simplement la mode, et la monarchie la

Ill. 110 David, *Le Serment des Horaces*, 1785
Huile sur toile, Paris, musée du Louvre

considérait comme l'un de ses modes d'expression.
Aveuglement d'une classe qui ne vit rien venir, la
nouveauté que le tableau introduisait dans les mœurs
resta lettre morte pour ses commanditaires. Vaudreuil
n'a pas plus perçu la subversion du tableau qu'il
n'avait vu celle du *Mariage de Figaro* joué au théâtre
du château de Chenevilliers et dont Danton dira :
«Figaro a tué la noblesse [9].» Naturellement, *Figaro* est
un pamphlet, une provocation dont la portée polémique est sans comparaison avec le sens politique du
Serment des Horaces qui ne se révèle qu'avec le déroulement de la Révolution, la montée de l'héroïsme
viril, du patriotisme et du sacrifice pour raison d'État
pendant la Terreur. La comparaison entre la pièce
et le tableau confirme cependant l'incapacité de la
classe dominante de l'Ancien Régime à imaginer sa
déchéance et la désinvolture avec laquelle une partie
de la noblesse de cour jouait avec la subversion avant
la Révolution. Chez Vaudreuil dominaient surtout le
carriérisme et l'ambition personnelle. Posséder une
réplique du *Serment des Horaces* confortait la crédibilité du comte qui briguait le poste de d'Angiviller à
la Surintendance des bâtiments du roi [10].

L'émulation davidienne

Lors du retour de David à Paris, Fabre et Girodet,
qui avaient suivi l'enseignement de Brenet pendant
son absence à Rome regagnèrent l'atelier [11] avec
l'espoir d'être admis à concourir au prix de Rome.
Depuis le succès de Drouais au prix de Rome de
1785 et surtout celui du *Serment des Horaces*, l'atelier
de David est en pleine effervescence. Il regroupe les
élèves les plus doués, les plus ambitieux du pays et
commande l'actualité artistique de la capitale. Gros
y est admis en 1785, Fabre y étudie jusqu'en 1787,
Gérard et Topino-Lebrun le rejoignent cette même
année. Les tableaux créés par David entre 1786 et
1789 furent une authentique école où se formèrent

Fabre, Girodet et Gérard. Véritables disciples, ils bénéficient de l'enseignement du maître et partagent
ses recherches. Comme dans les grands ateliers classiques, la frontière qui divise la part du maître de
celle des élèves favoris est quelque fois incertaine.
Les élèves sont les témoins et parfois les exécutants
des tableaux qui s'élaborent sous leurs yeux. Cette
frontière floue qui pose bien des problèmes à l'attributionnisme fut d'abord un dilemme pour les
jeunes talents en formation dans l'atelier [12]. Drouais
qui avait été l'émulation de David à Rome lors de
la création du *Serment des Horaces*, l'exprime dans ses
lettres anxieuses à David : «je ne dois pas traiter et ne
traiterais pas un sujet qui vous appartient, et si j'en
traite un analogue à l'un des vôtres on se moquera de
moi [13]». Cet antagonisme était une réaction contre le
puissant ascendant de David, un ascendant qui dans
l'atelier poussait les lois de l'imitation jusqu'à l'osmose. Thomas Crow a décortiqué la complexe pédagogie, socratique et œdipienne, de David. Pour Girodet, comme chez bien d'autres favoris, la vénération
avait précédé la rébellion, à l'époque des concours
de Rome, il «[…] était tellement rempli de respect
pour son maître, que chaque jour, avant d'entrer en
loge, il allait préparer sa palette devant les Horaces [14]».
L'ascendant du maître prit des formes plus torves au
moment des concours, lorsque l'uniformité stylistique des ouvrages rendit l'Académie soupçonneuse,
elle mit le holà à ce qui ressemblait à une effraction
aux règles de la compétition. David fut soupçonné
d'aider ses élèves au sein même de l'isolement dans
la loge [15] et, par mesure de rétorsion, on ne donna pas
le prix de 1786. En 1787, la querelle de Girodet avec
Fabre et l'exclusion de Girodet [16] donna encore plus
de crédibilité aux suspicions.

La collaboration des élèves
à l'œuvre de David

L'ascendant artistique ne s'exerçait pas dans un sens
unique et remontait aussi des élèves vers le maître.
Thomas Crow a montré comment, dès ses premiers
succès, «David-l'artiste», avait été un projet collectif
fédéré par un large entourage intellectuel, familial et
amical. Cette construction se prolongea par la pédagogie au sein même de l'atelier. Faut-il voir dans
cette éducation un idéal égalitaire et novateur où «le
maître relâchant son contrôle deviendrait l'élève de
ses élèves [17]»? Ou plutôt un système d'exploitation
plus retors comme Lamartinière le dénonça dans le
journal des bâtiments civils [18]? Outre qu'elles ne sont
corroborées par aucun autre témoignage, les accusations de Lamartinière négligent un aspect fondamental de la dynamique d'atelier : l'admiration presque
lyrique des élèves pour leur maître [19]. David se considérait comme une académie à lui seul [20] et, comme

dans tous les grands ateliers, des assistants étaient chargés de certaines parties des tableaux. La singularité est que les parties qu'il confiait n'étaient pas nécessairement les moindres et que surtout elles semblent correspondre à certaines difficultés du maître qui faisait assez confiance à quelques-uns de ses élèves pour achever les parties qui lui résistaient. Charles Nicolas Cochin s'étonnant de la maturité des élèves de David écrivait à Jean-Baptiste Deschamps, : «[son] école est montée, je ne scais par quel miracle, à un tel degré que les élèves dès l'âge de dix-neuf ans y sont déjà des hommes [21].» Certaines répétitions destinées à des personnalités considérables du royaume s'avèrent avoir été entièrement réalisées par des élèves. Dans l'appendice qu'il ajoute à la fin d'un tiré à part de sa notice nécrologique sur David, parue dans la *Revue encyclopédique* d'avril 1827 [22], Coupin établit une liste détaillée des parties de ses tableaux qui ont été faites par ses principaux élèves. La contribution de Girodet y paraît particulièrement importante, surtout pour le *Serment des Horaces* de Vaudreuil qui lui est entièrement donné, à l'exception des accessoires ajoutés par David comme le soc de charrue ou le fuseau et de quelques retouches. L'essai de Coupin est fortement teinté des sentiments antijacobins opportuns sous le règne de Charles X. Et il importe de souligner que si Coupin peut être suspecté de sentiments partisans envers Girodet, il laisse volontiers transparaître une retenue critique à la fois envers David l'homme et envers David l'artiste. Son appendice n'est certainement pas innocemment historique comme il le prétend, mais publié à une date où nombre des intéressés sont encore en vie. Les témoignages des contemporains ainsi que quelques-uns, moins directs, sur les pratiques de l'atelier de David sont assez nombreux et confirment tous sans autant de détails les révélations de Coupin. En 1814, Landon, écrit dans sa critique de l'exposition publique des tableaux du cabinet de M. Didot : «[…] entre autres tableaux, une excellente copie du serment des Horaces, de M. David, par M. Girodet. J'ignore si cette copie, réduite à la proportion d'un tableau de chevalet, a reçu les dernières touches de la main du maître ; mais de telles copies, faites par un peintre dont le talent se recommande principalement par la correction et la finesse du pinceau, peuvent bien quelquefois, retouchées ou non, valoir des originaux [23].» La même information est reprise dans une note manuscrite datée de 1840 ajoutée en marge des lettres de Bruun Neergaard : «On voyait il y a quelques années (chez Didot) une réduction de ce tableau [Le Serment des Horaces] exécuté par Girodet, sous la direction de David. Elle porte la signature de ce dernier [24].» En 1810, A. A. Morel réalise une gravure de la version réduite du *Serment des Horaces* qu'il donne naturellement à David. Dans la seconde moitié du XIXe siècle, les historiens [25] reconduisent ou

négligent la question de la paternité du tableau qui appartient alors à Firmin-Didot mais Jules David la pose de nouveau dans la deuxième édition de sa biographie de Louis David [26] : «Le maître associait souvent ses élèves à ses travaux […] Girodet avait, sous ses yeux, reproduit en petit le Serment des Horaces.» Après l'exposition «Neo-Classicism : Style and Motif [27]» organisée par le musée de Cleveland en 1964, l'érudition du XXe siècle s'empara de l'affaire et Robert Rosenblum et Otto Wittmann opposèrent leurs points de vue dans un vif échange épistolaire publié par le *Burlington Magazine* [28]. Le débat des deux auteurs est aujourd'hui dépassé d'une part grâce à la découverte d'éléments nouveaux réunis ici et d'autre part parce qu'il se plaçait sous le signe d'un attributionnisme farouche rendant difficilement compte des frontières floues entre création et exécution dans le fonctionnement d'un grand atelier classique [29]. La relation de David avec ses élèves est peut-être d'une complexité qui dépasse le système de l'apprentissage des ateliers. Avec la lucidité foudroyante de certains paranoïaques, le sculpteur Bra note dans le désordre de ses carnets les plus subtiles remarques jamais portées sur son enseignement : «David prépare, retient ses élèves, les obligeant à s'émanciper, ses efforts pour les assimiler entièrement à lui-même. Cependant il ne veut pas les diriger contre nature Gérard, Gros, Girodet ne devaient pas se ressembler. [*en marge* : avant eux Drouais Fabre].» Bra explique comment les élèves de David correspondent à ses périodes, selon un processus de dévoration saturnienne. «Il forme Broc pour le genre des Sabines et chaque série suivant les modifications et progrès qu'il subit lui-même, de là des manières diverses suivant les époques du talent du maître […] 1° Horace, etc. Drouais, Fabre, 2° Girodet, Gérard [en marge : Brutus, Socrate, etc.] 3° Broc, Langlois, Sabine [?] le Sacre/les aigles, portraits/ Rouger/Léonidas […] [30].» Comment ne pas établir un parallèle, même distant, entre cette influence de l'entourage des élèves sur David avec l'implication des femmes dans les périodes de Picasso? L'adoration des élèves les plus proches, suivie du violent rejet de Girodet et des troubles de personnalité de Drouais, montre assez les limites d'une histoire de l'art qui tournerait complètement le dos à l'introspection psychanalytique. Sans nous priver de ces instruments, la rigueur nous impose aussi de ne pas lire une époque avec les yeux et le lexique d'une autre. La polémique, qui a débattu des styles et des ego artistiques en oubliant qu'il convenait aussi de comprendre l'ancestrale pratique collective des ateliers, montre assez notre embarras de modernes devant une culture de l'apprentissage où la maîtrise du modèle l'emporte sur l'affirmation du moi. Il demeure cependant que la version du *Serment des Horaces* de Toledo montre une maîtrise supérieure à tout ce que Girodet pei-

gnait avant son prix de Rome de 1789. La prése du maître créateur du concept de l'œuvre transpa dans cette supériorité et nous croyons que le c trôle de David sur le tableau est exprimé auss Coupin lui même quand il précise, en passant, les deux seuls accessoires ajoutés, le soc de charru le fuseau, sont de la main de David [31]. «Quand il devenu maître à son tour», ainsi que le dit Cou Girodet fit aussi réaliser une copie d'*Atala* par Pag qu'il signa et exposa au Salon de 1814 [32]. La tenta de donner cette œuvre à Pagnest plutôt qu'à Gir ne nous vient pas car l'œuvre de cet artiste n'a assez de signification pour recouvrir celle du ma En revanche, la grandeur de David, artiste et gr pédagogue, fut aussi de s'entourer et de dévelop des talents dont il sut faire des rivaux.

S. B

notes

Thierry, 1787, t. II, p. 548.

Sur ce tableau, voir notamment : Thomas Crow, « The ... of the Horatii in 1785, Painting and Pre-Revolutionary ...alism in France », Art History, vol. I, n° 4, déc. 1978 ; ...apper, David témoin de son temps…, 1989, p. 162- ... Grimaldo Grigsby, « Nudity à la grec, in 1791 », The ...ulletin, vol. LXXX, n° 2, juin 1998 ; Pierre Burgelin, ...ôle du serment chez Rousseau », Dix-Huitième siècle, ... p. 213-227 ; Edgar Wind, « The Sources of David's ...es », Journal of the Warburg and Courtauld Institute, ..., Londres, 1941, p. 123-138 ; Régis Michel, Marie-...erine Sahut, David, l'art et le politique, Paris, 1988, ...-43.

...enne, Graphische Sammlung Albertina, inv. 12676. ...et réutilisa ce dessin dans sa Mort de Camille, 1785, ...argis, musée Girodet (ill. 114).

...hnapper, 1989, p. 166.

...upin, 1827, p. 17.

... tableau est aujourd'hui au Toledo Museum of Art, voir ...istorique ci-dessus.

...seph Hyacinthe François de Paule de Rigault, comte ...audreuil (1740 -1817). Il tenait sa fortune de Saint-...ngue où son père était gouverneur ; elle lui permit ... introduit à la cour et d'acquérir une collection très ...rtante qui fut vendue par l'intermédiaire de Le Brun en ... et en 1787 après son exil consécutif à la disgrâce de ...nne. Il ne revint en France qu'à la Restauration et devint ...nant général des armés et gouverneur des Invalides.

Sa collection comprenait surtout des chefs-d'œuvre hollandais aujourd'hui au musée du Louvre, Le Philosophe de Rembrandt, le Portrait du Président Richardot de Van Dyck, Adrien de Velde, La Plage à Scheveningen, ainsi que des tableaux français, Le Repos pendant la chasse de Watteau (Wallace Collection), La Sainte Famille à l'escalier de Poussin (Cleveland Museum of Art), La Forge de Le Nain (musée du Louvre), etc.

8. Colin Bailey, 2002, p. 171-194.

9. La pièce de Beaumarchais fut jouée le 27 septembre 1783 dans le petit théâtre du château de Vaudreuil à Chenevilliers devant la fine fleur de l'aristocratie. Les attaques lancées contre la cour par Beaumarchais ne furent cependant pas du goût de tous, et Vaudreuil ne réussit à faire jouer Figaro qu'en raison de l'indécision de Louis XVI et de l'insistance de Marie-Antoinette et du comte d'Artois qui avait lancé les invitations.

10. Bailey, « The comte de Vaudreuil», Apollo, vol. 130, n° 329, juillet 1989, p. 19-26. Journal du marquis de Bombelles, Genève, 1978, t. I p. 260.

11. Voir Les Concours de Rome, infra.

12. Crow, 1995, p. 90 et suivantes, analyse les limites et les contradictions de cette émulation.

13. J.L.J, David, p. 44 45.

14. Coupin, 1829, t. I p. iij-iv.

15. Cat. 4-8.

16. Ibidem.

17. Crow, 1995.

18. Journal des bâtiments civils, des monuments et des arts, n° 182, 8 pairial an X, p. 349-352. [...] « Si l'on en croit la plupart de ses jeunes étudiants qui ont orné les tableaux que le citoyen David vend comme de lui, et des prix fous ; ils ne reçoivent par jour qu'un modique salaire, à peine suffisant pour la plus chétive nourriture » (cat. exp. David, 1989, chronologie, p. 601).

19. Le dialogue, il est vrai apocryphe, de David et Drouais lors du prix de Rome de 1783 reflète cette admiration. « Quoi Monsieur, vous êtes content, en ce cas c'est le prix, je n'en ambitionne pas d'autre [...] » (David, autobiographie manuscrite, p. 157, cité par Crow, 1995, p. 24 n. 57).

20. Lettre de David à Chaptal, 1er avril 1801 : « Seul, Citoyen Ministre je vaux une académie [...] » (cat. exp. David, 1989, chronologie, p. 599).

21. Christian Michel « Lettres adressées par Charles Nicolas Cochin fils à Jean-Baptiste Deschamp, 1757-1790 », AAF, vol. XXVIII, 1996, p. 80.

22. Coupin, 1827, p. 61-64 ; Nevison Brown, 1980, p. 27-28, 375, n. 33 est la première à révéler l'appendice de Coupin ; Crow, 1995, lui donna sa visibilité et en tira les conséquences.

23. Landon, Journal de Paris, 26 mars 1814 p. 3-4.

24. Bruun Neergaard, Sur la situation des Beaux-Arts en France…, 1801, p. 88, note manuscrite, coll. Deloynes t. 23, p. 380 (n. 88 de l'ouvrage).

25. Du Seigneur « Appendice à la notice de P. Chaussard sur L. David », 1863, p. 114-128. Ne précise pas la colla

boration. Bellier/Auvray, 1868, p. 354 écrit : « Serment des Horaces [...] M. Firmin Didot en possède une répétition toute entière de la main de Girodet. » Le même auteur n'évoque pas le tableau dans sa notice sur Girodet.

26. J. L. J. David, 1880, t. I, p. 59, 636.

27. Henry Hawley, Neo-Classicism : Style and Motif, Cleveland, The Cleveland Museum of Art, 1964.

28. The Burlington Magazine, vol. 107, janvier 1965 p. 30-33 ; juin 1965, p. 323-324 ; septembre 1965, p. 473-75 ; déc. 1965, p. 633 ; vol. 108, févr. 1966, p. 90-93.

29. La différenciation des deux mains dans le tableau est rendue plus compliquée encore par une possible reprise du tableau par David. « Répétition avec changements de celui qui est au musée. Il porte la date de 1786, mais David le retoucha entièrement cinq ans après ; aussi a-il une vigueur d'un ton bien supérieur au grand tableau » (Explication des ouvrages de peinture exposes au profit des grecs, Paris, galerie Lebrun, 1826 p. 13, n° 40).

30. Notre gratitude va à Jacques de Caso qui a découvert, transcrit ces notes de Bra et nous les a généreusement communiquées en avant-première de sa propre publication sous presse dans « Davidiana » (Cambridge University Press). Voir S. Bellenger, supra.

31. Coupin, 1827, p. 63.

32. Voir cat. 51.

Les concours de Rome

Les mathématiques et la bonne compagnie

«Ainsi, Madame naiés pas dinquietudes on se garde bien de luy inspirer le gout de la peinture ou il faut absolument être de premier ordre [1].» L'avenir le montra, madame Girodet ne s'alarmait pas sans raison. Son fils cadet, le préféré, celui qui donnait les plus grandes espérances, dont elle avait tant soigné l'éducation s'engageait de plus en plus dans les chemins escarpés de la carrière de peintre. Le docteur Trioson, qui s'efforce de la rassurer, n'est pas coupable de l'avoir engagé dans cette voie difficile. Au contraire, il avait infatigablement insisté auprès des parents et des maîtres pour que le calcul, la physique, la géométrie, soient pris en grande considération et avait tout fait pour privilégier les humanités et les mathématiques aux dépens des arts dans l'éducation d'Anne Louis. Le dessin, la danse, le violon ne devaient venir qu'en second et servir de récompense au succès dans les autres disciplines. Ce n'est qu'en cédant à l'affirmation d'une vocation extrêmement précoce [2], que Trioson commence à s'assurer que le jeune homme puisse bénéficier des meilleures introductions et de l'enseignement artistique du meilleur niveau. Nous avons la chance d'être très renseignés sur ces années essentielles de l'enfance et du développement de la vocation de l'artiste par plusieurs sources. La première est la riche correspondance [3] que Girodet a entretenue dans son plus jeune âge avec ses parents, en particulier avec sa mère depuis l'année 1774, quand, à huit ans il est envoyé à la pension Watrin à Picpus [4]. La seconde de ces sources est la littérature de Girodet lui-même. Dans son grand poème didactique et autobiographique *Le Peintre* [5], il mêle ses souvenirs d'enfant artiste avec les conseils qu'il adresse à un élève idéal. Enfin les trois portraits de Benoît Agnès Trioson, où l'enfant est constamment contraint à l'étude, lient indistinctement ses souvenirs d'enfance à l'observation du jeune fils du docteur [6]. La correspondance surtout donne un témoignage direct du chemin parcouru pendant les dix années essentielles de son éducation, de huit à dix-huit ans, jusqu'en décembre 1784, où il étudie chez David. Trioson comprit ses qualités exceptionnelles et, convaincu de son attrait et de ses dons pour les arts, il l'exhorte d'abord, en accord avec ses parents, à embrasser la profession d'architecte [7]. Il intervient inlassablement auprès du jeune élève, auprès de ses maîtres de pension ou auprès des parents. Il l'encourage à étudier l'histoire anti-

III. 111 Jollain, *Bélisaire demandant l'aumône*, huile sur toile, coll. part.

que et lui montre les avantages d'un architecte lettré sur les autres membres de sa profession. Girodet est surtout intéressé par le latin et par le dessin mais aussi par l'histoire antique. Pendant les vacances, des répétiteurs lui donnent des leçons complémentaires de mathématiques. Cependant, Trioson ne sous-estime pas non plus l'importance d'être familier de la belle société et le pouvoir que représentent des appuis bien placés dans le système du clientélisme du XVIIIe siècle. Il introduit son protégé dans le monde, son monde, celui des administrateurs et des artistes au service du comte d'Artois, où il sert en qualité de médecin à quartiers [8] tout comme le père de Girodet occupe la charge d'intendant de l'apanage de la maison d'Artois [9]. Girodet a quinze ans lorsque sa mère, femme raffinée et de bon sens, lui écrit : «m'est tout ton bonheur a profit puisqu'il veut bien te prendre sous sa protection et aussy tintroduire dans la bonne compagnie quoique bien jeune encore [10].» Trioson conçoit, avec les conseils de l'architecte Guillaume Martin Couture, le programme des études de Girodet pour l'année 1782 [11]. En 1781, il le présente à Nicolas René Jollain (1732-1804) qui regarde ses dessins et l'admet dans son atelier [12]. En 1783, il l'introduit auprès de Joseph Vernet. Girodet avait déjà étudié d'après la bosse, soit d'après les moulages de l'antique, et l'anatomie d'après nature, études ostéologiques dont le musée Girodet conserve quelques dessins [13] mais l'atelier de Nicolas René Jollain est le premier atelier privé où Girodet reçoit ses leçons de peintre d'histoire. Jollain avait été second prix de Rome en 1754 et était depuis 1773 membre de l'Académie royale de peinture. C'est un proche de

Trioson, qui était probablement son médecin t[...] tant [14]. Au printemps 1783, grâce à l'appui de Jol[...] il entre à l'École royale des élèves protégés et sui[...] premiers cours de dessin d'après le modèle viva[...] En juillet, Trioson le conduit à Versailles et à la [...] nufacture de Sèvres. Ce même jour, ils rendent v[...] à Louis Boullée [16]. Trioson et Girodet avaient [...] visité ensemble le Salon de 1781, où l'adolescent [...] tournera à trois reprises [17]. En 1783, il retarde jus[...] l'automne ses vacances à Montargis pour visite[...] Salon [18]. À la rentrée, Boullée, qui consent à gui[...] le jeune artiste lui conseille d'abandonner l'archit[...] ture et de se consacrer à la peinture [19]. Il introd[...] auprès de David [20] qui devient alors son nouv[...] professeur de dessin.

Girodet chez David

L'objectif incontournable de la carrière de pei[...] était le prix de Rome. Pour l'obtenir, Il fallait «[...] absolument de premier ordre [21]». Une des cha[...] de l'emporter passait alors par l'atelier de David [...] Charles Nicolas Cochin décrivait à Jean-Bapt[...] Deschamps, : «monté, je ne scais par quel mira[...] à un tel degré que les élèves dès l'âge de dix [...] ans y sont déjà des hommes [22]». Se préparer au [...] de Rome, cible de tous les efforts, requérait pen[...] plusieurs années un travail acharné. Depuis la c[...] tion de l'Académie par Colbert, en 1663 le prix [...] Rome était la pierre angulaire, le couronnement [...] la formation académique et la parfaite illustration [...] principes artistiques aujourd'hui si obsolètes que [...] signification même est devenue obscure. La pr[...]

ion du prix et la série d'obstacles que les futurs
ndidats devaient affronter avant même d'être admis
 y présenter est caractéristique de l'émulation ar-
ique de l'administration pyramidale de la France
 Louis XIV et plus généralement de la sélection
éritocratique des concours d'État. L'observation de
 organisation permet de plonger au cœur des ins-
tions académiques et de leur philosophie. Celle-
 centrée sur l'individu, repose sur l'universalité de
eurs, l'antique, le vrai, le bien, le beau, la nature,
ncepts fondamentaux qui s'apprennent par l'imi-
ion de modèles. Depuis John Locke (1632-1704),
pédagogue considère qu'à l'origine, l'âme est vide
qu'elle se remplit d'idées par l'expérience. Dans la
lectique platonicienne, c'est sur cette expérience
nbinée à la logique que reposait la détermination
 vrai. Pour l'artiste, c'est dans la pratique de l'ate-
r que s'acquiert cette expérience. C'est l'endroit
 l'universalité idéale, constituée par le rassembl-
nt de ses parties, se met en place et où s'associent
 éléments du passé avec ceux de la nouveauté dans
e explication générale et vraie du beau. Le retour
ordre classique de Rome et de Louis XIV apparaît
 fin du XVIIIᵉ comme une solution rationnelle aux
ltiples désordres esthétiques ou moraux du siècle
ptique et libertin de la cour de Louis XV et de
einture de Boucher. L'enseignement académique
evient avant tout un apprentissage qui se fonde sur
nitation du beau et du bien. L'*exemplum virtutis*²³,
 principes de l'idéal et de l'universel semblaient
enus une urgence pour la France des Lumières.

Dans l'atelier de David, Girodet rencontre des
ves plus avancés que lui, Wicar, Drouais, Isabey et
re, qui avait sur ses compagnons l'avantage de lire
rec. Les autres n'étaient que latinistes. La connais-
ce du latin offrait un accès direct presque archéo-
ique à la littérature antique. Cette connaissance
t une condition requise pour être admis chez
vid. Celui-ci avait remporté un grand succès avec
présentation au Salon de 1781 de son tableau de
isaire, qui renouait avec la gravité poussinesque,
mière des grandes ruptures avec l'art de Boucher.
1784, il en confiera la copie à Fabre²⁴ [ill. 112].
t jeune qu'il était, Girodet n'arrivait pas chez Da-
 sans aucune expérience, son passage chez Jollain
ayant donné déjà beaucoup plus qu'une direction.
tableau de Jollain, *Bélisaire demandant l'aumône*²⁵,
senté au Salon de 1767 [ill. 111], lui fournit une
rence pour sa première grande composition his-
que²⁶. Le sujet, qu'il traite comme on passe un
men blanc, en marge du concours de Rome en
5²⁷, était *La Mort de Camille*²⁸ [ill. 114]. À Jollain,
vid lui-même avait repris pour son propre Béli-
e l'idée du soldat levant les bras de stupeur et celle
jeune guide tendant le casque du général aveugle
 d'y recueillir l'aumône²⁹. Girodet emprunta à

David la figure d'Horace au bras levé [ill. 113] et à
Jollain le fond de la composition de *La Mort de Camille*³⁰.

Les emprunts faits à Jollain par un David en pleine
maturité et ceux faits par Girodet qui ne maîtrise
pas encore son langage illustrent parfaitement l'un et
l'autre, chacun à leur niveau, les lois académiques de
l'imitation et montrent comment celles-ci assurent,
chez un artiste accompli comme chez un apprenti
de dix-huit ans, le maintien des modèles d'expression et de de formess. L'imitation impose que l'interprétation s'enracine dans le modèle, elle pousse la
référence jusqu'à la citation. Dans *La Mort de Camille*,
les expressions théâtrales, simplifiées au point qu'elles
atteignent l'efficacité d'un prototype, semblent un
simple collage des modèles de passions³¹, mais si ce
collage trahit l'apprenti, loin d'être l'application des
simples formules d'un catalogue, il est une étape vers
la synthèse. Il dévoile comment l'œuvre d'histoire, à
l'instar de la construction des grands mythes, s'élabore dans la répétition presque psalmodique d'un
répertoire commun d'images, d'idées et d'émotions.
Le *Bélisaire demandant l'aumône* de David et *La Mort*

de Camille de Girodet forment la suite naturelle de
Jollain³² qui esquisse lui-même un retour au classicisme fondateur. Ils relèvent du même processus imitatif, où les variations et les transformations picturales
doivent être comparées à l'esthétique musicale et aux
lois de l'harmonie qui répondent à une dynamique
interne de la transformation. Cette valeur perdue de
l'imitation n'est pas une entrave à l'individualité des
talents, mais au contraire elle en est la base, car l'individualité pour les classiques n'est valeur suprême que
si elle rejoint l'universalité. C'est là tout l'enjeu de
l'éducation académique et du prix de Rome. Pour
preuve de leur maturité artistique, les concurrents du
prix, enfermés en loge³³, loin de tout modèle et de
tout conseil, doivent montrer qu'ils ont parfaitement
assimilé la valeur des exemples qui, par ailleurs, raf-
fermissent leur propre talent. Ainsi, introduire dans la
loge des idées ou des éléments de compositions provenant de l'extérieur, engageant l'essentiel du tableau
c'est-à-dire les figures, c'était plagier³⁴. Le plagiat
entraînait l'exclusion immédiate du concours. Dans
une éducation qui reposait fondamentalement sur
une grandeur placée hors de soi, la tentation, comme

Ill. 113 David, *Horace vainqueur entrant dans Rome*
Dessin, Vienne, Graphische Sammlung Albertina

Ill. 114 Girodet, *La Mort de Camille*
Huile sur toile, Montargis, musée Girodet

...s le verrons plus loin, de compter sur d'autres for- que les siennes propres était grande.

En septembre 1784, David part pour Rome à la ...e de Drouais, lauréat du grand prix. Son absence ... a un an, il revint triomphant, apportant dans ses ...ages *Le Serment des Horaces*. Pendant son absence, ...odet et Fabre avaient suivi l'enseignement d'un ...ier des plus fréquentés, celui de Nicolas Guy Bre- ...35. Drouais, pendant cinq ans, Guérin pendant ... ans, Gérard pendant quatre ans, Girodet et Fabre ...dant un an, soit les élèves les plus davidiens de ...elier, sont passés chez Brenet alors que Gros, le ...s coloriste et le plus différent du groupe, n'y étudia ...ais. L'enseignement de Brenet est sans nul doute ... des ingrédients qui contribua à la suprématie ...idienne dans la peinture néoclassique française. ...1784, pour Girodet, la fréquentation de l'atelier ...é de Brenet est complétée par l'enseignement de ...ole des beaux-arts. Il est plusieurs fois lauréat des ...dailles de quartier[36], distribuées par l'assemblée ... professeurs tous les trois mois (quartier d'année).

Concourir pour Rome

...L'admission des élèves au concours de Rome ...fectue en passant par une série d'épreuves, aux- ...lles l'apprenti artiste participe de façon anonyme. ... premier lieu, le «concours d'esquisse», tenu en ... seule journée, puis «la figure nue» (masculine) ...t des concours d'admission. Le concours final, ...ne retient que cinq ou tout au plus six candidats ...aussi composé d'une épreuve d'esquisse et d'une ...re peinte. Il culmine avec la réalisation d'un ta- ...u d'histoire au format imposé, l'épreuve défini- ... Pour celle-ci, les candidats sont isolés «en loge» ...dant soixante-douze jours et travaillent tous les ...rs sauf le dimanche et les jours fériés[37]. Le sujet du ...cours donné par l'assemblée des professeurs est ...i de la réalisation d'une esquisse. Le jour même ...son exécution, cette esquisse est reportée sur ...ier-calque huilé, ou transposée sur une contre- ...euve vérifiée par les professeurs. Les calques et les ...tre-épreuves sont conservés par les concurrents ...s que les esquisses sont remises à l'École qui les ...serve sous scellés jusqu'au jugement. La fidélité ...tableau définitif au regard de l'esquisse d'origine ...un critère fondamental et tout changement de ...re entière entraîne l'exclusion[38]. En revanche, les ...essoires peuvent être modifiés, voire copiés. Un ...current qui avait copié dans son tableau une par- ...de paysage dans un tableau de l'Académie a été ...ulpé car cet ajout concernait les accessoires, un ...d de composition, et ne touchait pas l'essentiel[39]. ...t aisé de concevoir pourquoi les élèves de David, ...nés dans un climat d'émulation intense, accoutu- ...à la synthèse dans la forme, dans l'expression et la narration étaient mieux placés que les autres devant le système académique. Pendant plus d'une décennie, ils domineront le concours, du fait de la singulière affinité de l'enseignement de David avec les grands principes académiques du siècle de Louis XIV. Cela n'alla pas sans poser un certain nombre de problè- mes avec l'institution. En 1786, Fabre, Wicar, Giro- det, Duvivier, Vanderberghe sont admis à concourir. Coriolan quittant sa famille pour aller en exil est le sujet proposé[40]. Les académiciens «humiliés et irri- tés de voir tous les prix remportés par les élèves de David[41]», ou agacés par l'uniformité de l'école da- vidienne refusent cette année-là de désigner un lau- réat[42]. Comme toutes ses esquisses et les figures nues qu'il a pu peindre à l'école, le tableau de Coriolan de Girodet a aujourd'hui disparu. Il était apparemment placé en tête de la compétition[43]. David était alors assez assuré du métier de son élève pour lui confier la réduction du *Serment des Horaces* que lui avait com- mandée le comte de Vaudreuil[44].

Les quatre concours de Girodet

Avant de remporter le prix de Rome, Girodet s'y était présenté quatre années consécutives : 1786, 1787, 1788 et 1789. Ce nombre d'essais est un peu supérieur à la norme, mais il faut en relativiser l'im- portance : deux de ces concours, celui de 1786 et celui de 1787 se sont déroulés dans des circonstances anormales. Le sujet de 1787 est un drame sanglant, tiré du Livre de Jérémie dans l'Ancien Testament où Nabuchodonosor fait tuer les enfants de Sédécias en présence de leur père. L'histoire correspond à la fin du royaume de Juda et du châtiment infligé à son roi, Sédécias, qui s'était soulevé contre Nabuchodo- nosor, le roi de Babylone. Celui-ci s'était emparé de Jérusalem en 588 avant notre ère et avait puni la ré- volte de Sédécias en faisant égorger ses fils devant lui, ainsi que tous les chefs de Juda. Enfin, il fit crever les yeux de Sédécias, le fit lier avec des chaînes d'airain et l'emmena à Babylone, où il fut détenu en prison jusqu'au jour de sa mort.

Les concurrents de 1787 sont Fabre, Thévenin, Messier, Girodet, Garnier et Mérimée[45]. Dès les dé- buts de l'entrée en loge un scandale «de fraude», se- lon Coupin[46], valut à Girodet d'être «mis hors con- cours». Comme chaque fois qu'il s'agit d'une affaire épineuse, Coupin se garde bien de dire tout ce qu'il sait[47]. Les dessous de l'affaire, qui était devenue publi- que, sont connus grâce aux écrits même de Girodet[48] et à la correspondance des directeurs[49] qui hésitèrent sur l'attitude à adopter. Girodet avait tardé à rentrer en loge en même temps que ses camarades. Ce retard, écrit Pierre[50] à d'Angiviller, aurait été utilisé pour re- cevoir des conseils de David, ce dont conviennent à la fois le maître et l'élève[51]. Les deux cependant nièrent que des dessins aient été retouchés. Une fouille de la loge et des portefeuilles de Girodet révéla pourtant un dessin suspect et des études faites au dehors. La réaction du directeur fut d'abord conciliante et il fut imaginé de soumettre un autre sujet à Girodet mais la fronde gronda. Les élèves, découragés, protestèrent qu'ils voulaient bien «[...] concourir les uns contre les autres mais non contre Mr David qui favorisera tous les ans un protégé[52].» La rumeur alla plus loin et affirma que le prix de Drouais lui-même avait été re- touché[53]. David fut compromis et l'affaire était allée trop loin pour ne pas être portée devant l'Académie. Dans un mémoire[54], Girodet annonça qu'il se retirait du concours et accusait Fabre de l'avoir trahi. À le lire, les logistes étaient tous coutumiers de la tricherie et seule une trahison expliquerait le traitement qui lui fut réservé. Ce mémoire est une dénonciation en règle de l'hypocrisie de Fabre qui aurait lui-même bénéficié de l'aide dont il avait accusé son camarade : David pourra en témoigner. Au nom de la justice et de la réparation, Girodet réclamait l'exclusion de Fa- bre. En définitive, l'Académie suivit le règlement[55] : les élèves n'ont pas à prendre de décision, Girodet est exclu. Humilié et furieux, comme un jeune et fougueux aristocrate, il menace de se battre en duel contre Fabre. Sa mère, veuve depuis 1784, le persua- de de faire amende honorable plutôt que de se faire égorger[56]. En août, non seulement Fabre n'était pas été renvoyé mais il était lauréat du concours[57].

Conséquence de cette pitoyable affaire, le ta- bleau de Girodet (**cat. 4**) fut peint hors de l'École des beaux-arts, probablement dans l'atelier de David en présence du maître. Cela explique la réussite de la composition. La toile est divisée en deux, à gauche la Loi, représentée par Nabuchodonosor couronné, le poing serré et le regard furieux, la bouche dissimulée sous la draperie de son manteau. Il est assis sous un dais hérité d'antérieures compositions baroques, flan- qué d'un palmier qui situe l'histoire en Orient. À sa gauche, le bourreau chauffe le poignard qui, tout à l'heure, aveuglera Sédécias. Le groupe de droite est celui de la douleur : le père enlace tendrement son plus jeune fils qu'un soldat tire par le bras et les che- veux. Un second bourreau, à l'expression ambiguë, mélange de brutale détermination et de douceur, lui tend la main. Le premier des fils expire à terre. Au loin brûle le temple incendié de Jérusalem. Ce schéma qui divise la toile entre la dureté impitoyable du législateur et ses victimes impuissantes est celui que David applique à son tableau *Brutus*[58] alors en cours de réalisation dans l'atelier[59]. Girodet conserva certains dessins préparatoires à son tableau de Nabu- chodonosor et les tint en assez haute estime pour les utiliser comme modèles dans son *Album de principes de dessin*[60].

III. 116 Girodet, *Album de principes de dessin* (nº 130)
Dessin, Montargis, musée Girodet

III. 117 Girodet, *Album de principes de dessin* (nº 133)
Dessin, Montargis, musée Girodet

III. 118 Girodet, *Album de principes de dessin* (nº 134)
Dessin, Montargis, musée Girodet

III. 119 Girodet, *Album de principes de dessin* (nº 135)
Dessin, Montargis, musée Girodet

III. 120 Girodet, *Album de principes de dessin* (nº 136)
Dessin, Montargis, musée Girodet

III. 115 Girodet, *Étude de dos pour Nabuchodonosor*
Dessin, coll. part.

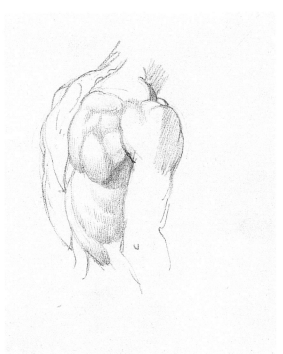

**cat. 4 Nabuchodonosor fait tuer
es enfants de Sédécias en présence de leur père**

'787
e sur toile, 115 x 147 cm
Mans, musée Tessé, inv. 10-711

Tableau du concours de Rome en 1787 ; exclu du
ours, Girodet achève son tableau dans l'atelier de David ;
829, Coupin ignore la localisation du tableau ; l'œuvre
paraît en 1960 lorsqu'un particulier orléanais le vend au
e Tessé du Mans.

1967, Montargis, n° 4 ; 1989, Montauban, n° 15.

Bibl. Coupin, 1829, I, p. lv ; Girardot, 1853-1855, t. III, p. 20-
25 ; Montaiglon, 1857-1858, t.V, p. 306 ; Frond, 1869, t. X, p. 2 ;
Montaiglon, 1889, t. IX, p. 313, 315 ; Furcy-Raynaud, 1906,
t. XXII, p. 198-199 ; Levitine, 1952 (1978), p. 81 ; Bordes, 1974,
p. 393 ; Rosenberg et Lacambre, 1974, p. 447 ; Bernier, 1975,
p. 8-10, p. 7 (repr.) ; Nevison Brown, 1980, t. I, p. 4, 28-35, 36,
38, 40, fig. 5 (repr.) ; Michel, 1981, p. 244 ; Foucart-Walter, 1982,
p. 24 ; Agius-d'Yvoire, 1989, p. 572 ; Crow, 1995, p. 92, 93 (repr.
ill. 71), 315 ; Crow, 1997, p. 112, 114 (repr. ill. 30), 388 ; Lafont,
2001, p. 39, 49-53, 249-250, 537 n° 24 (repr.)

Œuvres préparatoires

Deux dessins, étude du dos nu du soldat, de dos, au premier
plan [ill. 115] et un dessin esquissant la figure du soldat barbu à
gauche derrière Sédécias ; collection particulière.

Œuvres en rapport

5 études de têtes, reprises dans l'*Album de principes de dessin*,
n° 130 (exécuteur de Sédécias), 133 (fils de Sédécias), 134
(exécuteur), 135 (Sédécias), 136 (assassin), inv. D.77.1 ; marque
de la bibliothèque de Montargis ; déposé au musée Girodet de
Montargis [ill. 116-120].

Quelques mois plus tard, en octobre 1787[61], la mère de Girodet mourait dans sa propriété du Verger, près de Montargis. Anne Louis avait vingt ans et lui vouait un culte qui dura toute sa vie[62]. Les douleurs de ce deuil et les complications qui s'ensuivirent le perturbèrent assez longtemps pour que sa participation au concours de l'année 1788 s'en trouvât troublée[63]. Le 21 mars, il était toujours retenu dans l'Orléanais et désespérait d'être de retour à Paris pour le 1er avril. Il demande à Gérard de «passer au blanc d'œuf son esquisse et sa figure» destinée au concours d'admission[64]. Le 29 mars, il est admis à concourir avec Pajou, Garnier, Réattu, Meynier, Thévenin et Mérimée[65]. Le sujet du concours, communiqué le 26 avril, portait ce long titre: «Tatius, collègue de Romulus, qui après avoir fait livré à la fureur des Sabins les ambassadeurs de Lavinium, et osant revenir à Lavinium avec Romulus, pour faire un sacrifice aux Dieux des Troyens, est assassiné par les laviniens au pied de l'autel, avec les mêmes couteaux qui avaient servi à égorger les victimes[66].» Il n'y avait pas pour Tatius de textes modernes basés sur Tite-Live, Plutarque ou Denys d'Halicarnasse, tous textes dont Girodet était familier depuis l'enfance pratiquement[67]. Le meurtre de Tatius est au centre de l'action, mais l'unité de temps, de lieu et d'action qui prévaut pour la peinture d'histoire comme pour le théâtre classique, faisait défaut. Deux législateurs – Romulus et Tatius –, une double action, le sacrifice aux dieux troyens et l'assassinat de Tatius créent une temporalité double mêlant l'assassinat de Tatius à celui des ambassadeurs, premier meurtre qui était la cause du second. La peinture de Girodet (cat. 5), plus archéologique, plus étrusque, n'atteint certes pas l'unité narrative et émotionnelle de son tableau de Nabuchodonosor et paraît régresser vers le récit saccadé de *La Mort de Camille*.

La scène qui précède le meurtre de Tatius, le massacre des ambassadeurs laviniens, représentée à l'arrière-plan est difficilement lisible et la figure du meurtrier, placé de profil, possède trop d'énergie, trop d'autonomie parmi l'ensemble des autres figures. En revanche, les traits de Romulus manquent d'expressio, et son geste de conviction. Les deux têtes de Romulus et de Tatius aux proportions réduites

at. 5 La Mort de Tatius

788

e sur toile, 135 x 147 cm

rs, musée des Beaux-Arts, inv. MBAJ 73

Tableau du concours de Rome en 1788 ; Girodet
orte le deuxième prix et le tableau devient la propriété de
démie ; envoyé par le ministre de l'Intérieur Le Tourneux
ofesseur de dessin de la ville d'Angers, Marchand, pour
ruction de ses élèves ; depuis la livraison du tableau le
ars 1798, le tableau de Girodet fait partie des collections
usée d'Angers.

1967, Montargis, n° 5 ; Bruxelles, 1975, n° 131 ;
tauban, 1989, n° 16.

Coupin, 1829, t. I, p. lvj ; [Anon.] cat. musée, 1832, p. 19,
; Anon., cat. musée, 1838, n° 42 ; Anon., *Le Magasin*
sque, 1842, p. 381-382 ; Montaiglon, 1857-1858, t. V,

p. 306 ; Frond, 1869, t. X, p. 2 ; Jouin, cat. musée, 1870, p. 30-31,
n° 121 ; Clément de Ris, 1872, p. 33, 455 ; Jouin, cat. musée,
1881, p. 21-22, n° 73 ; Bellier de la Chavignerie et Auvray,
1882, t. I, p. 661 ; Anon., *Inventaire général des richesses d'art de la*
France, 1885, t. III, p. 24 ; Gonse, 1900, p. 43 ; Furcy-Raynaud,
1906, t. XXII, p. 238-239 ; Guiffrey, 1908, p. 47 ; Fontaine, 1930,
p. 223 ; Levitine, 1952 (1978), p. 1, 13-14, 16, 17, 21, 28, 36,
44-46, fig. 3 (repr.) ; Vergnet-Ruiz et Laclotte, 1962, p. 237 ;
Levitine, 1965, t. LXV, p. 235-236, repr. 10 ; Rosenberg et
Lacambre, 1974, p. 447 ; Bernier, 1975, p. 8 (repr.) ; Nevison
Brown, 1980, t. I, p. 36-38, ill. 6 (repr.) ; cat. musée, 1982, n° 55 ;
Simons, 1985, p. 9-11 ; Cantarel-Besson, 1992, p. 259 ; Lafont,
2001, p. 39, 55-56, 261-263, 541 n° 30 (repr.)

Œuvres préparatoires

Croquis général de la composition pour *La Mort de Tatius,*
collection particulière [ill. 121].

Étude d'ensemble pour *La Mort de Tatius,* 1788, pierre noire et
rehauts de blanc sur papier crème, 31 x 47 cm, signé en bas à
droite *Girodet* et contresigné en bas au centre *Gois,* collection
particulière [ill. 123].

Étude pour la figure du meurtrier de droite pour *La Mort de*
Tatius, 1788, crayon noir et rehauts de craie blanche sur papier
bistre, 56 x 44 cm, inscription en bas à gauche : *Girodet-Trioson,*
collection particulière ; non localisé depuis 1967 [ill. 125].

Étude de têtes pour le tableau de *Romulus,* dessin, collection
particulière [ill. 122].

Étude pour la figure de Tatius pour *La Mort de Tatius,* collection
particulière [ill. 124].

Étude de tête pour Romulus, dessin, coll. part.

cat. 6 Joseph reconnu par de ses frères
1789
Huile sur toile, 120 x 155 cm
Paris, École nationale des beaux-arts,
inv. E.B.A 2926

Hist. Premier prix du concours de Rome en 1789; collection de l'Académie; aujourd'hui collection de l'ENSBA, Paris
Exp. : 1904, Rome; 1913, Paris, n° 133; 1934, Paris, n° 4; 1939, Paris, n° 1055; 1967, Paris, HC; 1967, Montargis, n° 8; 1984, Paris, n° 4; 1984-1985, New York–New Orleans–Washington n° 4; 1989, Fukuoka, 1989, n° 51; 1989, Biron, Nancy, n° 30.

Bibl. Quatremère de Quincy, (1825), 1834, p. 312; Coupin, 1829, t. I, p. iij–iv, lvj; Landon, 1832, t. I, p. 107–108; Miel, 1845, t. XII, p. 288; Girardot, 1853-1855, t. III, p. 20; Montaiglon, 1857-58, V, p. 306; Frond, 1869, t. X, p. 2; Bellier de la Chavignerie et Auvray, t. I, 1882, p. 661; Muntz, 1889, p. 256; Saunier, 1896, p. 26; Montaiglon, 1906, p. 351, 357; Fontaine, 1910, p. 145; Rouchès, 1924, p. 82; Escholier, 1941, p. 77; Levitine, 1952 (1978), p. 1, 14, 19-20, 46-53, 58-61, 75, 79, 81, ill. 4 (repr.); Lacambre, 1974, p. 68-69; Rosenberg et Lacambre, 1974, p. 447; Bernier, 1975, p. 9 (repr.), 10, 12; Bénézit, 1976, t. V, p. 43; Huyghe, 1976, p. 457; Nevison Brown, 1980, p. 38-40, 48, 50, 97, 106-107, ill. 7 (repr.); Scottez, 1983, p. 106; Cuzin, 1983, p. 120; Simons, 1985, p. 11; Lévêque, 1986, 1989, cat. exp. Montauban, p. 55; Crow, 1995, p. 110-111 ill. 84); Crow, 1997, p. 133-134 (repr. ill. 37); Lafont, p. 58-59, 276-277, n° 38 repr.

Œuvres préparatoires
Étude d'ensemble pour *Joseph reconnu par ses frères,* (cat. 7).
Étude au nu pour les trois frères de *Joseph,* 1789 (cat. 8).
Girodet (?), Étude d'ensemble pour *Joseph reconnu par ses* 1789, pierre noire, rehauts de blanc et estompe sur papier 25 x 34,2 cm, collection particulière [ill. 127].

26 Gérard, *Joseph reconnu par ses frères*, 1789, huile sur toile, Angers, musée des Beaux-Arts

tribuent à la confusion des plans. Plusieurs dessins paratoires illustrent le processus de sa création [68]. mme à l'accoutumée, le jugement fut prononcé our de la Saint-Louis après l'exposition publique ouvrages. Étienne Barthélemy Garnier, élève de rameau remporta le premier prix et Girodet le ond [69].

C'est l'année suivante, au concours de 1789 que étermination de Girodet fut finalement récom- sée. Malgré l'arrivée de Gérard et de Gros, il t, depuis le départ de Fabre pour Rome et celui Wicar pour Florence, le mieux placé de l'atelier David pour recevoir le grand prix. Après avoir fois de plus présenté le concours d'esquisse celui de la figure, il est admis à concourir avec dieu, Meynier, Bouchet, Thévenin, La Badyre, érard. Le sujet, plus concis que celui du pré- ent prix, était tiré de la Bible : Joseph reconnu ses frères [70].

De tous les tableaux peints par Girodet pour le concours de Rome, *Joseph reconnu par ses frères* **(cat. 6)** s'impose par la grâce fluide de sa conception, la su- périeure maîtrise du dessin, la magnificence des draperies et la fusion émotionnelle des expressions parfaitement individualisées. Le sujet représente le moment où Joseph, au sommet de sa puissance en Égypte, est reconnu par ses frères alors juifs asservis, qui l'avaient vendu comme esclave dans son jeune âge. Cette année-là, David qui «avait reconnu que Girodet entendait réellement mieux que lui le clair- obscur [...] [71]» lui avait même demandé de terminer la tête de son Brutus qui ne le satisfaisait pas.

Girodet plongea sa scène de Joseph dans cet éclai- rage de mystère qui, après le *Christ mort et la Vierge* de Montesquieu-Volvestre, *Endymion,* et son tableau *Hippocrate*, allait devenir sa marque. Le tableau de Girodet est libéré du caractère contraint des figures assemblées qui caractérise généralement les con-

cours de Rome. Selon Coupin, «chaque jour, avant d'entrer en loge, il allait préparer sa palette devant les Horaces [72]». Mais davantage que la leçon des Ho- races, qui n'était plus dans l'atelier, c'est d'un autre tableau, *La Mort de Socrate* exposé par David au Salon de 1787 que Girodet s'inspire. La délivrance doulou- reuse de cette œuvre s'était effectuée sous les yeux des élèves et parfois même avec la contribution de certains favoris de l'atelier. L'imitation ici n'est plus figée dans l'importation de prototypes, les figures sont organisées en un crescendo émotionnel s'éle- vant jusqu'à l'attitude magnanime de Joseph envers ses frères. Girodet opte de nouveau pour une com- position bipartite qui suit la forme narrative d'un bas-relief. Deux groupes opposés synthétisent le récit biblique de la reconnaissance dont le véritable en- jeu est le pardon. À droite, Joseph presse les mains de Benjamin sur son cœur. À gauche, les frères plus âgés, agenouillés ou inclinés, implorent craintivement

**cat. 7 Joseph reconnu par ses frères
(étude d'ensemble)**

1789

Pierre noire et rehauts de craie blanche sur papier beige,
33 x 47 cm

Signatures en haut au centre : celle de gauche, grattée, es[t]
Gois, l'autre de *Girodet*. On lit difficilement en dessous de C[...]
professeur

Montargis, musée Girodet, inv. 874-147

Hist. Esquisse du concours de 1789 pour *Joseph reconn[u par]
ses frères* ; feuille contresignée par Gois : projet approuvé [par]
les membres du jury de l'Académie ; don d'Antoine-C[ésar]
Becquerel en 1846 ou avant 1864 au musée de Montargis[.]
Exp. 1936, Paris, n° 607 ; 1967, Montargis, n° 53 ; 1974, [...]
n° 61 ; 1975, Copenhague, n° 44 ; 1983, Montargis, n° 5 (re[pr.]
1983, Paris, n° 110 (repr.).
Bibl. Levain, cat. musée, 1864, n° 3 ; Levain et Ballot, cat. m[usée]
1874, n° 100 ; Anon., cat. musée, 1885, n° 206 ; Guingue[t et]
Voisin, cat. musée, 1937, n° 248 ; Levitine, (1952) 1978, [...]
(repr.) ; Sérullaz, 1976, p. 64, 87 (repr.) ; Nevison Brown, [...]
t. I, ill. 8 (repr.) ; Lafont, 2001, p. 278-279, 547 n° 39 (repr.).

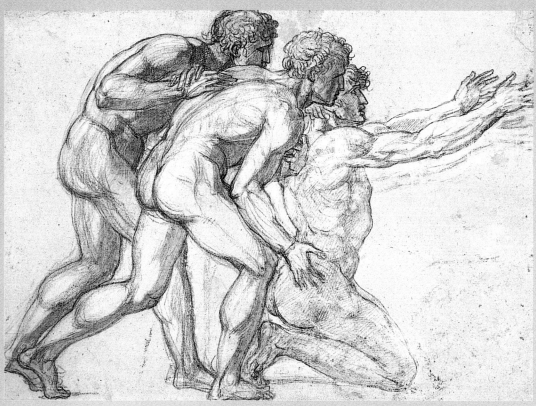

**cat. 8 Joseph reconnu par ses frères
(étude dessinée des trois frères)**

1789

Pierre noire et rehauts de craie blanche sur papier bistre,
36 x 49 cm

Montargis, musée Girodet, inv. 874-148

Hist. Don Antoine-César Becquerel au musée de Mont[argis]
avant 1864.
Exp. 1936, Paris, n° 608 ; 1967, Montargis, n° 54 (repr.) ; [...]
Montargis, n° 7 (repr.) ; 1987-1988, Tokyo, n° 104 ; 1993, [Los]
Angeles-Philadelphie-Minneapolis, n° 54 (repr.)
Bibl. Coupin, 1829, t. I, p. iii ; Levain, cat. musée, 1864, [...]
Levain et Ballot, cat. musée, 1874, n° 101 ; Anon., cat. m[usée]
1885, n° 207 ; Guinguet et Voisin, cat. musée, 1937, n° [...]
Vaisse, 1974, p. 82 ; Lacambre, 1974-1975, p. 69 ; Nev[ison]
Brown, 1980, t. I, p. 40 (repr. ill. 9) ; Lafont, 2001, p. 279-[...]
548 (repr.)

III. 127 Girodet (?),
Étude pour Joseph reconnu par ses frères
Dessin, coll. part.

pardon et l'absolution que Joseph, la main droite ~~~due vers eux, a déjà accordés. Les figures, les po~~ons, les faciès et les gestes sont une démonstration ~~ virtuosité académique et déclinent le vocabulaire ~~s passions : honte et remords, imploration, soumis~~n, espoir, générosité [73]. L'expression des sentiments ~~ le brio d'exécution des anatomies l'emportent ici ~~ les attributs archéologiques du récit. L'universalité ~~n signifié héroïque et biblique résume cet épisode ~~yptien de l'histoire hébraïque. On y reconnaît la ~~te de la geôle de *La Mort de Socrate* qui n'ouvrait ~~s aucun extérieur. Le lieu du pardon est un es~~ce clos dont Girodet reprendra le principe pour ~~lustration des tragédies de Racine [74]. La comparai~~ avec le tableau de Gérard [ill. 126], deuxième prix ~~ Rome cette année-là, souligne la maîtrise avec ~~quelle Girodet déplace la tension de l'action vers ~~ morale. Girodet orchestre comme une mélodie ~~ gamme de sentiments de chacun des frères tout ~~mme David avait réparti les figures du deuil et de ~~ngoisse autour du Socrate décidé à mourir.

~~ Girodet remporta donc le premier Grand Prix et, ~~ceptionnellement, on accorda un second premier ~~nd prix à Charles Meynier [75].

~~ Les dessins préparatoires de Girodet sont peu ~~mbreux, mais comptent parmi ses plus belles ~~ges d'études. Dans l'esquisse inversée, contresi~~ée par Gois père, Girodet a largement tracé, sur ~~ paysage urbain initial, l'ébauche d'une voûte. ~~mme on vient de le voir, elle fermera la pièce donnant à la peinture définitive l'intériorité sombre du *Socrate* de David. L'esquisse **(cat. 7)**, exempte d'éléments égyptiens, est plutôt placée sous le signe des attributs grecs comme le bonnet phrygien qui coiffe Joseph. Le deuxième dessin est l'admirable feuille d'études au nu des frères aînés **(cat. 8)** reprenant le groupe angélique de la *Dispute du Saint-Sacrement* dans la chambre de la Signature au Vatican. Ces deux dessins sont des chefs-d'œuvre redécouverts lors de leur exposition publique à Montargis en 1983 [76]. Un troisième dessin plus curieux, bien étranger à la virtuosité des deux autres et récemment réapparu sur le marché de l'art [77] contient d'avantage d'éléments d'égyptomanie [ill. 127]. Ce dessin, s'il est de Girodet, ce dont nous doutons, précéderait l'esquisse faite en loge, même si certains aspects, tels que le groupe de Joseph et de Benjamin, sont plus proches du tableau fini que de son esquisse. Nous le reproduisons ici comme un exemple de l'uniformité du style des concurrents jusque dans les œuvres préparatoires. Est-il d'un autre élève où est-ce une des études que, contre le règlement, Girodet aurait fait pénétrer dans la loge ? Rien n'est moins sûr, mais au concours de 1789, sa nature fanfaronne, constamment rebelle, revendiqua une fois sa désobéissance à la loi : « Depuis le concours d'où il avait été exclu, il affectait de porter une grosse canne ; cette canne était creuse, et ce fut par ce moyen qu'il parvint à introduire ses études dans sa loge. Après le jugement, l'un de ses concurrents, M. Gérard, son camarade et son ami, prenant cette canne des mains de Girodet, lui dit en riant : c'est le cheval de Troie ? » La réponse de Girodet résonna comme un aveu narquois : « Oui […], mais il fallait s'en emparer quand les Grecs y étaient encore [78]. »

S. B.

notes

1. Lettre inédite du docteur Trioson à Mme Girodet, Paris, 22 mars 1781, fonds Pierre Deslandres, déposé au musée Girodet de Montargis, t. I, n° 39.

2. Le musée Girodet possède un certain nombre de dessins de jeunesse de Girodet. Avant d'arriver à Paris à l'âge de 7 ans, il reçoit les leçons de Luquin, maître de dessin à Montargis (Girardot, *AAF*, 1853, p. 20 ; Pruvost-Auzas, 1967).

3. Fonds Pierre Deslandres, en particulier les recueils 2 et 5. Voir aussi Lafont, 2001, n° 38 p. 276-277 et Lemeux-Fraitot, 2003, p. 72-74, 104 -126.

4. Depuis l'expulsion de la Compagnie de Jésus en 1767, l'éducation des enfants de la bourgeoisie et de la petite noblesse était assurée par des pensions privées qui recevaient des maîtres selon un programme élaboré en accord avec les parents de l'enfant.

5. Coupin, 1829, t. I, p. iij, lvj ;

6. Voir cat. 77-80.

7. Lettre inédite du docteur Trioson à Mme Girodet, Paris, 14 novembre 1780, fonds Pierre Deslandres, t. I, n° 31.

8. Voir J.-F. Lemaire *supra*.

9. Directeur des Insinuations de l'apanage de son altesse Sérénissime Monseigneur Le duc d'Orléans ; Lemeux-Fraitot, 2002,t. I, p. 26.

10. Lettre inédite de Mme Girodet à son fils, Montargis, 8 février 1782, fonds Pierre Deslandres, t. II, n° 9.

11. Lettre inédite d'Anne Louis Girodet de Roussy à sa mère, Paris, [fin avril 1782], *ibidem*, t. I, n° 66.

12. Lettre inédite d'Anne Louis Girodet de Roussy à sa mère, Paris, 16 août 1781, *ibidem*, , t. I, n° 44, et lettre d'Anne Louis Girodet de Roussy à sa mère, Paris, mercredi 14 mai 1783, *ibidem*, n° 91.

13. Inv. 81-10.

14. Lettre inédite de Girodet à sa mère, Paris, samedi 21 juin [1783], fonds Pierre Deslandres, t. I, n° 116.

15. Lettre inédite de Girodet à sa mère, Paris, 11 mars 1783, *ibidem*, n° 86. Girodet est inscrit sur les registres de l'École le 10 mars 1783, ENSBA, ms 95, f° 86, Girodet, âgé de 16 ans est protégé par M. Jollain, peintre de l'Académie.

16. Lettre inédite de Girodet à sa mère, Paris, mardi 29 juillet 1783, fonds Pierre Deslandres, t. I, n° 100.

17. Lettre de Girodet à sa mère, Paris, 16 août 1781, *ibidem*, n° 44.

18. Lettre inédite de Girodet à sa mère, Paris, samedi 5 juillet 1783, *ibidem*, n° 98.

19. Nevison Brown, 1980, p. 19 (Paris, BNF, ms Boullée, f°s 38-39).

20. Paris, ENSBA, archives David, ms 316, n°s 51-54, cité par Nevison Brown, 1980, p. 19 note 12.

21. Voir note 1.

22. Christian Michel, « Lettres adressées par Charles Nicolas Cochin fils à Jean Baptiste Deschamp, 1757-1790 », *AAF*, t. XXVIII, 1996, p. 80.

23. Locquin, *La Peinture d'histoire en France...*, 1912 et Rosenblum, *Transformations in Late Eighteenth Century*,

24. Bordes, *Burlington Magazine*, févr. 1975, p. 91-98 ; Schnapper, *David...*, 1989, p. 136.

25. Marché de l'art, New York.

26. *Horace vainqueur rentrant dans Rome*, David 1781, Vienne Graphische Sammlung Albertina ; Nevison Brown, 1980, p. 24-25 cite aussi la gravure de John Gottfried Haed, publiée en 1767, d'après le tableau Nathaniel Dance, *Death of Virginia*.

27. Sur le sujet de Camille, voir Patrice Marandel, « The Death of Camille and the 1785, prix de Rome », *Antologia di Belle Arti*, 1980.

28. Le sujet vient de la littérature romaine, Tite-Live, Denys d'Halicarnasse, revisité par Jean Georges Noverre, *Les Horaces, ballet tragique*, Paris, 1777, troisième partie, scène II et par Pierre Corneille, *Horace*. La scène correspond au fameux vers de l'acte IV, scène V. « Ainsi reçoive un châtiment soudain / Quiconque ose pleurer un ennemi du peuple romain. / » (Levitine, 1952, p. 12-14).

29. Cette idée qui n'est pas dans Marmontel a été reprise par à la fois par David et par Vincent dans son *Bélisaire* du Salon de 1777, Montpellier, musée Fabre. Voir Charles Janoray, *Chaudet's Belisarius : An Examplum of Virtue*, New York, 2003, p. 8.

30. *Horace tuant sa sœur Camille*, Montargis, musée Girodet, inv. 874-10.

31. Cogeval, 1988, p. 234. Voir aussi l'excellent article de Levitine, « The influence of Lavater and Girodet's expression Des sentiments de l'Ame », *The Art Bulletin*, vol. XXXVI, n° 1, 1954, p. 40-41.

32. Et non du *Serment des Horaces* qui n'était pas encore peint. Cette précision mise à part, Levitine, *Girodet-Trioson*, 1952, p. 15-17, 36-46 et Cogeval, 1988, p. 234 nous ont donné les meilleures lectures de l'œuvre.

33. C'est-à-dire dans un atelier fermé. Le règlement du prix de Rome remonte à la création de l'École des beaux-arts en 1648 et fut remanié plusieurs fois, notamment en 1793. Quand Girodet se présente au concours de Rome ce règlement est fondamentalement celui du siècle de Louis XIV.

34. Mémoire de Girodet, Bruxelles, musée royal de l'Armée, fonds Browet, carton musiciens, peintres, sculpteurs, dossier Girodet-Trioson, publie par Girardot, 1853, p. 20-25. Coupin, 1829, t. I, p. iij écrit qu'il était autorisé de faire enter en loge des modèles masculins. Ceci doit s'entendre non pas pour fixer la figure mais pour la correction de l'anatomie qui ne s'obtient qu'à partir du nu.

35. Lafont, 2001, p. 43 ; Nevison Brown, 1980, p. 21

36. *Procès-verbaux de l'Académie royale...*, t. IX, p. 125, 212.

37. Phillippe Grunchec, *Les Concours des prix de Rome 1797-1863*. t. I p. 27-31. Le règlement qu'explique Grunchec est postérieur à celui des concours auxquels participe Girodet mais les épreuves sont essentiellement les mêmes.

38. *Procès-verbaux de l'Académie royale...*, t. IX, p. 3■

39. *Ibidem*, p. 355-356.

40. Le sujet est extrait des premiers livres de l'histoi■ Rome, *P.-V. A.R.*, t. IX, p. 279.

41. Bachaumont, coll. Deloynes, t. XV, p. 369-370, n bis et ter.

42. Lettre de Charles Nicolas Cochin fils à Jean Bap■ Deschamp, 3 septembre 1786. Rouen, biblioth■ municipale, publiée par Christian Michel, *AAF*, t. X■ 1996, p. 80. Crow, 1997, p. 112-115, s'appuyant s■ lettre de Cochin et celles de Drouais (J. L. J. David, 1■ t. I, p. 37-40), analyse l'opposition de l'Académie er■ l'atelier de David.

43. *Ibidem*, p. 80 : « [...] il y en avait même deux meil■ que le sien [le tableau de Guillon Lethière] ou au m■ un d'un jeune homme nommé Giraudet qui l'a■ infailliblement emporté sur lui. »

44. Voir cat. 3.

45. Léonor Mérimée (1757-1836), futur secrétaire perp■ de l'Académie des beaux-arts, et père de Prosper Mérim■ *P. -V. A. R.*, t. IX, p. 315.

46. Coupin, 1829, t. I, p. iij.

47. Bernier, *Anne-Louis Girodet-Trioson*, Paris-Bruxe■ 1975, p. 9.

48. Bruxelles, musée royal de l'Armée, fonds Browet, Ca■ musiciens, peintres, sculpteurs, dossier Girodet-Trio■ Une minute de ce mémoire provenant de la collection■ Mme Boutray, nièce de Girodet, a été publiée par Gira■ *AAF*, t. III, 1853, p. 20-25.

49. Furcy-Raynaud, *NAF*, 3e série, vol. XXII, 1906, p. ■ 199 ; Agius d'Yvoire, chronologie, in cat. exp. *Jacq■ Louis David...*, 1988-1989, p. 572 ; AN, AP. 392.4, p. ■ 134.

50. Jean-Baptiste Pierre (1714-1789), directeur ■ l'Académie en 1770 et premier peintre du roi à la mo■ Boucher.

51. Agius d'Yvoire, in cat. exp. *Jacques-Louis Davie■* 1988-1989, p. 572.

52. *Ibidem*.

53. *Ibidem*.

54. Bruxelles, musée royal de l'Armée, fonds Browet, ca■ musiciens, peintres, sculpteurs, voir *supra* note 48.

55. Lettre de Pierre à Cochin, Paris 9 mai 1787, AN■ 392.4, p. 133-134 : « [...] Si un eleve s'etoit accusé de■ vous, Monsieur, devant ses camarades de son tort. ■ etoit convenu en particulier qu'il ne pouvoit pas conc■ avec justice, quel parti auriez-vous pris ? [....] Celu■ vous en tenir aux Reglemens. Je vouloit tout calmer, r■ l'affaire étoit devenuë publique par les propos déplacé■ a donc fallu se mettre à l'abri des tracasseries, que pou■ faire naître une tête exalté. Aujourd hui tout est conve■ L'Academie feroit une demarche humiliante si elle detru■ son arreté. Elle ne doit pas donner le droit à l'un de ■ membres qui s'avouë avoir de très grands torts de rem■ la société de ses menaces, risibles dans le fond, mais ■

eptibles de clameurs des entours. La circonstance

facheuse si Giraudet etoit agé, mais il est très jeune

sera que plus fort l'année prochaine. Le plan que vous

osés nous étoit venu à M. Vien et a moi. Bien plus,

leves effrayés de la chaleur du veritable coupable,

proposé ; mais comme j'ai l'honneur de vous le faire

ver, l'Academie ne doit faire aucune attention à une

escence particulière et dans le second cas, elle ne

as laisser aux eleves la faculté d'aucune decision.

», cité aussi par Régis Michel, « Documents », in cat.

David e Roma, Académie de France à Rome, décembre

- février 1982, p. 244.

ettre inédite de Mme Girodet à son fils, [Montargis],

che [1784 (?)], fonds Pierre Deslandres, t. II, nº 49.

our la comparaison des mérites du tableau de Fabre et

de Girodet, voir Nevison Brown, 1980, p. 34-35.

es licteurs rapportent à Brutus les corps de ses fils

, Paris, musée du Louvre.

ntoine Schnapper, cat. exp. *David...*, 1989, p. 194-

Crow, 1995, p. 102-103, tire de plus perspicaces

usions sur la contribution de Girodet et des autres

s de l'atelier dans la genèse du tableau.

Montargis, Musée Girodet, inv. D. 77-1 ; voir Boutet-

, 1983, nº 99 à 137 et B. Jobert, *supra*.

te d'inhumation d'Anne Angélique Cornier, 21 octobre

extrait du registre paroissial de Chuelles, publié par

ndre Pommier, *Bulletin historique et philologique*,

. 536-549, cité par Lemeux-Fraitot, 2003, annexes,

emeux- Fraitot, 2003, p. 69-70.

N, O¹ 1920 (2), p. 152. Furcy-Raynaud, *NAF*, 3ᵉ série,

1906, p. 238-239.

.ettres adressées au baron François Gérard..., t. I

1886, p. 125-126, lettre nº 1.

-*V. A.R.*, t. IX, p. 354.

idem, p. 356.

evitine, 1952, p. 13-14 met le doigt sur la pauvreté

escriptions de cet épisode dans la littérature antique

r la nécessité pour Girodet d'inventer les lieux de

ssinat. Ceci explique l'invention archéologique.

vanche, Levitine se trompe sur la représentation à

re-plan du meurtre des ambassadeurs par les Sabins

it partie du sujet.

T. A. Nash, 1973-197, t. XXIV, nº 6 p. 224 et Lafont,

p. 55 voient dans les deux dessins de la collection

ille L. Wintrop (inv. 1943.1815. 19 du Fogg Art

um de Cambridge) une source de la composition de

et. Pierre Rosenberg attribue ses dessins à Pajou fils.

jet est bien une mort de Tatius et les dessins ne sont

nement ni David ni de Girodet, comme stipulé dans

orrespondance de l'auteur avec Pierre Rosenberg en

Pierre Rosenberg, Louis-Antoine Prat, 2002, t. I,

.

rocès-verbaux de l'Académie royale..., t. XI, p. 371-

70. Montaiglon, 1906, p. 357, lettre 9020.

71. Coupin, 1827, p. 60-61.

72. Coupin, 1829, t. I p. iij-iv.

73. Voir l'analyse du tableau par Levitine, 1952, p. 46-47.

74. Voir cat. 110 à 118 et B. Jobert *supra*.

75. Celui ci avait été réservé car non distribué en 1786

76. Jacqueline Boutet-Loyer, *Girodet, dessins du musée*, 1983, nᵒˢ 5 et 7 ; Lafont, 2001, p. 284-285, a raison de considérer que le nº 6 de son catalogue qui n'est pas préparatoire à Joseph reconnu par ses frères, mais à *Saint Louis accueillant Louis XVI et la famille royale au paradis.*

77. Girodet (?), *Joseph reconnu par ses frères*, Pierre noire et estompe, rehauts de craie blanche, 25,3 × 34,3 cm, cachet de collection non identifié en bas à droite, galerie de Bayser en 1999, coll. part.

78. Coupin, 1829, t. I, p. iij.

cat. 9 Le Christ mort soutenu par la Vierge
1789
Huile sur toile, 335 x 235 cm
Près du linceul, à droite, sur cinq lignes : A. *L. GIRODET DE ROUSSY*
FECIT PARISIIS. AN. 1789 AETATIS SUAE 22
Montesquieu-Volvestre (Haute-Garonne), église Saint-Victor,
inv. PM31000418 (MH)

Hist. Livré à l'automne 1789 rue Barbette, à Antoine-François Bertrand de Molleville, intendant de Bretagne et seigneur de Montesquieu-Volvestre, qui le destinait à la chapelle de l'Agonie dans l'église Saint-Victor de Montesquieu-Volvestre, où il est toujours conservé.

Exp. 1967, Montargis, n° 7 ; 1974–1975, Paris, n° 78.

Bibl. Coupin, 1829, t. I, p. LV ; *Illustration du Midi*, 1863, 6 décembre ; Adhémar, 1933, p. 281 ; Rozès de Brousse, Laurent, Mesplé, *Auta,* n° 76, 1935 ; Pruvost-Auzas, 1967, n° 7 ; Ward-Jackson, 1967, p. 660 et 663 ; Caso, 1969, p. 85 ; Rosenblum, 1969, p. 100–101 ; Lacambre, 1974, n° 78.

Œuvres en rapport

Esquisse, huile sur toile, collection particulière [ill. 17].
Esquisse, huile sur papier marouflé, Montpellier, musée Fabre [ill. 18].

III. 128 Girodet, *Portrait de la tante Anne
(ou Marie Marguerite) Bastonneau*
Dessin, coll. part.

III. 129 Girodet, *Portrait de la tante Marie
Marguerite (ou Anne) Bastonneau*
Dessin, coll. part.

Un tableau de douleur

Qui pourrait imaginer, faisant étape dans la bas-
[s]e de Montesquieu-Volvestre, trouver dans son
[égli]se, une vaste nef gothique et sombre, l'une des
[pre]mières œuvres de Girodet ? Dans la pénombre de
[la] quatrième chapelle nord, on distingue en effet un
[gran]d tableau très sombre, figurant une Vierge de Pi-
[tié] ou une Déploration sur le Christ mort. Avec un
[peu] d'attention, il est possible de lire la signature, sur
[le t]ombeau, près du linceul, à droite : *A. L. GIRODET
ROUSSY FECIT PARISIIS. AN. 1789 AETATIS SUAE*

Tout visiteur quelque peu averti ne peut que
[s'ét]onner de la présence d'une œuvre de Girodet
[dan]s cette église gothique entièrement réaménagée
[au] XIXᵉ siècle et si éloignée des lieux familiers au
[pei]ntre. L'étonnement ne fait que grandir quand on
[che]rche à comprendre la raison d'être de ce tableau
[dan]s cette église et que l'on découvre qu'il s'agit
[d'u]n tableau réputé perdu par l'entourage de Girodet
[dep]uis le début du XIXᵉ siècle jusqu'à sa réapparition
[en] 1967, quand il a été présenté au musée Girodet
[de] Montargis lors de l'exposition du deuxième cen-
[ten]aire de la naissance de l'artiste. Dans le catalogue,
[l'au]teur précise qu'il s'agit d'une «peinture exécutée
[pou]r un couvent de Capucins, disparue à la Révolu-
[tio]n, indiquée sur le récolement de l'église en 1865.
[L'in]ventaire des biens de la fabrique du 24 janvier
[180]6 mentionne une peinture à l'huile signée Giro-
[det], mais ne donne aucune indication sur l'origine.
[Il fa]ut noter qu'il n'y avait pas de couvent de capu-
[cin]s à Montesquieu avant 1790[1]».
[La] même année 1967, le *Bulletin de la Société de
[l'histo]ire de l'art français* publie un article de Ferdinand
[Boy]er : «quelques écrits de Girodet 1789-1799[2]».
[L'au]teur transcrit une lettre de Girodet, écrite de
[Rom]e, en 1789, à son ami Gérard, à Paris : «Tu peux
[m'é]crire samedy prochain et adresser mes lettres
[che]z Melles Bastonneau au couvent des Ursulines
[de] Loches à Loches… / … À propos, ne manque
[pas] de t'informer chez Garnier s'il a encaissé mon
[tabl]eau du Christ, s'il y a joint le grand châssis à clef,
[le] modèle en petit, ainsi que la bouteille de vernis
[et la] brosse pour vernir. Fais-toi expliquer tout cela
[claire]ment et n'oublie pas de m'en rendre compte, et
[si o]n a fait reporter chez M. Bertrand, rue Barbette.

Demande à Melle si elle peut te donner une lettre
pour moi avant samedy…»

De la lecture de cette lettre, F. Boyer tire, avec une
facilité désarmante, la conclusion que le tableau a été
commandé par les tantes Bastonneau du couvent des
ursulines de Loches [ill.128, 129], pour leur couvent
ou pour celui des Capucins. Il évoque, pour étayer
sa thèse, une lettre de 1791 où Girodet chante les
louanges de ses tantes qui ont fait beaucoup pour lui.
Ce «beaucoup» signifie-t-il «commandes»? Est-ce
suffisant pour affirmer que ce tableau a été fait par
Girodet pour un couvent de Loches? C'est pourtant cet article qui fonde la «légende» présentant ce
tableau comme «fait pour un couvent de capucins
de Loches».

En 1974, dans le catalogue de l'exposition *De David à Delacroix,* Frederick Cummings reprend presque *in extenso* la notice du catalogue précédent : «La
même année, il (Girodet) exécute un grand retable
pour un couvent de Capucins de Paris.» Loches a été
remplacé par Paris, sans justification, mais il est clair
que F. Cummings s'est appuyé sur l'interprétation rapide de la lettre de Girodet à Gérard par Ferdinand
Boyer, en 1967, pour proposer cette thèse qui entraîne immédiatement la question : comment ce tableau,
d'un couvent de Loches ou de Paris, est-il parvenu
à Montesquieu-Volvestre? En raison de la date inscrite sur le tableau : «1789», il est tentant d'attribuer
aux désordres de la Révolution le transfert du tableau
de Paris ou de Loches vers Montesquieu-Volvestre.
Le *Christ mort* aurait pu faire l'objet d'une saisie révolutionnaire, d'un dépôt dans une des réserves où
les premiers musées ont puisé, puis d'un «envoi de
l'État» à Montesquieu-Volvestre.

En 2001, la conservation des Antiquités et Objets
d'art et le Service régional de l'Inventaire ont procédé, en Haute-Garonne, au recensement des envois
et dons de l'État, pour le FNAC[3]. Montesquieu-Volvestre ne faisait pas partie des communes concernées.
Les Archives nationales interrogées ont confirmé que
le tableau de Girodet était introuvable parmi les œuvres recensées par la base Arcade[4]. Le département
des Peintures du musée du Louvre a effectué une
recherche dans les archives des musées royaux où des
œuvres attribuées par le ministère de l'Intérieur aux

départements et aux communes pouvaient se trouver : la *Déposition de Croix* n'en faisait pas partie[5].

Les recherches ont été tout aussi vaines à Loches
où aucune trace du tableau n'a été décelée[6].

En restant dans cette hypothèse de transfert révolutionnaire, si le départ du tableau semblait difficile à
préciser, son arrivée à Montesquieu-Volvestre pouvait être plus facile à documenter.

Le don ou le dépôt d'une telle œuvre dans une
église paroissiale communale, au XIXᵉ siècle, ne pouvait en aucun cas, passer inaperçu. Les communes et
les fabriques[7] étaient soumises à des règlements très
stricts. Pour le don d'une chapelle eucharistique par
un ancien curé à une autre église de Haute-Garonne,
on trouve aux archives départementales un dossier
très nourri de courriers échangés par la commune
avec la préfecture et l'archevêché pour l'autorisation
d'accepter le don, la commune et la fabrique étant
conjointement tenues d'assumer l'entretien et la
garde de l'objet[8].

En 1830, à Montesquieu, le déplacement de
la croix de mission descellée une nuit par le vent,
nécessite trois courriers au préfet, pour pouvoir la
transporter à l'intérieur de l'église. En 1835, c'est par
une ordonnance royale de Louis-Philippe, après avis
du Comité de l'Intérieur, du Conseil d'État et du
garde des Sceaux, ministre de la Justice et des cultes,
que la fabrique de l'église Saint-Victor est autorisée à
employer le produit d'une rente à l'achat d'un calice
et d'un ornement. Mais les archives communales, de
1789 à 1880, sont muettes sur le tableau de Girodet.

Si le tableau de Girodet était entré dans l'église,
d'une manière ou d'une autre, après 1804, puisque
la fabrique de l'église de Montesquieu est installée
le 14 septembre 1804 et que les archives conserve-
raient la trace d'un don ou d'un dépôt. Or ses registres de délibérations, de 1804 à 1905, ne mentionnent pas le tableau de Girodet. En septembre 1833,
le bureau des Marguilliers procède à l'inventaire de
l'église et de la sacristie : ni le tableau de Girodet ni
le *Christ mort* n'y figurent. Pourtant le tableau de
Girodet a été vu dans l'église de Montesquieu dans
les années 1830, les *Voyages pittoresques et romantiques
dans l'ancienne France,* de J. Taylor et Charles Nodier,
le mentionnant.

En 1863, Germaine Boué mentionnait déjà cette toile dans *L'Illustration du Midi* «Un tableau de Giraudet faisant face à cette chapelle complète ce que les amateurs de belles choses peuvent constater de remarquable dans l'église Saint-Victor[9]…»

Enfin un article d'août 1935, paru dans *L'Auta*, bulletin de l'association *Les Toulousains de Toulouse*, qui, au cours de leur promenade estivale, «redécouvrent» ce tableau, exprime l'étonnement devant un tableau de cette qualité dans l'église de Montesquieu, et pose évidemment la question de sa provenance : «Comment un tableau du peintre Anne-Louis Girodet-Trioson (1767-1824), célèbre auteur du *Sommeil d'Endymion* et d'*Atala au tombeau*, tous deux au Louvre et popularisés par la reproduction, est-il venu échouer à l'église de Montesquieu-Volvestre, nous l'ignorons.» L'auteur reconnaît d'ailleurs que si «ce tableau était perdu pour les Parisiens», «les Méridionaux ne semblaient guère se douter qu'ils le possédaient[10]».

Si le tableau, présent dans l'église dès les années 1830, ne figure sur aucun inventaire de la fabrique, c'est probablement parce que considéré comme «immeuble» et faisant partie intégrante des murs, la fabrique n'avait pas à s'en soucier. S'il n'apparaît pas dans les archives communales, ni dans les archives révolutionnaires de Haute-Garonne, c'est sans doute qu'il était arrivé à Montesquieu-Volvestre dès 1789. Il convenait donc de revoir entièrement l'hypothèse émise en 1967. En 1950, Paul Mesplé, conservateur au musée des Augustins de Toulouse, écrit à Benjamin Faucher, directeur des Archives départementales de Haute-Garonne et conservateur des Antiquités et Objets d'art, lui demandant de faire le nécessaire pour que le tableau de Girodet soit classé.

M. Faucher sollicite donc le curé de Montesquieu-Volvestre, l'abbé Roques, qui lui envoie le résultat de ses recherches dans les archives paroissiales et communales.

Dans une 2e communication, le 14 décembre 1952, il fait état de notes manuscrites trouvées dans la bibliothèque de la famille Vigier, à Montesquieu-Volvestre, et dues au docteur E. Donnous[11].

On y lit : «Beau tableau de Girodet-jeune – le Christ au Tombeau – Don du Seigneur Bertrand de Molleville en 1784 – exposition ou expédition» (l'abbé Roques donne les deux transcriptions). Ce dernier conteste, bien sûr, la date de 1784, mais tient le reste de l'information pour sérieuse, le docteur Donnous ayant eu accès à des archives familiales incontestables.

L'abbé Roques évoque aussi un inventaire de 1865, aujourd'hui disparu, où sont énumérés les grands tableaux se trouvant dans l'église, et notamment une *Agonie*. Il rappelle que les chapelles Notre-Dame-de-Pitié sont très fréquentes dans les églises de la région, et qu'elles portent parfois le nom de Notre-Dame-des-Agonisants. Les confréries de Notre-Dame de-Pitié, ou de Notre-Dame-des-Agonisants, se multiplient en effet à partir de la fin du XIVe siècle. Au XIXe siècle, les confréries ayant disparu, leurs chapelles sont fréquemment rebaptisées «chapelle de l'Agonie». L'abbé Roques dit avoir retrouvé une facture de 1884 du charpentier Jean Péchon venu en 1882 : «une journée pour rapetisser le cadre du tableau de l'Agonie et tendre le toile et fourniture de colle forte». Jusqu'à la restauration menée en 1968, la signature était en effet masquée en partie par le cadre. Si le tableau de Girodet avait été intégré à un retable, ce qui avait motivé la modification du cadre, il était bel et bien considéré comme «immeuble» et ne pouvait pas être pris en compte par les inventaires de la fabrique chargée des seuls «meubles». Il restait à vérifier l'information fournie par l'abbé Roques : «don du Seigneur de Bertrand de Molleville en 1784». La date est évidemment contestable, le tableau étant signé «1789». Mais si l'année 1784 ne peut être celle du tableau, ne peut-elle pas être celle de la commande ?

Une commande possible…

La famille Bertrand de Moleville est une famille de parlementaires toulousains alliée dès le XVIIe siècle avec la famille de Laloubère, seigneurs de Montesquieu-Volvestre[12]. En 1729, à la mort de Simon de Laloubère, Marc Antoine Bertrand de Moleville, son neveu, conseiller au parlement de Toulouse, devient seigneur de Montesquieu. Dans les années 1744-1745, puis de nouveau en 1775, il doit faire face à des émeutes à caractère fiscal qu'il finit par résoudre à l'amiable. Marc Antoine Bertrand obtient cette année-là du parlement de Toulouse la suppression de la confrérie de la Trinité, la plus importante association pieuse de Montesquieu, qui réunit les notables locaux et sert occasionnellement à des fins politiques.

Son fils aîné, Antoine François, né en 1744, s'était marié le 16 mai 1774 et avait reçu de ses parents, à cette occasion, la donation de tous leurs biens présents et à venir. Nommé intendant de Bretagne en 1784, il prend possession de son château de Laloubère le 15 septembre 1787, reçu avec faste par la communauté de Montesquieu-Volvestre, comme en témoigne une délibération consulaire du même jour[13] : tirs de couleuvrines le long de la route venant de Rieux-Volvestre, sonneries de cloches, cortège des consuls, au son des fifres et des tambours, feux de joie. La délibération montre bien le souci qu'ont les consuls d'établir d'emblée des relations filiales avec leur seigneur et d'éviter tout malentendu susceptible de dégénérer en désordre ; l'empressement des consuls ne semble pas oublier tout l'intérêt qu'il y a à courti-

ser un seigneur si haut placé, alors intendant de Br tagne, puis nommé en 1789 par Louis XVI minis de la Marine. Il n'est pas interdit de penser qu réponse à ces transports d'affection, Antoine Fra çois Bertrand de Moleville ait commandé un gra tableau pour orner la chapelle Notre-Dame-de-Pi de l'église Saint-Victor de Montesquieu-Volves après que son père ait travaillé dans les années 177 reconquérir tous ses privilèges et à évincer tout ri potentiel, y compris dans l'entretien de l'église.

Si le tableau de Girodet appartenait dès le déb à la famille Bertrand de Moleville, il aurait pu ê saisi en 1792 ou 1793 au titre des biens nationa de seconde origine, Antoine François Bertrand aya émigré. Le 26 pluviôse an II (16 mars 1793) les bie des Bertrand de Moleville sont vendus aux enchè par ordre du Directoire de district de Rieux. La sé Q des Archives départementales donne des détails ces ventes[14]. La famille Bertrand-Paulo figure da les répertoires comme *ci-devant* propriétaires de bie de seconde origine. Les dossiers les concernant, 1792 à l'an VII, ont malheureusement brûlé da l'incendie de la préfecture, à Toulouse, en 1942.

Faute de trouver à Montesquieu-Volvestre la co firmation de cette hypothèse, il faut revenir à G rodet et à sa correspondance, notamment à la let écrite au peintre Gérard, son ami, le 13 septemb ou octobre 1789. Si le tableau avait été comman par les demoiselles Bastonneau pour une église Loches, pourquoi, étant à Tours, Girodet s'adressera il à Gérard, à Paris, pour lui recommander tous soins, alors qu'il lui aurait été si simple de transpor lui-même le tableau à Loches. S'il écrit à Gérar «Fais-toi expliquer tout cela clairement et n'oub pas de m'en rendre compte…», c'est bien qu'il cha ge Gérard de s'assurer que la livraison a été faite de bonnes conditions. Préciser qu'il faut joindre tableau, dans une caisse, un «grand châssis à cle / …la bouteille de vernis et la brosse pour vern c'est parce que le tableau allait voyager roulé de faç à être tendu sur son châssis et verni une fois arriv destination[15]. Si Gérard devait envoyer ou accom gner ce tableau à Loches, Girodet aurait certainem précisé le lieu où le livrer et son destinataire. Q nous dit la lettre : «Fais-toi expliquer tout cela cla ment… et s'il l'a fait reporter chez M. Bertrand, Barbette.» Il semble clair que le tableau va voya qu'il n'est pas destiné à aller à Loches ou à Tours, n plus loin ; cependant c'est à Paris, rue Barbette, Girodet souhaite le voir livrer, et monsieur Bertra rue Barbette, c'est le seigneur de Montesquieu-V vestre, locataire de l'hôtel Turgot, 9 rue Barbette, 1789.

Dans la correspondance de Girodet et de sa mille, un échange de lettres entre M. ou Mme Gi det et Mme de Faverolles, cousine de Mme Giro

III. 130 **Annibal Carrache**, *Pietà*
Huile sur toile, Naples, Museo di Capodimonte

tre 1774 et 1780, fait état d'un grand souci com- un pour l'avenir du jeune Anne Louis. Mme de verolles propose, en 1776, à M. Girodet père d'aller ir le commissaire général de la Marine ordonna- ur à Nantes, après que Girodet s'est, semble-t-il, gagé dans la Marine, au grand désespoir de ses pa- ts [16]. Dans tous ses courriers, Mme de Faverolles roque ses relations – un ancien premier commis de marine, dont le frère, religieux barnabitte, a long- mps vécu et enseigné à Montargis, notamment au une Girodet – et aussi la nécessité d'observer la us grande discrétion dans ces démarches. Si ces ctres ne manquent pas de détails sur la santé des s et des autres comme sur la qualité des pâtés alouettes joints, semble-t-il, à toutes les lettres de me Girodet, on n'y trouve rien sur une éven- elle commande, à M. Bertrand de Moleville, alors tendant de Bretagne, à Nantes, avant de devenir 1789, le dernier ministre de la Marine de l'Ancien égime.

Ne peut-on imaginer que M. Bertrand informé s problèmes et des capacités de Girodet quand il it en poste à Nantes, ait pensé à lui en 1787, quand souhaite doter l'église de Montesquieu-Volvestre un tableau. Entre-temps, Girodet est entré dans telier de David où il concourt pour le grand prix de cadémie royale de peinture. Mais à ce jeune peintre i ne craint pas d'affirmer son âge dans sa signature, pouvait être facile de commander un tableau de nde taille sur un sujet très précis, pour un prix mo- que. Girodet réalisa d'abord deux esquisses **[ill. 17,** , sans doute pour les montrer au commanditaire.

Le sujet, Déposition de croix, Déploration sur Christ mort, Vierge de Pitié, est un sujet familier s églises de la région de Toulouse. Dès le XIVe siè- , les ordres mendiants ont contribué à propager s images issues des *Révélations* de sainte Brigitte Suède [17] où les douleurs de la Vierge font écho elles du Christ. Les confréries de Notre-Dame- -Pitié sont très vite innombrables dans le dio- se de Toulouse et les diocèses avoisinants. Encore jourd'hui, rares sont les églises qui ne conservent une statue ou un tableau représentant ce thè- . Marcel Durliat a estimé qu'une telle fréquen- supposait une intervention de l'Église, en tant "institution [18]. Il est vrai qu'à la fin du XVIe siècle, chevêque de Toulouse, le cardinal de Joyeuse, it un ami personnel de Charles Borromée, grand pagateur des conclusions du concile de Trente. XVIIe siècle a été, pour toute cette région, une riode d'intense reconstruction, après les dégâts s guerres de religion et la *Pietà* d'Annibal Carra- e **[ill. 130]**, conservée au musée de Capodimonte Naples, a été, à elle seule, le modèle le plus fré- emment copié par les sculpteurs et les peintres, qu'à la veille de la Révolution.

Le choix d'un tel sujet, en 1787 ou 1788, pour l'église de Montesquieu-Volvestre, n'est pas sur- prenant, mais au contraire parfaitement adapté aux habitudes et aux dévotions locales. C'est pourquoi les paroissiens l'ont accueilli favorablement, et qu'ils l'ont conservé pendant la Révolution, alors qu'en 1792-1793, la commune avait engagé une lutte sans merci contre la famille Bertrand de Moleville.

Si l'hypothèse d'une commande de ses tantes pour un couvent de Loches peut être écartée, celle d'une commande par Antoine François Bertrand de Moleville semble plus plausible mais ne peut pas être prouvée. Dans le livre qu'il a écrit et publié à Lon- dres en 1797, ce dernier évoque le drame vécu par sa famille restée en France du fait de la Révolution : « Mes ennemis, trompés encore une fois dans leurs espérances homicides, ont fait une nouvelle tenta- tive, dont l'horrible succès a mis le comble à mon malheur : ils ont, tout récemment, fait mettre le feu au château qui était la principale habitation de ma famille ; tous les titres, meubles, effets qui y étaient enfermés ont été la proie des flammes… » Dans un chapitre précédent, il précisait que ses propres papiers étaient déposés dans ce château [19]. L'espoir de trouver trace d'une commande, d'une facture, d'une corres- pondance à propos du tableau de Girodet est très mince. La correspondance de Girodet pourtant très abondante, n'apprend rien de plus, si ce n'est qu'en 1789, les relations avec ses proches famille étaient loin d'être sereines. En outre, les années précédentes avaient été assombries par un conflit né de rivali- tés entre les élèves de David. Lauréat du grand prix le 24 août, Girodet prépare à l'automne 1789 son départ pour l'Italie et règle les derniers détails des entreprises récentes : c'est dans cet esprit qu'il écrit en septembre ou octobre à Gérard. On comprend qu'un tableau qui n'avait été pour lui qu'un exercice plaisant, une parenthèse dans la compétition autre- ment plus dure du concours de l'Académie royale, n'ai pas mérité plus qu'un post-scriptum dans une lettre de sollicitations variées à son ami Gérard.

N. A.

notes

1. « Girodet 1767-1824 », exposition du deuxième centenaire, musée de Montargis, 1967.

2. *BSHAF*, 1967, p. 241

3. Fonds national d'art contemporain chargé des collections nationales autrefois déposées dans les communes.

4. Base des Archives nationales à partir de la série F21. Merci à Florence Vielfaure, gestionnaire de cette base.

5. Merci à Olivier Meslay pour les recherches qu'il a menées au Louvre dans l'inventaire des Musées royaux, série 3DD3.

6. Merci à Guy du Chazaud, directeur des Archives départementales et conservateur des Antiquités et Objets d'art d'Indre-et-Loire.

7. En 1802, le Concordat signé par le Pape et Bonaparte rétablit le culte catholique en France. Il installe dans chaque paroisse une fabrique, assemblée de paroissiens aidant le curé à régler les problèmes matériels liés au culte.

8. Archives départementales, 31 série V.

9. 6 décembre 1863.

10. *Auta*, nº 76, août 1935, p. 121.

11. Conservation des Antiquités et Objets d'art/AD31 : dossier Montesquieu-Volvestre, église Saint-Victor.

12. Jean-Michel Minovez, « Société des villes et société des champs en Midi toulousain sous l'Ancien Régime », p. 141, 142, 143, Aspet, PyréGraph, 1997.

13. Archives départementales, 31 2 E 1360

14. *Ibidem*, 31 Q 354, 355, 497, 615, 1223, 1224, 1226.

15. Lettre de Girodet à Gérard, 13 octobre 1789, voir Ferdinand Boyer, « Quelques écrits de Girodet », *BSHAF*, avril 1967.

16. Lettre de Mme de Faverolles à Mme Girodet, 17 juillet 1776, fonds Pierre Deslandres, t. IV, nº 41.

17. Émile Mâle, *L'Art religieux de la fin du Moyen Âge en France*, Paris, Armand Colin, 1925, p. 123.

18. *Vierges de Pitié du Lot*, cat. exp., Cahors, 1980, p. 14.

19. Antoine François Bertrand de Moleville, *Mémoires secrets pour servir à l'histoire de la dernière année de Louis XVI roi de France*, Londres, 1797, t. III, chap. 23.

Effet de lune

cat. 10 **Le Sommeil d'Endymion,
dit aussi Endymion, effet de lune**
1791
Huile sur toile, 198 x 261 cm
Paris, musée du Louvre, inv. R.F. 4935

Hist. Peint à Rome entre avril et octobre 1791 pendant le séjour de Girodet, pensionnaire à l'Académie de France, pour
être adressé comme «envoi» à Paris; présenté à la fin du Salon de 1802, il ne figurait pas dans le livret du Salon; proposé à l'achat, mais sans suite, par la Commission nommée
par Bonaparte à la fin du Salon de 1802 pour choisir les trois
meilleurs tableaux exposés au Salon en vue de les acquérir;
seul *Phèdre et Hippolyte* de Guérin fut acquis (voir AMN, X,
Salons 1802, Van de Sandt, 2004, p. 393, n. 21; AMN, ★AA
4, publ. Dupuy, le Masne de Chermont, Williamson, 1999,
p. 140-141, n° 28); cité lors du Salon de 1814 comme susceptible d'être acquis par le roi au prix de 12000 F pour
servir au décor des palais royaux (AMN, Salon de 1814, enregistrement des notices Girodet-Trioson, n° 500); acheté par
l'État en 1818, avec *Une scène de déluge* (cat. 42) et *Atala au*

tombeau (cat. 51) pour la somme globale de 50000 F (lettres
et documents dans AN, O³ 1398, série musées, n° 496 et O³
1400; AMN, P6 «Commandes et acquisitions», 1817-1821);
coll. Louis XVIII; exposé au Luxembourg jusqu'à la mort de
Girodet en 1824, puis transféré au Louvre.
Exp. 1793, Salon, n° 296; 1797, Paris, Salon de l'Élisée, n° 51;
1802, Salon (hors livret); 1814, Salon, n° 438; 1818, Salon, Paris,
Galerie du Luxembourg, n° 29; 1939, Paris, musée Carnavalet, n° 1056, p. 147; 1967, Montargis, n° 13; 1968, Paris, n° 161;
1989, Paris, t. III, n° 1098.
Bibl. *Explication par ordre des numéros et Jugement motivé des
ouvrages de Peinture, Sculpture, Architecture et Gravure, exposés
au Palais national des Arts,* BNF, coll. Deloynes, t. XVIII, 458,
p. 42-43; *Exposition au Salon du Palais national des ouvrages de
peinture, sculpture et gravure,* Petites affiches de Paris, 36 p. Ms.
BNF, coll. Deloynes, t. XVIII, 459, p. 187; *Salon de l'Élisée* (éd.
Guiffrey), 1797, p. 263; Anon., *Journal de Paris,* 6 floréal an VII
(25 avril 1799), p. 949; J.V., 1799, p. 177; Bruun Neergaard,
1801, p. 156-157; Noël, 1801, t. I, p. 373; Anon., *La Décade
philosophique,* 1802, p. 724, 749; Landon, 1802, p. 67; Anon.,

Journal des arts, des sciences et de littérature, 1802, p. 75-77, p. ▮;
Anon., *Le Publiciste,* 1802, p. 655; Anon., *Journal du Bull▮
de Paris,* [1802?], p. 27, 73; Boutard, 1802, p. 746, 755-7▮;
Noël, 1803, p. 475-476; Landon, 1803, p. 119; Anon., *Le ▮
bliciste,* 27 octobre 1806, p. 1; Girodet, 1807, p. 18; A. L. (J▮
nal de Paris), 22 septembre 1810, p. 1872; Anon., *Sentim▮
impartial…,* 1810, p. 7; Gueffier, 1811, p. 48; Anon., *Dialo▮
raisonné…,* 1814, p. 14; Anon., *Lettres impartiales,* 1814, p. ▮
Delpech, 1814, p. 52-53; *La Quotidienne,* 16 novembre 18▮
p. 1; Morgan, 1817, t. 2, p. 29; *Explication des ouvrages de p▮
ture et sculpture…,* 1818, n° 29; Landon, 1820, p. 12; Land▮
1823, pl. 26; Garnier et Rochette, 1824, p. 3, 6; «L'Amat▮
sans prétention», *Le Mercure du dix-neuvième* siècle, 1824, p. 3▮
(*La Semaine*), 1824, t. 1, p. 122; Mahul, (1824) 1825, p. 1▮
124; Chauvin, 1825, p. 2; Coupin, 1825, p. 4; Quatremère ▮
Quincy, (1825) 1834, p. 313-315, 328; Souesme, 1825, p. ▮
Ducrest, 1828, p. 206; Coupin, 1829, t. I et II, *passim*; Bal▮
Sarrasine, 1831; Landon, 1833, p. 112, pl. 52; Miel, 1845, p. 2▮
Joubert, 1850, t. II, p. 22; Delécluze, 1855, p. 254-275; Vi▮
1855, p. 154-157, n° 251; Vernon, 1856, t. I, p. 263; Blanc, 18▮

; Frond, 1865, p. 1; Gérard, 1867, p. 69-72; Marcy, 1867, 5; Réveil, t.VIII, 1872, p. 26-27; Goncourt et Goncourt, , p. 286; J. David, 1880, p. 400-401, 502; Gauthier, 1882, 15; Chennevières, 1883-1889, p. 34; Blanc, 1886, p. 252; , 1892, p. 7, 12; Benoist, 1897 (1975), p. 318-322, 398, 431; ies, 1904, t. I, p. 108-109; Montaiglon, Guiffrey, 1907, p. 48, 2, 431; Brière, 1924, n° 361; Guiffrey, 1929, p. 21 pl. 28, p. 26; eider, 1929, p. 18-19, fig. 8; Poirier, 1930, p. 40, 398; Adhé-BSHAF, 1933 (1934), p. 271, 273; Antal, 1936, p. 132, 136; lier, 1941, p. 77-78 ill., p. 84; Aragon, (1949) 1977, p. 67, 4, 76; Levitine, 1957, p. 17; Sterling, Adhémar, 1958-1961, 1; Caubisens, 1961, p. 374; cat. 1967, Montargis, n° 13; Van hem, (1917) 1967, t. II, p. 151; Ward-Jackson, 1967, p. 663; our, 1968, p. 186, repr. 79, p. 149; cat. exp. 1968-1969, n° 161; Bonard, 1969, p. 9, 26, 58, 78, 173; Rosenblum, , p. 100; Angrand, 1972, p. 98-100; Catalogue Louvre, , p. 184; Levitine, 1972, p. 132-133; Rubin, 1972, p. 212; ost-Auzas et Ternois, 1973, p. 268; Starobinski, 1973, p. 112, , p. 108; Wildenstein, 1973, n° 1368, p. 158, n° 2073, p. 248; es, 1974, p. 394, 398; Whiteley, 1975, p. 773; Huyghe, 1976,

p. 457-459; Levitine, 1978, p. 94-96, 117-134; Rubin, 1978, p. 47-84, fig. 1, p. 53, fig. 20, p. 58; Banks, 1979, p. 100-101; Rubin, 1979, p. 130; Stafford, 1979, p. 46-48, fig. 3; Nevison Brown, 1980, p. 74-93; Laclotte, Cuzin, 1982, p. 5, 85, 96; Stafford, 1982, p. 193-197; Bryson, 1984, p. 140-143, ill. n° 78; Compin, Roquebert, Foucart, Foucart-Walter, 1986, p. 282; Zieseniss, 1986, p. 6; Boime, 1987, p. 448-451; Levitine, 1988, p. 161-162; Crow, 1989, p. 51; Heim-Béraud-Heim, 1989, p. 46, 49, 119, 225-228; Foissy-Aufrère, in exp. 1989, Avignon, p. 21-22; Michel, in cat. exp. 1989, Avignon, p. 70, ill. 40; Crow, in Michel, 1989 (1993), p. 848-862, fig. 162, p. 989; Crow, 1990; Baudelaire, 1992, p. 71; Davis, 1993; Bellenger, 1993-1994, p. 87-96; Crow, in Bryson, Holly, Moxey, c. 1994, p. 141-162; Davis, in Bryson, Holly, Moxey, c. 1994, p. 168-201; Crow, 1995, p. 103-106, 128-130; Crow, 1997, *passim*; Solomon Godeau, 1997, *passim*, ill. n° 20; Chaudonneret, 1999, p. 33, 37, 75; cat. exp. Tours, 1999, p. 232-234, 252; La-font, 2000, p. 38; Schmidt-Linsenhoff, 2000, p. 81-89, 98-101; Lafont, 2001, n° 68, p. 335-341; Oppenheimer, 2001, p. 218-219; Baron, 2002, p. 48-62; Savettieri, 2003, p. 14-32, fig. 2.

Œuvres préparatoires

Le Sommeil d'Endymion, esquisse peinte, Paris, musée du Louvre, RF 2152 (cat. 11).

Plusieurs dessins préparatoires se trouvent dans le Carnet d'Italie, Paris, Bibliothèque nationale de France, Dc 48c rés.- 4°.

Œuvres en rapport

Le Sommeil d'Endymion, Montargis, musée Girodet, inv. 36-2. Probablement une réplique peinte sous la direction de Girodet par Henri Guillaume de Chatillon (au musée avant 1900, legs de Mme de Clairval, héritière de René-Ange Duméis; S. Bel-lenger, 2000, p. 378-379, n° 228).

Girodet conservait une copie de l'*Endymion* dans sa salle à manger (Lemeux-Fraitot, 2002, p. 216, n° 59).

Un tableau « grec » peint à Rome

Tantôt berger de Carie, tantôt douzième roi d'Élide, Endymion réunit les mythes d'Hypnos et de Séléné (non grec de la lune). Fils de Jupiter et de la nymphe Calyce, chéri de son père il fut admis dans l'Olympe. Audacieux au point de faire comprendre à Junon qu'il trouvait ses charmes à son goût, il fut condamné par Jupiter à un sommeil éternel. D'autres prétendent que Jupiter lui ayant laissé le choix de son châtiment il demanda une jeunesse éternelle et la faculté de dormir aussi longtemps qu'il le voudrait. La chaste Diane, éprise de sa beauté parfaite, vint le visiter toutes les nuits dans une grotte du mont Latmos et enfanta cinquante filles et un fils. D'après une autre légende, moins fréquemment citée, Endymion fut aimé d'Hypnos, dieu du sommeil qui le faisait dormir les paupières ouvertes, pour voir toujours ses beaux yeux. Girodet, fin lettré, était familier des multiples interprétations du mythe, dont certaines sont reprises dans le *Dictionnaire de la fable* auquel il collabora [1]. Une source grecque satirique qui n'y figure pas [2] correspond pourtant exactement à la scène du tableau : il s'agit du *Dialogue des dieux*, de Lucien de Samosate, où Aphrodite se moque de Séléné allant contempler Endymion dans son sommeil [3].

Immergé au milieu des feuillages bleu-vert d'un buisson, dans le clair-obscur d'une lumière à la fois blafarde et irradiante, un jeune homme nu dort, étendu sur le dos. Couché à même le sol, il semble léviter, comme dans certains bas-reliefs de sarcophages romains qui combinent pour une même figure la vue latérale et la vue du dessus. Son bras droit est re-

plié derrière sa tête renversée, tournée vers la lumière, dans la position traditionnelle de l'abandon et de la perte de conscience [4]. Le corps est charnu, le ventre légèrement arrondi, les extrémités fines et élégantes. Les parties génitales et le pubis, légèrement ombré, sont découverts et le pénis de petite taille, conformément à l'esthétique grecque. Le cou démesuré, prolongé en goitre jusqu'au menton, est encadré par une chevelure noire et bouclée ornée d'un ruban blanc. La ligne du nez qui continue parfaitement le front et la courbe du sourcil rejoignant le profil possèdent la sensualité glacée d'un théorème qui combinerait la matérialité de la sculpture et l'immatérialité du rêve. Endymion est étendu sur un manteau brun rosé, orné d'une fibule d'or et bordé de palmettes et d'entrelacs noirs. Il repose sur la dépouille d'un léopard, les pieds chaussés de fines sandales de cuir, décorées d'une palmette d'or rehaussée de bleu. À ses côtés, un chien au pelage blanc et feu dort, blotti dans les buissons. Un arc d'or, formé de deux cols de cygnes joints, la corde distendue, et une lance de bois à pointe d'or sont posés sur le sol [5]. Dans cette composition dominée par la ligne horizontale du corps d'Endymion, la figure nue de l'amour adolescent, portant sur son dos un carquois vide, introduit la verticale et dessine un large V par lequel s'introduit la clarté. L'amour adolescent est muni des ailes bleues et vertes, étroites et velues, d'un papillon de nuit, insecte qui recourt à la lumière de la lune pour diriger ses amours. Ces ailes [6] transforment le fils de Vénus en Zéphyr, vent printanier d'une légèreté aérienne. Renversé à l'arrière, suspendu dans l'espace, la pointe du pied droit effleurant le sol, Zé-

phyr-Cupidon semble esquisser un pas de tarent[elle]. L'air malicieux et complice, il tient une couronne[de] fougères liée d'un ruban blanc et écarte doucemen[t] les feuillages de platanes, de roseaux et de lise[rons] pour laisser pénétrer les rayons de la lune. La lum[ière] argentée caresse les lèvres du dormeur, sa vapeur [na-] crée se répand sur le corps qui semble nimbé d[e sa] propre lumière. Tout à fait à droite, peu visible [dans] le clair-obscur général, on distingue, derrière la [tête] d'Endymion, des lettres grecques gravées sur l'éc[orce] d'un arbre. Disposées sur deux lignes [7], ces lettres [ne] semblent pas former de mot identifiable.

Lauréat du prix de Rome de 1789, Girodet a[vait] différé son départ [8] et ne quitta Paris qu'en avril 1[7..] Dès son arrivée [9], il s'était insurgé contre l'Acadé[mie.] Si ses premières rencontres avec son directeur ava[ient] été courtoises [10], il était resté circonspect. À la tête [de] l'institution depuis novembre 1787, Jean-Fran[çois] Ménageot avait pour mission de reprendre en m[ain] les pensionnaires et d'appliquer la réforme comm[en-] cée par Vien en renforçant l'éducation académi[que.] La vie des jeunes gens était réglée jusque dans [les] détails de la vie quotidienne et les études éta[ient] dirigées pour inciter les artistes « à dessiner imm[é-] diatement d'après l'antique, à l'exemple des gra[nds] maîtres […] [11] ». Afin de mesurer leurs progrès, [les] élèves devaient exposer à Paris comme à Rome [et] envoyer chaque année quatre académies dessin[ées,] une « figure peinte d'après le modèle de grand[eur] naturelle, et l'esquisse d'un tableau dont le sujet [et la] composition [étaient] au choix de l'élève [12] ». À [...]

cat. 10 Détail des lettres grecques

III. 131 Normand d'après Girodet, *Le Sommeil d'Endymion*
Gravure, coll. part.

ois, il fallait aussi ajouter la copie d'un grand maî-
Ces ouvrages étaient restitués aux pensionnaires
de leur retour à Paris [13]. Girodet ne se laisse pas
lement enrégimenter par la discipline et les règle-
nts [14]. De sa propre initiative, il prend des leçons
alien, de composition et de perspective [15]. En ocre, il envisage de consacrer toutes ses matinées à
siner d'après Michel-Ange à la chapelle Sixtine et
s ses après-midi au paysage [16]. Il est notamment
upé par l'achèvement des dessins pour l'illustra-
du *Virgile* de Pierre Didot que David lui a con-
avant son départ et pour lesquels il a déjà reçu
avance [17]. Le sort du jeune artiste est privilégié, sa
ation matérielle étant facilitée par les nombreuses
nces que lui fait parvenir Trioson, mais comme le
nge augmente terriblement, il est constamment à
rs d'argent. À ces difficultés matérielles s'ajoute
climat politique menaçant. Depuis l'arrestation
roi à Varennes, les Français sont plus que jamais
populaires à Rome. La présence et le comporte-
t des émigrés lui démontrent chaque jour com-
la situation internationale pourrait devenir pré-
upante. Il craint que la guerre civile n'explose en
ce et tremble pour la sécurité du docteur Trioson
e sa famille. Il est, en pensée, extrêmement pro-
d'eux [18]. Sa santé, toujours précaire, commence
préoccuper sérieusement. Il consulte le docteur
oët. Peu après avoir évoqué très irrespectueuse-
t les femmes romaines [19], il contracte une sévère
hilis qui va le torturer pendant tout son séjour en
e, lui laissant de graves séquelles pour le reste de
ie [20].

C'est dans cet état d'angoisse que Girodet commence, en février 1791, à parler de sa «figure d'étude
pour l'Académie [21]». Un mois plus tard, en mars, il
commence cette figure qui constituera son «envoi» [22], mais il est à court d'argent. Pour un peu, son
modèle devra lui faire crédit [23]. Le tableau fut peint
en sept mois, entre avril et octobre 1791 dans l'atelier
qu'il avait obtenu, après plusieurs mois d'attente, dans
les locaux de l'Académie [24]. Les lettres que Girodet
envoie en France permettent de suivre précisément
l'évolution de son travail, presque mois par mois.
L'ambition de son projet se découvre pour la première fois dans une lettre du mois d'avril. Il ne parle
plus de figure, mais de tableau [25]. «Je fais un Endymion dormant et l'amour écarte les branches d'arbre auprès desquels il est couché de manière que les
rayons de la lune l'éclairent par cette ouverture et le
reste de la figure est dans l'ombre [26]» En août, il relate
ses expérimentations malheureuses : «[…] je viens
de commencer à repeindre pour la seconde fois ma
figure que j'ai eu l'imprudence de peindre a lhuile
d'olive. ce qui l'empechait absolument de secher [27].»
Le 20 septembre enfin, il annonce que son tableau
est achevé [28].

La première source d'inspiration que révèle Girodet [29] est le panneau de sarcophage qui, en 1791,
était encastré dans la façade ouest de la villa Borghèse, au-dessus de la statue d'Apollon [30]. Il représente
dans sa partie droite Séléné qui descend de son char,
entourée par un cortège d'amours, rendant visite à
Endymion étendu sous une grotte. Un chien dort

Ill. 133 Girodet, *Étude de torse antique*
Dessin, Paris, Bibliothèque nationale de France

Ill. 132 Bas-relief romain provenant de la Villa Borghèse
Marbre, Paris, musée du Louvre

Ill. 134 Girodet, *Étude pour Zéphyr,*
Dessin, Paris, Bibliothèque nationale de France

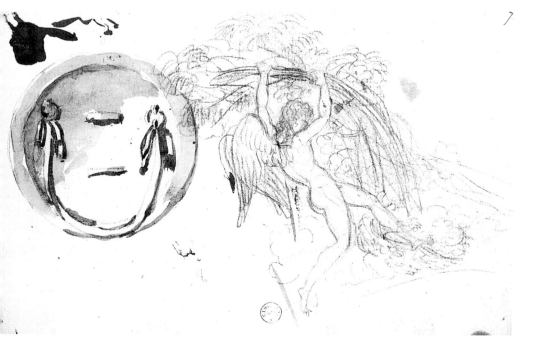

Ill. 135 Girodet, *Étude de chien d'après l'antique*
Dessin, Paris, Bibliothèque nationale de France

Ill. 137 Girodet, *Étude pour le pied*
Dessin, Paris, Bibliothèque nationale de France

Ill. 136 Girodet, *Étude de chien d'après nature*
Dessin, Paris, Bibliothèque nationale de France

à ses côtés et Hypnos, vêtu d'une simple tunique, des ailes de papillon dans le dos, abaisse vers lui la corne des songes. De son propre aveu, le peintre a supprimé la figure de Diane. Cependant, la position des corps, les attributs du chasseur et la figure d'Hypnos ailé ont été repris dans la forme ou dans l'idée. La source Borghèse, incontestable, n'est pas unique. Selon la méthode synthétique et sélective de l'imitation et de l'Idéal qui améliorent la nature, Girodet a associé plusieurs sources : la statuaire antique, des médailles et des gravures mêlées au modèle vivant et même un mannequin de bois qu'il avait disposé dans son atelier [31]. Un carnet de dessins [ill. 133 à 137], dit Carnet de Rome [32], contient plusieurs croquis préparatoires indiquant plusieurs autres modèles. L'*Apollon du Belvédère,* combiné avec un dessin de pied [ill. 137], fragment des collections papales [33] fournit les sandales. La jambe d'Endymion vient de l'*Antinoüs du Vatican,* sculpture fameuse dans laquelle l'archéologue allemand Johann Winckelman avait cru reconnaître le beau Méléagre [34].

Bibliophile et grand lecteur, Girodet approfondit à Rome sa connaissance de l'Antique et augmente sa bibliothèque [35]. Il cherche à acquérir l'ouvrage de Mardini «[…] très estime sur les antiquités de Rome, et celui des vases étrusques et des antiques d'Herculanum, tous très utiles aux artistes et moins chers et mieux gravés qu'à Paris [36]». Ces livres, avec *Les Peintures antiques d'Herculanum,* une des premières éditions en français de Winckelmann, *L'Histoire de l'art chez les anciens, Monumenti antiqui* et *Le Voyage d'Anacharsis,* guides indispensables pour tout connaisseur visitant Rome, se retrouvent dans sa bibliothèque après sa mort [37] Tout élève de David était familier de Winckelmann traduit depuis une trentaine d'années dans plusieurs langues [38], mais Girodet en fait une lecture particulièrement attentive et s'y réfère lorsqu'il écrit : «Je ne crois pas la pensée mauvaise quand à l'effet, il est purement idéal […] [39].» Les *Réflexions sur l'imitation des artistes grecs dans la peinture et la sculpture* de l'auteur allemand recoupent si précisément l'iconographie du *Sommeil d'Endymion* qu'elles procurent quasiment son décryptage [40], comme si le texte présidait à la conception du tableau et à la beauté hermaphrodite d'Endymion [41] : «un beau jeune homme […] est celui fur le visage duquel la différence du fexe est douteufe [42]». Endymion, allongé sur le dos, rejoint donc l'*Hermaphrodite Borghèse*.

Son corps satisfait au canon grec d'un corps éduqué par la gymnastique tel que Platon le discute dans

Les Lois [43]. Aristophane vante les mérites de l'é cation athénienne dans *Les Nuées* : «Si tu fais ce je te dis, et que tu y appliques ton esprit, tu a toujours la poitrine robuste, le teint clair, les ép les larges, la langue courte, la fesse grosse, la ve petite [44].»

L'esquisse du Louvre est la seule œuvre pré ratoire que nous connaissons pour l'ensemble d composition. La figure est entièrement finie Zéphyr est absent. Moins irréelle que le tableau finitif, elle est peinte d'après le modèle vivant, l'élongation des jambes, la perfection des pieds et mains, l'aspect marmoréen de ce corps juvénile s déjà corrigés par la statuaire antique. Le paysage esquissé, brossé comme deux autres études romai *Bacchus endormi* [ill. 160] et *La Mort de Pyrrhus* (cat. est l'un de ces paysages du Latium que Girodet étu dès les premiers mois de son arrivée. C'est une sc diurne, mais la juxtaposition de ce corps blafard a l'apparition du croissant de lune au-dessus des mo bleutés du matin, est comme la rencontre étra de la nuit au milieu du jour. Girodet n'a pas enc trouvé la solution chromatique qui lie la compo tion et donne au tableau achevé toute sa mystérie unité, le clair-obscur «par lequel la peinture atte son plus haut degré de perfection [45]». Une sou pour le traitement de la lumière, la «grâce, à la voluptueuse et chaste [46]» du tableau et pour le t presque maniériste de la figure de Zéphyr pour être le *Saint Jérôme* [47] du Corrège, que Girodet a tant admiré, à Parme sur le chemin de Rom Pour la mise en place de Zéphyr et pour le car tère quasi mystique qui se dégage de l'ensemble, pu s'inspirer du groupe de *Sainte Thérèse* du Ber composition exemplaire d'un mortel visité par divinité [49]. Cette source n'est pas documentéée, comme chez Bernin, le rapprochement plasti d'une figure couchée face à une figure verticale me un vide pénétré par une ligne oblique. La flè de l'ange de l'extase est devenue ici rayon lumine de la lune.

Suivant le règlement de l'Académie [50], le tabl terminé est montré à l'exposition des travaux élèves qui ouvrait le 25 août, jour de la Saint-Lo au palais de l'Académie royale à Rome. Il y parvi avec retard, sous le titre *Endymion, effet de lune.* D son deuxième rapport d'exposition, Ménageot l Girodet plus que tout autre pensionnaire de l'Aca mie : «Le Sr Girodet a exposé une étude représen Endimion (*sic*) endormi au clair de la lune, dont été très content. Ce tableau est d'une belle harmo d'un grand caractère de dessin, est surtout d'un ge original qui appartient à son auteur; ce jeune art qu'on peut déjà regarder comme un homme, do les plus belles espérances [51].» Flaxman vint voir le bleau et complimenta son auteur [52]. Girodet se réjo

oir atteint son but «On n'a pas été mécontent de
besogne mais ce qui m'a fait plaisir, c'est qu'il n'y
qu'une [voix] pour dire que je ne ressemblais en
à Mr David[53].»

Le Sommeil d'Endymion était plus qu'une répon-
David, il déplaçait la peinture vers une sensi-
é tout à fait nouvelle, fondée sur le mystère,
oublant, l'émotionnel, en un mot vers le sub-
if et la faille que le romantisme introduit dans
onscience et la philosophie européenne. L'ar-

chéologie selon Winckelmann[54] était une rupture
radicale avec le modèle rationnel, positif et viril
de David. Nostalgique d'un monde qu'il n'avait
jamais connu, Winckelmann associe tous les éléments d'un savoir à la fois archéologique, érudit,
descriptif et onirique. Son esthétique puissante, qui
recherche la Grèce dans Rome, utilise dans l'élaboration du savoir des outils autres que ceux de la
raison cognitive. Tout le génie de la suppression de
la figure de Diane se joue dans cette part d'irra-

tionnel : paradoxe magique, l'absence de la déesse,
remplacée par son nimbe lumineux, isole le nu
masculin et l'aliène radicalement de la figure académique. Devenue lumière, l'absence cristallise le
mythe dans son contenu le plus intime, la solitude
érotique d'Endymion, offert, sans résistance, à la vi-
siteuse surnaturelle. L'anéantissement de sa volonté
contraint Endymion à une réification qui confine
à la mort. Le mythe devient celui de la révélation
de l'autre et de la dépossession du moi. Le subjectif

**cat. 11 Le Sommeil d'Endymion
(esquisse)**
Huile sur toile, 56 x 48,6 cm
Paris, musée du Louvre, inv. R.F. 2152

Hist. en 1848, à l'exposition du Bazar Bonne-Nouvelle, appartient à M. Grevedon ; legs du baron Basile de Schlichting au
Louvre en 1914.

Exp. 1848, Paris, Bazar Bonne-Nouvelle, n° 41 ; 1934, Paris,
n° 185 ; 1936, Paris, n° 306 ; 1959, Londres, n° 188.
Bibl. Brière, 1924, n° 3093, p. 116 ; Sterling, Adhémar,
1958-1961, n° 970 ; Boime, 1969, p. 211-218 ; Rosenblum,
1969, p. 100-101 ; Catalogue Louvre, 1972, p. 184 ; Rubin,
1978, p. 51, fig. 6, p. 55 ; Compin, Roquebert, Foucart, Foucart-Walter, 1986, p. ; Bajou, Lemeux-Fraitot, 2002, p. 383.

III. 138 Goya, *Le Songe de la raison produit des monstres*
Aquatinte, coll. part.

III. 139 Füssli, *Le Cauchemar*
Huile sur toile, Detroit Institute of Art

est substitué au politique, le surnaturel à la raison, la poésie au réel historique. La morale esthétique et politique du démos grec de David s'évanouit avec la conscience du beau dormeur. Girodet déplace le mythe et la peinture sur le terrain de la poésie et lui fait partager ses enjeux : Zéphyr tient à la main une couronne de fougères liées par un ruban blanc semblable à celui qui ceint les cheveux d'Endymion.

C'est donc à David et à toute son esthétique que s'oppose l'*Endymion*. Thomas Crow a montré comment le tableau pouvait être lu comme le négatif de l'*Athlète mourant*, l'envoi de 1786 de Jean Germain Drouais· l'élève préféré de David [55] : l'opposition se jouant selon les termes tension/abandon ; souffrance/béatitude ; conscience/inconscience ; clarté artificielle/obscurité naturelle [56]. Cette rivalité avec un concurrent mort et sacralisé est parfaitement convaincante. On peut pourtant penser que l'*Abel mort* de Fabre, envoi de 1790, que Girodet voit à Rome avant qu'il ne soit expédié à Paris, se pose en rival bien plus direct. Cette œuvre, comme l'a montré Régis Michel [57], déroge à la doxa davidienne par son clair-obscur et par le sujet biblique, revu par Gessner dans un poème de 1760. Le commentateur du Salon de 1791 notait : «Mr Fabre est sorti de la manière de son maître et en dehors de cette manière point de salut [58]!» L'importance du paysage et l'éclairage ont compté dans la conception d'*Endymion*, mais il est évident que Fabre restait profondément réaliste et que le corps héroïque de son jeune Abel appartient à la lignée des Horaces, ces héros dont la République a besoin. Quand bien même motivée par des rivalités d'atelier quasi œdipiennes, la rupture qu'introduit *Le Sommeil d'Endymion* dans l'art français est d'une importance bien plus grande et plus fondamentale

que toutes les tentatives plastiques de distanciation de Fabre ou de tout autre élève de l'atelier de David. En changeant quelques années plus tard le titre original d'*Endymion, effet de lune* [59] en *Sommeil d'Endymion*, appellation plus focalisée sur le sujet que sur l'intention picturale, Girodet en déplaçait la signification : il renforçait l'érotisme et l'image winckelmanniens d'une Antiquité dirigée par les sens plutôt que par la vertu. L'esthétique hellénique est peut-être aussi suggérée par la mystérieuse inscription en lettres grecques, gravées sur le tronc de l'arbre, derrière le dormeur. Girodet ne lisait ni n'écrivait le grec, mais cela ne saurait expliquer pourquoi ces lettres ne forment ni mot ni phrase. Leur sens est peut-être celui d'un simple signe, une indication d'identité grecque surenchérissant sur l'antiquité de David [60]. Elles indiquent que l'hellénisme de l'*Endymion* n'est plus imitatif mais ontologique [61]. Whitney Davis [62] a, le premier, rapproché le tableau que David peint en 1787, *La Mort de Socrate* du *Sommeil d'Endymion,* en rappelant que dans *Phédon*, texte que Platon consacre à la mort de Socrate, le philosophe recourt à la métaphore d'Endymion, pour consoler ses disciples. Dans la logique de la pensée platonicienne, ce mythe démontrait le renouvellement cyclique de tout ce qui s'oppose ; le lien logique de la mort et de la vie prouvant l'éternité de l'âme et l'inévitable renaissance qui suit la mort.

Le rêve d'Endymion

Contrairement à la vision de ses contemporains, Füssli ou Goya, qui associent le sommeil au cauchemar, le songe d'Endymion est le lieu des Grâces [63]. Mais à quoi rêve Endymion : rêve-t-il des Grâces ou est-il lui-même un rêve, celui de Diane, celui du

spectateur, ou, au contraire, Diane est-elle l'objet songe du dormeur? La frontière entre l'extérieu l'intérieur, le voyeur, le rêveur ou le songe mêm ici ambiguë, et ce trouble entraîne le spectateur l'inconfortable flou du mythe dont le clair-obscu fait le complice.

Comment faire coïncider toute cette subjectiv sensualiste, qui contient les fondements du roman me, avec les recommandations patriotiques civiq de la Convention nationale de la jeune Républi française [64]? Comment relier *Le Sommeil d'Endym* aux déclarations politiques de Girodet qui s'affi plus patriote que le conseillerait la prudence dan Rome catholique et conservatrice? Cette quest a préoccupé de nombreux exégètes, certains aute croyant pouvoir rapprocher Endymion des pré cupations politiques révolutionnaires, soit par ré tion, soit par conformité [65]. George Levitine y une manière d'échapper à l'histoire [66]. Thomas Cr au contraire, décèle une situation de «non-cont diction» entre la figure onirique d'Endymion et exigences politiques du moment [67]. Pour expliqu cohérence «politique» de l'*Endymion* avec le cla cisme davidien, Crow utilise un certain nombre d guments dont la volonté de Girodet d'exposer *dymion* en 1797 avec le *Portrait de Belley* [68]. La tra gression de Girodet se ferait, selon Crow, non cor la doxa davidienne, mais dans les termes mêmes l'enseignement davidien, ce qui serait confirmé le fait que David réponde au *Sommeil d'Endymion La Mort de Bara* de 1794. Il convient de se rap ler cependant que même s'il en transcende le ge *Endymion* constituait bien un «envoi», un exerc requis par l'Académie. À ce titre, le tableau n'a une relation aussi directe avec l'histoire. Il faut ajou

...rela qu'il est difficile de trouver dans le tableau «le ...ractère énergique que tout républicain doit porter ...ns ses œuvres ainsi que dans son cœur» comme le ...mule un membre du jury du concours de 1794[69]. ...l est une «énergie» qui se dégage de ce tableau ce ...ait celle de l'éros, du mystère et de la sensibilité du ...oi plutôt que l'ardeur de l'action, le tableau dégage ...imaginaire et une langueur qui s'imposeront après ...Révolution, souvent en réaction à celle-ci. Avant ...me qu'il ait achevé son tableau, Girodet revendi- ...a haut et fort sa différence et les risques qu'il en- ...dait courir, même si l'échec l'attendait au bout du ...emin : «Je n'ai pas encore dit à Mr David ce que je ...vais envoyer à [l'Académie] je lui écrirai cependant ...nt [l'exposition] car je veux qu'il l'apprenne de ...oi. Je tâche de m'éloigner de son genre le plus qu'il ...est possible et je ne m'épargne ni peines, ni études, ...modèles, ni plâtres et si je finis par faire mauvais, ...mme il pourrait bien m'arriver malgré ces pré- ...tions, ce ne sera que de ma faute[70].» Après lui, ...ethe, Novalis, Stendhal ou Balzac ne distingueront ...s la création de l'individualité et même de l'échec, ...que inhérent à la grandeur et valeur essentielle de ...éroïsme romantique[71].

Accueil du tableau à Paris

Le tableau quitta Rome, avec les réalisations des ...res pensionnaires, depuis Civita-Vecchia par voie ...mer[72]. Lors du Salon de 1793, Girodet est en- ...re en Italie. C'est probablement David qui veille à ...crochage et à l'emplacement d'*Endymion* puisque ...tableau avait été porté chez lui[73]. *Endymion, effet ...une* est mentionné dans le livret[74], mais, comme ...lupart des œuvres présentées, sans explication ni ...nensions[75]. David est au sommet de sa gloire ré- ...licaine et le *Journal de Paris* du 22 octobre an- ...ce «que les tableaux sur La Mort de Lepelletier ...e Marat commandés à David par la Convention ...t visibles dans la cour du vieux Louvre[76]». C'est ...s ce climat qui précède la Terreur qu'*Endymion* ...montré. Le jugement de l'Académie est très ...gieux mais le jury aurait souhaité «[…] plus de ...plesse quant au mouvement et plus de vérité de ...ure dans les détails. Moins de rondeur, une clarté ...ns blanchâtre sur les chairs, quoique éclairées de ...une, et moins de convention dans les formes […].» ...cadémie reconnaît cependant que ses remarques ...altèrent en rien l'estime que l'on doit avoir pour ...morceau vraiment poétique, et qui annonce des ...nts auxquels nous aimons à rendre justice[77].» La ...veauté d'Endymion plut mais on trouva une ...e teinte bleue», dans ce «tableau lunaire», un ...ne fréquent de la peinture de paysage dans les ...ns d'alors. Les qualités poétiques que l'on attribua ...œuvre lui valurent un unanime succès. L'origi-

nalité, l'étrange et l'irréel frappent, mais l'irréalisme divise les commentateurs : «Ce tableau est vraiment original et pour l'invention heureuse et poétique et pour l'effet hardi et piquant. Le dessin en est d'un grand caractère, le pinceau large et moelleux. Il règne dans ce tableau une teinte bleue, qui n'est pas assez vraie[78].» On regrette «l'étude sacrifiée au sujet; car pour donner une couleur de lune à son tableau, on n'y voit nulle part la couleur locale des chairs, la teinte est bleue partout, ce qui n'est pas assez vrai, et pour introduire des formes de choix dans l'amant de Diane, le peintre ne montre aucune des vérités du naturel[79]». Pour une première présentation au Salon, l'œuvre est bien perçue mais sa renommée n'est pas immédiate. Elle s'affirmera, devenant progressivement l'œuvre de référence à laquelle toute nouvelle production de Girodet sera comparée en termes défavorables. En 1797, Girodet choisira donc comme nous l'avons évoqué, de remonter *Endymion*, à l'exposition vente au Salon de l'Élysée avec le *Portrait de Belley*[80]. Deux ans plus tard, toujours sous le Directoire, le tableau reçoit le prix de première classe du concours de l'an VII (1799)[81], l'un de ces concours d'émulation que multiplie la République et qui récompense les créations artistiques depuis l'an II (1791). Pour Girodet, *Le Sommeil d'Endymion* occupera bientôt la place encombrante des chefs-d'œuvre de la jeunesse qu'il faut égaler, voire dépasser, ou alors condamner pour continuer à créer. C'est ainsi qu'il faut comprendre la lettre à Bernardin de Saint-Pierre écrite vers 1806, alors que le peintre travaille à sa *Scène de déluge*, son œuvre la plus la plus différente, la plus opposée et peut-être la plus complémentaire à *Endymion* : «L'Endymion a été trop loué à mon avis : C'est donc à moi, sinon de le critiquer, du moins de retrancher, pour moi-même, et aux yeux de la vérité, une partie des éloges qu'il a reçus[82].» Fausse modestie? Coquetterie d'auteur? Volonté de créer en se délestant du poids du passé? Dès son retour de Rome, Girodet avait compris, avec ses premiers revers parisiens, quelles étaient les exigeantes conséquences de son chef-d'œuvre. L'une d'elles s'était affirmée très vite quand encore jeune pensionnaire à Rome, il répondit à un acquéreur potentiel «qu'il était pour le roy[83]», c'est-à-dire pour le Louvre et pour l'histoire de l'art français.

En 1807, il refuse de vendre son tableau à Louis Bonaparte, roi de Hollande[84] et lui propose une réplique. À Sommariva qui veut aussi acheter le tableau, il offre, en guise de consolation, de lui peindre un *Narcisse dormant*. Girodet se comporte comme s'il n'avait que la jouissance momentanée de son tableau et comme s'il en avait arrêté le destin dès le début. Il le cédera au roi Louis XVIII, en 1818, lors d'une transaction qui faisait rentrer en bloc au musée du Luxembourg *Le Sommeil d'Endymion*, *Une scène de*

déluge et *Atala au tombeau*[85]. Après la mort de l'artiste en 1824, les tableaux quittèrent ce musée des artistes vivants pour rejoindre le Louvre.

Après la chute de Napoléon, le Salon de 1814, premier Salon de la monarchie restaurée, devait permettre au roi Louis XVIII, qui avait largement reconduit l'administration impériale dans ses fonctions, de mesurer les progrès effectués par l'école française depuis la Révolution et de préparer une politique d'acquisition pour les collections royales. Girodet y montre quinze tableaux dont *Le Sommeil d'Endymion*, *Hippocrate refusant les présents d'Artaxerxès*, *Une scène de déluge*, *Atala au tombeau*. C'est en quelque sorte une rétrospective. Exposé pour la troisième fois depuis sa création vingt ans auparavant, *Le Sommeil d'Endymion* «fit une grande sensation parmi les artistes et cette épreuve, fatale à tant d'autres ouvrages, a confirmé le premier jugement qu'on en avait porté[86]» La critique, qui reprend dans les grandes lignes les quelques remarques de 1793, insiste sur les mérites de l'invention poétique et se montre plus explicite sur l'érotisme de la scène[87].

En 1814, pour la première fois, un article s'étonna de la féminité d'Endymion. La question est prêtée à un anglais supposé visiter le Salon : «La tête de l'Endymion ne ressemble-t-elle pas trop à celle d'une femme?» Ce à quoi le Français qui l'accompagne, plus informé apparemment de l'esthétique grecque, lui répond de manière négative : «[…] soyez conséquent [Girodet] est parvenu à rendre le beau idéal, aussi bien que les premiers artistes grecs du temps de Périclès, et vous admirez dans leurs productions ce que vous croyez en droit de blâmer dans celle-ci […][88].»

Le sexe d'Endymion

L'ambiguïté de l'*Endymion* fascina Balzac qui demande à son ami Dablin, le 17 octobre 1819, la faveur d'un billet pour l'exposition où il espérait que Girodet montrerait son *Endymion*. «Ayez l'obligeance de me procurer un billet pour le jour où il est censé n'y avoir personne. J'irai le matin, on ne m'y verra pas[89].» Quelle intimité Balzac, à vingt ans, souhaitait-il entretenir avec l'*Endymion*? Si, comme l'écrit Mona Ozouf, «les fictions instruisent de l'histoire autrement que l'histoire elle-même, si elles sont le lieu du déchiffrement de la modernité, comme le soutient Balzac[90]» la perception d'*Endymion*, par cet auteur, pourrait bien être un baromètre révélateur et inconscient de la transformation des rapports entre le masculin et le féminin au début du XIXe siècle. Balzac fait apparaître Girodet à quinze reprises dans *La Comédie humaine* et il auréole ses jeunes héros livrés à la rapacité de Paris d'une beauté hermaphrodite winckelmannienne. Ses écrits placent la beauté dans

Ill. 140 Luigi Ontani, *Kama Ama Endymion*, 1995
Aquarelle sur photographie, coll. part.

l'ambiguïté sexuelle et il fait d'Endymion le modèle idéal de la beauté masculine dans *La Vendetta*[91], celui de la beauté féminine dans *Sarrasine*[92]. Luigi Porta est le héros de *La Vendetta*, Ginevra Piombo, son double féminin, en tombe amoureuse dès sa première apparition : elle emporte «gravée dans son souvenir l'image d'une tête d'homme aussi gracieuse que celle de l'Endymion, chef-d'œuvre de Girodet qu'elle avait copié quelques jours auparavant». Sarrasine est un sculpteur amoureux de la chanteuse Zambinella. En regardant un tableau, Sarrasine comprend que Zambinella est un castrat dont «le portrait en Adonis étendu sur une peau de lion» avait inspiré l'Endymion de Girodet.

À partir de 1840, *Le Sommeil d'Endymion*, exposé sans interruption au Louvre, disparaît pourtant de la scène artistique et survit par la seule caricature de Daumier qu'il travestit en trivial ronfleur dormant au clair de lune. Seul Baudelaire perçoit encore sa poésie et regrette, en 1846, son absence à l'exposition du Bazar Bonne-Nouvelle[93].

La fin du XXᵉ siècle, armé de la psychanalyse, de la linguistique, du lacanisme, du structuralisme et des sciences sociales se pencha à nouveau sur *Le Sommeil d'Endymion*. Le recours a des instruments d'analyse ou des concepts comme l'homoérotisme, l'homosocialité, le féminisme, ou encore la méthode de déconstruction structuraliste de la nouvelle de Balzac par Roland Barthes[94] ont soulevé des problèmes esthétiques et historiques fondamentaux et nouveaux qui relient la production de Girodet aux interrogations du monde contemporain. Le glissement du signifiant et l'anachronisme des concepts modernes ont rattaché le tableau à l'esprit de notre temps et en quelque sorte renouvelé sa vérité. Dans une société saturée d'images du corps nu, masculin ou féminin, le concept de nu idéal, l'esthétique de la grâce, de

l'imitation, de l'originalité et de l'ordonnance, jeux théoriques complexes du débat académique sont devenus lettres mortes et ne survivent que chargés de leur sexualité latente et de kitsch, telle l'exploite la photographie de Luigi Ontani : performance et tableau vivant, dont le néoesthétisme relie des interrogations contemporaines sur la mobilité la fiction de l'identité sexuelle. Le concept de beau idéal a été supplanté par l'ambiguïté et autour du corps hermaphrodite d'Endymion se rencontrent les analyses des «gay and gender studies». Le désir homosexuel que Winckelmann avait confié en partie à son ami Ustéri[95], étranger à la perception et au langage des spectateurs du salon de 1793 est, pour le public du XXᵉ siècle, devenu le sujet ou le signe immédiat du tableau[96]. Paradoxalement c'est par le corps idéal, abstraction devenue inaccessible, qu'Endymion a ressuscité et retrouvé une actualité au cœur des questions les plus récentes de l'histoire de l'art et de la conscience politique. Il rejoint ainsi la grandeur même des mythes qui font de l'imaginaire une vérité supérieure à l'histoire. C'est que le mystère d'Endymion est peut-être plus profond que celui de l'éros. Plus que le dévoilé, plus que le nu, *Le Sommeil d'Endymion* suggère à l'esprit un des instants les moins picturaux de la conscience, celui immatériel de la révélation du mystère de l'autre que procure le spectacle de l'abandon du moi dans l'extase mystique, l'abandon érotique ou le sommeil. Ainsi le narrateur observant Albertine dormant, dans *La Prisonnière* découvre ce moment de la dépossession que peint Girodet comme si Proust se souvenait précisément d'Endymion. «Elle avait rappelé à soi tout ce qui était au dehors, elle s'était réfugiée, enclose, résumée dans son corps. En la tenant sous mon regard, dans mes mains, j'avais cette impression de la posséder tout entière que je n'avais pas quand elle était réveillée. Sa vie m'était soumise, exhalait vers moi son léger souffle. J'écoutais cette murmurante émotion mystérieuse, douce comme un zéphyr marin, féerique comme un clair de lune, qu'était son sommeil[97].»

S. B

Ill. 141 Honoré Daumier, *Endymion*
Lithographie, Paris, Bibliothèque nationale de France

notes

oël, *Dictionnaire de la Fable...*, 1803, p. 475-476.
s l'article « Endymion », Noël fait directement référence
bleau : « Ce sujet a été souvent traité par les peintres et
oètes ; mais, parmi les premiers, je doute qu'aucun l'ait
u aussi poétiquement que le citoyen Girodet, dont les
ts justifient ce début de la plus grande espérance. »
evitine, 1952 (publié en 1978), mentionne pour la
nière fois cette source, absente du dictionnaire de
.

ucien de Samosate (125-192), *Les Dialogues des dieux*,
gue XI. Le texte est traduit en français dès les XVIe et XVIIe
es, par exemple « *Les Œuvres de Lucien de Samosate,
osophe excellent, non moins utiles que plaisantes, tra-
es du grec par Filbert Bretin... repurgées de paroles
idiques et profanes...* », Paris, A. l'Angelier, 1582 ; ou
Dialogues de Lucien en vers françois » Paris, C. Barbin,
. Dialogue XI : « Vénus et la Lune : Que dit-on de toi,
Lune ? On prétend que lorsque tu es en Carie, tu ar-
ton char pour contempler du haut du ciel le chasseur
mion dormant à la belle étoile. On dit même qu'au milieu
a course tu descends quelques fois pour t'approcher de
...] La Lune : Endymion est à mes yeux d'une beauté
ite, Vénus, surtout lorsque s'étant fait un lit de sa tunique
due sur une pierre, il s'endort tenant d'une main des traits
sont prêts à lui échapper, tandis que l'autre, recourbée
sa tête, environne ce beau visage, auquel elle sied à mer-
e. Quand il est plongé dans le sommeil, sa bouche exhale
haleine aussi douce que l'ambroisie. Je descends alors
faire de bruit, et je marche sur la pointe du pied, de peur
s'éveillant tout à coup, il ne soit effrayé de ma présence.
onnais ce que c'est que d'aimer. Je n'ai pas besoin de te
le reste, mais je meurs d'amour. »

archétype iconographique est la *Cléopâtre antique* (dite
si *Ariane endormie*) achetée par le pape Jules II en 1512
onservée au Vatican. Primatice en fit faire un moulage
un bronze fut fondu pour François Ier (voir Haskell et
ny, *Taste and the antique...*, Londres, [1981] 1988,
06-209).

a représentation antique d'Endymion, dans les peintures
s sarcophages, montre souvent le sujet avec deux lan-
mais jamais d'arc. Dans la réplique du musée Girodet
ent deux lances et l'arc a été déplacé vers la figure de
idon (voir Bellenger, 2000, p. 78-379).

cette erreur à la définition de Zéphyr qui retrouve ses ailes de papillon (Noël, *Dictionnaire de la fable...*, 1803, t. II, p. 794-795).

7. La gravure de Normand portant l'inscription est publiée dans Landon, *Annales du musée et de l'École moderne des Beaux-Arts*, t. I, Paris, an IX (1800) p. 113. Difficile à discerner dans l'obscurité générale du tableau, l'inscription est aussi mentionnée par Villot dans son catalogue du Louvre de 1855.

8. Il ne quitte Paris qu'en avril 1790, retenu par la noce de son frère, ses affaires à la campagne et un engagement avec un graveur (lettre inédite d'Anne Louis Girodet au docteur Trioson, Loches, 21 septembre 1789, fonds Pierre Deslandres, déposé au musée Girodet de Montargis, t. III, n° 2).

9. Le voyage de Girodet de Paris à Rome dura six semaines. Il parvint à l'Académie le 30 mai 1790. Lettre de Ménageot à d'Angiviller, in Montaiglon et Guiffrey, *Correspondance des directeurs...*, 1907, t. XV, p. 422.

10. Girodet reproche à Ménageot le faste lié à sa position de directeur mais leurs relations artistiques sont plutôt bonnes. Il conserva jusqu'à sa mort une esquisse peinte du *Léonard de Vincy mourant dans les bras de François Ier* et au moins un dessin du même sujet terminé à l'estompe (Pérignon, 1825, p. 57, n° 514, et p. 66, n° 489). Voir aussi cat. 14.

11. Montaiglon et Guiffrey, 1907, t. XV, article 5, p. 186.

12. *Ibidem*, article 6, p. 188.

13. *Ibidem*.

14. Lettre d'Anne Louis Girodet au docteur Trioson, 25 novembre 1791, fonds Pierre Deslandres, t. III, n° 22 ; publiée par Coupin, 1829, t. II, p. 397-403, lettre n° 45.

15. Lettre d'Anne Louis Girodet au docteur Trioson, Rome, 20 juillet 1790, *ibidem* t. III, n° 7 ; publiée par Coupin, 1829, t. II, p. 368-372, lettre n° 36 ; Lemeux-Fraitot, *Ut Poeta Pictor*, t. II, 2003, p. 80-82.

16. Lettre d'Anne Louis Girodet au docteur Trioson, Rome, 28 septembre 1790, fonds Pierre Deslandres, déposé au musée Girodet de Montargis, t. III, n° 11 ; publiée par Coupin, 1829, t. II, p. 372-376, lettre n° 37.

17. Édition limitée à 250 exemplaires, illustrée de 23 estampes d'après 15 dessins de Gérard et huit de Girodet, publiée en 1797. Deux lettres de Girodet à François Gérard envoyées de Rome en mai 1791 et le 13 juillet 1791 mentionnent ce travail que Girodet effectue à Rome parallèle ment à *Endymion* (*Lettres adressées au baron François Gérard...*, 1886 p. 171 et 178). Voir B. Jobert *supra*.

18. « La guère civile me parait inévitable ou du moins bien a redouter quand a present je me sens bien envie de revenir et partager avec vous l'incertitude des évènements... Je ne puis me paffer de peinture et de Rome mais ne puis me paffer de vous vous ne courrés point de danger que ne le partage je leusse fait pour mon pere et ma mere » (lettre inédite d'[Anne Louis Girodet] au docteur Trioson, Rome, 6 juillet 1791, fonds Pierre Deslandres, t. III, n° 18) et ailleurs « Faites moi auffi part mon bon ami de vos reflecions sur la situation de nos affaires publiques qui paraiffent etre dans une situation critique un roy qui trompe la nation pendans deux [années] de suite et a la parole de qui il n'est plus possible de se fier qui n'est pas content de 25 millions pour ses menus plaisirs... » (lettre d'Anne Louis Girodet au docteur Trioson, Rome, 28 juillet 1791, fonds Pierre Deslandres, déposé au musée Girodet de Montargis, t. III, n° 19 ; partiellement publiée par Coupin, 1829, t. II, p. 393-395, lettre n° 43).

19. Voir S. Bellenger, *supra*, lettre d'Anne Louis Girodet à François Gérard, Rome, 11 août 1790 ; Gérard, 1886, t. I, p. 148-156, lettre n° 8.

20. Lettre d'Anne Louis Girodet à [Louis David], Venise, 1er prairial an II [20 mai 1794] Besançon, bibliothèque municipale, fonds Droz, ms. 1441, nos 434-435, publiée par Mark Ledbury, « Unpublished Letters to Jacques-Louis David from his Pupils in Italy », *The Burlington Magazine*, CXLII, n° 1166, mai 2000, p. 300.

21. Lettre d'Anne Louis Girodet au docteur Trioson, Rome, 1er février 1791, fonds Pierre Deslandres, t. III, n° 14 ; publiée par Coupin, 1829, t. II, p. 379-385, lettre n° 39.

22. Quatremère de Quincy, *Recueil de notices historiques...*, 1834, p. 314. Quatremère de Quincy rappelle à propos d'Endymion, ce qu'était l'enjeu de l'Envoi de Rome « [...] ce fut précisément une de ces figures d'études prescrites aux élèves, et dans lesquelles, sans interdire ce qu'une pensée ou un ajustement poétique peut ajouter de charmes, on demande avant tout, que pour fait pour constater les progrès dans l'imitation du nu, l'ouvrage donne à mesurer le degrés d'habileté et de savoir auquel on est arrivé. »

23. Lettre inédite d'Anne Louis Girodet au docteur Trioson, Rome, 15 mars 1791, fonds Pierre Deslandres, t. III, n° 15.

24. Montaiglon et Guiffrey, 1907, t. XV, p. 431. Archives nationales, O¹ m1943, 9093, D'Angiviller à Ménageot (lettre d'Anne Louis Girodet au docteur Trioson, Rome, 7 juillet 1790, fonds Pierre Deslandres, t. III, n° 6 ; publiée par Coupin, 1829, t. II, p. 364-367, lettre n° 35).

25. Lettre d'Anne Louis Girodet au docteur Trioson, Rome, 19 avril 1791, fonds Pierre Deslandres, t. III, n° 16 ; publiée par Coupin, 1829, t. II, p. 385-388, lettre n° 40 ; « Je suis mon bon ami fort occupe dans ce moment ci etant en train de faire ma figure pour l'académie ou plutôt mon tableau. Je vous en dirai le sujet puisque vous le desirés mais je serai en effet bien aise que personne ne le sache je ne l'ai pas dit à Mr David auquel jecris de tems en tems. »

26. *Ibidem*.

27. Lettre d'Anne Louis Girodet au docteur Trioson, 28 juillet 1791, fonds Pierre Deslandres, *ibidem*, t. III, n° 19, partiellement publiée par Coupin, 1829, t. II, p. 393-395, lettre n° 43 ; Gérard, 1867, p. 69-72.

28. Lettre inédite d'Anne Louis Girodet à Mme Trioson, Rome, 20 septembre 1791, *ibidem*, t. III, n° 20 : « [...] En retard de plus de quinze jours tant [sur l'ouverture de l'exposition] pour les nouvelles de la levasion du Roy que par un incident survenu a mes couleurs je me suis trouvé forcé de ne m'occuper daucune autre chose que de ma besogne que j'ai enfin conduit a sa fin malgré ma grande fatigue et le degout plus grand encore quelle m'a occasionné. Aussi esce une groffe pierre de moins sur l'estomac [...]. »

29. Coupin, 1829, p. 339-340 (Girodet à Pastoret, vers 1807).

30. Entré au Louvre avec l'acquisition de cette fameuse collection d'antiques en 1808, inv. MR 751 (F. Baratte et C. Metzger, *Catalogue des sarcophages en pierre d'époque romaine et paléochrétienne*, Paris, RMN, 1985, p. 67-69, n° 23).

31. Lettre d'Anne Louis Girodet au docteur Trioson, Rome, 23 juin 1791, fonds Pierre Deslandres t. III, n° 17 : Coupin, 1829, t. II, p. 391-393, lettre n° 42.

32. Bibliothèque nationale de France, inv. DC48 rés.-4

33. Inventorié et gravé par L. Roccheggiani, *Raccolta di Tavole rappresentanti costumi Egiziani, Etruschi, Grechi e Romani* (Rome, 1804), pl. XXXXVI.

34. Johann Winckelmann, *Histoire de l'art chez les anciens*, 1746.

35. Lettre d'Anne Louis Girodet au docteur Trioson, Rome, 28 septembre 1790, fonds Pierre Deslandres, déposé au musée Girodet de Montargis, t. III, n° 11 ; publiée par Coupin, 1829, t. II, p. 372-376, lettre n° 37. « [on] voit quelques artistes français et fort peu d'Italiens et ma petite bibliothèque fait presque [sa] société […] » et on apprend aussi qu'il « a fait transporter depuis Paris une caisse de livres » (lettre d'Anne Louis Girodet au docteur Trioson, Rome, 20 juillet 1790, fonds Pierre Deslandres, t. III, n° 7, publiée par Coupin, 1829, t. II, p. 368-372, lettre n° 36 ; Lemeux-Fraitot, 2003, t. II, p. 80-82).

36. Lettre de Girodet à Trioson, Rome, 28 septembre 1790, fonds Pierre Deslandres, T. III, n° 11. Girodet à Trioson, Coupin, 1829, t. II, p. 372-376.

37. Voir *État contenant la description de tous les objets d'art et autres effets mobiliers dépendant de la succession de Girodet-Trioson* : minutes de M⁰ Lairtullier, Paris, AN, minutier central, étude LXIV, liasse 621 et Bajou, Lemeux-Fraitot, 2002, p. 243, 388, 390, 398.

38. Édouard Pommier, « Winckelmann et la vision de l'Antiquité classique dans la France des lumières et de la Révolution », *Revue de l'art*, n° 83, 1989, p. 9-20, réédité in Pommier, *Winckelman inventeur de l'histoire de l'art*, Pars, 2003, Gallimard, coll. « Bibliothèque des histoires », p. 199-244.

39. Lettre de Girodet à Trioson, Rome, 19 avril 1791, fonds Pierre Deslandres, T. III, n° 16, Coupin, 1829, t. II p. 387, lettre n° 40.

40. Winckelmann, *Recueil…*, Paris, 1786 ; *Réflexions sur l'imitation des artistes grecs dans la peinture et la sculpture*, « On remarque dans les statues des dieux et des déesses, que le front et le nez font presque entièrement formés par la même ligne », p. 15 ; ou, « [Les Grecs] avaient même tellement égard à la bienfaisance, qu'ils ne représentaient que très rarement des figures avec les jambes croisées, à moins qu'ils ne voulussent désigner des personnages dévoués à la mollesse », p. 289 et p. 17 : « Les artistes grecs exprimaient au contraire ces plis [de la peau] par des lignes ondoyantes, qui naissent l'une de l'autre, avec une graduation infenible, presentoient un tout qu'on croit formé par un seul trait. […] La peau, au lieu d'avoir un air de contrainte, et de paraître avoir été étendue avec effort sur la chair, semble au contraire unie intimement avec elle et en suit exactement tous les contours et toutes les inflexions. »

41. Alex D. Potts, in Michel, 1993, t. II, p. 659. L'auteur souligne que Winckelmann considère que « […] la cas-

tration, comme métamorphose d'un corps viril en statue idéale, stoppe l'évolution vers la virilité qui menace de durcir et détruire les contours parfaitement harmonieux de l'éphèbe dans sa nudité idéale ».

42. Winckelmann, *Lettres familières*, première partie, 1781, p. 192.

43. Platon, *Les Lois*, II, 654.

44. Aristophane, *Les Nuées* (1002-1019).

45. Winckelmann, *Recueil de différentes pièces sur les arts*, Paris, 1786 ; *Du sentiment du beau…*, p. 265.

46. Coupin, 1829, t. I, p. 216. Winckelmann associe à plusieurs reprises Apelle et le Corrège par la grâce de leurs ouvrages. Voir Pommier, « La notion de grâce chez Winckelman », in Actes du cycle de conférences prononcées à l'auditorium du musée du Louvre les 1er et 2 octobre 1993, Paris, musée du Louvre et École nationale supérieure des beaux-arts, p. 205-230, réédité dans *Winckelmann inventeur…*, 2003, Gallimard, coll. « Bibliothèque des histoires », p. 53-94.

47. *La Madone de saint Jérôme* ou *Le Jour*, pendant de *La Nuit* (Dresde) était alors exposé à l'Académie de Parme.

48. La référence à Corrège est fréquente dans les jugements de l'époque. Girodet (Coupin, 1829, t. I p. 215-216), cite longuement le *Saint Jérôme*. David lui-même écrit, vers 1800, dans son autobiographie inachevée : « […] dans son beau tableau du Sommeil d'Endymion. Non, je ne crois pas que Corrège, le fameux Corrège eut pu faire pour la forme et même pour le coloris un plus bel amour que celui que fit M. Girodet dans ce tableau où il le représente dérangeant les branches des arbres qui cache à Diane la présence de celui qu'elle aime » (Wildenstein, *Documents complémentaires au catalogue de l'œuvre de Louis David*, 1973, p. 158).

49. James Henry Rubin, « Endymion's Dream as a Myth of Romantic inspiration », *The Art Quarterly*, I, 2, été 1978, p. 60.

50. Montaiglon et Guiffrey, *Correspondance des Directeurs*, t. XV, p. 188.

51. *Ibidem*, p. 48.

52. Ada Shadmi Banks, « Two letters from Girodet to Flaxman », *The Art Bulletin*, LXI, 1, mars 1979, p. 100-101. Cette visite confirme le jeu des influences réciproques entre Flaxman et Girodet : les illustrations de Girodet en particulier son *Énéide* posthume doivent énormément à Flaxman mais Flaxman avait vu l'*Endymion* au moment où il com-

posait à Rome ses *Tragédies d'Eschyle*. Vingt-trois ans plus tard, Girodet s'en souvenait toujours et, lorsqu'il lui envoie une épreuve de la gravure de son tableau d'Endymion, il lui rappelle « les leçons que [lui] ont donné [ses] compositions admirables ».

53. Lettre d'Anne Louis Girodet au docteur Trioson, Rome, 24 octobre 1791, fonds Pierre Deslandres, t. III, n° 21 ; publiée (en grande partie) par Coupin, 1829, t. II, p. 395-397, lettre n° 44.

54. Voir Alex Potts, in Michel, 1993, t. II, p. 649-652.

55. Girodet ne consacra pas moins de 55 alexandrins dans *Le Peintre*, « […] Je m'en souviens encor le jour de sa victoire / couronné de la main de ses jeunes rivaux / et porté sur nos bras aux lueurs des flambeaux […] », Coupin, 1829, t. I, p. 108-110.

56. Thomas Crow, in Bryson, Holly, Moxey (éd.), *Visual Culture…* 1994, p. 153.

57. Régis Michel, « Bara du martyr à l'éphèbe », cat. exp. *De l'événement au mythe, autour du tableau de Jacques-Louis David, « La Mort de Bara »*, Avignon, musée Calvet, 1989, p. 69.

58. *Lettres analytiques, critiques et philosophiques sur les tableaux du Salon*, Paris, 1791, p. 16-19.

59. *Endymion, effet de Lune*. C'est la première appellation du tableau qui fut ensuite régulièrement exposé sous le titre *Le Sommeil d'Endymion* : « Ce tableau n'est point, comme quelques personnes l'ont qualifié, Diane et Endymion mais bien le sommeil d'Endymion », in Coupin, 1829, t. II, p. 340 (Girodet à Pastoret, vers 1806).

60. Quand David peint *La Mort de Socrate*, en 1787, le jeune Girodet, âgé de 19 ans, venait d'entrer dans l'atelier. Comme David n'avait pas la culture classique nécessaire pour appréhender seul une telle composition, il recourut aux conseils d'André Chenier et du père oratorien Jean Félicissime Adry. Voir E. Bonnardet, « Comment un Oratorien vint en aide à un grand peintre », *GBA*, mai-juin 1938, n° 20 p. 311-315 ; Antoine Schnapper, *David témoin de son temps*, Paris, Office du Livre, 1980, p. 80-82. Nous savons aussi quelle fut la contribution des élèves à la peinture de ce tableau (J.-L. J. David, 1880, p. 59 ; Coupin, 1827, p. 61-64, cité par Nevison Brown, 1980, p. 41, et Crow, in Michel, 1989, p. 50).

61. L'introduction de la lettre dans l'image touche au cœur de l'approche littéraire de Girodet ; ses œuvres ultérieures, *Ossian*, *Atala* ou le *Portrait de Bonchamps*, ainsi que cer-

taines illustrations pour *Anacréon* reprendront ce pri⸃ qui transforme les mots en attributs destinés à préci⸃ contexte.

62. Withney Davis, in Bryson, Holly, Moxey, I⸃ *Visual…*, 1994, p. 192.

63. « Le sommeil est l'ombre de la vie : les grâces f⸃ l'oreiller de l'homme abruti par les viles passion⸃ dégrade l'âme et enlaidissent le corps ; mais les ⸃ de la belle Eurynome [les grâces] bercent, dans les⸃ de Morphée, celui qu'elles inspirent pendant qu'il v⸃ […] ».

64. Voir le *Procès-verbal de la première séance du jur⸃ arts nommé par la Convention nationale*, Deloynes, 1⸃

65. Sur la question de Girodet et la politique, voir S. Gu⸃ et S. Bellenger *supra*.

66. Levitine, (1958) 1972, p. 132-133.

67. Crow, in Bryson, Holly, Moxey, 1994.

68. Voir cat. 66 sur le statut de Belley à l'expositi⸃ l'Élysée.

69. Coll. Deloynes, t. XVIII, 1723, p. 99, *Procès v⸃ de la première séance du jury des arts / Nominé p⸃ Convention Nationale… 17 pluviose, an deuxième ⸃ République…* (5 février 1794).

70. Lettre d'Anne Louis Girodet au docteur Trioson, R⸃ 23 juin 1791, fonds Pierre Deslandres, t. III, n° 17 ; publi⸃ Coupin, t. II, 1829, p. 391-393, lettre n° 42. L'éditeur cou⸃ passage sur l'augmentation du change où l'on apprend ⸃ que Girodet utilise un mannequin placé sur une cassette.

71. Isaiah Berlin, *The Roots of Romanticism*, ⸃ A.W. Mellon Lectures in Fine Arts, 1965, The Nat⸃ Gallery of Art, Washington DC, Londres, 1999, p. 55-5⸃

72. Lettre d'Anne Louis Girodet au docteur Trioson, R⸃ 25 novembre 1791, fonds Pierre Deslandres, t. III, n⸃ publiée par Coupin, 1829, t. II, p. 397-403, lettre n° 45⸃

73. Lettre d'Anne Louis Girodet au docteur Trioson, R⸃ 27 mars 1792, *ibidem*, n° 25 ; publiée par Coupin, 1⸃ t. II, 1829, p. 411-414, lettre n° 48 : « […] vous pourrés le v⸃ l'académie ou il va dabord et ensuite chez Mr David qu⸃ prié de vouloir bien le garder chez lui, s'il le peut, ou ⸃ qui bon lui semblera. »

74. *Description des ouvrages de peintures, sculptur⸃ chitecture et gravure, exposés au sallon* (sic) *du Louvr⸃ les artistes compofans la commune générale des Ar⸃ 10 Août 1793, l'An 2ᵉ de la république Française, u⸃ indivisible* (n° 296).

Cette présentation lapidaire est commune à la
art des tableaux de ce Salon qui, comme celui de
, est régi par le décret du 21 août 1791 qui avait
rt l'exposition « à tous les artistes Français ou
gers, Membres ou non de l'Académie de Peinture
e Sculpture […] » ; ce n'est plus l'Académie qui
tionne les exposants. Par ordre de l'Assemblée na-
le, le Directoire du département de Paris, dépendant
inistre de l'Intérieur, veillait au bon déroulement de
exposition libre. On connaît l'explosion d'exposants
oquée par l'ouverture libre du Salon ; conséquence
ndaire, les livrets sont moins précis que ceux des
ns de l'Ancien Régime.
ournal de Paris du 22 octobre 1793.
Montaiglon et Guiffrey, Correspondance des direc-
…, 1907, t. XVI, 1791-1797, nº 9245, p. 81-82.
Explication par ordre des numéros et Jugement modes ouvrages de Peinture, Sculpture, Architecture
ravure, exposés au Palais national des Arts, Paris,
othèque nationale de France, coll. Deloynes, t. XVIII,
p. 42-43.
Exposition au Salon du Palais national des ouvrages
einture, sculpture et gravure, Petites affiches de Paris,
ages ms. Paris, Bibliothèque nationale de France, coll.
vnes, t. XVIII, 459, p. 187
at. 66.
Jugement prononcé le 23 ventôse an VII (13 mars
). Voir cat. exp. La Révolution française et l'Europe
-1799, Paris, 1989, p. 846- 847
oupin, 1829, t. II, p. 274-275, Girodet à Bernardin de
-Pierre. « La distribution de la lumière et de l'ombre,
vue dans la nature, je ne l'ai point inventée ; les
es, je les ai également vues dans le modèle vivant
ns l'antique que j'avais sous les yeux, je ne les ai
crées ; ce sont des caractères de têtes grecs et, par
équent connus depuis longtemps : Il n'y a là que le
mérite d'une imitation presque servile, et presque
urs aisée. »
Je ne vous reparlerai plus de mon tableau sinon qu'on
été généralement content. J'ignore le fort qui l'attend
is des princes polonais ont voulu me l'acheter et je
me que je l'aurais bien vendu mais je leur ai répondu
était pour le roy parce que j'ai préféré qu'il allat à Paris
il y restat sil est possible » (lettre au docteur Trioson,
, 25 novembre 1791, fonds Pierre Deslandres, t. III,

nº 22 ; publiée par Coupin, 1829, t. II, p. 397-403, lettre
nº 45).

84. Annales de la Société historique et archéologique du
Gâtinais [BN 80 Lia 116]
« 1807, a monsieur Mirbel (secrétaire de sa majesté le roi
de Hollande)
Monsieur,
Je suis désespéré de ne pouvoir remplir le désir si honorable pour moi que témoigne sa Majesté le Roi de hollande
de devenir possesseur de mon tableau d'Endymion ; mais
par circonstance particulière je ne suis pas libre d'en disposer même si j'en aye la jouissance momentanée. Veuillez,
Monsieur, offrir à sa Majesté avec mes plus vifs regrets, le
désir que j'aurais eu à répondre autant qu'il est en moi à ses
bontés, en me chargeant de faire moi-même une répétition
de ce tableau et même avec quelques améliorations dans
les accessoires ou même dans la figure principale, et qui
constateraient encor plus l'originalité de cette répétition. Si
sa majesté daigne agréer ce projet, je l'exécuterai avec le zèle
que m'inspire la bienveillance dont elle m'a toujours honoré
et dont j'ai toujours été jaloux pour ma réputation, et je me
mettrais immédiatement à l'ouvrage après le salon de cette
année. Jusque-là tous mes moments sont consacrés au tableau dont je m'occupe pour sa Majesté l'Empereur […]. »
85. Voir l'historique du tableau.
86. François-Séraphin Delpech, Examen raisonné des
ouvrages de peinture, sculpture et gravure exposés au salon du Louvre en 1814, Paris, 1814.
87. Ibidem, p. 52. Le peintre « n'a pas voulu, ainsi que quelques peintres l'avaient fait avant lui, représenter la chaste
Diane se précipitant comme une Bacchante sur le corps de
ce jeune homme endormi. On ne la voit pas encore, elle
va paraître […] une lumière vive annonce l'approche de la
déesse […] elle frappe principalement sur sa bouche, qui
s'embellit d'un sourire voluptueux avant-coureur des plaisirs qui lui sont destinés. »
88. Anonyme, Dialogue raisonné entre un anglais et un
français, ou revue des peintures, sculptures et gravures
exposées dans le musée royal de France, le 5 novembre
1814 ; Paris, 1814, p. 14.
89. Balzac à Théodore Dablin, octobre 1819, Correspondance,
t. I, p. 46-47. Voir Danielle Oger, Balzac et la peinture,
cat. exp., Tours, musée des Beaux-Arts, 1999, p. 252. Il s'agit
de l'exposition du tableau au musée du Luxembourg après
son acquisition en 1818.

90. Mona Ozouf, Les Aveux du roman, le dix-neuvième siècle entre Ancien Régime et Révolution, Paris, Gallimard,
2001, p. 25.
91. La Vendetta inaugurait le recueil des premières scènes
de la vie privée paru en avril 1830.
92. Sarrasine fut publié une première fois dans la Revue
de Paris des 21 et 28 novembre 1830 puis fait partie de
l'édition des Romans et contes philosophiques, seconde
édition Gosselin, 1831. Pour l'analyse de l'œuvre, voir l'introduction de Pierre Citron, Gallimard, coll. « Bibliothèque
de la Pléiade », 1972, t. VI, p. 1035-1041.
93. Baudelaire critique d'art suivi de critique musical, Le
musée du Bazar Bonne-Nouvelle, édition de Claude Pichois,
Paris, Gallimard, coll. « Folio Essais », 1992, p. 71.
94. Roland Barthes, S/Z, Paris, Le Seuil, 1970.
95. Winckelmann, 1781, deuxième partie, p. 106. Lettre à
L. Ustéri, « Voici l'origine de mon nouvel ouvrage, que je ne
puis vous cacher. J'étais amoureux, et de qui ? d'un jeune
Livonien, à qui je promis d'adreffer une lettre ; c'est à-dire
que je voulais lui donner toutes les marques poffibles de
mon attachement ; […] cette lettre que j'avais promise est
devenue un ouvrage. […] »
96. Voir Solomon-Godeau, 1997, t p. 66-86, Lajer-
Burcharth, 1999, p. 252-254, Small (1996, p. 20-27), ainsi
que S. Bellenger et A. Solomon Godeau supra.
97. Marcel Proust, À la recherche du temps perdu, La
Prisonnière, Paris, Gallimard, coll. « Bibliothèque de la
Pléiade », 1964, p. 70.

Exemple de vertu

**cat. 14 Hippocrate refusant
les présents d'Artaxerxès**

1792

Huile sur toile, 99,5 x 135 cm

Signé et daté au milieu en bas : *A.L. Girodet à Rome 1792*

Paris, faculté de médecine, musée d'Histoire de la médecine

Hist. Peint à Rome pour le docteur Trioson ; légué à la faculté de Médecine de Paris par le docteur Trioson ; remis à cette faculté, par Girodet, le 18 juillet 1816.

Exp. 1792, Rome, Palazzo Mancini ; 1793, Paris, Salon ; 1814, Paris, Salon, n° 439 (sous le titre *Hippocrate refusant d'aller donner les secours de son art aux ennemis des Grecs*) ; 1846, Paris, Bazar Bonne-Nouvelle, n° 27 ; 1913, Paris, n° 137 ; 1936, Paris, n° 304 ; 1967, Montargis, n° 16 ; 1968, Paris, n° 161 ; 1972, Londres, n° 105 ; 1973, Paris, (repr.) ; 1982, Stockholm, n° 42 (repr. détail).

Bibl. Anon. [Polyscope], *La Décade philosophique*, 1795, coll.

restDeloynes, t. XVIII, n° 471, p. 566-567 ; Anon., *Mercure français*, 1795, coll. Deloynes, t. XVIII, n° 470, p. 512-514 ; Anon., *Explication des ouvrages de peinture…*, 1795, p. 31 ; Anon., *Notte sur cette exposition…*, 1795, coll. Deloynes, t. XVIII n° 477, p. 689-590 ; Anon., [Rob…] *Magasin encyclopédique*, 1795, coll. Deloynes, t. XVIII, n° 469, p. 397-401 ; Anon. [A.D.F], *Notice sur les ouvrages de peintures…*, 1800, p. 34 du supplément, coll. Deloynes, t. XXII, p. 384 ; Anon., *Journal des Débats*, 1800, coll. Deloynes, t. XXII, p. 682 ; Lebrun, *Le Moniteur*, 2 septembre 1800, coll. Deloynes, t. XXIII, p. 256 ; Landon, 1803, p. 119 ; Boutard, *Journal de l'Empire*, 27 septembre 1806, p. 1 ; Anon., *Le Publiciste*, 27 octobre 1806, p. 1 ; Chaussard, *Le Pausanias français*, 1806, p. 170 ; Landon, 1806, t. XI, p. 127-128 (repr.) ; Girodet-Trioson, 1807, p. 18 ; Delpech, 1814, p. 51 ; Bazot, 1818, p. 334 ; Landon, 1824, t. II, p. 46 ; Garnier et Rochette, 1824, p. 3 ; Anon. [Ch. P★★★], 1824, p. 5 ; Valori, 1824, p. 5 ; Coupin, 1825, p. 4 ; Mahul, 1825, p. 119 ; Souesme, 1825, p. 3 ; Coupin, 1829, t. I p. lvj ; t. II p. 276, 281, 282, 340, 341, 369,

373, 378, 390, 396, 400, 406, 408, 413-418, 423, 427, 443 452, 458 ; Landon, 1832, t. I p. 113 (repr. ill. 53) ; Landon, t. II, p. 113 (repr. pl. 53) ; Quatremère de Quincy, [1825] p. 313-314 ; Miel, 1845, p. 289 ; Saint-Pierre (Bernardin), p. 13-14 ; Delécluze, 1855, p. 254-255, 260-267 ; Blanc, p. 3 ; Frond, 1865, p. 1 ; Réveil, 1872, vol. VIII, pl. 29 ; G‹ 1886, t. I, p. 169, 189 ; Leroy, 1892, p. 13 ; Soubiès, 1904, p Stenger, 1907, p. 89, 112 ; Legrand et Landouzy, 1911, ▪ p. 119-121 (repr. ill. 51) ; Hénard, 1913, p. 263 ; Lecomte, n° 142, p. 16 (repr.) ; Saunier, 1913, p. 285-286 ; Van Thi‹ 1917 (réimpr. 1967), t. II, p. 151 ; Baudelaire, 1923, p. Antal, 1936, p. 19 ; Aragon, 1949, (republ. dans *Digraphe*, ▪ décembre 1977, p. 72-76) ; Chastel, 1951 (repr.) ; Le‹ 1954, p. 40-43, ill. 10, p. 47, ill. 11, p. 47 ; Rosenblum, p. 87 (repr. p. 89) ; Ward-Jackson, 1967, p. 660, 663 ; H‹ 1968, p. 186 ; Rosenblum, 1969, p. 100-101 ; Starobinski, p. 112 ; Rosenblum, 1976, p. 86 ; Maison, in Laclotte, 197 p. 726 ; Nevison Brown, 1980, p. 70-74, 94-118, 127, 128,

140, 142, 151; Bordes, Michel, 1988, p. 63-64 (repr. p. 64);
m, Béraud, 1989, p. 50 (repr. p. 94); Crow, in Michel, 1989,
p. 858; Montauban, 1989, p. 38 (repr. ill. 9 p. 29); Davis, in
on, Holly, Moxey, v. 1994, p. 175; Lafont, 1999, p. 49-50;
nt, 2001, t. I p. 179-180, 198, 203, vol. II p. 81-84, n° 79
7-362; Lemeux-Fraitot, 2003, vol II, p. 201; Bellenger,
s 2005, p. 45-61.

res préparatoires

ins préparatoires

nière pensée de la composition, crayon noir estompé, craie
e sur une feuille de carnet de dessin démonté, 12 x 19,5 cm,
part.

le d'ensemble, pierre noire, avec mise au carreau, 23,5 x
cm, Paris, École nationale supérieure des Beaux-Arts,
1024.

le d'ensemble, plume et encre noire, 32,2 x 43,1 cm,

Bayonne, musée Bonnat, inv. AI 2134 NI 817.
Buste de dieu terme du parc de la Villa Médicis de profil, crayon, 14 x
23,1 cm, Paris, Bibliothèque nationale de France, département
des Estampes, DC 48 c rés., 4°, f° 3.
Album factice contenant plusieurs dessins : *Grec barbu drapé*,
crayon noir; *Buste d'homme grec d'après une statue*, crayon noir;
Tête d'homme grec d'après une statue, crayon noir; *Étude de glaive*,
crayon noir, Montargis, musée Girodet, dépôt du Louvre,
R.F. 36153.

Esquisses peintes

Esquisse, huile sur toile, 24 x 33,5 cm, coll. part. (Montargis,
1967, n° 15).
Esquisse, huile sur toile, 26 x 38 cm, Montpellier musée Fabre,
inv. 837-1-33 : «Esquisse peinte pour le sujet d'Hippocrate
refusant les présents d'Artaxerxès. Quoique peinte très-
légèrement, cette esquisse rappelle parfaitement le jet des
draperies et donne même l'idée des caractères des têtes. T. l. 13

p. 1/2. h. 9 p. 1/2» (Pérignon, n° 12, p. 10, voir Bajou, Lemeux-
Fraitot, 2002, p. 291).

Œuvres en rapport

Gravure au trait par Normand pour Landon, 1806.
Gravure en taille-douce par Raphaël Urbain Massard, 1816, 45
x 60 cm, Paris, Bibliothèque nationale de France, département
des Estampes, AA5.
Lithographie de Lemercier, Paris, Bibliothèque nationale de
France, département des Estampes, AA5.
Pendule en bronze doré, première moitié du XIXᵉ siècle, et
reprenant la figure d'Hippocrate en ronde-bosse au-dessus
du cadran et bas-relief reprenant la composition du tableau
(marché de l'art).
Impression sur coton, coll. part.

« La nature est sans cesse occupée
à réparer les torts des médecins[1]. »
Benoît François Trioson

Le 21 mars 1816, Girodet écrit à son cousin Hector Becquerel qu'il expédiait depuis sa gentil-hommière des Bourgoins, située à Amilly près de Montargis, une caisse de tableaux parmi lesquels celui d'*Hippocrate refusant les présents d'Artaxerxès* que le docteur François Benoît Trioson, décédé en décembre 1815, avait légué à la faculté de médecine[2]. Le médecin avait fait de Girodet son légataire universel et son exécuteur testamentaire. Trioson était né au Broc, près d'Issoire, en 1736[3]. Fils de François Trioson (1703-1766), médecin ordinaire du roi et de S.A.S le duc d'Orléans, Benoît François Trioson passa son baccalauréat es lettres[4], sa licence[5] puis son doctorat le 13 août 1757. Il s'inscrivit le 3 novembre 1756 à l'université de Montpellier, la meilleure faculté de médecine de France. Il mena une carrière avant tout parisienne[6], étant surtout occupé par la charge de docteur-régent de Paris, position prestigieuse réservée à cent cinquante médecins exerçant dans la capitale et enseignant à la faculté de Paris[7]. De la fin des années 1750 à 1768, Trioson occupa aussi les fonctions de médecin des armées et des camps ainsi que celle de médecin par quartier (d'année) du comte d'Artois. Enfin, il obtint en 1787 le titre de médecin de la compagnie des Gardes suisses et des Grisons. Une lettre de Girodet nous apprend qu'il avait, en juillet 1791, abandonné l'exercice de la médecine[8]. À cinquante-cinq ans, en pleine Révolution, le docteur se retira avec sa famille dans son château des Bourgoins, loin des périls de Paris. Trioson était le voisin de campagne du père de Girodet, directeur des apanages d'Orléans. Il avait connu Anne Louis dès son plus jeune âge à Montargis, et lorsque, à l'âge de sept ans, Girodet fut envoyé à Paris, à la pension Watrin, rue Picpus, dans le quartier du faubourg Saint-Antoine, le docteur Trioson est chargé de surveiller ses études. Dans les premières lettres adressées à ses parents, Girodet décrit scrupuleusement les leçons qu'il reçoit à la pension et les visites régulières du docteur. Studieux, dès quatorze ans, le jeune élève entend assez bien le latin et reçoit des cours d'algèbre et de dessin. Il a un maître de danse et de musique. Trioson recommande surtout la rhétorique, les mathématiques et l'histoire. Lorsque Girodet exprime son désir de devenir architecte, puis sa vocation de peintre, le docteur l'entoure de conseils éclairés et le conduit, au Louvre, visiter le Salon de 1781[9]. Trioson organise tous les contacts et toutes les formations, conseille le jeune homme dans le choix des tenues vestimentaires et des enseignements, l'introduit chez Jollain[10], puis chez Vernet[11] pour la peinture et chez Couture et Boullée pour l'architecture[12]. Au début de l'année

1784, Girodet écrit à sa mère qu'il consacrera l'hiver à décider s'il aime mieux la peinture ou l'architecture et qu'il emploie tout son temps libre chez son maître de dessin, Monsieur David, peintre de l'Académie[13]. Bien avant la mort de ses parents – son père meurt en 1784 et sa mère en 1787 – c'est Trioson qui mène entièrement l'éducation de Girodet. Trioson et sa femme, Jeanne Marie, sont aussi l'unique contact qui le rattachent à la France lors des années italiennes. Par l'intermédiaire du docteur Trioson, Girodet entretint, sa vie durant, des rapports privilégiés avec le milieu scientifique, botaniste et médical, et se lia d'amitié avec de nombreux médecins[14]. L'exercice et les principes de la médecine, bouleversés sous la Révolution et l'Empire deviendront la science moderne[15] du XIXᵉ siècle, et la peinture, à sa manière, bénéficia de l'association de la chirurgie et de la médecine. Les séances de dissection, qui font désormais partie intégrante de la formation médicale serviront à la correction du dessin anatomique des apprentis peintres soumis au nouveau réalisme davidien. Les souvenirs de Girodet ne laissent pas de doute sur cette pratique qui réunissait apprentis peintres et apprentis médecins. La perfection anatomique des nus d'*Une scène de déluge* bénéficia d'études de myologie[16] et dans son poème didactique *Le Peintre,* Girodet recommande : «Visitons avec lui ces hôpitaux lugubres, / Remplis d'exhalaisons, de vapeurs insalubres, / …. / Là, le peintre, observant la nature affaiblie, / vient surprendre à la mort les secrets de la vie ; / …. / ou, lorsque le scalpel d'un Larrey, d'un Fallope, lui démontre le jeu de ces leviers puissants, / Esclaves enchaînés aux besoins de nos sens[17].» La paternité intellectuelle de Trioson sera officialisée en 1809[18] lorsque devenu veuf, et ayant perdu son fils, il adopte le peintre, déjà célèbre, chevalier de la Légion d'honneur, âgé de 42 ans.

La première dette intellectuelle de Girodet envers son protecteur s'exprimait dans *Hippocrate refusant les présents d'Artaxerxès,* un des deux tableaux majeurs peints à Rome, l'autre étant *Le Sommeil d'Endymion.* C'est immédiatement après avoir terminé *Endymion,* que Girodet commença sérieusement à peindre son tableau *Hippocrate*[19]. Avec *Endymion,* il avait voulu faire «quelque chose de neuf et qui ne sentit pas simplement l'ouvrier[20]», avec *Hippocrate,* il ne s'agissait plus de s'éloigner de la manière de David mais au contraire de se mesurer avec elle. Le goût du destinataire compta dans ce retour à l'ordre davidien, mais le jeune peintre poursuivait sans aucun doute également une ambition personnelle : montrer à David que, non content de pouvoir innover, il pouvait égaler. Le tableau était destiné à la demeure de campagne de Trioson et Girodet réclama que l'emplacement et les mesures lui en soient communiqués[21] afin de commander la toile. Sa lettre de Rome envoyée

à Trioson le 1er février 1791 montre que le pr[...] était de peindre deux tableaux en pendant sur la [...] d'Hippocrate. Le deuxième n'est pas évoqué dan[...] correspondance mais il correspond probableme[...] l'esquisse acquise par Coutant à la vente après d[...] de Girodet, *Hippocrate conduit par les Abdéritains de Démocrite qu'ils croient en démence*[22]. Naturellem[...] le sujet d'Hippocrate, fondateur de la médecine [...] IVᵉ siècle avant J.-C. était dicté par la profession[...] Trioson. Les deux hommes, le peintre et le comm[...] ditaire avaient dû débattre longtemps ensemble [...] détails du sujet. L'épisode du refus de secourir le[...] des Perses avait pour Girodet l'attrait de la nouvea[...] Il écrit, dans sa lettre à Bernardin de Saint-Pierre[...] le thème avait «l'avantage de n'avoir jamais été tr[...] du moins à ma connaissance. C'est *Hippocrate refu[...] la pourpre et l'or que font briller à ses yeux les envoyé[...] roi de Perse, pour l'engager à venir guérir la peste qui r[...] geait ses états*, et le grand homme répond au grand[...] qu'il n'ira jamais secourir les ennemis de sa patri[...] qu'il est sans besoin, ainsi que sans désirs. Ce sujet[...] paru un des plus beaux de l'antiquité, tant par la [...] nération attachée au souvenir d'Hippocrate, que [...] le bel exemple de patriotisme et de désintéressem[...] dont il offre le tableau. Il me fournissait d'ailleurs [...] expressions très variées à traiter, et des costumes [...] férens. J'avais fait des recherches particulières sur [...] lui des Persans, tous vêtus de grandes robes blanc[...] comme marques de deuil, usage consacré chez [...] anciens peuples, et cela même était une difficult[...] vaincre dans l'effet et l'harmonie du tableau. En[...] je m'étais assuré, par les médailles et par d'autres [...] numens, de la véritable ressemblance d'Hippocr[...] J'ignore jusqu'à quel point j'ai pu réussir à vai[...] ces difficultés, mais je me souviens encore avec p[...] sir des encouragemens que je reçus alors, et qui [...] flattaient d'autant plus que cet ouvrage était des[...] à l'amitié[23].»

Mieux encore que la nouveauté, le tableau é[...] une invention, ou plutôt une interprétation du s[...] selon une habitude devenue coutumière chez [...] dans une autre lettre, envoyée cette fois à Pastor[...] Girodet explique qu'il «a mis le récit de l'histoire[...] action, car le roi des Perses n'a envoyé, comme v[...] le savez, ni ambassadeur ni présents à Hippocrat[...] se contenta de lui faire écrire par un de ses satrap[...] en lui faisant faire les promesses les plus magn[...] ques». La source de Girodet est tirée de la littératu[...] Le moment et l'intention morale se trouvent dan[...] *Voyage d'Anacharsis* de l'abbé Barthélemy[25] que G[...] det transportait dans ses bagages quand il fut arrê[...] à la sortie de Naples. Le refus patriotique d'Hip[...] crate de soigner le roi des Perses, bien contraire[...] fameux serment d'Hippocrate de toujours seco[...] sans discrimination, faisait écho à l'actualité. Les fr[...] tières de la France étaient, jusqu'à la bataille de Va[...]

nacées par l'Europe monarchiste. Pour parer au
ger, la Convention avait requis des citoyens une
bilisation patriotique sans faille. Par ailleurs, cette
nture d'un exemple de vertu patriotique, seyait au
cteur Trioson, admirateur de David et de Boullée.

La composition d'*Hippocrate* surenchérit sur la
struction radicale en bas-relief de *La Mort de
rate*[27] que peignait David alors que Girodet étu-
t dans son atelier. La toile d'*Hippocrate*, plus petite,
mente l'effet de frise du *Socrate* en intensifiant le
roupement horizontal des figures, en développant
drapés plus riches et plus complexes et en suppri-
t les vides qui, chez David, séparent les person-
es. L'espace clos n'offre aucune échappatoire vers
térieur et la composition jouant sur les divisions
clair-obscur est brutalement coupée par une ligne
umière qui plonge dans la pénombre les groupes
és de chaque côté d'Hippocrate. À gauche de la
, le médecin, assis, appuyé sur une console dé-
rne la tête, le visage fermé, les yeux baissés. D'un
e énergique et méprisant, il repousse du pied
t et de la main droite les trésors déposés par les
oyés du roi de Perse. Dédaignée, la supplique du
narque gît sur le sol. Le mode narratif subtil et
ace est celui, développé à la même époque dans
illustrations du *Virgile* que David lui avait con-
s pour l'édition de Pierre Didot[28]. Au deuxième
, la statue d'Esculape, nu et barbu assis sur un
e a la valeur symbolique des accessoires signi-
t qui, dans la peinture d'histoire, livrent les clefs
récit et l'identité des personnages. La statue du
de la médecine tient à son côté une massue
urée d'un serpent réunissant ainsi le reptile du
bole épidaurien de la science médicale, la sagesse
sculape avec la force d'Hercule, deux figures de
ythologie dont descendraient, selon la légende,
parents d'Hippocrate[29]. À la gauche d'Esculape,
uvant le serpent dans une coupe, se tient sa fille
ée, la déesse de la santé, couronnée de lauriers.
frise courant dans le haut de la muraille montre
ombats des Grecs et des Perses. Les ambassadeurs
ans, barbes et chevelures savamment frisées, sont
s de blanc accentuant le clair-obscur et la nature
pturale de la composition en frise. Ils opposent
nité stoïque d'Hippocrate une variété de senti-
ts et chacune des figures s'inscrit dans la tradi-
académique de l'expression des sentiments de
e. Les gestes soulignent la typologie des visages
quefois poussés jusqu'à la grimace et expriment
rière, la douleur, le désespoir, l'insinuation, la réation, l'incompréhension ou la colère. Derrière
pocrate, deux personnages de sa suite, drapés dans
toges regardent avec concupiscence le tas d'or
igné par le médecin. Les mains crispées de l'un,
es à palper les pièces, les yeux littéralement sortis

III. 142 Girodet, *Esquisse d'Hippocrate [...]*
Huile sur toile, coll. part.

III. 143 Girodet, *Esquisse d'Hippocrate [...]*
Huile sur toile, Montpellier, musée Fabre

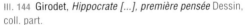

III. 144 Girodet, *Hippocrate [...], première pensée* Dessin, coll. part.

III. 145 Girodet, *Hippocrate [...], étude avec draperie* Dessin, Paris, École nationale supérieure des Beaux-Arts

III. 146 Girodet, *Hippocrate [...], étude au nu* Dessin, Bayonne, musée Bonnat

de la tête, les gestes contrits de l'autre et son regard sournois, comme deux archétypes de la concupiscence ou de la frustration se trouvent encore accentués par la digne vertu d'Hippocrate et la noblesse de son attitude. Seul portrait de cette galerie de têtes puisées dans les collections archéologiques romaines, Girodet, à l'extrême gauche de la frise, le profil impassible, le cheveu court, comme on le connaît dans le médaillon sculpté par Chinard, observe la scène et, par sa présence de témoin insolite, associe les vertus d'Hippocrate à celles de Trioson.

La correspondance que Girodet entretient avec le docteur pendant son séjour italien permet également de suivre très précisément et de dater les étapes de la composition depuis ses débuts jusqu'à la mise en caisse et l'expédition de l'œuvre. Le tableau que Girodet dira peint pour l'amitié [30], est mentionné pour la première fois dans une lettre datée du 28 septembre 1790, trois mois après l'arrivée du jeune pensionnaire du roi à Rome. Pressé par le calendrier de l'Académie, il travailla de manière intensive plus de sept mois pour peindre *Le Sommeil d'Endymion* et eut besoin d'une année pour terminer *Hippocrate*. Le docteur Trioson attendra son tableau pendant cinq ans. En juillet 1790 [31], alors que le tableau *Endymion* n'est pas encore commencé, Girodet demande au docteur la dimension des toiles et leur localisation pour comprendre comment elles seront éclairées. Preuve que le docteur est intimement impliqué dans la conception du tableau, le peintre l'interroge sur le deuil des Perses [32] et décide de représenter tous les Perses en blanc «généralement, chez les anciens le signe du deuil [33].» Le 25 novembre 1791, il réalise une première esquisse [34]. Celle-ci peut correspondre à l'œuvre de la collection Fabre ou bien à l'esquisse de la collection Becquerel. Comme Poussin,

pour obtenir la plus parfaite vraisemblance, Giro modèle des mannequins qu'il habille de draperie Cette étape de la composition correspond aux d esquisses peintes et au dessin de l'École des bea arts. La première esquisse [ill. 142], qui a apparten Gros [36], s'attache essentiellement à l'étude des ma de couleur et des ombres. La seconde [ill. 143], aboutie, achetée par Bertin pour Fabre à la vente rodet ajoute plus de précision dans les drapés et physionomies [37].

Les grandes lignes de la composition sont étab dans un dessin qui montre une première pensée groupement des masses et un traitement du sujet

Dans cette première pensée, le principe de la définitive n'est qu'ébauché et le lieu clos de la sc déjà circonscrit est animé par des ouvertures qui paraîtront dans les étapes ultérieures.

Le dessin de l'École des Beaux-Arts [ill. 145 qui met en place, comme nous venons de l'évoq les figures drapées, se concentre sur les groupes forme pyramidale, soulignés de lignes de constr tion qui organisent et rythment la composit Celui, plus abouti du musée Bonnat [ill. 146] [39] une étude du nu fixant les musculatures et l'essen des gestes par un trait qui serait presque flaxman si les anatomies n'étaient pas aussi dessinées. La meture de l'espace, strié de lignes géométriques rizontales met l'accent sur le bas-relief et les lig de force qui divisent les groupes autour d'Hip crate, plaçant le casque de dignitaire persan offe Hippocrate au centre de la frise. Les leçons d'ar tecture de Boullée ne sont pas loin dans ce de très particulier où Girodet s'est introduit de pro l'extrême gauche, les cheveux longs tombant su épaules comme dans son petit portrait en médai peint sur ivoire [40].

147 Girodet, *Buste antique de dieu terme*
[cray]in, carnet Deslandres, Montargis, musée Montargis

148 Girodet, *Buste antique de dieu terme*
[cray]in, carnet d'Italie (Villa Médicis), Paris,
[bibli]othèque nationale de France

[D]eux carnets d'Italie[41] révèlent les sources que [Giro]det puise dans les collections archéologiques ro[main]es, tel que le buste en hermès, barbu, du jardin [de l]a villa Médicis qui sert de modèle pour le type [apol]lonien. Par ailleurs, Girodet fait mouler au mu[sée] du Capitole la tête d'Hippocrate[42].

[L]e 3 janvier 1792, il annonce à Trioson que le ta[blea]u en projet sera son occupation principale pour [l'ann]ée à venir[43]. Le 3 octobre, il déclare à Trioson : [« …] depuis le mois d'avril jusqu'au 28 du mois der[nier] j'ai été occupé sans aucune relâche de l'exécu[tion] de votre tableau d'Hippocrate dont la composi[tion] et les préparatifs tant en esquisses qu'en manne[quin]s et autres détails m'avaient occupé l'hiver. Il est [actu]ellement exposé dans les Salles de l'Académie on [pa]raît assés content. Je me suis attaché autant que [j'ai p]u à varier et à caractériser les expressions quant [au r]este j'y ai mis tous les Soins que je me dois à [moi-]même et à un ouvrage qui vous est particuliè[reme]nt destiné […]*[44]. » C'est de Naples où il s'était [réfu]gié pour échapper aux émeutes antifrançaises [qui a]vaient saccagé le 21 janvier 1793 l'Académie de [Fran]ce à Rome, que Girodet organisa l'expédition [de so]n tableau. L'œuvre avait, par miracle, échappé [à la] fureur destructrice des romains qui la recher[chai]ent en la confondant avec les allégories de la Ré[publ]ique française dont Girodet avait été chargé avec [quel]ques pensionnaires[45]. Récupéré, le tableau lui est [renvo]yé à Naples, où il le montre au docteur Cirillo, [comp]tant sur ses bienfaiteurs et logeurs napolitains, [les b]anquiers Raymond et Piatti pour l'expédier en [Fran]ce[46]. L'acheminement du tableau «[…] tout en[roul]é comme il était car jai pensé quil était dange[reux] de le rouler […] » s'effectuera par la Suisse «[…] [parce] qu'elle me sera plus dispendieuse pour ne pas [l'exp]oser a aller en Angleterre […] » Trioson est prié

de s'adresser à « Mrs Achille Veïs et comp[e] de Bâsle » «[…] il y a au bas une inscription italienne qui explique le sujet et que vous pourrés oter en la baignant avec une petite éponge trempés dans de leau tiède en ayant soin qu'alors le tableau soit vertical. cette inscription couvre la date et l'année de la republique et je l'ai mis a dessein dessus afin que si on/a ete\ obligé de l'ouvrir dans quelque douane ce ne soit pas un – prétexte de molester le tableau peût-etre mon ami feriés vous bien de le faire adresser au C. David qui le ferait ouvrir par des gens accoutumés a cette opération et en sa présence Je désire qu'il ne soit point verni et s'il est sali on peut le laver et y remettre un nouveau blanc d'œuf […].» Dans la lettre écrite de Gênes le 16 juin 1795[47], on apprend que le tableau, après bien des réclamations est enfin arrivé, sain et sauf, à sa destination finale : la demeure de campagne des Bourgoins.

Par son sujet, par son intention, comme par sa composition, *Hippocrate refusant les présents d'Artaxerxès* est la seule œuvre peinte de la maturité de Girodet qui se rattache directement aux paramètres artistiques des œuvres de David. À la fin des années 1780, il avait, au sein même de l'atelier, assisté au triomphe de son maître sur la scène parisienne.

Lors de ses premières leçons, confronté comme tous les élèves, à l'intense rivalité qui régnait parmi les favoris, il était hanté par un prédécesseur, Jean Germain Drouais. La puissance de ce rival était d'autant plus grande qu'il venait de mourir de la petite vérole, à Rome, dans le plein épanouissement de son génie. Il avait été enterré en face de l'Académie, à Santa Maria in Via Lata ; l'inscription «Enlevé par une mort prématurée le 13 février 1788 aux grandes espérances de sa patrie et à la tendre amitié de ses

jeunes rivaux» avait été gravée sur sa tombe. L'émulation suscitée par le jeune Drouais s'exprime dans le thème d'Hippocrate, un homme incorruptible qui fait face au monde, la figure de Girodet reprenant, en l'inversant, l'énergique et altière position du *Marius prisonnier à Minturne*.

Le tableau de Drouais [ill. 149] avait été acclamé lors de sa présentation à Paris, mais la citation plastique de Girodet dépasse la rivalité davidienne et révèle une imitation artistique plus large. Au moins autant que le geste de Marius, c'est la figure de Méléagre peinte par Ménageot dans son tableau *Méléagre, supplié par sa famille* (Rome, 1788-1789, Paris musée du Louvre) qui servit de source directe à la figure d'Hippocrate. Girodet en avait fait un dessin qu'il conserva dans ses portefeuilles toute sa vie [ill. 150]. François Guillaume Ménageot, directeur de l'Académie royale à Rome, conservateur souvent décrié par Girodet dans ses lettres romaines, n'est en principe pas associé aux enjeux de l'avant-garde artistique. Ce dessin souligne la curiosité de Girodet pour les œuvres produites par des rivaux de David : Jean-Baptiste Regnault en est un exemple, Ménageot, Jollain, Vernet en sont d'autres. La contribution de Ménageot à l'élaboration d'*Hippocrate* montre aussi que l'histoire, trop manichéenne, a tendance à durcir et à cloisonner les différents clans esthétiques et idéologiques qui constituaient le milieu artistique de la fin du XVIIIe siècle à Paris et à Rome.

Hippocrate refusant les présents d'Artaxerxès fut montré à Rome au palais Mancini à l'automne 1792, puis au Salon de 1795 à Paris. De retour en France, le jeune peintre, absent de la scène artistique pendant près de six années décisives devait manifester sa présence. Gérard présentait son *Bélisaire* qui fut remarqué[48],

III. 149 Drouais, *Marius prisonnier à Minturnes*
Huile sur toile, Paris, musée du Louvre

III. 150 Girodet, *Copie d'après la figure de Méléagre du tableau de Ménageot*
Dessin, coll. part.

mais la maladie, les troubles politiques et les déplacements à travers l'Italie n'avaient pas permis à Girodet de produire de peinture significative depuis *Endymion*. Hors livret, *Hippocrate* fut accroché après l'ouverture du Salon et donc exposé sans numéro. « D'après les extases de la foule, on sera peut-être étonné que nous n'ayons pas réservé la somme de louanges accordés au citoyen Taillasson [49], pour un tableau du C. Giraudet (*sic*) dans lequel on voit Hippocrate qui foule aux pieds les présents des prêtres égyptiens et se refuse à leur insistance [50] », écrit un critique qui ajoute en note que l'explication de ce sujet est peu connu et qu'il lui a été donné par quelqu'un du public. Qu'est ce qu'un Persan pour les visiteurs du Salon de 1795 ? Poliscope croit que dans le tableau, tous les satrapes sont pâles et malades de la peste [51]. Grave contresens, corrige un autre critique qui blâme les teints jaunes : « Girodet a pourtant pu voir beaucoup d'Orientaux dans les ports de l'Italie… Sous leur peau brune ne voit-on pas le sang, la vie circuler [52] ? » Les savantes recherches archéologiques qui avaient fait conclure au deuil blanc et prendre pour modèle persans les bustes en hermès des dieux termes méticuleusement frisés de la villa Médicis et du Capitole n'étaient expliquées nulle part. Il en résulta un reproche d'hermétisme et une reputation d'obscurité qui ne faisait qu'apparaître et devint récurrente dans la critique à venir. On loua le coloriste, la fermeté du pinceau, la netteté d'exécution, mais les effets systématiques, le côté mécanique, le contraste des noirs et des bruns avec les blancs : « vice d'harmonie du clair obscur », « les effets raisonnés de la lumière » et « l'affectation qui n'est pas toujours placée » furent reprochés au jeune peintre qui portait en lui de si grands espoirs [53].

On reconnaît trop la présence du maître, trouve les draperies trop amples, trop évocatrices du marbre, regrette la perspective obstruée. Au final, le tableau est néanmoins jugé de grande qualité et annonçant un artiste capable « de donner à l'art une énergie, une dignité républicaine [54] ». Le recul historique et artistique permet d'ajouter deux avis à ce jugement d'époque. Les mois qui précèdent et suivent la chute de la Convention à l'automne 1795 sont déchirés par les conflits royalistes et jacobins ; Girodet récemment rentré de Rome, légèrement désorienté par l'actualité parisienne n'avait pas d'autre œuvre nouvelle à montrer. Il exposa ce tableau empreint de vertu républicaine. Trioson avait été inquiété avant Thermidor et l'on avait murmuré malgré les protestations de son tuteur et le soutien de David, sur son séjour prolongé en Italie. La crainte d'être considéré comme un émigré l'avait envahi et répondre par un exemple de vertu conforme à l'esprit républicain n'était peut-être pas inutile. Le prudent et sage Trioson, Hippocrate bienveillant devait bien savoir tout cela. Quand l'âge et les deuils affaiblirent Trioson, Girodet devint à son tour l'attentif et patient protecteur. La mort de celui qui avait guidé ses premières aspirations fut un deuil très douloureux et la remise à l'École de médecine du tableau *Hippocrate refusant les présents d'Artaxerxès* célébrait, après la mort, une amitié qui avait duré toute une vie.

S. B.

notes

...té dans une lettre de Girodet à Bernardin de Saint-...e, Coupin, 1829, t. II, p. 277.

...ttre inédite d'Anne Louis Girodet-Trioson à Antoine ...r Becquerel, Le Bourgoin, 21 mars 1816, fonds Pierre ...andres, déposé au musée Girodet de Montargis, t. V,
...

...ous remercions chaleureusement Catherine Leclerc, ...trice de la bibliothèque qui nous a généreusement ...muniqué ces informations.

...26 juillet 1755.

...27 juillet 1756.

...ur l'analyse de la position médicale du docteur Trioson ...I.-F. Lemaire, *supra*.

...mmunication orale du docteur Jean-François Lemaire ...ous remercions de ses éclaircissements sur l'exercice ...médecine sous l'Ancien Régime et l'Empire.

...ttre d'Anne Louis Girodet au docteur Trioson, Rome, ...llet 1791, fonds Pierre Deslandres, déposé au musée ...et de Montargis, t. III, n° 19; publiée par Coupin, ...t. II, p. 393-395, lettre n° 43.

...ttre inédite d'Anne Louis Girodet de Roussy à sa ...Picpus, 5 septembre 1781, fonds Pierre Deslandres, ...sé au musée Girodet de Montargis, t. I, n° 46.

...ettre inédite d'Anne-Louis Girodet de Roussy à sa ...Paris, mercredi 12 juin 1782, *ibidem*, n° 70.

...ettre inédite d'Anne-Louis Girodet de Roussy à sa ...Paris, mercredi 14 mai 1783, *ibidem*, t. I, n° 91.

...n 1782, Girodet étudie l'architecture chez Couture, ...inédite d'Anne-Louis Girodet de Roussy à sa mère, ...[fin avril 1782], *ibidem*, n° 66; puis en 1783, chez ...e, lettre inédite de Girodet à sa mère, Paris, mardi ...llet 1783, *ibidem*, n° 100.

...ettre inédite d'Anne Louis Girodet de Roussy à sa ...Paris, 9 janvier 1784 *ibidem*, n° 109.

...ravement atteint par la syphilis et la pneumonie, à ...s, Girodet fut soigné par Domenico Cirillo (1734-...., ami de Buffon et de d'Alembert, fameux médecin de ...al des Incurables de Naples, botaniste et philanthrope ...érira sur l'échafaud à la suite de sa participation au ...rnement de la République parthénopéenne. Girodet ...r lui un tableau, *La Maladie d'Antiochus*, aujourd'hui ...(voir S. Bellenger, *supra*). À Rome, puis à Naples, ...soigné par le docteur Maloët (1730-1810) qui le ...ve à nouveau en très mauvaise santé à Gênes en ...Girodet se lia aussi avec François Ribes (1770-...., médecin par quartiers de la maison de l'Empereur, ...Pierre-Jean Georges Cabanis (1757-1808), le ...philanthrope, membre du groupe des idéologues, ...ateur des hôpitaux parisiens et sénateur de l'Empire ...tout avec Jean Dominique Larrey, le grand médecin, ...de la légende napoléonienne, qui s'attacha à sa ...ıne et le soigna jusqu'à la mort est. Élève de Desault ...Sabatier, chirurgien en chef de la Grande Armée, il ...uivi Napoléon Bonaparte, en Allemagne, en Égypte, ...ssie jusqu'à Waterloo où il fut fait prisonnier. En 1804, ...ıt fit un *Portrait de Larrey* et un portrait de sa jeune ...oll. part.). Enfin Girodet illustra la littérature médicale ...isa en 1805 un frontispice pour les œuvres de Vicq

...ir Jean-François Lemaire, *Napoléon et la médecine*, ...F. Bourin, 1992.

...upin, 1829, t. I, p. xl, xlj.

...'dem, p. 54.

18. Voignier, n° 101, 3e série, mars 1996, p. 30-31.

19. Lettre de Anne-Louis Girodet au docteur Trioson, Rome, 1er février 1791, fonds Pierre Deslandres, déposé au musée Girodet de Montargis, t. III, n° 14; Coupin, 1829, t. II, p. 379-385, lettre n° 39.

20. Lettre d'Anne Louis Girodet au docteur Trioson, Rome, 19 avril 1791, fonds Pierre Deslandres, déposé au musée Girodet de Montargis, t. III, n° 16; publiée par Coupin, 1829, t. II, p. 385-388, lettre n° 40.

21. Lettre inédite d'Anne Louis Girodet au docteur Trioson, Rome, 1er septembre 1790, fonds Pierre Deslandres, déposé au musée Girodet de Montargis, t. III, n° 10.

22. Lafont, 2001, Vol. II, p. 360.

23. Lettre de Girodet à Bernardin de Saint-Pierre, publiée par Coupin, 1829, t. II, p. 276-277, lettre n° 3.

24. Coupin, *ibidem*, p. 341.

25. Longtemps l'abbé Jean-Jacques Barthélemy ne fut célèbre en France que pour son roman "antique" Le Voyage du jeune Anacharsis en Grèce, édité pour la première fois en 1788, réédité en 1789, 1790, 1792,

26. Émilie Beck Saiello, « Alcuni documenti inediti su Girodet a Napoli », *Ricerche di Storia dell'arte*, n° 81, 2003, p. 99-109. Le document cité en extrait provient des Archives de Naples, *A.S.N.* Affari esteri, B. 548.

27. 1787, Metropolitan Museum of Art.

28. Voir B. Jobert, *supra*.

29. Hippocrate dans Pierre Larousse, *Grand Dictionnaire universel du XIXe siècle*, 1866-1876.

30. Lettre de Girodet à Bernardin de Saint-Pierre publiée par Coupin, 1829, t. II, p. 276-277.

31. Coupin, *ibidem*, p. 369.

32. *Ibidem*, p. 381.

33. *Ibidem*, p. 341.

34. Lettre d'Anne-Louis Girodet au docteur Trioson, Rome, 25 novembre 1791 fonds Pierre Deslandres, t. III, n° 22; publiée par Coupin, 1829, t. II, p. 397-403, lettre n° 45.

35. Coupin, *ibidem*, 1829, t. II, p. 404.

36. N° 36 du procès-verbal de la vente après décès de Girodet, achetée 1 002 francs par Pérignon (Voignier, 2005, p. 96), l'esquisse se retrouve dans la vente Gros où elle est rachetée par Pérignon puis par Antoine César Becquerel (Bajou et Lemeux-Fraitot, 2002, p. 103, n° 339).

37. Lettre de Louis-François Bertin (dit Bertin l'aîné) à François Xavier Fabre, Paris, 13 avril 1825 Montpellier, Bibliothèque du musée Fabre; publié par Léon-Gabriel Pélissier, « Les correspondants du peintre Fabre (1808-1834) », *Nouvelle Revue rétrospective*, janvier-juin 1896, p. 42.

38. *Hippocrate refusant les présents d'Artaxerxès*, crayon graphite, étude mise au carreau, H. 23,5 x L. 31,1 cm, Paris, École nationale supérieure des beaux-arts; inv. EBA 1024.

39. *Hippocrate refusant les présents d'Artaxerxès*, plume et encre noire sur papier doublé, dessin préparatoire avec étude perspectif; H. 32,2 x L. 43,1 cm, Bayonne, collection Bonnat, inv. 2134 (N.I. 817).

40. Comme indiqué plus haut c'est son image par Chinard, le cheveu court, qui sera retenue dans le tableau définitif. Les cheveux courts ou longs de Girodet dans les différentes esquisses préparatoires ne permettent pas de déterminer l'antériorité de l'une sur l'autre (voir J.-L. Champion, *supra*, notes 35 et 36).

41. *Album factice de dessin* de Girodet déposé par le musée du Louvre, département des Arts graphiques, au

musée Girodet de Montargis, R.F. 36153, f° 1 recto, *Tête grecque de profil gauche avec barbe*; f° 7 verso, *Glaive à tête de bélier dans son fourreau*; f° 9 verso, *Tête barbue de grec profil gauche*; f° 10 verso, *Grec barbu de trois quarts gauche*; f° 12 recto, *Tête de Grec barbu de trois quarts droit*; f° 13 recto, *Statue de Grec barbu de profil gauche*; f° 23 verso, *Sculpture de personnage grec barbu avec bras droit levé*; Carnet de dessin, Bibliothèque nationale de France, département des Estampes, DC 48 c rés. 4°, f° 3, *Dieu terme à chevelure du parc de la Villa Médicis et autres croquis d'après des fragments antiques*, crayon, H. 14 x L. 23,1 cm (réplique d'un *Hermes propylaios* en marbre de 2,30 m et en très bon état de conservation, voir M. Cagiano de Azevedo, *Le antichità di Villa Medici*, Rome, La libreria dello Stato, 1951, n° 63).

42. Lettre d'Anne Louis Girodet au docteur Trioson, Rome, 25 juillet 1792, fonds Pierre Deslandres, t. III, n° 27; publiée par Coupin, *Œuvres posthumes...*, p. 414-417, lettre n° 49 et Coupin, 1829, t. II, p. 415.

43. Lettre d'Anne-Louis Girodet au docteur Trioson, Rome, 3 janvier 1792, fonds Pierre Deslandres, t. III, n° 23; publiée par Coupin, *ibidem*, t. II, 1829, p. 404-406, lettre n° 46.

44. Lettre d'Anne-Louis Girodet au docteur Trioson, Rome, 3 octobre 1792 fonds Pierre Deslandres, t. III, n° 28; publiée par Coupin, t. II, 1829, p. 417-421, lettre n° 50.

45. Lettre inédite d'Anne Louis Girodet au docteur Trioson, [Naples], [fin janvier] [1793], fonds Pierre Deslandres, déposé au musée Girodet de Montargis, t. III, n° 34.

46. Lettre inédite d'Anne Louis Girodet au docteur Trioson, Venise, 12 prairial an II [31 mai 1794], *ibidem*, t. III, n° 51.

47. Coupin, t. II, 1829, p. 458

48. Coll. Deloynes, t. XVIII, n° 470, p. 479 et n° 471, p. 507.

49. N° 475 du livret de 1795, *Hercule rendu furieux par la jalouse Junon a tué sa femme et ses enfants; revenu à lui-même il se livre au désespoir*.

50. *Exposition publique des ouvrages des artistes vivants dans le Salon du Louvre, au mois de septembre, année 1795, vieux stile, ou vendémiaire de l'an quatrième de la République, par Mr Rob...*, in Deloynes, t. XVIII, n° 469, p. 397-401.

51. *Lettre de Poliscope sur les ouvrages de peinture...*, in Deloynes, t. XVIII, n° 471, p. 507.

52. *Critique sur les tableaux exposés au salon l'an IV quatrième S. 1 brumaire, an IV*, in Deloynes, t. XVIII, n° 476, p. 589.

53. *Exposition publique des ouvrages...*, in Deloynes, t. XVIII, n° 469, p. 397-401.

54. *Ibidem*.

Souvenir d'Italie

cat. 16 Vue du Vésuve et du mas d'Anjou

1793-1794
Huile sur toile, 24,5 x 38 cm
Collection particulière

Hist. Vraisemblablement acheté par Firmin Didot à la vente Girodet en 1825 ; coll. du duc de Harrington, Irlande, vers 1850 ; acquis par l'actuel propriétaire dans les années 1960

cat. 17 Paysage d'Italie, vue de Capri

1793-1794
Huile sur papier marouflé sur bois, 27,9 x 35,6 cm
Montargis, musée Girodet, inv. 94.1.1

Hist. coll. Antoine-César Becquerel ; Henri Becquerel ; Louise Lorieux (femme du précédent) ; Pierre Deslandres (neveu du précédent) ; coll. part. ; vente Sotheby's New York, 16 février 1994, n° 33 (repr.) ; acquis à cette vente par le musée
Exp. Montargis, 1967, n° 17 ; Genève, 2002, n° 41
Bibl. Lafont, 2001, n° 91 ; Guerretta, 2002, p. 345 (repr. ill. 412) ; Beck, 2003, p. 104 (repr. ill. 3, p. 103)

Ill. 151 Girodet, *Un lac dans les montagnes
(golfe de Sorrente),* 1793-1794
Huile sur papier marouflé sur toile, Dijon, musée Magnin

Ill. 152 Girodet, *Paysage d'Italie,* 1793-1794
Huile sur papier marouflé sur toile, Dijon, musée Magnin

« Beaux vallons[1] »

Un des résultats inattendus de l'anéantissemen
cadre institutionnel de l'Académie de France à R
et de la fuite de Girodet à Naples le 14 janvier 1
fut une liberté artistique inattendue que l'artiste
sacra à l'étude du paysage, une passion partagée
son ami Jean-Pierre Péquignot[2]. Les deux jeune
qui s'étaient liés depuis Paris, et avaient quitté R
ensemble, connurent à Naples une communion
tistique dont Girodet se souvint avec émotion t
sa vie. En compagnie de ce « rival des Claude,
Poussin »[3], Girodet étudia intensément la natu
les campagnes qui environnent le Vésuve. Le pay
sans être à proprement banni de l'atelier de D
d'où sortirent certains des plus brillants représen
du paysage néoclassique français, demeurait un g
inférieur de la hiérarchie académique[4]. Girod
portait néanmoins un goût particulier et il env
geait de s'y consacrer intensément dès son séjour
main. Il en fut écarté par les événements politiqu
auparavant par ses obligations institutionnelles :
duire son « académie » et l'envoyer à Paris. La l
où il déclare que « le paysage est un genre unive
parce que tous les autres lui sont subordonnés[5]
comparable, par son originalité, aux déclarations
fera plus tard à Pastoret à propos du dessin qui,
yeux, exigeait une conceptualisation aussi grande
la peinture d'histoire[6]. Cette réfutation, presque s
tieuse, de la hiérarchie intellectuelle des genres ré
au cœur même de l'esthétique très classique de G
det, mais sous la forme d'un paradoxe. Ses goûts,
que son système, ne remettent pas cause la classif
tion académique mais la pervertissent en étenda
tous les genres la sémantique habituellement réser
à la seule peinture d'histoire.

C'est après les fortes impressions qu'il avait
périmentées en traversant les Alpes et en déc
vrant les beautés du Latium que Girodet dévelo
son attirance pour le paysage. Coupin confir
que son amitié avec Péquignot **[ill. 153]**, avai

influence déterminante sur ce goût et qu'il [était] adonné tout entier pendant son séjour à [Na]ples »[7]. En dépit de l'importance qu'il y accorde [à ce]tte époque, Girodet ne poursuivra pas l'étude [du] paysage à son retour en France et sa produc[tion] se limite exclusivement à sa période italienne. [Les] quelques exemples qui sont parvenus jusqu'à [nou]s font ressortir une diversité qui étonne. Seuls [cinq] tableaux, tous de petites dimensions, lui sont [aujou]rd'hui donnés. Une *Vue du Vésuve et du mas [d'A]njou*[8] **(cat. 16)** prise depuis les collines de San [Ma]rtino à Naples, une *Vue de Capri*[9] **(cat. 17)** regar[dan]t vers le rocher d'Anacapri et trois esquisses de [pay]sages conservées au musée Magnin : *Le Torrent*[10] [Un] *lac dans les montagnes*[11] et *Paysage d'Italie*[12]. C'est [un] nombre fort limité quand on compare cette [list]e avec celle de la vente après décès de Girodet. [Le] catalogue de Pérignon citait vingt-quatre pein[tur]es et plus de cent vingt-trois dessins et croquis [de] paysages. La disparition[13] de la plupart de ses [tabl]eaux et dessins de paysage rend difficile l'ap[pré]hension de sa manière dans le genre. À cette [diff]iculté s'ajoute la proximité stylistique des pay[sag]es de Girodet et de Péquignot. Cette similitude, [soul]ignée par Pérignon dès la mort de Girodet, con[duit] quelquefois à la confusion et certains dessins [de] la vente posthume sont prudemment indiqués [com]me «porter aussi le caractère des ouvrages de [Pé]quignot[14]». D'autres études et croquis de pay[sag]e sont décrits par Pérignon comme possédant [qu]elques rapports avec la précieuse exécution des [ouv]rages de Péquignot[15]».

[P]rivés de tout cadre académique, Girodet et Pé[qui]gnot étaient apparemment devenus leur mutuelle [et u]nique émulation, la nature de la Campanie et les [sit]es de Naples et de Sorrente leur servant d'éco[le.] Un bon exemple de leur fraternité artistique est [ce] paysage «très terminé offrant un site enrichi de [plu]sieurs figures» comprenant «en avant une jeune

chasseresse» que Pérignon indique peint par Girodet d'après Péquignot[16]. Comme à Gênes, où plus tard Gros copiera Girodet, à Naples ce dernier est à l'école de Péquignot. La quinzaine de tableaux de Péquignot récemment apparus sur le marché de l'art ou localisés dans des collections publiques ou privées permettent aujourd'hui de reconnaître les constantes de son art et de mieux cerner sa manière élégante et décorative, assez différente de celle de Girodet qui allie à la précision topographique une vision plus sombre, plus intellectuelle d'une nature que Péquignot rend idyllique voire la féerique. La lumière surtout les distingue et nous pensons raisonnablement pouvoir rendre à Péquignot le *Chasseur dans un paysage*[17] **[ill. 154]** entré au musée de Montargis comme une œuvre de Girodet.

Plus imprégné de l'atticisme que Girodet, Péquignot peint une nature arcadienne dans le goût de Claude ou de Philipp Hackert, des paysages paradisiaques où se promènent de paisibles figures à l'antique. Ses figures, quelque fois sommaires, quelquefois des architecture fantaisistes presque visionnaires, la transparence de l'air et le reflet argenté de la lumière sur l'eau **[ill. 153]** sont des signatures que nous retrouvons dans le tableau du musée Girodet. En revanche la vision sublime des Alpes et les nuées menaçantes[18]du *Paysage, vue des Alpes*[19] du musée de Montargis **(cat. 15)** relève davantage, à notre avis, de la vision de Girodet qui exprimait à Trioson les émotions que lui procurait «la vuë de ces étages de montagnes, les unes sur les autres et qui se perdent dans les nuages». Ce petit tableau correspond vraisemblablement, à une *Vue de Suisse* qui apparaît dans la vente posthume[20]et plusieurs croquis d'Italie lui sont préparatoires **[ill. 158]**[21]. Nous ignorons l'itinéraire emprunté par Péquignot pour se rendre à Rome, la voie des mers ou le chemin des Alpes, mais il ne semble pas que ses tableaux portent la marque grandiose des cols alpins. En revanche, les

III. 153 Jean-Pierre Péquignot, *Paysage*
Huile sur toile, coll. part.

III. 154 Jean-Pierre Péquignot, *Chasseur dans un paysage*
Huile sur toile, Montargis, musée Girodet

III. 155 Girodet (d'après), *Portrait de Péquignot* (?)
Lithographie, coll.part.

cat. 15 Paysage, vue des Alpes
VERS 1794
Huile sur toile, 26 x 36 cm
Montargis, musée Girodet, inv. 36.16

Hist. Entré au musée avant 1937, avec l'attribution Péquignot ;
peut-être une des deux «vues de Suisse» achetées ensemble à la
vente Girodet par Didot pour 1 000 francs cat. Pérignon n° 32,
n° 3 du procès-verbal de la vente (voir Voignier, , 2005).
Exp. 1967, Montargis, n° 159
Bibl. Catalogue Montargis, 1937, n° 75 ; Voignier, 2005

**cat. 134 Une femme et ses filles
surprises par des satyres**
VERS 1815
Huile sur bois, 24,5 x 22 cm,
Collection particulière

Hist. Inventaire après décès de Girodet, 1825, n° 371 ; descendance de l'artiste
Bibl. Bajou, Lemeux-Fraitot 2002, n° 371 ; Voignier, 2005,
p. 38, n° 371.

III. 156 Girodet (d'après), *Souvenir des Alpes*
Lithographie, coll. part.

III. 157 Girodet (d'après), *Souvenir des Alpes (avec satyre endormi)*
Lithographie, coll. part.

es avaient assez impressionné Girodet pour qu'il ⟨con⟩fie ses émotions à Trioson[22]. Plus tard, deux li⟨tho⟩graphies **[ill. 156, 157]**, *Souvenir des Alpes* seront ⟨repro⟩duites dans « Souvenir d'Italie »[23], une série de ⟨des⟩sins publiées à sa mort.

Davantage que sa peinture c'est la nature italien⟨ne⟩ qui réserva à Girodet ses plus grandes surprises ⟨et s⟩es plus grandes émotions[24]. De façon inattendue ⟨che⟩z un artiste si parfaitement défini par le genre ⟨hist⟩orique, c'est dans les émotions que lui procura ⟨la⟩ nature que son expérience esthétique italienne ⟨atte⟩int sa plénitude. Davantage qu'un décor, ou ⟨com⟩me un état d'âme, le paysage est pour Girodet ⟨le⟩ virtuel drame humain[25]. Pourtant ses propres ⟨pay⟩sages ne reflètent qu'imparfaitement cette vio⟨len⟩ce de ses sensations. C'est dans une *Une scène de ⟨dél⟩uge*, sa composition historique la plus saisissante, ⟨que⟩ se matérialise avec le plus d'évidence et de vi⟨gue⟩ur le paroxysme de ce que la nature offre « de ⟨gra⟩nd et de terrible, [...] qui n'est point ennemi du ⟨cœu⟩r de l'homme, et qui y touche de plus prés qu'à ⟨son⟩ intelligence[26]. »

De son propre aveu, c'est la grandeur et l'effroi ⟨des⟩ paysages alpins, les précipices et les torrents des ⟨mo⟩ntagnes **[ill. 158, 159]** entre Lerici et Génes[27] qui ⟨l'⟩avaient inspiré ce michélangelesque tableau du ⟨Sal⟩on de 1806 imaginée dès le séjour à Gênes[28]. Aux ⟨anti⟩podes, *Le Sommeil d'Endymion* exhale la douceur ⟨virgi⟩lienne, les vertus virgiliennes expérimentée dans ⟨le L⟩atium et les mystères du sentiment qui allaient ⟨va⟩lider progressivement la raison et supplanter la ⟨beau⟩té classique. Ces deux tableaux apparemment ⟨anti⟩thétiques ont tous deux traités avec les valeurs ⟨plas⟩tiques et émotionnelles propres à la peinture de ⟨pay⟩sages : les effets de lumière, la nature déchaînée, ⟨l'atmo⟩sphère mystérieuse et nocturne des sous-bois. ⟨L'an⟩tagonisme de leurs sujets, l'effroyable et le mer⟨veil⟩leux, comme celui de leur traitement, s'enracine ⟨auss⟩i dans le contraste des sensations provoquées par ⟨la n⟩ature italienne.

⟨U⟩n paysage dessiné[29], très élaboré et fini de la ⟨coll⟩ection Magnin[30] réconcilie ces émotions dans ⟨la⟩ même page **[ill. 161]**. Sa composition minu⟨tieu⟩se, plus aboutie que nombre de croquis réunis,

dans ses albums d'Italie montre dans un paysage de montagnes une femme nue qui, apercevant un serpent dans les feuillages, recule de frayeur et tombe à la renverse dans le gouffre qui s'ouvre derrière elle. Plus loin, une femme drapée à l'antique portant un panier sur sa tête, paralysée d'effroi par la scène, détourne une jeune fille de la scène. À droite, à l'ombre des feuillages un jeune homme nu, dans la position d'abandon d'Endymion, repose dans les sous-bois. Comme chez Poussin les deux aspects contraires de la nature se rejoignent : le serpent porte la mort et le sommeil d'Endymion appartient au règne de Thanatos autant qu'à celui d'Éros. À l'exception du *Bacchus endormi*[31] du Nelson-Atkins Museum **[ill. 160]**, qui montre un traitement comparable à l'esquisse d'Endymion[32] et qui a pu être peint en Italie, peu de paysages de cette période montrent une joyeuse nature arcadienne.

Dès son retour en France, l'éloignement du « paysage du plus beau climat de la terre[33] » la tension et les enjeux artistiques parisiens le détourneront de son goût pour le paysage. Il faudra attendre les années 1820, pour que de plus en plus fatigué, il s'y intéresse à nouveau. Il n'a pas pourtant pas encore tout à fait 54 ans, mais se retire progressivement à la campagne. Il écrit à Fabre : « Je m'amuse quelquefois à dessiner du paysage, mais je m'aperçois trop que celui de mon habitation ne ressemble guère à celui des environs de Florence. C'est un malheur pour un peintre, d'avoir vu de plus beaux pays que celui où son destin l'a fixé[34]. » La tristesse et les regrets qui envahissent sa correspondance ne se retrouvent pas dans ces derniers travaux. Forcé d'abandonner les tableaux qui le fatiguent beaucoup trop, il travaille « tout doucement, tandis que [ses] brosses se reposent et que [ses] palettes sont pendues au mur » à une suite de compositions au trait, tirées des odes d'Anacréon. Cette suite sera composée de cinquante sujets dit-il. Cette production anacréontique, libérée des affres dévorants de l'ambition est la plus joyeuse, la plus hédoniste parie de toute son œuvre.

Nouvel Anacréon, sage, jouisseur et vieilli, Girodet s'écarte de la veine tragique et compose des paysages bachiques emplis d'érotisme ludique où, dans

III. 158 Girodet, *Paysage de montagne*
Dessin, Paris, Bibliothèque nationale de France

III. 159 Girodet, *Le Torrent*, 1793-1794
Huile sur toile, Dijon, musée Magnin

une nature arcadienne baignée de la lumière d[...]
des nudités s'abandonnent à la volupté ou à la p[...]
que devant les ardeurs des créatures de Pan, con[...]
dans ce petit tableau récemment redécouvert d'[...]
femme et ses filles surprises par des satyres[35] **(cat.**
vision d'une nature anacréontique, une œuvre c[...]
temporaine des illustrations de la poésie grecqu[...]
des *Amours des dieux*[36] où Girodet consacre vol[...]
tiers à la sensualité heureuse.

S. L[...]

III. **160** Girodet, *Bacchus endormi,* vers 1791
Huile sur bois, Kansas City, Nelson-Atkins Museum

III. **161** Girodet, *Paysage avec femme effrayée à la vue d'un serpent*
Dessin, Dijon, musée Magnin

Beaux vallons, frais coteaux, grottes inspiratrices, / s voluptueux, attrayants précipices, / Désoles par ain, par Bacchus consolés, / champ du Vésuve, ô que mes pas ont foulés, / Avant qu'à mes yeux luise dernière aurore, / puissé-je en mes vieux ans, vous empler encor ! »

eintre, 3e chant.

an-Pierre Péquignot né à Baume-les-Dames le ai 1765 mort à Naples en 1807. Etudie à l'école Beaux Arts de Besançon. En 1780 il est à Paris à itution Pawlet où il fait la connaissance de Joseph et. Il étudia à l'Académie Royale des Beaux Arts sa direction et entra ensuite dans l'atelier de David. nné par un protecteur prés duquel David l'avait mmandé il se rendit à Rome à la même époque que det. Malheureusement son protecteur fit faillite dés son e. Péquignot que sa spécialité de paysagiste excluait oncours de Rome vécut de sa production et acquit ôt une certaine réputation. Présent au Palais Mancini Girodet le 13 janvier 1793, il s'échappa avec lui et uit a Naples. Malgré la sauvagerie de son caractère, ignot lettré et musicien s'attira l'amitié de Gérard et rodet et l'estime de Turpin de Crissé. Girodet admirait talent et rechercha sa compagnie pendant tout son ur napolitain. Péquignot termina sa vie dans l'alcool et sère et Girodet tenta d'acquérir les destins et tableaux laissait derrière lui Le fonds fut hélas dispersé et les es de Péquignot sans corpus ont jusqu'aujourd'hui ppé à l'histoire de l'art (trois tableaux de Péquignot se uvent à la vente Girodet d'avril 1825. Pérignon, 1825, -59, nos 430, 431, 432.) Les œuvres qui apparaissent is quelques années sur le marché de l'art ont une forte posante décorative et montrent un onirisme raffiné it des lumières de Claude Lorrain. Voir Coupin, 1829,). 295- 300. Emile Fourquet, Les hommes célèbres s personnalités marquantes de Franche-Comté du rième siècle à nos jours, Besançon, 1929, p. 275.

upin 1829, T. I, P. 132 -134. Les dernières pages du t troisième du poème Le Peintre sont consacrées à ignot et leur séjour napolitain.

ir Levitine, 1978, p. 335-357

cetait aux environs de Rome que je devais cette e me livrer au charme de letude du Paysage, Genre peinture universel et auquel tous les autres sont rdonnés parcequ'ils y sont renfermés. » Lettre de e-Louis Girodet à Mme Trioson, Naples, 1er et 28 mars [1er et 28 mars 1793] Fonds Pierre Deslandres, déposé lusée Girodet de Montargis, t. III, n° 38.

upin, 1829, T. II, p. 343. voir Bellenger, 1993, p. 87-

upin 1829, t. I p. ix

ondres, coll. part., huile sur papier, H. 23,5 cm ; L. : m, inscrit au dos Girodet : Naples. Probablement gnon, 1825, n° 20 « Paysage du Vésuve pendant le ce paysage est rendu avec le plus grand soin, jusque s ces moindres détails. T. 1.14 p. h. 9 p. » acquis par t avec le numéro 21 pour 565 francs (voir Table des teurs, in Voignier, 2005.)

usée Girodet, Montargis. Hist : Collection Becquerel, ction particulière Montréal, Sotheby's New York vrier 1994 (vente François Deslandres)

Le Torrent 1938 F434 pour lequel existent plusieurs ins préparatoires dans les carnets d'Italie, le carnet

factice, B.N., DC 48c rés.-4° fol. 5, et Montargis musée Girodet, RF. 36153-165.

11. *Un lac dans les montagnes* (inv. 1938 F 436), plus vraisemblablement une vue des environs de Sorrente. Dans les sous couches de cette fine peinture la radiographie révèle l'esquisse au crayon de la tunique de Pyrrhus de l'esquisse de *La Mort de Pyrrhus*, 1790 (voir cat. 12 et ill. 151).

12. *Paysage d'Italie* (1938 F 435), Dans les sous couches de la peinture la radiographie révèle l'esquisse au crayon d'une étude d'architecture pour l'esquisse de *La Mort de Pyrrhus*, 1790 (voir cat. 12 et ill. 152).

13. Pérignon, 1825. Il est possible que certains de ces dessins aient été réunis sous forme d'albums factices et correspondent aux différents carnets du musée Girodet, (notamment album Deslandres, album Destailleur du musée du Louvre et de la Bibliothèque nationale de France (DC 48c rés-4). Les tableaux sont probablement aujourd'hui confondus dans l'ensemble des paysages néoclassiques ou romantiques dont les attributions sont si fragiles. Une enquête systématique basée sur les carnets d'Italie permettrait de mieux préciser le corpus de cette production.

14. Pérignon, 1825, p. 29, n° 176.

15. *Ibidem*, p. 52, n° 203.

16. *Ibidem*, p. 19, n° 69. Les petites dimensions de ce tableau, 10 P. x 8 P. (27 x 21,6 cm) le distingue du *Chasseur dans un paysage*, (62 x 74 cm), tableau au sujet proche que conserve le musée Girodet.

17. *Chasseur dans un paysage* (inv. Rétrospectif 988.3) entré au musée comme Girodet en 1973.

18. *Vue de la chartreuse de Capri avec au fonds le rocher d'Anacapri*, dit vue de Paysage dans les environs de Naples, (inv. 200 Pruvost Auzas, 1967, n° 17. (Une reprise ou esquisse pour la partie centrale du tableau se trouve dans une collection pareticulière parisienne).

19. *Paysage de montagne* (inv. 37.16, 25 x 35 cm) entré comme Péquignot dans les collections.

20. Pérignon, 1825, p. 14, n° 32 : « Deux paysages, vues de Suisse, les seules que M. Girodet ait vu dans ce pays. Dans l'une et l'autre on voit un lac resserré par des rochers et des montagnes qui se perdent dans les nues. Dans la première une seule barque que l'on aperçoit en second plan, donne l'idée de la grandeur du site; dans la seconde on remarque, en avant, le commencement d'un petit bois. T. I. 12p.1/2 X h. 9.P. (24,40 x 24, 36 cm » -L'exemplaire de la bibliothèque des musée nationaux porte l'inscription manuscrite : « Charmants petits tableaux exécutés grandement. Les nuages sont rapprochés du sol comme il arrive quelquefois, surtout le matin. Dans la vallée par de hautes montagnes ». Les deux tableaux, lot 34 de la vente furent achetés par Didot pour 1 000 francs, voir Voignier, 2005.

21. Notamment, BNF, DC 48c rés.-4° fol. 28 et suivants qui correspondent à des études utilisées dans ce tableau. D'autre part, il illustre précisément le passage de la lettre au docteur Trioson. Lettre d' Anne Louis Girodet au docteur Trioson, Turin, 5 mai 1790, Fonds Pierre Deslandres, t. III, n° 3.

22. « […] la vüe de ces étages de montagnes les unes sur les autres et qui se perdent dans les nuages et semblent prêtes à aneantir les voyageurs assés hardis pour en approcher et dont les fondemens se perdent dans des

abimes dont l'œil n'ose sonder la profondeur me rendirent/ d'abord\ immobile. la soif de jouir a la fois de toutes ces merveilles me fit/ensuite\ courir ça et la sur le chemin, et sans le parapet ma curiosité eût pu me devenir funeste. le bruit majestueux des eaux et des torrens qui se précipitent de ces montagnes et les impressions que l'ensemble de ces prodiges, font naître ne se peuvent décrire. je crois [*f° 2, r*] rien ne pourra plus m'étonner, dûsseje faire le tour du monde. » Lettre d'Anne Louis Girodet au docteur Trioson, Turin, 5 mai 1790, Fonds Pierre Deslandres, t. III, n° 3.

23. *Souvenir des Alpes*, deux paysages d'après Girodet Chez Noël, vers 1825 – *Souvenir d'Italie, idem.*, lith d'Engelmann.

24. « […] que je m'accoutumerai sans peine a la température du Climat d'italie. Ce pays me paraît encore plus agréable a voir que les richesses pittoresques quil renferme » Lettre de Anne-Louis Girodet au docteur Trioson, Florence, [vers les 10-15 (?)] mai 1790 Fonds Pierre Deslandres, déposé au Musée Girodet de Montargis, t. III, n° 4. « J'ai donc cru voir que l'Italie est un superbe pays, et beaucoup plus précieux par lui-même et par ses monuments que par ses tableaux dont aucun, sans exception, ne m'a fait autant d'impression que la galerie de Rubens. » Gérard, 1886, t. I, p. 151. Voir aussi Lafont, 2001, t. 1, p. 68.

25. La thèse [1952] de Georges Levitine analyse finement cette idée. Voir Levitine 1978 p. 343.

26. Coupin, 1829, Dissertation sur la grâce considérée comme attribut de la beauté, t. II, p. 160-161.

27. « lorsque je me déterminai a prendre la route des montagne avec la poste – route abominable pendant la quelle J'eus la pluie sur le corps trois Jours consecutifs sans pouvoir me changer et au risque d'être précipité plus de vingt fois dans les torrens a 2 ou trois cent pieds de fond ». Lettre de Anne-Louis Girodet au docteur Trioson, Gênes, 11 et 24 mai an III [11 et 24 mai 1795, Fonds Pierre Deslandres, déposé au Musée Girodet de Montargis, t. III, n° 71.

28. Cat. 42

29. Lithographié par Théodore Gudin à la mort de Girodet.

30. Inv. 1938 DF 438. Dijon, musée Magnin.

31. Kansas City Nelson-Atkins museum of art, inv. 1997-32, Pérignon 1825, p. 18 n° 63. Coupin 1829, t. I, p. lxxiv, Nevison Brown 1980, p. 87, fig. 19. Lemeux Fraitot, 2002, p. 255 et p. 356, n° 371.

32. Cat. 11.

33. Lettre d'Anne Louis Girodet au docteur Trioson, Rome, 25 novembre 1791, Fonds Pierre Deslandres, t. III, n° 22. *Édit.* : Coupin, t. II, 1829, pp. 397-403, lettre n° 45.

34. Lettre d'Anne Louis Girodet à François Xavier Fabre, Paris, 28 août 1821, Montpellier, bibliothèque du musée Fabre ; Pélissier, « Les correspondants du peintre Fabre (1808-1834) », Nouvelle Revue rétrospective, juillet-décembre 1896, p. 129-133.

35. Coll. part., France, Pérignon, 1825, n° 63, p. 18. Coupin, t. I, p. lxxv. Lemeux Fraitot, 2002, p. 255 et p. 353, n° 370.

36. Voir B. Jobert, *supra*.

Ossian, nouvel Homère

cat. 21 **L'Apothéose des héros français morts pour la Patrie pendant la guerre de la Liberté, Les ombres des héros morts pour la Patrie conduites par la Victoire viennent habiter l'Élysée aérien où les ombres d'Ossian et de ses valeureux guerriers s'empressent de leur donner dans ce séjour d'immortalité et de gloire la fête de la Paix et de l'Amitié**

1801

Huile sur toile, 192 x 182 cm

Porte au dos l'étiquette imprimée : *Herzoglich Leuchtenberg Majorats Fidéicommis*

Rueil-Malmaison, musée national des châteaux de Malmaison et de Bois-Préau, inv. MM. 40.47.6955

Hist. Commandé en 1801 par les architectes Percier et Fontaine pour le décor du grand salon du château de Malmaison avec un pendant du même sujet commandé à Gérard; emporté à Munich par le prince Eugène de Beauharnais, futur duc de Leuchtenberg; légué par ce dernier à sa descendance jusqu'au duc Georg, mort en 1929 à Séon dans le Chiemgau (Bavière); acquis par les musées nationaux pour 80 000 francs en 1931 dans le commerce suisse à Vevey.

Exp. 1802, Paris, Salon, n° 907 (3ᵉ suppl.); 1936, Paris, n° 317; 1967, Montargis, 1967, n° 26; 1967, Montauban, n° 256; 1968-1969, Moscou, Leningrad, n° 64; 1974, Hambourg, Paris, n° 81; 1974-1975, Paris, Detroit, New York, pl. 102.

Bibl. Landon, 1801, p. 233-238; Landon, 1802, p. 65-67; Anon., *Journal des arts, des sciences et de littérature*, 19 juin 1802, p. 410-412; Anon., *Journal des débats*, 3 juin, 1ᵉʳ octobre et 17 octobre 1802; Anon., *Revue du Salon de l'an X...*, 1802, p. 183-184, coll. Deloynes, t. XXVI, n° 698, p. 861-863, t. XXVIII, nᵒˢ 761 et 762, p. 301-321, n° 769, p. 183-184, n° 778, p. 748-755; Coupin, 1829, t. I, p. xv, xvi, lvii, 152; t. II, p. 277-282, 287-297, 341-342; Mizel, 1843, p. 292; Lenormant, 1847, p. 84; Delécluze, 1855, p. 260-266; Lescure, 1867, p. 252; Tourneux, 1912, p. 126-127; Lemonnier, 1913, p. 48, 51-54; Van Thieghem, 1917, t. II, p. 8, 142-152; Van Thieghem, 1918, p. 61-63; Von Baudissin, 1924, p. 60; Van Thieghem, 1924, p. 255; Hautecœur, 1928, p. 16; Bourguignon, 1931, p. 214-216; Adhémar, 1933, p. 271-272; Antal, 1936, p. 137; Escholier, 1941, t. I, p. 78-80; Delécluze, 1948, p. 65-67; Aragon, 1949, p. 201-209; Levitine 1952, p. 108, 173, 195; Friedländer, 1952, p. 42-43; Hautecœur, 1954, p. 227-228, 291; Levitine, 1956, p. 39-56; Schlenoff, 1956, p. 75-76, 83, 87-88; Levitine, 1962, p. 214; Lacassagne, 1965, p. 216; Levitine 1965, p. 251; Okun, 1967, p. 348-351; Hubert, 1967, p. 241, 245; Ward-Jackson, 1967, p. 663; Honour, 1968, p. 186-187; Rosenblum, 1969 (1), p. 47 et 1969 (2), *Revue de l'art*, n° 3, p. 100; Ternois, 1969, p. 193, 197-201; Caso, 1969, p. 86; Pruvost-Auzas et Ternois, 1973, p. 262-263; Joannides, Sells, 1974, p. 358-362; Fermigier, 1974, p. 1; Levitine, 1974, p. 319-323, ill. 1; Toussaint, 1974; Vaisse, 1974, p. 83-84; Stafford, 1979, p. 46-51, p. 46, ill. 1; Schiff, 1979; Maison, in Laclotte, 1979, t. I, p. 726; Brown, 1980, p. 183-206, ill. 65; Burns, 1980, p. 13-24 (ill. 1, p. 14); Gluck, 1980, p. 61-62; Mongrédien, 1980, t. II, p. 520, 658 n° 320; Oslon, 1983, p. 73 (ill. 1, p. 72); Krafft, 1984, p. 48; Frodl-Schneemann, 1985, p.?; Zieseniss, 1986, p. 5; Lev[i] 1988, p. 160-166 (ill. 6-1); cat. exp. Montargis, 1988-1989, 8, 15, 60-61, 63-65; Chevalier, 1989, p. 84-86, 122, 124, p. pl. 54; Pougetoux, Hubert, 1989, p. 31; Benoît, 1993, p. 72[.] Joannides, 1996, p. 119-122, p. 119, ill. 1; Pinot de Villeche[?] 1998, p. 55; cat. exp. Mexico, 1999, p. 166; Lebrun, Jouve, [?] p. 69-70; Goetz, 2002, p. 73; Jobert, 2002, p. 46 (ill. 5, p.[?] Pougetoux, 2003, p. 22, 63, 66.

Œuvres préparatoires localisées

Les ombres des héros français reçus par Ossian dans le Paradis d'O[?] (esquisse) (cat. 22)

Le paradis d'Ossian accueille un héros, crayon noir, lavis d'e[?] de Chine et de sépia avec rehauts de gouache, 22 x 31[?] provient de la coll. Becquerel; coll. part. (cat. 24).

Le Songe d'Ossian, crayon noir et rehauts de blanc sur pap[?] calque avec bande rapportée sur le haut et sur le bas, 44,6 x[?] cm; coll. part. (cat. 23).

Étude du groupe des généraux pour L'Apothéose des héros fra[?] 1800, crayon noir sur papier, 25 x 28 cm, inscription da[?] partie inférieure de la main de Turpin de Crissé : *Girodet, é[?] pour Ossian. Donné par M. Becquerel (sic),* Angers, musé[?] Beaux-Arts, hôtel Pincé, inv. MTC 89 [ill. 163].

Tête de vieillard pour la composition d'Ossian, crayon avec reh[?] de craie, sur papier brun, 47 x 65 cm, provient de la [?] Becquerel; coll. part.

L'Élysée celtique d'Ossian

« Un mensonge qui dit la vérité. »
Jean Cocteau

L'ossianisme marqua la sensibilité, les arts et la mode dans toute l'Europe de la fin du XVIIIe siècle au début du XIXe siècle. Le théâtre, la musique [1], la littérature [2], la peinture [3] et même le mobilier [4], s'inspirèrent alors pendant un demi-siècle de la brumeuse mode d'Ossian. De Boswell [5] à Goethe [6], de Turgot [7] à Mme de Staël [8], de Chateaubriand à Victor Hugo, de Jefferson et de Stendhal à Napoléon, aucune personnalité n'échappa à la magie du barde Ossian. Les enfants nés en 1800 – et la mode se prolongea jusqu'à l'époque victorienne –, reçoivent le prénom de son fils, Oscar, ou de son père, Fingal ou encore de sa belle-fille Malvina [9]. C'est l'extraordinaire engouement qui suivit la publication successive, entre 1760 et 1765, de quatre ouvrages [10] de poèmes « traduits » en anglais depuis le gaélique qui est à l'origine de cet étrange phénomène culturel pratiquement oublié aujourd'hui. L'éditeur des poèmes, un jeune Écossais du nom de James Macpherson (1736-1796), prétendait avoir travaillé sur les textes originaux du barde écossais Ossian, seul survivant de sa tribu qui aurait vécu au IIIe siècle de notre ère, en Irlande. La poésie gaélique n'est pas au XVIIIe siècle une découverte complètement nouvelle, en particulier en Écosse, où les milieux lettrés de la curiosité celtique portaient une attention soutenue, depuis la fin du siècle précédent, à la culture des peuplades du nord de l'Angleterre et de l'Irlande. Des anthologies mythologiques celtes consacrées aux us et coutumes des Highlands étaient publiées depuis le début du XVIIe siècle. Ce mouvement de curiosité régionaliste ne faisait que précéder la grande réaction nationaliste que les pays du nord de l'Europe allaient opposer un peu plus tard au rationalisme des Lumières et à la domination culturelle et militaire de la France. Le succès de ce courant intellectuel qui s'est répandu progressivement à travers toute l'Europe en prônant une vérité autre que celle de la raison classique et en montrant le surnaturel comme une alternative au matérialisme des Lumières, explique l'extraordinaire succès d'Ossian. Les bardes de Macpherson, bien antérieurs aux mythes celtiques des chevaliers de la Table ronde ou celui germanique des Nibelungen, fixé après le XIIe siècle, ne se contentent pas de faire écho à la curiosité folklorique, leurs fantômes habitent les humeurs brumeuses de la mélancolie et du fantastique où l'étrange se combine à la terreur qu'ont cultivée les romans noirs d'Anne Radcliffe [11], de Lewis [12] ou de l'ancêtre du groupe, Horace Walpole dans son *Château d'Otrante* [13]. Cette revanche du fantastique était comme le refoulé du rationalisme scientifique. C'est ce que résume un mot de Mme Du Deffand :

« Croyez-vous aux fantômes ? – Non, mais j'en ai peur [14]. » Incorrigible voltairien, Delécluze se plaint que la mélancolie soit devenue indispensable pour intéresser et plaire dans le monde. Macpherson qui, sans aucun succès, composait dans la veine sentimentale, n'avait tout d'abord pas misé sur ses imitations gaéliques qu'il pratiquait comme un divertissement plutôt que comme un genre littéraire. Le vif intérêt que rencontrèrent ses « traductions » le plaça bientôt en porte à faux vis-à-vis de ses propres créations et l'entraîna dans une spirale de dissimulations de plus en plus compromettantes. Adaptateur des légendes orales, poussé par l'enthousiasme nationaliste d'érudits écossais [15], il devint peu à peu faussaire sans le vouloir. La controverse sur l'authenticité du manuscrit d'Ossian s'enflamma très vite et prit des formes très violentes en Angleterre, où Macpherson édifia une fortune et occupa bientôt une position très en vue [16]. À sa mort, il fut enterré à Westminster, à quelques pas du *Poet's corner* auprès de Dickens, Sheridan et Tennyson [17]. La vérité d'Ossian n'était pas de nature véritablement archéologique mais constituait plutôt une vérité d'époque, associant le primitivisme celtique et la mélancolie préromantique. L'ossianisme secoua l'Europe et devint un phénomène culturel et philosophique qui dépassa largement son auteur. Dans tous les pays, des traducteurs ou des adaptateurs de ses poésies, souvent aussi imaginatifs que Macpherson, furent les intermédiaires par lesquels déferla la vague ossianique [18]. En 1786, en Angleterre, les poésies de John Smith s'ajoutèrent au répertoire gaélique. En Italie et dans les provinces contrôlées par l'Autriche, à partir de 1763, l'abbé Cesarotti diffusa les poésies de Macpherson dans une excellente traduction italienne : ce fut celle qui accompagna Bonaparte sur les champs de bataille [19]. Wilhelm von Humbolt, à Paris en 1797, assiste à un débat de la deuxième classe de l'Institut [20] sur le goût ossianique qui se répand en France : « À tout moment il y a quelqu'un pour parler de la nouvelle révolution par la découverte de la poésie Erse [21]. » Le romantisme naissant se donna d'abord la forme d'un conflit entre le Nord et le Sud. Germaine de Staël accorde le privilège de la sensibilité à la littérature du Nord et effectue une brèche « dans l'antique muraille de préjugés qui partage [l'Allemagne] et la France » avec *De la littérature considérée dans ses rapports avec les institutions sociales* (1798), puis avec *De l'Allemagne* (1810). Elle fait d'Ossian la clé de voûte de son histoire littéraire : le barde écossais serait l'ancêtre de Shakespeare, Milton, Schiller et Klopstock. Le Werther de Goethe est également atteint par l'ossianisme, préférant la lecture des malheurs d'Ossian qui remplacent pour lui Homère ou la Bible, et diffusant une philosophie du désespoir, l'impossibilité du bonheur et de la connaissance autrement que dans l'échec et la mort. Plus

tard, le précoce Victor Hugo s'inspira d'Ossian d[ans] *Les Derniers Bardes* [22] et Delphine Gay, jeune poét[esse] à la mode, compose les *Chants ossianiques sur la m[ort]* *de Napoléon* (1821).

Ossian, nouvel Orphée, nouvel Homère

Dans la musique française, Ossian inspira a[ussi] l'opéra. Méhul, écrivit un *Utahl* [23], sur un livret [de] Saint-Victor dédié à Girodet. Lesueur composa [Les] *Bardes* [24] dans une mise en scène dont la duch[esse] d'Abrantès [25], trente ans plus tard, avait conservé [le] souvenir ébloui. Ses mémoires décrivent la scène [du] songe d'Ossian comme s'il sortait du tableau peint [par] Girodet. Cette musique « ossianique » qui s'est [tra]cée dans la mémoire contemporaine a profondém[ent] marqué la mélodie française et survit dans les har[pes] et les voix aériennes de Berlioz, Fauré et les imp[res]sions musicales de Debussy. À la fin du XIX[e] siè[cle] les Lorelei, les Nibelungen et les Walkyries du R[omantisme] wagnérien transportèrent dans les brumes de la f[orêt] germanique le monde de Morven et de Loclin. [Les] lithographies d'après Tannhäuser de Fantin-Latou[r ou] de Beardsley descendent en droite ligne des Evira[s] et des Malvina que Gérard et Girodet avaient pe[in]tes en allégoriques sylphides. Ossian avait fourni [des] images fondamentales dont la profondeur rejoig[nait] celles d'Homère et de la Bible. Son mirage prim[itif] se rapprochait d'une vérité appartenant aux myt[hes.] L'époque blasée d'héroïsme lyrique de la littér[ature] classique ou des triomphes de l'épopée napoléoni[en]ne trouva des émotions nouvelles dans les larmes [de] l'océan et les douleurs de l'eau, les esprits du ve[nt, le] chant mélancolique des revenants et des songes. [Les] chansons du barde exhalaient le chagrin et entr[ou]vraient les portes du rêve.

Sans surprise, ce furent les peintres du Nord [qui] se sont emparés d'abord de l'univers d'Ossian. À [son] retour de Rome, entre 1772 et 1773, le peintre éc[os]sais Alexander Runciman (1736-1785) avait cré[é le] premier ensemble décoratif d'inspiration ossiani[que] en Grande-Bretagne en inventant les décors disp[arus] de Penicuik, près d'Édimbourg. Un second ense[m]ble, peint entre 1777 et 1783 par James Barry (17[41-] 1806) pour la salle de réunion de la Royal Soc[iety] of Art à l'Adelphi de Londres n'y fait qu'allus[ion.] Pendant son séjour londonien en 1772, Ange[lica] Kauffman peint un sujet ossianique, *Trennor et Ini[bal]* (collection des comtes de Home, Grande-Breta[gne)] qui représente les amours de l'aïeul de Fingal, p[ère] d'Ossian et de la fille d'un roi de Loclin, ancêtre [de] Swaran [26].

La commande de Malmaison : Hercule devient Ossian

Le tableau de Girodet est une commande des architectes Percier et Fontaine pour décorer le château [de] Malmaison que Joséphine de Beauharnais avait [ach]eté en 1799[27] à Rueil, à l'ouest de Paris. «Le Pre[mi]er Consul se plaît à Malmaison, il y vient réguliè[re]ment tous les dix jours, accompagné de M[me] Bo[na]parte, de ses aides de camp […][28]» et de sa famille. [À l]a fin de juillet 1800, Bonaparte demande à Percier [et] Fontaine, qu'il nommera architectes du gouverne[me]nt[29] quelques mois plus tard, une nouvelle déco[rati]on du salon du rez-de-chaussée. Malmaison, mai[son] de campagne conçue comme une retraite, devint [pro]gressivement une résidence du pouvoir que les [arc]hitectes sont constamment chargés d'embellir, en [re]mettant au goût du jour et la préparant pour ac[cue]illir des réceptions. Fontaine écrit dans son jour[nal] que cette décoration du salon du rez-de-chaussée [ex]écutée en 10 jours par le citoyen Jacob n'avait pas [eu l]e même le succès que la petite galerie et la salle de [bill]ard. Les lambris en acajou plein, les encadrements [en] velours et les draperies en étoffe sur les portes pas[se]nt d'un triste effet. Nous [Percier et lui-même] [avo]ns commandé pour remplir les panneaux entre [les] pilastres deux grands tableaux aux citoyens Giro[det] et Gérard et quatre aux citoyens Bidauld, Taunay, [Re]nouy et Thibault[30].» C'est Joséphine elle-même [qui] avait choisi les sujets des décors. L'enthousiasme [de] la victoire de son époux à Marengo[31] étant tout [réc]ent, elle avait décidé que ces tableaux devraient [re]présenter «des traits de la vie du Général[32]».

Dix mois plus tard, le 6 prairial an IX (26 mai [18]01), le fils du duc de Parme, gendre du roi d'Es[pag]ne, roi du tout nouveau royaume d'Étrurie[33], [étai]t, sous le nom du comte de Livourne, en visite [à Pa]ris avant de prendre possession de ses nouveaux [Éta]ts, fut reçu à Malmaison par Bonaparte. Percier [et F]ontaine font alors placer, avant son arrivée, deux [des] quatre tableaux destinés à la décoration du Salon. [Ces] tableaux montraient, l'un *Le Premier Consul cou[ché] dormant de fatigues dans le passage des Alpes avant la [victo]ire de Marengo et les soldats en marche craignant de [trou]bler son sommeil», par Taunay, l'autre, «Le Premier [Con]sul sur le sommet des Alpes montrant à son armée les [riche]s plaines de la Lombardie. […]».Avant l'arrivée de [son] hôte, Bonaparte considéra les œuvres «avec hu[me]ur» et «ordonna qu'ils fussent sur le champ enle[vés][34]». Naturellement, une représentation aussi peu [glori]euse du héros de la campagne d'Italie ne pou[vait] convenir, mais pas plus Joséphine que Percier et [Fon]taine n'avaient encore compris le rôle politique [que] Bonaparte entendait faire jouer aux arts. Le sujet [du] tableau que Gérard devait traiter dans ce nou[veau] décor n'est pas connu, celui de Girodet était [une] évocation du tout récent attentat[35] contre la vie

III. 162 Girodet, *Bonaparte en Hercule terrassant Cacus*
Huile sur bois, coll. part.

du Premier consul perpétré dans la rue Saint-Nicaise, le 3 nivose (24 décembre 1800). Nul doute que ce tableau aurait aussi fortement déplu. Sa composition est connue par une esquisse représentant Bonaparte en Hercule [ill. 162], nu, terrassant Cacus[36].

Cette affirmation de la force révélait aussi la vulnérabilité de Bonaparte et comment ne pas comprendre que celui-ci n'eût pas forcément goûté de voir rappeler un dramatique avertissement dans l'intimité de son salon. Si les architectes ne maîtrisaient pas encore ce que deviendrait l'art impérial, ils ont pu en concevoir l'avant-goût et s'empressèrent de détourner Girodet vers un sujet moins scabreux, plus à même de satisfaire les goûts du Premier consul[37]. C'est dans ces circonstances que naquit le tableau des *Héros français reçus au paradis d'Odin*.

En l'absence de documents d'archives, les conjonctures exactes du choix par Girodet d'un sujet tiré d'Ossian restent obscures. Coupin les explique par l'influence de Gérard et plus encore par le sentiment de rivalité que Girodet nourrissait alors envers cet ancien camarade qui, le premier, avait choisi de peindre pour Malmaison un sujet tiré d'Ossian[38].

Girodet, plus homme de lettres que Gérard, connaissait nécessairement l'œuvre d'Ossian et l'idée de se mesurer avec un rival dans une lutte qui, engageant la littérature, devenait fort inégale, pouvait être tentante[39]. D'un autre côté, le pouvoir politique était pour la première fois, depuis la Révolution, aux

mains d'un seul homme auquel tout semblait réussir. Girodet pouvait raisonnablement aspirer, à cette époque où David n'occupait pas encore la première place auprès de Bonaparte, à la position de premier peintre du nouveau pouvoir. Il est possible aussi que le sujet ait été demandé par Bonaparte. La commande se serait transformée alors en programme ossianique que le Premier consul aurait accepté en raison de sa passion pour les poésies du barde écossais. Bonaparte fonda l'Académie celtique[40], et Percier et Fontaine font placer un médaillon représentant Ossian face à celui de Rousseau sur la voûte de la bibliothèque de Malmaison, parmi les écrivains et les philosophes de tous les temps. C'est encore Ossian que Bonaparte fera figurer au plafond de la chambre à coucher impériale au palais du Quirinal[41]. Les deux hypothèses, celle d'entrer en rivalité avec Gérard comme le désir d'impressionner Bonaparte et de s'imposer comme le peintre du nouveau régime, peuvent l'une et l'autre expliquer la démonstration excessive que Girodet mit dans son tableau.

Le tableau de Girodet

Girodet a traité le thème d'Ossian de nombreuses fois, en dessin, en lithographie[42] et en peinture mais son tableau est la réalisation majeure de tout le genre ossianique dans les arts. Dans cette toile de couleur gris pâle, embrumée, encombrée de figures, la lumière presque partout argentée semble provenir des corps eux-mêmes, des étoiles ou du faisceau de lumière lunaire qui frappe les personnages. Pas un morceau de la toile qui ne soit couvert d'un corps, d'une tête, d'un nuage, d'une ombre ou d'un météore… Les plans de cet agencement tourbillonnant se superposent et s'enfoncent dans les profondeurs de la perspective, se confondant ultimement avec l'accumulation des ombres. L'extraordinaire encombrement de détails et de symboles concentrés sur une toile de si modestes dimensions rend l'ekphrasis du tableau pratiquement impossible, la tenter même de façon sommaire révèle cependant l'invraisemblable pari de ce tableau : repousser la peinture jusque dans le domaine réservé de la poésie. L'enjeu était de mêler réel et imaginaire, de donner une forme à l'âme des morts, que ce soit des généraux de l'an II ou des personnages d'Ossian. L'étrangeté du tableau vient de cette accumulation de détails réels, les uniformes, les armes, les drapeaux, les shakos, mélangés au monde des ombres.

L'histoire contemporaine pénètre la mythologie : un jeune dragon au profil de statue transperce le crâne d'un barbare d'Ossian avec un sabre qui porte sur le plat de la lame l'inscription : «Ce sabre d'honneur m'a été donné par le premier consul.».Avec son profil qui décore la pipe d'un soldat, ce sera sur toute cette toile, remplie des portraits très reconnaissables des généraux morts, le seul hommage rendu à Bonaparte. Ailleurs, des soudards ivres trinquent dans des coquillages que tendent les filles de l'air. On reconnaît les baïonnettes, les haches et les bonnets à poils des grenadiers. Plus bas, un tout jeune tambour ébouriffé regarde fixement le général en bicorne comme pour croiser son regard. Il mime de manière comique l'âge adulte en fumant une pipe dont il rejette abondamment la fumée sur le côté.

Au centre même du tableau, le fantôme d'un lévrier blanc, transparent comme la glace, flaire un chien de troupe, un braque brun gris. Croisant la patte, les animaux transposent dans l'univers canin la rencontre de leurs maîtres. Au fur à mesure que le regard monte, les figures s'évaporent dans une brume argentée où l'on distingue une myriade de jeunes filles nues, de vieillards à longue barbe drapés comme des fantômes. Des ombres d'ombres surgissent de la brume comme des formes de vapeurs. Les figures d'abord individualisées s'effacent comme des météores noyées dans les brouillards avant de se fondre dans les nuages et la voie lactée où des chiens et des hussards poursuivent un chevreuil. À deux angles du tableau, comme si toute la scène se déroulait dans la stratosphère, brille une étoile. Le coq français au sombre plumage brun et noir, auréolé d'une lumière dorée, l'aile protectrice, accueille une colombe effarouchée fuyant un aigle à l'œil rouge : l'Autriche. La composition est d'une irréalité mystérieuse comme celle des rêves.

Quand le livret du Salon devient un mode d'emploi

Le titre du tableau dans le livret du Salon de 1802[43], *L'Apothéose des Héros français morts pour la Patrie pendant la guerre de la Liberté*, rend peu compte de la complexité du sujet et surtout omet l'essentiel : les figures tirées de la légende d'Ossian. Girodet conscient de la richesse de son sujet le décrit minutieusement dans le livret du Salon. À la suite du titre, le livret comprend une *exposition du sujet* : «Les ombres des Héros français morts pour la patrie, conduites par la Victoire, viennent habiter l'Élysée aérien, où les Ombres d'Ossian et de ses valeureux guerriers s'em-

pressent de leur donner, dans ce séjour d'immorta[lité] et de gloire, la fête de la Paix et de l'Amitié», p[uis] vient une *description du tableau* qui occupe six pa[ges]. Cette description servira à presque toute la pre[sse] qui, désemparée par la scène, s'en servit pour en [dé]crypter le sujet. Au Salon et dans le livret, la pe[in]ture est présentée comme un hommage à Napolé[on] Bonaparte. L'enthousiasme sincère, mêlé d'ambi[tion] opportuniste, de la dédicace de Girodet, s'appar[ente] à celle de Chateaubriand, lors du «lancement» de *Génie du christianisme*, quelques mois plus tôt. D[ans] une lettre adressée au Premier consul[44], Girodet a[vait] joint une seconde description du tableau retrou[vée] par son biographe Coupin dans les archives du pe[in]tre. Cette description, un peu plus complète que c[elle] du livret en reprend l'essentiel.

Description du tableau par Girodet

Les anciens Écossais ou Calédoniens, et les habitans d'une grande partie du nord de l'Europe, regardaient la bravoure comme la première et presque la seule vertu : chez eux les guerriers les plus vaillans étaient les plus honorés. Pendant leur vie, ils avaient les places d'honneur dans les festins ; ils étaient aimés des belles ; on leur confiait le commandement des armées et le gouvernement des peuples. Apres leur mort, on plaçait leur tombe à côté de la tombe des braves ; on y renfermait leurs armes et, quelquefois, la dépouille d'un cerf et le dogue qu'ils avaient aimé le plus. Des bardes célébraient leurs prouesses ; ils les proposaient pour exemple à leurs contemporains, et en transmettaient, dans leurs poèmes, la mémoire à leurs descendans. Dès-lors les ombres des héros allaient, triomphantes, rejoindre dans les nuages, au son des harpes, les ombres de leurs ancêtres, qui venaient les recevoir avec joie. Là, elles exer-

çaient un empire souverain sur les élémens, et se livraient de nouveau aux plaisirs dont elles avaient joui pendant leur union avec le corps. Souvent elles quittaient leurs demeures aériennes et descendaient sur la terre, pour y converser avec leurs descendans qu'elles assistaient de leurs conseils, et à qui elles prédisaient l'avenir Ce qu'un guerrier redoutait le plus, était d'être privé du chant des bardes ; car, tant qu'il n'avait point obtenu cet honneur, son ombre errait confondue avec les ombres des lâches, toujours croupissantes dans des marais fangeux, sous l'apparence informe de brouillards obscurs, et de vapeurs pestilentielles. Ces peuples, malgré l'excès de leur bravoure qui dégénérait quelquefois en férocité, étaient naturellement bons, généreux et compatissans. Ils regardaient comme une lâcheté de maltraiter un ennemi vaincu. Ils honoraient la bonne foi, pratiquaient l'hospitalité envers les étrangers, et protégeaient de tout leur pouvoir leurs amis opprimés. C'est ainsi qu'ils sont représentés dans

les chants attribués à Ossian, barde du troisième siècle, et fils de Fingal, roi de Morven, dans l'ancienne Calédonie. Le citoyen Girodet y a puisé l'idée de la composition du tableau qu'il vient d'exécuter pour le premier consul qui se plaît beaucoup, dit-on, à la lecture des poèmes d'Ossian, et dont voici la description.

Les ombres des héros français morts pour la patrie, conduites par la Victoire, viennent visiter, dans leurs nuages, les ombres d'Ossian et de ses guerriers, qui leur donnent la fête de l'amitié.

Le vieux barde de Morven, privé de la vue, marche à la tête de ses guerriers : ses dogues fidèles l'accompagnent ; il s'appuie sur sa lance renversée, et se penche pour embrasser Desaix. Kléber tend une main à Fingal en signe d'alliance ; de l'autre, il porte avec Desaix un trophée d'armes enlevées aux mameluks. Après eux vient Cafarelli-Dufalga, tenant un drapeau brisé, conquis sur les Turcs. Marceau regarde Ossian avec admiration. On remarque ensuite les géné-

raux Dampierre, Dugommier, Hoc[he], Championnet et Joubert : près de [ces] guerriers un drapeau déchiré, [pris] aux impériaux, flotte dans les airs. [La] Victoire on ailée (Pausanias rappo[rte] qu'il y avait à Athènes une victo[ire] sans ailes. Le sens allégorique de c[ette] figure n'a pas besoin d'être expli[qué] P. A. C.) plane entre ces trophées [et] précède les bataillons français. D'[une] main, elle tient un faisceau de pal[mes] mêlées de laurier et d'olivier, embl[ème] des conquêtes glorieuses et utiles [; de] l'autre, elle présente en souriant, [aux] ombres des héros calédoniens, le [ca]ducée, symbole de la paix ; une ét[oile] scintillante brille sur sa tête et mar[que] par un long sillon, sa trace lumine[use] Latour-D'auvergne, premier gre[na]dier de France, marche au second r[ang] à la tête d'une colonne de grenad[iers] et de sapeurs ; leur bonnet est omb[ragé] d'olivier ; ils arrivent tambour batt[ant] devant eux sont quelques troupes [étran]gères de dragons et de chasseurs. [Ces] derniers, sur la troisième ligne, s[ont] les généraux Kilmaine Marbo[t]

L'exposition dans l'atelier

Lorsque, après quinze mois de travail[45], Girodet eut terminé son tableau, il le montra dans son atelier du Louvre à un public choisi. Cette mode de présentation privée de la peinture avait été imaginée par David en 1799 avec les *Sabines* montré dans une exposition privée et payante. Regnault fera de même[46]. Depuis le Salon de 1791, la liberté totale d'exposition et l'absence de jury avaient effacé l'esprit d'émulation du Salon qui avait perdu de son intérêt dans l'estime des artistes. En revanche, la présentation privée offrait de nombreux avantages financiers et permettait aux peintres d'histoire d'expliquer leur œuvre devant un public choisi et d'avoir un certain contrôle sur la critique. Cette formule convenait parfaitement à Girodet qui avait déjà connu un scandale public avec le portrait de *Mademoiselle Lange en Danaé* à l'exposition de 1799, elle lui permettait d'expliquer les détails savants et hermétiques de son tableau.

C'est dans ces circonstances que David vit Ossian pour la première fois, visite restée célèbre, que raconte Étienne Delécluze, alors jeune apprenti peintre dans l'atelier de David : « À cette époque, David avait l'habitude de faire une promenade après son repas et Étienne[47] l'accompagnait quelques fois. Un soir que l'élève était venu prendre son maître, celui-ci lui dit comme il entrait : "Girodet m'a dit que son Ossian est terminé ; il m'a même prié de l'aller voir ; voulez vous venir avec moi ?" Étienne accepta avec empressement et on se mit en marche. Girodet avait alors son atelier dans les combles du Louvre, à l'angle près du jardin de l'Infante. Il fallut monter tant de marches, qu'Étienne fut obligé de donner le bras à David pour achever cette ascension. Arrivés à la porte, ce fut en vain qu'ils cherchèrent le cordon d'une sonnette, il fallut heurter quatre ou cinq fois avant d'entendre remuer : "Ah ah ! dit David, vous ne connaissez pas encore Girodet ; c'est l'homme aux précautions. Il est comme les lions, celui-là il se cache pour faire des petits." Cependant la porte s'ouvrit, et Girodet reçut son maître avec ce luxe de politesses qu'il déployait toujours avec ceux qu'il admettait dans son atelier. David, debout et couvert, regarda très longtemps le tableau d'*Ossian* avec une attention qu'il porta successivement sur toutes les parties de l'ouvrage. [...] Cette scène muette, assez longue et qui sans doute parut durer un siècle à Girodet ne put se prolonger longtemps, David rompit le silence, se mit à faire un éloge simple, vrai et fort bien motivé de l'habileté extraordinaire que l'artiste avait déployée dans l'exécution difficile de l'ouvrage. À plusieurs reprises, il renouvela cet éloge en évitant de parler du fond de la composition. Enfin, [...] le maître dit à l'élève avec l'accent de quelqu'un qui se résume ; "ma foi, mon bon ami, il faut que je l'avoue ; je ne me connais pas à cette peinture-là ; non mon cher Girodet, je ne m'y connais pas du tout." Dès lors, la visite dura peu [...]. Arrivé dans la cour du Louvre, David, dont la figure n'avait pu se débarrasser encore de l'étonnement de ce qu'il venait de voir l'avait plongé, dit enfin à Étienne : "Ah ! ça il est fou Girodet !... il est fou, ou je n'entends plus rien à l'art de la peinture. Ce sont des personnages de cristal qu'il nous a fait là. Quel dommage ! Avec son beau talent cet homme ne fera jamais que des folies... Il n'a pas le sens commun[48]."»

À leur tour, Percier et Fontaine pensèrent que l'effet du tableau «serait détruit dans le lieu qui lui était assigné». Conscient que sa peinture ne répondait pas

---

phot. Dans une région de nuages élevés, on aperçoit confusément, à travers les vapeurs une troupe de vieillards, dont quelques-uns se livrent au plaisir de la chasse. De l'autre côté du tableau, le fils d'Ossian, Oscar, est près de son grand-père ; derrière eux paraît Cuchulin, roi de Dunscaïch, et fils de Fingal. La pointe de sa lance est brisée. D'autres guerriers montrent aux Français des trophées de leur valeur : une enseigne, une armure et une botte légionnaire enlevées aux Romains. Au-dessus du roi de Morven, dont le casque surmonté d'une aile d'aigle brille des feux d'un météore, on voit la foule de ses ancêtres – ils descendent des régions les plus élevées de l'atmosphère. Comhal, son père, tient sa lance ; ses cheveux blancs sont épars autour de son visage. Près de lui un guerrier sonne du cor ; un autre siffle un air belliqueux ; d'autres se penchent sur leurs nuages. Trenmor, aïeul de Comhal, s'appuie sur son sceptre ; un météore rougeâtre brille sur sa tête en forme d'une couronne radiale. Tous

ces héros admirent les héros français. De jeunes filles jouent de divers instruments, ou apportent des couronnes. Dans l'éloignement, et à travers les rayons d'un météore, on aperçoit un vieux barde et sa fille ; ils touchent la harpe en l'honneur de nos guerriers ; plusieurs d'entre eux, en battant des mains, applaudissent à leurs chants. Sur le devant du tableau, un essaim de jeunes filles, à demi vêtues de leurs voiles de brouillards, viennent au-devant des étrangers : celle-ci leur offre des couronnes, celle-là des fleurs qu'elle sème sur leurs pas ; plusieurs leur présentent à boire dans des coquilles. Un canonnier et un dragon qui ont déjà bu, trinquent de nouveau : le premier, dont le visage offre d'honorables cicatrices, porte un toast à son général, à Ossian et à la paix ; il agite en l'air son chapeau orné de branches de laurier et d'olivier : leurs feuilles ombragent le front d'un héros gravé sur sa pipe qu'on y voit attachée ; le second boit a la santé de la belle qui lui a présenté la coupe.

Evirallina, femme d'Ossian, et Malvina, épouse d'Oscar, sont auprès des rois : leurs mains voltigent sur la harpe ; l'une exprime une douce admiration, l'autre rougit de pudeur ; deux météores brillent sur leurs têtes, et, confondant leurs feux, tracent derrière elles un même sillon de lumière. Près d'elles on aperçoit les guerriers de Loclin : ils s'agitent vainement pour troubler la fête de la paix. L'un fait entendre des sifflemens séditieux ; un autre frappe, du pommeau de son épée, le bouclier d'un guerrier de Morven, dont le son est le signal de la guerre ; un autre, les yeux : enflammés de colère et de jalousie, agite son épée et regarde les héros français d'un air menaçant ; mais aucun ne daigne faire attention à lui. Plus bas, on voit le roi de Loclin, le féroce Starno ennemi de Fingal ; son corps est couvert de fer ; un poignard est fixé à sa ceinture d'ou pend un crâne desséché qui lui sert de coupe. Il a saisi par les cheveux Agandesca, sa fille, amante de Fingal, qui s'était jointe aux belles de Morven pour célébrer l'arri-

vée des Français ; il était prêt de la percer de son épée, mais un jeune dragon vole pour la défendre : le panache et le cimier de son casque sont abattus ; sans s'effrayer, il saisit et arrête d'une main le glaive de Starno ; de l'autre il perce son ennemi, d'outre en outre, avec un sabre d'honneur que lui a décerné le premier consul. Le barbare tombe en mordant de rage l'arme qui a mal servi sa fureur. Un aigle traverse le nuage où se meuvent toutes ces ombres. À l'aspect de l'oiseau vigilant, symbole du génie de la France, qu'une gloire brillante environne, il fuit épouvanté. Le coq-dieu, perché sur le faisceau de palmes, de laurier et d'olivier que porte la Victoire, et armé de la foudre, étend son aile, comme un bouclier protecteur, sur l'innocente proie que l'aigle avait ravie, et qui vole, en tremblant, se réfugier sons son ombre. La scène est éclairée par des météores ; tous les personnages en sont fantastiques, à l'exception de la Victoire et des oiseaux symboliques. (Coupin, 1829, t. II, p. 289).

cat. 22 **Les ombres des héros français reçus par Ossian dans le paradis d'Odin**
le sur bois, 34 x 29 cm
s, musée du Louvre, inv. R.F. 2359

Vente après décès, Pérignon, 1825 n° 4 : «Une autre
isse, qui doit aussi attirer l'attention, celle du tableau
ssian, offrant beaucoup de changements, assez étudiée dans
détails et dans l'ensemble, pour retracer à l'esprit l'effet
ique du tableau», procès verbal de la vente n° 197, acheté
francs par Coutan; acheté le 17 février 1921 à une vente
yme (n° 51 du catalogue) 650 francs par le musée du
vre

voir Bibl. cat. 21 ; Voignier, 2005, p. 60, 100.

1927, Paris, n° 882 ; 1928, Copenhague, Oslo, Stockholm,
5 ; 1936, Paris (Petit) p. 181, n° 318) ; 1939, Paris, n° 1485 ;
7, Bordeaux, n° 1957 ; 1959, Londres, n° 189 ; 1964,
ich, n° 125 ; 1967, Montargis, n° 25 ; 1967, Montauban,
57 ; 1974, Paris, Hambourg.

Œuvres en rapport localisées

Girodet réalisa un nombre important de dessins sur le
thème d'Ossian. Ils furent probablement exécutés en vue
d'une édition lithographique et doivent être distingués
de la composition du tableau du château de Malmaison
et de l'esquisse du Louvre. Voir *infra* les notices des dessins
ossianiques (cat. 25 à 34)
Les trois dessins ossianiques décrits ci-dessous ne figurent pas
dans l'exposition. Ils s'ajoutent à ceux publiés par S. Bellenger,
La Légende d'Ossian illustrée par Girodet, musée Girodet, Montargis, 1989.
Scène d'Ossian (Crothar et Collama), crayon noir, plume et
rehauts de gouache, 1,99 x 2,37 ; au verso, en bas à droite, à
l'encre brune, paraphe d'Alexis Nicolas Pérignon (1785-1864),
élève de Girodet et expert de la vente après décès de l'artiste,
Paris, marché de l'art (2004).
Ossian, encre noire et lavis brun, rehauts de gouache blanche,
115 x 95, Boston, Museum of Fine Arts.

Malvina pleurant la mort de son fiancé Oscar, huile sur bois,
245 x 3,1, Édimbourg, National Gallery of Scotland.

Œuvres en rapport documentées

Pérignon, 1825, p. 24, n° 120 : «Une feuille d'études d'après
nature pour les divers groupes de filles de bardes. Dessin à
l'origine au crayon et à l'estompe, sur papier blanc. Retouché
à l'estompe et remonté d'effets par Girodet» ; p. 26, n° 138 :
«Une feuille d'études dessinées d'après nature pour le tableau
d'Ossian, au crayon noir et légèrement estompée, sur papier
blanc» ; p. 43, n° 312 : «Deux feuilles d'études d'après nature,
au crayon, sur papier blanc ; figures d'homme et études diverses
pour le tableau d'Ossian» ; p. 43, n° 316 : «Sept croquis au
crayon, sur dix feuilles ; compositions et détails pour des
compositions d'Ossian» ; p. 54, n° 220 : «Études d'après nature,
à la pierre d'Italie, pour quatre des figures du tableau»
Coupin, 1829, p. lxxviij : «Ossian : seize compositions, dessins
terminés, appartiennent à M. Châtillon»

cat. 24 **Le paradis d'Ossian accueille un héros**
Crayon noir, lavis d'encre de Chine et de sépia avec rehauts de
gouache, 22 x 31 cm (plusieurs feuilles raccordées)
Collection particulière

Hist. Coll. Becquerel.
Exp. 1967, Montargis, n° 66 (repr.) ; 1974, Paris, Hambourg
n° 82 (repr.).
Bibl. Ternois, 1967, p. 201, fig. 16 ; Savettieri, 2004, p. 125-154,
ill. 7, 8.

à un simple décor, Girodet écrit au général Bonaparte [49] une lettre où, voulant contourner les architectes, il convie le Premier Consul à venir voir le tableau dans son atelier. Il est peu probable que cette lettre maladroite ait été envoyée, et surtout, le Premier Consul avait d'autres visées sur le Salon qu'il voulait voir redevenir le lieu où s'affirmait le prestige de l'école française.

Le Salon de 1802 ou l'excès de l'*Ut pictura poesis*

Au lendemain de l'ouverture du Salon, Bonaparte fit savoir aux artistes qu'il ne verrait leurs œuvres que dans l'exposition publique. Cette annonce changea complètement l'attitude des artistes qui «se sont empressés d'apporter leurs ouvrages à ce Salon que peut être la veille ils se promettaient de déserter pour toujours [50]». On dut adjoindre quatre suppléments au livret, sans pour autant lister la totalité des ajouts successifs. Le cinquième jour qui suivit l'ouverture [51], Gérard, Vernet, Meynier, Ménageot, Mme Chaudet, Hubert Robert, Isabey, etc. apportèrent leurs œuvres. Girodet y porte quatre tableaux : le *Portrait de Rumford* [52], le *Portrait de Lord Buckingham-shire* (sic) [53], *L'Apothéose des Héros français morts pendant les guerres de la Liberté, Le Sommeil d'Endymion* et ses dessins destinés à la gravure pour illustrer l'édition de Racine de Firmin-Didot qui arrivèrent pendant la nuit [54].

«La matinée de ce même jour, les trois Consuls se sont rendus au musée central des arts, accompagnés du ministre de l'intérieur, de plusieurs généraux et conseillers d'État, de Madame Bonaparte et de Madame Louis Bonaparte. Aucun tableau n'a échappé à l'attention du Premier Consul. Il s'en est fait expliquer les sujets dans le plus grand détail [55].» Ce compte rendu de la visite consulaire fut communiqué à la presse par Benjamin West, directeur de la Royal Academy de Londres qui exposait aussi un tableau [56]. «Le premier Consul s'est longtemps entretenu avec Girodet de son tableau d'Ossian et a saisi avec intérêt toutes les idées de cette brillante production [57].» Le général lui aurait dit : «Vous avez eu une grande pensée : les figures de votre tableau sont de véritables ombres ; je crois voir celles des généraux que j'ai connus [58].»

Girodet avait fixé sur le cadre un cartel avec l'inscription «Girodet à Bonaparte [59]». Cette dédicace qui fut perçue comme Apelle rendant hommage à Alexandre, établissait une comparaison osée entre la gloire du peintre et celle du héros militaire, un parallèle que Girodet poussa plus loin en écrivant à Bonaparte que sa «composition devait être nouvelle comme sa gloire [60]». Cette audace avait pour ambition de faire de son tableau un monument national. C'est ainsi que le comprit Bernardin de Saint-Pierre

Ill. 163 Girodet, *Étude du groupe des généraux pour L'Apothéose des héros français*
Dessin, Angers, musée des Beaux-Arts

qui l'imaginait, dans la démocratie athénienne, peint sur une voûte du Panthéon [61].

Oiseaux et symbolique

Pionnier de l'interprétation girodienne, George Levitine [62] a décrypté et expliqué les allusions politiques du tableau. L'aigle est celui de l'Autriche [63], la colombe de la paix qui se réfugie près du coq gaulois se réfère au traité de Lunéville qui apporte la paix entre la France et l'Autriche. L'horrible Starno, roi de Loclin et ses soldats qui frappent sur les bosses de leurs boucliers pour appeler au combat symboliseraient l'Angleterre absente du traité de Lunéville. En poursuivant les hostilités, l'Angleterre passait en France pour l'ennemi de la paix générale. Le Premier Consul est évoqué de façon extrêmement évasive, sur une pipe et sur un sabre [64], alors que ses compagnons Dampierre, Championnet, Kléber, Desaix, Marceau et Dugommier, Hoche et Joubert, héros sacrifiés sont glorifiés. Il est tentant d'échafauder un sentiment ambivalent ou du moins une maladresse dans le peu de présence accordée au Premier Consul, mais dans les premières années du Consulat, Bonaparte ne bénéficie pas encore du pouvoir absolu qu'il étendit sur la France après 1804. Girodet à cette époque n'a pas non plus développé les sentiments d'opposition [65] qui seront les siens quand il peint *Atala au tombeau* (1808) [66] et *La Révolte du Caire* (1810) [67]. En

1801, le peintre est au contraire bien décidé à cou ser le nouveau héros qui gouverne la France. Geo Levitine fait valoir qu'il «est significatif que, pa les généraux, Girodet ait donné la première pla Desaix et à Kléber, rappelant Marengo et la cam gne d'Égypte et que, parmi les soldats, il ait part lièrement distingué un canonnier – l'artillerie é l'arme d'origine de Bonaparte – portant un toa son général et brandissant un chapeau auquel es tachée une pipe ornée du profil gravé de Napolé L'intention de Girodet était certainement de re un hommage au Premier consul mais la subtilit son panégyrique n'était certainement pas d'une ture à pouvoir satisfaire le général qui, comme politique attendait des flatteries plus ostensibles Swann qui, prenant congé des tantes du narrat partait persuadé qu'il n'avait pas été remercié p ses présents alors que les deux femmes se félicita mutuellement de la délicatesse de leurs allusion est vraisemblable que Bonaparte n'ait pas reconn subtils messages de Girodet. Les eût-il compris pouvait difficilement les faire partager par la fo Le peintre n'avait pas réalisé qu'en 1802, «R remplaçait Sparte» et qu'un tableau qui célébra ouvertement les héros de la République n'était au goût du jour [68]. Par ailleurs, l'histoire avait ét rapide que les pinceaux de Girodet et son tab conçu en 1801 n'était plus d'actualité en 1802 présence au Salon de Benjamin West, président d

yal Academy, qui assiste à la présentation au Pre-
er consul montre assez que la situation politique
ernationale était tout à fait différente. Depuis la si-
ture du traité d'Amiens, le 25 mars 1802, l'Angle-
re était entrée dans la paix. La longue explication
sujet dans le livret glisse sur les figures des guer-
s hostiles du royaume de Loclin qui symbolisent
nemi d'hier. La paix sera de courte durée mais
fut d'une immense popularité en Angleterre
mme en France. Bonaparte est devenu l'ange de la
x après avoir été le génie de la guerre.

On a voulu voir une satire dans la petite esquisse
bois **(cat. 22)** des collections du Louvre[69] où l'aigle
fuit en lâchant un lapin. Celui-ci serait le sym-
e des désillusions de Girodet sous l'Empire. L'ico-
graphie de l'aigle enlevant un lapin se retrouve sur
antique monnaie de Syracuse et, contrairement
assertions d'Aragon[70], l'aigle ne sera pas reprise
nt le sacre en 1804[71]. En fait, l'esquisse occupe
place intermédiaire parfaitement cohérente enle dessin Becquerel du *Paradis d'Ossian accueillant
héros* **(cat. 24)** et l'étude des figures au nu du musée
Beaux-Arts d'Angers **[ill. 163]** qui préparent au
eau définitif synthétisé dans l'esquisse. Devant le
victorieux, l'Autriche lâche le lapin, son butin
obé, image parfaitement cohérente dans cet uni-
s de chasse. Par ailleurs, l'esprit satirique ne dis-
gue pas l'esquisse, mais au contraire la rattache au
eau fini car la dérision, de la scène des chiens se
rant jusqu'aux aux soudards ivres et aux Anglais
icaturés y est partout disséminée.

« Le tableau [qui] m'a donné le plus
de confiance dans mon peu de forces »

Le tableau de Gérard, *Ossian évoquant les fantômes
son de la harpe sur les bords du Lora*[72] **[ill. 164]**, fut
cuté en quinze jours. Il était terminé à l'automne
01, bien avant celui de Girodet. Bonaparte utilisa
ableau de Gérard comme instrument diplomati-
e et l'envoya en Angleterre pour qu'il soit gravé[73]
attendant que celui de Girodet fût achevé. Le
eau, traité de façon plus enlevée[74], en manière
squisse, forme un curieux pendant avec le tableau
Girodet. Même à l'époque où celui de Gérard
tait pas à Paris, la critique opposera les deux œu-
s. Gérard a le mérite de la simplicité, Girodet celui
la nouveauté. *Le Journal des débats*, de tendance
aliste, va surprendre en prenant fait et cause pour
ableau de Girodet montrant des républicains au
adis[75]. Le journaliste Boutard, après l'avoir étudié
s l'atelier avec l'artiste[76], consacre trois longs arti-
au tableau. Il admire l'exécution « enchanteresse
déale », les graduations dans la représentation de
matériel des ombres/corps des héros d'Ossian

ainsi que la pensée « vaste et grande » qui préside au
tableau. Le métier et l'art du peintre à combiner le
réel et l'imaginaire, l'invention d'un paradis celtique
associé à la ressemblance de généraux en costume
contemporain, forcent son admiration. En revanche,
le feuilleton du *Publiciste* oppose les complications
d'*Ossian* à la simplicité d'*Endymion*, accrochés l'un
près de l'autre. Il prévient le peintre des dangers que
l'on court à s'écarter de la nature et du risque de « se
familiariser avec le bizarre ». Girodet veut-il « devenir
le peintre des difficultés[77] » ? Les camps sont partagés
entre ceux pour qui la peinture ne peut s'émanciper de l'imitation d'une nature prédéfinie et ceux
qui comprennent l'aventure que procure à l'art et à
l'imagination une peinture confrontée à la représentation de l'immatériel[78] : « Si c'est une erreur, heureux et rares sont les artistes qui peuvent se tromper
ainsi[79]. » La critique et le public qui, au Salon, s'at-
troupe devant le tableau, sont généralement frappés
par son « genre extraordinaire », d'un « effet qui tient

du merveilleux », auquel on n'accède seulement par
« une sorte d'étude », ce qui au final permet « à l'œil
et à l'esprit de jouir à la fois[80] ». Le camp de l'imitation voit d'un œil satirique cette peinture cérébrale :
« parmi les ombres de Girodet, manque l'ombre du
sens commun[81] ».

L'hermétisme d'une peinture d'histoire inaccessible au commun des spectateurs est raillé : « Et chaque
peintre allégorique, / Dès qu'il a quitté ses pinceaux,
/ Doit employer sa rhétorique / Pour expliquer ses
tableaux[82]. » La satire s'en mêle et à la fin du Salon,
on remercie Bonaparte « […] de nous avoir débar-
rassé de ce tableau ; nous l'aimons beaucoup mieux
à la Malmaison qu'au Salon […] car il fatiguait tous
les yeux[83] ».

La peinture poétique d'*Endymion* avait garanti son
succès, Ossian dérouta parce que c'était un poème
peint.

Quatre ans plus, Girodet revient sur l'échec d'*Ossian* et en explique les causes à Bernardin de Saint-

Ill. 164 Gérard, *Ossian évoquant les fantômes au son de la harpe sur les bords du Lora*
Huile sur toile, Rueil-Malmaison, musée national des châteaux de Malmaison et de Bois-Préau

Pierre : «C'est ce tableau qui, malgré les défauts qu'on a pu lui reprocher, et dont plusieurs sont réels, m'a cependant donné le plus de confiance dans mon peu de forces, par ce qu'il est tout à fait de ma création, dans toutes ses parties, sans que je me sois inspiré d'aucun modèle ni pour le dessin, ni pour la couleur, ni pour les effets, encore moins pour la conception. J'ai été obligé d'inventer jusqu'aux costumes, dont aucun monument de l'antiquité n'offre de trace ; je n'ai pu me guider que par des analogies. Il échappa à David en le voyant, de dire que cette production ne ressemblait à celle d'aucun maître ni d'aucune école ; qu'il n'avait jamais vu de tableau auquel il pût le comparer, et qu'on me rendrait justice après ma mort […]. Les romans ne sont point bannis de la littérature ; les fictions ne sont point bannies de la poésie, pourquoi le seraient-elles de la peinture, dont les bornes, sans être infinies comme celles de la poésie sont cependant plus reculées qu'on ne le pense […]. Un des torts de ce tableau, et sans lequel il eut produit plus d'effet c'est que les figures n'étaient pas de grandeur naturelle. […] Si la Transfiguration de Raphaël, et la Descente de croix de Rubens n'avaient été que d'une petite dimension, combien ses beaux tableaux seraient loin de la réputation qu'ils ont acquise […][84].»

Le génie de Girodet avait besoin des dimensions de la peinture d'histoire et il répondit à la limite imposée des dimensions d'Ossian par le gigantisme de sa Scène de déluge, ce tableau qu'il «s'était commandé à lui-même[85]» comme le dit Quatremère de Quincy et par la série de seize lithographies de détails agrandis à la dimension qui aurait donné toute sa dramaturgie et sa lisibilité à son tableau[86].

Grandeur et chute d'Ossian

Il importe peu aujourd'hui de savoir si Macpherson fut un faussaire ou un poète, mais la forme concrète et visible qu'il a prêtée aux âmes du paradis d'Ossian s'ajoute aux arguments de ses délateurs. En effet, les créatures littéraires et éthérées de Macpherson datent irrémédiablement ses poèmes en ce qu'elles sont directement issues des théories du visionnaire suédois Swedenborg[87] sur les liens de l'âme et du corps. Swedenborg et ses disciples croyaient que l'âme des morts conservait la forme de leur corps et leur nature psychologique après le trépas. Ces idées offrirent aux peintres et aux sculpteurs le moyen de représenter l'immatériel et transformèrent l'iconographie funéraire néoclassique et romantique[88]. Girodet, plus que tout autre illustrateur d'Ossian, conforta cette idée en introduisant dans la théorie classique une dimension qui menaçait ses fondements, en donnant une forme plastique à l'irréalité et à l'immatérialité[89]. La critique de 1802 en saisit

parfaitement le péril : «Le champ de la poésie est sans borne, et celui de la peinture a des limites. La poésie peindra à l'imagination le vide lui-même, le néant, vous ne le représenterez pas sur la toile. Elle fera admirer à l'esprit des descriptions qu'elle ne saurait rendre agréable aux yeux. […] C'est une débauche d'esprit et de pinceau[90].» La critique va jusqu'à évoquer la démence : Ossian «…n'est autre chose que le fruit d'une imagination en délire ou plutôt ce n'est pas un tableau[91]…»

Tous les mouvements picturaux, tels le symbolisme et le surréalisme, qui pousseront la peinture au-delà des limites étroites du réel, dans les correspondances baudelairiennes entre l'image, le rêve et les sens, entre l'ineffable et la forme, se débattront dans ce même carcan dont l'éclatement fera progressivement exploser la figure en peinture.

Girodet avait déjà repoussé les frontières picturales du mythe et de l'onirisme dans son Endymion endormi qui reçoit la visite d'une Diane devenue immatérielle et où il brouillait l'objet du rêve avec le rêveur même. Avec Ossian, il entreprend une œuvre autrement ambitieuse que ni David ni l'époque ne pouvaient concevoir : la représentation de la matière même du rêve.

Girodet fut d'abord tenté par une idée plus didactique où le rêveur était montré rêvant, le réel et le songe clairement séparés. C'est ce que montre l'un des dessins préparatoires, où l'on voit Ossian endormi, couché sur le dos, rêvant, sa vision flottant au-dessus de lui comme le rêve de Jacob **(cat. 23)**.

Dans ses illustrations pour Racine ou dans Le Songe d'Énée que Girodet traita en dessin, en esquisse peinte et en gravure pour l'Énéide, le rêve suivant la tradition antique est prémonitoire, il ne fait que précéder la réalité. La vision d'Énée est un devenir réel : le sac que subira Troie. Dans son tableau Ossian, Girodet donne au rêve un tout autre statut situé hors du champ de l'imitation. Il invente «les lueurs météoriques qui n'ont ni la teinte des rayons du soleil, ni celle de la lune, ni celle des feux terrestres[92]». Il lui fallut inventer aussi des corps se distinguant de la substance qui les entoure et qui cependant les compose. Et puisque dans son tableau, les ombres des héros français sont reçus dans les palais aériens d'Ossian, il fallait faire des ombres reconnaissables, des portraits d'ombres. Sans jamais tomber dans les effets du fantastique macabre de La Ballade de Lénore[93] ou Des morts vont vite[94], mais plutôt comme Fantin-Latour dans ses compositions wagnériennes ou plus tard les surréalistes qui fixent les mouvances du rêve dans l'immobilité des images ou encore comme William Mumler qui photographiait les esprits[95], Girodet tente dans son tableau d'Ossian d'associer la logique de la représentation à l'illogisme des images du rêve.

Comme les surréalistes, il explore le monde des s[…]ges avec la figure et le dessin académique et s'eff[…] de transmettre le privilège de l'immatérialité d[…] littérature à la matérialité des images peintes.

La veine noire survécut avec Edgar Poe, Bau[…]laire ou Lautréamont. La psychanalyse et le surr[…]lisme ont reconnu aux obsessions de Sade et a[…] revenants gothiques l'ébranlement subversif de[…] raison et du moi. La mode d'Ossian, plus éphém[…] que ses brouillards, a disparu corps et biens. Elle[…] lettre morte pour les temps modernes. Il n'est gu[…] que Balzac[96] qui, dans son admiration pour Giro[…] évoque encore Ossian et ses héroïnes, «pâles et ab[…] données», ou ses «anglaises blanches pâles et chast[…] Le barde disparaîtra à jamais avec le romantisme[…] aurait pu lui donner une seconde vie. Il est suppla[…] par Shakespeare, Byron, Hugo et la prose mode[…] de Chateaubriand et de Walter Scott. En 1923, […] Morand, jeune auteur moderniste et voyageur, ca[…] térisait le Claudel de Connaissance de l'Est, d'Oss[…] chinois[97]. Le mot est fatal et ne pouvait guère re[…] guer plus cruellement aux oubliettes de la bizarre[…]

S. B

cat. 23 Le Songe d'Ossian
Crayon noir et rehauts de blanc sur papier calque avec bande
rapportée sur le haut et sur le bas, 44,6 x 35,2 cm
Collection particuière

Hist. Collection Becquerel
Bibl. Inédit

notes

ongrédien, *Jean-François Le Sueur*, 1980, t. II,
20.

aul van Tieghem, *Le Romantisme dans la littérature
péenne*, Paris, 1948.

Okun, « Ossian in painting », *Journal of the Warburg
Courtauld Institutes*, 1967, p. 327-356.

Graf von Baudissin, *George August Wallis*, Heidelberg,
, p. 13, cité dans Henry Okun, 1967, p. 330.

ettre à Erskine, 10 janvier 1762, « Vous sentirez en le
t que vous avez une âme » cité dans Paul van Tieghem,
an en France, 1967, t. I, p. 38-40.

erther, dans *Les Souffrances du jeune Werther* (Goethe,
; éd. Flammarion, 1999) préfère Ossian à Homère.

urgot traducteur d'Ossian, *Le Journal étranger*, Paris,
embre 1760.

me de Staël, *Corinne ou l'Italie*, Simone Balayé (ed.),
ction Folio, Paris, Gallimard, coll. « Folio », 1985,
7-238.

9. Black, *Macpherson's Ossian and the Ossianisme
Controversy. A contribution toward a Bibliography*, 1926,
p. 9 cité par Okun, *Journal…*, 1967, p. 330, n. 23. Ainsi
la sœur du peintre Amaury Duval se prénomme Malvina
et Oscar Wilde s'appelait en fait Oscar Fingal O'Flahertie
Wills Wilde.

10. Les poésies furent publiées d'abord anonymement
à Édimbourg en 1760 sous le titre *Fragments of Ancient
Poetry, Collected in the Highlands of Scotland and Translated
from the Gaelic or Erse language*, puis à Londres, en 1762,
*Fingal. An Ancient Epic Poem, in Six Books : Together
with Several Other Poems, Composed by Ossian the Son
of Fingal, Translated from the Gaelic Language, by James
Macpherson*, puis, *Temora, an Ancient Epic Poem in Eight
Books : Together with Several Other Poems, Composed
by Ossian the Son of Fingal, Translated from the Gaelic
Language, by James Macpherson*, Londres, 1763 et enfin
*The Works of Ossian the Son of Fingal, in Two Volumes,
Translated from the Gaelic Language by James Macpherson
to which is Subjoined a Critical Dissertation on the Poems
of Ossian by Hugh Blair, D.D.*, Londres, 1765.

11. A. Radcliffe (1746-1823), *Les Mystères d'Udolphe*,
1794.

12. M. Lewis (1715-1818), *Le Moine Ambrosio*, 1795.

13. H. Walpole (1717-1797), *Le château d'Otrante*, 1764.

14. Roger Caillois, *Anthologie du fantastique*, Paris,
Gallimard, 1966, p. 22. Je remercie vivement Annie Le Brun
qui a bien voulu m'indiquer la source de ce mot merveilleux
qu'elle avait cité dans sa conférence sur le roman noir, A. Le
Brun, « Un abîme dans le boudoir : le roman noir comme
lieu d'une crise décisive de la représentation » (10 février
1992), cycle de 12 conférences janv.-mars 1992, *Le
Romantisme noir*, Paris, musée du Louvre.

15. Tels que le docteur Hugh Blair (1718-1800), prêcheur et
professeur de rhétorique et de Belles- Lettres de l'Université
d'Édimbourg ou d'Adam Ferguson (1723-1816).

16. Jérôme Lorenzi, *Ossian de la mythologie à l'art*,
mémoire de maîtrise de lettres modernes, université de
Corte, 1996, p. 43-59.

17. Sur Macpherson et la controverse archéologique de
l'ossianisme, voir F. Black, « Macpherson's Ossian and
the Ossianisme Controversy. A contribution toward a
Bibliography », *Bulletin of the New York Public Library*,
1926, p. 1116 et suiv., Paul van Tieghem, *Ossian en
France*, Genève, 2 vol., 1967.

18. Okum, 1967, p. 327 ; Lorenzi, 1996, p. 80.

19. En Allemagne, où Ossian fut perçu comme une sorte
d'ancêtre, les premières traductions (J.A. Engelbrecht et
A. Wittenberg), datent de 1764. Goethe en 1771, traduit
les *Chants de Selma* et Ludwig Tieck publie des imitations
ossianiques en 1791. Au Danemark, autre nation qui voit
dans Ossian ses racines historiques, l'œuvre presque
complet de Macpherson est traduit entre 1790 et 1791.
En France, le phénomène est à peine plus tardif : après

les traductions précoces mais partielles de Turgot, Diderot (traduction des poèmes *Shilric* et *Vinvella*), Suard et l'abbé Arnaud (1768), c'est Pierre Le Tourneur qui traduira l'ensemble des poésies gaéliques de Macpherson en 1776-1777. En 1793, Chateaubriand, exilé à Londres entreprend la traduction de l'*Ossian* de Smith. Son *Atala* résulte d'une singulière combinaison de rousseauisme et de sauvagerie ossianique. En 1794, Amaury Duval écrit *La Nuit de Fingal*, imité d'Ossian En 1795, l'*Ossian* de Smith est traduit par David de Saint-Georges et Griffet-Labaume, sous le pseudonyme de Hill. Le théâtre popularise à Paris les mélodrames ossianiques : Arnault montre, en 1796, au théâtre de la République, une tragédie en cinq actes, *Oscar fils d'Ossian*. Deux ans plus tard, il compose un chant gallique *Oscar et Dermide*. Marie Joseph Chénier écrit en 1797 une adaptation en français des vers d'Ossian. En 1800, Creuzé de Lesser lit au Premier consul ses *Vers sur la Mythologie d'Ossian*. En 1801, Boaour Lormian adapte Le Tourneur en vers dans *Ossian, poésies Galliques*. Ducis, le traducteur de Shakespeare voit dans Malvina, la belle-fille d'Ossian, une Antigone du Nord.

20. Les académies royales avaient été abolies en août 1793. En 1795 fut créé l'Institut, réparti en trois classes : Première classe, sciences mathématique et physique ; Deuxième classe, sciences morales et politiques ; Troisième classe, littérature et beaux-arts.

21. Wilhelm von Humbolt, *Journal parisien (1797-1799)*, traduit de l'allemand par Elisabeth Beyer, Arles, 2001.

22. V. Hugo, « Les derniers Bardes », *Recueil de l'Académie des Jeux Floraux*, 1819, Toulouse, Dalle, 1819, p. XXXV-XLII.

23. É. Méhul (1763-1817), *Utahl*, 1806 : « Je vous dédie, mon cher Girodet, une faible esquisse de ces héros dont vous avez tracé les images immortelles. Le grand Fingal, ses fils, Gaul, Dermid, s'ils ont jamais existé, ressemblaient, sans doute, aux nobles caractères que vous avez créés. Ils devaient réunir aux proportions idéales des héros d'Homère, je ne sais quoi de sauvage et de barbare qu'on sent plus qu'on ne peut l'exprimer. Ce mélange de rudesse et de beauté, votre pinceau a su le rendre avec une perfection qui vous a valu la critique heureuse des envieux, et l'admiration de tous ceux qui peuvent admirer les grandes productions des Beaux-Arts. Vous savez que je vous aime autant que j'estime votre talent : ma dédicace est tout à la fois un hommage au peintre sublime des héros d'Ossian, et un témoignage d'attachement que je donne à mon ami » (Marie-Claire Le Moigne-Mussat, « Méhul », in *Dictionnaire Napoléon*, op. cit., t. 2 p. 297).

24. J.-F. Le Sueur (1760-1837), *Les Bardes*, 1804.

25. *Mémoires de Madame la duchesse d'Abrantès ou Souvenirs historiques sur Napoléon, la Révolution, le Directoire, le Consulat, l'Empire et la Retauration*, Paris, Ladvocat, tome sixième, 1832, p. 274-275. : « Certes, je montre bien que je suis sans prévention pour le temps de ma jeunesse, mais je dois avouer que je n'ai rien vu qui m'ait fait tant d'impression que la magnifique décoration des Bardes, pour la scène du songe. Cette immensité qui se déployait devant le spectateur, le mettait en face de l'un de ces rêves fantastiques que cette poésie d'Ossian, alors si en vogue, nous donnait le désir de connaître. On se trouvait au milieu d'un monde nuageux, entouré de vapeurs qui entouraient elles-mêmes des palais d'or suspendus dans les airs. Ces colonnes brillantes servant d'appui à des groupes de jeunes filles, dont les voiles blancs, les blondes chevelures, se mariaient au vaporeux des nuages ; cette admirable musique de Lesueur, dont le genre était parfaitement adapté à l'objet de la scène ; ces sons venant d'en haut, comme si en effet ils fussent venus du ciel ; cette voix admirablement pure de Madame Branchu, qui se faisait entendre du palais le plus élevé dans les airs ; tout enfin dans cette scène, que je n'ai vue remplacée par rien à l'Opéra, m'a fait une impression que les longues années qui se sont écoulées depuis cette époque n'ont pas même altérée : parce que, pour une scène d'opéra, comme pour une chose plus sérieuse, ce qui est réellement beau ne s'efface jamais de la pensée. »

26. Les Danois Nicolaï Abraham Abildgaard (743-1809), son élève Asmus Jacob Carstens (1754-1798) et les Allemands Philipp Otto Runge (1777-1810), Joseph Anton Koch (1768-1839), Johann Christian Reinhart (1761-1847), Johann Christian Ruhl (1764-1842) et plus tardivement Johann Anton Rambaux (1790-1866) traitent le sujet en peinture, en dessin et en gravure. L'inspiration de ces artistes, confrontés pour les plus précoces, tel Abildgaard, au cercle de Füssli à Rome, ou précurseurs des Nazaréens allemands tels Koch et Carstens, montre une curiosité quelquefois proche de certains dessins ossianiques de Gros et de Girodet, sans qu'il soit jamais possible d'établir un lien autre que la recherche d'une sensibilité nordique et une commune culture classique entre ces artistes et leurs œuvres.

27. Fontaine, *Journal…*, 1987, t. I, p. 7. Joséphine avait épousé Bonaparte en 1796.

28. *Ibidem*, p. 12.

29. Arrêté des Consuls date du 26 nivose an IX (16 janvier 1801), AN AF IV 27, plaquette 159. Voir Fontaine, *ibidem*, p. 19.

30. Fontaine, *Ibidem*, p. 13.

31. 2 juillet 1800.

32. Fontaine, *Journal…*, 1987, t. I, p. 13.

33. Le traité de Lunéville (9 février 1801) confirme les cessions de territoires faites à Campoformio après les batailles de Marengo (14 juin 1800), d'Hohenlinden (3 décembre 1800). Ce traité retire les provinces italiennes, sauf Venise, à la domination autrichienne. Sont créés sur le modèle français les Républiques batave, helvétique et ligurienne. Modène est rattaché à la République Cisalpine. Est aussi créé, à partir du grand-duché de Toscane enlevé à l'archiduc Ferdinand d'Autriche, un royaume à consonance antique, le royaume d'Étrurie, destiné à Louis de Bourbon héritier du duché de Parme.

34. Fontaine, 1987, p. 26.

35. Préparé par une demi-douzaine d'émigrés rentrés en France, groupés autour du comte d'Artois, réfugié en Angleterre, cet attentat qui fit exploser une machine infernale dans la rue Saint-Nicaise, fit 22 morts et cinquante-six blessés. Deux des auteurs furent arrêtés et guillotinés en janvier 1801, Carbon et Saint-Réjant. Bonaparte fit aussi déporter 130 jacobins qu'il accusa de l'attentat malgré les résultats contraires de l'enquête de Fouché.

36. Pérignon, 1825, n° 60, coll. part.

37. Coupin, 1829, t. I, p. ixx : « 1801. Sujet allégorique, puisé dans l'événement du 3 nivose, Le premier consul est représenté sous les traits d'un Hercule, terrassant un monstre qui vomit des feux. Composition très énergique, que Girodet se proposait d'exécuter pour la Malmaison : il en fut détourné par M. Percier, et il fit l'Ossian. Appartient à M. Bertin-Devaux ».

38. Coupin, 1829, t. I, p. xv-xvi.

39. Il est vrai que sa rivalité avec Gérard devint l'une des grandes obsessions de sa vie. Voir à ce sujet Louis-François Bertin (dit Bertin l'aîné) à François Xavier Fabre, Paris, 15 septembre 1821 in Léon-Gabriel Pélissier, « Les correspondants du peintre Fabre (1808-1834) », *Nouvelle Revue rétrospective*, janvier-juin 1896, p. 17-18, 20.

40. L'Académie celtique, fondée le 9 germinal an XII (30 mars 1801), se donne pour tâche de « retrouver le passé de la France, recueillir les vestiges archéologique, linguistique et coutumier de l'ancienne civilisation gauloise ». En 1813, l'académie, qui existe encore de nos jours, devient la Société des Antiquaires de France.

41. Commandé par Miollis, gouverneur de Rome, *Le Songe d'Ossian*, 1812, de Jean Auguste Dominique Ingres, Montauban, musée Ingres.

42. Bellenger, *La Légende d'Ossian illustrée par Girodet*, 1989, musée de Montargis.

43. *Explication des ouvrages de peinture et dessins, sculpture, architecture et gravure des artistes vivans, exposés au Muséum central des Arts d'après l'Arrêté du Ministre de l'Intérieur, le 15 Fructidor, an X de la République française*, Paris, an X de la République, p. 106, troisième supplément, n° 907.

44. Coupin, 1829, t. II, p. 287:
« Général,
J'ai essayé de tracer *L'apothéose des héros* que la France regrette ; j'en offre le tableau au héros qui la console et qui les honorait eux-mêmes de son estime et de [...] amitié. Dans cet ouvrage, fruit d'un travail long et pé[...] l'importance de mon sujet m'a fait oublier que je m[...] chargé de peindre pour la Malmaison qu'un ta[...] d'agrément. Les architectes que vous honorez de [...] confiance ont pensé que l'effet de celui que je vien[...] terminer serait détruit dans le lieu qui lui était ass[...] cependant ils l'y placeront provisoirement, si vo[...] désirez, dès qu'il pourra être transporté sans dange[...] m'occupe en ce moment, d'après l'intention de ces art[...] d'en peindre un autre dont la pensée et l'effet, plus sim[...] atteindront leur but. Encouragé par les jugements[...] les maîtres de l'art, et surtout celui dans 1'ecole cé[...] duquel j'ai autrefois étudié, ont portés sur mon table[...] regarderais comme la récompense la plus glorieuse[...] le héros qui m'en a inspiré la conception, voulût bie[...] accepter l'hommage, et qu'il daignât y jeter un coup [...] d'indulgence et d'encouragement, dans l'atelier même[...] a été conçu et achevé.
Daignez, général, accueillir avec bienveillance ce de[...] vœu que j'ai osé former, et agréer, etc.

45. *Journal des débats*, 2 messidor de l'an X, coll. Deloy[...] t. XXVIII, p. 286.

46. Michel, 1999, p. 94.

47. C'est ainsi que Délecluze se nomme dans [...] mémoires.

48. Délécluze, 1855, p. 265-266.

49. Coupin, 1829, t. II, p. 287-288, lettre du 6 messid[...] l'an X (26 juin 1802).

50. « Suite de l'examen des tableaux exposés au Sal[...] *Journal des arts, des sciences et de littérature*, [...] Deloynes, t. XXIX, n° 782, p. 77.

51. Qui ouvre le 15 fructidor de l'an X (2 septembre 18[...]

52. *Explication des ouvrages […] Paris, an X d[...] République.* p. 106, troisième supplément, n° [...] collection particulière, Paris ; le comte de Rumford (1[...] 1813), né dans le Massachusetts, combat dans l'a[...] anglaise pendant la guerre d'Indépendance améric[...] Plus tard, il devient pendant onze ans ministre de la G[...] de Maximillien de Bavière. En 1802, il se rend à Paris [...] épouse la veuve de Lavoisier. Coupin, 1829, t. I, ixj, [...] par erreur ce portrait en 1812.

53. *Explication des ouvrages […] Paris, an X [...] République*, p. 106, troisième supplément, n° [...] localisation inconnue. Robert Hobert, 4th Ear[...] Buckinghamshire (1760-1816) fut secrétaire de la G[...] et des Colonies de mars 1801 à mars 1804.

54. Jean-Baptiste Boutard, *Journal des débats*, Salo[...] l'an X, coll. Deloyne, p. 756.

55. « Suite de l'examen des tableaux exposés au Sal[...] *Journal des arts, des sciences et de littérature*, [...] Deloynes, t. XXIX, n° 782, p. 80.

.a paix d'Amiens, 25 mars 1802 ouvrait le continent
Anglais et rétablissait les relations de la France avec
.eterre.

.ournal des arts…, coll. Deloynes, t. XXIX, n° 782, p. 80.

Coupin, 1829, t. II, p. 281.

.a Décade philosophique, coll. Deloynes, t. XXIX,
6-728, et 748-757.

Coupin, 1829, t. II. p. 295.

.ernardin de Saint-Pierre, éditions Firmin-Didot, Paris,
., p. xxxvii.

.. Levitine, 1956, p. 51-52.

.. Levitine, « L'aigle épouvanté de l'"Ossian" de Girodet
gle effrayé du mausolée de Turenne », GBA, nov.-déc.
., p. 319-322.

.evitine, 1956, p. 47, ajoute : « Il est significatif que,
i les généraux, Girodet ait donné la première place
saix et à Kleber, rappelant Marengo et la campagne
vpte et que, parmi les soldats, il ait particulièrement
igué un canonnier – l'artillerie étant l'arme d'origine de
.parte – portant un toast à son général et brandissant
.hapeau auquel est attachée une pipe ornée du profil
.é de Napoléon. »

.. Aragon, Digraphe, n° 13, déc. 1977 (rééd. Europe,
.éro spécial « Picasso », 1949).

.at. 51.

.at. 55

.H. Lemonnier, Girodet et les héros d'Ossian, Paris,
., p. 10-11.

.at. exp. Ossian, Paris, Grand Palais, RMN, 1974,
., 86, 87.

.ragon, Diagraphe, 1949, p. 201-209.

.oir David Chanteranne, Le Sacre de Napoléon, Paris,
.ndier, 2004.

.Gérard peint plusieurs répétitions avec variantes de
.ableau. Napoléon aurait offert celui de Malmaison
.rnadotte après son élection au trône de Suède. Ce
.au aurait été perdu en mer lors de son transport vers
.kholm. Une réplique à la Kunsthalle de Hambourg
.ute à une version détruite à Potsdam en 1945 et à la
.on que le château de Malmaison achète en 1967. Est-ce
.riginal disparu en mer ou une quatrième répétition faite
. Eugène de Beauharnais ? Aucune source d'archives ne
.rme sûrement le statut des deux Ossian subsistant de
.rd. Voir Gérard Hubert, « L'Ossian de François Gérard
.s variantes », La Revue du Louvre et des musées de
.ce, 1967, n° 4-5.

.Journal des bâtiments civils, des monuments et des
. coll. Deloynes, t. XXVIII, p. 277. La presse a répandu
.c'était celui de Girodet qui était parti, pour être gravé
.des Anglais ou pour être vendu à l'étranger. Compte
. du message politique patriotique de la peinture,
.ire eut une certaine importance, plusieurs journaux

s'en faisant l'écho et Girodet s'en explique dans une lettre à
Bonaparte (Coupin, 1829, t. II, p. 296).

74. Journal des débats, 1802, 2 messidor de l'an X, coll.
Deloynes, t. XXVIII, p. 286- 288.

75. « Tableau de Girodet, un mot en passant, sur deux mots
du feuilleton du feuilleton des Débats », Journal des arts, des
sciences et de la littérature, coll. Deloynes, t. XXVIII, p. 301-
303.

76. Journal des Débats, 14 prairial, an X, coll. Deloynes,
t. XXVIII, n° 759, p. 281-285 ; 2 messidor, an X, coll.
Deloynes, n° 760, p. 285-297 ; et Salon de l'an X ; coll.
Deloynes, n° 778 p. 748-756.

77. Anon., « Salon de l'an X » Le Publiciste, coll. Deloynes,
t. XXIX, p. 649-665.

78. Anon., « variétés ; tableau de Girodet » La Décade
philosophique, coll. Deloynes, t. XXIX, p. 726-757 : « […]
veut s'affranchir de [l'] autorité, [de la Nature] s'égare et se
perd, [et] toutes les fois qu'elle lui fait une infidélité, enfante
des monstruosités. »

79. Ibidem.

80. Ibidem.

81. Arlequin au Museum ou revue générale et critique en
Vaudeville des tableaux exposés au Salon de l'an XI, Paris,
1802, coll. Deloynes, t. XXVIII, n° 76, p. 411-412.

82. Ibidem.

83. Anon., Revue du Salon de l'an X ou examen critique
de tous les tableaux qui ont été exposés au Muséum,
Paris, an X, 1802, coll. Deloynes, t. XXVIII, n° 769,
p. 183-184.

84. Coupin, 1829, t. II, p. 277-278.

85. A. Quatremère de Quincy, Éloge historique de
M. Girodet…, 1834, p. 316.

86. Collection de têtes d'étude d'après le tableau peint en
1801 par Girodet Trioson, Membre de l'Institut, Représentant
les ombres des Héros Français reçus dans les palais aériens
d'Ossian, lithographiées sous sa direction par Aubri-Lecomte,
son élève. A Paris, 1822. voir Bellenger, 1989, p. 66-100.

87. Emmanuel de Swedenborg (1688-1772), scientifique,
théologien et visionnaire fut immensément populaire dans
toute l'Europe, surtout l'Angleterre, les pays du Nord et les
États-Unis. En 1875, Larousse lui donne encore un demi-
million de disciples dans le monde.

88. H.W. Janson, « Psyche in Stone, The Influence of
Swedenborg in Funerary Art », in Emmanuel Swedenborg
a Continuing Vision, Swedenborg foundation, New York
1998, p. 116-126.

89. Coupin, 1829, t. I, p. 290, note en bas de page.

90. Anon, « Salon de l'an X », Le Publiciste, coll. Deloynes,
t. XXIX, p. 663.

91. Anon., Revue du Salon de l'an X ou examen critique de
tous les tableaux qui ont été exposés au Muséum, Paris, an
X, 1802, coll. Deloynes, t. XXVIII, n° 769, p. 184.

92. Coupin, 1829, t. II, p. 280.

93. Tableau (1839) d'Horace Vernet, d'après le poème de
Gottfried Bürger (1747-1794), Nantes, musée des Beaux-
Arts.

94. Tableau d'Ary Scheffer (1830), Lille, musée des Beaux-
Arts.

95. Voir Le Troisième Œil. La photographie et l'occulte,
Paris, Gallimard, 2004, p. 26-27.

96. Balzac, Scènes de la vie privée, Le Bal de Sceaux,
Béatrix (Paris, 1835), Les Études philosophiques, La Peau
de chagrin (Paris, 1831).

97. P. Morand, Fermé la nuit, Paris, La Nouvelle Revue
française, 1923.

cat. 25 Le Chant d'Evirallina à la fête de Selma

Pierre noire, lavis gris et brun, rehauts de blanc, plume, crayon,
20,8 x 25,5 cm
Inscription en bas à droite : *4*
Montargis, musée Girodet, inv. 71-17,

Hist. Coll. Becquerel ; acquis par le musée en 1971.
Exp. 1972, Londres, n° 621 ; 1974, Paris, n° 84 (repr.) ; 1974, Hambourg
(Ossian), n° 94 (repr.) ; 1975, Paris, n° 66 (repr.) ; 1975, Copenhague, n° 49
(repr.) ; 1980, Paris, n° 97 ; 1983, Montargis, n° 45 (repr.) ; 1989, Montargis,
Boulogne-Billancourt, n° 16 (repr.) ; 2003, Nouvelle-Orléans, n° 127
(repr.).
Bibl. Porée, 1907, p. 285 ; Pruvost-Auzas, Ternois, 1973, p. 268 (repr.
ill. 3) ; Vaisse, 1974, p. 82 ; Joannides, Sells, 1974, p. 361 ; Bernier, 1975,
p. 65–66 ; Rubin, 1979, p. 720 (repr. ill. 45).

cat. 27 Fingal devant le cadavre de Fillan

Pierre noire, lavis gris et brun, rehauts de blanc, plume, cray
22,5 x 18,5 cm
Montargis, musée Girodet, inv. 71-14

Hist. Coll. Becquerel ; acquis par le musée en 1971.
Exp. 1974, Paris, n° 87 (repr.) ; 1974, Hambourg, n°
(repr.) ; 1983, Montargis, n° 47 (repr.) ; 1993-1994, Los Ang
Philadelphie, Minneapolis, n° 58, p. 221 ; 1989, Monta
Boulogne-Billancourt, n° 6 (repr.) ; 2003, Nouvelle-Orlé
n° 127 (repr.).
Bibl. Porée, 1907, p. 285 ; Vaisse, 1974, p. 82 ; Joannides, S
1974, p. 361 ; Bernier, 1975, p. 65–66 (repr. p. 69) ; Rubin, 19
p. 720 (repr. fig. 52).

**at. 26 Les Ombres d'Evirallina
et d'Oscar glissant dans le vent du soir**

re noire, lavis brun et noir, rehauts de blanc,
x 17,7 cm
targis, musée Girodet, inv. 71.15

Coll. Becquerel ; acquis par le musée en 1971.
1974, Paris, n° 90 (repr.) ; 1974, Hambourg, n° 104 (repr.) ;
, Paris, n° 67 (repr.) ; 1975, Copenhague, n° 50 (repr.) ;
, Montargis, n° 46 (repr.) ; 1989, Montargis, Boulogne-
ncourt, n° 9 (repr.) ; 1993-1994, Los Angeles, Philadelphie,
neapolis, n° 57, p. 220 ; 2002-2003, Daoulas, p. 59 (repr.).

Porée, 1907, p. 285 («plusieurs compositions ossianiques») ;
ost-Auzas, Ternois, 1973, p. 265 (repr.) ; Toussaint, 1974,
Vaisse, 1974, p. 82 ; Joannides, Sells, 1974, p. 361 ; Bernier,
, p. 65-66, repr. p. 97 ; Rubin, 1979, p. 720.

Dessins ossianiques

Les dessins au lavis inspirés de thèmes ossianiques forment un ensemble cohérent dans l'œuvre de Girodet, comme les spécialistes s'accordent à le souligner depuis la réapparition des œuvres en 1971, lorsque le musée de Montargis en a acquis huit auprès de la famille Becquerel[1]. Le grand tableau *L'Apothéose des héros français* **(cat. 21)**, commandé par Bonaparte en 1800, est l'une des principales peintures européennes attestant la vogue des poèmes d'Ossian, qui a touché tous les arts. Contrairement au tableau, qui mêle l'histoire récente à la poésie dans une allégorie éminemment originale, la suite de dessins illustre des passages bien précis des poèmes[2]. Girodet l'a vraisemblablement commencée en Italie, mais il a sans doute continué à y travailler jusqu'aux années 1810, en utilisant quasiment les mêmes formats, techniques et tonalités générales.

Les dates exactes des feuilles sont difficiles à déterminer. Daniel Ternois et Jacqueline Pruvost-Auzas les situent vers 1797-1799, à une époque où sont parues différentes éditions des poèmes[3]. Hélène Toussaint et Jean Lacambre les rattachent à une période plus tardive dans la carrière de Girodet, en se fondant sur des considérations de style difficiles à défendre aujourd'hui[4]. James Henry Rubin et Paul Joannides, notamment, ont mis en lumière la double influence de John Flaxman et de Henri Füssli sur la suite de dessins[5]. La publication en 1793 des illustrations de Flaxman pour l'*Odyssée* d'Homère, gravées par Tommaso Piroli, fournit un point de départ chronologique à Rubin, qui propose de situer les dessins de Girodet entre 1793 et 1795[6]. Il est le premier à avoir établi un rapprochement avec un manuscrit de 1819 où Girodet affirme avoir dessiné « plusieurs compositions ossianiques » lors de son séjour à Gênes en 1795, ajoutant que « M. Gros, son ancien camarade » se rappelle ces œuvres[7]. En fait, les choses sont encore plus compliquées, parce que Girodet a inscrit la date « 25 thermidor an VII » au dos de l'une des feuilles **(cat. 27)**. Il aurait donc exécuté au moins ce dessin-là en 1799 ou après, car on voit mal pourquoi il aurait noté au verso d'un dessin des indications sans aucun rapport avec le recto[8]. De plus, Girodet a copié dans un carnet des passages des poèmes d'Ossian extraits de l'édition augmentée parue en 1810, révélant par là qu'il a continué à s'y intéresser pendant près de vingt ans[9].

Lesquels de ces dessins remontent au séjour de Girodet en Italie ? C'est difficile à dire en toute certitude, même s'il est indéniable que les œuvres de Flaxman et de Füssli ont fourni l'impulsion initiale. Girodet a fait la connaissance de Flaxman à Rome à l'époque où il travaillait au tableau du *Sommeil*

cat. 28 La Mort d'Ossian

Pierre noire, lavis gris et brun, rehauts de blanc, plume, cr[…]
21 x 24,9 cm
Inscription en bas au milieu : *11 p.* ; à droite : *9 p.*
Montargis, musée Girodet, inv. 71-16

Hist. Coll. Becquerel ; acquis par le musée en 1971.
Exp. 1974, Paris, n° 88 (repr.) ; Hambourg, 1974, n° 106 (re[…]
1983, Montargis, n° 50 (repr.) ; 1989, Montargis, Boulo[…]
Billancourt, n° 4 (repr.) ; 2003, Nouvelle-Orléans, n°[…]
(repr.).
Bibl. Porée, 1907, p. 285 ; Pruvost-Auzas, Ternois, 1973, p[…]
(repr. ill. 9) ; Vaisse, 1974, p. 82 ; Joannides, Sells, 1974, p.[…]
Bernier, 1975, p. 65–66 (repr. p. 71) ; Rubin, 1979, p. 720[…]
pl. 42).

d'Endymion [10]. Füssli, de vingt-cinq ans son aîné, avait quitté l'Italie depuis douze ans, mais son nouveau style de dessins avait marqué profondément la communauté internationale d'artistes actifs à Rome dans les années 1770 [11]. Étant donné les brassages qui s'opéraient dans ce milieu artistique (les cours de l'Académie de France à Rome et de l'Accademia del Nudo étaient ouverts à tous sans distinction de nationalité, par exemple), quand Girodet est arrivé en Italie, il a sûrement vu des dessins de Füssli et de son entourage [12].

La technique adoptée par Girodet convient bien aux thèmes ossianiques. Les personnages se rencontrent dans des paysages baignés par le clair de lune ou dans des palais célestes éclairés par les astres, et sur chaque décor planent les forces élémentaires du vent, de l'eau et des nuages. Les poèmes évoquent souvent les mouvements de l'air, de la lumière et de la brume, autant de substances éphémères qui accompagnent l'interpénétration du royaume des mortels avec celui des immortels, les rencontres entre vivants et morts, et le passage de la matérialité terrestre à l'immatérialité céleste. Girodet, une fois séduit par cette source d'inspiration, pouvait prendre exemple sur Fuseli, dont l'iconographie novatrice déployait un univers de fantômes, songes, visions et productions mentales nourries de créations littéraires diverses. Füssli, dans la lignée de Michel-Ange, recourt aux déformations anatomiques, aux allongements et aux exagérations expressives, encore renforcés par les raccourcis perspectifs et le point de vue très bas. Comme Flaxman, il accorde une place prépondérante au dessin des con-

tours, dans un espace aplati qui reflète sa fréquentation des œuvres antiques [13]. Ses lavis d'encre d'intensité variable produisent un effet d'ensemble dont va s'inspirer Girodet. Les dessins au trait de Flaxman d'après Homère et Eschyle, publiés dans les années 1790 [14], vont influencer aussi ses compositions, en particulier les personnages étroitement imbriqués dont la superposition structure l'espace comme dans un bas-relief **(cat. 25, 26, 30)**. James Henry Rubin discerne des emprunts à Füssli et à Flaxman dans plusieurs dessins ossianiques de Girodet [15], mais à y regarder de plus près, on s'aperçoit qu'il a synthétisé en fait plusieurs aspects des œuvres de ces deux artistes. Les planches 10 et 16 de l'*Iliade* illustrée par Flaxman, avec leurs personnages étirés, mus par un élan oblique sur fond d'étoiles et de nuages, ont peut-être inspiré directement *L'ombre de Malvina parvient au palais aérien de Fingal* **(cat. 30)**, mais on ne peut pas parler d'emprunt direct (pas plus que pour *Le Serment des sept chefs de Thèbes* **(cat. 100)**, sans doute inspiré d'une illustration de Flaxman d'après Eschyle, **ill. 286**).

En tout cas, la technique de Girodet diffère sensiblement de celles de Flaxman et de Füssli. La superposition délicate des lavis d'encre crée des modulations subtiles, alors que Füssli fait contraster vigoureusement les lavis sombres sur le papier clair. Girodet associe le noir et le brun et ajoute parfois une nuance rosée pour un léger effet coloriste. Le tracé à la pierre noire, rectifié à certains endroits, épaissi à d'autres, donne une matière veloutée totalement étrangère à l'esthétique de Füssli comme à celle de Flaxman. Ce qui frappe surtout, c'est l'abondance des rehauts de

gouache blanche, particulièrement convaincants l[…] qu'ils sont dilués pour transcrire l'aspect vaporeu[…] la brume et des nuages au clair de lune **(cat. 25, 26** Le blanc sert aussi à dématérialiser symboliquem[…] les ombres fantomatiques, les silhouettes des mor[…] les apparitions caractéristiques des poèmes d'Os[…] Les «personnages de cristal [16]» brocardés par D[…] dans *Ossian et ses guerriers* ont leur équivalent dan[…] dessins, où l'artiste s'est efforcé de représenter c[…] crètement l'univers de l'immatériel et du spiritu[…]

Quand on mesure à quel point la techni[…] s'adapte au sujet, la question des dates devient m[…] déroutante. Comme Girodet l'explique dans son […] nuscrit de 1819, il a commencé la suite de des[…] ossianiques avant 1795, et continué à s'intéresser [...] thème bien après son retour à Paris et sa comma[…] d'*Ossian et ses guerriers*. Les recherches sur les e[…] lunaires et sur les déformations maniéristes des [...] sonnages sous-tendent *Le Sommeil d'Endymion*. A[…] ne doit-on pas s'étonner de découvrir des élém[…] analogues dans les dessins exécutés vers la même é[…] que. Girodet modifie sa technique en fonction [...] nature et de la destination des œuvres. Il a égalem[…] commencé en Italie et achevé à Paris les illustra[…] réalisées pour Firmin Didot, dans un style beauc[…] plus graphique et nerveux **(cat. 110-118)**. Si l'a[…] les compare à juste titre à la peinture d'histoire [...] pourrait dire que les dessins ossianiques s'appare[…] à des esquisses à l'huile [17], par leurs effets de ma[…] conçus pour restituer l'atmosphère des poèmes. [...] n'a jamais su au juste à quoi étaient destinés ces [...] sins. L'un des sujets **(cat. 29)** a été lithographié en 1[…]

at. 29 Le Chant d'Armin pleurant ses enfants

s gris, rehauts de blanc, plume, crayon, 15,3 x 21 cm
ntargis, **musée Girodet**, inv. 71.13

Coll. Becquerel; acquis par le musée en 1971.

1974, Paris, n° 85 (repr.); 1974, Hambourg; 1983,
targis, n° 44 (repr.); 1989, Montargis, Boulogne-
ncourt, n° 14 (repr.).

Porée, 1907, p. 285; Levitine, 1965, p. 236 (repr. p. 239);
naissance des Arts, février 1974, n° 264, p. 84 (repr.); Vaisse,
, p. 82; Joannides, Sells, 1974, p. 361; Bernier, 1975, p. 65-
repr. p. 72); Rubin, 1979, p. 720; Lafont, 2001, t. II, n° 101.

res en rapport

in pleurant ses enfants, crayon noir, lavis d'encre de Chine,
uts de gouache blanche. 15 x 21 cm, Montargis, musée
det, inv. 71-13. Deuxième version du sujet.
in pleurant ses enfants, pierre noire, lavis brun et noir, rehauts
lanc, 21,9 x 25,4 cm, Allemagne, marché de l'art. [ill. 165].
ographie inversée anonyme portant en lettre le
ogramme «G.T» et la date «1817».

on a pu invoquer cet argument à l'appui d'une
tion relativement tardive des feuilles [18]. Sachant
Girodet a commencé les dessins ossianiques à
moment où la lithographie n'était pas encore un
cédé répandu en France, on en déduit qu'il n'avait
l'intention de les publier sous cette forme, même
a souhaité le faire par la suite. Et s'il s'agissait d'il-
rations pour une édition d'Ossian, leur facture
e aurait obligé le graveur à les réinterpréter dans
large mesure, contrairement à la démarche adop-
habituellement par Girodet pour ses illustrations
ivres. Il semble plus probable que sa motivation
venue uniquement de son attirance pour le sujet
ue Pierre Alexandre Coupin ait raison de parler
dessins terminés [19]».

C. F.

Ill. 165 Girodet, *Le Chant d'Armin pleurant ses enfants*
Dessin, coll. part.

cat. 30 L'ombre de Malvina parvient au palais aérien de Fingal

Pierre noire, lavis gris et brun, rehauts de blanc, plume, cray
18,7 x 25,2 cm
Montargis, musée Girodet, inv. 71-20

Hist. Coll. Becquerel ; acquis par le musée en 1971.
Exp. 1974, Paris, n° 89 (repr.) ; 1974, Hambourg, n° 103 (rep
1980-1981, Sydney, Melbourne, n° 67 (repr.) ; 1983, Monta
n° 49 (repr.) ; 1989, Montargis, Boulogne-Billancourt,
(repr.) ; 2002-2003, Daoulas, p. 56 (repr.).
Bibl. Porée, 1907, p. 285 ; Auzas-Ternois, 1973, p. 268 (r
Ill. 7) ; Vaisse, 1974, p. 82 ; Joannides, Sells, 1974, p. 361 ; Ber
1975, p. 65-66 ; Rubin, 1979, p. 720.

Œuvres en rapport
L'ombre de Malvina rejoint celle de son père Toscar, 1816, fus
estompe avec rehauts de blanc, 31 x 24 cm, Amsterd
Rijksmuseum.

cat. 31 Erath, Daura et Arindal

Pierre noire, lavis de sépia et rehauts de blanc sur papier
20,5 x 29,3 cm
Collection particulière

Hist. Coll. Becquerel.
Exp. 1974, Hambourg, p. 118, n° 96 ; 1988-1989, Monta
Boulogne-Billancourt, p. 42-43, n° 13.

cat. 32 Le Songe de Connal

Pierre noire, lavis gris et brun, rehauts de blanc, plume, cray
18,5 x 24,8 cm
Montargis, musée Girodet, inv. 71-18

Hist. Coll. Becquerel ; acquis par le musée en 1971.
Exp. 1974, Paris, n° 83 (repr.) ; 1974, Hambourg, n° 94 (re
1980-1981, Sydney, Melbourne, n° 66 (repr.) ; 1983, Monta
n° 43 (repr.) ; 1989, Montargis, Boulogne-Billancourt, n°
(repr.).
Bibl. Porée, 1907, p. 285 ; Pruvost-Auzas, Ternois, 1973, p. 2
265 (repr. ill. 8) ; Vaisse, 1974, p. 82 ; Joannides, Sells, 1974, p.
Bernier, 1975, p. 65-66 ; Rubin, 1979, p. 720 (repr. ill.
Lafont, 2001, n° 100.

cat. 33 Les ombres entraînent Oscar au palais de Trenmor

Pierre noire, plume et encre brune, lavis de sépia et rehaut
blanc, 18 x 23 cm
Collection particulière

Hist. Famille Becquerel.
Exp. 1974, Hambourg, p. 119, n° 98 (repr.) ; 1989, Monta
Boulogne-Billancourt, n° 3, p. 22, 23 (repr.).

notes

1. Jacqueline Pruvost-Auzas et Daniel Ternois les ont publiés en 1973 dans la *Revue du Louvre*. Pierre Alexandre Coupin regroupe sous la rubrique Ossian « seize compositions, dessins terminés. Appartiennent à M. Châtillon » (Coupin, 1829, t. I, p. lxxviij). Le catalogue de la vente posthume répertorie quatre compositions et six feuilles de croquis sur des thèmes ossianiques, ainsi que des « premières pensées pour les poésies d'Ossian ».

2. Sylvain Bellenger a identifié les sujets dans le catalogue de l'exposition à Montargis et Boulogne-Billancourt, 1988. Nous reprenons ici ses identifications. Voir également Paul Joannides et Christopher Sells, « Ossian at the Grand Palais », *Burlington Magazine*, juin 1974, p. 361.

3. Pruvost-Auzas, Ternois, « Dessins de Girodet à sujets ossianiques », *La Revue du Louvre et des musées de France*, n° 4-5, 1973, p. 264 et 268.

4. Hélène Toussaint, cat. exp. *Ossian*, Paris, 1974, p. 90 ; et Jean Lacambre, cat. exp. *Le Néo-classicisme français...*, Paris, 1974-1975, cat. 66, p. 72.

5. James Henry Rubin, « Gros and Girodet », *Burlington Magazine*, n° 121, nov. 1979, p. 716-721 ; et Paul Joannides, « Some English Themes in the Early Work of Gros », *Burlington Magazine*, n° 117, déc. 1975, p. 774-785. Hélène Toussaint signale également les affinités avec Fuseli dans cat. exp. *Ossian*, 1974, p. 91.

6. Rubin, « Gros and Girodet », *loc. cit.*, p. 720.

7. *Ibidem*. Le manuscrit de Girodet est un plaidoyer *pro domo*, où il récuse les accusations de plagiat portées à son encontre. Ce texte a été publié par Alexandre Porée, « Quelques lettres de peintres français », *La Correspondance historique et archéologique*, sept.-oct. 1907, p. 285.

8. Le verso de la feuille est reproduit par Jacqueline Boutet-Loyer dans cat. exp. *Girodet, dessins du musée*, Montargis, musée Girodet, 1983, cat. 47, où il est écrit par erreur que la date inscrite correspond à l'année 1789.

9. Jacqueline Boutet-Loyer publie ces passages dans la présentation générale des cat. 43 à 50.

10. Ada Shadmi Banks, « Two Letters from Girodet to Flaxman », *Art Bulletin*, vol. LXI, mars 1979, p. 100-101.

11. Nancy L. Pressly, cat. exp., *The Fuseli Circle in Rome : Early Romantic Art of the 1770s*, New Haven, Yale Center for British Art, 1979.

12. Rubin, « Gros and Girodet », *loc. cit.*, avance l'hypothèse plausible que Gros a connu par Girodet les œuvres de Füssli, qu'il a copiées. Joannides, « Some English Themes in the Early Work of Gros », *loc. cit.*, p. 778, est le premier à avoir identifié une copie du tableau de Füssli, *Ezzelin Bracciaferro* dans le carnet italien de Gros. Sur les échanges entre artistes à Rome, voir M. F. MacDonald, « British Artists at the Accademia del nudo in Rome : Academies of Art between Renaissance and Romanticism », *Leids Kunsthistorische Jaarboek*, n° 5-6, 1986-1987, paru en 1989.

13. Pressly, *The Fuseli Circle in Rome...*, p. vii.

14. *L'Odyssée d'Homère gravée par Thomas Piroli d'après les dessins composés par John Flaxman sculpteur à Rome*, s.l.n.d. [Rome, 1793 ?] ; *L'Iliade d'Homère gravée par Thomas Piroli d'après les dessins composés par John Flaxman sculpteur à Rome*, s.l.n.d. [Rome, 1795 ?] ; *The Odyssey of Homer Engraved by Thomas Piroli from the Compositions of John Flaxman*, Londres, 1793 ; *The Iliad of Homer Engraved by Thomas Piroli from the Compositions of John Flaxman*, Londres, 1795 ; et *Compositions from the Tragedies of Aeschylus designed by John Flaxman, Engraved by Thomas Piroli*, Londres, J. Matthews, 1795.

15. Rubin, « Gros and Girodet », *loc. cit.*, p. 720.

16. Propos rapportés par Étienne-Jean Delécluze, *Louis David...* [1955], 1983, p. 266.

17. Comme l'observent Pruvost-Auzas et Ternois, « Dessins de Girodet à sujets ossianiques », *loc. cit.*, p. 262.

18. Hélène Toussaint, cat. exp. *Ossian*, Paris, 1974, p. 90. Joannides et Sells, « Ossian at the Grand Palais », *loc. cit.*, contestent la datation tardive de l'ensemble des feuilles. Ils font valoir que dans son « catalogue à peu près chronologique » des œuvres de Girodet, Coupin place les dessins ossianiques « dans un alinéa à mi-chemin entre 1793 et 1808 ». Cette datation concorde avec les données rassemblées ici.

19. Coupin, 1829, t. I, p. lxxviij.

Fingal pleurant la mort de Malvina

Certains dessins ossianiques de Girodet se rap-
~~t~~ent directement au grand tableau *L'Apothéose des*
~~s~~ français **(cat. 21)**, tandis que d'autres constituent
~~œ~~uvres indépendantes, mais tous se caractérisent
~~une~~ atmosphère cristalline légèrement vaporeuse,
~~technique~~ brillante et une iconographie com-
~~e~~. L'artiste avait peut-être prévu d'en publier
~~lques~~-uns sous la forme de suites lithographiées,
~~me~~ le suppose Sylvain Bellenger [1]. Leur origi-
~~té~~ et leur agencement narratif les rattachent au
~~lleur~~ de la production graphique de Girodet. Là
~~ume~~ dans ses dessins des *Amours des dieux* et de
~~éide~~, Girodet part d'une description littéraire sans
~~ustrer~~ servilement. La composition portait le titre
~~el~~ de *Scène de la légende d'Ossian*, mais un examen
~~ntif~~ des costumes et des différents détails permet
~~entifier~~ plus précisément *Fingal pleurant la mort*
~~Malvina~~.

~~C~~et épisode se situe au début du poème intitulé
~~rrathon~~ » [2]. Fingal, le père d'Ossian, se présente à
~~é~~funte Malvina. Le poème prend des accents élé-
~~ques~~ : « J'ai vu les filles de l'arc. J'ai demandé Mal-
~~a~~ mais elles n'ont point répondu. Elles détour-

naient leurs visages. Une fine obscurité voilait leur
beauté. Elles ressemblaient à des étoiles dans la nuit
des monts pluvieux, perçant doucement la brume…
Ô Malvina… semblable au rai de lumière qui part de
l'Orient, tu t'élèves dans les airs. Tu vas rejoindre les
ombres de tes amis. »

Fingal dépose un bouclier et une épée aux pieds
de Malvina. Des étoiles scintillent dans le ciel au-dessus de son corps et son esprit chatoyant s'élève tel
un rai de lumière au-dessus de l'étang baigné par le
clair de lune. Fingal porte la même coiffure que dans
Fingal devant le cadavre de Fillan **(cat. 27)** et Malvina a
sa chère harpe à ses côtés. L'expression mélancolique
de Fingal et l'attitude prostrée du chien soulignent
l'ambiance funèbre de la scène. Girodet allie magistralement les lavis brun et noir, la pierre noire et les
rehauts de blanc pour produire un effet irréel qui
évoque à merveille le climat du poème.

J. A. C.

cat. 34 Fingal pleurant la mort de Malvina
Pierre noire, lavis noir et brun, rehauts de blanc sur papier,
18,4 x 25,7 cm
Collection particulière

Hist. Coll. Becquerel, par descendance dans la famille, vente,
New York, Sotheby's, le 16 février 1994, lot 6 ; marché de l'art,
New York ; coll. John Gains, 1994 ; vente New York, Sotheby's,
le 23 janvier 2001, n° 340 ;
Bibl. Feigen, 1994, p. 86-87, n° 29.

notes

1. Voir la notice de *Fingal devant le cadavre de Fillan*,
rédigée par Sylvain Bellenger dans *Visions of Antiquity :*
Neoclassical Figure Drawings, cat. exp. sous la direction
de Richard J. Campbell et Victor Carlson, Los Angeles,
Los Angeles County Museum of Art, et Minneapolis,
Minneapolis Institute of Art, 1993, cat. 58.
2. Rebecca Ruderman nous a aidés à identifier ce
passage.

La nuit de Danaé

cat. 35 Danaé
1798
Huile sur toile, 170 x 87,5 cm
Signé daté en bas à droite : *A L Girodet an VI*
Leipzig, Museum des Bildenden Künste, inv. NR. 93

Hist. Commandé par Percier et Fontaine pour les décors
de l'hôtel de Benoît Gaudin, Paris, rue du Mont-Blanc en
1798, détaché de ces décors vers 1824 ; coll. Rillet en 1829 ;
coll. Heinrich Schletter ; donation Schletter au musée en
1853.
Exp 1989, Vienne, n°V/1/24 ; 1998, Munich, n° 357 (repr.
p. 564).
Bibl. Noël, 1801, t. I, p. 300 ; Duchesne, 1828, t. II, pl. 143 ;
Coupin, 1829, t. I p. xiij et lvj ; Delécluze, 1855, p. 260 ;
Lancrenon, 1871, p. 88–89 ; Anon., *Neunter Bericht des Leipziger
Kunstvereins 1855*, Leipzig, 1856, p. 11 (sous le titre *Aurora*) ;
Réveil, 1872, t. VIII, p. 27 (repr. lith. d'Aubry-Lecomte inversée
pl. 27) ; Duportal, 1931, p. 38 n. 4 (attr. à Gérard) ; *Leipzig,
Museum des Bildenden Künste*, 1967, n° 93, p. 61 ; Montargis,
1967 (cité) ; Pruvost-Auzas, 1970, n° 6, p. 377 et suiv. ; Bernier,
1975, p. 37 ; Levitine, [1952] 1978, p. 147–152 ; *Leipzig, Museum
des Bildenden Künste*, 1979, n° 93, p. 68 (repr. p. 291) ; Brown,
1980, t. I, p. 153–155, 165 (*Danaé*) ; *Leipzig, Museum des
Bildenden Künste*, 1995, n° 93 p. 63 (repr. ill. 210 p. 321) ; Crow,
1995, p. 229–230 et 247, ill. 152 ; Crow, [1995] 1997, p. 282–
283, ill. 76 ; Lafont, 1999, p. 52 ; Lafont, 2001, n° 11, p. 419–422,;
Bajou, Lemeux-Fraitot, 2002, n° 371, p. 255, 356.

Œuvres en rapport
Version réduite inversée avec des différences dans les draperies
et les fleurs, huile sur panneau, 50 x 28 cm ; Christie's New York,
26 octobre 2001, n° 393 (repr. p. 323) cette réduction s'apparente
à l'estampe d'Aubry-Lecomte.
(?) Esquisse sur bois (mentionnée dans Bajou, Lemeux-Fraitot,
2002, p. 356, n'apparaît pas dans la vente après décès et doit
plutôt correspondre à l'esquisse de *Mademoiselle Lange en Danaé*
(cat. 41), qui n'y figure pas non plus, sans doute par discrétion,
après le scandale de 1799).
Lithographie par Aubry-Lecomte, 1824, (tirage polychrome
en 1849)
Anonyme, lithographie partielle de Danaë (en buste), publ.
chez Henry Gauguin, rue de Vaugirard et rue Vivienne.
Lithographie au trait inversée par Aubry-Lecomte, dans Réveil,
1872, pl. 27.
Copie sur porcelaine, 1827, par Marie-Victoire Jacquotot
(citée par Coupin, 1829, p. vj), Montpellier, musée Fabre, inv.
836–43 (don Valedeau).

Danaé se regardant dans le miroir que lui tend un amour

La première commande que Girodet reçut après ⸀ retour de Rome est une grande peinture dé⸀ative sur le thème de Danaé, destinée à un petit ⸀on d'un hôtel dit «hôtel Gaudin» 385, rue du ⸀nt-Blanc, aménagé par Charles Percier[1]. Ce ⸀artier, dit de la Chaussée-d'Antin, situé au nord-⸀est du Paris de la fin du XVIIIe siècle était en plei-⸀ expansion. Melle Guimard, première danseuse ⸀l'Opéra, y avait un hôtel et un petit théâtre privé ⸀struits par Ledoux. Sous le Second Empire, le ⸀cement de la grande rue de la Chaussée-d'An-⸀ entraîna la démolition de l'hôtel Gaudin, rasé ⸀c la plupart des hôtels particuliers de la rue du ⸀nt-Blanc qui disparaît alors de la carte de Paris. ⸀ tableau de Girodet est l'unique témoignage des ⸀ors de l'hôtel; il devait s'inscrire dans un salon ⸀mpéien, enchâssé dans des boiseries, tel qu'on le ⸀ encore à l'hôtel Beauharnais[2] ou au cabinet ⸀ platine du château d'Aranjuez[3]. Coupin[4] iden-⸀e le propriétaire de cet hôtel et le commandi-⸀e de Danaé à Martin Michel Gaudin[5], ministre ⸀ Finances du Consulat puis de l'Empire, duc ⸀ Gaète en 1809. Or, l'hôtel Gaudin avait été ac-⸀s en 1796 par un certain Benoît Gaudin et son ⸀use Jeanne Sophie Moyroud[6]. Benoît Gaudin ⸀ble être un simple homonyme du futur mi-⸀tre. Trois ans plus tard, en 1799, il revend son ⸀el à Auguste Ouvrard, frère de Gabriel Julien ⸀vrard (1770-1846), célèbre financier prodigieu-⸀ent enrichi dès les débuts de la Révolution ⸀ce à d'habiles spéculations sur les fournitures ⸀ armées. Julien Ouvrard fut le créancier de tous ⸀ régimes du Directoire à la Restauration. Pru-⸀t, il associat souvent ses frères François, Jean-⸀ptiste et Augustin à ses affaires[7]. Augustin (ou ⸀guste) lui sert de prête-nom et le protège de ⸀anqueroute. L'immobilier est une part impor-⸀te de ses stratégies financières : Ouvrard achète ⸀ loue un nombre impressionnant de propriétés ⸀ Paris comme en province. Il ne semble n'avoir ⸀nais vécu dans l'hôtel Gaudin de la rue du ⸀nt-Blanc[8]. La date de 1798, donnée par Cou-⸀ pour la peinture de Danaé, précède d'un an la ⸀sion de l'hôtel Gaudin; nous ignorons tout de ⸀ersonnalité du couple des Benoît Gaudin mais ⸀otisme déclaré de la peinture correspond par-⸀ement à celle du flamboyant financier Ouvrard ⸀plus encore à celui de Mme Tallien, sa maîtresse ⸀re 1798 et 1804. Pourquoi cependant, Ouvrard ⸀ait-il commandé un tableau pour une demeure ⸀il n'occupait pas ? Est-ce une commande de son ⸀e? Coupin se trompe-t-il sur le commanditaire ⸀ur la date du tableau ? La liste des propriétaires ⸀ l'hôtel de la rue du Mont-Blanc illustre l'ex-

traordinaire mobilité et peut-être même la spécu-lation immobilière à Paris au début du XIXe siècle. En 1804, Auguste Ouvrard vend l'hôtel à Pierre Joseph Ferrand, agent de change. La baronne de Besenval, née Saulx-Tavannes, l'achète en 1810, elle le cède en 1819 à Philippe Rillet et Charlotte Catherine Fougeret. Les Rillet restèrent proprié-taires de l'hôtel jusqu'en 1824, moment où ils le vendirent à leur tour. C'est probablement à cette époque que la toile fut détachée des décors de l'hôtel, puisqu'en 1829, lorsque Coupin publie sa note historique sur Girodet, Rillet n'est plus pro-priétaire de l'hôtel depuis cinq ans mais possède encore le tableau Danaé. Coupin précise, outré, que ce dernier demande 25 000 francs de l'œuvre qui avait été payée six cents francs à son auteur. La vente Girodet, en 1825, avait pulvérisé les prix et Rillet en tenait compte. Faut-il aussi douter de l'assertion de Coupin quand il impute la décora-tion de l'hôtel à Percier[9] ? Cet ancien condisciple de Girodet à l'Académie de France à Rome fut chargé de restaurer Malmaison que Joséphine avait acheté en 1799. Il deviendra bientôt l'architecte favori de la société qui naît après le coup d'État du 18 brumaire. Percier procurera en 1800 à Girodet la commande d'Ossian **(cat. 21)** pour le salon doré de Malmaison, puis en 1802 celle des Quatre Sai-sons d'Aranjuez **(cat. 38)**. En tout état de cause, il serait l'intermédiaire idéal entre Girodet et le pro-priétaire de l'hôtel.

À son retour d'Italie, à force de réclamations, Girodet avait obtenu un atelier au Louvre où il put travailler à partir du printemps 1796[10]. Il avait grand besoin d'une publicité qui puisse le rappeler à l'attention du public et des autorités. Il compta pour cela sur le portrait du député noir Jean-Bap-tiste Belley **(cat. 66)**, exposé de façon privée au Salon de l'Élysée en 1797, puis au Salon officiel de 1798. Danaé, le tableau le plus proche des œuvres de Jean-Baptiste Regnault[11] dans la production de Girodet ne fut pas montré au Salon de 1799. On l'imagine discrètement enchâssé dans les lambris de l'hôtel de la rue du Mont-Blanc, soustrait au regard des amateurs. De ce fait, il contribua faiblement à la percée du jeune peintre. Peu connue donc du pu-blic, Danaé allait devoir affronter une épreuve plus redoutable que son éloignement du public quand, par la pruderie d'un de ses propriétaires, sa nudité fut couverte d'un épais repeint blanc. C'est dans cet état que la voit pour la première fois Ferdinand Lancrenon, jeune élève de Girodet en 1810. Un retour momentané de Danaé dans l'atelier de son créateur[12] permit à ce dernier de lui restituer sa glorieuse nudité.

Girodet montre Danaé sous la forme d'une une jeune femme, entièrement nue, érigée sur un fond

de ciel étoilé, debout sur un lit couvert de fleurs. Son bras levé dégage ses seins et offre sans pudeur son buste aux yeux de ses admirateurs. Inconsciente d'être l'objet du regard, Danaé se contemple dans un miroir ovale que lui tend un putto. Sa couche, un précieux lit de repos en bois doré, de cette for-me antique mise à la mode par Percier, est décorée à sa tête du motif d'Hercule capturant le taureau furieux de Crète. Les draps sont défaits, les oreillers recouverts de luxueuses housses gansées de rouge et d'or, terminées par des glands de passementerie. Des bijoux qui tombent du ciel s'enroulent autour des membres de la jeune femme et une pluie de roses, de jasmin bleu, de jasmin blanc, de bleuets, de lis, de liserons bleus, de géraniums rouges, inonde sa couche. Cette exubérante abondance horticole relève de la botanique la plus recherchée et trans-forme l'iconographie traditionnelle selon laquelle l'or de Zeus, plutôt que ses fleurs, fait céder la belle au désir divin. Cette pluie de fleurs et de joyaux donne au mythe une dimension nouvelle : celle du narcissisme féminin étranger à la légende antique. Danaé, voyeuse de sa propre image, est moins acca-parée par les hommages du dieu que par sa propre contemplation. Le traitement du mythe le rendrait méconnaissable si Coupin ne nous en livrait les clefs dans une description savante qui décode le tableau et guide notre regard : « Pour jouir, tout à la fois, de la fraîcheur de la nuit et de la beauté du ciel, Danaé a fait placer son lit sur le sommet de la tour où elle est enfermée; cette tour est gardée, car on voit l'extrémité des lances, et, pour indiquer que les gardiens se sont abandonnés au sommeil, le peintre a entouré de pavots les fers de ces lances. Tout-à-coup des fleurs se répandent sur le lit de Danaé : surprise elle se lève; au même moment l'Amour lui présente un miroir dans lequel elle se considère avec une satisfaction toute naïve, et où elle voit des bijoux s'attacher d'eux-mêmes à son col et à ses

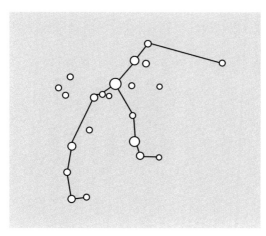

III. 166 Constellation de Persée

III. 167 Girodet (d'après)
À sa maîtresse (*Anacréon,* ode XX)
Lithographie, coll. part.

III. 168 Girodet, *Le Jugement de Pâris*
Dessin, coll. part.

tion et du désir, thème immatériel et fondame[n]
chez Girodet depuis *Le Sommeil d'Endymion*. Da[n]
réïfiée est ravie à sa conscience non par le som[meil]
comme l'était *Endymion*, ni par l'or comme dan[s]
mythe original, mais par le narcissisme. Enivr[ée]
rendue vulnérable par le plaisir de sa propre im[age]
elle se livre au regard de Jupiter qui abusa de c[ette]
ivresse : la jeune femme engendra Persée. Ex[pert]
en astrophysique comme en botanique, Gir[odet]
ajoute à la droite de sa figure la brillante cons[tel]
lation septentrionale de Persée qui, selon les di[ffé]
rentes légendes astrales, résulterait des gouttes [de]
sang de Méduse décapitée par le héros ou d[e la]
forme de son cheval ailé, Pégase, surgi du co[rps]
décapité de Méduse puis projeté dans la Voie lac[tée]
Pégase est aussi le symbole de l'inspiration po[éti]
que : la mythologie raconte qu'Hippocrène, f[on]
taine sacrée qui procurait l'inspiration à Apol[lon]
aux Muses et aux poètes, avait surgi sous les sab[ots]
du cheval. Perdu dans l'espace-temps, Persée, sy[m]
bolisé par Pégase, déplace la sémantique du tabl[eau]
vers l'enjeu poétique de l'inspiration que proc[ure]
la contemplation de la Voie lactée **[ill. 166]**.

La disparition des commandes aristocratiqu[es et]
royales exposait la génération de Girodet, celle [du]
prix de Rome des débuts de la Révolution, à [une]
situation pour laquelle elle n'était pas préparée [. Le]
marché de l'art dominé par une nouvelle classe [in]
disposée à accorder des prérogatives aux artistes [se]
sentant à l'étroit dans l'espace limité de la comma[nde]
– un décor de salon de la Chaussée d'Antin –, Giro[det]
choisit d'en transcender les bornes et le simple [sujet]
féminin devient le prétexte d'une démonstrat[ion]
savante où les étoiles sont un symbole qui att[eint]
presque l'hermétisme [16]. Il y a peu de chance [que]
le commanditaire du tableau – Gaudin ou Ouv[rard]
– ait souhaité que son décor renfermât une i[co]
nographie aussi complexe. *Danaé* inaugurait [une]
pratique qui deviendra la signature de Giro[det :]
outrepasser les limites de la commande par l'a[p]
profondissement de son thème et la multiplicat[ion,]
jusqu'à l'indéchiffrable, des facettes multiples [du]
sens et des métaphores. Dans la mythologie, suiv[ant]
les conseils d'Athéna, Persée, fils de Zeus et [Da]
naé, avait su éviter la pétrification que provoqu[ait]
le regard direct de Méduse. Il la combattit en [la]
regardant indirectement, dans le reflet de son bo[u]
clier poli comme un miroir. C'est aussi le reflet [de]
son image qui cause la perte de Danaé, *médusée* [par]
sa propre beauté. L'écho sémantique du miroir [est]
donc étendu bien au-delà du répertoire ordin[aire]
de la coquetterie des Vénus de Rubens et de [Ti]
tien. Les jeux de miroir du regard introduisent [ici]
des subtiles profondeurs exégétiques réservées [au]
tableau d'histoire et plus encore à la poésie.

bras. Pendant qu'elle s'enivre du parfum des fleurs, et du sentiment de sa propre beauté, l'Amour dirige vers son cœur son flambeau tout-puissant : le dieu peut paraître ; dans l'agitation qu'éprouve Danaé, il ne lui sera pas difficile de la subjuguer [13].» Avec plus de respect pour le texte d'Ovide, le mythe de Danaé est aussi expliqué dans le *Dictionnaire de la fable* de François Noël, qui associa Girodet à la rédaction de plusieurs articles de son ouvrage [14]. Délicatesse ou spiritualisation libre de son sujet, Girodet renouvelle une liberté déjà prise avec *Le Sommeil d'Endymion* et réinterprète le mythe antique en le dégageant de toute ambiguïté vénale :

l'hommage sexualisé et poétique des fleurs remplace celui de l'or corrupteur. Comme l'explique Coupin, le peintre a écarté ce qu'il y avait de dégradant pour Danaé [15]. Girodet la rapproche des triomphantes Vénus anadyomènes, rompant aussi avec la traditionnelle horizontalité du mythe et de la pluie d'or tel que Titien en avait fixé le type dans le tableau de la galerie Borghèse, passage obligé des artistes à Rome. Son modèle est plutôt celui de l'iconographie antique, essentiellement pompéienne, d'une Danaé recevant, debout, l'hommage de l'or de Jupiter.

L'or, objet palpable et vénal de la séduction, est déplacé et substitué ici par la peinture de la séduc-

69 Girodet, *Érigone debout*
e sur bois, Orléans, musée des Beaux-Arts

Ill. 170 Girodet (d'après), *Ariane*
Lithographie, coll. part.

Anacréon chantait à sa maîtresse «Que ne suis-
on miroir fidèle, douce et jeune beauté! Je ré-
hirais tes traits ravissants; [que ne suis-je] ta tu-
ue! Je te toucherais sans cesse...» L'illustration
167][17] de ces vers, traduits par Girodet, renoue
c le thème du narcissisme réifiant, voire pétri-
it, de Danaé. La maîtresse d'Anacréon, absorbée
la réflexion de son image laisse à son insu le
ète voyeur, inexistant pour elle, la posséder par le
ard et jouir impunément de sa nudité.
L'érotisme associé au narcissisme n'est donc
réservé au *Sommeil d'Endymion*. Avec quelques
res tableaux les plus en vue de Girodet, ce ta-
au a infléchi la vision du XXᵉ siècle captivée par
omoérotisme de cette œuvre. Une connaissance
s large de sa production révèle un intérêt au
ins aussi grand pour l'érotisme féminin. Dans
Jugement de Pâris [ill. 168], l'exhibition des trois
nes femmes nues se déroule sous les yeux du
ne berger mais aussi sous ceux d'Hermès et de
is satyres.

La nudité livrée au voyeurisme est encore le
me d'un tableau inédit, *Une femme et ses filles
prises par des satyres* (cat. 134), scène pastorale que
rodet place au milieu d'une nature nimbée de la
nière dorée de Claude. C'est aussi celui de l'*Éri-
e*, surprise alors qu'elle mange des raisins et de
nus sortant de l'onde* (cat. 135) émergeant triom-
alement des eaux dont il multiplie les images.
Vers la fin de sa vie Girodet, s'occupera acti-
nent de l'extraordinaire diffusion que la litho-
phie pouvait donner à son œuvre[18]. Il réalisa
e réduction de sa *Danaé*, lithographiée en noir et
nc puis mise en couleurs[19]. L'exploitation com-
rciale ne négligeait pas le nu et certaines com-
sitions semblent avoir été peintes spécialement

Ill. 171 Girodet (d'après), *Érigone,*
Lithographie, coll. part.

pour être traduites par cette technique. C'est le cas
d'*Ariane*, et de *L'Érigone*, qui forment une paire de
nus renouant tardivement avec la pose d'Endymion. Mais l'artiste ne suit pas les bons conseils de
Bertin, qui recommande que l'un des nus montre
«le derrière» afin d'en mieux assurer la vente au
grand public[20].

S. B.

notes

1. Les travaux de l'hôtel Gaudin ne figurent pas dans le *Journal* de Fontaine.

2. Actuelle ambassade d'Allemagne, rue de Lille à Paris.

3. Voir cat. 36 et 37.

4. Coupin, 1829, t. I, p. xiv.

5. Martin Michel Gaudin (1756-1841) est le fils unique de Charles Gaudin, avocat au parlement de Paris. Il épousa sur le tard Anna Summaripa (Naxos, Grèce, 1775 - Paris, 1855), la veuve de son cousin Émile Gaudin de Feurs. Voir Joseph Valynselle, *Les Princes et ducs du Premier Empire non maréchaux*, Paris, 1959, p. 92.

6. Acquisition faite par Claude René Lorimier et Marie Adélaïde Octavie, veuve de Louis Aymon Pernon, Archives de Paris, DQ 18 8. Je remercie chaleureusement Bruno Centorame de ces généreuses et précises informations qui ont permis de remettre en question l'identité du commanditaire du tableau.

7. Jean Savant, *Tel fut Ouvrard, le financier providentiel de Napoléon*, Paris, Fasquelle, 1954, p. 32, 267 n. 34, 274 n. 155.

8. Ouvrard acheta le 9 thermidor an VI (27 juillet 1798) l'hôtel de Montesson, 22 rue de Mont-Blanc. Il habita avec Mme Tallien rue de Babylone, puis boulevard de la Madeleine (un hôtel particulier acheté sous le nom de l'un de ses frères), place Vendôme, et enfin faubourg du Roule.

9. Charles Percier (1764-1838), lauréat du grand prix d'architecture en 1786, est à Rome jusqu'au 10 octobre 1790.

10. Copie d'une lettre d'Anne Louis Girodet aux administrateurs du Loiret, Paris, 11 pluviôse [an IV] [dimanche 31 janvier 1796], avec apostille de Guérin et de Pelet du 30 pluviôse [an IV] [19 février 1796], Montargis, fonds Pierre Deslandres, t. IV, n° 84, f° 1.

11. Jean-Baptiste Regnault (1754-1829), prix de Rome en 1776, un an après David avait en quelque sorte recueilli les élèves de David lorsque celui-ci accompagna Drouais

à Rome en 1785. Girodet avait alors passé une année dans cet atelier. L'importance de l'œuvre de Regnault comme alternative à l'enseignement de David est perceptible dans plusieurs œuvres de Girodet, *Le Christ mort* (cat. 9) de Montesquieu-Volvestre, les *Saisons* d'Aranjuez (cat. 36 et 37) et dans une certaine mesure *Scène de déluge* (cat. 42).

12. Lancrenon, 1872, p. 88-89. La date du retour de *Danaé* dans l'atelier n'est pas précisément connue mais doit se situer après 1810 puisque Ferdinand Lancrenon (1794-1874) entre dans l'atelier de Girodet en 1810. Cette même source, reprenant probablement les informations de Coupin, rapporte également qu'à la mort de Girodet, « on aurait offert 25 000 francs du tableau pour lequel Girodet aurait reçu 600 francs ».

13. Coupin, 1829, t. I p. xiii.

14. Noël, 1803, t. I, p. 386. « Danaé, fille d'Acrisius, roi d'Argos, fut enfermée fort jeune dans une tour d'airain par son père, sur la foi d'un oracle qui lui annonçait que son petit-fils devait un jour lui ravir la couronne et la vie ; mais Jupiter se transforma en pluie d'or, et, s'étant introduit dans la tour, rendit Danaé, mère de Persée. »

15. Coupin, 1829, t. I, p. x iij : « Jupiter se transformant en pluie d'or pour entrer dans la tour où est enfermée la fille d'Acrisius, est un sens allégorique qui n'est pas difficile à pénétrer ; cependant, Titien, Annibal Carrache et tant d'autres après eux, ont suivi le sens matériel ; Girodet a voulu écarter ce qu'il offre de dégradant pour Danaé, et, tout en se renfermant dans les principales circonstances du récit d'Ovide, il a su donner à cette fable un caractère tout particulier. »

16. La violente réaction qu'il réserva aux réflexions désobligeantes de Mlle Lange se nourrira de l'imagination et des recherches qui avaient contribué à magnifier la première Danaé se retournèrent et servirent en négatif dans la caricature de la « Moderne Danaé ».

17. Voir B. Jobert, *supra*.

18. Lettre d'Anne-Louis Girodet-Trioson à François Xavier Fabre, Paris, 23 mai 1822 : « [...] Quant aux lithographies, mon teinturier va son petit train, et, incessamment, il y aura de publiées quelques têtes et études nouvelles ; celles que je n'ai pu vous offrir sont, je crois, la tête d'*Atala* et celle de *Chactas*, déjà imprimées. Bientôt paraîtront une *Tête de jeune fille en turban*, qui a mieux réussi que les autres, et incessamment le *Portrait de M. de Châteaubriand* jusqu'aux genoux. La *Danaé* (celle de grandeur petite nature) est commencée, et formera une planche [p. 137] lithographique de la grandeur de l'estampe de l'*Endymion* » (Pélissier, « Les correspondants du peintre Fabre (1808-1834) », *Nouvelle Revue rétrospective*, juillet-décembre 1896, p. 135-140). L'original est conservé à la bibliothèque du musée Fabre de Montpellier.

19. Lettre de Louis-François Bertin (dit Bertin l'Aîné) à François Xavier Fabre, Paris, 6 juillet 1824 : « [...] Je ne vous donne pas des nouvelles bien positives de Girodet, parce que je ne puis le joindre. Je sais seulement qu'il se porte bien. La gravure de sa *Galathée* est très mauvaise ; en revanche, la lithographie de sa *Danaé* est admirable. [...] » (Pélissier, « Les correspondants... », *Nouvelle Revue rétrospective*, janvier-juin 1896, p. 31-32). L'original est conservé à la bibliothèque du musée Fabre de Montpellier.

20. Lettre de Louis-François Bertin (dit Bertin l'Aîné) à François Xavier Fabre, Paris, 4 mars 1823 [...] Girodet [...] a mis en vente deux lithographies parmi lesquelles se trouve l'*Ariane* qu'il vous a donnée. L'autre représente le *Sommeil d'Érigone*. Le succès est fondé sur le nu, et, dans ce cas, je crois qu'il a eu tort de ne montrer que le *devant* : Qu'en pensez-vous ? » (Pélissier, « Les correspondants... », *Nouvelle Revue rétrospective*, 1896, p. 21, 22-23). L'original conservé à la bibliothèque du musée Fabre de Montpellier.

Les décors d'Aranjuez

cat. 36 Le Printemps

1800–1802

le sur toile, 146 x 80,5 cm

é en bas à gauche : *AL G DR* (R dans le D)

ription sur la lyre : *PICTORIBUS ATQUE POETIS.*

njuez, Real Casa del Labrador, cabinet de platine

cat. 37 L'Été

1800–1802

Huile sur toile, 146 x 80,5 cm

Signé en bas à gauche : *AL G DR* (R dans le D)

Aranjuez, Real Casa del Labrador, cabinet de platine

Hist. Commandées avec les allégories des deux autres saisons, *L'Automne* et *L'Hiver*, et quatre peintures en médaillon (*Jeune fille lisant le Décaméron*, *La Musique*, *L'Intrigue amoureuse* et un quatrième médaillon disparu), pour la somme 10.125 libras tornesas (livres tournois, monnaie d'argent,) par Charles IV d'Espagne par ordre des 26 février et 29 novembre 1800 (Gastinel- Coural, 1994) ; la maîtrise de l'ouvrage avait été

confiée au bronzier Michel Léonard Sitel qui s'engagea «[…] a paÿer au citoyen Girodet – la somme de huit mille Livres – pour les tableaux distoire qu'il sest engagé a me fairre et livrer dicy au trente Vendemiaire prochain [*22 octobre*] […]» (Lettre de Michel Léonard Sitel à Anne Louis Girodet, Paris, 24 prairial an IX [samedi 13 juin 1801], Montargis, fonds Pierre Deslandres, t. IV, n° 115, f° 1) ; transportées à Madrid avant juin 1804, In situ depuis juillet 1804.

Bibl. Noël, 1803, t. II, p. 500 ; Slidell-Mackenzie, 1831, t. II, p. 14 ; Lebrun [Foulché-Delbosc], 1914, p. 558 ; Boyer, 1967, p. 250-251 ; Auzas, 1969, pp. 98-100 ; Gastinel-Coural, 1993, p. 181-205. Javier Jordán de Urríes y de la Colina et José Luis Sancho : «El Gabinete de platino de la Real Casa del Labrador en Aranjuez».

cat. 38 Esquisses pour les Quatre Saisons d'Aranjuez

Quatre panneaux montés dans un même cadre (61, 5 x 74 cm)

A. *Le Printemps*
Huile sur bois, 26, 7 x 20,9 cm
Inscription sur la harpe : Pictoribus/atque/poetis.

B. *L'Été*
Huile sur bois, 26, 6 x 21,4 cm

C. *L'Automne*
Huile sur bois, 27 x 21,2 cm

D. *L'Hiver*
Huile sur bois, 27 x 21,4 cm

Collection particulière

Hist. Vraisemblablement collection de l'architecte Percier; légué à sa mort à Fontaine : *Objets légués à Mr Fontaine / Dans les pièces de l'Entresol : 26º quatre Esquisses de Girodet représentant les quatre saisons* (AN, minutier central, étude XLVI, liasse 905, 11 septembre 1838 et Chantal Gastinel-Coural, 1993, notes 11, p. 196 et 38, p. 198); marché de l'art parisien; Shepherd Gallery.

Exp. 1986, New York, Shepherd Gallery, n° 1.

Œuvre en rapport

Un dessin pour *L'hiver*, collection particulière

Les Saisons du cabinet de platine de la Real Casa del Labrador à Aranjuez

À l'instar des maisons de campagne érigées à l'corial et au Pardo du temps où il était prince, Cha IV d'Espagne fit bâtir sur le site royal d'Aranjuez, s la direction de son premier architecte, Juan de Vi nueva, une maison de plaisance pour ses récréati matinales et printanières. La Real Casa del Labra commencée en mars 1794 à l'extrémité orientale Jardin du Prince, fit l'objet de profondes réformes chitecturales et décoratives à partir de 1798. Ains rustique maison d'origine est peu à peu devenue « folie » remplie de somptueux ornements, faisant cet ensemble bien conservé d'Aranjuez l'un des importants du néoclassicisme en Espagne.

La première de ces réformes, amorcée en 17 1799, fut l'érection de l'aile ouest et la création quelques petites salles aux riches pavements de m bres assortis. Parmi les plus remarquables, il convi de citer le Cabinet du Roi, *El Retrete*, une œuvre tièrement espagnole imaginée par l'architecte Isi González Velázquez, et surtout, le Cabinet de pla contigu où tout, à l'exception du pavement, fut co et fabriqué en France - encore que celui-ci, décoré fleur de lis, d'outils agricoles et de motifs pastora ait été réalisé en Espagne d'après des dessins effect à Paris et envoyés au site royal en juin 1801.

Ce *petit bijou** de style Empire, créé par l'arc tecte Charles Percier et dont la réalisation fut orch trée par le bronzier Michel-Léonard Sitel, est commande directe de Charles IV par ordre royal 26 février 1800, commande qui fut augmentée 29 novembre de la même année[1]. Sa genèse fu fruit d'un concours de circonstances dans un co texte, après la signature du traité de paix de Bâle surtout, avec l'établissement du Consulat, qui fa risait le goût pour les arts décoratifs français. D'u part, il fallait décorer les « pièces » du premier étage l'aile orientale. D'autre part, Sitel se trouvait en Es gne. C'est ce dernier qui, à la fin du mois de janv 1800, avait livré à la reine Marie-Louise une voit lourdement ornée de bronzes, probablement conç par le décorateur Jean-Démosthène Dugourc, qui journait alors lui aussi à la Cour espagnole[2]. Enfin faut prendre en compte les avancées techniques firent du platine, ce métal précieux découvert par Espagnols en Amérique au XVIIIᵉ siècle, un matér plus malléable.

Dans un premier temps, il fut décidé que S réaliserait pour la somme de 500 000 réaux de bill un décor mêlant bois, peintures et platine pour « Cabinet de la Reine », comme l'appelle le maî d'ouvrage dans l'un des documents et comme en moignent les chiffres - « M(aría), L(uisa), T(eresa) le « C » de Carlos - qui figurent en alternance su frise. L'ordre royal du 29 novembre 1800 étendi

nmande à l'exécution du plafond, du mobilier (ta-
et chaises) et du dessin du pavement, qui devaient
e en harmonie avec le décor du cabinet. Parmi les
érents modèles proposés pour le plafond, Charles
a personnellement choisi celui dit «en berceau»,
écrivant de sa main sur le papier : «celle-ci».
Ledit Sitel, «sans être le moins du monde versé
s les beaux-arts» et qui, toujours aux dires du
lpteur José Álvarez Cubero, «ne connaît d'autres
utés que celles relatives à son état de bronzier»,
égua au prestigieux architecte Percier la réalisation
dessins et la direction des travaux. Ce dernier fut
rgé de choisir les artisans les plus réputés de Paris
r l'exécution de l'ouvrage. Parmi eux, il convient
citer les frères ébénistes Jacob, le bronzier Pierre-
guste Forestier, le peintre d'histoire Anne-Louis
rodet, et les peintres Jean-Joseph-Xavier Bidauld
Jean-Thomas Thibault. Le mobilier fut confié à
autre ébéniste, «Hindermayer» (Xavier Hinder-
yer ?) : les deux chaises et les deux tabourets, ainsi
e le magnifique fauteuil que tapissa Gombeaut,
c des appliques en bronze de Forestier, qui se
uve aujourd'hui au Palais du Pardo ; quant au dé-
: en porcelaine de la table, il fut réalisé par Dhil.
Malgré la supervision du consul général José
rtínez de Hervás et celle du sculpteur Álvarez, les
vaux furent plus longs que prévu - juillet 1802
t leur coût dépassa le marché initial de 700 000
ux. Le 26 juin 1804, enfin, Sitel quittait Paris avec
ux ouvriers pour installer le cabinet qui, entre-
mps, avait été tapissé et dont le plafond avait été
nt à la détrempe par Manuel Pérez ; deux semaines
s tôt, le 10 juin, huit voitures étaient parties pour
site royal avec 42 caisses remplies d'ornements à
r bord. Le montage du cabinet, peintures inclu-
, fut achevé au cours de l'été. Deux ans plus tard,
mai 1806, Sitel revenait à Aranjuez avec les objets
nquants - les sièges et la table, qu'il livra toutefois

sans pieds. Les retards accumulés dans les travaux, les
demandes d'argent constantes de Sitel et la guerre
d'indépendance espagnole vinrent mettre un terme
au projet, au moment même où l'ouvrage allait être
terminé ; de fait, le lustre date de l'époque de Ferdinand VII.

Le cabinet [ill. 172] est formé par la *boiserie** des
Jacob, rehaussée des lames de bronze et de platine de
Forestier qui furent appliquées par Sitel en personne,
lequel se présente dans un document comme «pla-
queur et entrepreneur*». L'effet d'ensemble se répète
à l'infini dans les glaces de Beaupré et, plus particulièrement, dans les faces semi-circulaires ménagées par
le type de plafond choisi par Charles IV. Le plafond
fut décoré de peintures de Jacques Barraband[3] («les
oiseaux et arabesques») et de De Brêt[4] («les personnages»), à qui l'on doit également l'ornementation
des portes, même si «tous les fonds de peintures d'ornement», où prédomine le bleu clair tant aimé de la
Reine, furent réalisés par un dénommé Paillet.

Acajou, bronzes et glaces servent de toile de fond
aux peintures d'allégories, de paysages et de perspectives, qui furent achevées en 1802. En fin de compte,
Girodet perçut 10 125 livres tournois pour son travail, au lieu des 8 000 livres initialement estimées.
Il est l'auteur des «médaillons ronds» *La Musique*
[ill. 173], *L'Intrigue amoureuse* [ill. 174], *Jeune fille lisant
le Décaméron* [ill. 175] et d'un quatrième, aujourd'hui
disparu, ainsi que des allégories des *Quatre Saisons* inspirées, comme il le reconnaît lui-même, des célèbres
«Danseuses d'Herculanum»[5]. En réalité, ses modèles
ne furent autres que les ménades et les saisons du
triclinium de la célèbre Villa di Cicerone de Pompéi,
qui figuraient dans les tomes I et III de *Le antichità di
Ercolano esposte* (Napoli, 1757-1792). Bidauld et Thibault demandèrent 6 075 livres pour leurs peintures :
on doit au premier les quatre paysages évoquant les
Saisons, et au second des vues : *Paris, La colonnade du
Louvre* ; *Florence, La Place de la Seigneurie* ; *Venise, La
Piazzetta*, et de la *Vue de Naples. Le Vésuve*.

Il est surprenant de trouver parmi les documents
de la Real Casa del Labrador, conservés aux archives générales du palais royal de Madrid, les comptes tenus par le peintre Mariano Salvador Maella.
Ils consignent les frais occasionnés par «les saisons
du platine en l'an 1805» et incluent le poste suivant : «Toile pour les tableaux des quatre saisons
avec clous[6]». Cette «pièce du platine» avait été
pour l'essentiel installée en septembre 1804, et un

an après seulement, au début du mois de mai, tandis que les Rois se trouvaient à Aranjuez, Charles IV commanda à son premier peintre de Chambre ces «tableaux des quatre saisons» en même temps que la réalisation d'une fresque pour décorer la voûte de la salle de billard de la demeure, que Maella signa en 1806. Cette décision royale montre clairement le peu de cas qu'il fit des *Saisons* de Girodet, bien que son inspiration, de source «herculanienne», trouvât une résonance dans le style gréco-romain du «grand Salon» de la «folie» d'Aranjuez, dans les personnages des toiles - Zeus, Junon, danseuses, *putti* et funambules -, dans les scènes d'enfants insérées dans le mobilier d'origine ou dans les motifs étrusques de la cheminée française héritée du sixième comte de Fernán-Múñez[7]. Rien ne nous permet d'affirmer que les peintures de Maella, dont les dimensions coïncident avec les tableaux de Girodet, ont finalement occupé à Aranjuez les emplacements pour lesquels elles avaient été conçues, et jusqu'à présent nous savons seulement qu'elles furent consignées dans l'inventaire des collections royales de 1814, au palais royal de Madrid; elles sont actuellement conservées au musée du Prado.

Ces œuvres n'eurent que peu - voire aucune - influence en Espagne, à l'exemple du portrait équestre de David qui orna l'ancienne Salle du Conseil d'État du palais royal de Madrid, *Bonaparte franchissant le col du Grand-Saint-Bernard*[8]. Tout porte à croire que l'introduction des nouveautés françaises fut principalement le fait des *pensionnaires* espagnols

formés dans l'atelier de David : José Aparicio, José de Madrazo et Juan Antonio de Ribera[9].

Malgré le peu d'intérêt manifesté par le monarque espagnol, Girodet dut être satisfait de ses œuvres, car il réalisa bien des années plus tard, en 1814, des répliques des *Saisons* pour le Palais de Compiègne[10]. Percier et Fontaine publièrent, comme on le sait, les quatre planches gravées par Pierre Lacour reproduisant le décor du cabinet espagnol dans leur *Recueil de décorations intérieures*[11] de 1812, et certains voyageurs qui passèrent par Aranjuez au cours des premières décennies du XIXe siècle rendirent également témoignage de l'œuvre. Nous retiendrons plus particulièrement celui de P. G. de Bussy, arrivé en Espagne avec les «Cent mille enfants de Saint Louis», et qui s'intéressa beaucoup aux *Saisons* de Girodet, au *Printemps* notamment, mais aussi aux vues de Thibault[12]; et les éloges de l'Américain Alexander Slidell-Mackenzie des «quatre magnifiques peintures dessinées par le crayon magique de Girodet»[13].

Les *Saisons* de Girodet sont évoquées par des figures aux attributs divers, qui se découpent sur un fond sombre, à la manière des modèles pompéiens. Aux pieds de *Flore* ou *Le Printemps* **(cat. 36)**, on peut voir deux tourterelles blanches, et dans les replis de sa tunique gonflée par le vent, un nid. Elle tient une lyre, symbole de l'inspiration poétique, ornée d'un Zeus tonnant et de l'inscription: PICTORIBUS / ATQUE / POETIS. À travers les cordes de l'instrument, on distingue deux papillons et dans sa main droite, tel

un arc musical, le trait de l'Amour, en cette époc si propice.

L'Été **(cat. 37)** est incarné par un Apollon ou Phé aux cheveux flamboyants; un arc-en-ciel et un éc se détachent sur le fond sombre. Il verse le conte du canthare et pointe sa torche vers le sol. En c saison de moissons, des fleurs et des épis tombent son manteau, où l'on peut découvrir un serpent, fourmis et un lézard, à côté d'une libellule.

«Son attitude exprime l'ivresse et la joie*», plique Girodet lui-même au sujet de la figure *L'Automne*[14] **[ill. 176]**. Du lait coule de sa poitr et une pluie de fruits mûrs en tout genre - fig châtaignes, fraises, cerises, prunes, raisins, pomn poires, citrons et un melon - s'échappe de sa lon chevelure.

L'Hiver **[ill. 177]**, restauré avant 1829 par Vice López, premier peintre de chambre du roi Ferdina VII[15], a été représenté sous les traits d'un vieill couronné de branches de feuilles mortes. Il tient canthare vide et son flambeau s'éteint. Au bas de allégories figurent les paysages de Bidauld repré tant chacun une saison: la chasse en plaine symbo le printemps, la moisson l'été, la récolte des fru l'automne, et un paysage sombre évoque l'hiv L'emplacement original de certains médaillons Girodet et des vues de *Florence* et de *Venise* par T bault a été modifié quand le cabinet a été reconstit après la guerre civile. À l'origine, le médaillon a la *Jeune fille lisant le Décaméron* se trouvait à gauc de la porte d'accès aux «toilettes», au-dessus de

de *Florence*, tandis que la vue panoramique de
[...]se était située à droite de cette porte, sous la fi-
[...]e de l'enfant de *L'Intrigue amoureuse* [16]. *La musique*
[...]t probablement placé au-dessus de la *Colonnade*
[...]*Louvre* et le quatrième médaillon devait être une
[...]re de femme. Ainsi, les figures allégoriques mas-
[...]nes et féminines des saisons alternaient avec celles
[...] médaillons aux quatre angles du cabinet.

[...]Toutes ces peintures, d'exécution remarquable,
[...] conservées *in situ* dans ce cabinet français, le plus
[...]ait et le plus célèbre, sans être pour autant le seul
[...]or des arts décoratifs français que recèle le « *Casino*
[...]*elizie*» d'Aranjuez, site royal champêtre par excel-
[...]e des souverains espagnols.

J.-J. U. C.
Traduit de l'espagnol par Svetlana Doubin

notes

* *N.d.T.* : les termes suivis d'un astérisque sont en français dans le texte.

1. Chantal Gastinel-Coural, « Le Cabinet de platine de la Casa del Labrador à Aranjuez. Documents inédits », *BSHAF*, année 1993 (Paris, 1994), p. 181-205. Le dossier inédit des travaux et d'autres documents ont été exploités dans l'étude que je prépare actuellement avec José Luis Sancho : « El Gabinete de platino de la Real Casa del Labrador en Aranjuez ».

2. Archivo Histórico Nacional, à Madrid, Estado, legajo 62261. José de Lugo (consul du Roi d'Espagne) à Mariano Luis de Urquijo (secrétaire intérimaire du Bureau d'État), Paris, le 3 février 1800 : « *D.n Francisco Godon, reloxero de S. M., al emprender su viage me pidió le recomendase a la protección de V. E. Habiendo muerto este sugeto en Bayona, D.n Silvino Godon, su sobrino y mi amigo, va a remplazarle y me ha pedido igual fabor. Le acompaña el C. Diugour, artista de distinguido mérito en París, por el buen gusto y particular primor de su dibuxo, por el qual es consultado en todas las obras de costo y elegancia que se fabrican en esta capital. En el día se halla dirigiendo una fábrica de porcelana, y V. E. podrá juzgar de su mérito en este ramo, viendo las muestras de platos que M.e Godon lleva consigo. Este artista ha resuelto pasar a España para armar y concluir las diversas obras que D.n Fran.co Godon llevaba para S. M. y me ha significado quánto desea establecerse en ese país. Yo consivo que la industria Española haría una adquisición muy útil en la persona de este sugeto, que miro como el más propio para dirigir qualquiera manufactura donde se requiere elegancia y perfección en las formas y dibuxos. Además, la buena conducta, moderación y práctica que tiene el C.o Diugour en la administración y gobierno económico de una gran fábrica, me persuade que si se le confiase la dirección de la R.l fábrica de porcelana de S. M. veríamos en breve a ésta rivalizar con la de Ceve [Sèvres], como ya se verifíca con la que él mismo dirige en París* ».

3. Il présenta souvent ses dessins et peintures d'oiseaux et d'insectes à l'occasion des Salons parisiens, et fut un inconditionnel de l'œuvre de François Levaillant, cf. *Catalogues of the Paris Salon, 1673 to 1881*, Compiled by H. W. Janson, New York - Londres, Garland Publishing, 1977, *passim*.

4. Il s'agit probablement de Jean-Baptiste Debret, élève de David, qui exposa des œuvres lors des Salons de 1799 (n° 67) et de 1804 (n° 117).

5. Ferdinand Boyer, « Quelques écrits de Girodet (1789-1799) », *BSHAF*, année 1967 (Paris, 1968), p. 250.

6. Archives générales du palais royal, à Madrid, Reinados, Carlos IV, Casa, leg. 164. *Gastos hechos para las obras de la casa del Labrador, así para el techo que se [h]a de pintar a el fresco como para las estaciones para la pieza de la platina en este año de 1805* ». Ces comptes sont enregistrés sous le n.o 13 parmi les papiers du « *Mes de Setiembre de 1805* », dans les « *Documentos de la Cuenta de D.n Felipe Martínez de Viergol, de gastos del R.l Servicio del Rey N. S.*

7. Archives générales du Palais Royal, à Madrid, Reinados, Carlos IV, Casa, leg. 152. Reçu de Andrés Celle, testament du comte de Fernán-Múñez, pour une « cheminée de marbre blanc, avec des motifs étrusques » (Madrid, 24 janvier 1801).

8. Javier Jordán de Urríes y de la Colina, « El retrato ecuestre de *Bonaparte en el Gran San Bernardo* de David, comprado por Carlos IV », *Archivo Español de Arte*, t. LXIV, n.° 256, 1991, p. 503-512. Idem, « Jacques-Louis David (1748-1825). *Bonaparte en el Gran San Bernardo* », en *1802. España entre dos siglos y la devolución de Menorca*, catalogue de l'exposition, Madrid, Sociedad Estatal de Conmemoraciones Culturales, 2002, p. 237-240.

9. Jean-Louis Augé; Marie-Paule Romanens, *Les Élèves espagnols de David*, musée Goya, Castres, Saint-Sébastien, ACL-Crocus, 1989. J.-L. Augé, « Los alumnos españoles de David », in *José de Madrazo (1781-1859)*, Santander, Fundación Marcelino Botín, 1998, p. 15-33.

10. Jacqueline Auzas, « Les peintures de Girodet au Palais de Compiègne », *BSHAF*, année 1969 (Paris, 1971), p. 98-100 et fig. 3.

11. *Recueil de décorations intérieures, comprenant tout ce qui a rapport à l'ameublement* [...], Paris, Chez les auteurs, 1812, pp. 40-41 et planches 61 à 64. Noël, 1803, t. II, p. 500, entrée « Saisons » : il y parle de Girodet et du fait que ses « quatre tableaux n'ont point été exposés et ne sont point connus du public », et il ajoute : « Chaque Saison est représentée par une figure allégorique, et traitée dans le genre d'effet simple des peintures antiques d'Herculanum. »

12. A. Lebrun, (pseudonyme de Raymond Foulché-Delbosc), « P. G. de Bussy. – Campagne et Souvenirs d'Espagne. 1823 », *Revue hispanique*, t. XXXII, n° 82, décembre 1914, p. 558 : « Dans le cabinet de platine, le seul qui en Europe soit entièrement tapissé de lames de ce précieux métal, on admire quatre tableaux de Girodet exécutés sur les lieux et qui représentent les quatre saisons. Ce sont autant de chefs-d'œuvre de ce grand maître; on ne saurait rien imaginer dans le monde de plus gracieux, de plus suave que son *Printemps*. » Isidore Séverin Justin Taylor, *Voyage pittoresque en Espagne, en Portugal et sur la côte d'Afrique, de Tanger à Tétouan*, Paris, Librairie de Gide fils, 1826-1832, t. I, p. 157.

13. [Alexandre Slidell-Mackenzie], *A Year in Spain. By a young American*, Londres, John Murray, 1831, t. II, p. 13-14.

14. Boyer, p. 251.

15. José Luis Díez, *Vicente López (1772-1850)*, Madrid, Fundación de Apoyo a la Historia del Arte Hispánico, 1999, t. I, p. 114.

16. Comme on peut en juger d'après les photos anciennes des guides de Cándido Pardo (1902), José Maria Florit (1913), et Elías Torno (1929).

Les décors de Compiègne

cat 39 L'Automne

Huile sur toile,
184 x 68 cm
Compiègne, musée national du château, inv. 4954

Hist. Commandé en 1814 par l'architecte Berthault pour la chambre à coucher de l'impératrice Marie Louise

Œuvres préparatoires

Lille, musée des Beaux-Arts, inv. Pl. 1419 *L'Automne*, plume et encre brune sur papier beige, et inv. Pl. 1420 *L'Automne*, crayon noir sur papier blanc ; Montargis, musée Girodet, inv. 874–187, *L'Automne*, mine de plomb sur papier vergé.

cat 40 L'Hiver

Huile sur toile,
184 x 68 cm
Compiègne, musée national du château, inv. 4955

Hist. Commandé en 1814 par l'architecte Berthault pour la chambre à coucher de l'impératrice Marie-Louise
Bibl. Anon., 1822 (ms. 2785) ; Léré, 1823, n° 43 et 44 ; Fleschelle, 1829, p. 21-22 ; Anon. cat. musée, 1837, n° 94 et 95 ; Anon., cat. musée, 1841, n° 37 et 38 ; Anon. cat. musée, 1846, n° 59 ; Vatout, vol. 7, 1848, n° 55 et 56 ; Pellassy de l'Ousle, cat. musée, 1861, p. 18 ; Blanc, 1862-1863, p. 14 ; Chesneau, 1863, p. 16 ; Pellassy de l'Ousle, cat. musée, 1867, p. 19 ; Auzas, 1969, p. 100 ; Pruvost-Auzas, 1971, p. 50, rep. p. 51 ; Bernier, 1975, p. 167, ill. p. 176 ; Levitine, 1978, p. 385, fig. 23 et 24 ; Moulin, 1984, p. 331, fig. 15 et 16 ; Compin, Roquebert, Foucart, Foucart-Walter, 1986, p. 265 -266 ; Moulin, 1991, p. 29 ; Moulin, 1992, p. 77 ; Lemeux-Fraitot, 2003, p. 43-47. repr.

Œuvres en rapport

Pérignon, 1825, p. 18, n° 64 Quatre esquisses peintes pour quatre figures allégoriques exécutées au château de Compiègne ; cet article pourra être divisé, T(oile), h. 1. et à 8 pans ; n° 210, p. 55 Deux croquis au crayon, sur papier blanc. Projets de figures exécutés à Compiègne (?).

Les décors de Compiègne[1]

Le château de Compiègne a le rare privilège [de] conserver deux ensembles uniques, l'un de Piat [Joseph] Sauvage (1744-1818) commandé par Louis [XVI] mis en place en 1784-1785 dans ses appartements et dans ceux de la reine Marie-Antoinette ; [un second] non moins exceptionnel, d'Anne-Louis [Giro]det-Trioson parachève la décoration des appartements impériaux telle que l'a voulue Napoléon Ier.

C'est un palais exsangue qui rejoint le domaine [imp]érial en 1804 ; l'ancienne demeure royale est [vidé]e de son mobilier, transformée en Prytanée [mili]taire, puis en École des arts et métiers jusqu'en [nov]embre 1806. Une nouvelle vie s'offre à elle [avec] la nomination par décret du 26 août 1806 de [l'ar]chitecte de Malmaison, Louis-Martin Berthault [(17]70-1823). Protégé de l'impératrice Joséphine, [arch]itecte à la mode, dessinateur de jardins (on [dirai]t aujourd'hui architecte-paysagiste), « il a un [goû]t exquis », comme se plaisait à dire la duchesse [d'A]brantès qui ajoute, « Je n'ai jamais vu un appar[tem]ent arrangé par lui autrement que très bien ».

[L']année 1807 va être décisive pour le palais ; dès [jan]vier, l'architecte Fontaine est chargé de dresser [des] états d'ameublement pour redonner vie à un [pala]is « extrêmement dégradé dans l'intérieur ». [Bert]hault, sous la direction de Fontaine, propose [une] nouvelle distribution des appartements. Cet [arch]itecte élabore une décoration originale s'ap[puy]ant sur une ornementation intégrant généra[lem]ent, dans un plafond à compartiments, des [pein]tures à « sujet » à un cadre de peintures dé[cor]atives. L'Empereur, qui a supervisé lui-même [les] projets, accepte ce principe lors d'une ultime [séan]ce de travail à Fontainebleau le 10 novembre [180]7 : Napoléon occupe l'ancien appartement du [l'i]mpératrice, l'aile à l'extrémité de la terrasse. [À p]artir de 1808 et pendant deux années, le palais

et les jardins (ces derniers se voient attribuer un crédit de 600 000 F sur les budgets des exercices 1810 et 1811) sont un vaste chantier qui doit être réalisé « dans le plus court délai ». Berthault aménage pour l'empereur une bibliothèque et une chambre à coucher ; pour la nouvelle impératrice Marie-Louise, une chambre à coucher complétée par le salon bleu destiné à l'héritier du trône. La peinture de décor de la galerie de bal est également programmée à la même époque.

L'architecte de Compiègne s'entoure d'une équipe pour mener à bien cet ensemble de travaux ; il se tourne naturellement vers ses collaborateurs de Malmaison, en premier lieu, Dubois et Redouté, entrepreneurs de peinture et décorateurs ; ils se voient confier tous les travaux de peinture décorative[1].

Reste à trouver un artiste pour la peinture « à sujet » ou peinture d'histoire. Berthault suggère que l'on fasse appel à Girodet. Cet artiste, qui échappe aux règles contraignantes des soumissions de travaux, est alors au sommet de sa gloire ; il a participé à la décoration de Malmaison ; on le préfère à un autre artiste, tout aussi célèbre, Pierre Paul Prud'hon. L'auteur du *Portrait de l'Impératrice Joséphine dans le parc de Malmaison* (1805), et des décors de la salle de Diane au Louvre (1801-1803) a l'expérience d'un grand peintre décorateur. Malheureusement, Prud'hon est connu pour sa lenteur. Défaut impardonnable à une époque où les travaux doivent être achevés sitôt commencés comme en témoignent les échanges de correspondances entre Berthault et l'intendant des Bâtiments, Louis Costaz.

Si la mise en place du décor peint de la chambre à coucher de Marie-Louise connaît un regain d'activité après son mariage avec l'empereur en avril 1810, lorsque Berthault fait établir des devis pour cette même chambre, il faudra attendre 1814 et donc la chute de l'Empire pour voir aboutir

les premiers travaux exécutés par Girodet (salon bleu). Paradoxalement, la Restauration dans un parfait exemple de continuité de l'État, confirme Berthault dans ses fonctions d'architecte et par là même offre à Girodet la possibilité de poursuivre, avec la même volonté de rapidité et d'efficacité que sous l'Empire, l'achèvement de la décoration peinte des appartements. Les travaux ne prennent fin qu'en 1821 avec le marouflage des peintures de la chambre à coucher de l'empereur (devenue celle du roi)[2].

De toutes les pièces du château de Compiègne, la chambre à coucher de l'Impératrice, située à l'emplacement des petits appartements du roi est, à tous égards et comme il se doit, la pièce la plus « somptueusement décorée… où les artistes de tous les genres ont épuisé leur savoir, elle a été exécutée en 1808 sur les dessins de M. Berthaud » (*sic*).

Ce commentaire de Léré[3] résume parfaitement la richesse, la variété et la qualité des décors de l'ancienne chambre à coucher des impératrices Marie-Louise et Eugénie[4]. En août 1808, Berhault établit un devis de peintures décoratives d'un montant de 23 742 F. Il projette de faire peindre dans certains caissons du plafond des figures féminines ailées portant des corbeilles de fleurs sur leurs têtes tandis que d'autres figures féminines ailées se « terminant en rinceaux, comme dans Raphaël, soutenant des armoiries et tenant des guirlandes comme dans le style antique » prendront place aux tympans. Le devis prévoit également « 6 tableaux sur châssis à clef d'environ 6 pieds de haut sur 2 pieds 8 pouces de large » dont les sujets représenteront des pastorales. Cette dernière dépense est estimée à 6 000 F[5].

Les peintures imaginées par Berthault, essentiellement conçues autour de l'*Abondance* et de la *Fécondité*, sont terminées, à l'exception des pastorales, au milieu de l'année 1809. La décoration de

la chambre, bien que meublée, n'est pas achevée pour autant ; le 15 octobre 1810, notre architecte propose un nouveau devis de 8 551,20 F pour «six tableaux [à] sujets historiques pour remplir les entre deux des pilastres.» [6]

Dans un premier temps, on pense faire appel à Pierre Paul Prud'hon. Le projet de budget de 1811 mentionne expressément son nom : «ces tableaux seroient peints par M. Prudhon» pour un montant de 8 552 F [7] ; les minutes du projet mentionnent bien «six Tableaux historiques A Peindre par Prudhon», mais ces derniers mots sont biffés. Le budget final ne cite plus le nom de cet artiste, mais en plus, la mention ajourné figure en marge de l'article concerné.

Les événements liés à la campagne de Russie (1811-1812), puis à celle de Saxe (1813) repoussent ce projet. La chambre à coucher est endommagée au cours des attaques dirigées contre la ville en mars et avril 1814 : deux persiennes, leurs croisées et leurs volets sont brisés, des chapiteaux démontés, une des cornes d'abondance du lit est cassée [8]. Les crédits alloués pour réparer les dégâts occasionnés au palais servent également pour la chambre à coucher et ses peintures.

Berthault élabore un nouveau programme et fait appel à Girodet pour les tableaux d'histoire et à Dubois et Redouté pour la peinture des ornements du plafond et pour les restaurations des décors détériorés lors des combats de 1814. Girodet se voit ainsi confier la réalisation de six tableaux représentant, non des pastorales mais des *Saisons*, auxquelles s'ajoutent *L'Hymen* et *La Fécondité*, le tout pour un prix de 6 000 F ; au plafond, *L'Aurore chassant la Nuit* [ill. 182] sera facturée 1 500 F [9]. Cet ensemble est rapidement réalisé, Girodet reprenant pour la circonstance les *Saisons* peintes en 1802-1804 à la demande de Charles IV pour le cabinet de platine de la Casa del Labrador au château d'Aranjuez près de Madrid.

On ignore la date de réception des *Saisons* de Compiègne terminées depuis la fin de l'année 1814, en revanche on sait que *L'Aurore* est maroufée le 19 novembre 1815 le même jour que le tableau du plafond de la bibliothèque [10]. À l'origine, les tableaux sont disposés comme suit : *Les Saisons* prennent place de part et d'autre des miroirs à l'emplacement de tentures murales nacarats ; entre les fenêtres, *Apollon* ou *L'Hymen* et *L'Allégorie de Flore* [ill. 183] sont placés au-dessus des commodes de Jacob-Desmalter, ornées elles-mêmes d'un grand bronze central représentant, pour l'une *Apollon* et pour l'autre *Vénus*. Ce jeu symbolique entre *La Fécondité*, *Flore* et *Apollon* subsiste jusqu'à la guerre de 1870 qui voit la destruction de *La Fécondité* et la mutilation du *Printemps* par les troupes prussiennes [11]. De nos jours, les *Saisons* sont toujours installées de part et d'autre des miroirs mais *Apollon* ou *L'Hymen* [ill. 184] fait désormais face à *L'Hiver* (cat. 40) et *L'Été* [ill. 185] à *L'Automne* (cat. 39) ; deux panneaux de tenture nacarat ont à nouveau pris place entre les fenêtres qui retrouvent leur état d'avant la mise en place des peintures de Girodet.

Les *Saisons* sur lesquelles semble veiller l'*Aurore* apportent certes un cachet supplémentaire à l'élégance toute féminine de cette pièce, mais Girodet ne fait que reprendre un sujet en vogue à la fin du XVIIIe siècle, tant en France qu'en Europe. Le monde intellectuel de cette époque a été fasciné par la nouvelle approche de la nature et du paysage, liée à une anglomanie naissante, confortée par la parution en 1728 des *Seasons* de l'Anglais James Thomson qui renouvelle, bien avant Rousseau, la vision de la nature alors en vigueur en Europe continentale [12]. Cet ouvrage de référence, traduit en 1759 par Marie-Jeanne de Châtillon, a largement inspiré deux ouvrages parus à une année d'intervalle *Les Quatre Saisons ou Les Géorgiques françoises* du cardinal de Bernis en 1763 [13] et *Les Saisons et les*

III. **184** Girodet, *Apollon* (toile remplaçant *Le Printemps* endommagé en 1870)
Huile sur toile, Compiègne, musée national du château

III. **185** Girodet, *L'Été*
Huile sur toile, Compiègne, musée national du château

III **186** Girodet (d'après), *Le Printemps*, gravure de Landon

III. **187** Girodet (d'après), *L'Été*, gravure de Landon

III. **188** Girodet (d'après), *L'Automne*, gravure de Landon

III. **189** Girodet (d'après), *L'Hiver*, gravure de Landon

Jours de Jean-François de Saint-Lambert en 17[..] souvent rééditées tout au long de la seconde mo[itié] du XVIIIe siècle [14].

Il n'est donc point surprenant que Girodet [ait] abordé ce thème d'abord à Aranjuez, puis à n[ou]veau à Compiègne. Comme il le relate dans la [let]tre à Pastoret [15], l'artiste s'inspire à l'exception [de] *L'Été* et de *L'Hiver*, des «figures connues sou[s le] nom de *Danseuses* d'Herculanum» que les grav[ures] de Filippo Morghen publiées dans les *Antichit[à di] Ercolano* imprimées à Naples entre 1757 et 1[...] ont rendu célèbres auprès des artistes [16]. Il n'en [de]meure pas moins que la principale source d'ins[pi]ration des *Saisons* reste le *Dictionnaire de la fable* [de] François-Joseph Noël paru en 1803 auquel co[lla]bore Girodet lui-même en participant à la réd[ac]tion des notices de l'article consacré aux *Saison[s]*.

Sans vouloir revenir sur l'historique des dé[cors] d'Aranjuez étudiés par Chantal Gastinel-Co[ste] et pour la présente exposition par Javier Jorda[n], essayons de montrer ce qui rapproche et différ[en]cie ces deux réalisations de Girodet peintes à [dix] ans d'intervalle qui doivent être étudiées dans [leur] globalité. Les peintures d'Aranjuez ont des dim[en]sions différentes de celles de Compiègne : 146 [cm] de haut contre 184 cm et 80,5 cm de large co[ntre] 68 cm ; elles sont placées dans des cadres déc[orés] de motifs floraux encastrés dans les boiseries [de] Percier et Fontaine ; ces toiles, contrairement à c[el]les de Compiègne qui ne sont pas signées, port[ent] les inscriptions : AL GIRODET DR INV. On ne p[eut] analyser la démarche de Girodet en faisant abst[rac]tion des dessins en rapport avec les composit[ions] d'Aranjuez et par là même de Compiègne et [du] contexte entourant ces deux commandes roya[les].

La version compiègnoise du *Printemps*, ou [du] moins ce qu'il en reste, devait être la composit[ion] la plus remarquable de cet ensemble si l'on en j[uge] par la préciosité avec laquelle Girodet représent[e la] «gaze verdoyante [qui] badine autour de son b[eau] corps et en caresse amoureusement les conto[urs] arrondis». Les peintures d'Aranjuez et de Co[m]piègne présentent peu de variantes si ce n'est [la] présence des rubans aux accords de la lyre dan[s la] version espagnole et d'un arc-en-ciel dans cell[e de] Compiègne [18].

La représentation de *L'Été* est une sorte de s[yn]thèse entre les premières minutes des notices d[on]nées par Girodet pour l'article «Saisons du *Dict[ion]naire*» de Noël, et les notices définitives de l'édit[ion] du même *Dictionnaire* de 1803 ; parallèlement à c[et]te approche littéraire, on peut également suivr[e]

marche picturale grâce à un dessin conservé au
~~sée~~ des Beaux-Arts d'Orléans que Medhi Kor~~ne~~ situe sans contestation possible vers 1803-
~~0~~4 mais qui par son esprit peut anticiper les pas~~ales~~ qu'aurait sans doute peintes Girodet si le
~~projet~~ compiègnois de 1808 avait abouti [19] ; il offre
~~les~~ mêmes caractéristiques qu'une étude du musée
~~des~~ Beaux-Arts de Lille pour *L'Automne* (voir in~~fra~~ : une composition avec plusieurs personnages,
~~dont~~ une figure féminine symbolisant sans doute la
~~terre~~, cerne *L'Été* entièrement nu. L'idée générale
~~est~~ déjà exprimée par le peintre : *L'Été* présente
~~une~~ «tête et une poitrine robuste… Des jets de
~~flammes~~ forment sa brillante chevelure». La mise
~~en page~~ reste traditionnelle et n'offre aucune in~~nov~~ation particulière. Existe-t-il comme pour
~~L'Automne~~ d'autres dessins préparatoires montrant
~~la dé~~marche de l'artiste? La réponse semble néga~~tive~~ pour l'instant. Au final, Girodet harmonise sa
~~com~~position avec l'ensemble des autres allégories,
~~abou~~tissant là aussi à une figure isolée personnalisée
~~suiv~~ant les commanditaires.

~~L~~es versions de *L'Été* d'Aranjuez et de Compiè~~gne~~ présentent en commun le même personnage
~~de~~ face, ceint d'un «léger manteau d'un vert
~~plus~~ foncé que celui du *Printemps* ; il retient de sa
~~main~~ gauche l'urne des eaux fécondantes et foule
~~de son~~ pied puissant» une masse de nuages annon~~ciat~~eurs d'orages. Les variantes apparaissent au ni~~veau~~ de l'attribut de la main droite : à la Casa del
~~Lab~~rador, un flambeau allumé tourné vers le bas ; à
~~Com~~piègne, un bouquet de coquelicots, de bleuets
~~et d'~~épis de blé [20].

L'Automne est l'œuvre la plus documentée. Elle
~~est~~ personnifiée sous les traits d'une «déesse qui
~~tour~~ne son visage vermeil, et souriant à la terre
~~qu'~~elle regarde avec une complaisance maternel~~le~~. De sa main droite, elle secoue sa chevelure
~~épaisse~~, d'où s'échappe une pluie intarissable de

mille fruits divers. De la gauche, elle presse avec
amour sa mamelle féconde, et en fait jaillir une li-
queur douce et vermeille dont les heureux enfants
de Cybèle seront bientôt abreuvés… Outre ces
dons, l'Automne procure encore à l'homme avide
de jouissances, les richesses et les plaisirs de la chasse [21].» On connaît plusieurs études en rapport avec
cette composition ; deux sont conservées au Musée
des Beaux-Arts de Lille et une au musée Girodet.
La première étude lilloise (inv. Pl.1419) présente
une composition complexe, toute en courbes, avec
plusieurs personnages. Girodet a déjà trouvé le motif de sa composition mais l'*Automne* se penche vers
une femme assise sur un lion, allusion au commanditaire espagnol, tandis qu'un enfant recueille le
précieux liquide de son sein ; Bacchus et son chien
se tiennent à l'arrière [22].

Le dessin de Montargis, beaucoup plus aérien, est à l'opposé de cette première étude ; dans
une approche très davidienne, Girodet représente
L'Automne sous la forme d'une femme nue, tournée vers la droite et flottant dans l'espace, tout en
s'appuyant sur la pointe des pieds comme dans
les toiles définitives [23]. Ce dessin, qu'une inscription qualifie de contre-épreuve pour le tableau de
Compiègne, reflète globalement la pensée définitive de l'artiste. Il suffit de le comparer au second
dessin du musée de Lille (inv. Pl. 1420) ; cette figure
allégorique apparaît dans toute sa beauté et prend
toute son ampleur. Le geste est tout aussi élégant,
même si une cruche remplace le vase d'où coulent
les bienfaits qu'elle déverse sur terre. Les drapés de
son *pallium* dessinés à la pierre noire sont traités
d'une manière rapide, précise et très picturale [24]. La
jeune femme est devenue la *danseuse* d'Herculanum ou, mieux, la *ménade* telle que Girodet voulait l'imaginer [25].

Le second dessin de Lille est le plus proche du
tableau d'Aranjuez par le profil du visage de la fem-

me et les fruits ornant sa tête qui semblent être le
prolongement naturel et sans fin de cette immense
et ondulante chevelure ; *L'Automne* d'Aranjuez
offre une continuité très poétique entre ces deux
éléments absents de la version de Compiègne, qui
par ailleurs, fait allusion «aux plaisirs de la chasse»
avec le motif savoureux du chien poursuivant le
«lièvre timide» réfugié entre les plis du vêtement
de cette femme.

Des quatre figurations des *Saisons*, *L'Hiver* est
sans doute la plus émouvante. Le parfait état de
conservation de la version de Compiègne y est sans
aucun doute pour beaucoup avec cet admirable jeu
du pinceau et de la matière picturale jouant sur une
gamme de blancs et de gris du plus bel effet rendant avec un rare naturalisme – absent de la version
d'Aranjuez - «les flocons de la neige amoncelée».
Les minutes de Girodet pour le Dictionnaire de
Noël permettent de suivre la genèse de cette allégorie que le peintre avait imaginée «enveloppée
d'une tunique blanche [et] d'un manteau gris».
Dans ce texte, Girodet fait déjà allusion au flambeau renversé et à la masse neigeuse sur laquelle
chemine le vieillard ; dans la seconde édition de ce
même ouvrage, l'artiste imagine son personnage
sous la forme d'une femme «bien vêtue, dont la
tête est couverte avec un pan de sa robe» mais il revient à la vision traditionnelle de l'hiver symbolisé
par un vieillard aux «bras robustes, [aux] cuisses et
jambes nerveuses, vêtu d'un manteau où s'impri-
me la morne couleur dont il flétrit la végétation».
Cette allégorie présente elle aussi quelques variantes suivant les versions : à Aranjuez, les cheveux du
vieillard sont hérissés de branchages ; à Compiègne,
L'Hiver tient dans sa main droite une branche de
sapin et un flambeau qu'il tente d'éteindre.

Ces subtilités iconographiques, au demeurant
assez minimes mais fondamentales pour l'interprétation de ces deux ensembles, ne doivent pas

masquer les vraies différences de ces deux décors. Aranjuez s'inscrit naturellement dans un contexte espagnol dans lequel on a importé une vision française du décor dans un esprit poussinesque qui transforme ce cabinet de platine en une sorte d'hôtel Lambert espagnol, le tout dans un style néoclassique encore marqué par le XVIIIᵉ siècle français.

Le registre compiègnois est autre. En premier lieu, *Les Saisons* de Compiègne de par leur chronologie, sont à classer à part dans l'œuvre de Girodet et dans son évolution stylistique. De plus, elles doivent être aussi analysées par rapport à quatre autres *Saisons* gravées au trait d'après des peintures de *proportion demi-nature* de Girodet, publiées par Landon en 1808 dans les *Annales du Musée. Salon de 1808*. La critique se montre très élogieuse, considérant ces tableaux par ailleurs absents du Salon de 1808 « pleins d'imagination et de poésie, précieux pour la grâce et la correction du dessin, la fermeté du coloris et la finesse de l'exécution ».

Les gravures de Landon, que personne n'a jamais vraiment étudiées, constituent une version intermédiaire entre *Les Saisons* d'Aranjuez et celles de Compiègne [26]. Dans cette série, Girodet semble s'affranchir des contraintes de la commande espagnole et se montre plus libre et parfois plus imaginatif dans l'évocation du sujet traité : le couple s'enlaçant « *aux doux accords de l'harmonie créatrice* », à gauche du *Printemps*, est une allusion directe à l'époque des amours, mais Girodet se gardera de reprendre ce motif à Compiègne. Il en va de même avec le chien cracheur de feu tenu en chaîne par l'*Été*. Une telle iconographie aurait pu prêter à équivoque dans une résidence impériale. L'*Automne* de Landon annonce déjà celui de Compiègne par la présence du chien se lançant à la poursuite du lièvre. Dans l'allégorie de l'*Hiver*, Girodet suit d'assez près le texte du *Dictionnaire de la Fable* en introduisant des « oiseaux aquatiques [qui] fendent d'un vol rapide l'atmosphère glaciale » animant d'une manière inattendue et gracieuse une composition figée par nature.

Les Saisons de Compiègne qui semblent être l'aboutissement de la réflexion de Girodet sur ce thème, ne doivent pas faire oublier les deux panneaux situés originellement dans les entre-fenêtres, *Flore ou La Fécondité* et *Apollon ou L'Hymen* [27], et encore moins la toile du plafond, l'*Aurore chassant la nuit*. Ces trois sujets sont peints dans le même esprit ; Girodet reprend le motif des *Danseuses* à demi nues pour *Flore ou La Fécondité* avec le même jeu de draperies ramenées sur la tête de la jeune femme ; elles mettent en valeur les courbes de son corps

accentuées par les volutes de la corne d'abondance d'où émergent deux amours entourés de fleurs et de fruits. *Apollon* représenté lui aussi à demi-nu apparaît triomphant, coiffé de la traditionnelle couronne de fleurs et portant le flambeau allumé [28].

Par ailleurs, ce n'est pas un cabinet que décore Girodet, mais une chambre à coucher tournée vers la lumière d'un jardin récemment planté par Berthault, dominé par la nature et l'alternance des saisons ; le peintre n'a plus à recourir, comme au cabinet de platine, à l'artifice des *tondis* insérés dans des miroirs ni aux paysages de Bidault placés sous les *Saisons*. À Compiègne, Girodet compose avec la lumière et les ouvertures sur la terrasse. Aux couleurs riches, soutenues et même sombres d'Aranjuez, Girodet préfère un graphisme et des tons plus clairs et plus légers en harmonie avec *L'Aurore chassant la Nuit*. Ce symbole de la naissance du jour et de la lumière plane sur les *Saisons*, *L'Hymen* et *La Fécondité*. Girodet transforme ainsi un programme iconographique conçu spécialement pour Aranjuez en l'adaptant au goût du jour. En cette année 1814, hautement symbolique, une telle démarche ne peut être que porteuse d'avenir.

J. K.

...auteur remercie Annie Scottez de Wambrechies, Alain
..., Alain Pougetoux, Emmanuelle Macé, Véronique
...on, Richard Dagorne, Benoit Mahuet, Marie Lapalus,
...el Roger, Vincent Ardiet, Jean-Denys Devauges,
...elle Klinka, Nathalie Léman, Fatima Louli, Alain Galoin,
...Blanchegorge, Pascale Gardès

...le palais leur doit beaucoup ; tout l'environnement
...ratif des appartements de l'empereur et de l'impératrice
... réalisé par leur soin d'après les dessins de Berthault.
... chronologie des décors de Girodet à Compiègne est
...ivante : 1814, réception de l'ensemble des peintures
...alon bleu et des *Saisons* pour la chambre à coucher
...'impératrice ; 1815, marouflage des toiles de la
...othèque de l'empereur et du plafond de la chambre à
...her de l'impératrice ; 1817, marouflage des peintures
...galerie de bal ; 1821, achèvement des peintures de la
...bre à coucher de l'empereur. Les appartements sont
...rmais occupés à partir d'avril 1814 par Louis XVIII et
...ourbons ; ils reprennent leurs habitudes à Compiègne
...mpressent de remplacer les abeilles et les aigles par
...ymboliques fleurs de lys. Girodet réalise à Compiègne
...ul ensemble décoratif venant après celui de la Casa del
...dor à Aranjuez. Avec Berthault et ses collaborateurs,
...eintre a donné naissance à une exceptionnelle
...onie stylistique, peut-être la plus homogène qui
..., entre décor peint et ameublement, faisant triompher
...le vivre et le goût Empire à Compiègne à une époque
... style était en passe d'être démodé. Angela Stief dans
...étude *Die Aeneillustrationen von Girodet-Trioson*,
..., s'est interrogé sur les convictions politiques de
...te. Est-il bonapartiste ou royaliste ? Peut-il accepter
...vailler pour les Bourbons ? En bon opportuniste qu'il
...être, Girodet aurait eu mauvaise grâce de refuser les
...nandes que lui proposait le nouveau régime dont les
...iconographiques restent très consensuels. Pour une
... complète des décors de Girodet à Compiègne. Voir
...nnmunch, *Girodet, peintre du Compiègne impérial*,
... (à paraître).
...é, *Manuscrits*.
...M. Moulin, 1984, p. 326-336.
...A 64-1808-10.
...N. O² 291-I et CAA 64-1810-20 ; voir également
...vison Brown, 1980, p. 299.
... . O²291-VII. Le terme exact est *seroient* et non *seront*
...e on l'écrit trop souvent.
...lais de Compiègne. États des dégradations faites au
...s et dépendances par suite de l'attaque sur la ville les
...d mars et 1er avril 1814*. Correspondance de Berthault.
... 1814.
... O³ 1184. Rappelons que cette lettre dans laquelle
...ault justifie ses prévisions de devis à Mounier,
...orte aussi le projet de plafond de la bibliothèque de
...ereur puis du Roi (voir note 7 de la notice *Bibliothèque
...mpereur puis du Roi*).
...es *Saisons* peuvent difficilement être achevées, selon
... le 15 septembre 1814 comme le prétend J.M. Moulin,
...t., 1984, p. 331.
...ax Terrier a pu reconstituer les éléments perdus à
... d'une photo prise à Aranjuez.
...e célèbre ouvrage inspirera l'oratorio de Haydn, *Les
...e Saisons* jouées à Vienne le 24 avril 1801.
...appelons que Jacques Delille donne une nouvelle
...tion des *Géorgiques* en 1782. Les artistes n'ont pas

été insensibles au thème des Saisons. Doit-on rappeler,
entre autre, les *Quatre Saisons* de Piat Joseph Sauvage
peintes entre 1784 et 1789 pour la chambre à coucher de la
reine à Compiègne, les frises de Prud'hon pour le salon des
Saisons (1798-1801) à l'hôtel de Lannoy et les quatre autres
Saisons en hauteur connues seulement par le dessin du
musée Bertrand à Châteauroux ? (cf. S. Laveissière, 1998,
nᵒˢ 102-104, repr.) ; il faudrait aussi mentionner le salon
des Saisons de l'Hôtel de Beauharnais et ses peintures
exécutées vers 1803 par un artiste resté anonyme.
14. On connaît au moins sept rééditions entre 1764 et
1823 ; une version en néerlandais paraît en 1802.
15. *Lettre de Girodet à M. Pastoret*, Bibliothèque de l'INHA,
collection Jacques Doucet, carton 15, Peintures, Girodet.
On devine également cette influence dans le dessin des
Quatre Saisons de Prud'hon de Châteauroux.
16. Citons entre autres les planches XVII et XX reproduites
dans le volume I ; ces danseuses font aussi le charme de la
salle à manger de Malmaison, cf. B. Chevallier, 1989, p. 90,
repr. p. 366-368, fig. 57-64
17. Chantal Gastinel-Coural, 1993 (1994), p.181-205 et la
notice de Javier Jordan, p. (à compléter). Rappelons que
les *Saisons* d'Aranjuez ont fait l'objet d'un modèle ou d'une
esquisse, reprenant dans un même tableau l'ensemble des
quatre sujets ; cf. *French nineteenth century Paintings,
Spring Exhibition*, New-York, Shepherd Gallery 1984, n° 6,
repr ; id, *Twenty nineteenth Century Woks or Art*, octobre-
novembre 1986, n° 1 ; notice par Frederick Cummings).
Ces peintures de petit format proviennent selon toute
vraisemblance de la collection de l'architecte Percier léguée
à sa mort à son ami Fontaine : *Objets légués à Mr Fontaine
/ Dans les pièces de l'Entresol : 26ᵉ quatre Esquisses de
Girodet représentant les quatre saisons* (AN, Minutier
central, étude XLVI, liasse 905, 11 septembre 1838) ; voir
enfin Chantal Gastinel-Coural, 1993, notes 11, p. 196
et 38, p. 198.
18. On ne connaît pas de dessin préparatoire pour cette
composition, mais seulement une copie dessinée à
l'estompe marouflée sur toile, attribuée à Madame Bioche
de Misery qui a servi de modèle pour un vase fuseau avec
figures de Jean Georget acquis par le musée national de
Céramique à Sèvres (MNC 26310) ; Voir M.-N. Pinot de
Villechenon, 1998, pp. 55-62, repr. fig. 4, p. 57 et fig. 10,
p. 60 pour le dessin.
19. Plume et encre brune, 10,6 x 10 cm, inv. 751 d. ; Voir
M. Korchane, 1996, n° 18.
20. Faut-il voir dans ce bouquet de fleurs une allusion
aux couleurs de la France ? Une symbolique similaire
est présente dans le *Portrait du roi de Rome endormi* de
Prud'hon (1811) ; cf. S. Laveissière, 1998, n° 153, repr.
21. Noël, 1803 ; S. Lemeux-Fraitot, 2003, p. 45.
22. Encre brune sur papier beige, 10,8 x 9,9 cm, inv. Pl.
1419 ; cf. H. Oursel, 1974, n° 46, repr. pl. 59 ; A. Scottez,
1984, n° 78, repr. p. 107.
23 Mine de plomb, 52 x 34 cm, inv. 874-187 ; voir notice
dans cat. exp. *Girodet*, 1967, n° 77.
24. Pierre noire. H. : 0,200 ; L. : 0,090. Inv. Pl. 1420 ; Voir
H. Oursel, 1974, n° 47, repr. pl. 58 ; A. Scottez, 1984,
n° 79, repr. p. 107 ; M. Moyne, 2004, n° 24, repr. p. 25.
25. On ne peut s'empêcher, comme l'a déjà fait A. Scottez,
de rapprocher ce dessin du bas-relief représentant une
Ménade conservé au Metropolitan Museum à New York
(Rogers Fund).

26. Landon, t. 1,1808, pp. 18-21, repr. Les peintures
correspondantes semblent perdues. Les *Saisons* d'Aranjuez
n'ayant pas été lithographiées, malgré l'existence de
dessins prévus à cet effet passés en vente le 12 avril
1832, n° 1 du catalogue par Duchesne aîné, les gravures
de Landon semblent être à l'origine de nombreuses copies
apparaissant régulièrement sur le marché d'art, en particulier
trois trumeaux, *Le Printemps*, *L'Automne*, *L'Hiver*, vente
Galerie Koller, Zurich, 1-4 octobre 2002, n° 1253, repr.
et vente Drouot, Étude Coutau-Bégarie, 1er juillet 2004,
n° 337, repr. A cette vente, figure également au n° 333,
trois autres trumeaux dans des encadrements en bois
et stuc doré figurant *Le Printemps*, *L'Automne* et *L'Hiver*.
Signalons l'existence dans les années soixante dix dans
une collection privée nantaise de quatre panneaux incrustés
dans des boiseries représentant les *Saisons*. On est tenté de
faire le rapprochement entre ces deux ensembles.
27. *Flore ou La Fécondité* n'est plus connue que par la
lithographie de Lambert et André (cf. Coupin, 1829, p.Lviij)
dont une épreuve en couleurs est conservée dans les
collections du château de Compiègne (C. 70072) et par un
dessin dans le même sens que la lithographie dans une
collection privée. Mine de plomb, lavis d'encre de Chine
et rehauts de gouache. H. : 0,435 ; L. : 0,305 ; cf. vente à
Drouot, 15 mars 1965, n° 15 avec *Apollon ou L'Hymen*
catalogué comme « pendant ».
28. L'histoire a dissocié à jamais ces deux panneaux dont
les couleurs plus tranchées et plus vives, si l'on se réfère
à celles d'*Apollon*, contrastaient avec celles des *Saisons* ;
l'emplacement de ces deux panneaux installés à contre-jour
avait rendu nécessaire cet artifice.

Le tableau d'une vengeance

**cat. 41 Mademoiselle Lange en Danaé,
dit aussi Danaé, fille d'Acrise**

1799

Huile sur toile, 64,8 x 54 cm

Cadre en bois doré portant dans les écoinçons quatre médaillons
en grisaille peints par l'artiste

Minneapolis, The Minneapolis Institute of Art, The
William Hood Dunwoody Fund, inv. 69.22

Hist. Atelier de l'artiste en 1824, acquis directement auprès des
Becquerel-Despréaux par Henri-Guillaume Chatillon (élève
de Girodet) après la mort de Girodet (lettre de Chatillon à
Antoine César Becquerel, Versailles le 22 [?] [1825 ?], fonds
Pierre Deslandres, déposé au musée Girodet de Montargis,
lettres non reliées) ; donné par la veuve de Chatillon à Raoul
Brinquant ; acheté par Georges Wildenstein en 1930 à la famille
Brinquant ; acquis dans les années 1950 par le collectionneur
britannique George Ansley ; Wildenstein Gallery, New York,
en 1969 (archives Wildenstein) ; acquis la même année par le
musée de Minneapolis.

Exp. 1799, Paris, exposé en fin de Salon sans numéro ; 1913,
Paris, n° 135 (repr. hors texte) ; 1929, Paris, n° 34 ; 1933, Paris,
n° 262 ; 1936, Paris, n° 316 ; 1939, Buenos Aires n° 67 ; 1940-
1941, San Francisco, n° 50 ; 1953, Paris, n° 92 ; 1962, Versailles,
n° 195 ; 1967, Montargis, non exp., cité et repr. ; 1972, Londres,
n° 109 ; 1972, Minneapolis, p. 29 ; 1986-1987, Houston, n° 22,
repr. p. 24 et p. 77.

Bibl. Anon., *La Décade philosophique*, 1799, p. 243-244 ; Anon.,
Journal de Paris, 1799, p. 528-529 ; Anon., *Journal des arts…*,
1799, coll. Deloynes, t. XXI, n° 567, p. 234 ; Anon., « Variétés »,
Journal des arts…, 1799, p. 4 ; Anon., *Mercure de France*, 1799, coll.
Deloynes, t. XXI, n° 565, p. 262 ; Anon., *Le Rédacteur*, 1799,
s. p. ; Anon., *Réflexions*, coll. Deloynes, t. XXVI, n° 583, p. 579 ;
Anon., *Revue du Muséum*, 1799, p. 146-148, coll. Deloynes,
t. XXI, n° 562, p. 12-13 ; Anon., *Second Précis historique au sujet*

du portrait de Madame Simons, coll. Deloynes, t. XXI, n° 585,
1799, p. 592-595 ; E. F., *Arlequin au Muséum…*, an VII, p. 35-36 ;
Chaussard, *La Décade philosophique*, 1799, coll. Deloynes, t. XXI,
n° 580, p. 451-452 ; François, *Journal du mois*, coll. Deloynes XXI,
n° 581, p. 511-515 ; Marant, *Journal des arts…*, 1799, p. 584,
588 ; Deguerle, 1799 ; *London und Paris*, 1815, p. 316-327 ;
Arnault, Jay, Jouy, 1822, p. 171 ; Coupin, 1825, p. 5 ; Coupin,
1829, t. I, p. XIV-XV, lvij ; Abrantès, 1831, t. IV chap. III, p. 47-
50 ; Delécluze, 1855, p. 261-262 ; Michaud, 1856, t. XXIII,
p. 172 ; Renouvier, 1863, t. I, p. 27-28, t. II, p. 495-496 ; Blanc,
1865, p. 7-8, 14 ; Lancrenon, 1871, p. 89-90 ; Goncourt, 1876,
p. 345-346 ; David, 1880, t. I, p. 343 ; Marquet de Vasselot, 1880,
p. 221 ; Berthelot, 1885-1902, t. XXI, p. 889 ; Tourneux, 1890,
t. III, p. 1912 ; Herbette, 1902, p. 149 ; Stenger, 1907, p. 112-
113 ; Arnault, 1908, t. II, p. 53-55 ; Marquiset, 1911, p. 107-
113 ; Hénard, 1913, p. 12 ; Lecomte, 1913, p. 15-18 ; Rosenthal,
1913, p. 346 ; Saunier, 1913, p. 286-287 ; Édmont et Jules de
Goncourt, Paris, 1938, p. 345-346 ; Jacques-Vincent, 1932,
p. 142-149 ; Stern, 1933, p. 49-159, 172, 207-226 (repr. hors
texte) ; Antal, 1936, p. 132, 137 ; Laver 1937, p. 20, pl. 12 ; Watt,
1938, p. 35-36 ; Robiquet, 1938, p. 159, repr. ; Huyghe, 1939,
p. 14 ; Escholier, 1941, p. 78 ; Ratouis de Limay, 1949, p. 75 ;
Brookner, 1952, p. 362 ; Friedlaender, 1952, p. 43-44, ill. 27 ;
Levitine, 1952 (1978), p. 152-173, ill. 26 ; Levitine, 1954, p. 38-
39, ill. 5, 6 et 8 ; Levitine, 1956, p. 40, Rosenblum, 1957, p. 286 ;
Heckscher, 1961, p. 187-200, repr. ; Bazin, 1965, p. 664-666,
repr. ; Boyer, 1967, p. 249-250 ; Ward-Jackson, 1967, p. 663 ; Caso,
1969, p. 87 ; Levitine, 1969, p. 69-77 ; Praz, 1969, p. 64-68, ill. en
couv. ; Young, 1969, p. 159, ill. 6 ; Pruvost-Auzas, 1970, p. 377-
382 ; Hofmann, 1973, ill. 40 ; Bernier, 1975, p. 37-42 ; Amyx,
1979, p. 111, ill. 26 ; Boime, 1980, p. 377, repr. ; Bordes, 1979,
p. 206 ; Nevison Brown, 1980, p. 144, 160-176, 178, 182, ill. 58 ;
Clay, 1980, p. 128-129, 315 ; Boudet, 1984, p. 134-135 repr. ;
Hofmann, 1995, p. 11-12, ill. 2 ; Bordes, Michel, 1988, p. 94-95,

ill. 84 ; Castellot, 1989, p. 597 ; Heim, Béraud, Heim, 1989,
225, ill. p. 227 ; Crow, 1995, p. 231-236, ill. 155 et p. 247 ; Ch
1996, p. 212-213 ; Crow, 1997, p. 284-291 et p. 288, ill. 78 ; L
Burcharth, 1990, p. 221-225 ; Halliday, 1999, p. 113-122,
ill. 20 ; Lajer-Burcharth, 1999, p. 247-257, ill. 119 ; Hemin
Vaugham, 1998, p. 166 et n. 12, p. 175 ; Bellenger, 1999,
Lafont, 2001, t. I, p. 170-177, 184-185, t. II, n° 142, p. 474
Bajou, Lemeux-Fraitot, 2002, n° 399 p. 261, 374-375 ; Lem
Fraitot, 2003, p. 313-323 et annexes, p. 40-42.

Œuvre préparatoire

Danaé, fille d'Acrise, dit aussi Mademoiselle *Lange en L
(esquisse)*, huile sur bois, 21 x 17 cm, Montargis, musée Gir
inv. 69-1, acquis en 1969 [ill. 190].

Œuvres en rapport

Dessins

D'après Girodet?, *Portrait de Mlle Lange*, deux crayons
rehauts de gouache, 24, 5 x 24,3 cm, inscription en
gauche : *Satire contre Mlle Lange, actrice du Français / G
invenit*, Paris, musée Carnavalet, inv. D 749.

Gravures

Thomas-Charles Naudet (1778-1810), *Girodet apporta
portrait de Mlle Lange en Danaé au Salon* [ill. 194].

Dédié au peintre G., gravure satirique rehaussée en cou
extraite du *Dictionnaire raisonné universel d'histoire naturel*
Valmont de Bomare [ill. 195].

La Moderne Danaé ou la Maîtresse à la mode, caricature parisie
Paris, Bibliothèque nationale de France, département
Estampes et de la Photographie.

Les Inséparables, Bibliothèque nationale de France, départe
des Estampes et de la Photographie.

Anne-Louis Girodet
1767-1824
Mlle Lange en Danaé

III. 190 Girodet, *Danaé, fille d'Acrise*, dit *Mademoiselle Lange en Danaé* (esquisse)
Huile sur bois, Montargis, musée Girodet

position, mais une seule esquisse [**ill. 190**] est parve
jusqu'à nous, montrant, comme il se doit, une co
position plus simplement organisée que le tabl
définitif[2], mais où l'essentiel est déjà en place.

Le mythe de Danaé était familier à Girodet
l'année précédente, en avait donné une interpré
tion d'une grande subtilité pour les décors de l'h
Gaudin, rue du Mont-Blanc [**cat. 35**]. Cette nouv
Danaé avait conservé le luxueux cadre de bois
du portrait de *Mademoiselle Lange* et Girodet a
recouvert les médaillons allégoriques qui décor
les écoinçons par des symboles satiriques peints
grisaille[3]. Ce cadre, à lui seul, établissait un lien
entre les deux œuvres. Il n'échappa à personne
Danaé, fille d'Acrise, séduite par une pluie d'or, é
un portrait satirique de Mlle Lange.

Assise sur un grabat bancal au sommier de bois
équarri, cette Danaé moderne est une jeune fem
entièrement nue, coiffée à la mode antique, dite
flaminia, les cheveux retenus dans un turban oran
Sa poitrine provocante est exposée de face tandis
sa tête vue de profil se penche tendrement vers
tas d'or. Du bout de ses beaux doigts effilés, elle ti
un petit miroir ovale dont le verre est brisé, mais
yeux sont tout à l'or qui s'amasse dans la drape
bleue tendue devant elle. De grosses pièces d'or, p
tôt que la vaporeuse pluie de la mythologie, tomb
du ciel à travers une toile d'araignée. Certains lo
s'échappent de la draperie et tombent directem
dans l'entrejambe de la jeune femme. Chaque pi
est frappée à l'effigie d'une bête à grandes cor
À droite de Danaé, un cupidon nu, agenouillé
le lit, l'aide pour mieux retenir la draperie bleue.
visage du cupidon est celui d'une petite fille, p
tant des boucles d'oreilles semblables à celles de I
naé, et des aigrettes de paon sont piquées sur sa t
enturbannée. À gauche de Danaé, un second cu
don, blond et frisé, couronné de buis et d'aigre
de paon est occupé à plumer la queue d'un dind
qui paraît glousser d'aise. Contre le matelas gît u
colombe ensanglantée qui porte un collier avec
devise *Fidelitas*. Une pièce d'or a brisé ses ailes. U
autre colombe a rompu le ruban qui liait les sienn
un perchoir doré et s'est envolée. Son collier port
devise *Constancia*. Sous le lit, une tête de un satyr
lèche les babines, un œil noir brillant, l'autre aveu
par un louis d'or. Des feuilles de vigne sont entre
cées dans ses cornes, parcourues par un escargot
trompes dressées. À côté, un rat, pris dans une sou
cière, dévore un appât. Devant les pieds de Danaé,
feu consume le rouleau manuscrit d'*Asinaria*, la fa
morale de Plaute. La flamme provient de la foudre
chée par la patte baguée du dindon. Derrière Da
un photophore de bronze noir, sur le pied du
grimpe une souris, supporte un petit autel déd

La nouvelle Danaé

Le 10 fructidor de l'an VII [27 août 1799][1], le
Journal des arts, de littérature et de commerce publiait
dans ses colonnes de variétés «Un précis historique»
d'un des grands scandales de la société parisienne du
Directoire. L'article commençait ainsi : «On ignore
quel sujet peut avoir donné lieu à un événement assez singulier qui s'est passé le 7 fructidor [24 août].
Le citoyen Girodet peintre dont les talents sont connus
et estimés, a retiré du Salon d'exposition son tableau
représentant la Citoyenne Lange, femme Simons.
Après avoir gardé quelques instants le portrait dans
son atelier, il l'a remis soigneusement enveloppé au
citoyen D'Aulnoy, l'un des gardiens du muséum, en
l'invitant de le porter à la citoyenne Lange avec une
lettre qui accompagnait l'envoi. D'Aulnoy s'est acquitté de la commission mais quelle a été la surprise

de la Citoyenne Lange, de ceux qui se trouvaient
chez elle et surtout de ce pauvre D'Aulnoy, qui avait
mis infiniment de précautions à ce transport lors
qu'en développant le tableau on l'a trouvé tailladé et
lacéré dans toutes ses parties. […].» Cet événement,
qui eut lieu six jours après l'ouverture du Salon, fut
largement repris par la presse, mais la critique se dé-
chaîna surtout lorsque, quatre-vingts jours plus tard,
le 21 octobre, soit deux jours avant la fermeture de
l'exposition, Girodet retourna au Salon avec un autre
tableau allégorique intitulée *Danaé, fille d'Acrise*. La
lenteur d'exécution de Girodet étant notoire, le délai
de quatre-vingts jours paraît peu pour peindre un
sujet aussi complexe, si rempli d'accessoires, d'une
finition si raffinée. Le tableau laisse supposer qu'un
nombre important d'études ont précédé cette com-

ondance. Des papillons attirés par la lumière s'y
lent les ailes. La devise inscrite sur le socle de la
uette, *Bonae Spei et laribus sacrum* (Bonne espé-
ce et lares sacrés) évoque de manière parodique
aix domestique.

Les médaillons du cadre font écho à la charge du
trait et déclinent les traits moraux supposés du
dèle : la vanité, la cupidité, la duplicité et le ridicule.
auche, en bas, le médaillon montre, au-dessus de la
ise de Louis XIV *Nec Pluribus Impar* («Semblable
usieurs [soleils]»)[4], un bœuf et trois grenouilles,
t l'une est gonflée comme un ballon. À droite,
dessus des vers de Virgile, *Trahit sua quemque vo-*
as («Chacun est entraîné par son penchant»)[5], le
daillon représente des papillons qui, négligeant les
rs, butinent l'or d'une cassette. En haut à gauche,
roisième médaillon est occupé par une autruche
ueue de dindon et pattes palmées, dotée de seins
femme. Elle est conduite par un écureuil et porte
son dos une tête au double visage de bélier et de
llard ; ce médaillon porte la devise *Risum Teneatis*
ici ? («Pourriez-vous, mes amis, ne pas éclater de
?»). En haut à droite, le dernier médaillon est dé-
é d'une sirène à deux queues se regardant dans un
oir, et avec la devise *Desnit in piscem mulier formosa*
erne* («Un beau buste de femme se terminer en
laide queue de poisson»)[6].

Dans deux écrits fondamentaux – sa thèse sur
odet, puis son article du bulletin du musée de
nneapolis –, George Levitine[7] a publié l'analyse
austive de l'iconographie de *Mademoiselle Lange*
Danaé. Il a montré comment l'iconographie du
eau se rattachait à la biographie galante du mo-
e. Les épisodes de sa vie amoureuse et les jeux sur
noms de ses amants constituent une image à clés
se déchiffre comme un rébus.

Le satyre au regard aveuglé par l'or serait le fa-
x marquis de Lenthraud[8] (ou de Lieuthraud[9]
encore Neutraud[10]), un amant de Mlle Lange qui
aisait appeler comte de Beauregard. Son identité
déchiffre comme une charade : le trop beau re-
d. L'origine du marquis est incertaine. Les diverses
rces[11] le disent tantôt fils d'un modeste vigneron
Corbigny, d'autres d'un notaire d'Avallon qui se
it fait d'abord perruquier. Affairiste aparemment
scrupuleux, il avait fait fortune avec une fonderie
canons et l'agiotage. Jouisseur et flambeur, Beau-
ard avait acquis l'attelage de douze chevaux du
nce de Crouÿ, acheté le château de Bagatelle et
ôtel de Salm où il donnait des fêtes d'une magni-
ence inouïe. «Le nouveau propriétaire de l'hôtel
Salm [face au musée d'Orsay, rue de Lille, à Paris]
nnait une fête superbe un de ces jours. Illumina-
n brillante, musique délicieuse, glaces, thé, nym-
es élégantes, danses voluptueuses, rien ne manquait

cat. 41 Détail du satyre

au spectacle[12].» Les gazettes parisiennes étaient remplies des comptes rendus des fêtes données par la
société formidablement enrichie qui avait surgi après la
Révolution. D'après une rumeur, Beauregard aurait
même loué les charmes de Mlle Lange à raison de
10 000 livres par jour[13]. *La Petite Poste de Paris* se fit
l'écho des enchères : «Un incroyable, devenu Monsieur Mondor par des moyens incroyables, enrichi à
force de soumission, de laquais devenu petit maître
à grosse cravate, faisait part les jours derniers […] de
ses goûts particuliers comme choses qui devaient intéresser tout le monde […] et déclarait, j'espère que
sous peu de jours les faveurs de cette belle me seront
adjugées ; j'ai un de mes agents qui est chargé, pour

moi, de les mettre à l'enchère et il faut bien qu'il réus-
sisse […] comment, lui dit un quidam, vous assuriez à
l'instant, que vous n'aimiez que ce qui pouvait vous
appartenir à vous seul ? Mais répondit un autre, ne savez vous pas que monsieur le soumissionnaire a aussi
un goût tout particulier pour les propriétés nationales[14] ?» Jugé pour escroquerie, en 1798, Lenthraud
aurait été condamné à l'exposition publique et à être
marqué au fer rouge pour avoir rétrocédé aux armées
des fournitures non payées[15].

Dans le tableau, le cupidon féminin serait Palmyre, la fille naturelle de Mlle Lange et d'Hoppé,
un amant qui avait précédé Lenthraud. La liaison
avait tout autant défrayé les chroniques judiciaires et

cat.41 Détail du dindon

mondaines[16]. D'abord modeste commis d'une banque de Hambourg, Hoppé avait été envoyé à Paris en 1793 pour réclamer des indemnités sur les navires de la ligue des Neutres[17] confisqués pendant la guerre d'Amérique. La commission qu'il avait négociée, un quart des sommes qu'il récupérait pour sa banque, le rendit vite multimillionnaire. Ébloui par Mlle Lange, il l'entretint de manière fastueuse. Il lui aurait offert des dentelles qui avaient appartenu à Marie-Antoinette ainsi que des aigrettes d'un prix si élevé qu'il fut commenté dans la presse[18]. Hoppé reconnut sa fille Anne Elisabeth Palmyre, née en 1795. Afin de célébrer sa paternité et convaincre la jeune mère d'abandonner le théâtre, il avait constitué au profit de Mlle Lange un capital de 200 000 livres en assignats. La comédienne ne tint pas sa promesse et ne résista pas à remonter sur les planches. Ruiné par ses extravagances et par celles de ses maîtresses, Hoppé réclama plus tard la restitution de ses libérali-

tés et porta l'affaire devant les tribunaux. L'avocat de Mlle Lange, Henri Duveyrier[19], fit valoir la dévaluation des assignats qui annulait pratiquement la valeur numéraire de la somme et l'abandon du père qui s'était lié avec Mme Chevalier, une autre artiste du théâtre[20]. Le procureur de la République s'indigna : «Que les étrangers gardent leur or, s'il ne doit servir qu'au dérèglement des mœurs, aux scandales de nos tribunaux[21]!» Un tuteur, Étienne Dejoly[22] fut nommé. Mlle Lange dut lui verser les sommes reçues de Hoppé pour subvenir l'éducation de sa fille.

Le tableau fait aussi un sort au troisième homme de la vie de Mlle Lange, Michel Jean Simons . Il est représenté sous les traits du dindon se réjouissant d'être plumé. Fils de Jean Simons, riche carrossier de Bruxelles, Michel Simons, associé avec son frère Henry, était un gros brasseur d'affaires. Les deux frères avaient eux aussi fait fortune dans les fournitures

aux armées pendant la campagne de Belgique q[ue] Dumouriez, après Jemmapes, avait ouvert aux arm[ées] de la République. Ses affaires prirent une prodigie[use] extension pendant le Directoire, le Consulat et [les] débuts de l'Empire. Séduit par Mlle Lange qui av[ait] finalement décidé de se ranger, Simons divorça [et] épousa la belle actrice le 3 nivôse an VI (23 déce[m]bre 1797), deux ans avant l'exécution de son port[rait] par Girodet. Simons était très introduit et prot[égé] par les puissants dirigeants du Directoire associé[s à] ses bénéfices. Les témoins de son mariage n'étai[ent] autres que François de Neufchâteau, un des ci[nq] membres du Directoire et le ministre des Relati[ons] extérieures, Talleyrand. C'est dans la maison de ca[m]pagne des Simons, à Meudon, que Talleyrand pass[a la] soirée du coup d'État du 18 brumaire[23]. Issus pou[r la] plupart du milieu des artisans ou des commerça[nts] enrichis par les affaires, acheteurs de biens nation[aux,] intermédiaires des banques étrangères qui plaça[ient] leurs capitaux, les nouveaux millionnaires du Dir[ec]toire étaient à même de trouver des solutions po[ur] l'approvisionnement des armées et servaient de re[lais] de trésorerie pour les finances publiques. Proté[gés] par Barras et Talleyrand, ils s'étaient regroupés [en] compagnies ayant des intérêts sur tout le territoire [de] la République puis de l'Empire. C'est dans ce mili[eu] que Mlle Lange recrutait ses amants. Michel Simo[ns] développa avec Talleyrand des connivences affai[res]tes et les complices trouvèrent à plusieurs reprises [le] moyen de tirer un prodigieux parti des circonstan[ces] politiques.

Pour affermir son crédit dans le monde et sat[is]faire la gaieté naturelle de son épouse, Michel [Si]mons donnait des fêtes somptueuses à Meudon [et] acquit rue de la Victoire, l'hôtel de Mlle Dervie[ux] qu'il fait décorer par Bélanger. C'était une magni[fi]que demeure construite par Brongniart. Le résul[tat] fut tellement apprécié des invités que Bonaparte [en] personne, se rendant un jour chez Mme Simons, [lui] demanda de céder sa demeure, sans y soustraire [un] clou, à Mme Louis Bonaparte. Talleyrand conseilla [de] s'exécuter. La complicité avec le tout-puissant mini[s]tre des Relations extérieures était capitale et Simo[ns] put tirer profit des dispositions financières de b[on] des traités. Ainsi, lors du traité de Lunéville (9 févr[ier] 1801), Simons spécula sur le remboursement [des] prêts autrichiens. Talleyrand réalisa dans cette affa[ire] un bénéfice de trois millions de florins et Michel [Si]mons reçut une somme d'un million six cent m[ille] francs[24]. À l'époque du mariage de Stéphanie [de] Beauharnais avec le futur grand-duc de Bade[25], N[a]poléon rencontra «au bal des Tuileries, une fem[me] éclatante, tant par sa rare beauté que par la quan[tité] de diamants dont elle était surchargée. [...] – Q[ui] êtes vous, madame ? – Sire je suis Madame Simo[ns] (sic). – Ah, oui, je sais…», dit l'Empereur, et il la qu[itta.]

éclatant de rire [26] ». Napoléon Bonaparte haïssait ⎡fournisseurs aux armées. D'après Mme Campan, ⎡urait interdit à Joséphine toute relation avec eux : ⎡· consens à ce que vous dîniez chez des banquiers, ⎡sont des marchands d'argent, mais je ne veux pas ⎡e vous alliez chez les fournisseurs, ce sont des vo-⎡rs d'argent [27]. » Avec Gaudin, ministre du Trésor, ⎡es utilisa mais veilla à leur ruine. Ainsi, le grand ⎡ancier Gabriel Julien Ouvrard, qui animait sous le ⎡rectoire un vaste réseau d'affaires, lié au commerce ⎡lonial et aux fournitures militaires fut arrêté une ⎡emière fois en janvier 1800. Après la crise de 1805, ⎡Trésor public lui réclama la somme de 141 mil-⎡ns de francs or. En 1809, Ouvrard fut emprisonné ⎡ainte-Pélagie pour dettes impayées. Simons béné-⎡ia d'abord de cette disgrâce qui étendit encore ses ⎡aires. Mais vite, le blocus continental contre l'An-⎡terre rendit le commerce et les tractations banci-⎡· plus difficiles. En 1810, son lourd endettement ⎡le refus de Napoléon de payer des fournitures qui ⎡ étaient incontestablement dues provoquèrent sa ⎡lite [28]. Séparé de biens, mais non de corps avec la ⎡lle Mlle Lange, il échappa ainsi à la ruine totale et ⎡ira sa vie près d'elle, en Suisse, au château de Bos-⎡; ancienne propriété de Mme de Staël [29].

La vie d'Anne Françoise Élisabeth Lange illustre ⎡n le besoin de plaisir et de folie qui avait suivi la ⎡rreur. Née à Gênes, le 17 septembre 1772 [30], Elle ⎡urut à Florence le 2 décembre 1825 [31]. Ses parents, ⎡arles Lange et Marie-Rose Pitrot, tous deux fran-⎡s d'origine, étaient des musiciens ambulants qui ⎡déplaçaient à travers l'Europe. Très jeune, la jeune ⎡e joua des rôles d'ingénue dans les tournées de ⎡parents, et cet emploi devint sa spécialité sur les ⎡nches. En 1784, on trouve toute la famille embau-⎡ée au théâtre de Gand [32] et en 1787, Mlle Lange ⎡ engagée au théâtre de Tours dans la troupe de ⎡fameuse Marguerite Brunet (1730-1820), dite la ⎡ontansier [33]. Le 2 octobre 1788, elle débutait à la ⎡omédie-Française dans le rôle de Lindane dans ⎡Écossaise [34] de Voltaire puis incarnait Lucinde dans ⎡Oracle de Poulain-de-Saint-Foix [35]. Elle y fut reçue ⎡1793, et se retira en l'an VI [1797] [36] au moment ⎡ son mariage avec Simons. En 1791, les représen-⎡ions de la pièce de Marie Joseph Chénier, Char-⎡IX, qui attaqua le trône et l'autel, cristallisait une ⎡ssion idéologique qui partagea la Comédie-Fran-⎡se en deux troupes. Mlle Lange suivit d'abord la ⎡oupe des patriotes, Dugazon, Mlle Dumesnil avec ⎡ur tête Talma. Elle laissait derrière elle les « aris-⎡crates » de la comédie, Mollet, Fleury, Dazincourt, ⎡lle Contat et Raucourt, fidèles à la salle du fau-⎡urg Saint-Germain (actuel théâtre de l'Odéon) et ⎡oisissait de s'installer au théâtre de la rue de Riche-⎡u (siège actuel de la Comédie-Française). La nou-⎡le troupe, qui comptait aussi Monvel, Mmes Vestris

et Desgarcins ainsi que Julie Candeille, joua alors un important répertoire pro-révolutionnaire. Cet épisode dura peu de temps. Dépitée de ne pas interpréter les rôles de charme qui avaient assuré ses premiers succès, Mlle Lange rebroussa chemin et tourna chez les « aristocrates » au théâtre du faubourg Saint-Germain, rebaptisé dans l'intervalle Théâtre de la Nation. Lange y créa, le 24 février 1798, le rôle de Laure dans *Le Vieux Célibataire* de Collin d'Harleville. Elle remporte alors un vif succès de jolie femme, et Colson [37] exposa au Salon de 1793 son sémillant portrait dans le rôle de Constance dans *L'Île déserte* de Collet [ill. 191].

L'actrice fut surtout célèbre pour son rôle de Paméla dans *Paméla ou la vertu récompensée* de François de Neufchâteau. Elle devint alors à la mode et lança la vogue du chapeau de paille « à la Paméla ». Hélas, la pièce avait des accents royalistes qui mirent les Jacobins en fureur. Le théâtre fut fermé par le Comité de salut public. Les comédiens et l'auteur furent arrêtés. Mlle Lange fut conduite à la prison Sainte-Pélagie. Après quelques mois de captivité, elle obtint d'être transférée dans la maison de santé du docteur Belhomme [38]. Lange y trouva le moyen, grâce à la sollicitude du banquier Montz, de tenir table ouverte et de recevoir de nombreux visiteurs. C'est à cette époque qu'elle acheta l'hôtel de la rue Saint-Georges et qui sera embelli par les munificences de Simons. Par malheur, ce régime des privilégiés de la Terreur ne dura pas et à la suite d'une dénonciation, Fouquier-Tinville [39] ouvrit une enquête qui aboutit à l'arrestation du docteur Belhomme et à la fermeture de son établissement [40]. Après la chute de Robespierre, Mlle Lange, qui avait pu profiter de hautes protections et éviter la guillotine à laquelle la destinait son dossier, remonta sur les planches. Ses aventures continuèrent sous le Directoire, période où elle convole avec les trois hommes que Girodet caricature dans

château de Bossey transformé en chapelle ardente. Cinquante ans après sa mort, au début de la IIIᵉ République, elle fut ressuscitée par la célèbre opérette de Lecoq [41], *La Fille de Madame Angot*, où avec le langage des halles, cette dernière attribue à Mlle Lange une liaison avec Barras, le directeur puissant et corrompu, dans un fameux air : « Ah c'est donc toi Mme Barras, toi qui fait tant des embarras… »

« Ah ! Pourquoi la belle Lange n'est-elle pas une négresse ! »

L'initiative de la commande du portrait à Girodet varie selon les biographes [42]. Pour les uns, c'est une commande de la jeune femme destinée à une faire une agréable surprise à son mari, pour les autres, c'est au contraire le mari qui désirait posséder un portrait de son épouse. Que l'un ou l'autre des Simons ait souhaité le portrait n'explique pas le choix de Girodet. La réputation du peintre était récente et reposait alors presque exclusivement sur son tableau *Endymion* montré pour la seconde fois au Salon de l'Élysée en 1797 [43] et le *Portrait de Belley* qui avait reçu un accueil favorable au Salon de 1798. Les Simons avaient peut-être aussi vu la *Danaé* [cat. 35] qui décorait le salon de l'hotel Gaudin, rue du Mont-Blanc, mais en 1799, Girodet est loin d'avoir une réputation de portraitiste.

Le Salon de 1799, dernier Salon du Directoire, était un Salon libre, sans jury. Girodet y expose deux tableaux, Une *Jeune Nymphe au bain, étude à mi-corps*, œuvre perdue connue par des copies et par la gravure [ill. 193] et le *Portrait de la citoyenne M. Simons, née Lange* [44].

La réception du portrait du premier portrait de Mlle Lange fut mitigée. La *Revue du Muséum* qui avait paru cinq jours après l'inauguration du Salon

III. 191 Colson, *Mademoiselle Lange en Sylvie dans la pièce de Collet L'Île déserte*
Huile sur toile, Paris, Comédie-Française

III. 192 Lefebvre, *Mme Simons, née Lange*
Huile sur toile, coll. part.

rapportait dans ses colonnes le dialogue supposé entre un certain Damon et un peintre en train de visiter le Salon : Damon : «Vous me surprenez. Quoi! par le même Girodet, dont j'ai vu un si beau portrait de nègre ? Ah! Pourquoi la belle Lange n'est-elle pas une négresse ! Ce peintre ne nous aurait peut être pas transmis, d'une manière si sèche, les traits doux et voluptueux de cette charmante femme./ Le peintre : remarquez bien les petits serpens qu'on lui a mis au lieu de cheveux./ Damon : je les ai déjà vus. En voilà assez ; j'en vœux à cet auteur d'avoir peint une aussi jolie femme, non sans quelque ressemblance mais si défavorablement qu'il a été jusqu'à la couvrir de guenilles [45].»

Cet article est certainement un de ceux qui entraînèrent la désillusion de Mademoiselle Lange. Les articles suivants ne furent pas meilleurs, le *Journal des arts* parlant «des deux tableaux médiocres […] la sécheresse et la froideur […] [46].»

C'est probablement Julie Candeille, qui était devenue la belle-mère de Mlle Lange en épousant Jean Simons, le propre père de Michel Simons en 1798 [47], bien avant de devenir l'amie intime du peintre, qui donna la relation la plus objective et la plus proche des sentiments que Girodet éprouvait alors.Vers 1807, au tout début de leur longue relation amoureuse, Julie Candeille interrogea Girodet sur «les causes secrètes de sa conduite avec Mme Michel [Simons-Lange]. Rien ne pouvait, lui semblait-elle, excuser une telle vengeance. – Maintenant, lui dit Girodet, je vois les choses ainsi que vous, madame. Mais j'étais bien blessé et j'avais huit ans de moins. Ce fut alors que, avec cette simplicité de cœur qui relevait en lui tant de facultés brillantes, il raconta à la femme qu'il aimait comment une femme, encore plus vaine que désirable avait d'abord essayé sur son peintre l'empire des attraits qu'allait reproduire, ses pinceaux, que, se doutant bientôt qu'elle n'en serait qu'admirée, elle augura mal du portrait, ne donna qu'à regrets les dernières séances, n'entra pour rien dans la dépense du très beau cadre dont le peintre l'avait fait entouré, ne parla ni du prix convenu, ni d'aucun témoignage de reconnaissance, et sur le premier rapport de l'effet incertain du portrait au Salon, se permit d'adresser à l'artiste le plus distingué, à l'homme le plus digne d'estime, un billet conçu en ses termes : «Veuillez, Monsieur, me rendre le service de retirer de l'exposition le portrait qui, dit-on ne peut rien pour votre gloire, et qui compromettrait ma réputation de beauté. Mon mari et moi vous supplions de vouloir bien faire en sorte qu'il n'y demeure pas vingt quatre heures de plus.» Courir au Salon, décrocher le portrait, l'arracher de son cadre, le couper en quatre, en renvoyer, dans une serviette les morceaux à l'insensée Madame Michel [Simons] et se mettre aussitôt à une composition qui lui coûta quinze jours, quinze nuits

de travail et plusieurs années de repos… Telle fut la réponse du peintre à l'insolent billet qui avait enflammé sa bille [48].»

Il est possible que les effets de sa vengeance aient dépassé la volonté de Girodet, l'affaire commençant à se retourner contre lui. La presse et la rue en faisaient des gorges chaudes : «Les uns blâment la publicité d'une vengeance outrageante […] d'autres ont trouvé très simple qu'un artiste offensé grièvement par une courtisane vengea son art et sa dignité de la sottise insensée qui voudrait mettre à prix le talent comme ses faveurs [49].» On le railla en vers, sur l'air d'«On compterait les diamants. / A l'aimable Lange, il croyait/Faire la plus grande malice ; / Mais en déchirant ce portrait, / Lui-même il s'est rendu justice. /[…] Qui donc vous avait égaré ? / Combien je plains votre délire !/ Car pour ce portrait déchiré/ Tout le monde ici vous déchire [50].» Un nouveau journal de 1799 [51] publie trois articles sur l'affaire Lange. Tous les détails, jusqu'aux plus prosaïques, le prix du tableau furent étalés dans la presse : «d'après les informations particulières que j'ai prises, il parait que Madame Simons mécontente de son portrait, n'a plus voulu donner à monsieur Giraudet que vingt louis au lieu de cinquante dont ils étaient convenus et cinq autres pour la bordure, ce qui faisait en tout vingt cinq. Monsieur Giraudet les a constamment refusé […] [52].» Girodet avait conçu son tableau *Danaé, fille d'Arcrise* comme un pamphlet et comme un pamphlet il fut reçu. «La foule s'est portée pendant deux jours au muséum pour voir le tableau. Il est devenu l'objet de discussions très sérieuses. Il a exercé la plume de tous les journalistes [53].» Une gravure contemporaine, par Naudet [54], montrait l'artiste faisant apporter son tableau au Salon **[ill. 194]**. Pour en augmenter l'importance, le graveur avait donné au tableau la dimension d'une grande œuvre d'histoire

alors que la peinture a celle d'un simple portrait est vrai que cette fois Girodet transposait Mlle Lar dans le domaine de l'allégorie.

Girodet tenta de se tirer de ce mauvais pas et jours après la présentation de son nouveau table de Danaé au Salon, il demanda à Isabey de le ti de l'embarras où il se trouvait. Ce dernier fit parai dans *Le Rédacteur* du 1er novembre le communiq suivant : «J'ai reçu de Girodet le désaveu très form d'avoir voulu designer la citoyenne Simons, de quelle il n'a jamais éprouvé que des procédés exc lents dont plusieurs artistes et moi avons eu conna sance [55].» Mais la rumeur publique ne s'y laissa prendre. La ressemblance de Danaé avec Mlle Lar était criante. Sans hésitation, on reconnut même M chel Simons dans le dindon. Un artiste anonyme p blia une caricature, *Le Peintre vengé ou le dindon hu lié* [56] **[ill. 195]**. Le sujet fit florès et les Caricatures pa siennes mirent en vente *La Moderne Danaé ou la m tresse à la mode* [57]. Girodet troublé par cette bruya réclame ne souhaita pas voir s'en répandre l'image menaça de poursuivre tout artiste ou marchand et faire saisir quelque gravure qui reprendrait la pen même de son tableau de Danaé [58].

Chaussard qui n'avait pas encore vu la riposte p turale de Girodet excusa sa fureur : «L'excès de critique a produit l'excès de la vengeance. On ass que Girodet a déchiré son tableau et en a renvo les lambeaux à son modèle. Ôtez aux poètes et a artistes leurs passions, vous oterez leur génie.». « couleur, dit-il, était effectivement d'un coloris v let, mais comme la partie supérieure de la tête é belle ! Tout le reste lui semble sacrifié. Ce portrait commencé avec amour, continué avec dégoût et céré par l'amour-propre [59].» L'article de Chaussard l'unique témoignage qui permette de comprendre portrait détruit. Il le compare à l'autre peinture Girodet au Salon, *Nymphe au bain*, qui «a le mê factice de coloris. On voit que l'artiste a cherché effet très difficile en peinture, celui de présenter l' jet éclairé par le jour d'atelier, mais ce ton est cru violacé. C'est peindre très savamment et très sèch ment. Pourquoi rechercher la manière du Péru quand on a Raphaël sous les yeux […] [60] .»

Ainsi, les deux tableaux de Girodet au Salon 1799 posaient donc un problème de goût. Plu qu'un véritable jugement, la «sécheresse» et la «fr deur» qui lui sont reprochées trahissent l'inconf et la surprise que provoque sa nouvelle manière. recherche d'un certain primitivisme, Pérugin plu que Raphaël, est pourtant la poursuite d'une ra calité dans le dessin, dont *Endymion* affirmait déjà principe. On retrouve cette radicalité dans plusie de ses portraits féminins où l'équilibre de la compo tion, la géométrie de la ligne du cou et son rattach

194 Naudet, *Girodet apportant le portrait de Mademoiselle Lange*
Salon de 1799
gravure, Paris, Bibliothèque nationale de France

195 Anonyme, *Le Peintre vengé ou Le Dindon humilié, dédié au peintre Girodet*
gravure, Paris, Bibliothèque nationale de France

ent à la tête, toujours légèrement inclinée, afin de
re contrepoids avec un bras ou une draperie, rap-
ochent Girodet des prospections primitivistes des
rbus, les élèves les plus archaïsants de David, mais
s expériences trouvent surtout chez Ingres leur
outissement le plus accompli. Cette similitude de
ngage dans l'excès de la ligne qui va jusqu'à la dé-
rmation ne se limite pas chez eux au seul domaine
portrait et Ingres prolongea le discours artistique
son aîné dans bien d'autres compositions [61].

La violence de la vengeance et le piquant du scan-
le ont immédiatement pris le pas sur la réception
hétique du tableau, et pourtant avec *Danaé, fille
Arcrise*, Girodet avait créé un chef-d'œuvre.

La composition renouait en apparence avec les
tures hédonistes du mythe illustrées par Titien à la
naissance ou Joseph Natoire au XVIIIe siècle, mais sa
oralisation en faisait un genre qui allait devenir la si-
ature même de Girodet, une peinture d'histoire qui

accumule jusqu'à l'étourdissement les références symboliques, biographiques et littéraires. Dans une vision
moralisée du mythe, Danaé séduite par une pluie d'or
était une image assez parlante. Girodet la durcit encore en transformant le traditionnel narcissisme passif
de la légende en une femme moderne activement
occupée à s'enrichir avec la participation complice
de son enfant. L'érudition orgueilleuse et pédante
semble hors de proportion avec l'enjeu du ressentiment mais, peut-être même à son insu, la réponse du
peintre dépassait la simple vengeance personnelle. La
vulgarité des nouveaux possédants, l'arrogante société
de spéculation et de corruption qui s'était installée
après Thermidor révulsait bon nombre de ceux qui
croyaient encore à l'égalité et aux vertus républicaines. Sans partager les convictions du parti plébéien
des Égaux, la protestation toute personnelle, élitiste et
intellectuelle de Girodet s'attaquait à une réalité que
dénonçait aussi Babeuf dans *Le Tribun du Peuple* : la

République du veau d'or et l'inégalité des jouissance
dérobée par la cupidité. C'était aussi l'avis, isolé dans la
presse, du peintre François : « Peut être le mépris public, qui depuis longtems, fait justice de certains riches
et des parvenues, quand ils joignent l'insolence à l'im-
moralité devait-il suffire au ressentiment de Giraudet.
Peut-être a-t-il quelque droit au reproche pour l'extrême publicité de cette représaille qui passe les bornes. Mais il faut convenir que le tableau est plaisant ;
que ce n'est pas la faute de l'artiste si l'on trouve de la
vérité dans l'allégorie et qu'il n'est pas très étonnant
que celle qui s'en plaint expie sa conduite passée et
sa conduite présente, puisqu'elle n'a pas l'esprit de se
faire oublier. Girodet n'eut pas oser se permettre une
semblable sortie contre tout autre [62]. »

À travers une vengeance personnelle et la mise
en cause publique des mœurs d'une courtisane qui
l'avait blessé, Girodet attaquait la vénalité d'une so-

ciété à laquelle se trouvaient désormais livrés des artistes éduqués dans la société très hiérarchisée de l'ancien régime et que ne protégeait plus aucune institution. Les pouvoirs publics se détournent des arts. La commande d'un tableau sur le sujet de l'assassinat des ambassadeurs français à Rastadt lui aurait fourni le sujet d'une grande peinture patriotique à laquelle il brûlait de se mesurer. L'œuvre l'aurait inscrit dans la suite du *Serment du jeu de paume* de son maître David, mais après bien des tergiversations la commande n'aboutit pas [63].

Dorénavant, le Salon est ouvert à tous vents et David lui-même expose son tableau des *Sabines* dans une exposition privée payante. Regnault fait de même au Louvre, Girodet les suivra avec *Ossian* qu'il montre dans son atelier en visite privée [64]. La leçon de Girodet s'adresse à cette société mais il n'en reste pas moins que c'est à travers les mœurs de Mlle Lange plutôt que de plein fouet que le peintre attaque son époque. Cette muflerie lui fut reprochée par une partie de la critique choquée par un traitement si exempt de galanterie. La misogynie de l'attaque est aussi relevée par l'interprétation féministe du vingtième siècle qui voit dans l'affaire Lange une agression contre la liberté des femmes que l'introduction du divorce avait rendues indépendantes [65]. Leur comportement socialement et sexuellement libre menaçait l'ordre social de la famille et du mariage. S'il a su mettre un humour piquant dans sa satire, Girodet ne retourne pas cet humour contre lui-même et se comporte comme un amant humilié autant que comme un peintre insulté. S'il avait su se souvenir plus complètement de la leçon d'Horace dans l'*Art poétique* [66] il se serait rappelé que l'*Épître aux Pisons* commence bien par la description d'un tableau qui représente un monstre à tête de femme, comme celui qu'il peint dans un des médaillons du cadre mais elle se termine par un autre tableau, tout aussi plaisant, celui d'un poète déraisonnable qui mélange folie et génie et fait fuir tout le monde.

S. B.

notes

1. Anonyme, « Variétés », *Journal des arts, de littérature et de commerce*, 10 fructidor an VII (27 août 1799) p. 4.

2. J. Pruvost-Auzas, « Girodet le thème de Danaé », *Revue du Louvre*, 1970, p. 377-382.

3. Les photographies infrarouges montrent que Girodet s'est contenté de recouvrir les symboles précédents. Les premières compositions, assez peu lisibles, sont des attributs de la beauté. Tout ma gratitude va au Minneapolis Institute of Art qui a accepté généreusement de se dessaisir de son précieux tableau et de l'envoyer à Cleveland pour que nous puissions l'examiner de près. Je remercie Marcia Steele du laboratoire de restauration Cleveland Museum of Art pour les analyses techniques qu'elle a menées sur ce tableau.

4. Devise que Girodet combine avec la fable de La Fontaine, « La grenouille et le Bœuf » (voir Levitine, « Girodet's New Danaë... », *Minneapolis Arts Bulletin*, 1969, p. 74).

5. *Trahit sua quemque voluptas* (Virgile, églogue II, v. 65). « Chacun est entraîné par son penchant »
La lionne cruelle cherche le loup/le loup la chèvre, la chèvre le cytise fleuri,/moi je te cherche : chacun est entraîné par son penchant.

6. Horace, premiers vers de l'*Épître aux Pisons* ou *Art poétique*, v. 13 av. J.-C. : « *Humano capiti ceruicem pictor equinam iungere si uelit et uarias inducere plumas undique collatis membris, ut turpiter atrum desinat in piscem mulier formosa superne, spectatum admissi, risum teneatis, amici ?* » (« Supposez qu'un peintre ait l'idée d'ajuster à une tête d'homme un cou de cheval et de recouvrir ensuite de plumes multicolores le reste du corps, composé d'éléments hétérogènes ; si bien qu'un beau buste de femme se terminerait en une laide queue de poisson. [5] À ce spectacle, pourriez-vous, mes amis, ne pas éclater de rire ? » (voir les vers de Girodet sur la satire dans son poème *Le Peintre*, Coupin, 1829, p. 98-99).

7. Levitine, 1952 (1978), p. 152-173 ; Levitine, « Girodet's New Danaë... », *Minneapolis Arts Bulletin*, 1969, p. 69-77.

8. Tourneux, 1907, p. XVIII, note 1.

9. Beauchamp, *Biographie moderne...*, 2e édition, Paris, 1816, t. III, p. 265.

10. *Le Républicain du Nord*, Bruxelles, 27 thermidor an IV, lundi 15 août 1796 (vieux style) n° 276, p. 3.

11. Voir *supra*, notes 10, 11, 12.

12. *Le Républicain du Nord...*, n° 276, p. 3.

13. E. et Jules de Goncourt, *Histoire de la société française...*, Paris, 1928, p. 345-346 ; Stern, *Un brasseur d'affaires...*, Paris, 1933, p. 49-159.

14. « Variétés », *La Petite Poste de Paris ou le prompt avertisseur*, 14 janvier 1797, n° 15 (journal général d'annonces, de demandes, d'avis, de commerce, de législation, spectacles, littérature, etc.)

15. Jacques Hillairé, *Dictionnaire des rues de Paris*, Éditions de Minuit, 1963, t. II, p. 46 (hôtel de Salm), qui ne cite pas ces sources ; Stern, *Un brasseur d'affaires...*, 1933, p. 72 ; Beauchamp, *Biographie moderne...*, n. 10, écrit « qu'il parvint à empêcher l'exécution du jugement ; mais poursuivi par ses nombreux créanciers, il disparut de nouveau, et alla terminer on ne sait où son aventureuse carrière... »

16. *Le Courrier républicain*, 30 frimaire an V de la République, n° 1132, p. 237. « Le procès de Mlle Lange

actrice de la Comédie-Française avec M. Hoppé négoc de Hambourg, a occupé aujourd'hui le tribunal civi la 3e section [...] La cause du vice et de la prostitu ne pouvait être défendu avec plus de gaucherie e maladresse [...] », *Le répertoire anecdotique*, du 8 13 février 1797, Xe cahier, p. 217-221 ; Goncourt, *His de la société française...*, 1928, p. 342 ; Stern, *brasseur d'affaires...*, 1933 p. 68-72.

17. Cette ligue rassemble la Hollande, les états scandin et la plupart des nations européennes, qui se rallient Russie de Catherine et à la Prusse de Frédéric II. Créé 1780, durant la guerre d'Amérique, elle avait pour obj de faire respecter le droit des pays neutres de comme librement avec tous les belligérants.

18. *Le Courrier républicain*, 30 frimaire an V, n° 1 p. 327 (mardi 20 décembre 1796). Stern, *Un bras d'affaires...*, 1933, p. 67 ; Goncourt, *Histoire de la so française...*, 1928, p. 341.

19. Tourneux, 1907, p. XVII.

20. Roederer, *Le Journal de Paris*, an VIII, p. 358.

21. Stern, *Un brasseur d'affaires...*, 1933, p. 69.

22. Louis Hector Étienne de Joly ou Dejoly (1757-18 fils d'un avocat à la cour des comptes de Montpel brièvement ministre de la Justice dans le cabinet Feui (juillet-août 1792).

23. Emmanuel de Waresquiel, *Talleyrand, le pr immobile*, Paris, Fayard, 2003, p. 266.

24. Extrait de la délibération du Conseil du commerc la ville d'Anvers, le 25 nivôse an XI (15 janvier 1803) AF 14 plaq. 561, *Moniteur universel* (1er fructidor an Stern, *Un brasseur d'affaires...*, 1933, p. 172.

25. Le 8 avril 1806.

26. Georgette Ducrest, *Mémoires sur l'impéra Joséphine...* [1829] 2004, p. 187.

27. Mme Campan, *Journal*, p. 80 ; Stern, *Un bras d'affaires...*, 1933, p. 159.

28. Mollien, *Mémoires*, p. 425 ; Stern, *Un bras d'affaires...*, 1933, p. 195.

29. Stern, *Un brasseur d'affaires...*, 1933, p. 207-226.

30. Extrait des registres de baptêmes de la paro de Saint-Donatien à Gênes, *La galerie historique comédiens de la troupe de Talma*, 1866, p. 9.

31. Archives de l'état civil de Florence, registre des dé n° 94 ; Stern, *Un brasseur d'affaires...*, 1933, p. 211, no

32. *Ibidem*, p. 50.

33. En 1775, la Montansier a quarante-cinq ans. obtient du roi l'immense et exclusif privilège d'organ tous les bals et les spectacles de Versailles. Deux plus tard, le 19 mai 1777, elle obtenait le privi bien plus exorbitant encore, pour vingt ans, de dir la régie et la direction des théâtres de Versai Fontainebleau, Saint-Cloud, Marly, Compiè Rouen, Caen, Orléans, Nantes et Le Havre. Le 14 a 1788, la Montansier achète le théâtre des Beaujo au Palais-Royal. Cette petite salle avait été constr en 1783 par le duc d'Orléans et offrait des specta de marionnettes pour distraire le comte de Beaujo fils cadet de Philippe-Egalité et jeune frère du futur Louis-Philippe. L'architecte Victor Louis transform salle en un confortable théâtre et l'inauguration a le 12 avril 1790 avec *Les Époux mécontents*, opéra quatre actes de Dubuisson sur une musique de Stor Le nouveau théâtre prit le nom de « Montansier ».

omédie en prose créée en 1760.

ermain François Poulain de Saint-Foix, *L'Oracle*,
die en un acte et en prose, 1758.

emazurier, *Galerie historique des acteurs du théâtre
is depuis 1600 jusqu'à nos jours…*, Paris,
umerot, 1810, t. II, p. 403 :
lles Colson (1733-1803).

a maison de santé de Belhomme, rue de Charonne,
été consacrée au traitement des aliénés. Belhomme
cevait des prisonniers arrêtés par le tribunal
tionnaire et leur faisait payer d'énormes pensions en
ustrayant à la Terreur. La clinique échappa longtemps
ermeture grâce à des complicités des puissants du
ntéressés à cette spéculation.

Antoine Quentin Fouquier-Tinville, accusateur du
al criminel extraordinaire à partir du 13 mars 1793
1746, guillotiné le 7 mai 1794).

ern, *Un brasseur d'affaires…*, 1933, p. 63.

harles Lecocq (1832-1918).

ern, *Un brasseur d'affaires…*, 1933, p. 151 ; Jacques-
nt, *La Belle Mademoiselle Lange…*, 1932, p. 142.

n février, Girodet avait remporté le concours de
II (1799) avec son tableau *Endymion* (cat. 10), mais
ut pas un retentissement de nature à provoquer des
andes.

a vraisemblablement été détruit comme le rapporte la
e (voir note 1) et Coupin, 1829, t. I, p. xv. La toile du
u actuel est recouverte d'un épais blanc de plomb qui
sse pénétrer aucun rayon et dissimule toute éventuelle
sous-jacente.

nonyme, *La Revue du Muséum*, Paris, 1799, coll.
nes, t. XXI, nº 562. p. 12-13.

nonyme, « examen du Salon de l'an VII, suite de
hen du Salon », *Journal des arts*, 1799, coll. Deloynes,
nº 567, p. 234.

ichaud, 1854, t. VI p. 537.

lie Candeille, *Note biographique…*, [s.d.], ms bibliothèque
Montargis ; Pruvost-Auzas, 1970, p. 377-382.

rançois, « Exposition du Salon de peinture par
ois, peintre », *Journal du mois*, 1799, coll. Deloynes,
nº 581, p. 513-514.

lequin au Museum…, Paris an VII, [1799] p. 36.

e *Journal des arts* parait pour la première fois le 5
idor de l'an VII (23 juillet 1799).

nonyme, « Second précis historique au sujet du
it de Madame Simons », *Journal des arts*, coll.
nes., t. XXI, nº 585, p. 592.

rançois, « Exposition du Salon de peinture par
ois, peintre », *Journal du mois*, 1799, coll. Deloynes,
nº 581, p. 513.

homas-Charles Naudet (1778-1810).

e *Rédacteur*, 10 brumaire an VIII (1er novembre 1799)
onse à l'article du même journal du 3 brumaire an VIII
ctobre 1790)

ttribué à Naudet, Paris, BNF, Cabinet des Estampes
, *Un brasseur d'affaires…*, 1933, p. 155).

evitine, « Girodet's *New Danaë…* », *Minneapolis Arts
in*, 1969, p. 74.

Ms, Paris 6 brumaire an VIII (26 octobre 1799),
thèque d'art et d'Archéologie Doucet, carton 15,

Chaussard, *La Décade philosophique*, 1799, coll.
nes, t. XXI, nº 580, p. 451-452.

60. *Ibidem.*

61. Bellenger, 1999.

62. François, « Exposition du Salon…, 1799, CD T XXI,
nº 581, p. 514-515.

63. Le 12 mars 1799, la France déclara la guerre à
l'Autriche qui avait autorisé les troupes russes à traverser
son territoire. Le congrès de Rastadt (grand-duché
de Bade) est interrompu. Le 28 avril, deux ministres
plénipotentiaires français, Claude Roberjot (né en 1753)
et Antoine Bonnier d'Alco (né en 1750), en route vers
Paris sont assassinés par des hussards autrichiens
qui pillent leurs voitures. Le troisème ambassadeur,
Jean Debry (1760-1834), survécut à quatorze coups de
sabre : on soupçonnera le baron de Thugut (1736-1818),
ministre des Affaires étrangères autrichiennes, d'avoir
voulu récupérer les preuves de négociations gênantes.
Connu deux jours plus tard, l'attentat constitua aux
yeux des parisiens la preuve de la haine des monarchies
européennes envers la Révolution. (J. A. Leith, 1965,
p. 140 ; Boyer, « Quelques écrits de Girodet (1789-
1799) », *BSHAF*, 1968, p. 246 ; B. Gallini, cat. exp.
Paris, 1989 (2) t. III, 1989, p. 846, 874 ; Lafont, 2001,
t. I, p. 163). Chaussard, *La Décade philosophique*, 1799,
coll. Deloynes, t. XXI, nº 580, p. 451-452.

64. Voir cat. 21.

65. Lajer-Burcharth, 1999, p. 247-257.

66. Voir note 6.

La beauté de l'effroi

cat.42 Une scène de déluge
Huile sur toile, 441 x 341 cm
Paris, musée du Louvre, inv. RF 4934

Hist. Conçu dès le séjour italien (première pensée dans un carnet d'Italie, voir *infra* ill. 1), le tableau est peint dans l'atelier du couvent des Capucines à partir de 1802 (sur cet atelier voir Voignier, 2005, p. 9-17.) ; présenté avant le 15 septembre 1806 (date de l'ouverture du Salon) à Denon, directeur général du musée Napoléon, et à David ; Salon de 1806 n° 223 sous le titre : *Scène du [sic] déluge. Une famille est prête à être engloutie par la tempête* ; présenté à Napoléon lors de sa visite de l'exposition accompagné de Denon qui renouvelle sa demande de promotion de Girodet dans l'ordre de la Légion d'honneur (Dupuy *et al.*, 1999, n° 1168, p. 313, n° 1345, p. 140) ; proposé comme premier prix de peinture d'histoire par l'Institut pour les prix décennaux de 1810 jamais décernés (publié dans *Rapport du jury chargé de proposer les ouvrages…*, 1810, p. 14-15, 18-19 et *Rapport du Jury institué par S.M. l'Empereur et Roi…*, 1810, p. 140-141, 144) ; exposé à partir du 25 août 1810 avec les autres œuvres sélectionnées pour les prix par l'Institut au musée Napoléon (*Lettre de Denon à Girodet*, Paris, 15 août 1810, Dupuy *et al.*, 1999, n° 1875, p. 227) ; proposé en juillet 1817 comme acquisition pour les collections royales avec *Endymion* et la réplique d'*Atala* (déposé à Montargis en 1968 ; lettre du comte de Pradel au comte de Forbin, Paris, 11 juillet 1817, et autres rapports administratifs, AMN, P6) ; règlements effectués à Girodet en 1818, AN, 0/3/1400 et 0/3/1398, n° 496 ; lettre de Girodet au comte de Forbin, Paris, 25 juillet 1818, où il accepte la cession des œuvres «moyennant cinquante mille francs» et souligne le rôle joué par le comte de Forbin dans cette acquisition ; accroché au musée du Luxembourg ; musée du Louvre après la mort de Girodet.

Exp. 1806, Salon, n° 223 (*Scène du [sic] déluge. Une famille est prête à être engloutie par la tempête*) ; 1810, Paris, Salon ; 1814, Paris, Salon, n° 436 (*Une scène de déluge*).

Bibl. Anon., *Explication des ouvrages de peinture, sculpture, […] Artistes vivans*, 1806, n° 223, p. 41 ; Anon. [un Amateur], *La Lorgnette du Salon de 1806. Premier coup de lorgnette*, s.d., p. 5-7 ; Anon., *L'Observateur au Musée Napoléon ou la critique des tableaux en vaudeville]*, 1806, p. 18 ; Anon., *Le Flâneur au Salon ou Mr. Bonhomme. Examen joyeux des tableaux mêlé de vaudevilles*, s. d, p. 32 ; Anon. [M. Ro.], *Petites affiches de Paris*, s.d., coll. Deloynes, t. XXXVII, n° 1037, p. 449 et suiv. ; Jean-Baptiste Boutard, 16 septembre 1806, p. 4-5 ; Gigault de Lasalle, *Gazette de France*, 18 septembre 1806, p. 1038-1040 ; Girodet, *Journal de Paris*, 21 septembre 1806, p. 1936-1937 ; Gigault de Lasalle, *Gazette de France*, 27 septembre 1806, p. 1074-1076 ; Anon. [G.], *L'Atheneum, ou gallerie française*, n° 9, septembre 1806, p. 4-5 ; Anon., *Le Publiciste* coll. Deloynes, t. XXXVIII, n° 1051, p. 661, octobre 1806 ; Fab★★ [Victorin Fabre], t. LI (1806), 1ᵉʳ octobre 1806, p. 32-35 ; Girodet, *Journal de l'Empire*, 1ᵉʳ octobre 1806, p.4 ; Anon., *Le Publiciste*, 4 octobre 1806, coll. Deloynes, t. XXXVIII, n° 1050, p. 644-647 ; Anon., [C.], *Mercure de France*, 4 octobre 1806, p. 26- 29 ; L★★★, *Le Courrier Français*, 8 octobre 1806, p. 3 ; Anon., *Le Publiciste*, 10 octobre 1806, p. 1 ; Saint-Victor, *Journal de l'Empire*, 13 octobre 1806, p. 4 ; Anon., *Le Publiciste*, 22 octobre 1806, p. 3 ; Anon., *Le Publiciste*, 27 octobre 1806, coll. Deloynes, t. XXXVIII, n° 1052, p. 727-736] ;

Jean-Baptiste Boutard, 7 nov. 1806, p. 3-4 ; A. D. [Achille-Etienne Gigault de Lasalle], 1806, coll. Deloynes, t. XL, n° 1058, p. 32-33 ; Anon., *Journal de Paris*, 1806, [coll. Deloynes, t. XXXVIII, n° 1042, p. 323-324] ; Anon., *[Journal de Paris]*, 1806 [coll. Deloynes, t. XXXVIII, n° 1045, p. 356-380] ; Anon. [L.★★★], [*Le Courrier français*], 1806 coll. Deloynes, t. XL, n° 1062, p. 302-304] ; Anon. [Marant], 1806, p. 32-40 ; Anon., *Journal d'indications*, 1806, coll. Deloynes, t. XLI, n° 1079, p. 81-82-83 ; Anon., *Journal de Paris*, 1806, coll. Deloynes, t. XXXVIII, n° 1043, p. 356-365, 379-380 ; Anon., *Courrier des spectacles*, 1806, coll. Deloynes, t. XLI, n° 1073, p. 10-11 ; 29-32 ; Chaussard, 1806, p. 116-127, 418 (repr. face à 116) ; Ducray-Duminil, 1806, coll. Deloynes, t. XL, n° 1063, p. 315-317 ; F. C [Frédéric de Clarac], 1806, coll. Deloynes, t. XXXVIII, n° 1047, p. 438-455 ; Lambin, s.d. [1806 ?], p. 10-11 ; Anon., *Arlequin au Museum*, 1806, p. 14-15 ; Anon. [Voiart, Jacques-Philippe], 1806, p. 26-29 ; Anon. [C.], *L'Atheneum, ou gallerie française*, n° 12, décembre 1806, p. 1-4 et 7-9 ; Girodet, 1807, p. 35-37 ; Anon., *Journal de l'Empire*, 1807, 11 février 1807, p. 3-4 ; Anon., *Journal de Paris*], 11 février 1807, p. 3-4 ; Anon., *Journal de Paris*, 17 février 1807, p. 1-4 ; Anon., *Journal de l'Empire*, 17 février 1807, p. 3-4 ; J.-G., *La Revue [ancienne Décade] philosophique, littéraire et politique*, t. LIII (1807), coll. Deloynes, t. XXXIX, n° 1055 ; Anon., *Rapports et discussions de toutes les classes de l'Insitut de France sur les ouvrages admis au Concours pour les prix décennaux*, 1810, p. 14-15, 18-21 ; Anon., *Sentiment impartial sur le salon de 1810*, p. 7 ; Anon., *Journal de Paris*, 3 septembre 1810, p. 1739 ; Anon., *Journal de Paris*, 22 septembre 1810, p. 1871-1872 ; Anon., *Journal de Paris*, 23 septembre 1810, p. 1879 ; Anon., *Journal de Paris*, 25 septembre 1810, p. 1890-1891 ; Anon., *Journal de Paris*, 5 octobre 1810, p. 1958 ; Dandrée, 8 octobre 1810, p. 1980 ; Fabre, *Mercure de France*, 1810, t. XLV, 10 novembre 1810, p. 92 ; Dandrée, 19 novembre 1810, 2286-2287 ; Dubut, 1810, p. 13 ; Guizot, 1810, p. 53-54 ; Landon, 1810 ; Lenoir, 1810, p. 1890 ; Gueffier, 1811, p. 10-12, 46 ; Dandrée, [*A M. Denon, membre de l'Institut national, directeur général du Musée Napoléon, de la Monnaie, des Médailles, etc.*, s. d, p. 8-16 ; Anon., *Dialogue raisonné entre un anglais et un français ou Revue des peintures, sculptures et gravures exposées dans le Musée royal de France le 5 novembre 1814*, 1814, p. 13-14 ; Delpech, 1814, p. 41-49 ; Cadet, Bateux, Désaugiers, Brasier [?], 27 novembre 1814, p. 3 ; Anon., *Journal des Débats*, 15 décembre 1814, p. 1-4 ; Delpech, 1814, p. 41-49 ; I.G., *La Renommée*, 19 novembre 1819, p. 620 ; Jal, 1819, p. 13 ; Boher, Girodet, 1820, p. 6-7 ; Voiart, 1820, p. 114 ; Lenoir, 1821, p. 268 et suiv. ; Arnault, Jay, Jouy, 1822, p. 170 ; Landon, 1823, p. 9 (repr. pl. 24) ; Anon., *L'Amateur sans prétention*, 1824, t.6, p. 378 ; Anon. [P★★★], 1824, p. 5 ; Anon., *La Semaine*], 1824, t. II, p. 255 ; Anon., *Journal de Paris*, 12 septembre 1824, n.p. ; Garnier, Raoul-Rochette, 1824, p. 2, 6 ; Landon, 1824, p. 46-47 ; Stendhal, *Journal de Paris*, 7 octobre 1824, p. 3 ; Stendhal, *Journal de Paris*, 9 octobre 1824, p. 3 ; Valori, 1824, p. 4 ; Chauvin, 28 février 1825, p. 2 ; Mahul, 1825, p. 120-121 ; Souesme, 1825, p. 5 ; Duchesne, 1828-1834, t. I, p. 22, 32 (repr. pl. 22) ; Ducrest, 1828, t. II, p. 206 ; Coupin, 1829, t. I, p. xvi-xix, xxiii-xxiv, xxxix-xlix, lvii ; t. II, p. 300 ; 325-327 ; 343-344 ; Stendhal, 1829, t. I, p. 301 ; Landon, 1832, t. I, p. 114-115 (repr. pl. 54) ; Desbordes-Valmore, 1833, t. I, p. 31-32, 35 ; Quatremère de Quincy, 1834, p. 318-322 ; Raczynski, 1836, t. I, p. 71 (repr. p. 71) ; Dussieux, 1838, p. 75 ; Miel, 1845, p. 292-294 ;

Miette de Villars, 1850, p. 33, 40-41 ; Planche, 1851, p. 529 ; laborde, 1855, p. 763 ; Delécluze, 1855, p. 267-270 ; Villot, 1 n° 250 ; Montaiglon [dir.], 1855-1856, p. 127-128 ; Blanc, 1 t. III, p. 10-11 et 15 ; Frond, 1865, p. 2 ; Gautier 1867 (19 p. 14-15 ; Marcy, 1867, p. 125 ; Ménard, 1872, vol. VIII, (repr. pl. 25) ; David, 1880, p. 437-439 ; Chennevières, 18 1889, p. 34, 86 ; Villot, 1883, n° 250 ; Ruskin, 1889, t. II, p. Dayot, 1890, p. 43 ; Leroy, 1892, p. 12, 16, 19, 29, 46-47 ; lacroix, 1893, t. I, p. 68 (à la date du mercredi 3 mars 18 Pélissier, 1896, p. 80-81 ; Benoit, 1897 (1975), p. 100, 198, 322 ; Dubosc, [1900], p. 9, 12, 34, 167 ; Cat. Louvre, 1 n° 360, p. 35 ; Soubies, 1904, t. I, p. 110 ; Constant, 1906, p. 567 ; Guiffrey, 1911, p. 12 ; Lemonnier, 1913, p. 15 ; Di 1914, p. 17, 19, 20 ; Lemonnier, 1914, t. I, p. 367 (repr. p. 3 Gudin, 1921, p. 30 ; Brière, 1924, n° 360 ; Adhémar, 1933 (19 p. 272 ; Antal, 1936, p. 22 ; Escholier, 1941, p. 80, 84 (repr. p Boyer, 1949, p. 68-69 ; Levitine, 1954, p. 44 ; Pigler, 1956, Levitine, 1957, p. 17, 19 ; Aulanier, 1958, p. 97 ; Sterling, A mar, 1959, n° 974 ; Lindsay, 1960, p. 129 ; Levitine, 1965, p. Pruvost-Auzas, in cat. exp. Girodet, Montargis, 1967, nᵒˢ 33 73, 75, 76 (cité) ; Ward-Jackson, 1967, p. 663 ; Levitine, (1970), p. 141-143 ; Kogina, 1969, p. 6 (repr. p. 8) ; Rosenb 1969, p. 100 ; Borville, 1970, p. 8 ; Becker, 1971, p. 81 ; Angr 1972, p. 98-100 ; Brookner, 1972, p. 87 ; Eitner, 1972, repr. Rubin, *Ut Pictura Theatrum*, 1972 ; Rubin, *Art Quarterly*, 1 p. 211-238 (repr. ill. I) ; Zieseniss, 1972, p. 206 ; musée du l vre, *Catalogue des Peintures, t. I, École Française*, 1972, p. 184 ; naeken, 1973, p. 72-73 ; D. et G. Wildenstein, 1973, n° 4 p. 158 ; cat. exp. Paris, 1974 (2), p. 71 ; cat. exp. Paris, De New York, 1974-1975, p. 448 ; Whiteley, 1975, p. 768 (ill 4) ; Aragon, 1977, p. 61, 76, 84-85, 89 ; Levitine, 1978, p. 232-257 ; Cleaver, 1978-79, p. 96-101 (repr. p. 97) ; Levi 1979, p. 301 ; Maison, in Laclotte, 1979, p. 726 ; Rosen 1979, n. 324 (repr. ill 11) ; Clay, 1980, repr. p. 131 ; Lev 1981, p. 619-623 ; Verdi, 1981, p. 394, 397 (repr. ill. 3) ; Nev Brown, 1980 ; Levitine, 1982, p. 619-623 (repr. ill 1) ; Bo Loyer, 1983, p. 67 (repr. ill 1) ; Milovanoff, 1986, repr. p Zieseniss, 1986, p. 10 ; musée du Louvre, *Catalogue somma lustré des peintures du Musée du Louvre et du Musée d'Orsay, Française*, t. III, 1986, p. 282, repr. ; Eitner, 1987, p. 40 ; B 1987, t. I, p. 36, t. II, p. 262, t. III, p. 78-79 (n. 2) ; Lynn P 1987 (1982), p. 1, 12-15, 25-26 ; Bellenger in cat. exp. Mor gis, Boulogne-Billancourt, 1988-1989, p. 9 ; Fernandez, p. 165 ; cat. exp. Paris (Grand Palais), 1989, p. 874 ; cat. exp ris-Versailles, 1989, p. 95-96, 153 ; cat. exp. Florence, 1 p. 33 ; Lelièvre, 1993, p. 146-147 ; musée du Louvre, *Gui Visiteur : la peinture française*, 1993, p. 166 ; Wrigley, 1993, Bellenger, 1993-1994, p. 89, 214, 219, 232 (repr ill 44, p. Eisenman, 1994, p. 44-46 (repr. 46) ; Wuhrmann, 1994, 335 (repr. ill 3) ; Grigsby, 1995, t. II, p. 379-385 ; Rosen [M.], 1995, p. 170 et n. 17 p. 206 ; Chastel, 1996, p. 77, Joannides, 1996, p. 120 (repr. ill 12) ; Violin-Savalle, 1 p. 356-359, p. 601-602 ; Wilson-Smith, v. 1996, p. 178- (repr. p. 179) ; Guégan, 1997, p. 48 (repr. p. 49) ; Lemeux-Fr 1997, p. 2-3 ; Chotard, in cat. exp. Paris, 1997, p. 28 ; Prem gast, 1997, p. 47, 194-5 ; Stendhal, 1997, p. 178 ; Chaudonn 1999, p. 33, 37, 137 ; Denon, in Dupuy *et al.*, 1999, t. I, p. 488-489, 656 ; Lafont, 1999, n.62 p. 56 ; Oger, in cat. exp. T 1999, p. 232 ; Soubiran, 2000, p. 73 (repr. p. 73) ; Sten

[1824] 2001 p. 79, 91, 95 ; Bajou, Lemeux-Fraitot, 2002, p. 328 ; Dassas, Font-Réaulx, Jobert, cat. exp. Paris, 2002, p. 114, 172 (repr. ill. 53) ; Nivet, 2003, p. 31-33 ; Beck-Saiello, 2003, p. 104 ; Savettieri, 2003, p. 34 ; Savettieri, 2004, P. 125-155 ; Patrick Noon, in cat. exp. Londres, Minneapolis, New York, 2003-2004, p. 24 (repr. ill. 11).

Œuvres préparatoires
Dessins préparatoires localisés

Étude pour l'homme portant son père, Paris, musée du Louvre, département des Arts graphiques, inv. RF 3975 (cat. 45).

Étude pour l'homme portant son père, Paris, École nationale supérieure des beaux-arts, EBA 1021 (cat. 46).

Étude pour l'enfant s'accrochant à sa mère, Paris, École nationale supérieure des beaux-arts, EBA 1023 (cat. 47).

Étude pour la mère, Paris, École nationale supérieure des beaux-arts, EBA 1022 (cat. 48).

Étude pour l'enfant et sa mère, Montargis, musée Girodet, inv. 82.9 (cat. 49).

Étude de draperie, Nantes, musée des Beaux-Arts, inv. 1523 (cat. 50).

Deux croquis, études d'ensemble pour le Déluge, crayon noir, feuillet 14 x 23,1 cm, carnet italien, Paris, Bibliothèque nationale de France, Dc 48c rés., fol. 37 v. [ill. 193]

Étude d'ensemble pour le tableau représentant une Scène de déluge, crayon noir, 31 x 22 cm, Montpellier, musée Fabre, inv. 837-1-1143, legs Fabre, 1837 [ill. 194].

Étude des bras étirés de l'homme et de la femme et de la jambe droite de l'homme pour le tableau représentant une Scène de Déluge, crayon noir, estampe et rehauts de blanc sur papier bistre, 25,8 x 45,9 cm, Besançon, musée des Beaux-Arts, inv. D.2792 (anc. coll. Jean Gigoux [Lugt 1164], légué au musée en 1894). [ill. 203].

Contre-épreuve d'un dessin d'ensemble pour la scène de Déluge, crayon noir et rehauts de blancs sur papier beige, repris à certains endroits, 45 x 36 cm, Dijon, musée des Beaux-Arts (cat. musée, 1883, n° 859) ; coll. His de la Salle (inscriptions de quelques lignes en bas, à gauche, inversées et illisibles, avec la date 1806 peut-être AL suivies d'un monogramme).

Esquisse peinte localisée

Une scène de déluge (cat. 44), coll. Pinson de Valpinson ; marché de l'art parisien en 2000 ; acquis par le musée du Louvre R.F. 2001-15 ; ne correspond pas à l'esquisse perdue de la collection Didot, peut-être l'une des deux deux esquisses perdues données par Girodet à Coupin de la Couperie (frère du biographe de Girodet) et à Chatillon.

Esquisses peintes documentées

Esquisse Coupin de la Couperie, collection Philippe Coupin de la Couperie, frère de P.A. Coupin, donnée à Coupin par Girodet (Coupin, 1829, t. I, p. lxxij).

Esquisse Châtillon, collection Henri-Guillaume Châtillon, donnée à ce dernier par Girodet (Coupin, *ibidem*).

Esquisse Didot, huile sur toile, 46 x 38 cm, inventaire après décès de Girodet, n° 329, prisée 300 francs («une esquisse du déluge première pensée», *État estimatif des objets…*, AN, minutier central, ET/LXIV/621 ; Pérignon, 1825, n° 3 p. 8 : «Esquisse très arrêtée pour la scène de déluge. Elle est d'autant plus remarquable qu'elle diffère du tableau par plusieurs changemens dans la composition, quant au groupe du bas et quant aux tons des draperies. La couleur et l'effet rappellent parfaitement le tableau. T. h. 17 p. l. 14.», p. 8), adjugée 3 505 francs à Hyacinthe Didot ; l'exemplaire de la bibliothèque des musées nationaux porte l'inscription manuscrite : «Ainsi le vieillard est couvert d'une draperie qui tombe le long de son corps, et s'appuie sur son front, la femme est enveloppée de deux draperies jaune et bleue qui enveloppe le corps ; le rocher sur lequel est la femme en plein milieu du tableau, on voit comment ils ont pu parvenir où ils sont, une autre femme est tombée renversée, la tête est près des flots ; la main gauche auprès du pied du mari ; l'autre auprès du pied de la femme. Le corps flottant du tableau n'existe pas ici.», adjugé 3 500 francs à Didot (Voignier, 2005, p. 98) ; lettre de Louis-François Bertin (dit Bertin l'Aîné) à François Xavier Fabre, Paris, 13 avril 1825 (Pélissier, *Nouvelle Revue rétrospective*, janvier-juin 1896, p. 42) ; extrait d'une lettre de Louis-François Bertin (dit Bertin l'Aîné) à François Xavier Fabre, Paris, 30 avril 1825 (Pélissier, *ibidem*, p. 44) ; Coupin, 1829, t. I, p. lxxij («Esquisse très arrêtée pour une Scène de Déluge. Elle diffère du tableau dans la composition du groupe inférieur et dans les tons des draperies.») ; coll. Hippolyte Didot en 1846 à l'exposition du Bazar Bonne-Nouvelle (Paris, 1846, n° 28, p. 5) ; localisation actuelle inconnue.

Connues par la photographie

Esquisse Deslandres [ill. 199] huile sur toile, 44 x 36 cm, dans la coll. Becquerel à l'exposition Girodet (Montargis, 1967, n° 33), volée en 1990, localisation actuelle inconnue.

Esquisse Delamarre [ill. 200] huile sur toile, 35 x 28 cm, dans la coll. Louis Delamarre à l'exposition David et ses élèves (Paris, 1913, n° 138) ; cliché Bulloz.

Dessins préparatoires documentés

«Le second [carton] renferme des études d'académies dans lesquelles on distingue les études de son deluge, d'atala, de la Naissance de Venus & estimé cent cinquante francs 150…» (*État estimatif…*, Voignier, 2005, p. 42, n° 407)

«Un croquis peu arrêté. Première pensée pour le tableau du déluge, à l'estompe et au crayon noir, sur papier blanc», Pérignon, 1825, p. 53, n° 211, adjugé 50 francs à Constant (Voignier, 2005, p. 100) ; Lemeux-Fraitot, in Bajou et Lemeux-Fraitot, 2002, p. 379, identifie ce dessin comme *La Scène de naufrage* ou *Étude de Déluge*, Montargis, musée Girodet, inv. 989-12 (voir *infra*, Œuvres en rapport). Ce rapprochement ne tient pas

compte de la technique (lavis) ni de l'origine de ce dessin fut acquis avec d'autres provenant d'un fonds Becquerel.

Trois études aux crayons noir et blanc sur papier de cou pour le tableau du déluge», Pérignon, 1825, p. 34, n° 219, jugé 301 francs à ce dernier (Voignier, 2005, p. 100).

«Deux feuilles d'études de figures légèrement indiquée draperies terminées, pour le déluge, aux crayons noir et b sur papier de couleur», Pérignon, 1825, p. 40, n° 28, ad 261 francs à Panetier (Voignier, 2005, p. 105). Lemeux-Fra in Bajou, Lemeux-Fraitot, 2002, p. 379, rapproche la fe d'étude de draperies du dessin de Nantes, musée des Bea Arts, inv. 1523, (cat. 50). Cette hypothèse doit être nuanc cause du papier «de couleur» que l'on ne retrouve pas l'état actuel du dessin de Nantes).

«Six feuilles d'études partielles pour le déluge», Périg 1825, p. 40, n° 284, adjugé à Pannetier pour 50 francs (Voig 2005, p. 123).

«Cinq croquis ; premières pensées pour le déluge et p les poésies d'Ossian», Pérignon, 1825, p. 44, n° *32*, ad 175 francs à Perignon (Voignier, 2005 p. 121).

Dessin pour le *Déluge* dans la vente Chennevières, avril 1 n° 630. – « / Au crayon noir, à la plume et au lavis» (*Cata des dessins anciens de l'Ecole française […]*, le tout ayant appa à feu M. le marquis de Chennevières, […] Paris, hôtel Dro salle 7, 4-7 avril 1900).

Dessin préparatoire pour le Déluge avec un reptile, crayons no blanc, 17,1 x L. 21,8 cm ; coll. Haro ; coll. Coutan, Shep Gallery, New York, 1977 (marques de collection en noi haut à droite : *COUTAN-HAUGET/COLLECTION/SHUBERT-MILL*

Répliques

Scène de déluge, Montargis, musée Girodet ; inv. 37.5 (cat. 4

Copies localisées

Copie réduite, huile sur toile, Italie, coll. part. *Copie réduite*, h sur toile, 18 x 23,5 m, États-Unis, coll. Levitine ; *Scène de dé copie en réduction*, huile sur toile, 61 x 47 cm, Dijon, musée gnin, 1938 F 433.

Estampes du vivant de Girodet

Scène du déluge, d'après Girodet. par Leclerc. A Paris, chez F. J quai des Augustins ; *Fragment du déluge, par Monanteuil, d' Girodet.* A Paris, chez F. Noël ; *Une Scène du déluge, lithog Aubry Lecomte, d'après Girodet*, imprimée par Noël. A Paris, Noël, rue de Vaugirard ; *Scène du déluge, gravée à la manièr crayon noir, d'après Girodet, par Gérard* A Paris, chez Basset, Saint-Jacques ; *Gravure par C. Normand*, publiée dans Lan 1810, pl. II (hors pagination), Landon, 1823, pl. 24 (hors p nation) ; *Gravure par Dissard*, imprimé par Chardin Aîné.

Une convulsion de la Nature[1]»

u Salon de 1806, Girodet fait sensation avec
toile gigantesque représentant une scène de dé-
. «Aujourd'hui, tous les regards ont été appelés, à
verture du Salon, sur une scène du Déluge, par
det; l'admiration a été générale devant cette
composition[2].» «Nous attendions nous-mêmes
une sorte d'impatience, que M. Girodet produi-
n ouvrage qui ne laissât aux connoisseurs les plus
osés à la sévérité, aucun doute sur la franchise et
rfection de son talent[3]…»

e déluge des eaux a la violence brutale d'une
trophe et la force d'un torrent de montagne dé-
nt hors de son lit. Sous un ciel de nuit d'orage,
uées sombres se confondent avec la brume s'éva-
t des eaux fracassées sur le rocher. Dans le loin-
on aperçoit le sommet d'une montagne, comme
les croquis que Girodet avait faits des Alpes sur
emin de Paris à Rome[4]. Les figures monumen-
se partagent en deux groupes pour une unique
lle : en bas, une femme évanouie, la tête et le
s renversés, avec ses deux enfants et plus haut,
omme portant un vieillard sur son dos qui, par
ule tension désespérée et la force de son bras,
nt au bord de l'abîme la femme et les enfants.
deux groupes, séparés par le vide, comme si les
ers allaient s'écarter, ne sont unis que par le bras
homme. Ils se détachent comme des sculptures
fond d'éléments déchaînés, et le rocher sur le-
repose leur équilibre précaire, implacablement
éral, est cerné par les eaux. L'unique branche du
arbre auquel l'homme se retient a commencé à
pre, rendant le drame imminent. L'agitation ter-
de la nature en furie gonfle fantastiquement la
erie, couleur prune sombre, qui flotte derrière
roupe des deux hommes. Celle, orangée et lu-
euse, qui enveloppe le corps de la femme et du
veau-né serré contre son sein, s'enfle aussi sous
t des vents. Le plus âgé des enfants, presque ado-
nt, s'agrippe à la chevelure et au cou de la mère.
draperie bleue, enroulée autour de son épaule
he, claque comme un drapeau vers les flots où
e le cadavre d'une noyée au buste nu. Le drame
omme momentanément arrêté et l'effroi se mêle
uspense. Un éclair blafard sillonne le ciel, déchi-
'un trait la droite de la scène et se fait comme
no visuel, presque sonore, du craquement fatal de
anche. Le tableau est entièrement baigné d'une
iétante lumière fauve de cataclysme, la toile, cole, mesure plus de quatre mètres de haut.

eu avant 1806, occupé à terminer sa *Scène de*
e, Girodet expose ses nouveaux enjeux esthéti-
s à Bernardin de Saint-Pierre : «[…] l'Endymion
é trop loué […] il n'y a point là de création de
art du génie… […] il n'y a là que le seul mé-

cat. 43 Une Scène de déluge
Huile sur toile, 147 x 114,5 cm
Montargis, musée Girodet, inv. 37.5

Hist. Entré au musée Girodet avant 1900 (selon cat. Montargis
1937, n° 37.
Exp. 1967, Montargis, n° 34 (repr. hors pagination); 1987-1988,
Tokyo, Hiroshima, Fukuoka, Shizuoka, n° 102 (repr.); 1995,
Paris (fondation Taylor), n° 34, p. 111 (repr. n° 34, p. 69); 1997,
Paris, n° 12, p. 28; 1999, Narbonne, n° 36, p. 90, repr. p. 91.
Bibl. Cat. musée Montargis, 1937, n° 37; Starcky, Isnard, 2000,
p. 97.

Ill. 196 Girodet, *Deux croquis pour Une scène de déluge*
Dessin, carnet d'Italie, Paris, Bibliothèque nationale de France

Ill. 197 Girodet, *Étude d'ensemble pour Une scène de déluge*
Dessin, Montpellier, musée Fabre

Ill. 198 Girodet, *Croquis du Déluge de Regnault*
Dessin, carnet Destailleurs, Montargis, musée Girodet

rite d'une imitation servile […]. L'expression des passions, toujours si difficile à traiter parce qu'elles sont fugitives autant que variées, est nulle [5]… » Cette réfutation d'une œuvre qui avait fondé sa réputation tient certes du paradoxe d'auteur, mais Girodet poursuit son autocritique en précisant que l'invention d'*Hippocrate* tient de l'érudition, alors que les guerriers d'*Ossian* n'ont pas de modèles [6]. Le moyen de faire passer l'inspiration dépend de l'effet et donc de la dimension de la toile : «[…] ce qui est grand frappe toujours, et un géant, mal fait, impose davantage qu'un pygmée qui aurait de belles proportions [7].» En réponse aux critiques qui lui avaient reproché l'accumulation des formes et du sens dans l'espace si réduit du tableau d'*Ossian* [8], Girodet renonce à la multiplication des figures et décide de clarifier sa composition en déployant des formes géantes sur une toile monumentale. Unique dans son œuvre, ce tableau cherche à s'émanciper de la littérature et aspire à être une peinture d'émotions et de sensations aussi fortes que les mythes eux-mêmes. Il s'agissait de dissocier enfin son auteur des succès du *Sommeil d'Endymion*, l'œuvre du génie précoce qu'il fallait supplanter dans l'esprit du public. Les deux œuvres, *Scène de déluge* et *Le Sommeil d'Endymion* ne sont antagonistes qu'en apparence et cristallisent en fait les deux concepts esthétiques complémentaires de l'idéal antique que Girodet expose à Bernardin. Un dessin, précis et très fini, conservé dans la collection du musée Magnin [**ill. 161**] les réunit sur une même feuille, réconciliant l'effroi et la beauté sereine comme deux faces d'une même médaille. Dans un paysage de montagne, une femme et sa fille regardent fascinées le spectacle, angoissant, d'une jeune femme nue qui, surprise par la vue d'un serpent, tombe à la renverse dans un ravin. À droite, un jeune homme, dans la position languissante d'Endymion dort à l'ombre apaisante d'un bosquet. Cette juxtaposition de la beauté calme et du terrible concentre sur une feuille tout le débat artistique de la mutation du sensible à la fin du XVIIIᵉ siècle.

Un *Déluge* conçu dès le séjour italien

Dès 1802, selon Coupin, Girodet s'enferma pendant quatre ans pour peindre sa *Scène de déluge*. Il avait transporté son atelier du Louvre jusqu'au couvent des Capucines pour se protéger des nuisances du voisinage de Mᵐᵉ Prud'hon [9]. Girodet avait longtemps réfléchi à son sujet. Le thème était dans l'esprit du temps [10], Danloux avait exposé au Salon de 1802 un *Épisode du déluge* [11] avec une composition dont le sentiment intimiste et suppliant était à l'opposé du projet de Girodet qui assura avoir esquissé son tableau dès son séjour à Gênes, en 1795 [12]. Avec le dessin esquissé du musée Fabre [**ill. 197**], deux autres croquis [13] s'y rapportant figurent sur une page d'un carnet de dessins presque exclusivement utilisé pendant le séjour italien [**ill. 196**]. Plus tôt encore, de 1789 date son relevé du *Déluge* [14] de Regnault croqué au Salon l'année précédant son départ pour Rome [15] [**ill. 198**]. Ce dessin [16] est l'un des premiers témoignages du regard que Girodet porte sur l'œuvre de Regnault, peintre offrant une échappatoire à la doxa davidienne.

Anchise et *Laocoon*

L'Hiver ou Le Déluge de Poussin auquel on le compara [17], tout comme le *Déluge* de Regnault étaient des tableaux de chevalet. Girodet s'en distingue avant tout par la dimension colossale de ses figures plus grandes que nature [18]. De Poussin, il retient la tension dramatique, le ciel déchiré, les rochers, le déferlement des eaux, la vision atemporelle, et de Regnault, l'humanité limitée à la famille nucléaire, l'ancêtre, le père, la mère et les enfants.

Trois esquisses connues (l'esquisse Deslandres de la collection Becquerel [19], l'esquisse du Louvre [20], et l'esquisse Delamarre [21]) ont été classées dans cet ordre par Sylvain Laveissière [22] qui a montré l'évolution de la composition. Dès la première esquisse (Deslandres, **ill. 199**), les personnages sont en place et se détachent sur un ciel d'orage balafré par deux éclairs. Dans l'angle inférieur gauche du tableau se distin-

guent une femme engloutie par les flots et une a[...] s'agrippant au rocher. On retrouve tous ces élém[...] dans l'esquisse du Louvre **(cat. 44)** où un seul é[...] déplacé en haut à droite, accentue la diagonale d[...] composition. Dans la troisième esquisse (Delama[...] **ill. 200**), Girodet dramatise l'éclairage en abandon[...] le soleil présent dans les tableaux précédents pour [...] re place au débordement de l'eau. La lumière de c[...] *Scène de déluge* n'est ni lunaire comme chez *Endy[...]* ni solaire, mais presque surnaturelle. C'est d'aill[...] en peignant cette œuvre que Girodet commen[...] travailler la nuit grâce à un éclairage mobile de [...] invention [23], seul car il n'y a pas de preuves qu'i[...] soit fait aider pour peindre ce tableau gigantesqu[...]

L'esquisse Deslandres est très proche du tabl[...] définitif et les couleurs de la photographie perm[...] tent de préciser les modifications apportées par G[...] det d'esquisse en esquisse jusqu'au tableau du Sa[...] La grande draperie du vieillard, verte dans l'esq[...] du Louvre devient couleur prune dans l'esqu[...] Deslandres tandis que celle de la mère passe du ro[...] à l'orange.

En rapport avec le tableau du Salon, une réd[...] tion **(cat. 43)**, conservée au musée Girodet et [...] documentée avant 1900, pose différents problèm[...] Il n'y a pas de preuve suffisante pour l'identifier [...] hésitations à une copie que Monanteuil (1785-18[...] aurait peinte [25]. Son cadrage légèrement différen[...] l'œuvre définitive et des modifications de coul[...] dans les draperies, rouge au lieu de prune pou[...] draperie du père et jaune plutôt qu'orange pour c[...] de la mère, ne présentent pas de ruptures signifi[...] ves avec le tableau final pour être considéré co[...] une esquisse. Contrairement au catalogue de l'ex[...] sition de 1967, nous croyons ici à une réduction e[...] cutée tardivement dans l'atelier, vraisemblablem[...] sous la direction de Girodet. Il est très possible [...] cette œuvre ait servi de modèle pour la réalisatio[...] plusieurs estampes au cadrage semblable, découv[...] entièrement le buste de la noyée et coupant l'a[...]

at. 44 Une scène de déluge (esquisse)

e sur bois (une seule planche de noyer), 44,5 x 37 cm
bandes de toile sont collées horizontalement au revers
anneau. Sur celle du haut, étiquette avec inscription au
oir : *MALAINE Pre Rue//* et *Faubourg Martin// nº 19 à*

s, musée du Louvre, inv. R.F. 2001-15

Voir les esquisses documentées dans cat. 42, coll. Pinson
lpinçon ; marché de l'art parisien en 2000 ; acquis par le
e du Louvre en 2001.
Paris, 2002, *Tableau du mois nº 95.*
Gazette des Beaux-Arts, nº 1508, mars 2002, p. 14,
(repr.) ; Laveissière, *Revue du Louvre,* 2002, p. 90 (repr.) ;
issière, in *Musée du Louvre, Département des Peintures,*
velles acquisitions 1996-2001, 2002, p. 150-153 (repr.
).

9 Girodet, *Esquisse pour Une scène de déluge*
uisse Becquerel, puis Deslandres)
sur toile, localisation inconnue

0 Girodet, *Esquisse pour Une scène de déluge*
uisse Delamarre)
sur toile, localisation inconnue

III. 201 Girodet, *Paul et Virginie passant le torrent* (étude au nu), dessin, coll. part.

III. 202 *Le Laocoon,* copie romaine d'un bronze grec
Marbre, Rome, musée du Vatican

un peu plus bas que dans la mise en page du tableau du Louvre.

Le sujet choisi par Girodet donna naissance à une controverse compliquée, inintelligible pour la majorité de la presse qui s'en fit malaisément l'écho. Dans les premiers jours de l'exposition, Girodet écrit aux rédacteurs du *Journal de Paris* [26] : «C'est par erreur que, dans le livret du Salon, mon tableau a été annoncé sous le titre d'une Scène du Déluge; je n'ai voulu donner l'idée ni de celui de Noé ni de celui du Deucalion [27]. J'ai pris le mot Déluge dans le sens d'inondation subite et partielle produite par une convulsion de la nature, telle par exemple que le désastre arrivé dernièrement en Suisse en a pu fournir le tableau [28].» Scène *de* déluge et non *du* Déluge, à partir de cette coquille du livret, Girodet exposa ses théories complexes sur la peinture d'histoire. Dans sa lettre à Pastoret de 1807, il revient sur le caractère anecdotique du sujet. «[…] Une famille surprise pendant la nuit par l'inondation, est sur le point d'être engloutie sous les eaux […] Il me semble à moi que cet exposé rend mieux compte de mon tableau [29].» Pas de damnation, pas de rédemption, ni colère divine ni dernière famille humaine, mais une catastrophe naturelle, comme les tempêtes qui provoquent les naufrages. Dans ce sens, *Le Déluge* est la version pathétique du *Passage du torrent* que Girodet compose à la même période pour le *Paul et Virginie* de Bernardin de Saint-Pierre [30] **[ill. 198]**.

La comparaison hors d'échelle des œuvres est néanmoins essentielle : la gravure accompagne le texte, le tableau met en œuvre des émotions dont la littérature commençait à faire un genre. À la suite de John Locke [31], le siècle voyait de plus en plus un rapport étroit entre conscience et sensation. La sensibilité au paysage, à la mer, à la montagne et à la forêt profonde cessait de susciter l'effroi mais semblait le prélude à un plaisir quasi physique [32]. En fondant son

tableau sur les sensations et les impressions de terreur qu'il avait éprouvées en traversant les Alpes [33] plutôt qu'en s'inspirant directement d'un sujet d'histoire, Girodet confiait au genre historique des sentiments que traitait généralement la peinture de paysage. Il se rattachait ainsi au grand genre, tout en en brouillant simultanément les frontières. À son élève Pannetier, il écrit : «Ceux qui pensaient que j'avais renoncé à la peinture historique, ou qui croyaient que la peinture avait renoncé à moi, ont la bouche close [34].»

Si, malgré les protestations de Girodet, il est difficilement concevable d'écarter ici toute source chrétienne, il est plus délicat de ne pas y reconnaître les souvenirs mythologiques qui l'habitent. La présence d'un reptile, une salamandre visible sur le dessin autrefois à la Shepherd Gallery, laisse penser que Girodet n'a pas toujours été si éloigné du Déluge biblique [35]. Il n'est pas besoin non plus d'invoquer sa grande érudition pour rapprocher la figure masculine supportant le vieillard des célèbres représentations d'Énée portant son père Anchise. Cette référence non avouée à la chute de Troie renvoie également à la Grèce par le fameux groupe sculpté représentant le propre frère d'Anchise, le prêtre troyen Laocoon étranglé avec ses enfants par un monstre marin. Les dessins de Girodet reprennent les contractions plastiques des corps torturés, les inversant pour la tension musculaire des jambes du père ou en les calquant, presque à la lettre, pour la position de l'enfant escaladant le corps maternel. Il réutilise, de dos, la position du fils, placé à droite de Laocoon dans le groupe antique **[ill. 202]**.

Véritable totem du classicisme tel qu'on l'entendait au XVIIIᵉ siècle, le marbre du *Laocoon* [36] en cristallisait les concepts fondamentaux. L'*Encyclopédie* de Diderot et d'Alembert le posait comme modèle de la science des proportions. Winckelmann le considé-

rait comme le chef-d'œuvre du tragique retenu[ ] grandeur sereine» de l'art grec [37], Lessing [38] partag[ ] ce jugement mais en tira des conclusions différe[ ] et revisitait l'adage horacien de l'*Ut pictura poesis*. lon Lessing, si l'auteur du *Laocoon* s'est retenu de[ ] crier la figure de marbre et a contenu les défor[ ] tions que provoque la douleur physique, c'est qu[ ] genre, la statuaire comme la peinture, ne le perme[ ] pas. Seule la poésie, qui n'agit pas directement su[ ] sens et qui ne souffre pas des limites narratives de l[ ] pression plastique, a le privilège d'évoquer les ima[ ] suggestives de la laideur sans provoquer la répulsio[ ]

Un déluge de muscles

La méticuleuse méthode anatomique de Gir[ ] est expliquée par Coupin. «Lorsqu'il était satisfai[ ] l'arrangement de ses figures et de la distribution[ ] la lumière, [Girodet] prenait le modèle vivant et [ ] sinait, avec un soin extrême, chacune de ses figu[ ] nues ou vêtues, dans le mouvement qu'elle de[ ] avoir : il lui arrivait souvent, et cela a eu lieu [ ] exception, pour tous les personnages qui compo[ ] une *Scène de déluge*, de faire des études sur le squel[ ] pour chacune des articulations, et même des des[ ] de myologie, pour se rendre compte, avec exactit[ ] du mouvement des couches profondes et cachées[ ] muscles [39].»

Les dessins préparatoires d'une *Scène de dé[ ] comptent parmi les feuilles anatomiques les [ ] spectaculaires de toute l'œuvre dessiné de Gir[ ] **(cat. 45-50)**. Cette science anatomique métamorph[ ] les figures marmoréennes du *Laocoon* si char[ ] lement incarnées dans le tableau et les veines d[ ] cuisse du père, celles des pieds du vieillard, le ros[ ] mamelon du sein de la mère, l'envolée savante de[ ] draperies démontrent, plus qu'il en était nécess[ ] l'extraordinaire de son brio académique.

Le Déluge est «marqué au coin d'un génie[ ] traordinaire : il n'aura ni médiocres enthousia[ ] ni médiocres détracteurs […] tous les repro[ ] tomberont sur le genre que l'auteur a choisi» é[ ] Chaussard [40]. Le traitement éminemment héroï[ ] d'un fait divers, qui rendait le genre de l'œu[ ] pour le moins hybride, gêna [41]. La démonstra[ ] de science dans les académies de nu et les dra[ ] ries exemplaires rendent incongrue l'idée d'une[ ] mille, même primitive, surprise par l'inondation[ ] critique reprocha à l'artiste sa pédanterie et D[ ] se serait écrié qu'il y avait «là dedans de la scie[ ] pour faire vingt bons peintres, mais il y a abu[ ] veines, c'est tout un déluge de muscles [42]». M[ ] apocryphe, la réflexion de David reflète bie[ ] certain agacement que provoqué par l'extrac[ ] naire démonstration de savoir-faire de Girodet[ ]

'érudition du peintre ne se limitait pas à sa maî-
du dessin et de la composition mais s'étendait à
onnaissance des grands sites archéologiques. La
rse que tient le vieillard, qui avait été interpré-
par le public comme un symbole de l'avarice [44,]
moins la marque d'Harpagon qu'une réflexion
osophique sur le dérisoire : «Dans les fouilles de
péïa on a découvert des corps de personnes qui
ent été ensevelies sous la cendre dans l'instant où
cherchaient à se sauver. L'une d'elles tenait en-
dans ses mains plusieurs pièces d'or. Ce fait, très
u, ne prouve point que cette personne fut avare,
seulement qu'elle était douée d'une prévoyance
naturelle, quoiqu'alors inutile [45,]»
Un petit dessin des collections du musée Giro-
lavé d'encre beige et sépia, éclairé de nuageux et
rds rehauts de blanc, peut être lu comme la con-
on ou le dénouement optimistes d'*Une scène de
ge* [46] [ill. 204]. La branche s'est rompue et toute la
lle enlacée est sauve, réfugiée sur un rocher. Seul
davre du vieillard flotte, tenant encore la bourse
qu'il voulait préserver pour sa descendance.
Girodet voulut également proposer une interpré-
n politique du tableau [47] : «Le groupe entier n'est
u que par une seule branche d'un bois vieux
agile qui en se rompant trahit leur espoir ; j'ai
rouver dans cette pensée l'idée d'un rapproche-
t qui m'a semblé heureux entre la nature phy-
e et la nature morale. Que de gens qui, placés
es écueils du monde et au milieu des tempêtes
ales n'appuient, comme cette famille, leur salut
ur fortune, que sur des soutiens pourris ! La na-
est toujours la même dans tous les temps et dans
lus grands dangers, quoique résultant de causes
rentes, les passions des hommes se développent
a même manière.» La nature miroir de l'âme est
ieu commun du classicisme, en particulier chez
paysagistes, mais à quelle tempête sociale Giro-
songe-t-il ? Est-ce celle de la Révolution ? Le
tien pourri» dont il parle est-il Napoléon ? Sans
te Girodet s'opposera-t-il peu à peu à l'Empire.

Dès 1807, il écrit à Julie Candeille : «Nous sommes tous enrégimentés quoique nous ne portions point l'uniforme, pinceau a droite, crayon a gauche. En avant marche – et nous marchons [48].»

Contrainte politique de la censure, ou difficulté pour les contemporains d'associer cette allégorie à l'histoire récente, le message ne fut, sinon saisi, du moins commenté, directement par aucun critique, hormis Chaussard qui seul voit dans cette œuvre angoissante peut-être un effet «des images terribles qu'a présentées une grande révolution [49]». Mais, comme le souligne Richard Verdi [50], le thème du déluge est récurrent à cette époque friande de catastrophes naturelles. Il serait à la fois sommaire et abusif de voir dans ce déluge une critique de la Révolution, de l'Empire et encore plus un tableau royaliste.

«Ce noir mélange / D'objets tous effrayants, calqués sur Michel Ange […] [51] »

Autant que l'effroi, le public des connaisseurs perçut les déformations michélangelesques du dessin. Pendant tout le XVIIIᵉ siècle, l'art de Michel-Ange [52] avait été considéré comme celui de l'outrance, voire de la vulgarité [53]. Girodet, devançant sa génération, en fit un modèle lors de son séjour à Rome où tous les jours pendant trois mois, il avait travaillé dans la chapelle Sixtine [54]. Il y avait notamment relevé une des têtes de damnés du *Jugement dernier* qu'il fit lithographier [55] [ill. 207]. Il s'en inspirera pour celle du père dans sa *Scène de déluge*. Les dessins éducatifs qu'il réserve à son *Album de principes de dessins* utilisé comme pédagogie d'atelier, montrent aussi des yeux et des bouches grimaçantes croqués à la Sixtine pendant le séjour romain [56].

Le classique Chaussard mesure explicitement les conséquences de la source michélangelesque : «Quiconque n'a jamais été sensible aux effrayantes beautés, au charme horrible de quelques tableaux d'Eschyle, du Dante, de Shakespeare, de Milton, de Crebillon,

de Klopstook [*sic*] [57], de Schiller, ne goûtera jamais les compositions de Michel-Ange, ni celle-ci dans laquelle M. Girodet semble avoir recherché et accumulé les effets dramatiques poussés au-delà même des limites de la terreur [58].» Selon Coupin [59], David aurait déclaré à Firmin Didot que le *Déluge* était «la fierté de Michel-Ange unie à la grâce de Raphaël. Que l'on dise maintenant que les peintres ne sont pas poètes!» Probablement le maître réservait son jugement véritable pour ses écrits intimes : «[…] un choix bizarre et que son grand talent ainsi que celui de tout autre, succomberait dans le choix d'un sujet pareil. Que si l'on ouvre la porte à de pareils sujets, il n'y a plus de raison de s'arrêter en si beau chemin [60].»

Pour la critique, souvent, la beauté effrayante était simplement le laid : «les grands maîtres cherchaient le beau idéal et […] nos peintres vivants cherchent le laid idéal […] [61].» Girodet reviendra sur le thème dans son poème «Les veillées», qui constitue son testament esthétique inachevé. «Il est de ces traits dont la beauté stupide / N'offre à l'art dégoûté qu'une image insipide ; / |Michel-Ange] «génie extraordinaire a trouvé le moyen de faire excuser les plus grands défauts par les beautés les plus sublimes [62].»

Paradoxal apôtre du beau idéal et d'un art soumis au primat et à la «science du dessin [63]», Girodet n'ignore pas l'idée que le défaut de la forme, la déformation, est le langage nécessaire de l'expression [64]. Rien d'étonnant donc à ce qu'*Une scène de déluge* illustre le système de Lavater [ill. 205] dans l'édition de Lemercier [65].

«Le laid… le sublime…», ces mots lancés en 1806 sont à s'y méprendre, vingt à vingt-cinq ans plus tard, ceux même que les partisans d'*Hernani*, ou de Stendhal, Mérimée ou Rémusat, emploieront en lisant leurs morceaux inédits devant les familiers du salon d'Étienne Delécluze [66]. Est-ce à dire que *Une scène de déluge* est une œuvre protoromantique ? C'est que la schématisation des écoles fait du laid l'un des adages de l'avant-garde romantique à la manière de la lithographie de Benjamin Roubaud où Victor Hugo brandit l'étendard : «Le laid c'est le beau [67].» Mais la beauté du laid appartient tout autant aux classiques et Quatremère de Quincy, dans son traité *De l'imitation* [68], remet en cause l'association de principe de l'Idéal et du beau : «Combien on a tort d'appliquer la notion de l'idéal (comme on a trop l'usage de le faire dans les arts du dessin), uniquement aux ouvrages qui comportent l'imitation du beau […] L'idée de beau ou de beauté, ainsi restreinte, resserrerait l'idéal dans un cercle trop étroit [69].» Pareillement, l'inconfortable extase, commune au sensationnel et aux émotions qu'engendre le Terrible, en un mot le Sublime théorisé par Burke [70] et poétisé par Milton, ce «plaisir négatif

cat. 45 Étude pour l'homme portant son père sur son dos

[P]ierre noire et rehauts de blanc sur papier chamois, [5]8 x 39,4 cm

[Pa]ris, musée du Louvre, département des Arts [gr]aphiques, inv. R.F. 3975

[His]t. Atelier de l'artiste (*État descriptif des objets d'art,* n° 407 : [« le] second [carton] renferme des études d'académies dans [les]quelles on distingue des études de son déluge, d'Atala, de [la] Naissance de Vénus, etc. estimé 150 fr.» (Lemeux-Fraitot, [20]02, 379, 380) ; peut-être l'une des études de la vente après

décès, Pérignon, 1825, p. 53, n° 211, p. 33 : «Un croquis peu arrêté. Première pensée pour le tableau du déluge, à l'estompe ; et au crayon noir, sur papier blanc», n° 219, p. 34 : «Trois études au crayons noirs et blanc, n° 283, p. 40 : « Deux feuilles d'études de figures légèrement indiquées et draperies terminées, pour le déluge, aux crayons noir et blanc, sur papier de couleur» et n° 284 : «six feuilles d'études partielles pour le déluge». Le n° 211 est adjugé 50 francs à Constant, (Voignier 2005, p. 100), le n° 219, 301 francs à Pérignon (Voignier 2005, p. 100), le n° 283, 261 fr à Pannetier (Voignier 2005, p. 105) le n° 284 n'apparaît pas dans le procès-verbal de la vente ; coll. Albert Pomme de Mirimonde ; legs Pomme de Mirimonde en 1911.

Exp. 1900, Paris, n° 999 ; 1936, Paris, n° 631, p. 275 ; 1967, Montargis, n° 74 non repr. ; 1972, Paris (musée national Eugène Delacroix), h. c. ; 1977, Paris, h. c. ; 1989, Paris, Versailles, p. 97, n° 57, p. 153, (repr. n° 57, p. 97) ; 1992-1993, Paris, n° 13, p. 38-39, 182 (repr. hors pagination) ; 1999, Mexico, p. 166, 170 (repr. p. 171).

Bibl. Guiffrey, Marcel, 1911, t. VI, n° 4237, p. 12 ; cat. exp. Paris (ENSBA) 1934, p. 32 ; cat. exp. Montargis, 1967, n°s 33, 34, 75 ; cat. exp. Paris (Grand Palais), 1974, p. 71 ; Bajou, Lemeux-Fraitot, 2002, p. 379 ; Paris (musée du Louvre) 2002, (repr. ill 9), Voignier, 2005, p. 100, 105.

cat. 46 Étude pour l'homme portant son père sur son dos

[Pier]re noire et rehauts de craie blanche sur papier beige, 56 x 41,8 cm

[Pari]s, École nationale supérieure des Beaux-Arts, inv. EBA 1021

[Hist.] Atelier de l'artiste, voir cat. 45 ; don Queux de Saint-Hilaire, 1893.

[Exp.] 1934, Paris (ENSBA), n° 116, p. 32 ; 1936, Paris, n° 633, p. 276 ; 1992, Paris (repr.) ; 1994, Mexico, [n°] 7.

[Bibl.] Cat. exp. Montargis, 1967, n°s 33, 34, 74, 75 (cité) ; Bajou, Lemeux-Fraitot, 2002, p. 379 ; [Voig]nier, 2005, p. 100, 105.

cat. 47 Étude pour l'enfant s'accrochant à sa mère

Crayon noir et craie sur papier gris, 56,2 x 39,5 cm

Inscription en bas à gauche : *Girodet*

Paris, École nationale supérieure des Beaux-Arts, inv. EBA 1023

Hist. Atelier de l'artiste, voir cat. 45 ; coll. Jean Gigoux.

Exp. 1934, Paris (ENSBA), n° 118 ; 1936, Paris, n° 634, p. 276 ; Montargis, 1967, n° 76.

Bibl. Bajou, Lemeux-Fraitot, 2002, p. 379-380 ; Voignier, 2005, p. 100, 105 et suiv. ; Paris (musée du Louvre) 2002, ill. 10.

cat. 49 Étude pour l'enfant et sa mère

Crayons noir et blanc ou fusain et estompe, pierre noire
vélin, 60 x 44,5 cm
Montargis, musée Girodet, inv. 82.9

Hist. Atelier de l'artiste, voir cat. 45 ; acquis par le musé
1982 comme partie intégrante d'un grand album fa
regroupant 6 dessins, des contre-épreuves d'estampes
l'*Énéide* et une lettre de Girodet au peintre Carpentier,
du 10 mars 1812.
Exp. 1983, Montargis, n° 51 ; 1989, Paris, Versailles, p. 95,
p. 153, ill. 56, p. 96 ; 1993-1994, Los Angeles, Philade
Minneapolis, n° 56, p. 219.
Bibl. Boutet-Loyer, *Revue du Louvre*, 1983, p. 67 (repr.
p. 67) ; cat. exp. Montargis, 1983, n° 39 (cité) ; cat. FRAM,
n° 583 (repr.) ; cat. exp. Mexico, 1999, p. 170 ; *Le Tableau du*
n° 95, Paris, musée du Louvre, 2002, ill. 10 Bajou, Lem
Fraitot, 2002, page 379 ; Voignier, 2005, p. 100, 105.

cat. 48 Étude pour la mère

Mine de plomb et rehauts de craie blanche sur papier gris,
53,7 x 43,9 cm
Inscription en bas à gauche : *Girodet*
Paris, École nationale supérieure des beaux-arts, inv. EBA
1022

Hist. Atelier de l'artiste, voir cat. 45 ; coll. Jean Gigoux ; don
Gigoux, 1883.
Exp. 1932, Londres, n° 849 ; 1934, Paris (ENSBA) n° 117, p. 32-
33 ; 1936, Paris (Petit Palais), n° 632, p. 275 ; 1939, Buenos Aires,
n° 239 (l'œuvre n'est revenue qu'en 1946) ; 1967, cat. exp.
Montargis, n° 75 (repr.) ; 1992, Paris ; 1994, Mexico, n° 58.
Bibl. Cat. exp. Montargis, 1967, n° 33, 34 (cité) ; Montargis,
1983, n° 51 (cité) ; Bajou et Lemeux-Fraitot, 2002, p. 379.
Voignier, 2005, p. 100, 105.

cat. 50 Étude de draperie

Crayon noir et craie blanche sur papier avec rajout d'une ba[nde]
de papier le long du bord inférieur, 47,8 x 56 cm
Inscription en bas, à gauche : «Cette Etude me v[ient]
directement/de Girodet et a servi au tableau/du Délug[e au]
Musée du Louvre-./ A[te] Galimard» (Galimard avait onz[e ans à]
la mort de Girodet, il est peu probable qu'il ait détenu c[ette]
feuille directement de Girodet)
Nantes, musée des Beaux-Arts, inv. 1523

Hist. Coll. Nicolas-Auguste Galimard (1813-1880); don d[e la]
famille Galimard en 1905.
Exp. 1974, Paris, n° 64, p. 71 (repr. n° 64, p. 71)
Bibl. Nicolle, cat. du musée, 1913, n° 1523, p. 527; cat. [d'exp.]
Mexico, 1999, p. 170 (cité); Bajou, Lemeux-Fraitot, 2[...]
p. 379; *Le Tableau du mois*, n° 95, Paris, musée du Louvre, 2[...]
(repr. ill 11).

[qui] fait basculer le concept de l'esthétique classique dans la psychologie des profondeurs [...]» ainsi que l'écrit Régis Michel [71], n'est pas une frontière mais est plutôt l'un des vases communicants entre le classicisme et le romantisme. Sur ce concept qui tantôt fonde, tantôt anéantit le pouvoir de l'homme à transcender les limites de la condition humaine s'échafaude la raison classique de Longin à Kant, et son revers, le sentiment d'impuissance romantique de Burke et ses suiveurs [72]. Dans sa bibliothèque, Girodet possédait *Du sublime et du beau*, traduction de l'ouvrage de Burke [73] développant le sentiment anxiogène de l'homme devant la grandeur de la nature tel que le peintre l'avait violemment éprouvé pendant sa traversée des Alpes [74]. Il en fit le sujet de son tableau, mais sur l'un des derniers feuillets du carnet d'Anacréon du Louvre [75], il cite Jean-Baptiste Rousseau : «[...] loin de me piquer de ne rien devoir qu'à moi-même, j'ai toujours cru avec Longin que l'un des plus sûrs chemins pour arriver au sublime était l'imitation des écrivains illustres qui ont vécu avant nous. Puisqu'en effet rien n'est si propre à nous élever l'âme et à la remplir de cette chaleur qui produit les grandes choses que l'admiration dont nous nous sentons saisis à la vue des ouvrages de ces grands hommes [76].»

«Pour former un public, combien faut-il de sots [77]?»

L'exposition d'*Une scène de déluge* au Salon de 1806 n'imposa pas la supériorité de Girodet sur ses pairs, mais elle eut un effet plus considérable encore. Le succès de cette toile gigantesque fut celui du scandale réservé aux tableaux qui ne satisfont pas mais qui marquent les profondes mutations de la sensibilité. Pour la première fois depuis les peintures saisissantes de la Contre-Réforme, un peintre allait faire peur et représenter l'effroi mais sans autre but que de montrer le pouvoir du peintre. Girodet défendit ses idées comme un diable et prit la peine de répondre, en vers, à tous ses critiques dans un libelle publié en janvier 1807. *La Critique des critiques du Salon de 1806. Étrennes aux connaisseurs* qui attaquait également le public du Salon, public nouveau qui reflétait la transformation démocratique de la société. En s'indignant et en se moquant à la fois du gouffre croissant qui séparait l'ambition des artistes de la réception populaire, le texte en vers de Girodet anticipe les critiques satiriques des Salons, genre qui fleurira tout au long du XIXe siècle. La verve de Girodet s'y donne libre cours sur le mode satirique, prétendant reproduire les persiflages entendus au Salon devant le tableau : «Vite un flacon d'éther! vite un rouleau des Carmes! / C'est Zoë qui se meurt : car, elle vient de voir, / En passant seulement, presque sans le vouloir, / cet homme aux yeux tournés, hagards, aux dents grinçantes. / [...] Vraiment ce Girodet a l'âme trop dure! /Exposer en public une telle peinture! / C'est vouloir, sans égard pour leur complexion,/Faire accoucher de peur les femmes au Salon». [...] «Je ne vois qu'égoïsme en ce tableau barbare : l'époux

grince des dents, l'aïeul est un avare, / l'enfant est [un] vaurien qui battait sa maman [78].»

La critique savante, avec Chaussard, se réjoui[t des] progrès des arts au Salon de 1806 : «L'exposition [ac-] tuelle fera époque dans les annales de l'Art : il a fai[t de] nouveaux pas. Au milieu de plusieurs tableaux his[to-] riques également recommandables, deux entre aut[res,] chacun dans son genre, montrent jusqu'où peut a[ller] la puissance du Dessin et du Coloris. La verve [du] Dessin de Michel-Ange semble respirer dans la sc[ène] de M. Girodet, malgré quelques défauts, et la tra[ns-] parence magique du Coloris de Rubens, mêlée à [la] vivacité de celui du Tintoret, anime et fait vivre [en] quelque sorte la composition de M. Gros. Tous d[eux] se sont élancés avec autant de péril que de succès a[u-] delà des routes connues [...] [79]». Les toiles de Giro[det] et de Gros sont distinguées par la critique [80] parm[i les] six cents œuvres exposées autant pour leurs qual[ités] que pour leurs dimensions gigantesques. Cepend[ant] il y avait une grande différence entre les deux : [la] *Bataille d'Aboukir* était une commande de Mura[t à] Gros. A contrario, *Une scène de déluge* était une co[m-] mande que Girodet s'était faite à lui-même [81], u[ne] démonstration qu'il imposait au public en dehors [de] toutes les institutions de l'Empire.

Drame et mélodrame

Le goût de Chaussard pour la norme donne [la] mesure des conséquences d'une théâtralisation [des] émotions sur les vertus sociales, le *politically correct* [...]

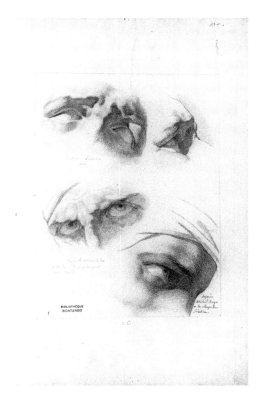

04 Girodet, *Scène de déluge*
sin, Montargis, musée Girodet

05 Girodet (d'après), *Scène de déluge*
che d'illustration du système de Lavater,
s, Bibliothèque nationale de France

06 Girodet, *Album de principes de dessin*, (n° 109)
sin, Montargis, musée Girodet

ment. Il déplore que des talents comme celui de odet montrent un exemple si contraire : «Dans moment où les Arts tendent à l'exagération, et conséquent à la corruption, ce n'est pas aux maî- de l'Art qu'il convient de renforcer cette direc- . Le Drame et ensuite le Mélodrame ont envahi héâtre ; le style poétique a fait une irruption dans rose, qui s'en est vengée en inondant à son tour poèmes [82] ? »

«Le personnage principal n'est point occupé du heur de sa famille, & son visage ne nous paroît rné du côté du public, que pour lui montrer une ression trop exagérée, comme font certains ac- rs qui regardent le parterre au lieu de s'occuper a scène & de leur interlocuteur […] [83]. »

Dans le tableau définitif (contrairement aux des- préparatoires où l'homme portant le vieillard a regard inquiet dirigé vers le bas, où menace le ger), le regard est horrifié, les yeux exorbités inter- ent directement le spectateur, lui communiquant effroi. À la fin du XVIIIe siècle, le mélodrame, qui ignait un drame entrecoupé de chants et de mu- ie, change de sens et le mot s'emploie différem- nt. Il désigne une tragédie à effets où l'action est rible ou violente. Le public populaire, de plus en s demandeur, applaudit ces pièces nouvelles qui t, en quelque sorte, à la tragédie classique ce que la nture de genre est à la peinture d'histoire. Le goût ir l'antique avait importé en peinture tout un gage, d'expressions et de gestes, issus de la tragé- modernisée par Talma et Mlle Mars, et Girodet,

avec ses illustrations pour Phèdre et Andromaque [84] avait éclipsé tout rival dans la mise en scène du ré- cit classique. Il était inévitable que la transformation des scènes de théâtre parisiennes opère un glissement aussi vers la peinture [85]. Le craquement du tronc d'ar- bre, la tension désespérée du bras de l'homme qui soutient la mère au bord de l'abîme introduisent un suspens émotionnel contraire à la règle de retenue de l'esthétique classique. Mélange des genres et théâ- tralisation des sentiments, *Une scène de déluge* montre une perversion fondamentale des règles académiques dont aucun autre artiste n'avait cependant une maî- trise si complète. En 1806, Girodet, cas unique dans l'art français, esquisse une définition de l'art comme rébellion et comme expérience des limites, celles des genres académiques mais aussi celles du sensible. Ce sentiment, qui ne s'épanouit qu'avec l'époque ro- mantique, est devenu indissociable de l'expérience artistique, voire du mythe même de l'artiste.

S. B.

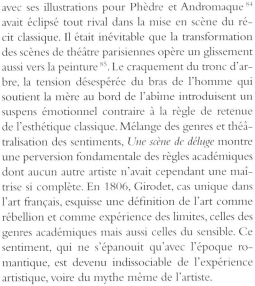

La faillite des prix décennaux

L'importance historique d'*Une scène de déluge*, «œuvre clé de l'Empire[86]» fut profondément infléchie par le concours décennal de 1810, institué par les décrets impériaux des 24 fructidor an XII (11 septembre 1804) et 28 novembre 1809, portant sur les ouvrages produits entre le 18 brumaire an VII (9 novembre 1798) et le 18 brumaire an XVII (9 novembre 1808)[87]. Pour la peinture, la compétition devait récompenser le meilleur tableau d'histoire et, nouvelle catégorie, nationaliste, ajoutée à la hiérarchie académique, «le meilleur tableau représentant un sujet honorable pour le caractère national[88]». La première remise des prix devait avoir lieu le 9 novembre 1810 aux Tuileries, des mains de l'Empereur, devant la cour, les corps d'État, l'Université et l'Institut réunis[89]. La compétition fut organisée, débattue, finalement jugée mais, au grand dam général, ne fut pas menée à son terme. À la suite d'un désaccord entre l'Institut et l'autorité politique, Montalivet et l'Empereur, les récompenses ne furent jamais remises. L'échec de ce concours montre en partie les limites de l'autocratie impériale, qui entend définir la culture française, et révèle les contre-pouvoirs de la société au moment le plus absolu du régime impérial. Il y eut une résistance de la part de l'Institut, de l'opinion, de la presse et, d'une certaine manière, de David, qui avait pourtant été nommé premier peintre de l'Empereur seize jours après le sacre[90]. Le paradoxe de l'Empire est d'avoir, sur des principes méritocratiques issus de la Révolution, établi un ordre social lui-même hérité d'une hiérarchie monarchique. Les jurys artistiques sont une illustration limpide de ce paradoxe. Qui requérait la qualification et l'impartialité nécessaires pour juger les grands maîtres si ce ne sont les maîtres eux-mêmes? Le débat était par nécessité individualisé, partisan et politisé. Un jury, désigné par l'Empereur, composé des secrétaires perpétuels et des présidents de chaque classe de l'Institut rédigea un rapport. Ce rapport fut lui-même examiné et débattu par chacune des classes de l'Institut[91]. Une exposition de toutes les œuvres présentées fut ouverte au public et un livre orné de gravures fut publié[92]. Dans la catégorie de la peinture d'histoire, *Scène de déluge* l'emportait sur *Les Sabines* de David et, pour le sujet «honorable pour le caractère national», *Le Sacre* de David l'emportait sur *Les Pestiférés de Jaffa* de Gros. Le point de vue défendu par l'Institut était celui de la suprématie de l'imagination[93]. Dans le tableau du *Déluge*, on précisait que «la pensée poétique et la composition pittoresque de ce tableau sont entièrement de l'invention du peintre[94]». Curieusement, l'Institut n'eut aucun commentaire sur la distance que Girodet avait voulu prendre avec l'Histoire. Au contraire, l'introduction du rapport du jury insiste sur la difficulté de définir la peinture d'histoire[95].

Montalivet remit son rapport à l'Empereur le 17 novembre 1810 : il proposait de modifier les résultats et de couronner *L'Enlèvement des Sabines* de David à la place du *Déluge* et la *Peste de Jaffa* de Gros à la place du *Sacre*[96]. La presse et l'édition se firent l'écho des factions artistiques et politiques mais aujourd'hui seules les archives conservent le jugement qu'avait souhaité Napoléon : couronner David dans la catégorie d'histoire et Gros dans celle du sujet français[97]. Curieusement, Napoléon laissa en suspens les prix décennaux qui n'existèrent que par la frustration qu'ils engendrèrent. Un silence en guise de conclusion ne ressemblait pas à l'Empereur. Fut-il inspiré par la prudence ou avait-il senti que le concours était déjà la reconnaissance de fantômes? Benjamin Constant remarque à son arrivée à Paris en 1810 : «Je suis arrivé ici au milieu de l'explosion qu'a produite le rapport du jury sur les prix décennaux. C'est merveille que de voir tous ces gens, morts d'ailleurs depuis longtems, et ressuscités en amour-propre. La vanité a rouvert les tombeaux, et a dit aux paralytiques : Lève-toi et crie. Juges, académiciens, auteurs, amis, public, tout est aussi petit et misérable[98].» Le dernier mot revient à Quatremère de Quincy : «Ainsi vîmes-nous un concours, qui ne pouvoit pas avoir de juges, s'étendre rétroactivement sur les œuvres de toute une génération. Ainsi le *Déluge* se trouva forcé de comparoître pour se voir juger par comparaison avec d'autres ouvrages, entre lesquels toute comparaison était impossible. Quoique ce grand concours, annoncé avec tant d'éclat, ait fini avec un peu moins de bruit, comme on sait, nous devons dire que M. Girodet en recueillit d'honorables, mais stériles suffrages ; et le tableau du *Déluge*, tardivement acquis depuis, et avec deux de ses anciens ouvrages, sous le gouvernement du roi, ne lui en avoit fait alors commander aucun autre dans son genre. Par un singulier contraste, il fut condamné à faire la reddition de Vienne[99].» Le tableau *Scène de déluge*, montré à nouveau au Salon de 1814, fut acheté, en 1818, par la maison du roi pour le musée du Luxembourg. À la mort de Girodet, il fut transporté avec *Atala au tombeau* et *Le Sommeil d'Endymion* dans la Grande Galerie du Louvre avec *Le Sacre* et *Les Sabines*. C'est là que Delacroix le vit en 1824 et rapporta dans son *Journal* : «au sens propre Girodet ne sait pas dessiner[100].» Cette réflexion nous en apprend peut-être plus sur Delacroix que sur Girodet et le *Déluge* reste une démonstration époustouflante, trop époustouflante, de dessin. Une biographie du peintre datant de 1822 avait reconnu une «production d'une imagination forte, où les combinaisons ne sont peut-être pas assez déguisées, et dans laquelle le peintre n'a pas mis assez d'art à cacher l'art[101]». La critique du XXᵉ siècle a rebondi sur la lutte qui avait opposé David à ses deux plus grands élèves qui furent aussi ses deux plus grands fossoyeurs, Girodet et Gros. Darcy Grimaldo-Grigsby[102] place *Une scène de déluge* essentiellement dans la perspective des prix décennaux, soulignant notamment le conformisme du rôle des sexes dans la famille girodienne, nourrie des *Théories* de Cabanis sur les rapports du physique et du moral. Avant elle, George Levitine avait montré l'influence des théories de Lavater sur l'expression des sentiments des figures du *Déluge*[103]. L'analyse de l'en-tourage et des soutiens que Giro[det?] reçut au Salon de 1806, d'abord, [...] au moment du concours décenn[al ...] mis en évidence sa familiarité avec [...] milieux royalistes libéraux qui s'o[rga]nisent contre l'autocratie et la cen[sure] impériale. Comme toujours sous [les] dictatures, c'est d'abord dans la li[tté]rature et les arts que s'exprime l'[op]position politique. Sa forme prem[ière] est celle de l'indépendance vis-à[-vis] des modèles et des valeurs officie[lles]. C'est cette indépendance que Giro[det] a exprimée et c'est cette indépen[dance] ce qui fut reconnue et promue da[ns le] jugement de l'Institut et par le *Jou[rnal]* *des débats*. La conjoncture seule [rap]proche l'indépendance de Girodet [des] sympathies royalistes de la bourge[oisie] éclairée. Son art n'a pas à proprem[ent] parlé de contenu militant. L'opposi[tion] libérale ne fut royaliste que le te[mps] de l'opposition à l'Empire. Elle a[llait] assez rapidement retourner dans l'[op]position avec le retour des Bourb[ons]. Mais la sympathie des royalistes s[ous] l'Empire valut cependant à Girode[t la] commande par Bertin l'Aîné, le di[rec]teur du *Journal des débats*, d'*Atala [au]* *tombeau*.

S. B[...]

notes

irodet, *Journal de Paris*, 21 septembre 1806, p. 1936-
7.

Achille-Étienne Gigault de Lasalle?], *Gazette de France*,
eptembre 1806, p. 1039.

Jean-Baptiste Boutard, *Journal de L'Empire*, samedi
eptembre 1806, p. 1.

oir S. Bellenger, *supra*.

Lettre d'Anne Louis Girodet à M. Bernardin de Saint-
re, s. d., Coupin, 1829, t. II, lettre n° III, p. 274-275.
e lettre accompagne son dessin pour l'illustration de
et Virginie et précède de peu la publication de l'ouvrage
P. Didot l'Aîné à Paris en 1806. Les illustrations sont
rès Lafitte, Girodet, Gérard, Moreau le Jeune et Isabey.
e d'après Girodet, *Le Passage du torrent* (gravée par
oyer), est au bucolique de la nature ce que la *Scène de
ge* est à son pathétique.

C'est ce tableau qui, malgré les défauts qu'on a pu lui
ocher, et dont certains sont réels, m'a cependant le plus
né de confiance dans mon peu de forces, parce qu'il est
à fait de ma création, dans toutes ses parties, sans que
le sois inspiré d'aucun modèle, ni pour le dessin, ni
r la couleur, ni pour les effets, encore moins que pour
onception » (lettre d'Anne Louis Girodet à M. Bernardin
aint-Pierre, s.d., Coupin, *Œuvres posthumes…*, 1829,
lettre n° III, p. 277).

Si la Transfiguration de Raphaël, et la Descente de
x de Rubens, n'avaient été que d'une petite dimension,
bien ces beaux tableaux seraient loin de la réputation
s ont acquise ; et, cependant, ils eussent eu, aux yeux
connaisseurs éclairés, le même degré de mérite. Mais ce
est grand frappe toujours, et un géant, mal fait, impose
antage qu'un pygmée qui aurait de belles proportions »
e d'Anne Louis Girodet à M. Bernardin de Saint-Pierre,
, Coupin, 1829, t. II, lettre n° III, p. 281-282).

oir notamment Anonyme, *Le Publiciste*, coll. Deloynes,
XIX, n° 803, p. 653-654.

Mrs. Giraudet et Meynier ne l'ont que trop éprouvé,
que le premier s'est vû forcé, étant au Louvre, de
sporter son travail, et son atelier aux Capucines, place
ôme […] » (lettre de P. P. Prud'hon à Denon, Paris, le
ndémiaire an XII (30 septembre 1803), Paris, BNF, mss
11902, fol. 11-12 (publiée dans Montaiglon, *A.A.F.*,
1855-1856, p. 127-128. Dans une lettre adressée
citoyen Girard, directeur des domaines, [Paris],
nessidor an VIII [7 juillet 1800], Girodet écrit : « […] je
espérer de conserver le local que j'occupe dans ces
nents [l'ancien couvent des Capucines] et dans lequel
établi mes atteliers » (Archives de Paris, DQ10/44,
sier 6827, document retranscrit et publié par Voignier
), p. 62.

Voir la notice sur Danloux par Pierre Rosenberg, p. 357-
et le texte de Robert Rosenblum, « La Inscription en
à gauche : *Girodet*
ture sous le Consulat et l'Empire (1800-1804) »,
70, in cat. exp. Paris, New York, 1974-1975.

Henri-Pierre Danloux, *Épisode du Déluge*, huile sur
, 202 x L. 174 cm (Salon de 1802, n° 965), Saint-
main-en-Laye, musée municipal, inv. 879.4.

« la composition ou si l'on veut l'idée première
it de plus loin ; elle se rapportait à l'année 1795,
que où M. Girodet était alors à Gênes, où il habitait,
s la rue Balbi, la même maison que M. Gros, son
en camarade, qui avait vu cette esquisse, et qui

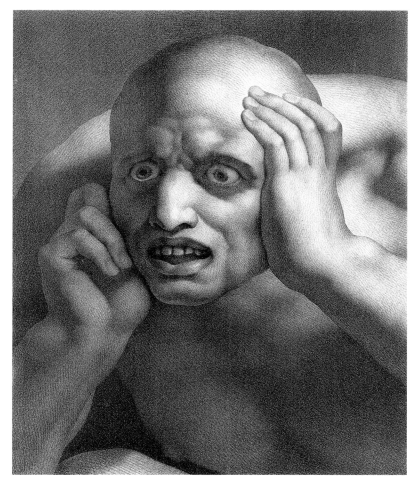

Ill. 207 Girodet (d'après), *Dernier Ouvrage retouché par Monsieur Girodet-Trioson*
Lithographie, coll. part..

peut se la rappeler encore […] », Brouillon d'un article
autographe de 1819 où Girodet répond aux critiques
faites dans la Renommée sur son tableau de Pygmalion ;
Évreux, Archives départementales de l'Eure, 5 F. 76 ;
publié dans A. Porée (*Correspondance historique et
archéologique…*), t. XIV, 1907, p. 283-287. Rappelons
que Girodet avait atteint Gênes sous les intempéries :
« J'étais déjà Malade d'ennuy et d'impatience lorsque
je me déterminai à prendre la route des montagne avec
la poste - route abominable pendant la quelle J'eus la
pluie sur le corps trois Jours consécutifs sans pouvoir
me changer et au risque d'etre précipité plus de vingt
fois dans les torrens à 2 ou trois cent pieds de fond »
(lettre d'Anne Louis Girodet au docteur Trioson, Gênes,
11 et 24 mai an III [1795], fonds Pierre Deslandres,
déposé au musée Girodet de Montargis, t. III, n° 71,
publié par Coupin, *Œuvres posthumes…*, 1829, t. II,
lettre n° LIX, p. 453-456).

13. Dessins à la pierre noire ; dimensions du premier
dessin, 10,5 x L. 8,5 cm environ, du second dessin :
11 x 9 cm environ, et du feuillet : 14 x 23,1 cm ; Carnet
italien, Bibliothèque nationale de France, département des
Estampes et de la Photographie, Dc 48c rés., fol. 37 v.

14. Baron Jean-Baptiste Regnault (1754-1829), *Le Déluge*,
huile sur toile, 8,9 x 7,1 cm, Paris, musée du Louvre,
inv. 7380 ; Salon de 1789, n° 91.

15. Une lettre de d'Angiviller à Ménageot du 18 avril 1790
annonce le départ de Girodet pour Rome (voir Montaiglon,
Guiffrey, *Correspondance des directeurs…*, 1906, t. XV,
n° 907, p. 414 ; AN O/1/1927).

16. Contenu dans le carnet de l'ancienne collection
Destailleurs aujourd'hui conservé au musée Girodet
Montargis, fol 18 r

17. « [C]ette grande Tragédie » qui fait ressentir « une
émotion mélancolique et profonde » l'emporte : « sur la
terreur et le sentiment pénible » qu'il avait éprouvé devant
« l'autre Tableau [« cette grande et terrible scène »] [où]
tout est en mouvement, tout est brillant, tout est convulsif
[…] » (Chaussard, 1806, p. 121-122).

18. Nicolas Poussin, *L'Hiver ou Le Déluge* (1660 et 1664),
160 x 118 cm. Jean-Baptiste Regnault, *Le Déluge* (Salon
de 1789 et 1791), 89 x 0,71 cm. Girodet a dessiné un
Portrait de Poussin dans les ruines de Rome (France,
coll. part.) avec le Colisée à l'arrière-plan (comme pour
son *Portrait de Chateaubriand*) et un serpent rampant sur
des ruines au premier plan, allusion directe au tableau
du *Déluge* de la série consacrée par Poussin aux *Saisons*
(huile sur toile, 118 x 160 cm, Paris, musée du Louvre,
inv. 7306). Le dessin a été lithographié par Sudrée et
publiée par Coupin, 1829, t. I. Comme la lithographie de
Sudrée d'après un dessin de Girodet représentant Michel-
Ange (voir plus bas), le portrait de Poussin est inséré entre
les pages du Chant Second du poème *Le Peintre* de Girodet
(p. 81-110).

19. Huile sur toile, 44 x 36 cm ; dans la collection Becquerel
à l'exposition Girodet de 1967 (Montargis, 1967, n° 33),
puis Deslandres, aujourd'hui non localisée.

Il n'a pas été possible d'établir avec certitude un lien entre
ces trois esquisses et celles documentées par Pérignon et
Coupin : « Une esquisse du deluge première pensée »,
n°329, prisée 300 francs (Voignier, 2005, p. 98) ; mise
en vente (Pérignon, 1825, n° 3, p. 8), elle est adjugée
3 505 francs et acquise par Hyacinthe Didot ; (Coupin,
1829, t. I, p. lxxij : « Esquisse très arrêtée pour une Scène
de Déluge. Elle diffère du tableau dans la composition du
groupe inférieur et dans les tons des draperies. »), puis

dans celle d'Hippolyte Didot (Paris, 1846, n° 28, p. 5.
Coupin rapporte aussi que Girodet en a offert deux autres
à ses élèves Coupin de la Couperie et Chatillon (Coupin,
1829, t. I, p. lxxxij : « Deux autres esquisses du même
tableau »). Tout cela figure maintenant dans les chapeaux
20. Huile sur bois, 44,5 x 37 cm, Paris, musée du Louvre,
inv. R.F. 2001-15 (voir cat. 44)).

21. Huile sur toile, 35 x 28 cm ; dans la collection Louis
Delamarre quand elle est exposée en 1913 à l'exposition
consacrée à *David et ses élèves*, Paris, 1913, n° 138, p. 42).
On n'en connaît aujourd'hui qu'une photographie en noir et
blanc. Idem

22. Voir notice de l'esquisse du *Déluge* acquise par le
Louvre en 2001 par Sylvain Laveissière in Jean-Pierre
Cuzin (dir.), *Musée du Louvre…*, Paris, 2002, p. 150-153.
23. Coupin, 1829, t. I p. xvj.
24. La contribution éventuelle de l'atelier pour une œuvre
aussi colossale n'est pas exclue mais n'est soutenue par
aucun document d'archives. Seul un vague témoignage de
Gudin pourrait suggérer une collaboration pour les eaux :
« J'étais fier de mon maître aimé. Ce fut lui qui avec toute
sa bonté m'apporta les plus tendres consolations lors de la
mort de mon frère. Accablé de chagrin, je voulais renoncer
à mon art ; il m'assura que je pouvais l'aider à refaire les
eaux de son *Déluge* qu'il trouvait imparfaites. Je fus retenu
par cette flatteuse proposition qui n'était, au fond, qu'un
prétexte pour me consoler et m'empêcher d'abandonner
l'art où il devinait pour moi des succès d'avenir » (Gudin,
Souvenirs du baron Gudin…, 1921, p. 30.
25. Dans l'inventaire après décès de Denis Étienne
Becquerel-Despréaux au château du Bourgoin effectué
(4 mars - 12 juin 1835, Archives départementales du
Loiret, 3 E 18464), on trouve sous le n° 91 : « Un tableau
copie de l'original de Girodet par Monanteuil, représentant
le Déluge, estimé trois cent francs » (voir Voignier, 2005,
p. 46). Jean-Jacques Monanteuil (1785-1860) est entré
dans l'atelier de Girodet vers 1801, 1802 (voir cat. exp.
Jean-Jacques Monanteuil 1785-1860, Alençon, musée des
Beaux-Arts et de la Dentelle 15 juin - 21 septembre 1997,
Le Mans, musée de Tessé, 17 octobre 1997 - 18 janvier
1998).
26. Girodet, *Journal de Paris*, 21 septembre 1806, p. 1936-
1937 (la minute de Girodet est conservée à la bibliothèque
d'Art et d'Archéologie Jacques Doucet, Autographes,
carton 15, peintres, Girodet, Mf B VII 5870). Le titre du
livret est : « *Scène du déluge. Une famille est prête à être
engloutie par la tempête.* » (Anon., livret du Salon, 1806,
n° 223, p. 41).
27. Pour Noé, voir le texte diluvien de la *Genèse* (VI, 5 ;
VIII, 22). Deucalion est le fils de Prométhée, qui le prévient
du futur déluge engendré par la fureur de Zeus contre les
hommes. Deucalion réussit à en réchapper avec sa femme
Pyrrha en construisant une arche sur les conseils de son
père. Après 9 jours et 9 nuits de déluge, ils échouent sur le
mont Parnasse. En faisant des sacrifices, ils apprennent aux
dieux qu'ils sont vivants mais Zeus leur permet de survivre
et, avec le vœu accordé par Zeus, sur ses conseils ou sur
ceux de l'oracle Thémis, le couple fut autorisé à repeupler
la terre en jetant par-dessus leurs têtes les os de leur
« mère » ; ce qu'ils firent en jetant des pierre provenant de
la mère Terre qui se transformèrent, en homme pour celle
lancées par Deucalion et en femme pour celles envoyées
par Pyrrha.

28. L'événement auquel Girodet se réfère est le glissement du mont Rossberg sur le village de Goldau et trois autres tout proches (aujourd'hui Arth-Goldau, Suisse) qui écrasa en quelques minutes plus de 450 habitants le 2 septembre 1806. La violence subite et la rapidité de la catastrophe avait frappé les esprits comme l'illustre la presse à l'époque de l'ouverture même du Salon (voir par exemple la *Gazette de France* du 15 septembre 1806 (n° 3160, p. 1027-1028).
29. Coupin, 1829, t. II, lettre d'Anne Louis Girodet à M P[astoret], lettre n° XVII, p. 344, vers 1807 (un brouillon de Girodet est conservé dans la bibliothèque d'Art et d'Archéologie Jacques Doucet, Autographes, carton 15, Peintres, Girodet, Mf B VII 5871-5873.
30. Coupin, 1829, t. II, p. 274-275.
31. *L'Essai philosophique concernant l'entendement humain*, de John Locke (1632-1704) est paru en 1690. La traduction française de Pierre Coste, revue par l'auteur, avait largement favorisé la diffusion de l'ouvrage hors de l'Angleterre.
32. Robert Delors et François Walter, *Histoire de l'environnement européen*, Paris, PUF, 2001, p. 91. Voir aussi Sénac de Meilhan, *L'Émigré*, édition de Michel Delon, Gallimard, coll. « Folio classique », 2004, p 44, note 2.
33. « [...] mais a peine/eu je\ passé cette gorge que la vuë de ces étages de montagnes les unes sur les autres et qui se perdent dans les nuages et semblent prêtes à aneantir les voyageurs assés hardis pour en approcher et dont les fondemens se perdent dans des abimes dont l'œil n'ose sonder la profondeur me rendirent/d'abord\ immobile. la soif de jouir a la fois de toutes ces merveilles me fit/ensuite\ courir ça et la sur le chemin, et sans le parapet ma curiosité eût pu me devenir funeste. le bruit majestueux des eaux et des torrens qui se précipitent de ces montagnes et les impressions que l'ensemble de ces prodiges, font naître ne se peuvent décrire. je crois [fol. 2, r] rien ne pourra plus m'étonner, dûsseje faire le tour du monde. [...] » (lettre d'Anne-Louis Girodet au docteur Trioson, Turin, 5 mai 1790, fonds Pierre Deslandres, déposé au musée Girodet de Montargis, t. III, n° 3 ; publiée par Coupin, 1829, t. II, p. 357-362).
34. Coupin, 1829, t. II, lettre d'Anne-Louis Girodet à M. Pannetier, Paris, 16 septembre 1806, lettre n° XXII, p. 327.
35. Dessin préparatoire pour *Le Déluge*, crayons noir et blanc, 17,1 x 21,8 cm, non daté, non localisé (anc. coll. Haro, Coutan, Shepherd Gallery à New York, en 1977).
36. Le groupe du *Laocoon*, attribué par la légende à trois artistes de Rhodes : Polydore, Athénodore et Agésandre, qui l'auraient taillé, de concert, dans un seul bloc de marbre, avait été trouvé à Rome dans les bains de Titus, en 1506. Saisi par les Français et transporté en 1798 à Paris à la suite du traité de Tolentino du 17 février 1797, le groupe se trouvait alors au Louvre dans une salle qui lui était spécialement consacrée. L'œuvre fut rendue aux collections vaticanes après Waterloo. En 1800, Girodet, ayant remporté avec *Endymion* un prix d'encouragement de première classe au concours de l'an VII (1799), avait été suggéré pour décorer un des six nouveaux compartiments du plafond de cette salle (voir AMN, *AA 3, lettre de l'administration du Musée central des arts au ministre de l'Intérieur, [Paris], 29 nivôse an VIII (19 janvier 1800). Sur la *Scène de déluge* et la critique du *Laocoon*, voir Grimaldo-Grigsby, 1995, t. II, p. 379-385.
37. Voir Winckelmann, « Réflexions sur l'imitation des artistes grecs dans la peinture et la sculpture », in Winckelmann, 1786, p. 1-62.
38. Gotthold Ephraïm Lessing (1729-1781), *Laocoon ou Des frontières de la peinture et de la poésie*, dont la publication commence en 1766 en Allemagne.
39. Coupin, 1829, t. I, p. xl, xlj (ajoutons que le musée Girodet à Montargis conserve des dessins de Girodet « d'après un des fils du Laocoon » (*Album de principes de dessins*, musée Girodet de Montargis, inv. D.77-1, n°s 105 et 121 du catalogue Montargis, 1983).
40. Chaussard, *Le Pausanias français*..., 1806, p. 117-118.
41. Dans son rapport à l'Empereur du 17 novembre 1810, quand Montalivet exprime son désaccord au moment du concours des prix décennaux, c'est une considération purement académique, son appartenance incomplète à la catégorie historique qui est prise en considération. « Le tableau du *Déluge* est sans doute très beau ; mais ne pourrait-on lui contester sa dénomination de tableau d'histoire ? » (rapport de Montalivet, AN, AF/IV/1050, cité par Boyer, *BSHAF*, 1949, p. 68-69).
42. Miette de Villars, 1850, p. 41. David ajoutait, selon la même source « qu'avec son savoir et sa belle exécution, si cet artiste eût voulu profiter de ses conseils, il lui eût fait faire le tableau le plus remarquable qui eût jamais paru ».
43. Quatremère de Quincy, *Recueil de notices historiques*... (1825) 1834, p. 319- 322.
44. Voir notamment Anon., *Journal de Paris*, 1806, coll. Deloynes, t. XXXVIII, n° 1042, p. 323 ; Anon., *Le Publiciste*, 4 octobre 1806, p. 3 ; C., *Mercure de France*, 4 octobre 1806, p. 27-28 ; Frédéric de Clarac, *Annales littéraires de l'Europe*, 1806, coll. Deloynes, t. XXXVIII, n° 1047, p. 449-450 ; [Achille-Étienne Gigault de Lasalle ?], *Gazette de France*, 27 septembre 1806, p. 1075.
45. « [...] L'humanité ne songe pas à son salut mais à sa survie et la prévoyance qui n'est pas l'avarice constitue l'habitude et les mœurs des vieillards » Girodet, *Journal de Paris*, 21 septembre 1806, p. 1936-1937 (une minute de Girodet est conservée à la bibliothèque d'Art et d'Archéologie Jacques Doucet, Autographes, carton 15, Peintres, Girodet, Mf B VII 5865).
46. *Étude pour le Déluge*, crayon noir, lavis d'encre beige et sépia, rehaut de gouache blanche, 12,5 x 14,5 cm, Montargis, musée Girodet, inv. 989.12.
47. *Journal de Paris*, 21 septembre 1806, p. 1936-1937 (la minute de Girodet est conservée à la Bibliothèque d'art et d'archéologie Jacques Doucet, Autographes, carton 15, Peintres, Girodet, Mf B VII 5870).
48. Lettre d'Anne Louis Girodet à Julie Candeille, [Paris], [mi-décembre 1807], Orléans, Société historique et archéologique d'Orléans (publiée dans Nivet, *Bulletin de Société archéologique et historique de l'Orléanais*, 4e trimestre 2003, p. 24, lettre n° 14).
49. Chaussard, 1806, p. 119.
50. Verdi, *The Burlington Magazine*, juillet 1981, p. 389-400.
51. Girodet, *Critique des critiques*..., 1807, p. 18
52. Rudolph et Margot Wittkower, *The Divine Michelangelo : the Florentine Academy Homage on His Death in 1564*, Londres, 1964.
53. Le président du parlement de Bourgogne, Charles de Brosses (1709-1777), décrit en 1739 à ses amis les attitudes forcées, la furie d'anatomie et de dessin du *Jugement dernier* (voir Brosses, 1799, t. III, « Lettre première. A M. de Quintin. Suite du mémoire sur Rome », p. 30-31).
54. Lettre de Garnier aux professeurs des Écoles royales de Peinture [,] Sculpture et Architecture [1824], pour l'obtention de la place de professeur laissée vacante par la mort de Girodet (AN, AJ/52 456) : « Nous allions ensemble Etudier au Vatican et pendant trois Mois, nous y avons travaïllé tous les jours dans la chapelle Sixtine. » Voir aussi la lettre d'Anne Louis Girodet au docteur Trioson, Rome, 3 novembre 1790, fonds Pierre Deslandres, déposé au musée Girodet de Montargis, t. III, n° 12 : « Je me porte parfaitement bien. je suis bien occupé [...] Michel ange, le paysage les compositions l'academie tout cela va bon train du mieux qu'il m'est possible et absorbe absolument tout mon tems. »
55. En bas, au centre : « Dessiné à Rome par M. Girodet-Trioson et lithographié sous sa direction par Negelen/Dernier ouvrage par M. Girodet-Trioson/d'après Michelange/Lithog. De F. Nöel (France, collection particulière) Ajoutons que Girodet a dessiné un portrait de *Michel-Ange* entouré de brumes, éclairé par la lune et accompagné de personnage à l'arrière plan tirés eux aussi des décors de la Sixtine (France, coll. part.), lithographié par Sudrée et publié par Coupin, 1829, t. I, entre les pages consacrées au « Chant second » du *Peintre* (p. 81-110), comme pour le portrait du *Poussin* par Girodet (voir plus haut). Ajoutons que l'illustration par Girodet de l'*Éloge de Bacchus*, ode LXVIII d'Anacréon s'inspire aussi du *Jugement dernier* de Michel-Ange ([Girodet], 1825)
56. *Album de principes de dessins*, Montargis, musée Girodet, inv. D.77-1, dessins à la sanguine, exceptionnellement pierre brune ou noire ; dimensions au papiern 45,5 x 29 cm ; dimensions au filet d'encadrement, 29,5 x 21,5 cm (n°s 107, 109 et 118 du catalogue Montargis, 1983). L'inventaire après décès mentionne trois dessins d'après des têtes du *Jugement dernier* de Michel-Ange, dessinées à Rome (11 avril 1825, AN, minutier central, ET/LXIV/621, n° 390 ; Pérignon, 1825, n° 214, p. 33-34, vendu 305 francs à Coutan, Voignier, « État estimatif... », *Bulletin*..., 2005, p. 127 ; Coutan, 1830, n° 228, p. 39, vendu 61 francs. On trouve aussi une copie de petit format du *Jugement dernier* (n° 268 de l'inventaire) ; acquis par Pérignon pour 220 francs (Pérignon, 1825, n° 426, p. 58, Voignier, 2005, p. 101. Le 29 mars 1825, Delécluze parle dans son *Journal* (1948, p. 170) d'une « copie en petit du *Jugement dernier* de Michel-Ange, assez détériorée, mais qui cependant a son mérite ».
57. Lire Klopstock (Friedrich Gottlieb, 1724-1803). S. Lemeux-Fraitot suppose que Girodet possédait l'édition française du *Paradis perdu* de John Milton (1608-1674) datant de 1777 (La Haye, frères Van Duren, trad. Dupré de Saint-Maur, 1 vol.) et la traduction par Delille en 3 vol. datant de 1805 (Paris, Giguet et Michaud ; Lemeux-Fraitot, 2003, *Annexes*, « Bibliothèque de Girodet ». L'œuvre est la première fois publiée en Angleterre en 1667 et en français dès 1729 (trad. Dupré de Saint-Maur). Girodet possédait également le *Paradis reconquis [...] avec quelques autres pièces de poésies* (inventaire..., sous le même numéro). Il s'agît sans doute de la première traduction de Pierre de Mareuil publiée à Paris, chez Cailleu, en 1730, Lemeux-Fraitot, 2003, annexes (« Bibliothèque de Girodet).
58. Chaussard, 1806, p. 118.
59. Coupin, 1829, t. I, p. xvj.
60. *Fragment d'une autobiographie de Louis David*, v. 1
Paris, École nationale des beaux-arts, ms. 316, n° 51, f
3 ; copie par Jules David, Bibliothèque nationale de Fra
ms. NAF, 6604, publié par Wildenstein, n° 1368, p. 15
61. Critique citée par Girodet, *Critique des critique*
1807, p. 33.
62. *Ibidem*, p. 36.
63. « [...] la science du dessin [...] la vigueur du
[...] la hardiesse des contours », (Quatremère de Qui
Recueil de notices historiques..., [1825] 1834, p. 320
64. Voir Levitine, *The Art Bulletin*, mars 1954, p. 33-44
65. *Planches physiologiques, illustrant le sys*
de Lavater, planche 5, Paris, s.d., Paris, Bibliothè
nationale de France, département des Estampes et d
Photographie.
66. Henri Beyle, dit Stendhal (1783-1842) lit son nouv
pamphlet *Racine et Shakespeare* chez Delécluze
13 février 1825 (mis en vente le 19 mars ; voir Deléc
Journal, 1948, 15 février 1825, p. 123-124). Sur les é
de Prosper Mérimée (1803-1870) et de Charles Fran
Marie, comte de Rémusat (1797-1875), voir *ibi*
5 décembre 1824, p. 29-31 et 22 février 1825, p. 137-
67. *Grand Chemin de la postérité*, 1842-1843, lithogra
de Benjamin Roubaud (1811-1847).
68. Quatremère de Quincy, *Essai sur la nature, le b*
les moyens de l'Imitation dans les Beaux-Arts, Paris,
(reprint, Bruxelles, 1980).
69. Quatremère de Quincy, (1823) 1980, p. 191.
70. *A Philosophical Inquiry into the Origins of our Ide*
the Sublime and the Beautiful, Londres, 1757).
71. Cat. exp. *Le Beau idéal*..., Paris, 1989, p. 36.
72. Le sublime ou les effets du grand sur le beau sont
par Aristote qui en fait le cœur de la tragédie. À l'épo
moderne, la définition la plus précoce du sublime se tr
dans un traité du Ier siècle attribué au Pseudo-Lon
Redécouvert au XVIIe siècle, avait connu un grand succè
Europe, grâce à la traduction qu'en donne Boileau en 1
En 1790, Emmanuel Kant en fait le fondement de la ra
pure : *La Critique de la faculté de juger* que Germain
Staël popularisera en France dans *De l'Allemagne*, pu
en 1810. Pour Kant et le sublime voir aussi « Analytic o
Sublime », cité par Thomas Weiskel dans « The Roma
Sublime », *passim*, Londres, 1976.
73. Inventaire après décès de Girodet, 11 avril 1
AN, minutier central, cote LXIV 621 n° 282. La prem
traduction en français de cet écrit d'Edmund Burke (1
1797) date de 1765 (*Recherches sur l'origine des idées*
nous avons du beau et du sublime, traduction de l'abbé
François, Londres, chez Hochereau).
74. Lettre d'Anne Louis Girodet au docteur Trioson, T
5 mai 1790, fonds Pierre Deslandres, déposé au m
Girodet de Montargis, t. III, n° 3 ; publiée par Coupin, 1
lettre n° XXXIII, p. 359.
75. RF 54204-54231.
76. Jean-Baptiste Rousseau (1671-1741).
77. Girodet, 1807, p. 11.
78. *Ibidem.*
79. Chaussard, 1806, p. 69-70.
80. Par exemple, Anonyme, *Le Publiciste*, 27 octobre 1
p. 1.

Quatremère de Quincy, « Éloge historique de
...irodet, peintre », 1er octobre 1825, in *Recueil de
...es historiques* », Paris, 1834, t. I, p. 325.
« […] une littérature mélancolique et ténébreuse a
...é jusqu'aux romans : Il semble que les cerveaux
...ysés ne puissent plus être ébranlés que par des
...usses électriques et violentes ; les doux pleurs de la
...bilité seraient-ils taris au fond des cœurs desséchés ?
... nous condamner à verser des larmes de sang […] »
...ssard, 1806, p. 119.
...abien Pillet, *Journal de Paris*, 25 septembre 1810,
...90.
...oir cat. 111-118.
...ubin, *op. cit.*, p. 211-238.
...Michel, cat. exp. *Le Beau idéal*, Paris, 1989, p. 95.
...*Décret impérial qui institue des Prix décennaux
...les Ouvrages de Sciences, de Littérature, d'Arts,
...Au Palais d'Aix-la-Chapelle, le 24 fructidor an XII
...eptembre 1804)* : « […] Étant dans l'Intention
...ourager les sciences, les lettres et les arts, qui
...buent éminemment à l'illustration et à la gloire des
...ns ;
...ant non seulement que la France conserve la
...riorité qu'elle a acquise dans les sciences et dans les
...mais encore que le siècle qui commence l'emporte sur
...qui l'ont précédé ;
...ant aussi connoître les hommes qui auront le plus
...cipé à l'éclat des sciences, des lettres et des arts, Nous
...s décrété et décrétons ce qui suit :
...e Premier.
...ura, de dix ans en dix ans, le jour anniversaire du 18
...aire, une distribution de grands Prix donnés de notre
...e main dans le lieu et avec la solennité qui seront
...eurement réglés.
...us les ouvrages de sciences, de littérature et de
...toutes les inventions utiles, tous les établissemens
...acrés aux progrès de l'agriculture ou de l'industrie
...nale, publiés, connus ou formés dans un intervalle
...x années, dont le terme précédera d'un an l'époque
...distribution, concourront pour les grands Prix. »
...précisions et modifications furent apportées par le
...*et Impérial Concernant les Prix pour les Ouvrages
...ciences, de Littérature et d'Arts*, [Paris], *Au Palais
...*uileries*, le 28 novembre 1809.
...espectivement les 13e et 14e prix de Première classe
...n compte 35 (article premier du titre premier (« De la
...osition des Prix. ») du décret du 28 novembre 1809).
...rticles XII et XIII du titre III (« De la Distribution des
...») du décret du 28 novembre 1809. Les premiers prix
...nt d'une valeur de dix mille francs, les seconds de cinq
...francs. Les vainqueurs se voyaient tous décerner une
...ille (projetée mais jamais frappée)
...ylvain Laveissière, cat. exp. *Le Sacre de Napoléon*,
..., musée du Louvre, 2004.
...nonyme, *Rapport du jury institué par S. M. l'Empereur
...i, pour le jugement des prix décennaux, en vertu des
...ts des 24 fructidor an XII et 28 novembre 1809*, Paris,
...merie nationale, 1810.
...yme, *Rapports et discussions de toutes les classes
...nstitut de France sur les ouvrages admis au concours
...les prix décennaux*, Paris, Baudoin, Garnery, 1810.
...nonyme, *Concours décennal, ou Collection gravée des
...ges de peinture, sculpture, architecture et médailles,

mentionnés dans le rapport de l'Institut, Paris, Filhol &
Bourdon, de Grillé fils, 1812 et Landon, (Recueil…) 1810.
Ironie de l'histoire le titre du tableau de Girodet, malgré
toutes les précautions qu'il avait prise au salon de 1806 y
est redevenu « Une scène du déluge ».

93. Grigsby, 1995, t. I, p. 149, 52-59.

94. Anonyme, *Rapport du jury institué par S. M. l'Empereur
et Roi, pour le jugement des prix décennaux, en vertu des
décrets des 24 fructidor an XII et 28 novembre 1809*, Paris,
Imprimerie nationale, 1810, p. 140.

95. *Ibidem*, p. 136-138.

96. AN, AF/IV/1050 (voir Boyer, *op. cit.*, p. 68-69)

97. AN, AF IV 1050, Dossier 6, documents 21 et 2 bis (cité
par Grigsby, 1995, p. 162-163) et Boyer, *BSHAF*, 1949,
p. 71).

98. *Lettres de Benjamin Constant à Prosper de Barante*,
n° XXI, Paris, 8 août 1810, *Revue des deux mondes*, juillet-
août 1906, p. 534.

99. Quatremère de Quincy, (1825) 1834, p. 322.

100. Mercredi 3 mars 1824, « en visite au Luxembourg »,
Delacroix, 1996, p. 54.

101. Arnault, Jay, Jouy, *Bibliographie nouvelle…*, 1822,
t. VIII, p. 170.

102. Grimaldo-Grigsby, 1995, t. II, p. 373-379.

103. Levitine, *Art Bulletin*, mars 1954, p. 33-44.

Le pathétique chrétien

cat. 51 Atala au tombeau,
dit aussi Les Funérailles d'Atala
1808
Huile sur toile, 207 x 267 cm
Inscription sur la paroi droite de la grotte : *J'ai passé comme la fleur, j'ai séché comme l'herbe des champs*
Paris, musée du Louvre, inv. R.F. 4958

Hist. Commandé par Louis François Bertin, dit Bertin l'Aîné (lettre de Bertin à Amaury-Duval, voir note 41) ; acquis en 1819 de Bertin l'Aîné pour le Musée royal pour 24 000 francs, exposé dans les appartements royaux des Tuileries sur ordre de Louis XVIII (voir AN, O³ 1401, O³ 1405, et AMN, P6, commandes et acquisitions, 1817-1821) ; musée du Luxembourg [L. 3589] ; musée du Louvre [INV. 4958].
Exp. 1808, Salon, n° 258 ; 1948, Paris, n° 92 ; 1967, Montargis, n° 38 ; 1976-1977, Washington, Cleveland, Paris, n° 268.

Pour les deux tableaux

Bibl. Landon, 1808, II, p. 17-19, ill. ; Anon., *Journal des dames et des modes*, 31 octobre 1808, p. 475 ; *Journal des dames et des modes*, 5 novembre 1808, p. 483 ; Anon., *Journal des dames et des modes*, 10 novembre 1808, p. 490 ; M. B. [Boutard, baron Jean-Baptiste], *Feuilleton du Journal de l'Empire*, 19 novembre 1808, p. 1-4 ; «Salon de 1808», *Journal de l'Architecture, des Arts libéraux et mécaniques, des Sciences et de l'Industrie*, coll. Deloynes, n° 1157, p. 600-606 ; *Les Tableaux en Vaudeville*, Paris, octobre 1808, BNF, coll. Deloynes, t. XLIII, n° 1127 ; *Revue des tableaux du Museum par M. et Mme Denis et Benjamin, leur fils*, 1808, BNF, coll. Deloynes, t. XLIII, n° 1135, p. 606-607 Q… Z…, *Exposition des ouvrages de peinture, sculpture, architecture et gravure des artistes vivants*, BNF, coll. Deloynes, t. XLIV, n° 1146, p. 174-175 ; A. P., «Exposition des Tableaux en 1808», BNF, coll. Deloynes, t. XLIV, n° 1144, p. 34-36 ; *Première Journée d'Cadet Buteux au Salon de 1808*,

1808, p. 3, BNF, coll. Deloynes, t. XLIII, n° 1141, p. 715 ; *Exa[men] critique et raisonné des tableaux des peintres vivans formant l'expos[ition] de 1808*, Paris, 1808, BNF, coll. Deloynes, t. XLIII, n° 11[..] p. 10-11 ; Anon., *Rapport du jury chargé de proposer les ouvrage[s]* 1810, p. 19 ; Anon., *Rapport du Jury institué par S.M. l'Empere[ur] Roi…)*, 1810, p. 141 ; Dandrée, 1810, p. 1981 ; Fabre, 1810, p. [..] Landon, 1810, p. 12-13 ; Gueffier, 1811, p. 12 ; Delpech, 18[..] p. 18, 49-51 ; A. U., *Le Moniteur universel*, n° 337, 3 décem[bre] 1814, p. 1082 ; Landon, 1823, pl. 27 ; Landon, 1824, p. 46-[..] Stendhal, 1824, p. 3 ; Anon., [L'Amateur sans prétention], 18[..] p. 377 ; *La Semaine*, 1824, p. 266 ; Chauvin, 1825, p. 2 ; Cou[..] 1825, p. lvij ; Quatremère de Quincy, 1825 (1834), p. 322-[..] Souesme, 1825, p. 4 ; Escholier, 1841, p. 84 ill. ; Anon., *Mag[asin] pittoresque*, t. XI, déc. 1843, p. 385 ; Baudelaire, 1846, éd. 1971 p. 132, 187 ; Sainte-Beuve, 1848-1849, éd. 1948, t. I, p. 169, [..] 384, n. 304 ; Delécluze, 1855, p. 267, 270, 297 ; de La Sicot[ière]

5, p. 8-9 ; Marcy, 1867, p. 131 ; Réveil, 1872, t.VIII, p. 29, ill.
2 ; Benoist, 1897 (1975), p. 321-322, 431-432 ; Villot, 1883,
252 ; Chennevières, 1883-1889, p. 34 ; Jouin, 1900, p. 20 ;
monnier, 1913, p. 15 ; Lemonnier, 1914, p. 364, 368-371,
Brière, 1924, n° 362 ; Michel, 1925, p. 95, ill. 60 ; Guiffrey,
9, p. 22 ill. 29, p. 26-27, 29 ; Adhémar, *BSHAF*, 1933 (1934),
72 ; Antal, 1936, p. 137-139, pl. Ic ; Escholier, 1941, p. 84, ill. ;
gon, (1949) 1977, p. 61-62, 85, 89 ; Levitine, 1954, p. 33-
Schlenoff, 1956, p. 67, 88 ; Levitine, 1957, p. 17 ; Sterling,
hémar, 1959, n° 975 ; Lindsay, 1960, p. 125, ill. 53 ; Aulanier,
1, p. 66 ; Friedländer, 1964, p. 43 ; Van Thiegem, (1917)
7, t. II, p. 151 ; Ward-Jackson, 1867, p. 663 ; Rosenblum,
9, p. 100 ; Levitine, 1970, p. 139-145 ; Angrand, 1972,
6-103 ; catalogue Louvre, 1972, p. 184 ; Wildenstein, 1973,
368, p. 158 ; Bordes, 1974, p. 396, 399 note 21 ; Bernier,
5, p. 137-142 ; Borowitz, 1975, p. 34-35, ill. ; Whitely, 1975,
71 ; Hugh Honour, in cat. exp. 1976-1977 Paris, p. 247,
252 ; Levitine, 1978, p. 257-268, ill. 49-54 ; Wakefield,
8, p. 17, 19-21, fig. 16-19 ; Nevison Brown, 1980, Laclotte,
zin, 1982, p. 5, 85, 95 ill. ; Pieske, 1982 ; Compin, Roquebert,
cart, Foucart-Walter, 1986, p. 282 ill. ; Zieseniss, 1986,
2-13 ; Laveissière, in Tulard, 1987, p. 804 ; Lynn Price,
7, p. 31 ; cat. exp. Montargis, 1988-1989, p. 9 ; Cuzin, 1989,
5 ill. ; Sahut, in *Louvre. Guide des collections*, 1989, p. 375 ill. ;
eissière, in Loire, Rosenberg dir., 1992, n° 93 ; Péharpré, in
exp. Blérancourt, 1992, p. 108 ill. ; Joannides, 1996, p. 120,
, fig. 3, p. 121 ; Crow, 1997, p. 321-322 ill., 339 ; Bellenger,
9, p. 111-135 ; Chaudonneret, 1999, p. 33, 37 ; Moffitt,
9, p. 120, 122-124 ; cat. exp. 1999, Tours, p. 232 ; Savettieri,
3, p. 27-28, 32, ill. 16, p. 27.

res préparatoires localisées

Communion d'Atala, première pensée pour *Atala au tombeau*,
ne et encre brune sur papier blanc, Besançon, musée des
ux-Arts, D. 2796 [ill. 208].

la au tombeau, crayon noir, plume et encre brune sur papier
gé, Ottawa, National Gallery of Canada (cat. 93).

de pour Atala au tombeau, crayon noir, estompe et rehauts de
nc sur papier gris, Paris, musée du Louvre, département des
s graphiques, RF 3973 [ill. 209].

ctas embrassant les jambes d'Atala, pierre noire, estompe et
auts de blanc sur papier beige, Paris, musée du Louvre,
artement des Arts graphiques, RF 3974 (cat. 54).

uisse préparatoire, huile sur toile, 21,5 x 24,5 cm ; coll. Bec-
rel en 1967 ; cat. exp. Montargis, 1967 n° 37 ; coll. part.

res en rapport localisées

la au tombeau, mine de plomb avec rehaut de blanc,
x 16 cm, Angers, musée des beaux-arts [préparatoire pour
monnier, 1914, note 2, p. 369]

ographié par Aubry-Lecomte en 1822 (impr. de
ngelmann), gravé au trait (Landon, 1823, pl. 27 ; Réveil,
2, p. 32), gravé par Raphaël Urbain Massard et par Roger.
Salon de 1829, Marie Victoire Jacotot (1772-1855) expose
plaque de porcelaine (Sèvres, musée national de Céramique,
si documentée par Coupin, 1829, t. 1, p. lvij.)
élie Le Duc, *Atala*, peinture sur porcelaine, Salon de 1834,
201, coll. part.

Œuvres en rapport documentées

Atala au tombeau, Orléans, musée des Beaux-Arts [étude
préparatoire pour Lemonnier, *ibidem*].
Réplique «entièrement de ma main» pour l'impératrice
Joséphine (*NAAF* 1900, t. 16, n° 20) ; in *État descriptif des objets
d'art* (Voignier, 2005) n° 60 : «[une étude du tableau d'Attala
(*sic*) par Girodet estimé (avec une gravure encadrée) 50 francs ;
n° 98 : «un dessin du tableau d'Atala par Girodet» ; n° 115 :
«une copie du tableau d'Atala prisée cent francs» ; n° 159 : «la
tête d'Atala dessinée par Girodet et encadrée, prisée trente
francs» ; n° 185 : «la tête de Jactas (*sic*) estimée vint francs» ;
n° 192 «étude de M. Girodet d'Attala (*sic*) prisée 40 francs ;
n° 204 : «copie de la tête de Jactas (*sic*) prisée 10 francs» ;
n° 371 : «Des compositions peintes sur bois […] une ébauche
d'Atala […] » ; n° 383 : […] une autre [tête] d'Atala vivante» ;
«n° 407 : «[un carton] renfermant des études […] d'Atala […]
estimé cent cinquante francs» ; estampes n° 60, 213, 247.
Pérignon, 1825, p. 21, 23, 35 ; n° 88 : «Esquisse faite après le
tableau d'Atala, et différente par les tons et l'effet. T. l. 10 p. p.
h. 8 p.», ne figure pas au procès-verbal de la vente ; n° 110 :
«Deux études de plantes étrangères, pour le tableau d'Atala»
adjugés 40,50 francs à Laurent (Voignier, 2005, p. 97, n° 68
du procès-verbal de la vente) ; n° 218 : «étude d'après nature ;
groupe de trois figures du tableau d'Atala, aux crayons noir et
blanc, sur papier de couleur», adjugé 373 francs à Pérignon
(Voignier, 2005, p. 101, n° 178 du procès-verbal de la vente,
voir *infra* cat. 76 et ill. 75.2) ; n° 358 : «Étude très-terminée,
d'après l'Atala, seulement jusqu'au buste. T.l. 22 p.h. 19 p.»,
adugé 215 francs à Coutan (Voignier, 2005, p. 102, n° 275
du procès-verbal de la vente) ; n° 361 : «Trois études peintes
d'après la tête du père Aubry et celle de Chactas, du tableau
d'atala. Elles seront vendues séparément», partie adjugée
55 francs à Corbat (Voignier, 2005, p. 102, n° 277 du procès-
verbal de la vente).
Coupin, 1829, t. I p. lxv : «Esquisse faite après le tableau
d'Atala, et différente par les tons et l'effet. T. l. 10 p. p. h. 8
p.» (Pérignon, 1825, n° 88 p. 21) ; p. lvij : «[…] il existe en
outre une réduction faite par M. Lancrenon et terminée
par Girodet. Elle appartient à M. Dupin l'aîné ; p. lxxij : «les
funérailles d'Atala esquisse terminée, Elle diffère du tableau
dans quelques parties – et surtout dans la figure de Chactas –
Appartient à M. Pannetier».

---

cat. 52 Atala au tombeau, dit aussi les Funérailles d'Atala

Huile sur toile, 210 x 267 cm
Monogrammé *ALGDRT* et daté à droite vers le milieu *1813*
Montargis, musée Girodet, dépôt du **musée du Louvre,** inv.
R.F 4959

Hist. Répétition monogrammée par Girodet en 1813 ; Coupin
1829, p. lvij : «Aux Tuileries-Girodet en a fait une répétition
qui est au musée. Cette répétition, commencée par Pagnest,
a été entièrement recouverte par le maître ; pour que l'on
pût la distinguer du premier tableau, il a mis un peu de barbe
sur la lèvre et près de l'oreille de Chactas […]» ; cité lors du
Salon de 1814 comme acquisition possible par le roi au prix
de 8 000 francs pour servir au décor des palais royaux (AMN,
Salon de 1814, enregistrement des notices Girodet-Trioson,
n° 500) ; choisi en mars 1815 par l'administration royale pour
acquisition au prix de 8 000 francs (AN, O³ 1389, acquisitions
salon, commandes d'œuvres) ; acquis en 1818 par les Musées
royaux, en même temps qu'*Endymion* (cat. 9) et *Une scène
de Déluge* (cat. 43) pour la somme globale de 50 000 francs
(lettres et documents dans AN, O³ 1398, série musées, n° 496
et O³ 1400 ; AMN, P6 «Commandes et acquisitions», 1817-
1821, voir aussi Angrand, 1972) ; exposé au musée des Artistes
vivants du Luxembourg jusqu'à la mort de l'artiste en 1824,
puis transféré au Louvre ; envoyé au château de Compiègne
de 1837 à 1862 ; déposé par le musée du Louvre au musée
Napoléon d'Amiens en septembre 1864 ; en dépôt au musée
Girodet de Montargis depuis 1969 (D 69 12).
Exp. 1814, Paris, Salon, n° 437 ; 1973, Paris, 1999-2000, Mexico,
p. 174, 175, ill. 176 et 177.
Bibl. Voir page précédente.

Les Amours de deux sauvages dans le désert

Dès la première année de sa publication en 1801, *Atala ou les amours de deux sauvages dans le désert*, fragment tiré d'un manuscrit[1] que Chateaubriand avait ramené d'Amérique avait fait l'objet de cinq rééditions. Il y en eut douze jusqu'à la version que l'auteur déclara définitive en 1805. Son succès inouï fut un phénomène d'époque et dès l'année de sa parution, les frissons causés par Atala servaient d'inspiration à la peinture[2]. Au Salon de 1802, Henriette Lorimier, exposait *Une jeune fille près d'une fenêtre, pleurant sur une page d'Atala*. Très vite, ce fut le pittoresque même de la littérature de Chateaubriand qui inspira les peintres. Pour la seule peinture française cinquante et un sujets tirés des livres de *L'Enchanteur* furent traités entre 1802 et 1848 et dix-huit tirés d'Atala. Au milieu de cette frénésie, le tableau de Girodet fut un phénomène d'une autre portée : il donnait à l'engouement général une dimension qui excédait de très loin la mode en provoquant autour d'un texte exceptionnel la rencontre du peintre le plus littéraire et de l'écrivain le plus pictural du temps. Cette convergence touchait le cœur même de la philosophie esthétique des deux artistes et le tableau de Girodet devint immédiatement une sorte d'icône qui allait éliminer toute autre illustration du sujet. Dès lors le tableau resta constamment associé au texte de Chateaubriand.

L'écrivain avait situé son histoire au siècle de Louis XIV, dans la vaste province de la Nouvelle-France, qui s'étendait de la Floride aux Rocheuses, un gigantesque territoire convoité par la France, l'Angleterre, l'Espagne et bientôt par la jeune démocratie américaine. Napoléon Bonaparte mesurait toute la richesse et l'importance de cette immense colonie redevenue française par le traité de San Ildefonse[3]; craignant de la voir passer sous contrôle anglais, il la vendit au gouvernement des États-Unis en 1803[4]. Quand paraît Atala, les territoires du Nouveau Monde étaient donc moins étrangers qu'il ne semble puisqu'ils étaient redevenus français depuis un an. Chateaubriand avait traversé une partie de ces contrées en 1791, pendant les cinq mois qu'il avait passés en Amérique, visitant Philadelphie, New York et remontant l'Hudson jusqu'aux chutes du Niagara et la région des Grands Lacs, mais il ne visita pas la Nouvelle-Orléans ni Bâton Rouge situés dans les territoires Natchez. L'histoire d'Atala et de ses amours malheureuses est néanmoins racontée à un exilé français, René, par un vieil Indien nommé Chactas, « voix harmonieuse » en langue Natchez. Comme Œdipe, comme Homère, comme Ossian, le vieux Chactas est aveugle. Une jeune fille guide ses pas, comme Antigone

Ill. 208 Girodet, *Communion d'Atala*
Dessin, Besançon, musée des Beaux-Arts

guidait Œdipe ou Malvina guidait Ossian. Chactas avait perdu son père, le guerrier Outlalissi, à l'âge de 17 ans dans les combats contre les Indiens Muscogules. Recueilli par un vieux Castillan nommé Lopez, il passa quelques années dans la ville de Saint-Augustin fondée par les Espagnols. Désireux de retourner à la vie sauvage, il s'égara dans les bois et fut capturé par les Muscogulges et les Siminoles qui décident de le sacrifier sur le bûcher. Atala, la fille du Sachem, en réalité la fille naturelle de Lopez et d'une femme indienne convertie au christianisme, s'éprend du jeune Chactas, le libère et entreprend de fuir avec lui. Comprenant que cet amour est un péril pour les vœux de chasteté chrétienne qu'elle a prononcés au chevet de sa mère mourante, Atala s'empoisonne pour échapper à sa passion. Elle meurt dans les bras du jeune Indien et reçoit les derniers sacrements du père Aubry, un vieux religieux qui les avait recueillis.

« Il est dans la carrière de la renommée un terme assez facile à atteindre mais qu'on ne franchit qu'avec l'aide du temps ».

Jean-Baptiste Boutard

Atala, tragédie moderne et chrétienne

Atala rencontrait l'esprit du siècle, elle le résumait et, d'une certaine manière, le devançait. Son actualité était sensible et littéraire, l'amour impossible romantique, un sentiment nouveau qui allait dominer le XIXᵉ siècle. Germaine de Staël en avait formulé la nature dès 1800 : « L'Amour est chez les grecs un simple effet de la fatalité. Mais ils ne savaient pas quelles jouissances on peut trouver à braver la mort pour ce qu'on aime, quelle jalousie, on peut trouver à n'avoir point de rivaux dans ce sacrifice passionné[5]. » Le drame d'Atala se trouve précisément dans cette jouissance du sacrifice passionné inspiré par la religion chrétienne. Il se résume en une lutte entre les valeurs intemporelles, spirituelles et sacrées de la foi et celles, temporelles, profanes et sensuelles de l'amour. Une fusion idyllique à la Bernardin de Saint-Pierre et la fascination pour le primitivisme chrétien conférait une auréole d'innocence morbide aux tourments sensuels. Parce qu'elle aime et parce qu'elle a fait serment de conserver sa virginité et

sa foi chrétienne, Atala doit mourir. Devant l'ar[c] d'un rocher se détachent trois figures. La premiè[re] droite, est un moine en robe de bure, la tête penc[hée] recouverte d'un capuchon. Il est debout, les d[eux] pieds dans une fosse. Une jeune femme est étend[ue] au centre, enveloppée jusqu'à la poitrine dans [un] suaire blanc transparent. À gauche, un jeune hom[me] est assis sur les bords de la fosse. Musculeux et [les] les hanches ceintes d'un châle rouge bordé par u[ne] frange, le jeune homme est replié sur les jambes d[e la] jeune femme et les enlace. Les yeux sont clos, la bo[u]che entrouverte, il porte un anneau d'or et une p[ierre] rouge à l'oreille, ses cheveux nattés et noirs tomb[ent] en longues mèches sur les cuisses de la femme. [Le] moine soulève le haut du corps de la morte pou[r la] déposer dans la fosse. La tête penchée vers le pu[blic] les yeux fermés, la bouche entrouverte, extrêmem[ent] pâle, celle-ci a les doigts croisés comme pour la pri[ère] et serre dans ses mains une mèche de ses cheve[ux] blonds et un crucifix de bois. L'Indien Chactas, A[ta]la et le père Aubry sont tous les trois étrangem[ent] descendus dans la fosse et semblent suspendus [dans] le déroulement funèbre comme dans les grou[pes] sculptés médiévaux de déploration. Par l'ouvert[ure] de l'arcade, on entrevoit le paysage verdoyant d'[une] forêt. Une croix se dresse dans la lumière matin[ale] dorée. Les contrastes jouent avec le clair-obscu[r et] l'ombre qui frappent le buste de la morte et le dos [de] l'homme sauvage.

Le titre du tableau au salon de 1808[6], *A[tala] au tombeau*, suggère un seul lieu et un mom[ent] précis détaché du récit qui serait figé dans [la] temporalité d'une action unique à la mani[ère] de la règle des trois unités exigées par la tra[gé]die classique. Cependant, aucun passage du te[xte] de Chateaubriand ne correspond précisémen[t à] la scène peinte : les funérailles se déroulent [en] cinq pages et sont remplies par des impressi[ons] et des émotions funèbres dont Chactas ponc[tue] son récit[7]. Au lieu de choisir un moment c[ru]cial de l'action et de l'illustrer, Girodet résu[me] les différentes étapes du deuil depuis la veillée [fu]nèbre jusqu'à l'inhumation et les symbolise [par] des attributs signifiants. La bêche du premier p[lan] suggère le moment où la fosse a été creusée [; la] prière de la longue veillée funèbre est évoqu[ée] par les paroles de Job qu'avait prononcés le p[ère] Aubry : « J'ai passé comme une fleur ; j'ai sé[ché] comme l'herbe des champs[9] » qui sont gravés [sur] la paroi du rocher alors que la lumière matin[ale] à travers les feuillages, nous renvoie au mom[ent] même de la mise en terre. C'est à l'aube que [le] corps d'Atala avait été porté « sous l'arche du p[ont] naturel, à l'entrée des Bocages de la mort[10] » q[ue] Girodet identifie par la croix surgissant dans [la]

cat. 53 Atala au tombeau
Plume et encre brune sur mine de plomb sur papier vergé
(filigrane), 32,8 x 42,5 cm
Ottawa, National Gallery of Canada, inv. 17288

Hist. acheté à la galerie du Fleuve, Paris, en 1973.
Exp. 1976-1977, Paris, n° 266.
Bibl. *The Burlington Magazine*, vol. CXV, 1973, p. 537.

vant, à travers l'ouverture rocheuse. L'instant
ioisi est nourri des actions précédentes, sans que
conographie nous invite à sortir de l'enferment
la grotte. Les fossoyeurs sont descendus dans
tombe même[11], et, comme eux, le spectateur
serve la scène de l'intérieur d'une grotte où il
rait enfermé avec les protagonistes. L'extérieur
la grotte, la lumière matinale et la croix sont
ociés à l'espoir qui suit la mort, principe nar-
:if et moral autant que descriptif déjà esquissé
r Girodet dans *Le Christ mort* de Montesquieu-
lvestre **(cat. 9)**.

Plutôt que d'illustrer le texte de Chateaubriand,
rodet procède à son analyse sémantique et sans
ller au récit, en réalise la synthèse dans une image
umant à la fois le sens et l'action du récit. Son
bition de peintre et de grand lettré, étendre le
nps du récit et la polysémie des lettres à la pein-
re en avait fait un expert de la synthèse narrative,
is, sous l'excès de signification, son incomparable
itrise s'était chargée d'opacité au point de rendre
rmétique le contenu de ses tableaux. Dans *Une
ne de déluge*, il avait voulu rectifier ce travers âpre-
nt reproché lors de l'exposition d'*Ossian*. Avec
ala, il poussa encore plus loin la simplification de
nage en intériorisant les sentiments de ses héros
en supprimant les effets spectacle, controversés,
Déluge. Il concentre sa lecture de Chateaubriand
la douleur muette en figeant les protagonistes
is une attitude qui résume leur essence : le re-
eillement religieux du vieil homme, la sensualité
re de la vierge défunte et la douleur du jeune In-
n replié sur lui même qui retient physiquement
orps de sa maîtresse. La blancheur virginale du

linceul, la robe de bure ou la nudité de Chactas,
tous les éléments participent à l'ensemble narratif
qui résume l'histoire et la sublime en une quintessence du deuil et de la douleur amoureuse. Girodet
retient l'importance de la botanique qui exsude
dans toute la littérature de Chateaubriand mais il
l'associe à la topographie plutôt qu'au corps de la
morte. Il avait écrit à Julie Candeille qu'il avait passé une journée au Jardin des plantes à faire des études[12]. Il y dessina probablement cette fleur devenue
commune sous nos climats, mais alors exotique et
rare, la bignone, ce jasmin rouge de Virginie, aussi
appelé «trompette de Virginie» et qu'il place dans
l'ouverture de la grotte, suggérant ainsi l'exotisme
américain, une liberté prise sur le texte, où Chactas
dépose une voluptueuse et virginale «[…] fleur de
magnolia fanée dans les cheveux de la morte[13]».

Le moment du recueillement douloureux dans
les funérailles n'a pas été immédiatement retenu par
Girodet. Le dessin de Besançon[14] **[ill. 208]** montre
qu'il a d'abord songé à illustrer l'épisode le plus chrétien de la nouvelle, celui de la dernière communion
d'Atala agonisante[15]. Cette première pensée nous
avertit que, dès le début, Girodet, avait mesuré un des
enjeux décisifs de l'esthétique Chateaubriand, réconcilier le christianisme et la peinture d'histoire.

L'éblouissante virtuosité et l'agitation du dessin
d'Ottawa **(cat. 53)**, vigoureux traits de plume passés sur une pâle composition inversée, au crayon
noir, montrent que Girodet n'avait pas non plus
adopté d'emblée l'intériorisation et le hiératisme
silencieux de l'œuvre définitive. Ces composants
qui fixent l'essentiel des principes du tableau sont
en revanche parfaitement arrêtés dans l'étude au

nu du Louvre **(cat. 54)** montrant la figure de Chactas avec ses cheveux attachés en chignon et encore
dans le dessin à deux figures **[ill. 209]** destiné à l'étude anatomique du corps des amants.

Girodet s'entourait volontiers de mystère et rares
sont les tableaux dont la conception peut être suivie
dans les souvenirs contemporains. Atala est heureusement l'un d'eux. Delécluze raconte que le tableau,
comme *Une Scène de déluge* et *La Révolte du Caire*,
avait été peint dans l'angle gauche de l'ancien cloître
des Capucines[16], dont il avait acquis une partie en
1808[17]. Atala y fut peint à la lumière artificielle d'une
lampe à trois mèches que lui avait fabriquée Pannetier[18]. Monanteuil, autre élève de l'atelier, aurait posé
pour Chactas[19]. Selon Coupin, le besoin de prolonger le jour jusqu'à une heure avancée de la nuit, eut
des conséquences tragiques sur la santé de Girodet
et plus des trois quarts de sa production ont été ainsi
composés[20]. L'élaboration du tableau est aussi relatée
par Julie Candeille qui vivait alors les moments les
plus intenses de sa relation avec le peintre. Dans une
lettre écrite deux ans plus tard, pendant le Salon de
1810, elle lui rappelle le rôle qu'elle avait directement
joué dans la préparation d'Atala[21]. Dans la curieuse
notice[22] qu'elle consacrera à leur histoire commune,
elle prétendit que Girodet lui avait soumis ses ébauches et que grâce à ses propres remarques, la lisibilité
de l'œuvre s'était améliorée. «Je vois bien une femme
qu'un vieil ermite et un jeune sauvage enterrent dans
une cave [aurait-elle dit devant l'esquisse]; mais rien
ne m'apprend que ce soit Atala. Où est le pont de la
mort,… la croix de la mission? où sont les cabanes,
les montagnes, les plantes américaines?» Le peintre se
serait rendu à «cet instinct de femme».

cat. 54 Chactas embrassant les jambes d'Atala

Pierre noire, estompe et rehauts de blanc sur papier beige,
42,8 x 59,5 cm

Annotation à droite : *Joséphine, rue de Bussy*

**Paris, musée du Louvre, département des Arts
graphiques**, RF 3974

Hist. legs Doria et Adèle Pomme de Mirimonde, 1911.
Exp. 1900, Paris, Exposition centennale, n° 998.
Bibl. Guiffrey, Marcel, 1911, n° 4245 ; Wakefield, 1978, p. 20,
n° 19.

En réalisant un grand tableau d'histoire avec
un sujet chrétien, Girodet donnait raison à Chateaubriand, mais plus encore et conjointement, il
épuisait et résumait d'un coup toute la nouvelle au
point de lui faire de l'ombre. Quatremère de Quincy
rappelait «le rare avantage» qu'avait eu Girodet
de «faire douter entre les deux ouvrages, lequel
aurait le plus contribué à la célébrité de l'autre [23]».
Chateaubriand qui savait la puissance des images
n'a pas forcément goûté le succès du tableau de
Girodet. Dans le premier livre des *Martyrs*, une
note sous couvert d'un hommage, rappelait la rivalité du peintre et du poète : «Il était bien juste
que je rendisse hommage à l'auteur de l'admirable
tableau d'*Atala au Tombeau*. Malheureusement je
n'ai pas l'art de monsieur Girodet, et tandis qu'il
embellit mes peintures, j'ai bien peur de gâter les
siennes [24].» *Ut pictoris poeta* inversé, la rivalité transparaît, voilée à travers l'hommage.

«De quoi satisfaire même les gens qui ne se connaissent pas en peinture.»

Jean-Baptiste Boutard

Le succès d'*Atala au tombeau* fut considérable et,
dans la carrière de Girodet, seule la réception de
l'*Endymion* lui est comparable. Selon Coupin «le
tableau imposa silence à la critique [25]». Boutard le
compare favorablement à *Une scène de déluge* [26], dont
«le vague du sujet, […], le grandiose en quelque
sorte effrayant», avaient détourné le public. *Atala*
n'est pas une œuvre supérieure «comme ouvrage

de l'art» mais «ne prête pas aux petits reproches»
que l'on faisait à l'autre : il y a de quoi satisfaire
même les gens qui ne se connaissent pas en peinture.» Le succès fut en effet large et populaire :
«[…] Cette Atala dans son tombeau / S'empare de
mon âme émue, / Et pour critiquer ce tableau /
Il faudrait avoir la berlue» s'écrie *Arlequin au Muséum* [27]. Par exception, Girodet convainquit que
«des moyens forts simples et du génie, [pouvaient]
produire de grands effets [28].» Le *Déluge* rappelait
Michel-Ange, *Atala* renouait avec la manière de
Léonard de Vinci [29]. Seule remarque négative de la
critique, Atala ne paraissait pas assez morte [30] : une
femme qui se trouve mal dit une certaine madame
Denis [31] ! Landon justifie cet excès de retenue par
le texte de Chateaubriand et le beau qui proscrit
l'expression trop vive des passions violentes [32].

Ces louanges agacèrent David qui dénonça une
manipulation de la presse : «[…] M. Girodet était
en état d'attendre ce suffrage public de son talent et
non des plumes vendues des journalistes [33].» Les reproches de David portaient fondamentalement sur
l'irréalisme de la scène : «La tête, les coloris d'Atala
appartiennent bien à une morte, pourquoi, les mains
ne sont-elles pas mortes ? Vous vous êtes trompé, ce
n'est là comme agit la nature.» Conséquence directe de l'irréalité du tableau, l'érotisme de la scène
funéraire, grand thème romantique [34] se dégageant
de la nouvelle, attira des pointes ironiques : «Elle
n'est point morte, bien loin de lui donner la pensée
de prier pour elle, elle provoque la maligne envie
de la réveiller et de rendre jaloux le pauvre Chac-

tas qui a réellement l'air bien affligé [35].» En géné[...]
néanmoins, la critique, dans la satire comme d[...]
l'éloge, fut frappée par la simplicité de la scène [...]
l'intensité de sa dimension sacrée [36].

La lithographie de Villain d'après le dessin
comique de Boilly **[ill. 210]**, est un indice supp[...]
mentaire de la grande popularité de l'œuvre : [...]
protagonistes des funérailles, parfaitement rec[...]
naissables, sont devenus trois chiens qui prenn[...]
les positions des humains !

Atala et le *Journal des débats*

Le 5 juillet 1805, le *Journal des débats* que Be[...]
dirigeait depuis 1799 avec son frère Louis Franc[...]
Bertin, dit Bertin de Veaux (1771-1842) devint [...]
décret de Napoléon le *Journal de l'Empire*. Ce jo[...]
nal exerçait une influence considérable sur la li[...]
rature et sur l'opinion [37]. Il regroupait toute u[...]
partie de l'intelligentsia libérale activement ro[...]
liste ou héritière des idéaux de 1789, passés d[...]
l'opposition depuis l'arrestation et l'exécution [...]
roi [38]. En 1803, Bertin l'Aîné, proscrit de Paris [...]
la volonté impériale, résidait à Rome où il av[...]
reçu l'autorisation de séjourner après un exil à [...]
d'Elbe. Ironie de l'histoire, Napoléon Bonapa[...]
l'avait envoyé dans cette île où l'infortune l'env[...]
lui-même quelques années plus tard. Chateaubri[...]
se trouvait alors dans la capitale du monde catholi[...]
avec le modeste titre de secrétaire d'ambassade aup[...]
du cardinal Fesch, ministre plénipotentiaire de Fr[...]
ce à Rome. Bertin avait déjà publié ses écrits dans [...]
colonnes des *Débats* et en Italie les deux homme[...]
lièrent d'une étroite amitié qui dura toute leur vi[...]
En 1804, Bertin rentra à Paris et Chateaubriand q[...]
ta Rome à la suite de sa fracassante démission ap[...]
l'assassinat du duc d'Enghien. C'est à cette épo[...]
chez Bertin l'Aîné ou chez son frère qui tenait [...]
des plus influents salons littéraires de Paris, que [...]
rodet et Chateaubriand se sont rencontrés. Privé [...]
la direction de son journal par le pouvoir impé[...]
Bertin corrigeait les épreuves des *Martyrs* [40]. Il s'é[...]
personnellement entremis auprès de Girodet en 1[...]
lorsque Chateaubriand commanda son portrait [...]
voulut rendre à l'écrivain un hommage en dem[...]
dant à Girodet un tableau sur le sujet d'Atala [41]. Ap[...]
sa présentation au Salon, le tableau devint l'ornem[...]
majeur de la demeure parisienne de Bertin, rue [...]
Seine. Il réussit à le conserver même après sa ru[...]
et dans la maison des Roches [42], Atala faisait pend[...]
au *Jugement de Pâris* [43] commandé la même anné[...]
Fabre, un ami aux convictions royalistes notoires[...]

La «plume vendue des journalistes» vilipen[...]
par David, était celle de Jean-Baptiste Boutard, [...]
tique d'art du *Journal des débats*, rebaptisé *Jou[...]
de l'Empire*. Fidèle partisan de Girodet depuis [...]

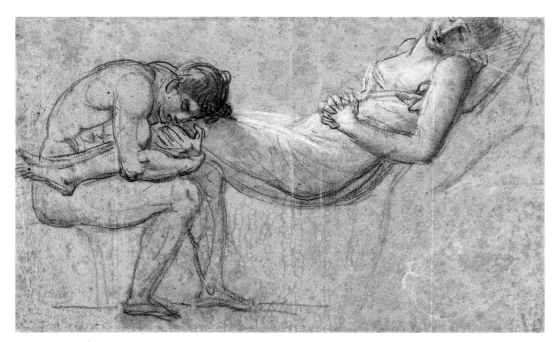

III. 209 Girodet, *Étude pour Atala au tombeau*
Dessin, Paris, musée du Louvre

ésentation d'Ossian au Salon de 1802, Boutard écédait Delécluze dans les colonnes artistique journal. Le discernement de ses articles et la écision de ses informations pouvaient donner npression qu'il avait bénéficié de conversations vées avec Girodet et que son soutien dépassait jugement : son appui fut perçu comme celui n porte-parole. Déterminé à s'imposer dans poque et dans l'histoire, Girodet aurait, à travers utard, pesé sur l'organe de presse le plus impor- t du siècle. Cette assertion n'est pas tout à fait sse, mais le recul de l'histoire met en évidence e réalité moins machiavélique et la complicité tre le peintre, le critique et Chateaubriand dé- ssait largement les intrigues et les stratégies de rière. Ce qui se dégage avant tout des critiques Boutard, c'est un constant désaveu de la politi- e culturelle impériale et une forme d'adhésion goût romantique naissant. Boutard était le beau- re de Bertin l'Aîné, et dans les pages de ce ca- ogue, Andrew Shelton analyse la nature de ses ports avec Girodet [44].

Derrière l'agacement de David, loin derrière la alité artistique, se dissimulait l'intuition d'une pro- nde rupture idéologique avec son ancien élève. En anche, très visiblement, Boutard et Girodet parta- aient une sensibilité étrangère à David ou qui, du ins, ne pouvait rencontrer son assentiment. Cette sibilité qui s'affiche en rupture avec l'Empire et c son premier peintre était précisément incarnée l'ancien *Journal des débats*. Étroitement surveillée, te publication s'était imposée par sa qualité litté- re et avait survécu à tous les remaniements et tous interdits. Épié par la police et scruté par la censure, journal s'était engagé dans un débat artistique et éraire apparemment innocent, mais qui recouvrait combat politique plus fondamental.

Illustrer Chateaubriand et tourner le dos au mi- risme imposé aux peintres, c'était déjà rentrer ns l'opposition.

Les reproches de David : l'irréalisme mélanco- ue et l'affectation sentimentale, qui relèvent de erreur» au regard de la nature, satisfaisaient pré- ément l'expression esthétique d'un courant de sée désenchanté, et activement hostile à l'his- re récente. Las de l'héroïsme révolutionnaire et litaire autant que de l'autocratie du pouvoir im- rial, un courant d'idées, qui espérait dans le retour Bourbons le rétablissement de la paix sociale et n ordre libéral trouvait un miroir sensible dans te esthétique de la mélancolie et la sentimentalité dividualiste. En 1808, en France, Girodet et Cha- ubriand personnifièrent les débuts de ce mou- nent moderne qui deviendra le romantisme et nt le premier langage est légitimiste, nostalgique éactionnaire, à contre-courant de l'histoire. *Atala*

de Girodet s'inscrivait dans ce courant de sensibi- lité mais il serait excessif et manichéen d'y voir une œuvre engagée, ouvertement opposée à l'Empire. La Légion d'honneur allait couronner son auteur l'année même de sa présentation. Plus fondamen- talement, la grandeur tragique de ce chef-d'œuvre dépasse largement les valeurs d'une époque ; *Atala* demeure le tableau le plus célèbre de Girodet, et encore un demi-siècle après sa réalisation, Baude- laire écrivait : «L'Atala de Girodet est, quoiqu'en pensent certains farceurs qui seront tout à l'heure bien vieux, un drame de beaucoup supérieur à une foule de fadaises modernes innommables [45].»

Atala au Salon de 1808

Sous l'Empire, la vie des arts était rythmée par celle des armes. Le Salon de 1806 s'était ouvert le 15 septembre pendant les fêtes données en l'honneur de la Grande Armée, celui de 1808 ouvrit ses portes le 14 octobre, jour anniversaire de la bataille d'Iéna [46]. Girodet y montrait trois tableaux. Le portrait d'une élève et admiratrice, Mme Bioche de Misery [47] [ill. 289], et deux grands tableaux d'histoire, *S. M. L'Empereur recevant les clefs de Vienne* [ill. 211] appelé aussi *La Red- dition de Vienne*, une grande œuvre d'histoire contem- poraine commandée en 1806 pour la décoration des Tuileries [48] et surtout *Atala au tombeau* [49]. Le jugement de l'Empereur sur Girodet à ce Salon est connu pour la seule *Reddition de Vienne*, un tableau qu'il eut l'oc- casion de revoir dans les appartements des Tuileries à son retour d'Espagne à la fin de janvier 1809. Cette œuvre, la plus docile jamais peinte par Girodet, est parmi l'ensemble de commandes de Denon la seule à recevoir l'assentiment de Napoléon [50]. Il échappa aux contemporains que les deux grands tableaux d'his- toire que Girodet montrait au Salon de 1808 se si- tuaient aux pôles les plus opposés de la vie culturelle de l'Empire. Le succès d'*Atala* était une illustration

éloquente de l'écart croissant qui partageait l'art offi- ciel et le goût du public. La sentimentalité tendre et la mélancolie du tableau correspondait aussi goût de l'impératrice Joséphine. Après sa répudiation, elle en commanda une répétition, en 1811, pour sa col- lection de Malmaison [51]. Cette réplique documentée par une lettre n'a jamais été livrée et n'apparaît pas dans les inventaires de Joséphine [52].

L'Empereur avait visité le Salon dès la semaine de son inauguration. En fin de visite, il remit en per- sonne la Légion d'honneur à plusieurs artistes. Da- vid fut élevé au rang d'officier, Girodet, Gros, Gé- rard, Prud'hon, Carle Vernet, Guérin et le sculpteur Cartellier furent faits chevaliers. Ces décorations, re- commandées par Denon, ne récompensaient certes pas uniquement les œuvres présentées au salon mais l'ensemble de la production des artistes. Girodet avait été recommandé pour *Le Sommeil d'Endymion*, *Une scène de déluge*, *Atala au tombeau*, et *S. M. L'Empereur recevant les clefs de Vienne*. Cependant, à l'exception de David qui fut décoré au titre de son tableau des *Sa- bines*, tous les artistes étaient cités pour les mérites de leurs seuls tableaux de commande [53]. C'est en défi- nitive *La Reddition de Vienne* qui recevait la Légion d'honneur.

Les Bourbons reconnurent-ils un sympathisant dans Girodet ou l'engouement de l'administration royale cédait-t-elle à la mode [54]? La négociation en- gagée avant les Cent-Jours aboutit en 1818 quand les collections royales acquirent la réplique d'Atala, datée et signée par Girodet en 1813 (cat. 52). Cette répéti- tion, commencée par Pagnest est probablement celle qui figura au Salon de 1814 [55]. Un an plus tard, en 1819, le roi convainquait Bertin de lui vendre aussi l'original du Salon de 1808.

S. B.

Notes

1. Chateaubriand, craignant le plagiat de son manuscrit, avait détaché l'épisode de son grand ouvrage en préparation *Le Génie du christianisme* et l'avait publié séparément en avril 1801 aux éditions Migneret. Voir à ce sujet sa Lettre publiée dans *Le Journal des débats* et dans *Le Publiciste* (1801).

« Citoyen, dans mon ouvrage sur *le Génie du christianisme, ou Beautés poétiques et morales de la Religion chrétienne*, il se trouve une section entière consacrée à la *poétique du christianisme*. Cette section se divise en trois parties : poésie, beaux-arts, littérature. Ces trois parties sont terminées par une quatrième, sous le titre d'*Harmonies de la religion, avec les scènes de la nature et les passions du cœur humain*. Dans cette partie j'examine plusieurs sujets qui n'ont pu entrer dans les précédentes, tels que les effets des ruines gothiques, comparées aux autres sortes de ruines, les sites des monastères dans les solitudes, le côté poétique de cette religion populaire, qui plaçait des croix aux carrefours des chemins dans les forêts, qui mettait des images de vierges et de saints à la garde des fontaines et des vieux ormeaux; qui croyait aux pressentiments et aux fantômes, etc., etc. Cette partie est terminée par une anecdote extraite de mes voyages en Amérique, et écrite sous les huttes mêmes des Sauvages. Elle est intitulée : *Atala, etc.* Quelques épreuves de cette petite histoire s'étant trouvées égarées, pour prévenir un accident qui me causerait un tort infini, je me vois obligé de la publier à part, avant mon grand ouvrage. »

2. Voir à ce sujet John F. Moffitt, « The Native American "sauvage" as pictured by French romantic artists and writers », *Gazette des Beaux-Arts*, vol. 134, septembre 1999, n° 1568, p. 117-130.; David Wakefield's « Chateaubriand's Atala as a Source of Inspiration in Nineteenth-century Art », *The Burlington Magazine*, vol. CXX, n° 898, janvier 1978, ill.; Bellenger, 1999, p. 111-135.

3. La Louisiane avait été perdue par la France lors du traité de Paris en 1763-64. Après la bataille de Marengo et la réorganisation des territoires italiens perdus par l'Autriche elle fut récupérée par la France au traité de San Ildefonso (1er octobre 1800). En échange de la Louisiane, le duché de Parme, agrandi du grand-duché de Toscane devenait le royaume d'Étrurie avec à sa tête le fils du duc de Parme, gendre du roi d'Espagne.

4. Le 3 mai 1803, le Premier consul Napoléon Bonaparte cède la Louisiane aux États-Unis d'Amérique pour 80 millions de francs (15 millions de dollars, soit 8 cents l'hectare). Ce territoire, qui occupe à peu près tout le bassin du Mississippi, est alors plus vaste que les États-Unis et à peine peuplé de 50 000 habitants, colons européens et d'esclaves africains, non compris les Indiens.

5. Germaine de Staël, *De la littérature considérée dans ses rapports avec les institutions sociales*, chapitre II, « Des tragédies grecques », Paris, Flammarion, 1re éd. 1800, 1991, p. 109.

6. Au Salon de 1814, La réplique du tableau est intitulée *Les Funérailles d'Atala*.

7. Symptomatiquement, Landon, *Salon de 1808*, p. 17, inclut dans sa notice un large extrait de la nouvelle qui ne correspond pas à la scène peinte par Girodet : « Enfin nous arrivâmes au lieu indiqué par ma douleur, nous descendîmes sous l'arche du pont. Ô mon fils il eût fallu voir un jeune sauvage et un vieil ermite, à genoux vis-à-vis l'un de l'autre, dans un désert, creusant avec leurs mains un

III. 210 Boilly (d'après), *Flore au tombeau* (1829)
Lithographie, coll. part.

tombeau pour une pauvre fille, dont le corps était étendu près de la, dans la ravine desséchée d'un torrent. Quand notre ouvrage fut achevé, nous transportâmes la beauté dans son lit d'argile. Hélas ! j'avais espéré de préparer une autre couche pour elle. Prenant alors un peu de poussière dans ma main, et gardant un silence effroyable, j'attachai pour la dernière fois mes yeux sur le visage d'Atala. Ensuite je répandis la terre du sommeil sur un front de dix sept printemps ; je vis graduellement disparaître les traits de ma sœur, et ses grâces se cacher sous le rideau de l'éternité. Son sein surmonta quelque temps le sol noirci, comme le lys blanc s'élève au milieu d'une sombre argile : Lopez m'écriai-je alors, vois ton fils inhumer ta fille! Et j'achevai de couvrir Atala de la terre du sommeil. »

8. Girodet prend des libertés avec le texte de Chateaubriand qui écrit : « [...] un jeune sauvage et un vieil Hermite, à genoux l'un vis à vis de l'autre dans un désert, creusant avec leurs mains un tombeau pour une pauvre fille dont le corps était étendu près de la, dans la ravine desséchée d'un torrent » (*Atala*, Paris, Gallimard, coll. « Folio classique », 1971, p. 122)

9. Extrait de la nouvelle : « [...] Parfois il répétait sur un air antique quelques vers d'un vieux poète nommé Job ; il disait : « J'ai passé comme une fleur ; j'ai séché comme l'herbe des champs. Pourquoi la lumière a-t-elle été donnée à un misérable et la vie à ceux qui sont dans l'amertume du cœur ? [...], *ibidem*, p. 121.

10. *Ibidem*, p. 118.

11. M. S. Delpech, *Examen raisonné des ouvrages de peinture, sculpture, et gravure exposés au Salon du Louvre en 1814*, Paris, 1814, p. 50, note : « On a remarqué que les pieds des deux personnages étaient entièrement cachés : cette licence, condamnable dans tout autre sujet, produit un

effet très-heureux dans celui- ci ; elle appelle l'attention sur la fosse, qui va séparer pour toujours ces fidèles amants. [...]. »

12. Lettre d'Anne Louis Girodet à Julie Candeille, [Paris], [début octobre 1807] La date de cette lettre correspond à la composition d'*Atala* : il était allé au jardin des plantes pour l'étude des accessoires de ce chef-d'œuvre (Jean Nivet, « Quelques lettres du peintre Girodet-Trioson à Mme Julie Simons-Candeille, conservée dans les collections de la Société Archéologique et Historique de l'Orléanais », *Bulletin de la Société archéologique et historique de l'Orléanais*, t. XVII, no 138, 4e trimestre 2003, p. 37-38, lettre XIV (Pruvost-Auzas, 1968, n° 38).

13. *Atala*, 1971, p. 119.

14. *La Communion d'Atala*, Besançon, musée des Beaux-Arts.

15. C'est cet épisode précis que le jeune Lordon avait choisit de montrer à ce même Salon de 1808. Il est possible que Girodet ait eu connaissance du projet de Lordon et se soit alors détourné de ce sujet. Voir la lettre inédite de Julie Candeille à Anne Louis Girodet, [Paris], mercredi 19 [octobre] 1810, correspondance Julie Candeille (t. II, 1810 [*sic*], n° 64); don du colonel Filleul (descendant des Becquerel) en 1967 : « Quand a la concurrence de l'autre Atala si vous la devez à mon indiscrétion j'espère que vous m'en remercierez. Je n'ai jamais chargé de palette ; mais je crois qu'avec du noir et du blanc on peut venir a bout de copier ce chef-d'œuvre. »

16. Delécluze, 1855, p. 297.

17. Voignier, 2005, p. 9-17.

18. « adieu mon amie je vous embrasse tendrement et comme je vous aime et je vais penser tout ce soir au plaisir de vous voir demain tout en travaillant a la lueur de ma

lampe a trois mèches* que je viens d'allumer et q[ue je] reteindrai qu'a 4 ou 5 heures d'ici. tout a vous. *(ouv[erte] et présent\ d'un de ses élèves ; (Monsr Pannetier) c'[est à] la lueur de cette Lampe qu'il a peint Son Atala.) » [...] de Anne-Louis Girodet à Julie Candeille, [Paris], [... Orléans, Société historique et archéologique d'Orlé[ans ...] don Becquerel (17 septembre 1860) ; publiée [par Jean] Nivet, Bulletin de la Société Archéologique et Histo[rique] de l'Orléanais, t. XVII, no 138, 4e trimestre 2003, p[...] lettre no III.

19. Léon de la Sicotière, Monanteuil, dessinateur et pe[intre ...] Caen, Société des Beaux-Arts, 1865, p. 8.

20. Coupin, 1829, t. I, P. xliv.

21. « j'exige, [dit-elle] pour prix de cet effort [qui cons[iste] à lui cacher son propre avis sur les tableaux du nou[veau] Salon] que vous m'appeliez à l'ébauche des tableaux [...] 1812- comme vous m'appelâtes pour Atala et les [Scènes] de Vienne » (lettre inédite de Julie Candeille à Anne L[ouis] Girodet, [Paris], 4 [novembre] [1810] ; correspon[dance] Julie Candeille, Montargis, musée Girodet, t. II, [1810, [sic]] no 42; don du colonel Filleul (descendant des Becqu[erel]) en 1967.

22. Julie Candeille, *Notice biographique sur Anne L[ouis] Girodet et Amélie Julie Candeille, pour mettre en tê[te de] leur correspondance secrète, recueillie, et publiée a[près] leur mort par...* manuscrit inédit, Montargis, biblioth[èque] Durzy.

23. Quatremère de Quincy, t. I, 1834, p. 322.

24. Note ajoutée à la troisième édition des Martyrs, p[ubliée] en janvier 1810 à Paris chez Le Normant et à Lyon [chez] Ballanche. Voir « Les Martyrs », in *Œuvres romanes[ques] et voyages*, éd. Maurice Regard, Paris, Gallimard, « Bibliothèque de la Pléiade », 1969, t. II, p. 1545-154[...]

Coupin, 1829, t. I, p. XVI.

Feuilleton du *Journal de l'Empire*, samedi 19 novembre
8, no IX, section Beaux-Arts.

Arlequin au muséum, ou *critique en Vaudeville*, Paris,
o de 8 pages.

Coll. Deloynes. t. XLIII, p. 601, Anonyme, « Salon
808 », *Journal de l'Architecture, des Arts libéraux et
aniques, des sciences et de l'Industrie*.

Voir note 26.

Anonyme, *Première journée d'cadet Buteux au Salon de
8*, Paris Aubry, 3 décembre 1808, in 8°, 7 pages, p. 3.

Anonyme, *Revue des tableaux du muséum par M et
e Denis et Benjamin, leur fils*, Paris 1803, in-12 de 12
s.

C. P. Landon, *Annales du musée et de l'école moderne
Beaux-Arts, Salon de 1808*, p. 17- 19 : « quiconque eût
ré que cette vestale avait joui de la lumière, aurait pu la
dre pour la statue de la virginité endormie ».

« C'est alors que cette expression eut flatte naturellement
ublic, qui ne sait pas expliquer ce qui le contrarie dans
chose exposée a la vue mais il sent cependant quelque
se qui ne le met pas a son aise qu'il ne peut exprimer
s qu'il comprend bien quand on lui présente la chose
rellement. Eh! bien, M. Girodet était en état d'attendre
uffrage public de son talent et non des plumes vendues
journalistes » (Wildenstein, 1973, p. 158. Voir Andrew
lton, *supra*.

Sur ce thème, voir Mario Praz, *La carne, la morte e
Javolo nella letteratura romantica*, Florence, Sansoni,
6, p. 84-85 (traduit en français sous le titre *La Chair, la
t et le diable, le Romantisme noir*, Paris, Denoël, 1977) ;
in Jaffee Frank, *Love and Loss American Portrait and
urning Miniatures*, New Haven et Londres, cat. exp. Yale
versity Art Gallery, 3 octobre - 30 décembre 2000. Voir
si Guégan, 1999, p. 150.

Exposition de tableaux en 1808, Extrait de l'Echo du
merce, journal d'indication, coll. Deloyne t. XLIV,
150.

Journal de l'Architecture des arts libéraux et mécaniques
sciences et de l'industrie, 18 mars 1808, coll. Deloyne.
III, no 1123. Anonyme, examen critique et raisonné
tableaux des peintres vivans formant l'exposition
1808, coll. Deloynes, t. XLIII, no 1143 : « Un silence
gieux produit par l'harmonie du tout ensemble, semble
er sur cette composition », ou encore Fany Tatillon,
rnal des dames et des modes, 5 novembre 1808 :
uel sentiment religieux j'éprouve en regardant le tableau
ala ; OH! Chateau-briant, quelle peinture intéressante et
lime nous présente votre roman! Oh! Girodet, le génie
conduisit la plume de l'auteur d'Atala a guide votre
ceau. »

Andrew Shelton,*supra*.

Sur ce milieu, voir le *Portrait de Raymond Desèze*,
65.

Dans son testament olographe du 12 juin 1837
teaubriand dit adieu « à son grand ami Bertin, fidèle
uis trente quatre ans à ma bonne et mauvaise fortune
] » (comte d'Antioche, Chateaubriand ambassadeur
ondres (1822) Paris, 1912, p. 419-425. Voir aussi
63.

Lettre de Bertin à Fabre, Paris, 7 janvier 1809, Pélissier,
semestre, p. 4, « En ce moment même, à huit heures du
in, M. de Chateaubriand est déjà dans ma chambre,

attendant que j'ai fini de vous entretenir, pour revoir avec
moi les épreuves de son nouvel ouvrage ; et c'est depuis
huit jours, tous les jours la même chose. J'en ai jusqu'au
quinze mars au moins.

41. Daniel Ternois, *Ingres, Monsieur Bertin*, Paris, 1998,
p. 10.

42. Bertin sauva le domaine des Roches et les deux
tableaux du naufrage de sa ruine qui suivit la confiscation
de son journal en 1811. Voir lettre de Bertin à Fabre, s.l.n.d.
[début 1811], Pélissier, 4ᵉ semestre, p. 14.

43. Salon de 1808, n° 212 du livret ; Richmond, Virginia
Museum of Fine Arts.

44. Andrew Shelton,*supra*.

45. Charles Baudelaire, « Exposition Universelle 1855 »,
in Henri Lemaitre éd., *Curiosités esthétiques*, Paris, 1990,
p. 224. En 1846, il écrit : « Girodet a traduit Anacréon et
son pinceau est toujours trempé aux sources les plus
littéraires » Charles Baudelaire, « Le Musée classique du
bazar Bonne-Nouvelle », [Corsaire-Satan, 21 janvier 1846],
in ibidem, p. 91.

46. Campagne d'Allemagne, 14 octobre 1806.

47. N° 259 du livret ; Ottawa, National Gallery of Canada,
inv.

48. AMN, P6 O ; 3 mars 1806 ; *Extrait des Minutes de la
Secrétairerie d'État*; Au Palais des Tuileries, le 3 mars 1806,
voir cat. 55 (Révolte du Caire).

49. N° 258 du livret.

50. Charles-Otto Zieseniss, *Napoléon et les peintres de
son temps, communication faite à la séance du mercredi
18 décembre 1985*, Paris, Académie des beaux-arts, Institut
de France, Paris, 1986.

51. Lettre de Girodet à Turpin de Crissé, Montargis, 2 février
1811 « de retour à Paris dans quinze jours ses premiers
soins seront pour la répétition d'Atala déjà très avancée
mais qui ne serait point digne des regards de S.M. si je ne
le rendais moins imparfait qu'il m'est possible […] le prix
que j'attache à la répétition d'Atala entièrement de ma main,
est vu le tems que j'aurai du y employer de douze mille
francs (fonds Turpin de Crissé, musée d'Angers).

52. Pougetoux, 2003, p. 183.

53. AMN, Salon de 1808 : « Dans la liste des peintres
d'histoire qui ont travaillé pour Sa Majesté et que le
directeur croit devoir appeler le jour que l'Empereur
honorera l'exposition de sa présence sont : David, auteur
du tableau du couronnement et de celui des Sabines, Gros
du Lendemain de la bataille d'Eylau, Girodet Des clefs de
Vienne remises a sa majesté, Prud'hon, Guérin, Meynier. »

54. En 1818, le comte de Forbin (1777-1841), successeur
de Denon à la direction des musées achète trois tableaux
(*Endymion*, *Scène de déluge*, *Atala au tombeau*) pour le
musée du Luxembourg récemment créé. Bertin l'Aîné n'étant
pas disposé à se dessaisir de l'original, c'est la réplique
autographe du Salon de 1814, commencée par Pagnest et
terminée par Girodet qui est achetée. Après que Louis XVIII
eut persuadé Bertin, le tableau original fut acquis pour les
appartements des Tuileries (Angrand, 1972, p. 96-103).

55. Coupin, 1829, p. Lvij : « Girodet en a fait une répétition
qui est au musée. Cette répétition, comencée par Pagnest, a
été entièrement recouverte par le maître ; pour que l'on pût
la distinguer du premier tableau, il a mis un peu de barbe
sur la lèvre et près de l'oreille de Chactas. » Rien ne permet
de reconnaître dans ce tableau la répétition commandée
pour Joséphine.

L'héroïsme féroce

cat. 55 La Révolte du Caire

1810

Huile sur toile, 339 x 507 cm

Versailles, musée national du château et de Trianon, inv. MV 1497

Hist. Le sujet demandé par Napoléon pour la galerie de Diane au palais des Tuileries a été confié à Girodet par Denon, en février 1809 (AN O/2/843) ; placé en 1809 et retiré dès 1810 ; mentionné au Musée Napoléon en 1810 ; musée du Luxembourg en 1824 (inv. Luxembourg, 1818-1839, AMN ★ 5W1 et ★ p. 12 1802-1912) ; entré dans les collections de Versailles pendant la monarchie de Juillet (AMN p. 12. collectif 12 juillet 1834 ; 17 juillet 1834).

Exp. 1810, Paris, Salon, n° 369 ; 1936, Paris, n° 327, p. 183-184 ; 1962, Chicago, n° 50 ; 1972, Londres, n° 108.

Bibl. A*** [Aubry] s. d., p. 11-13 ; AMN, 1 DD 89, f. 274 ; Anon., *Le Moniteur universel*, p. 2554 ; Comptes, 1809-1810 ; Anon., *Sentiment impartial…*, 1810, p. 6-10 ; Boutard, *Journal de l'Empire*, 3 décembre 1810, p. 4 ; *Cassandre et Gilles au Muséum* 1810 ; *Courrier de l'Europe et des spectacles*, 1810, n° 1239, p. 2 ; Daru, 1810 ; Denon, 1810 ; Fabre, *Mercure de France*, 10 novembre 1810, p. 92 ; Fabre, *Mercure de France*, 1er décembre 1810, p. 255-257 ; Guizot, 1810, p. 17-25 ; *Journal de Paris*, 1810, p. 2233 ; *Journal des arts*, 1810, p. 241-248 ; *Lettre impartiale*, 1810, p. 10-18 ; [M***] 1810, p. 8 ; Q… Z 1810, n° 308, p. 1231 et n° 337, p. 1345-1348 ; R*** [1810], p. 7 ; Boutard, *Journal de l'Empire*, 11 mars 1811, p. 1-2 ; D. [Jean-Joseph-François Dussault], 1811, p. 118 ; Gueffier, 1811, p. 13, 44-46 ; *Journal des arts…*, 1811, n° 80, p. 217-227 ; AMN, 1816, f. 98 ; AMN, 1818 ; Landon, 1823, p. 9, pl. 25 ; Landon, 1824, t. II, p. 47 ; Stendhal, *Journal de Paris*, 1er novembre 1824, p. 3 ; Coupin, *La Revue encyclopédique*, 1825, p. 8 ; Souesme, 1825, p. 5 ; Duchesne, 1828-1834, p. 119, ill. p. 118 ; Coupin, 1829, t. I, p. viij ; xvij ; Landon, 1829, p. 37-41, pl. 25-26 ; Quatremère de Quincy, 1834, p. 318-319 ; Dussieux, 1838, p. 75 ; Burette, 1844, t. II, 1789-1840, pl. 2 ; Delécluze, 1855, p. 267, 270 ; Soulié, 1859, n° 1497, p. 469 ; Blanc, 1865, t. III, p. 11-14 ; Réveil, 1872, p. 28, pl. 30 ; Soulié, 1880, n° 1497, p. 469 ; Alexandre, 1889, p. 113, 115-116 ; Dayot, 1890, p. 45 ; Lemonnier, 1913, p. 15 ; Dimier, 1914, p. 16 ; Alazard, 1930, p. 8 ; Antal, *The Burlington Magazine*, mars 1936, p 24 ; Stendhal, *Journal (1810-1811)*, 1937, t. IV, p. 26 ; Escholier, 1941, p. 84, pl. p. 85 ; Mauricheau-Beaupré, 1955, p. 99 ; Lindsay, 1960, p. 125, ill. 45 ; Zieseniss, *BSHAF*, 1966, p. 199-235 ; Gonzalez-Palacios, 1967, p. 63, 92 ; Benoît, 1897 (1975), p. 319, 321, 351, 404, 408 ; 1974-1975, Paris, Detroit, New York, p. 448 ; Aragon, *Digraphe*, [décembre 1949]

décembre 1977, p. 86-87, 89 ; Levitine, 1952 (1978), p. 223-224, 232, 277-286, 290, 292-293, 297-299, ill. 56 ; Leclant, 1969, p. 82-88 ; Maison, in Laclotte, 1979, p. 726 ; Nevison Brown, 1980, p. 270-276, 292-294, 297 ; Constans, 1980, n° 2035, p. 62 ; Rubin, 1980, p. 95-105 ; Delacroix, 1981, p. 63 ; Lecoq, 1983, p. 176 ; Fernandez, 1989, p. 166 (pl. XI, détail) ; Zieseniss, 1986, p. 13-15 ; Montargis, 1988-1989, p. 7 ; Eitner, 1987-1988, t. I, p. 40, t. II, [fig. 30] ; Honour, 1989, p. 28, 37, 251, 253, ill. 13, p. 27 ; Lilley, 1989, p. 123-130 ; Marrinan, 1991, p. 177-200 ; Crow, 1994, p. 259-261 ; Constans, 1995, n° 2233 ; Lacambre, in cat. Nantes, Paris, Plaisance, 1995-1996, p. 392 (cité) ; Grimaldo Grigsby, 1996, p. 24-36 ; Pougetoux, 1996, p. 80, 82 (cité) ; Smalls, *The Art Journal*, hiver 1996, p. 20-27 ; Wilson-Smith, 1996, p. 170, 174-179, 208, 262, 264, 266 ; Crow, 1997, p. 323 ; Monneret, 1998, p. 160-161 ; Porterfield, 1998, p. 7, 68-74, 115, 129, ill. 36 ; Bajou, 1999, p. 252-253, 260 ; Chaudonneret 1999, p. 33 ; Dupuy, Le Masne de Chermont, Williamson 1999, t. I, p. 562-563, t. II, p. 1369 ; cat. exp. Mexico, 1999, p. 166 (cité) ; Smalls 1999, vol. 20, p. 455-488 ; Pougetoux 1999-2000, p. 340-351 (cité) ; Guégan, 2001, p. 24 ; Oppenheimer, *Gazette des beaux-arts*, novembre 2001, p. 222 ; Stendhal, 2001, t. I, p. 634-635 ; Bajou, Lemeux-Fraitot 2002, p. 293, 307, 363-364, 373 ; Grimaldo Grigsby 2002, p. 5-6, 105-163, *passim* ; Guégan, 2002, p. 221-237 ; Lafont, in Bonfait Marin 2003, p. 110, 115 (cité) ; Lemeux-Fraitot, 2003, p. 289-292 ; Savettieri, *Studiolo*, 2003, p. 31, 34, ill. 21, p. 32.

Œuvres préparatoires localisées
Esquisses peintes

La Révolte du Caire, esquisse préparatoire
Cleveland, The Cleveland Museum of Art, inv. 65-310 (cat. 56)
La Révolte du Caire, esquisse préparatoire
Chicago, The Art Institute of Art, inv. 1999.384 (cat. 57)

Dessins préparatoires localisés

Première pensée pour La Révolte du Caire
Crayon noir, sanguine, rehauts de blanc, avec mise au carreau, 18,4 x 24,5 cm
Paraphe de Pérignon au verso et inscription : *Par Girodet-Trioson / composition arrêtée qui lui a servi à mettre au carreau pour le grand tableau*
Collection particulière
Exp.: 1991, New York.
La Révolte du Caire
Encre brune sur papier-calque, monté sur un support de papier de couleur crème, 28,1 x 43 cm, 29,8 x 44,4 cm (support), Cleveland, collection Muriel Butkin [ill. 213]

Homme noir tenant une tête décapitée, étude pour *La Ré*[...] *du Caire*
Avallon, musée de l'Avallonais (cat. 58)
Combat d'un hussard et d'un Oriental, étude dessinée pour [...] *Révolte du Caire*
Paris, musée du Louvre, département des Arts graphiq[...] RF 1468 (cat. 59)
Oriental debout, renversé, étude dessinée pour *La Ré*[...] *du Caire*
Paris, musée du Louvre, département des Arts graphiq[...] RF 26781 (cat. 60)
Oriental brandissant un pistolet, étude pour *La Ré*[...] *du Caire*
Montargis, musée Girodet, inv. 885-22 (cat. 61)
Oriental brandissant sa lance et son bouclier, étude pour *La Ré*[...] *du Caire*
Collection particulière (cat. 62)
Hussard et Oriental luttant, étude pour *La Révolte du Caire*
Cleveland, The Cleveland Museum of Art, inv. 1973.[...] J. H. Wade Fund, (cat. 63)
Oriental debout tourné vers la droit, étude dessinée pour *La Ré*[...] *du Caire*
Collection particulière (cat. 64)
Oriental debout se tenant contre une colonne avec la tête tournée ve[...] *gauche et étude de main*, études pour *La Révolte du Caire*
Collection particulière (cat. 65)
Hussard en pied, vu de trois quarts droit, tenant un sabre dans la m[...] *gauche*, étude pour *La Révolte du Caire*
Crayon noir, craie noire avec rehauts de blanc sur papier ve[...] beige, 46,2 x 37,2 cm
Alençon, musée des Beaux-Arts et de la Dentelle, inv. 909-33[...]
Dragon mort gisant sur le sol
Crayon noir et pastel sur papier, 20,3 x 38,1 cm
Collection particulière
Combattant oriental tenant un cimeterre et retenant un fusi[...] *baïonnette de sa main gauche*, étude pour *La Révolte du Caire*
Fusain, estompe, rehauts de blanc et de sanguine, 31 x 46,4[...]
Paris, musée du Louvre, département des Arts graphiq[...] RF 4386 recto
Arabe portant la main à sa bouche, étude pour *La Révolte du C*[...]
Crayons de couleur, fusain, estompe et rehauts de blanc [...] papier beige, 44 x 28,6 cm
Paris, musée du Louvre, département des Arts graphiq[...] RF 4387 recto verso
Deux combattants orientaux, l'un tirant, l'autre rechargeant son fi[...]
Étude pour *La Révolte du Caire*
Fusain, 29,5 x 45,3 cm

s, musée du Louvre, département des Arts graphiques, 34526 recto

mbattant oriental levant un pistolet de la main gauche, étude pour *Révolte du Caire*

yons de couleur, craie, estompe et rehauts de blanc sur *ter* beige, 47,3 x 32 cm

s, musée du Louvre, département des Arts graphiques, 4388 recto.

er oriental s'apprêtant à tirer une flèche, dessin préparatoire *r La Révolte du Caire*

ain et rehauts de blanc, 28,5 x 39,5 cm

lection particulière

rrier oriental portant un bouclier et une hache, dessin préparatoire *r La Révolte du Caire*

e noire et rehauts de blanc sur papier, 43 x 24,8 cm

é en bas à droite : G...

.:1975, Londres, Heim Gallery, n° 54.

res en rapport documentées

mbre des dessins précédents sont susceptibles d'être *rochés* du n° 376 de *l'État descriptif des objets d'art,* de la *cession* d'Anne Louis Girodet (voir Bajou, Lemeux-Fraitot, *2,* n° 376, p. 256, 363-364 et Voignier, 2005, p. 40, 98–

Il comporte un carton renfermant «les études au pastel *différents* personnages qui composent le tableau de la

Révolte du Caire [...]» ; cet ensemble a été divisé en plusieurs lots dans le catalogue de vente (Pérignon, 1825, p. 27-29)[1] Pérignon, n° 148, «Une étude au pastel ; groupe de militaires français combattant des Bédouins», adjugé 225 francs à Rossi (Voigné, 2005, p. 98) ; Pérignon, n° 149 : «Une étude au pastel, offrant trois têtes de guerriers arabes», adjugé 120 francs à Lemarcy (Voignier, p. 99) ; Pérignon, n° 151 : «Étude au pastel ; groupe de trois figures de militaires français et mamelucks», adjugé 160 francs à Pérignon (Voignier, p. 98) ; Pérignon, n° 152 : «Étude au pastel, représentant un Mameluk», adjugé 181 francs à Lhuillier (Voignier, p. 99) ; Pérignon, n° 153 : «Étude au pastel ; Turc tirant un pistolet», adjugé 95 francs à Lefèvre (Voignier, p. 99) ; Pérignon, n° 154 : «Étude au pastel ; un dragon français» adjugé 80 francs à Lefèvre (Voignier, p. 98) ; Pérignon, n° 155 : «Deux études au pastel... un Nègre et deux Turcs», adjugé 60 francs à Constant ; Pérignon, n° 158 : «Étude d'un Mameluk, au pastel», adjugé 150 francs à Rossy ; Pérignon, n° 160 : «Deux études au pastel, représentant des Mameluks» ; Pérignon, n° 161 : «Trois études ; deux au pastel, une au crayon, représentant des Turcs et des Mameluks», ne figure pas au procès-verbal de la vente ; Pérignon, n° 162 : «Sept études de diverses têtes, costumes et détails turcs, au crayon et au pastel» ne figure pas au procès-verbal de la vente ; Pérignon, n° 163 : «Sept études diverses, au crayon et au pastel, sur papier de couleur. Militaires français », ne figure pas au procès-verbal de la

vente » ; Pérignon, n° 68 : «Une tête d'Arabe très-terminée, aux crayons noir et blanc, sur papier de couleur», adjugé 72 francs à Pannetier ; Pérignon, n° 172 : «Étude aux crayons noir et blanc, sur papier de couleur, pour une des figures de Turcs du tableau des révoltés du Caire», ne figure pas au procès verbal de la vente ; Pérignon, n° 173 : «Plusieurs études au crayon et au pastel, de figures de Turcs, Arabes, Bédouins, et de leurs costumes, etc., qui pourront être divisées sous ce numéro», divisé à la vente en deux lots «Partie, 4 études», adjugé 72 francs à Pieri et «Partie trois feuilles études», adjugé 101 francs à Delaunay ; Pérignon, n° 174 : «Plusieurs études au pastel et au crayon, de militaires français ; figures diverses, etc., qui pourront être divisées sous ce n° », divisé à la vente en cinq lots «étude au pastel (Partie)», adjugé 37 francs à Constant ; «Partie», adjugé au même, 37 francs ; «Partie», adjugé 70,50 francs à Girardin ; «Partie», adjugé 97 francs à Didot ; «Partie», adjugé 202 francs à Coutan (Voignier, p. 98) [Jacob] ; n° 256 : «Étude d'après une des têtes des révoltés du Caire, Turc mort», adjugé 23,50 francs au dr Cornet. Les lots suivants, hors du catalogue Pérignon, ont été acquis par Musigny (Voignier, p. 123) : n° 2174 du procès-verbal de vente, «Cinq études révolte du», adjugé 221 francs ; n° 2176, «étude de Turc», adjugé 261 francs ; n° 2179, «Sept études révolte du Caire», adjugé 128 francs ; n° 2182, «Quatre figures révolte du Caire», adjugé 118 francs ; n° 2194, «Une étude révolte du Caire», adjugé à Reville pour 63 francs.

Ill. 211 Girodet, *Les Clefs de Vienne remises à Sa Majesté*
Huile sur toile, Versailles, Châteaux de Versailles et de Trianon

Ill. 212 Pierre Narcisse Guérin, *Bonaparte fait grâce aux Révoltés du Caire*
Huile sur toile, Versailles, Châteaux de Versailles et de Trianon

La gradation du terrible et de l'horrible

Le regard, d'abord ébloui par les rouges et
contrastes de couleurs sombres, s'habitue progre
vement, pour mieux se perdre dans le grouillem
de luxe, de splendeur et d'horreur qui remplit
toile. Le sujet est l'un des épisodes les plus sangla
de la campagne d'Égypte : la répression de la rév
te du Caire et le massacre des mamelouks dans
grande mosquée al-Azhar, le 21 octobre 1798. I
mense, saturé de figures, le tableau est couvert d'u
tumultueuse mêlée de combattants enchevêtrés d
un corps à corps sans merci. Trois personnages, p
grands que nature, émergent du chaos. Un huss
en « Grande Tenue », à gauche donne l'assaut.
force, d'une grâce allégorique, semble surnature
et, sans effort, il contraint un mamelouk, terrassé
sol. De l'autre bras, il brandit un sabre courbe et
sanglanté. Blond, tête nue, chemise blanche, il po
la culotte rouge vermillon, brodée et moulante,
hussards de la fin du XVIIIe siècle et de l'Empire. S
costume, de parade plutôt que de combat, et sa po
héritée du *Mercure* de Jean de Bologne, évoqu
le ballet d'un danseur plutôt que la charge d'un
saillant. Il attaque le groupe, placé à droite, des de
autres figures dominantes, un esclave maure, colos
entièrement nu, soutenant un jeune mamelouk b
qui expire dans ses bras. Le formidable mouveme
du maure, jambe droite avancée, bras droit jeté
arrière, prêt à frapper du sabre, rappelle l'élan d'*H
cule et Lysias*[2] de Canova. Son geste puissant écart
la draperie d'un burnous blanc, dégage une nud
musculeuse, une sauvagerie sensuellement assoc
à la troublante mollesse raffinée du jeune bey co
vert de fourrure et de soie, la gorge percée d'u
discrète et nette blessure. Entre ses deux groupes,
Africain, nu, accroupi, genoux à terre, la tête ent
bannée de cachemire, visage noir aux yeux bla
révulsés, brandit comme un trophée la tête coup
d'un hussard aux cheveux blonds et nattés, d'u
beauté léonardesque. La tranche sanglante du c
est dissimulée par une draperie bleue et, au prem
plan, le corps mutilé du décapité, mise en scène p
tolérable de l'horreur, est partiellement masqué p
son casque. Partout ailleurs règnent l'effroi, la tue
et la mort, grenadiers en bonnet à poils, grognar
dragons en casque de cuivre à peau de panthèr
uniformes aux couleurs de la République[3], fus
sabres lances et poignards s'affrontent, se mêlant a
casques à pointe de janissaires turcs, aux turbans
tomans et arabes, aux étoffes luxueuses ou à la pe
nue, tous traités avec un extrême soin du détail.
sauvagerie n'a pas de camp, la férocité de la rébelli
musulmane n'a d'égale que la violence de la répr
sion française.

La campagne d'Égypte et la révolte du Caire

La campagne d'Égypte répondait à deux objec-
s politiques du Directoire : éloigner de Paris le
ngereux héros des campagnes d'Italie, le général
naparte, et assurer la suprématie de la France dans
commerce du Levant en affaiblissant l'Angleterre
r l'Orient. Les visées des directeurs rencontraient
rêve de Napoléon Bonaparte pour qui «les grands
ms ne se font qu'en Orient[4]». Partie de Toulon, la
tte de la nouvelle armée d'Orient, avec Bonaparte
mme commandant en chef, prend Alexandrie le
uillet 1798. La bataille des Pyramides, le 21 juillet
vre la ville du Caire aux Français. Le Pacha s'enfuit
Haute-Égypte avec le chef mamelouk Ibrahim
y[5]. Trois jours après, les Français occupent le Caire
nt ils font leur base et leur point de ravitaillement.
peine un mois plus tard, l'Égypte se refermait sur
naparte. Nelson, qui avait finalement découvert la
rine française dans la rade d'Aboukir, coula la plu-
rt des ses vaisseaux et l'isola de l'Europe. La flotte
rdue, l'expédition se prolongea au-delà des prévi-
ns. Bonaparte décida d'entreprendre une nouvelle
rapide organisation de l'Égypte : réorganisation
impôts, redistribution des pouvoirs et réparation
dégâts de la guerre. Le 21 août, il fonde l'Ins-
t du Caire, créant l'égyptologie en même tant
il engageait la colonisation du territoire. L'oc-
pation française, limitée véritablement à la Basse-
ypte, est présentée aux autochtones comme une
ération visant à mettre fin à leur oppression par
mamelouks depuis le Moyen Âge. Cette caste de
loutables guerriers au statut social extraordinaire
sclaves devenus despotes, était toute-puissante en
ypte. Depuis le XVIIIe siècle leur vassalité vis-à-vis
la Sublime Porte était devenue très théorique. De
l'Égypte était un État mamelouk scindé en clans
aux. La société égyptienne était néanmoins plus
cturée que ne le pensaient les Français qui ne
mprirent ni ne respectèrent ses règles. Les oc-
ants furent souvent confrontés à de violentes
voltes brutalement réprimées. Une des plus meur-
ères fut la révolte du Caire qui menaça même la
urité des nouveaux occupants de l'Égypte.

La tuerie de la mosquée

Cette révolte n'a laissé que des témoins oculaires
transparaît peu dans les mémoires. Dans celles de
saix, publiées en 1881, l'insurrection est écrasée
un bombardement effectué depuis la citadelle et
hauteurs qui dominent les souks du Caire. «Les
ançais massacrés s'élevaient au chiffre de 400 tués,
comptait autant de blessés. Le général Dupuy
it péri ainsi qu'un aide de camp du général en
ef. Environ un millier de Turcs paya de sa vie cet
ntat[6].» Il est particulièrement précieux de posséder un témoignage de l'autre parti, celui du journal d'Abd-al-Ramanal Jabartî, notable cairote, lettré
et membre du Dîwân[7]. Selon lui, les manifestants
avaient été bombardés et mitraillés tout au long du
jour et les Cheikhs avaient déjà rendu les armes au
général Dumas dès la fin de la journée[8]. D'après ce
témoignage autochtone, c'est donc bien après la soumission des révoltés et sans justification militaire que
les troupes françaises auraient, pendant la nuit, déferlé
dans la ville et que la grande mosquée al-Azhar aurait
été pillée et profanée. Un autre témoignage, cette fois
indirect, se trouve dans une conférence d'Alexandre
Dumas, qui venait de perdre son père lorsque Girodet
commença à peindre le tableau. Son récit est édifiant,
mais Dumas compose toujours avec l'histoire et la
vérité est ici particulièrement difficile à démêler du
culte paternel. Selon lui, le général Dumas serait le
seul vrai héros de cette journée. Entré dans la mosquée al-Azhar nu sur un cheval cabré : «comme
la statue équestre de Pierre Ier, exposé au feu des
Turcs – mais comme s'il eût été de bronze ainsi que
la statue aucune balle ne le toucha – et cette invul-
nérabilité faisant croire à quelque prodige les rebelles
tombèrent à genoux et demandèrent l'aman – c'est-
à-dire la grâce. Dès lors, l'insurrection était éteinte[9]».

Purement fantaisiste ou seulement romancée,
cette version des faits met en relief un élément capital qui n'échappait à aucun spectateur au XIXe siècle :
l'anonymat des personnages peints. La révolte, ou
plutôt son écrasement, le véritable sujet du tableau,
n'était pas un événement historique documenté par
la littérature ou par l'administration impériale qui
fournissait aux peintres plans de bataille, disposition
des troupes et relief du terrain, tous documents nécessaires à l'exactitude topographique, climatique ou
militaire des tableaux d'histoire moderne commandés par le pouvoir napoléonien. La révolte était pratiquement un événement «non historique» car non
documenté, se réduisait à une troupe de soldats français écrasant une foule de combattants mamelouks.
Rien de très épique, rien de très décisif sur la marche de l'histoire. À son insu, la commande voulue
par Napoléon, comme nous le verrons plus bas, anticipait l'hommage aux soldats inconnus des guerres
modernes inaugurées par les campagnes militaires de
l'Empire.

Sur les ordres de Napoléon,
la révolte remplace le pardon

Le palais des Tuileries, dernière demeure de Louis
XVI, avant son emprisonnement au Temple était devenue la résidence du Premier consul en février 1800.
Au premier étage, dans la partie construite par
Louis XIV, la galerie de Diane, disparue dans l'incendie qui ravagea les Tuileries pendant la Commune,
formait une vaste salle de plus de cinquante mètres
de long. Louis XIV y tenait ses réunions les plus
officielles et la galerie servait alors à l'audience des
ambassadeurs, d'où son autre appellation historique
de galerie des Ambassadeurs. Décorée d'un plafond
à caissons s'inspirant des décors des Carrache au palais Farnèse, ses murs étaient couverts de tableaux
italiens et français, comme à l'hôtel Lambert ou à
l'hôtel de La Vrillière ainsi que dans d'autres galeries
parisiennes du XVIIe siècle. Napoléon souhaitant lui
restituer sa fonction et son faste, Percier et Fontaine
abattirent en 1806 les cloisons qui l'avaient défigurée
au XVIIIe siècle[10] et restaurèrent son décor plafonnant.
Un programme de huit tableaux relatait l'ascension
de Bonaparte à travers ses victoires militaires : la
campagne de Germanie, la bataille d'Austerlitz et de
deux épisodes de la campagne d'Égypte et de l'expédition de Syrie. Les tableaux furent commandés
aux artistes en mars 1806[11]. Napoléon voulut les voir
exposés dès le Salon de 1808 avant de les placer dans
la galerie des Tuileries mais la campagne d'Espagne le
retint hors de Paris et ce n'est qu'après la fermeture
du Salon qu'il découvrit les tableaux aux Tuileries en
janvier 1809.

De toutes les œuvres qui décoraient la galerie de
Diane, seule lui convint celui de Girodet, *La Remise
des clés de Vienne*, dit aussi *La Reddition de Vienne* l'œuvre d'histoire, la plus docile jamais peinte par Girodet
[ill. 211]. Le tableau de Guérin, *L'Empereur pardonnant
aux révoltés du Caire sur la place d'Elbékir* [ill. 212] lui
déplut particulièrement et il ordonna que ce tableau,
qui n'est pas le plus médiocre de l'ensemble, soit retiré et «remplacé par un autre représentant la révolte
du Caire ou un sujet plus analogue à l'occupation
de cette ville[12]». L'humeur impériale échauffée par la
campagne d'Espagne, une des plus violentes et peut
être des plus difficiles que son armée ait eut à mener depuis la campagne d'Égypte, explique le choix
d'un sujet si peu conforme à l'image civilisatrice que
l'administration et l'Empereur lui-même veillaient à
donner de la guerre. Même replacée dans un contexte précolonialiste convaincu que la conquête de
l'Égypte entraînait l'ouverture du pays aux lumières
de la Révolution et de l'égalité démocratique, la célébration d'une révolte indigène écrasée dans le sang
était tout à fait surprenante. La commémoration des
répressions appartient généralement aux opprimés
plutôt qu'aux oppresseurs et on imagine mal Murat
commander à Goya les *Dos* ou *Tres de Mayo*, 1808, ou
Franco commander *Guernica* à Picasso. Pour Denon,
la bizarrerie du changement de thème – la révolte
plutôt que le pardon – ne présentait pas d'obstacle
politique ou moral mais soulevait une difficulté esthétique majeure car le sujet s'intégrait difficilement
dans le genre des tableaux d'histoire. Il demanda à

l'intendant général Daru «que Sa Majesté détermine le moment qu'elle préfère que l'on représente, une révolte n'étant composée que de scènes détachées». Il ajoute : «Témoin oculaire de cette rébellion, je n'ai cependant rien vu qui offrit un tableau d'effet et qui put produire de belles masses[13].» On ne tint pas compte de ces réticences et le tableau fut commandé à Girodet. Il figure dans la seconde série de commandes de 1809 destinées à la décoration de la galerie[14], «pourvu qu'on ne soit point obligé de les prendre s'ils sont médiocres[15]»; le nouveau programme de cette série de tableaux est à nouveau agréé par l'Empereur le 30 janvier 1810.

Parmi les innombrables peintures commandées par l'administration impériale, *La Révolte du Caire* a donc un statut particulier, Girodet devant tout inventer, et l'Orient et l'histoire. Ces conditions difficiles pour tout autre que lui-même enflammèrent son imagination et il composa un chef-d'œuvre qui émerge de toute son œuvre et vraisemblablement de la toute la peinture de l'Empire.

Peindre Le Caire

Dans sa biographie, Coupin passe rapidement sur *La Reddition de Vienne*, mais s'étend longuement sur *La Révolte du Caire* qui avait permis à son maître de «faire des arabes[16]» et de se placer ainsi sur un terrain où il pouvait rivaliser avec les tableaux de Gros. *Les Pestiférés de Jaffa*, au Salon de 1804, avait été couronné de lauriers par tout l'atelier de David, et à l'occasion du dîner donné en l'honneur de *La Bataille d'Aboukir*, Girodet avait lu le poème qu'il avait composé à la gloire de son camarade[17]. Son tableau du *Déluge* n'avait pas rencontré une telle unanimité mais il écrit à Julie Candeille que son genre était trop différent pour rivaliser avec le tableau de Gros. C'est à cette occasion que Coupin écrit les mots fameux qui ont prêté à tant d'interprétations[18] : «Girodet n'a fait aucune peinture avec autant de verve, autant de promptitude, et de sûreté; son humeur était enjouée; il était entouré de Mamelouks qui étaient pour ainsi dire à demeure chez lui et dont la beauté l'électrisait; il semblait qu'il avait encore l'imagination frappée des souvenirs de la scène qu'il voulait représenter, et chaque jour il en retraçait quelques parties, comme il aurait continué un récit. Il est certain, au reste, qu'il ne fit pas d'esquisse[19].»

Victime de son enthousiasme, Coupin se trompe. Girodet a au contraire composé et recomposé *La Révolte*. Aucune autre de ses œuvres n'est documentée par autant de dessins et d'esquisses préparatoires. Sa vente après décès en liste près d'une soixantaine et devait en compter davantage puisque des lots entiers de dessins étaient regroupés sous un numéro commun. Aujourd'hui, deux esquisses peintes, sur papier

cat. 59 Combat d'un hussard et d'un Oriental, étude dessinée pour La Révolte du Caire

Pastel et rehauts de blanc sur papier, 59 x 45 cm
Paris, musée du Louvre, département des Arts graphiques, inv. RF 1468

Hist. Atelier de l'artiste, probablement partie du n° 376 de *État descriptif des objets d'art* (voir cat. 51, Œuvres en rapport documentées); coll. Coutan; don Haughet, Schubert et Millet, 1883.

Exp. 1935, Paris, n° 759 (*Étude pour un épisode de la ré[...] du Caire (combat entre un hussard et un arabe)*, non repr.; 1[...] Paris; 1966, Paris, n° 1 (*Scène de combat*); 1986, Paris (Louv[...] p. 34 (*Scène de combat*), non repr.; 1986, Paris (musée natio[...] Eugène Delacroix), sans cat.; 1999, Paris, sans cat.
Bibl. cat. exp. Londres, 1972, p. 72, n° 108 (cité); Berr[...] 1975, p. 150; 1981, Alençon, n° 63 (cité); 1983, cat. [...] Montargis, n° 52 (cité); 1991, cat. exp. New York (Paul D[...] Gallery), p. 84 et p. 85 (cité); cat. exp. Paris, Édimbo[...] Oxford, 1995, n° 63, p. 160 (cité).

**cat. 60 Oriental debout, renversé,
étude dessinée pour La Révolte du Caire**

yons de couleur, pastel, estompe et rehauts de blanc sur
ier beige, 46 x 30 cm

is, musée du Louvre, département des Arts graphiques,
RF 26781

, atelier de l'artiste, probablement partie du n° 376 de
at descriptif des objets d'art (voir supra, cat. 51, Œuvres en
ort documentées) ; peut-être lot 2176 du procès verbal
a vente : « Étude de turc, adjugé deux cent soixante et un
cs » à Musigny. (Voignier, 2005, p. 123 ; sur les achats de
signy, voir Hist. cat. 59) ; coll. Musigny ; acquis à la vente de
ollection le 8 mars 1845 par Aimé Charles His de La Salle ;
au musée du Louvre.

Exp. 1869, Paris, n° 756 ; 1927, n° 886 p. 74 ; 1951, Paris (musée
Eugène Delacroix), n° 67 (*Étude pour la révolte du Caire*) ; 1966,
Paris, n° 2 ; 1967, n° 80 (*Turc s'évanouissant*) ; 1986, Paris (Louvre),
p. 34 ; 1998, Paris (Muséum), hors cat.
Bibl. Reiset, 1883, n° 756 ; Guiffrey, Marcel, 1911, t. VI, n° 4252,
p. 15 ; cat. exp. Londres, 1972, p. 72, n° 108 (cité) ; Bernier 1975,
p. 150 et 157 ; cat. exp. Londres (Heim Gallery), 1975, n° 54
(cité) ; cat. vente Paris, hôtel Drouot, 14 novembre 1980 n° 125
(cité) ; cat. exp. Alençon, 1981, n° 63 (cité) ; cat. exp. 1983,
Montargis, n° 52 (cité) ; cat. exp. New York (Paul Drey Gallery),
1991, p. 84 et 85 (cité) ; cat. exp. Paris, Édimbourg, Oxford,
1995, n° 63, p. 160 (cité) ; Bajou, Lemeux-Fraitot 2002, n° 376,
p. 363 (cité) ; Grimaldo Grigsby, 2002, n° 100, p. 146 ; Voignier,
2005, p. 141.

**cat. 61 Oriental brandissant un pistolet,
étude pour La Révolte du Caire**

Crayon noir, pastel et rehauts de blanc sur papier vélin bistre,
22,5 x 20 cm

Montargis, musée Girodet, inv. 885-22

Hist. Atelier de l'artiste, probablement partie du n° 376 de l'*État
descriptif des objets d'art* (voir *supra*, cat. 51, œuvres en rapport
documentées) ; Peut être vente après décès, catalogue Pérignon,
1825, n° 153 : « Étude au pastel ; Turc tirant un pistolet », adjugé
95 francs à Lefèvre (Voignier, p. 99) ; don Becquerel au musée
de Montargis en 1885.
Exp. 1936, Paris, n° 640, p. 277 ; 1967, Montargis, n° 81 ; 1983,
Montargis, n° 52.
Bibl. Pérignon, 1825, n° 153, p. 27 (?) ; Coupin, 1829, t. I,
p. xvii–xviii ; cat. musée de Montargis, 1874, n° 107 ; 1885,
n° 213 ; 1937, n° 263 ; cat. exp. Londres, 1972, p. 72, n° 108
(cité) ; Bernier, 1975, p. 150 ; cat. exp. Alençon, 1981, n° 63 (cité)
cat. exp. New York (Paul Drey Gallery) ; 1991, p. 84–85 (cité) ;
1995, Paris, Édimbourg, Oxford, n° 63, p. 160 (cité) ; Bajou,
Lemeux-Fraitot 2002, n° 376, p. 363 (cité) ; Grimaldo-Grigsby
2002, p. 146–147 ; Voignier, 2005, p. 40, 99, 127, 140.

cat. 62 Oriental brandissant sa lance et son bouclier, étude pour La Révolte du Caire

Crayon noir, craie noire, estompe, pastel et rehauts de blanc sur papier beige, 31 x 41 cm

Inscription à droite, à la plume et encre brune : *Dessin de Girodet*, avec quatre paraphes et notamment ceux de Pérignon et du baron Gérard (Lugt 3005 e) ; cachet de la coll. Prat en bas à droite.

Paris, collection Louis-Antoine Prat

Hist. atelier de l'artiste, probablement partie du n° 376 de l'*État descriptif des objets d'art* (voir *supra*, cat. 51, Œuvres en rapport documentées) ; peut-être vente après décès, Pérignon, 1825, p. 27-29 qui divise en plusieurs lots le n° 376 de l'*État descriptif* ; vente du colonel baron du Teil, Paris, hôtel Drouot, 27-28 novembre 1933, n° 89 ; vente, Paris, hôtel Drouot, 14 novembre 1980, n° 125.

Exp. 1990-1991, New York, Fort Worth, Pittsburgh, Ottawa, n° 73 ; 1995, Paris, Édimbourg, Oxford, n° 63, p. 160-161.

Bibl. Pérignon, 1825 (?) ; cat. vente, Paris, hôtel Drouot, 14 novembre 1980, n° 125 (repr.) ; cat. exp. Alençon, 1981, n° 63 (cité) ; cat. exp. Montargis, 1983, n° 52 (cité) ; Bajou, Lemeux-Fraitot, 2002, n° 376, p. 363 (cité) ; Grimaldo Grigsby 2002, n° 101, p. 146 ;

cat. 65 Oriental debout se tenant contre une colonne avec la tête tournée vers la gauche et étude de main, études pour La Révolte du Caire

Crayon noir, craie noire, sanguine et rehauts de blanc sur papier beige, 28,5 x 37,1 cm

Collection particulière

Hist. Acquis par Antoine César Becquerel directement près de Girodet ou à sa mort auprès des Becquerel-Despréaux (Bajou, Lemeux-Fraitot, 2002, p. 175-176) ; coll. Henri Becquerel ; coll. Louise Lorieux sa veuve ; coll. Pierre Deslandres, son neveu, et par descendance, collection particulière, Montréal ; vente Sotheby's, New York, 16 février 1994, n° 8 ; marché de l'art, New York.

Exp. 1994, New York (Brady), n° 11.

cat. 64 Oriental debout tourné vers la droite, étude dessinée pour La Révolte du Caire

Crayon noir, craie noire, estompe et rehauts de blanc sur papier gris, 42,9 x 27,2 cm
Paris, collection Louis-Antoine Prat

Hist. Atelier de l'artiste, probablement partie du n° 376 de l'*État descriptif des objets d'art* (voir *supra*, cat. 51, Œuvres en rapport documentées) ; vente, Paris, hôtel Drouot, 6-7 novembre 1984, Mes Lenormand-Dayen, n° 18 (les dimensions portées au catalogue sont différentes).
Exp. 1990-1991 New York, Fort Worth, Pittsburgh, Ottawa, n° 74.
Bibl. cat. exp. Paris, Édimbourg, Oxford, 1995, n° 63, p. 160 (cité) ; Bajou, Lemeux-Fraitot 2002, n° 376, p. 364 (cité comme étant à la Galerie nationale du Canada à Ottawa).

cat. 63 Hussard et Oriental luttant, étude pour La Révolte du Caire

Crayon noir, craie noire, crayon de couleur et rehauts de blanc sur papier, 45,5 x 41,2 cm
Inscription au recto, sur le montage, en bas à gauche et à l'encre noire : *Étude pour la bataille du Caire* ; en bas au centre et à l'encre noire : *Girodet* ; au verso du montage, en haut à gauche, au crayon : *Girodet* ; en haut (?) : *Étude pour la bataille du Caire* (Musée de Versailles ; au centre, sur une étiquette, imprimée à l'encre noire : *Quai Malaquais No 19, / MALARD / Successeur de M. Gerset / Fait l'Encadrement et le Collage des Dessins, / Gravures, Passe-Partouts, & c, & c. / A PARIS* ; sur le cartonnage de l'ancien cadre, conservé dans le dossier, à l'encre rouge : *1973.172*, et à l'encre noire : *Girodet de Roucy Trioson – Etude pour la bataille du Caire* (musée de Versailles) – Anc. Coll. de Musigny ; sur une autre étiquette, morceau de catalogue découpé, elle aussi conservée dans le dossier de l'œuvre, et imprimée à l'encre noire : *GIRODET / 108. – Combat entre un Français et un Arabe. / Pierre noire, rehaussé / [et, ajouté manuellement à l'encre noire] : Vente du 6 Déc. 1903.*
Cleveland, The Cleveland Museum of Art, J. H. Wade Fund, inv. 1973.172,

Hist. Probablement acquis avec seize autres compositions pour *La Révolte du Caire* par le baron Champi de Musigny, mardi 28 avril 1825, dernier jour de la vente après décès où sont dispersés des lots non répertoriés par Pérignon ; Champigny achète notamment, les lots 2174 « cinq études révolte du Caire adjugé deux cent vingt et un francs », 2179 « sept études révolte du Caire adjugé cent vingt huit francs » et 2182 « quatre figures révolte du Caire adjugées cent dix huit francs » (Voignier, 2005, p. 123) ; coll. Musigny ; probablement vente Musigny, 7 mars 1845 ; vente anonyme du 6 décembre 1903 ; coll. Walter Goetz ; acquis par le musée auprès de Walter Goetz grâce au T. H. Wade Fund en 1973.
Exp. 1974, Cleveland, p. 75, n° 77, ill. p. 47 ; 1975, New York (Shepherd Gallery), n° 6, p. 13-14 ; 1980, Cleveland, p. 72-73 ; 1989, Cleveland, sans cat. ; 1994-1995, Cleveland (sans cat.).
Bibl. cat. exp. Londres, 1972, p. 72, n° 72 (cité) ; *Gazette des Beaux-Arts,* février 1974, p. 134 ; Bernier, 1975, p. 150 ; 1981, cat. exp. Alençon, n° 63 (cité) ; cat. exp. 1983, Montargis, n° 52 (cité) ; cat. exp. 1991, New York (Paul Drey Gallery), p. 84-85 (cité) ; Voignier, 2005, p. 122-123, 141.

marouflé et une vingtaine de dessins sont localisées.
(cat. 58 à 65). L'étude de ces derniers montre que chacune des figures a été dessinée avec la plus grande
précision, la technique très achevée et les somptueux
coloris de certains pastels dépassant largement l'étude
et s'apparentant à des œuvres très finies. Plusieurs de
ses dessins ne seront d'ailleurs que partiellement utilisés dans la composition définitive.

Fidèle à son métier davidien, Girodet étudie individuellement chacun des combattants, s'enfuyant ou
mourant. Les études au nu, si elles ont jamais existé,
n'ont pas été retrouvées, et c'est apparemment sur
les coloris et l'expression que le peintre a concentré
ses recherches. Ainsi la comparaison de l'admirable
feuille du musée d'Avallon avec l'esquisse très aboutie de Chicago, puis avec le tableau final, montre
comment Girodet est d'abord parti du réalisme de
l'horreur pour l'adoucir et donner une image plus en
accord avec les conventions et l'idéal. Sur la feuille du
musée d'Avallon **(cat. 58)**, la tête décapitée fait l'objet
de deux études adjacentes. D'abord ballottée de profil, elle est ensuite dignifiée et montrée de face, un
ennoblissement christique que le tableau final ac-
centuera encore transformant le chef du martyr décapité en une tête de saint Jean-Baptiste que la grâce
accompagne jusque dans la mort. Entre l'esquisse de
Chicago[20] et le tableau de Versailles, la violence est
atténuée par une série d'édulcorations dictées par la
bienséance et plus encore par une stylisation géné-

III. 213 Girodet, *esquisse pour la Révolte du Caire*
Dessin, coll. part.

rale figeant les figures dans une élégance sculpturale,
étrangère au premier jet. Le hussard entièrement
vêtu d'un dolman rouge dans l'esquisse de Chicago
(cat. 57), avec un essai d'ajout blanc sur la manche[21],
par prend dans le tableau final un air d'ange, portant une chemise blanche brodée d'or. De la même
manière, le morceau sanglant du cou fort visible
dans l'esquisse est dissimulé par un foulard bleu
dans l'œuvre achevée. La radiographie de cette esquisse révèle une première pensée, assez semblable

au dessin sur calque d'une collection particuli
américaine, entièrement dissimulée sous la cou
picturale **[ill. 213]**. Le hussard moustachu et co
d'un shako à poils n'y possède pas encore l'aura
sa forme dernière[22]. La place de l'esquisse de Cle
land **(cat. 56)** dans l'élaboration du tableau est p
ambiguë. Les détails des costumes montrent qu'e
est postérieure à l'étude de Chicago, mais elle
a perdu la clarté. Elle semble correspondre à e
de composition dans un espace plus restreint où

**cat. 58 Homme noir tenant une tête décapitée,
étude pour La Révolte du Caire**

Crayon noir, craie noire, pastel et rehauts de blanc sur pa
bistre, 54,5 x 66,3 cm
Avallon, musée de l'Avallonais, inv. 879-13.33.1.7.01

Hist. Atelier de l'artiste, probablement partie du n° 376
l'*État descriptif des objets d'art* (voir cat. 51, Œuvres en rap
documentées) ; peut-être catalogue de la vente après décè
Girodet, Pérignon, 1825, n° 155 : «Deux études au pastel..
Nègre et deux Turcs», adjugé 60 francs à Constant (Voig
2005, p. 40, 98-99) ; don de M. Ernest Gabriel, en 1870.
Exp. 1993-1994, Los Angeles, Philadelphie, Minneap
n° 59.
Bibl. cat. exp. Paris, 1974-1975 (2), p. 149 (cité) ; cat. exp. F
Édimbourg, Oxford, 1995, n° 63, p. 160 (cité) ; Bajou, Leme
Fraitot, 2002, n° 376, p. 363 (cité) ; Grimaldo Grigsby, 2
p. 151 ; Voignier 2005, p. 40, 98-99).

cat. 57 La Révolte du Caire,
esquisse préparatoire

...e sur papier marouflé sur toile, 30,8 x 45,1 cm
...cago, The Art Institute of Art, inv. 1999.384

Atelier de l'artiste, n° 107 de l'*État descriptif des objets d'art*
...gnier, 2005, P. 23) : Pérignon, 1825, n° 17 : «Petite esquisse
...inée presqu'au point que le serait un tableau, représentant
... jet des révoltés du Caire. On y remarque quelques parties
...rentes du tableau. Du reste, les caractères y sont aussi
...dés, et les expressions aussi justes, que le comportait cette

dimension, dans un sujet aussi riche et si varié d'expressions.
Papier sur toile. L. 16. p. h. 11 p.», adjugé 2850 francs à Jacob
(Voignier ; 2005, p. 100) ; vente Joseph Basile Ducos, Paris,
18 décembre 1837, n° 18 ; vente Paris, hôtel Drouot, Mᵉˢ Couturier
et Nicolay, 25 mars 1987, n° 37 ; 1993, marché de l'art parisien ;
don partiel de Mrs James W. Alsdorf, legs Lovella Thomas, Mr
and Mrs Lewis Larned Coburn Memorial and Alexander
A. McKay endowments à l'Art Institute of Art de Chicago.
Bibl. Pérignon, 1825, n° 17 p. 11 ; Coupin, 1829, t. I, p. xviij ;
GBA 2000, n° 226 ; Bajou, Lemeux-Fraitot, 2002, n° 107,
p. 220, 293 ; Voignier, 2005, p. 23, 100, 127, 140.

cat. 56 La Révolte du Caire,
esquisse préparatoire

Huile sur papier marouflé sur papier et toile, 15,4 x 23,4 cm
Au revers, ancienne étiquette portant l'inscription partiellement
illisible : *Bé […] 24 octobre 17/[…]ient formés : le général Du-*
/[…] ssinés./[…] d Les rebelles/[…] » ; au crayon *A-6767* ;
cachet circulaire de cire rouge de la coll. Coutan Hauguet
Schubert Milliet, Paris ; cachet des douanes françaises ; étiquette
E. Thaw & Co, New York ; étiquette d'une exposition à Kansas
City en 1969 [non documentée] ; étiquette Ollendorff Fine
Arts Packers and Shippers, New York/San Francisco.
Cleveland, The Cleveland Museum of Art, Gift of Eugene
Victor Thaw, inv. 1965-310

Hist. Une seule esquisse peinte est citée dans l'*État descriptif des*
objets d'art (Voignier, 2005 et Lemeux-Fraitot, 2002) et dans le
catalogue Pérignon, 1825, par sa description et ses dimensions
elle correspond à l'esquisse de l'Art Institute de Chicago ; coll.
Coutan Schubert Haughet ; don Eugene Victor Thaw, 1963-
310.
Exp. Rochester, p. 24-25.
Bibl. Wolf, 1999, p. 93 ; Argencourt-Diederen, 1999, t. I, p. 298-
299.

III. 214 Girodet, *Portrait de Louis-Charles Balzac*, 1811
Huile sur toile, Dallas Museum of Art, Foundation for the
Arts Collection, Mrs. John B. O'Hara Fund.

confusion des combats est plus grande et la scène
pratiquement illisible

Si Girodet disposait de nombreux mamelouks à
demeure, il lui manquait des informations élémentaires nécessaires à l'élaboration d'une scène historique.
Denon l'avait bien compris, la difficulté majeure de
cette commande était l'anonymat de cette révolte
sans généraux et sans héros, sans destin, sans conséquences sur l'histoire. Denon, Larrey, ou Balzac [23]
[ill. 214], témoins oculaires de la révolte, ont pu lui
indiquer sommairement certains détails et la petite
salle qui précède la sortie Gouharyck de la mosquée
al-Azhar au Caire présente en effet un arc gothique
décoré de pierres noires et blanches intercalées comme l'arc de la mosquée que peint Girodet.

En 1802, Denon avait publié *Voyage dans la Basse
et la Haute Égypte pendant les campagnes du général
Bonaparte* et en 1809 commençait l'impression de
cette somme extraordinaire qu'est la *Description de
l'Égypte*, qui s'étendra sur quinze ans. Denon put en
montrer les épreuves au peintre qui posséda plus tard
l'ouvrage dans sa bibliothèque. Grand collectionneur,
Girodet avait réuni un grand ensemble d'étoffes et
de châles, comme on disait alors pour désigner les
cachemires. Le catalogue de sa vente après décès liste
un incroyable attirail oriental [24] et il peint une dizaine
de *Portraits d'Orientaux* [25]. Bonaparte lui-même avait
rendu familier aux Français et particulièrement aux
parisiens une certaine image de l'orient en intégrant
un corps de mamelouks dans sa garde consulaire.
Roustan, son mamelouk, serviteur personnel, qui
avait le don de la diplomatie, l'accompagnait dans
tous ses déplacements et campagnes militaire [26]. La
société de l'Empire n'était pas non plus étrangère à
un certain faste oriental et les mamelouks ramenés
d'Égypte étaient incorporés dans les troupes comme

dans les cérémonies. À partir de 1805, ils sont inté-
grés au régiment des chasseurs à cheval et jouèrent
un rôle déterminant dans tous les grands combats,
notamment Austerlitz. Les mamelouks, à cheval, para-
dant dans les défilés militaires, créaient une attraction
appréciée, ou décriée, dans les rues de Paris. La mode
s'était fait l'écho de leur succès : dans un pamphlet
de 1803, *Les Lettres d'un Mamelouke,* imitation satirique des *Lettres persanes*, Djézid décrit les parisiennes
habillées à son arrivée « comme l'on était il y a trois
mille ans. Les rues étaient pleines de Zénobies, de
Sapho, de Cornélies… J'arrive, soudain elles sont à la
Mamelouk », mais comme ses dames, ajoute Djézid,
« n'ont jamais vu de femme mamelouk, et que je suis
la poupée qui sert de patron à cette nouvelle folie, les
voilà toutes, sans y penser, en habit d'homme [27] ».

L'espace que choisit Girodet est un lieu clos avec
une seule ouverture extérieure permettant de situer
la scène, une formule qu'il avait déjà expérimentée
dans ses illustrations pour les tragédies de Racine
et dans *Atala au tombeau*. Le minaret remplace ici la
croix du champ des morts. C'est encore l'imagination ou plutôt un ajustement du réel qui lui permet
de peindre ses personnages. Le régiment de hussards
envoyé en Égypte avait été celui du 7e bis de hussards,
mais le costume de la figure principale ne correspond pas à ce régiment [28]. L'absence de documentation permit de prendre du recul avec le sujet. Ainsi
que le souligne un critique du Salon [29], les Arabes ne
combattent pas nus, mais la nudité permettait d'accéder à l'antique. Elle déplaçait le combat moderne
dans un épisode de la prise de Troie, l'Arabe protecteur et le bey expirant devenant le nouvel Euryale
et le nouveau Nissus de la légende virgilienne. Cor-
rélativement, la transformation angélique du hussard
et la modération des images de l'horreur relèvent de
la théorie académique de l'expression des passions
et des sentiments qui doivent impérativement être
différents selon qu'ils sont montrés par la peinture
ou exprimés par la poésie. Girodet en explique le
principe dans *Les Veillées* [30] : « trop souvent le poète,
en chantant les combats, / En retrace à l'esprit les
hideux résultats…/ Mais, loin de vos pinceaux ces
détails de carnage ! / Montrez moi des guerriers qui,
forts de leur courage, au devant du péril s'élancent
sans pâlir, / Ou d'autres que la peur en désordre
fait fuir [31]… ». La troisième des *Veillées*, vers destinés
à la gouverne de ses élèves, donne précisément les
clefs esthétiques de *La Révolte du Caire*. La peinture
de bataille est un des grands genres où il convient
d'emboîter le pas dee Jules Romain, de Raphaël, de
Rubens et de leur disciple Le Brun. Le terrible de la
guerre ne doit pas cependant déclencher l'horreur
chez le spectateur : « Enfin, retracez- vous des scènes
de carnage ? / De vos tableaux empreints de rage et
de terreur/Qu'un touchant épisode adoucisse l'hor-

reur [32] […] Sans qu'un fleuve de sang inonde son
mure,/ Je juge d'un guerrier la mortelle blessure
son corps qui chancelle, à ses regards éteints ; / S
bouclier, son glaive échappés de ses mains,/ Son
sage pâli, suffisent pour me dire/Mais sans me f
horreur que ce guerrier expire [33]. » Ce passage e
la lettre, une description du jeune bey expirant
La Révolte.

Le « touchant épisode » du Maure nu soutien
le jeune bey fit l'unanimité de la critique. *La
volte du Caire* fut néanmoins perçue au Salon a
ce mélange de réticence et d'enthousiasme qu
l'exception d'*Atala au tombeau*, accueillit prese
toujours l'œuvre de Girodet. Au Salon de 1810, c
La Bataille d'Austerlitz, tableau beaucoup moins i
piré, peint par Gérard qui réunit tous les suffrage
Girodet avait été tout à la fois servi et desserv
un sujet qui convenait trop bien à son génie. C
admirateurs louèrent ce que ses détracteurs lui
prochèrent : « Ce qui se conçoit bien s'énonce c
rement » reproche *Le Moniteur universel* [35] », d'au
critiques recherchent sans s'y retrouver à qui « app
tiennent quelques bras et quelques jambes [36] ». D
le même journal, une autre plume admire le de
et le pinceau « pur et fortement prononcé » savan
énergique mais déplore l'exagération des poses et
expressions : « À toutes les qualités qui constituent
grand peintre, on reconnaît que M. Girodet join
don d'une vive imagination ; mais ce dernier tabl
prouve encore qu'il lui manque encore le grand
de la maîtriser [37]. » Le débat artistique autour de
Révolte du Caire prend place au moment où le r
port de l'Institut [38] place *Une scène de déluge* devant
Sabines pour le premier prix du tableau d'histoire
concours décennal. Boutard, très engagé aux cô
de Girodet dans le débat public qui partage l'o
nion au cours des mois précédant l'ouverture du
lon, consacre au tableau sept colonnes de la sec
beaux-arts du *Journal de l'Empire* [39]. Son analyse, ro
des conversations dans l'atelier du peintre, est au
qu'une réponse à ses confrères qu'un plaidoyer p
Girodet. Boutard souligne le « non-événement »
représente *La Révolte* : « La révolte inutile d'une p
gnée de barbares, est un événement sans importa
dans une histoire toute remplie d'exploits qui
réglé le sort du monde ». Pour lui, le sujet n'était
pittoresque, et Girodet, « hommage à la sagacité
MM. Les ordonnateurs », était le seul artiste susce
ble de surmonter « le peu d'intérêt du sujet où
ne voit figurer aucun personnage célèbre ». Co
quence de cette donnée inhabituelle, il « fallait cr
La Révolte est un tableau d'imagination où Gir
une fois de plus bouleverse le genre qui illustre
talent au plus haut niveau : l'histoire. Ce boule
sement provient de la profusion des principes
démiques et non de leur abandon. Un autre p

15 Pendule « Révolte du Caire », bronze doré
Montargis, musée Girodet

Ill. 216 Delacroix, copie d'après *La Révolte du Caire*
Dessin, Paris, musée du Louvre

eloppé dans l'article de Boutard fut celui de la ...ité et celui de la perfection des anatomies que ...odet multiplient pour des raisons strictement ...étiques. Le critique loue « les bras délicats et les ...ns du jeune turc qui se précipite au devant du ...gon prêt à frapper ; les bras et les épaules, aussi de ...re svelte et élégante, d'un guerrier étendu mort, ...ont le reste du corps est recouvert d'une dra-...e jaune ; la figure du Maure, les épaules, les bras ...eux et les mains du mamelouk ; la demi-figure ...articulièrement les bras d'un arabe étendu à la ...te du tableau », tout l'enchante. Le grand exer-...du nu académique est, dans la peinture d'histoire, ...ollaire à l'expression des sentiments. La tragédie ...e des expressions fortes et les mêmes critiques, ...t Boutard, « qui trouvaient qu'Atala n'était pas as-...défigurée par la mort, se plaignent aujourd'hui ...la mort est trop hideuse sur le cadavre d'un de ...barbares de la révolte du Caire ». C'est qu'Atala ...it engendrer la pitié, ici c'est la terreur qui est ...question. Le point de vue lessingien de Boutard ...« l'horreur qu'il convient d'évoquer plutôt que ...montrer » n'est pas très loin de celui du Girodet ...*Veillées* que nous avons cité plus haut et nul dou-...ue les deux amis avaient longuement débattu de ...oint capital de l'art classique. Pourtant, Boutard ...ette « le scrupule qui a fait entièrement cacher ...onc sanglant dont cette tête a été séparée […] ...doute un tel spectacle est-il affreux ; il faudrait ...arder de l'étaler inutilement ; mais il me semble ...déterminerait ici l'effet un peu incertain d'un ...ode très-pathétique, et que cette considération ...rait l'emporter ». Le journaliste prolonge ainsi ...réflexion qui s'apparente, dans l'histoire de l'art, ...t à la défense des principes académiques qu'à ...laidoyer pour la sincérité dont les termes ne sont ...rès éloignés du débat romantique à venir.

L'impératrice Marie-Louise était choquée par la sauvagerie du tableau que l'étiquette l'obligeait à voir à chaque cérémonie officielle tenue dans la galerie de Diane. Une note de Chanal au duc de Cadore fait état de ces désagréments : « […] ce tableau, comme je l'ai annoncé à son excellence, représente des scènes désagréables. Il y a sur le devant plusieurs personnages morts et un nègre accroupi tenant à la main une tête qui vient d'être coupée ; mais ce qui aura sans doute le plus répugné à sa majesté l'Impératrice, c'est un personnage arabe qui est entièrement nu, parmi les figures du premier plan. On pourrait cependant faire disparaître ce qu'il y a de plus choquant dans la nudité de cette figure et on pense que ce serait l'affaire de peu de jours[40]. » La délicatesse de Denon pour la pudeur de la jeune femme explique la curieuse courroie de cuir qui flotte près des organes du grand maure nu. C'est un repeint pudique que le vieillissement des couches picturales a rendu de plus en plus distinct. L'impératrice fut donc en partie exaucée[41], mais le tact de Denon ne s'étendit pas jusqu'aux morts et aux têtes décapitées.

Le groupe de l'esclave dénudé et du jeune bey expirant dans ses bras fut donc dès l'origine la partie la plus populaire du tableau. Conjuguant orientalisme et sentimentalisme, cet épisode tendre et émouvant, unique dans cette composition, fut reproduit par l'estampe[42] et par de nombreuses copies. Il devint sous la Restauration, autour des années 1820-1830, un sujet favori des pendules de style retour d'Égypte [ill. 215].

Aujourd'hui, la sentimentalité s'est dépouillée de ses voiles et le maure nu soutenant le jeune homme trop luxueusement vêtu est identifié à une image homoérotique. La critique du XXe siècle, avec son apparat postfreudien doublé de la culpabilité des pays

colonialistes, privilégie, dans ses exégèses, cette partie du tableau. Girodet, à la fois inspiré et trahi par sa libido, dévoilerait ici ses désirs, et le couple masculin, affrontant ensemble l'adversité, révélerait son homosexualité latente[43]. Par ailleurs, la tête décapitée et souriante du jeune dragon, rapprochée du masque de Méduse, symboliserait le double effroi de la castration ou de la guillotine[44]. Une longue tradition picturale est là pour le montrer : peindre des hommes nus, même alanguis, ne constitue pas nécessairement l'expression d'une libido, exaltée ou refoulée, mais incontestablement cette image, avec *Le Sommeil d'Endymion* a constitué un élément assez troublant pour que notre époque, indifférente, voire hostile, à l'esthétique académique et à ses règles, en donne une nouvelle lecture. Aux yeux des Français de la Révolution, le couple du Maure et du jeune bey, associant luxe et servilité, illustrait l'ancestrale hiérarchie de l'Orient médiéval. La campagne d'Égypte, mélange d'opportunisme économique et de sincérité idéologique, entendait mettre un terme à cette aliénation d'Ancien Régime : c'est l'un des paradoxes de la Révolution et du Directoire que d'avoir, en défendant les valeurs de la liberté, préparé l'impérialisme de l'Empire. Pourtant, le hussard blond, nouvel archange saint Michel châtiant la désobéissance et la barbarie, ne reflétait qu'en surface l'orthodoxie idéologique de Girodet et sa foi envers les valeurs démocratiques et civilisatrices. L'exotisme et le pathétique de ses figures orientales, même effroyables, ou bien la sentimentalité de la fragile figure du jeune bey expirant détournaient les émotions vers une direction imprévue par le pouvoir impérial. Les mamelouks massacrés accaparent en fait toute l'attention et sont devenus les vrais héros de la scène. Même adoucie, l'expression du pathétique avait été poussée par Girodet jusqu'au bord du tolérable et avait chargé son œuvre d'un souffle et d'une

Ill. 217 Géricault, copie d'après *La Révolte du Caire*
Aquarelle sur papier, Bayonne, musée Bonnat

énergie très en rupture avec le modèle antique et davidien. *La Révolte du Caire* était une éblouissante démonstration de science et de virtuosité picturale et, ne servant aucun maître, devenait inexploitable pour le politique. C'est ce que comprit Vivant Denon dans son rapport à l'Empereur : « Girodet,… a montré cette fierté de dessin qui le caractérise. Le sujet prêtait à l'effet par les costumes, par les armes et par les personnages de tous les pays et de toutes les couleurs. Tout cela est bien exprimé et rendu avec énergie ; mais emporté peut être par son sujet, il a outrepassé le mouvement d'une révolte et la colère des révoltés. […], trompé par son esprit et son ardente imagination, sa composition reste sans effet et n'obtiendra pas le succès que l'on est en droit d'attendre et que l'on exigera désormais de son grand talent[45]. » Après l'accalmie momentanée d'*Atala au tombeau* (1808), ou de *La Reddition de Vienne* (1808), Girodet renouait dans *La Révolte* avec ses démons de l'*Ut pictura poesis*. Le foisonnement du sens et des formes dans le tableau frappa comme une cacophonie grouillante. Stendhal qui le décrit dans son *Journal* au Salon de 1810 : « Figure-toi un nid de vipères qu'on découvre en changeant de place un ancien vase, on a peine à suivre le même corps, si on regarde longtemps, il fait aller les yeux. Voilà l'effet de la Révolte du Caire. Du reste, deux ou trois têtes superbes de fureur. C'est l'A, B, C de l'expression[46]… » Géricault dans un petit dessin d'étude *de La Révolte du Caire* [**ill. 217**], réorganise la composition en soulignant son élan et la puissance de ses contrastes. Delacroix, qui fit un dessin d'après le tableau de Girodet [**ill. 216**] note dans son *Journal* : « Plein de vigueur : grand style[47]. »

S. B.

Notes

1. La correspondance entre le catalogue de vente établi par Pérignon et les nos de la vente connue par le procès-verbal de la vente publié par Voignier en 2005 n'est pas toujours facile, certains n° du Pérignon semblent avoir été retirés de la vente et certains lots de la vente ne figurent pas dans le catalogue Pérignon.

2. La sculpture conçue en plâtre dès 1796 (le marbre fut inauguré en 1815) s'inspire du groupe de Flaxman, *La Furie d'Atamante* (collections musée d'Ickworth, Suffolk) sculpté pour lord Bristol à Rome entre 1790-1793.

3. L'uniforme de la garde à pied fut arrêté le 9 brumaire an V (30 octobre 1796).

4. Lucien Regenbogen, *Napoléon a dit*, préface de Jean Tulard, Paris, 2002.

5. Bey est un titre de vassalité vis-à-vis du sultan d'Istanbul. L'Égypte faisait partie de l'Empire ottoman.

6. M. E. Bonnal, *Histoire de Desaix, d'après les archives du dépôt de la guerre*, Paris, 1881, p. 179.

7. Conseil d'administration du Caire institué par Bonaparte sur le modèle turc.

8. 'Abd-al-Rahman al-Jabartî, *Journal d'un notable du Caire durant l'expédition française, (1798-1801)* Albin Michel, 1979, cité par Laure Murat et Nicolas Weill in *L'Expédition d'Égypte, le rêve oriental de Bonaparte*, Paris, 1998, p. 134-135, « au même moment, une grande foule s'était rassemblée à Al Azhar. C'est alors qu'arriva Dupuis avec un groupe de cavaliers, de soldats et de dragons. Il passa par la rue al-Ghûriyya et se dirigea vers le quartier al-Sanâdiqiyya, à la demeure du cadî. Quand il se trouva face à cette foule, il eut peur. Il sortit entre el-Qasrayn et la porte al-Zuhûma. Les rues étaient bondées de gens. Les manifestants l'aperçurent et se jetèrent sur lui et le blessèrent grièvement, un grand nombre de cavaliers, de soldats et de gardes furent tués. […] Le peuple dépassa les bornes, s'adonnant à tous les excès, malmenant les gens et les maltraitant, pillant et volant à qui mieux mieux. Le Quartier de Janwâniyaya fut attaqué : les maisons des chrétiens syriens et grecs furent dévastées ainsi que celles de leurs voisins musulmans ; […] Le chef des français envoya aux cheikhs un message, mais ceux-ci ne répondirent pas. […] Il attendit jusqu'à l'après midi. La situation était alors au paroxysme. Le canon tonnait ; des boulets tombaient dans les maisons et dans les rues. C'était surtout la mosquée d'al-Azhar qui était visée : elle était bombardée ainsi que le quartier qui l'entourait, où se tenaient des manifestants, comme le souq al-Ghûriyya, le quartier des Fahhâmîn. Alors, les gens qui n'avaient jamais rien vu de semblable, se mirent à crier : lâ Salâm ! Délivre-nous de cette épreuve ô Toi qui dispense tes bienfait ! Délivre-nous de ce danger ! Tous s'enfuyaient des souqs, se fourrant n'importe où. Les coups de canon se répettaient sans arrêt, venant de la Citadelle et de l'endroit des décharges des ordures (kimân). » Ce n'est qu'après capitulation des rebelles, au cours de la nuit que les Français auraient pénétré dans la ville « comme un torrent à travers les rues et les ruelles, sans rencontrer d'obstacle. On aurait dit des diables ou quelque troupe d'Iblis. Ils détruisirent les barricades qu'ils trouvèrent […] Ils entrèrent ensuite dans la mosquée d'al-Azhar à cheval. Il y avait là avec eux des fantassins qui étaient comme des boucs de montagnes : Ils s'égaillèrent dans la cour intérieure (sahn) et l'enceinte réservée (maqsûra). Ils attachèrent leurs chevaux à la qibla. Ils saccagèrent les salles attenantes et les dépendances, brisèrent les lampadaires et les veilleuses, brisèrent les coffres à livres appartenant aux étudiants, aux ionnaires ou aux écrivains publics. Ils s'emparèrent de ce qu'ils trouvèrent : vases, plats, effets divers qui avaient disposés dans les placards et les armoires. Ils jetaient au les livres et les volumes du Coran, y marchant dessus leurs chaussures : ils souillèrent les lieux d'excréments, ne et de crachats. Ils y burent des bouteilles de vin cassaient et jettaient ensuite dans la cour, ou ses ndances. »

exandre Dumas, *De conférence en conférence* Paris, , p. 87.

Notice historique sur le Palais des Tuileries et description olafonds, voussures, lambris etc. qui décorent les salles oées par l'exposition, Paris, 1849, p. 15.

MN, P6 O, 3 mars 1806 et AN, O²/840 ; n°774b ; 1806. Cette première commande comptait Les Clefs de ne remises à Sa majesté, confié à Girodet, *Sa majesté nguant le 2ᵉ corps de la Grande armée au pont de Lech* ndé à Gautherot, *Sa Majesté tenant les Commisses von,* à Monsiau et *Sa Majesté pardonnant aux révoltés aire sur la place d'Elbékir,* à Guérin. Le sujet des quatre s tableaux de plus petites dimensions étaien : *Sa sté faisant la revue des bivouacs de l'armée la veille de taille d'Auzterlitz, anniversaire de son couronnement,* par Bacler d'Albe, *Le Bivouac de Sa Majesté la veille bataille d'Austerlitz,* peint par Lejeune, *Sa Majesté nt les fontaines de Moïses à l'isthme de Suez,* peint Barthélémy, *L'Entrée de Sa Majesté dans la ville de ich* de Taunay.

ettre du duc de Frioul à Daru, AN O²843, 12 février 1809. Zieseniss, 1966, p. 215-216.

N O²843, 17 février 1809 ; Zieseniss, 1966, p. 217-218.

irodet reçoit commande de *La Révolte du Caire,* Gros, *rise de Madrid au moment où les députés des insurgés ent implorer la clémence de l'Empereur, L'Entrée Empereur dans la ville de Berlin,* est commandée à ier, *L'Entrée de l'Empereur dans Milan à la première agne d'Italie,* à Vernet, *L'Entrevue des deux Empereurs hitz,* à Prud'hon, *L'Entrevue des deux Empereur à Tilstit,* utherot, *La Prise de la ville de Gênes,* à Hue, AMN, 2 correspondance supplémentaire, 9 mars 1809. AN 3 ; 13 mars 1809, et O²841 n° 175, 30 janvier 1810. Zieseniss, *BSHAF,* 1966, p. 223. [S'il s'agit de l'article pictural de la galerie de Diane (1966) 1967, voir biblio ique

N O²/n° 175, 30 janvier 1810. Voir Zieseniss, 1966, 3.

oupin, 1829, t. I, p. xvij.

elestre, *Gros…,* 1867, p. 91-93.

oir en particulier Darcy Grimaldo Grigsby, *Mameluks in : Fashionable Trophie of Failed Napoléonic conquest* et rmities…,* 2002, p. 105-163.

oupin, 1829, t. I, p. xvij.

ans doute le modèle même qui fut soumis à inistration Denon.

e tiens à remercier mes amis Marcia Steele du service stauration du musée de Cleveland, les conservateurs Art Institute of Chicago, Douglas Druick et Gloria m, Adrienne Jeske, Bonnie Rimer, et Franck Zuccari du ce de restauration de l'Art Institute. Leurs recherches, l'être épuisées par cette notice, m'ont permis d'étudier eux le statut de l'esquisse de Chicago et de mieux rendre l'ordre des dessins préparatoires à *La Révolte aire.*

22. Au sujet de ce dessin, voir Bellenger, in cat. exp. *French Master Drawings from the Collection of Murielle Butkin,* Cleveland, New York, 2001-2002, p. 58-59.

23. Charles Louis Balzac, mort en 1820, architecte et littérateur, adjoint à l'expédition d'Égypte, contribua au *Voyage dans la basse et la haute Egypte…* par ses dessins d'architecture. Son nom figure parmi ceux des membres de la commission d'Égypte gravé sur un tympan du temple de Philae.

24. Pérignon, 1825, p. 104, n° 884 : « Plusieurs boucliers en fer et en osier, etc., la plupart turcs ou indiens, qui seront détaillés sous ce numéro » ; n° 885 : « Plusieurs beaux casques en fer et en cuivre, anciens et modernes, dont plusieurs turcs et arabes, et pour la plupart très ornés, qui seront détaillés sous ce numéro » ; n° 886 : « Quatre damas, ornés de poignées poignards, de différens pays, seront détaillés sous ce numéro » ; n° 888 : « Trois casse-têtes, plusieurs carquois de sauvages garnis de leurs flèches, arcs et ornemens divers de sauvages, seront détaillés sous ce numéro » ; n° 889 : « Plusieurs fusils, carabines, piques, etc., qui seront détaillés sous ce numéro » ; n° 890 : « Deux beaux gantelets damasquinés, un modèle de couleuvrine, parties d'armures dépareillées, etc., qui seront détaillés sous ce numéro » ; p. 106, n° 902 : « Un barnouffe d'étoffe fine et très bien conservé, un autre en laine blanche, qui seront vendus séparément » ; n° 903 : « Une robe turque en soie jaune, une autre en soie rayée et brodée, une autre en drap rouge fin, une autre en satin rayé, une autre d'étoffe noire brodée, une autre de couleur rouge foncé avec paremens en soie verte, une autre en drap noir, une autre doublée en taffetas blanc. Cet article sera divisé » ; n° 904 : « Une veste turque en étoffe de Perse, une autre en drap jaune, deux en drap rouge, une en soie rayée, une autre brodée, une en basin brodé, etc., qui seront détaillées sous ce numéro » ; n° 905 : « Plusieurs culottes et pantalons turcs, dont quelques-uns à bottines, de diverses étoffes de soie et laine, seront vendus sous ce numéro » ; n° 906 : « Une grande ceinture en soie rayée et brodée, une ceinture en satin blanc à franges, une ceinture en soie bleue, une autre rouge, une en tricot de soie amarante avec franges, une ceinture en soie jaune, une ceinture en gaze à franges, deux autres en soie rayée, une blanche, deux autres brodées, une en mousseline, une autre en toile coton ouvrée à franges. Cet article sera divisé » … ; p. 106-107, n° 907 : « Deux morceaux d'étoffes brochées et rayées, un morceau de Madras, un autre en soie brodée à franges, un morceau d'étoffe des Indes broché, un autre d'étoffe de soie et laine blanche, un autre ouvré, seront détaillés sous ce numéro » ; n° 908 : « Deux très grands schalls, dont un en belle mousseline, un autre en soie rayée, un autre en mousseline brochée, un voile brodé, seront détaillés sous ce numéro » ; n° 910 : « Plusieurs bottines brodées, gants, calottes de turbans, pantoufles turques et autres parties d'habillement turcs, etc., seront vendues sous ce numéro » ; n° 911 : « Autre beaux coussins indiens brodés » ; n° 914 : « Plusieurs morceaux de draperies de diverses couleurs et de velours seront détaillés sous ce numéro ».

25. Cat. 00.

26. Voir Anouar Louca, *Les Mamelouks de Napoléon,* Actes du colloque « La Campagne d'Égypte, 1798-1801, Mythes et réalités », Hôtel national des Invalides, Paris 16-17 juin 1998 ; Grimaldo Grigsby, *Mamelouks in Paris…,* 1996.

27. Joseph La Vallée, *Les Lettres d'un Mamelouk,* Paris 1803.

28. Communication écrite de Mark Scheider du 1ᵉʳ et du 5 novembre 2003. Mark Schneider suggère que le costume qui est celui d'un capitaine ou d'un chef d'escadron pourrait être celui d'un aide de camp des généraux de l'expédition. Ces derniers avaient la possibilité de porter l'uniforme de hussard aux couleurs de leur choix.

29. Anon. [Pierre François Gueffier], « Second Entretien », *Entretiens sur les ouvrages de peinture, sculpture et gravure, exposés au Musée Napoléon en 1810,* Paris, 1811, p. 45 : « Mais pourquoi M. Girodet n'a-t-il pas suivi aussi exactement les costumes que l'histoire ? Jamais les Arabes ne combattent nus ; ils ont des tuniques attachées avec des ceintures de cuir. »

30. Coupin, 1829, t. I, p. 343- 413.

31. *Ibidem,* p. 379.

32. *Ibidem,* p. 376-377.

33. *Ibidem,* p. 379.

34. Victorin Fabre, « Salon de Peinture. (Premier article) », *Mercure de France,* vol. XLV, n° 486, 10 novembre 1810, p. 92 : « […] que tous les regards se sont fixés sur cette bataille d'Austerlitz, que les difficultés vaincues, l'absence de défauts ou du moins de fautes, la réunion des hautes qualités du talent à la plupart des perfections de l'art, paraissent devoir placer, dés son apparition au rang des ouvrages classiques. »

35. Anonyme, « Variétés. Exposition des Tableaux. 9ᵉ article », *Le Moniteur universel,* n° 369, p. 2554.

36. [Anonyme], *Sentiment impartial sur le Salon de 1810,* premier numéro, p. 7.

37 « Beaux-Arts, Exposition de 1810 », *Le Moniteur universel,* mercredi 28 novembre 1810, n° 369, p. 1309-1310.

38. Cat. 92.

39. B. B [Bon Boutard], « Beaux-arts, Salon de 1810 - n° IX, M. Girodet, La Révolte du Caire », *Journal de l'Empire,* n° 369.

40. AN, O²846 ; 22 juillet 1813 ; note de Chanal à son excellence [Le duc de Cadore ?], voir Zieseniss, 1966, p. 233-234.

41. *Ibidem.*

42. Estampes : A. Lefèvre, *La Révolte du Caire,* la lettre porte : *Girodet pinxit* et *A. Lefèvre sc. ;* Jazet, *La Révolte du Caire,* aquatinte. ; J.-B. Thiébault, *La Révolte du Caire,* bois populaire en noir d'après Girodet, chez Lacou, à Nancy, 1832. *Victoire et conquête des armées françaises,* à chromolithographie en couleurs, tirée de *Album militaire,* typogravure, Bruxelles, Valadon et Cie ; Tardieu, *Victoire et conquête des Français,* vers 1820, planche au trait d'après *La Révolte du Caire* de Girodet.

Le sujet du bey mourant dans les bras de l'esclave maure a fait l'objet d'un grand nombre de gravures d'interprétation : Adolphe Bilordeaux, *Arabe soutenant son officier blessé ;* Feuillet, *Jeune Turc mourant ;* F. Noël, *Étude d'Arabe,* d'après le dessin original de Girodet… *Arabe soutenant son officier blessé D'après Girodet/Impie lithog. De F. Noël/ÉTUDE d'ARABE/D'après le dessin original de Girodet, qui se trouve dans le Cabinet de Mr. Rossi ;* E. Parizeau, *Jeune Turc mourant,* la lettre porte : *E. Parizeau delt. Lith. de G. Engelman, jeune Turc mourant d'après Girodet.*

43. Grimaldo Grisby, *Mameluks in Paris…,* et *Extremities… 2002,* p. 105-163 ; Stéphane Guégan, « "Un nid de vipères" : Girodet, Stendhal et Guizot au Salon de 1810 », *La Vie romantique…,* 2003, p. 221-237.

44. Voir James Smalls, « Homoerotism and the Quest of originality in Girodet's Revolt at Cairo (1810) », *Nineteenth-Century Contexts,* 1999, vol. 20, p. 455-488.

45. Dominique Vivant Denon, AN, AF IV 1050 dr 6 n° 7 ; 11 novembre 1810, voir aussi Dupuy, Le Masne de Chermont, Williamson, *Correspondance de Vivant-Denon,* 1999, n° AN89.

46. Stendhal, *Journal (1801-1811),* Paris, 1937, t. IV, p. 26.

47. Delacroix, *Journal de Delacroix,* Paris, 1981, p. 63.

Les droits de l'homme et du citoyen

cat. 66 ***Portrait du C[itoyen] Belley, ex-représentant des Colonies**

Huile sur toile, 159 x 111 cm

Inscription sur le socle en bas à gauche : *A.L. Girodet fbat an V*

Versailles, musée national du château et de Trianon, inv. MV 4616

Hist. peint avant octobre 1797 ; vu par Bruun-Neergaard dans l'atelier de Girodet en 1801 ; localisé à Toulon où il se trouverait depuis «environ 25 ans», il est proposé aux musées royaux le 3 avril 1828 par M. Ganteaume (lettre de Ganteaume au comte de Forbin, AMN ; acquis en 1832 par le musée du Louvre en 1932 auprès de M. Lasade de Toulon pour 3000 francs (*Rapport à Monsieur l'Intendant Général par le C[e]. de Forbin*, 30 juillet 1832, AMN) ; déposé à Versailles en 1852 comme un portrait de Toussaint Louverture («*Toussaint Louverture/g[al]., député noir de Saint-Domingue*» AMN, L.P. 105*)*.

Exp. 1797, présenté à l'exposition de l'Élysée le 22 octobre ([…] *Le portrait d'un Nègre. Le costume dénote un Représentant du Peuple Français. Le buste du célèbre Raynal, philosophe et historien, est un tribut de reconnaissance que les hommes de couleur doivent au premier apôtre de la liberté des Américains Français* ; 1798, Salon de l'an VI (juillet 1798), n° 194 (*Portrait du C. Belley, ex-représentant des Colonies*)» ; 1939, Paris (musée Carnavalet), n° 547, p. 78 ; 1955, Rome, Florence, Milan, n° 49, p. 53 (repr. ill. 8) ; 1956, Moscou, Varsovie, Prague, sans numéro, p. 72-74 (repr.) ; 1962, Los Angeles, Toledo, Chicago, San Francisco, n° 49 ; 1964, Munich ; 1967, Montargis, n° 20 (repr.) ; 1972, Londres, n° 106 (repr. pl. 11) ; 1972, Munich ; 1982, Pékin, Shangaï ; 1983-1984, Washington, n° 31 (repr. p. 97) ; 1985, Florence, n° 36 (repr. p. 103) ; 1992-1994, Nantes (repr. ill. 1) ; 1998-1999, Fort-de-France.

Bibl. Chaussard, *La Décade philosophique*, an VII [1798], p. 117-118 ; Lebrun, [1798?], p. 714 ; Leger, Chazet, Dupaty, Desfougerais, an VII [1798], p. 29 ; Anon., *Mercure de France*, 1798, p. 33-34 ; Anon., *Journal d'indications*, [1798], p. 207-208 ; Armant, [s.d.], p. 6 ; Bruun-Neergaard, 1801, p. 157 ; Mahul, 1825, p. 119 ; Coupin, 1829, t. I, p. lix ; Miel, 1842-1845, p. 292 ; Delécluze, 1855, p. 260 ; Soulié, 1855, t. II, n° 4520 ; Delaborde, *Revue des Deux Mondes*, 1856, p. 789 ; Montaiglon, *AAF*, 1861, p. 317-320 ; Soulié, 1861, t. III, n° 4616 ; Renouvier, 1863, p. 30 ; Blanc, 1865, p. 15 ; Pinset, d'Auriac, 1884, p. 201 ; Anon., *L'Illustration*, 29 juillet 1889, p. 74-75 (repr.) ; Leroy, 1892, p. 45 ; Nolhac, Pératé, 1896, p. 280 ; Brière, *La Correspondance historique et archéologique*, 1902, p. 207, n° 2 ; Mauclair, 1903, p. 54 ; Marcel, 1905, p. 6, 15 (repr.) ; Errera, 1930, t. II, p. 416 ; Price-Mars, *Revue de la Société d'histoire et de géographie d'Haïti*, janvier 1940, p. 1-2 ; Aragon, *Europe*, décembre 1949, p. 192-195 ; Mauricheau-Beaupré, 1949, p. 96 ; Lévitine, 1978, p. 316-320 (repr. ill. 65) ; Lindsay, v. 1960, p. 92 (repr. ill. 18) ; Leith, v. 1965, p. 152 ; Zieseniss, 1970, p. 51-52 ; Bernier, 1975, p. 36 (repr. ill. 35 et 38 (détails)) ; cat. exp. Chicago (Art Institute), 1978, p. 110 ; Constans, v. 1980, p. 62, n° 2038 ; Nevison-Brown, 1980, p. 146-153, 160, 162, 164 (repr. ill 48) ; cat. exp. New York (galerie Wildenstein), 1982, p. 106 ; Baigell, 1984, p. 32-37 (repr. p. 36) ; Janson, Rosenblum, 1984, p. 66 (repr. pl. 10 p. 42) ; Michel, [in Bordes, Michel, 1988, p. 79 (repr. ill 67) ; Scherf, 1988, p. 15 (repr. ill. 7) ; cat. exp. Paris (Grand Palais), 1989, p. 672 (repr.) ; Biondi, Zuccarelli, 1989, p. 12 ; Heim, Béraud, Heim, 1989, p. 64, 127, 225 (repr. p. 126), 228 ; Honour, 1 p. 17, 104, 106, 110, 114, 179 (repr. fig. 55) ; cat. exp. I (Grand Palais), 1989, p. 672 (repr.) ; Brilliant, 1991, p. 32 (repr. ill. 7) ; Smalls, 1991, p. 26-66 ; Nantes, 1992-1994 (fig. 1) ; Bellenger [in Los Angeles, Philadelphie, Mineap 1993-1994], 1993, p. 94 (repr. fig. 50) ; Musto, 1993, p. 60 (repr. fig. 1, p. 61) ; Crow, 1994, p. 225-229 (repr. pl. 150, p. 2 Davis, 1994, p. 168-201 ; Eisenman, 1994, p. 39 (repr.) ; Wes 1994, p. 83-99 (repr. fig. 1, p. 84) ; Constans, 1995, n° 2 p. 395 (repr.) ; Caso [in Michel, 1996], 1996, vol. II, p. 533-553 (repr. ill. 251, p. 617) ; Smalls, 1996, p. 25-26 (repr. f p. 26) ; Crow, 1997, p. 277-282 (repr. fig. 75) ; Dorigny, Ga 1998, p. 360 ; Bellenger, 1999, p. 116 (repr. fig. 10) ; Hall 2000, p. 101, 106-113 (repr. fig. 19) ; Schmidt-Linsenhof Blom, Hagemann, Hall, 2000, p. 81-105 ; Bosséno, in Bor Marin, (2001) 2003, p. 135-151 (repr. fig. 19, détail, p. 14 fig. 23 (détail), p. 146) ; Lafont, in Bonfait, Marin (2001) 2 p. 110-113, 115-125 (repr. ill. 1) ; Lafont, 2001, t. I, p. 150-t. II, p. 411-418, n° 110 ; Weston, in Bonfait, Marin (2001) 2 p. 127-133 (repr. ill. 12, détail) ; Grimaldo Grigsby, v. 2002, 63 (repr. ill. 2, p. 8 ; détails : ill. 4 p. 11, ill. 22 p. 38, ill. 26 p. Smalls, 2004, p. 5 (repr. ill. 4).

Œuvres en rapport

Copie au crayon 35,4 x 27,2 cm, Chicago, Art Institute, 1972.156, par Antoine Pannetier (1772-1859) élève de Gir (Lafont, 2001, t. II, p. 411)

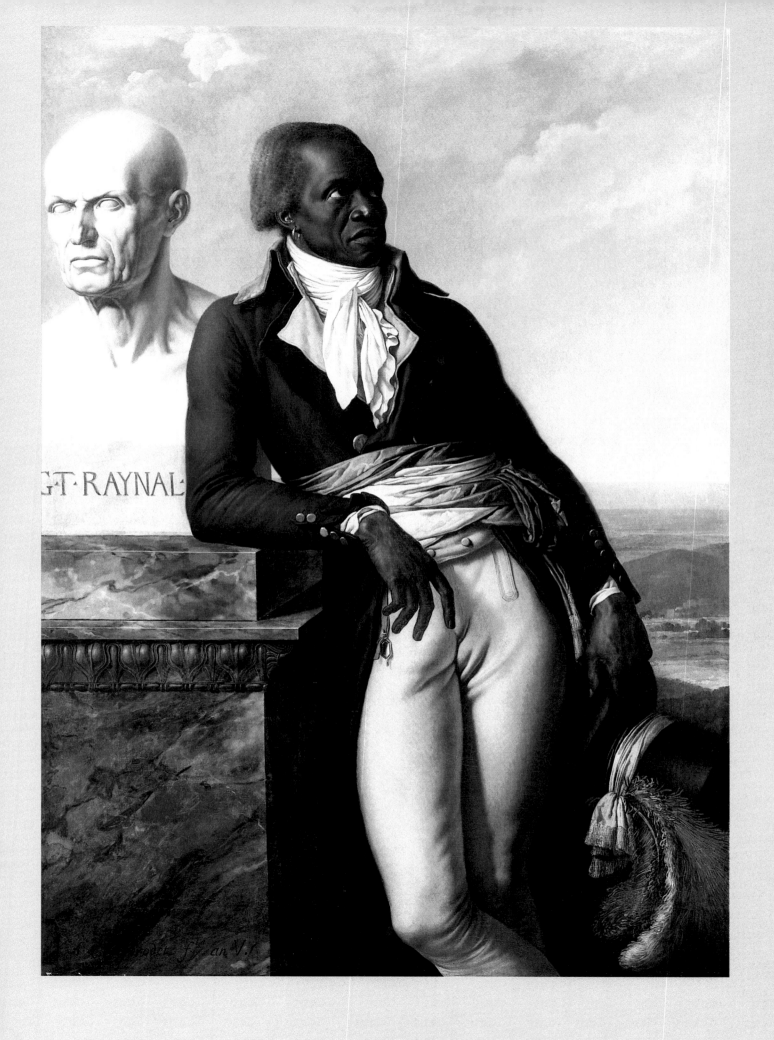

Cat. 66 Détail

Ill. 218 Vue de l'île de Saint-Domingue

Portrait d'un noir en grand homme

Le portrait du citoyen Belley est dans l'histoire la première représentation d'un homme noir montré dans la position officielle d'un législateur politique occidental. Il fut redécouvert par l'histoire de l'art lors de l'exposition néoclassique de la Royal Academy en 1972[1]. Ces dernières années l'importance philosophique et morale du sujet lui valut une attention croissante. Si les interprétations varient, elles souffrent toutes de la préséance de l'histoire contemporaine sur l'histoire de la France au moment où Girodet peint son tableau.

Le portrait de Jean-Baptiste Belley est peint en pied, dans la tradition[2] séculaire des portraits officiels des dignitaires politiques. Il est représenté devant un paysage sur fond de ciel bleu nuageux. Les fastes architecturaux qui constituent les attributs traditionnels du genre se limitent à un buste de marbre blanc, en herme, identifié par l'inscription gravée en lettres capitales sur sa base : « G ▲ T ▲ RAYNAL ▲ ». C'est le buste du célèbre abolitionniste, l'abbé Guillaume Thomas François Raynal, qui repose sur un piédestal de marbre brun sombre, veiné, orné d'un rais-de-cœur et de palmettes aux angles. Comme un modèle de buste antique, Raynal a le crâne entièrement chauve, l'expression grave et volontaire, les sourcils froncés. Il dirige son regard aveugle droit devant lui, vers la lumière qui éclaire de face les tendons et les muscles de son faciès qui s'apparente à un écorché.

Jean-Baptiste Belley est peint de face, déhanché, le genou droit légèrement replié. Il s'appuie avec une élégante nonchalance sur sa jambe gauche, dans un mouvement de *contrapposto* qui déporte son corps vers le piédestal où il est accoudé. La tête de Belley est à hauteur du marbre mais sa dimension est légèrement inférieure au buste. Son visage est tourné de trois quarts vers la gauche, les yeux levés vers le ciel. Sa main droite, relâchée, aux longs doigts fins, fortement veinée, contraste avec sa culotte de peau claire. De l'autre main, il tient un large chapeau sombre empanaché de plumes bleu blanc rouge piquées

dans un large ruban frangé d'or, reprenant les tr[ois] couleurs de la République dans des gammes past[el] rose pâle, gris bleu et blanc cassé. Ce couvre-che[f] ce costume ceinturé d'une large écharpe tricol[ore] aux couleurs également pastel, sont les attributs d'[un] représentant du peuple à la Convention nationale. [Ce] vêtement dégage la beauté naturelle des formes [du] corps et témoigne de la mode masculine à la fin [de] la Révolution. La culotte de peau, couleur cham[ois] moule l'anatomie de Belley et forme de larges pl[is] l'entrejambe ainsi que derrière le genou. Le haut [...] de peau ou de velours rosé, et les larges revers jau[nes] soutenu de son gilet tranchent sur cet « habit dé[gi]gé » bleu sombre à boutons dorés. La cravate et [les] manchettes blanches, l'or de ses boutons défais a[ux] manches, la breloque (ou le cachet ?) qui pend à s[on] côté droit, soulignent le raffinement de sa tenue. [...] l'anneau d'or qu'il porte à l'oreille droite signale u[ne] appartenance exotique. Clarté des couleurs et cla[rté] de la composition, la luminosité domine le tableau[...] À droite, derrière lui, un paysage paisible est lim[ité] par la mer et la ligne de l'horizon. Ce paysage rep[ré]sente les vertes montagnes de l'intérieur de la pa[rtie] nord de l'île de Saint-Domingue [ill. 218], en bord[ure] du Cap-Français, aujourd'hui Cap-Haïtien, l'anc[ien] chef-lieu du « département du Nord » dont Bel[ley] était le représentant à la Convention. La topograp[hie] des lieux est aussi très précise, le port du Cap-Fr[an]çais est situé juste derrière Belley et n'est pas visi[ble] sur le tableau. En revanche, on distingue dans le lo[in]tain du paysage la rivière du Haut du Cap et la m[er] à l'horizon. Les vapeurs blanchâtres qui s'échapp[ent] près de la rivière sont peut être celles de raffine[ries] sucrières qui longeaient ce cours d'eau se jetant d[ans] la baie du Cap. La lumière forte des Antilles et le c[iel] souvent sous nuées des pays tropicaux à hygromé[trie] élevée sont très caractéristiques et ont dû être déc[rits] à Girodet par un natif de Saint-Domingue, pe[ut] être Belley lui-même ou plus vraisemblablement [les] peintres Benjamin Rolland et Fortuné Dufau d[ont] les souvenirs pouvaient être plus visuels. Ce dern[ier] avait pris des leçons de dessin auprès de Girode[t à] Rome et son frère résidait à Paris[3].

La juxtaposition antonyme du buste de Ray[nal] et du corps de Belley résume la sémantique du [ta]bleau que domine le fort contraste du noir et [du] blanc. Ce contraste – culotte de peau claire con[tre] main noire, marbre veiné sombre contre mar[bre] blanc, blancheur de la cravate et noirceur du vis[age] de Belley, noirceur de sa peau et blancheur de s[on] œil – tisse une trame dans l'unité de la peinture a[lors] que sont édulcorés les effets chromatiques, habitu[el]lement frappants, des trois couleurs de la Répu[bli]que. L'effet est saisissant et transporte jusque dans [le] domaine artistique le sujet du tableau. Comme [dans] la magie d'une capsule de temps renfermé dans s[a]

vre, Girodet transforme son portrait en un tableau
[h]istoire.

Belley, le destin d'un ancien esclave sous la Révolution

L'histoire de Belley est une histoire héroïque, ca-
[ra]ctéristique de ces destins extraordinaires qui émer-
[gen]t de l'anonymat et de la fatalité grâce à la Révolu-
[tio]n française. Son histoire se confond non seulement
[ave]c celle de la Révolution, mais aussi avec celle de
[l'in]dépendance américaine et de l'abolitionnisme.
Jean-Baptiste Belley serait né en 1747 à Gorée,
[co]mptoir situé au large du Sénégal[4]. Surnommée
[l'île] aux esclaves, successivement hollandaise puis
[fran]çaise et sporadiquement anglaise, Gorée était un
[hau]t lieu de transit de la traite des Noirs où s'ap-
[pro]visionnaient les grandes compagnies commercia-
[les] hollandaises, anglaises et françaises, portugaises et
[es]pagnoles. Ce commerce qui fut désigné pudique-
[me]nt sous le nom de commerce triangulaire (*Trian-
[gular] Trade*) [ill. 219], était effectué par des bateaux qui
[qu]ittaient l'Europe chargés de marchandises que l'on
[éch]angeait en Afrique contre des esclaves. Ces mê-
[me]s bateaux repartaient alors pour un voyage de dix
[à d]ouze semaines aux Amériques. Les atroces condi-
[tio]ns du voyage sont connues. Les captifs survivants
[éta]ient vendus aux enchères. Les bateaux repartaient
[ver]s vers l'Europe chargés de produits tropicaux. Les
[navi]res ne voyageaient ainsi jamais à vide.

[Les] historiens s'accordent difficilement sur le
[nom]bre d'Africains effectivement transportés vers
[l'A]mérique. Les chiffres les plus fréquemment avancés
[excè]dent les dix millions, mais le nombre d'Africains
[qui] furent enlevés ou tués est bien supérieur. Quelle
[que] soit la validité des chiffres, la traite des Noirs vé-
[hic]ula la mort et porta à une échelle inimaginable
[le] transfert de population dont les conséquences ne
[s]ont jamais complètement mesurées[5].

[Belley fut à une date inconnue, sans doute pendant
[son] enfance, emmené à Saint-Domingue, la deuxiè-
[me î]le des Grandes Antilles après Cuba. L'île avait
[été] baptisée Hispaniola («petite Espagne»), lors de sa
[déc]ouverte par Christophe Colomb. Sa partie ouest,
[la p]lus riche, était devenue française sous le nom de
[Sain]t-Domingue, à l'époque de Louis XIV, quand
[elle] devint partie intégrante de la «Compagnie des
[Antill]es», que Colbert créa en 1664[6]. Saint-Domingue
[devint] bientôt la plus riche colonie des Amériques. Son
[éco]nomie fondée sur la main-d'œuvre des esclaves
[se] développa prodigieusement au XVIIIe siècle et le
[com]merce avec Saint-Domingue comptait à la veille
[de] la Révolution pour un tiers du commerce exté-
[rieu]r français. L'île fournissait le sucre, le café, le cho-
[col]at, le coton, l'indigo, le tabac et le rhum, denrées

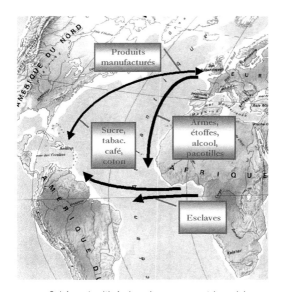

III. 219 Schéma des itinéraires du commerce triangulaire

auxquelles les Français s'étaient habitués au cours du
XVIIIe siècle.

Belley déclara dans son discours prononcé à l'Assemblée en 1794 avoir par un «pénible travail et [ses]
sueurs, conquis une liberté dont [il] jouit honora-
blement depuis trente ans en chérissant [sa] patrie[7]».
Selon ces dates, Belley aurait «conquis» sa liberté
en 1764, donc à dix-sept ans. C'est peu de temps
pour qu'un esclave réunisse le pécule nécessaire à son
propre rachat. La plupart n'y parvenaient jamais en
une vie entière. En revanche, la conscription, assez
peu regardante et manquant d'hommes, recourait à
la législation métropolitaine où l'esclavage n'existait
pas. S'engager était un moyen d'affranchissement fréquent. Jean Louis Annecy (1743-1807), autre «Noir
libre», ancien esclave de Saint-Domingue, avait été
affranchi par son engagement dans la guerre d'Amérique[8]. Il devint également député à la Convention
et montre l'exemple d'un destin comparable à celui
de Belley. Calcul approximatif lié à l'absence d'état
civil ou éloignement volontaire du spectre de la servitude, le député Belley était à l'époque de la Révolution vraisemblablement libre depuis seulement une
quinzaine d'années, affranchi par son engagement
dans l'armée française.

Sa première campagne fut celle de Savannah dans
la flotte du vice-amiral Jean-Baptiste, comte d'Estaing. Celui-ci était parti de France en avril 1778
avec dix-sept vaisseaux afin de prêter main-forte aux
colonies américaines insurgées. Embarqué lors de
l'escale de la flotte à Saint-Domingue, Belley combattit du côté des alliés franco-américains au siège
infructueux de Savannah, en Géorgie (du 13 au
27 octobre 1779). Sa bravoure lui valut, au retour, le
surnom antillais de «Mars Belley[9]». Au Cap-Français,
Belley exerça le commerce de détail, probablement
avec succès puisqu'il est cité comme possesseur de
propriétés quand éclata la Révolution[10]. La Déclaration des droits de l'homme et du citoyen, dans sa
version complétée de l'an I (1793), abolit l'ordre de
l'Ancien Monde, en stipulant à l'article 18 : «Tout
homme peut engager ses services, son temps ; mais
il ne peut se vendre, ni être vendu ; sa personne n'est

pas une propriété aliénable. La loi ne reconnaît point
de domesticité ; il ne peut exister qu'un engagement
de soins et de reconnaissance, entre l'homme qui
travaille et celui qui l'emploie.» Très vite cependant
se posa la question des limites de l'universalité des
droits de l'homme. Dans les colonies, la déclaration
se trouva en contradiction avec la hiérarchie raciale,
l'esclavage et ses enjeux économiques. À travers les
législations successives, une constante demeure : la
Métropole, royaume ou république, souhaitait conserver Saint-Domingue dans son sein. Le décret du
8 mars 1790 octroya aux colonies françaises le droit
de proposer des lois internes mais, devant les intérêts
contradictoires des colons blancs, des mulâtres, des
esclaves noirs et des affranchis, l'Assemblée ne donna,
par le décret du 15 mai 1791, l'égalité qu'aux «libres
de couleur», «nés de père et mère libres». En réaction
à cette limitation, la guerre civile explosa dans l'île.
Le 23 août 1791, près de 50 000 esclaves se soulèvent
dans la plaine du Cap. Le Cap-Français est incendié
le 24 août. La nouvelle n'était pas encore arrivée en
France que l'Assemblée, préoccupée surtout par la
situation métropolitaine se rappela le droit des colonies de statuer sur leur régime intérieur et annula le
décret du 15 mai sur l'égalité des «libres de couleur».
Pour finir, en septembre l'Assemblée se déclara, par
le décret du 24 septembre 1791, incompétente sur la
question des personnes dans les colonies. Mesurant
alors les événements du Cap, les Girondins, sous la
direction de Brissot, font voter la loi qui octroie les
droits civils et politiques à tous les citoyens libres indépendamment de la couleur de leur peau. Elle est
signée par le roi le 4 avril 1792. Quelque mois plus
tard, après la chute de la monarchie, la Convention
mesura les avantages qu'elle pourrait tirer de l'attrait
de la citoyenneté républicaine. Celle-ci pouvait inspirer aux Noirs et aux mulâtres affranchis l'espoir
d'un possible renversement du destin et constituer
des alliés solides à la cause des colonies françaises
menacées de sécession par les grands colons blancs
hostiles à la politique de Paris. Quand la Convention nationale proclame la République le 21 septembre 1792, Léger-Félicité Sonthonax et Étienne Polvérel sont envoyés en qualité de Commissaires civils
de la République à Saint-Domingue avec mission de
réorganiser la colonie.

Dans l'île, la tension est explosive entre les colons blancs, les mulâtres, les Noirs affranchis (dont
Belley faisait partie) et le groupe le plus nombreux
des esclaves. Belley commande alors le 16e régiment
d'infanterie et combat, contre les colons blancs, du
côté des commissaires civils lors des journées du
Cap-Français les 19, 20 et 21 juin 1793[11]. La victoire
est remportée par les troupes de la République grâce
à l'appui des esclaves noirs insurgés qui rejoignent
le drapeau tricolore. Belley reçoit six blessures[12].

De sa propre initiative, Sonthonax déclara les 27 et 29 août 1793, l'abolition de l'esclavage sur l'île [13].

À Paris, les représentants des colons blancs accusèrent les commissaires républicains de conspiration avec l'Angleterre et de complot girondin. En pleine Terreur, cette accusation était grave puisque les Jacobins et les dirigeants de la Montagne accumulaient les preuves de rapprochement de la Gironde avec l'étranger. Un mandat d'arrêt contre Polvérel et Sonthonax est envoyé à la fin 1793, mais la distance et les difficultés de communication aidant, les commissaires en état d'arrestation n'arrivèrent à Paris qu'après la chute de Robespierre.

Le voyage vers la France

L'abolition de l'esclavage à Saint-Domingue changeait formidablement l'équilibre des forces politiques dans l'île. Suivant le modèle de la métropole, Sonthonax organisa la mise en place de la législation républicaine [14]. Le 12 septembre 1793, il ordonna la réunion d'assemblées primaires chargées d'élire six députés du nord de l'île à la Convention. L'assemblée électorale finale se tint les 23 et 24 septembre au Cap-Français. Furent élus en session publique deux Noirs, Jean-Baptiste Mars Belley et Joseph Boisson, deux mulâtres, Jean-Baptiste Mills et Réchin ainsi que deux Blancs, Louis Pierre Dufaÿ et Pierre Nicolas Garnot [15]. En octobre 1793, les colonies se constituent en départements [16]. Le 4 octobre, les députés partirent pour la France [17]. Les navires anglais qui sillonnaient la mer des Caraïbes et l'hostilité des colons émigrés rendant imprudent l'embarquement sur un seul navire, la députation se scinda en deux. Le 28 octobre 1793, Dufaÿ, Mills, et Belley s'embar-

quèrent pour Philadelphie alors que Garnot, Boisson et Laforest, remplaçant de Réchin, empruntent un autre chemin. Après un mois à New York, Dufay, Mills et Belley sont pris à bord d'un navire en partance pour la France. Ils arrivent à Lorient en janvier 1794. Le 26 janvier, sous l'instigation de deux colons, Pierre François Page et Prudent Jean Brulley, le Comité de salut public de Brest fait écrouer les députés Dufaÿ, Mills et Belley sous l'inculpation d'intelligence avec les Girondins [18]. Rapidement libérés, Mills et Belley sont admis à siéger à l'Assemblée le 3 février 1794 [19]. La République est en guerre à l'intérieur comme à l'extérieur de son territoire et la politique des colonies est loin d'être une priorité. Cependant, le 4 février, des manifestations d'enthousiasme républicain accueillent la plaidoirie de Dufaÿ, porte-parole des députés antillais. Dans ce discours qui disculpait les commissaires civils, Dufaÿ rend hommage à la dignité de Belley, pris à parti à Philadelphie par des émigrés français indignés qu'il commandât des Blancs et qui avaient voulu lui arracher sa cocarde. Belley avait rétorqué : «Je sers depuis 25 ans sans reproche ; et quand on sait sauver les Blancs et les défendre, on peut bien les commander [20].» À la fin de la séance du 4 février, «la Convention nationale déclare aboli l'esclavage des nègres dans toutes les colonies ; en conséquence, elle décrète que tous les hommes, sans distinction de couleur, domiciliés dans les colonies, sont citoyens français, et jouiront de tous droits assurés par la constitution [21]».

Sur l'intervention énergique de Danton, les comités furent saisis de la rédaction du décret. Au cours de la réception donnée en l'honneur des députés de Saint-Domingue par la Commune de Paris une semaine plus tard, Belley jure une infaillible fidélité à la

République : «Je fus esclave dans mon enfance. Il trente-six ans que je suis devenu libre par mon ind[ustrie] ; je me suis acheté moi-même […] Je n'ai qu'[un] mot à vous dire : c'est que, c'est le pavillon tricol[ore] qui nous a appelés à la liberté [et qu'il] flottera to[u]jours sur nos rivages et dans nos montagnes.» [22] Ap[rès] les mémorables journées des 3 et 4 février où l'[es]clavage fut aboli, Belley s'exprima deux fois deva[nt] l'Assemblée, en août et en décembre, chaque f[ois] pour combattre les libelles sur l'infériorité raciale d[if]fusés par le parti esclavagiste et les colons blancs ré[u]nis au Club Massiac, auxquels il oppose l'exemple [de] sa propre vie [23]. Les esclavagistes avaient adopté u[ne] stratégie diffamatoire qui consistait à ne pas répon[dre] directement au député noir en lui contestant ains[i la] paternité de ses déclarations. Ils diffusent le pamph[let] suivant : «Un mémoire signé Belley, mais comp[osé] par Polvérel et Sonthonax, vient d'être distribué à [la] Convention et au public ; c'est à ces hommes, et n[on] à l'africain, qui ne le comprend même pas, que no[us] adressons notre réponse [24].»

La carrière politique de Belley se prolonge ap[rès] la chute de Robespierre [25], et survit à l'abandon d[e la] Constitution de 1793 [26]. Sous le Directoire, le pouv[oir] législatif est divisé en deux chambres, le Conseil [des] Cinq-Cents et celui des Anciens [27]. Au titre de la [loi] sur les deux tiers, Belley siège jusqu'au 30 mai 17[..] au Conseil des Cinq-Cents où il est remplacé par [un] autre député noir Étienne Victor Mentor [28]. Paral[lè]lement à son mandat, Belley poursuit une carri[ère] militaire. Le 14 floréal an III (3 mai 1795) il est chef de bataillon du 16e régiment d'infanterie [29] le 3 messidor an V (21 juin 1797), il devient chef [de] brigade. Enfin, le 25 messidor an V (13 juillet 179[7]) il est nommé chef de la gendarmerie de Saint-[Domingue]

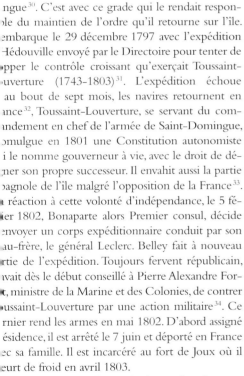

ngue[30]. C'est avec ce grade qui le rendait respon-
le du maintien de l'ordre qu'il retourne sur l'île.
embarque le 29 décembre 1797 avec l'expédition
Hédouville envoyé par le Directoire pour tenter de
pper le contrôle croissant qu'exerçait Toussaint-
uverture (1743-1803)[31]. L'expédition échoue
au bout de sept mois, les navires retournent en
ance[32], Toussaint-Louverture, se servant du com-
andement en chef de l'armée de Saint-Domingue,
omulgue en 1801 une Constitution autonomiste
i le nomme gouverneur à vie, avec le droit de dé-
ner son propre successeur. Il envahit aussi la partie
pagnole de l'île malgré l'opposition de la France[33].
réaction à cette volonté d'indépendance, le 5 fé-
ier 1802, Bonaparte alors Premier consul, décide
envoyer un corps expéditionnaire conduit par son
au-frère, le général Leclerc. Belley fait à nouveau
rtie de l'expédition. Toujours fervent républicain,
vait dès le début conseillé à Pierre Alexandre For-
t, ministre de la Marine et des Colonies, de contrer
ussaint-Louverture par une action militaire[34]. Ce
rnier rend les armes en mai 1802. D'abord assigné
ésidence, il est arrêté le 7 juin et déporté en France
ec sa famille. Il est incarcéré au fort de Joux où il
eurt de froid en avril 1803.

Soudainement les illusions égalitaires de Belley vont
crouler et son destin changer brutalement. Il est
ystérieusement arrêté sur l'île en avril 1802, alors
ême qu'il combattait aux côtés même du géné-
. Leclerc, et incarcéré en France à la citadelle de
lle-Île-en-Mer où il meurt le 6 août 1805[35]. Le
lendrier de l'esclavage, rétabli dans les colonies par
loi du 16 juillet 1802, et l'arrestation de Toussaint-
ouverture le 7 juin permettent mal de comprendre
rrestation de Belley en avril.

Un document décisif relatif aux instructions secrètes remises par Bonaparte le 31 octobre 1801 au
général Leclerc, quelques mois avant le départ de
l'expédition, éclaire ce mystère. Dans un programme
en six chapitres qui envisage par le menu le rétablissement de la hiérarchie blanche et l'ordre social de
l'Ancien Régime, Bonaparte, avec un cynisme implacable, élabore un plan où tous les Noirs et métis,
qu'ils soient opposés à l'armée consulaire comme
les soldats de Toussaint-Louverture ou qu'ils la servent comme Belley, seraient désarmés et neutralisés
par l'arrestation. Ou même par l'exécution. Les ordres sont très clairs : « Le capitaine général ne doit
souffrir aucune vacillation dans les principes de ces
instructions et tout individu qui discuterait le droit
des noirs, qui ont fait couler tant de sang des blancs,
sera, sur un prétexte quelconque renvoyé en France
quels que soient d'ailleurs son rang et ses services[36]. ».
Il n'est pas difficile d'imaginer l'opposition de Belley et son arrestation quand il découvrit le nouvel
ordre racial qu'il était venu restaurer à son insu. En
qualité d'officier supérieur de la gendarmerie, il était
aussi directement touché par une autre disposition
des mêmes instructions : « On réorganisera la gendarmerie. Ne pas souffrir qu'aucun noir ayant eu le
grade au-dessus de Capitaine reste dans l'île[37]. » C'est
ce projet de rétablissement de la hiérarchie raciale qui
broya Belley. Ironie de l'histoire, il côtoya en prison
pendant deux ans le fils adoptif de Toussaint-Louverture, Placide-Louverture et sa famille ! Après leur
transfert à Agen, Belley leur écrit, le 3 ventôse an XIII
(22 février 1805)[38] : « [...] Général Miollis m'a vis
promis de paller au Ministre de la gaire pour moi,
mais ma bonne amis vous savés con prome baucoupe
au malhoure mais on lui quin peut care je crouas qui

mas oubliaié, il faux mon cher Placide beau coupe de
courage et pascias[39]... » L'homme est désabusé, brisé,
et s'exprime avec une orthographe phonétique, mêlée de créole. Ce document, peut-être l'un des rares
autographes de l'ancien député, est loin des discours
de l'Assemblée et loin du portrait éclatant que nous
a transmis Girodet.

Un costume de député de la Convention

Le costume porté par Belley dans son portrait est
celui des représentants du peuple à la Convention
nationale entre 1793 et 1795. C'est celui que l'on
voit aussi sur le *Portrait de Lesage-Senault* [ill. 220] par
Jean-Baptiste Wicar[40]. Mais en 1797, au moment
précis où Girodet peint son portrait, Belley n'est plus
député mais se trouve au sommet de sa carrière militaire. Ni son avenir ni sa liberté ne sont inquiétés.

Sous la Révolution et encore sous le Directoire,
l'actualité politique va très vite. Robespierre incitait
les artistes : à « peindre d'une manière noble et énergique tout ce qui s'est passé depuis quatre jours[41]. »
Cette question de la rapidité de l'histoire est fondamentale pour resituer le *Portrait de Belley* dans son
contexte politique précis. En octobre 1797, quand le
tableau est exposé, Belley n'est plus représentant de
Saint-Domingue depuis cinq mois.

Depuis le 27 octobre 1795, date d'entrée en vigueur de la Constitution de l'an III, la Convention
s'était muée en différents Conseils. Les députés du
Conseil des anciens et ceux du Conseil des Cinq-
Cents, où Belley siégea de 1795 jusqu'en mai 1797,
portaient un nouveau costume [ill. 221], aussi inspiré
par les dessins de David de 1794, gravés par Denon[42].
Le costume que porte Belley, celui des députés de

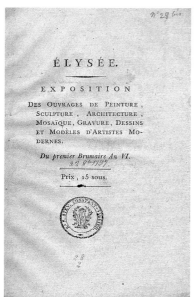

1794, fait de son portrait un tableau commémoratif du grand moment politique de Belley lors de l'abolition de l'esclavage.

L'abbé Raynal

Le buste de Raynal par Jean-Joseph Espercieux [ill. 222] avait été montré au Salon de 1796[43], l'année de la mort du philosophe. C'est ce buste que Girodet choisit pour le représenter dans son tableau. Espercieux, ami et concitoyen de Raynal l'offrit ensuite à Lenoir pour le musée des Monuments français, faisant ainsi de Raynal un monument du passé national. À sa mort, Raynal cumule deux titres de gloire, celui de l'anti-esclavagisme et celui de sa dénonciation de la Terreur. Le Directoire peut se reconnaître dans cette figure et ne manquera pas de l'utiliser. Selon la *Biographie universelle* de Michaud, à la fin de sa vie, Raynal se proposait d'intégrer des matériaux nouveaux que lui avait fournis le gouvernement afin de mettre son *Histoire philosophique des deux Indes* ouvrage sur les deux Indes (puisque le titre complet est donné plus loin), en harmonie avec la nouvelle situation dans les colonies[44]. Il n'est pas indifférent que Girodet choisisse en 1797 de représenter Raynal plutôt que, par exemple, l'abbé Grégoire, une autre grande figure de l'abolitionnisme.

Guillaume Thomas François Raynal était né en 1713 à Saint-Geniez dans le Rouergue et mourut en 1796 à Paris. Peu de temps avant son décès, il avait été nommé membre de l'Institut, créé en 1795 sur les ruines des académies de l'Ancien Régime. Il connut d'abord une modeste ascension sociale comme prêtre à la paroisse de Saint-Sulpice. Devenu rédacteur du *Mercure*, il eut alors accès aux ministres en place et devint familier des salons de Mme Geoffrin et de Mme Helvétius.

La publication de son grand œuvre, *Histoire philosophique et politique des établissements et du commerce des Européens dans les deux Indes* [ill. 224], à partir de 1770, le projeta au sommet de la renommée dans toute l'Europe. Typique des travaux inspirés par l'*Encyclopédie*, très documentée, *L'Histoire […] des deux Indes* constituait la première compilation significative de l'histoire des colonies des pays européens. Il n'y a aucun doute que ce livre dans lequel les contemporains ont vite reconnu plusieurs plumes, dont celle de Diderot, fut un ferment fondamental de la cause abolitionniste et du renversement de l'Ancien Régime.

Sans être la bible de la Révolution qu'y voyait Michelet, le prestige de l'*Histoire philosophique*, dédié à Louis XVI, stimulé par la condamnation du livre et de son auteur par le parlement de Paris était considérable à la fin des années 1780. Raynal, réfugié à l'étranger, fut longtemps comme le père de la Révolution. La désillusion révolutionnaire fut complète quand le 31 mai 1791 Raynal fit lire à la tribune de l'Assemblée constituante une lettre où il rappelait sa fidélité au roi et dénonçait la dérive terroriste de la Révolution : « Mes yeux se sont remplis de larmes quand j'ai vu les plus méchants hommes employer les plus viles intrigues pour souiller la Révolution ; quand j'ai vu le saint nom du patriotisme prostitué à la scélératesse […][45]. » Les réactions furent violentes, mais Robespierre invoqua la sénilité du vieil homme, d'autres virent l'influence de son ami Pierre Victor Malouet[46] (1740-1814) et du courant monarchiste sur la pensée de Raynal. À Marseille, la Société des amis de la Convention expulsa le buste du père discrédité de la Révolution de leur salle de réunion et l'emmenèrent en grande pompe à l'hôtel Saint-Lazare, un hospice marseillais qui accueillait les malades mentaux[47].

Le critique Pierre Jean-Baptiste Chaussard dénonça la trahison de Raynal dans un pamphlet intitulé *Lettre d'un homme libre à l'esclave Raynal* où il se lamente : « Comment as-tu oublié tes sermens, ta gloire, toi-même ? Tu arraches ton nom du livre de l'immortalité[48]. » Cinq ans plus tard, après Thermidor, Raynal peut ressusciter dans son état émérite. Ainsi, dans sa revue de l'exposition de 1798 que pu-

blie *La Décade philosophique*, Chaussard, revenu la scène politique aux lendemains de Thermido oublié son anathème contre le philosophe, com nous le verrons plus bas en analysant la récepti du tableau.

Les écrits de Raynal contribuèrent grandement changement des mentalités prérévolutionnaires. M le militantisme qui aboutit à l'élection d'un dép noir résulte surtout de l'action de sociétés activem abolitionnistes, dont la Société des amis des Noirs est créée à Paris le 19 février 1788.

La Société des amis des Noirs, l'esclavage et de la traite

De toutes les sociétés philanthropiques qui pul lent en France[49] à la veille de la Révolution, la S ciété des amis des Noirs est la seule à avoir des vis politiques liant son programme à un changement société. Ce programme avait trois grands objectifs suppression immédiate par un accord internatio de la traite négrière ; la mise en place d'une lég lation faisant progressivement sortir les colonies l'esclavage sur deux ou trois générations ; l'introd tion d'orientations économiques, techniques et ag coles nouvelles dans les îles. En effet, un des fréque arguments anti-esclavagistes était la non-rentabil de l'esclave. L'esclavage était un frein à la moder sation des moyens de production. Par exemple, instrument aratoire aussi ancien que la charrue ne introduit dans les Antilles françaises qu'en 1835[50].

Parce qu'elle avait clairement des visées poli ques, la Société des amis des Noirs fut très imp quée dans les deux Assemblées de la Révolutio Un membre fondateur très influent, l'abbé G goire, dans sa fameuse publication de 1790 *Let aux philanthropes sur les malheurs, les droits et les clamations des gens de couleurs de Saint-Domingue autres îles françaises de l'Amérique*[51], pose le prem la question politique de l'égalité républicaine : « U jour, des députés de couleur franchiront l'Océ pour venir siéger dans la Diète nationale[52]. » Le r tre de séances de la Société des amis des Noirs les papiers de l'abbé Grégoire[53], permettent de mprendre la teneur des débats, de connaître le m et le nombre des membres, ainsi que le ryth-e des réunions de la société. Ces documents sont alement fondamentaux pour comprendre la po-que coloniale du Directoire, ses contradictions la pluralité des tendances politiques à Paris.

Il y eut deux périodes d'activité de la Société des is des Noirs. La première période va de 1788 à utomne 1791, date de l'insurrection de Saint-Do-ngue et de l'incendie du Cap. Le débat politique lonial s'étant déplacé alors autour de Brissot et ndorcet, la société semble avoir perdu sa raison tre au sein même de la Convention nationale. tons qu'au moment du vote de la loi d'abolition l'esclavage de février 1794, la société n'était plus activité depuis trois ans.

La renaissance officielle de la Société, désormais elée devenue Société des amis des Noirs et des onies, date de l'automne 1797. Elle eut toutefois elques activités en 1796. Elle est très active jus-en mars 1799, date de sa dissolution. Nous résu-rons en disant, d'une part, que le registre de séance les papiers Grégoire permettent de comprendre 'elle fut le creuset du personnel politique des as-nblées révolutionnaires, surtout des Girondins. Ces jistres nous apprennent que l'abbé Raynal ne fut lais membre de la société[54]. Raynal n'appartint lais qu'à titre honorifique à la Société de Phila-phie, un titre honoraire que lui transmet Jacques issot (1754-1793), célèbre chef de file des Giron-s, secrétaire fondateur de la Société. En revanche nçois Joseph Noël, ami de Girodet à Venise, ap-tient à la Société très tôt, en 1789, quand il était core abbé. Belley lui n'en fit partie que très tard, avant le 29 janvier 1799 environ trois mois avant lissolution de la Société[55].

Girodet de retour d'Italie

Le *Portrait de Belley* est le premier tableau que odet peint à son retour d'Italie où l'avait envoyé prix de Rome de 1789[56]. Rentré en France à la de 1795, après cinq années d'absence, son image lique n'avait pas connu de changement depuis présentation du *Sommeil d'Endymion* au Salon de 11 et d'*Hippocrate refusant les présents d'Artaxer-* au Salon de 1793. Pendant sa longue absence, la été française avait traversé une série ininterrom-e de bouleversements dramatiques et connu les sformations les plus fondamentales de toute son oire. Informé par les journaux, les fonctionnaires nçais en Italie et ses relations parisiennes, Girodet ait pas coupé des événements politiques et il en it directement les conséquences qui bouleversent

III. 226 Senave, *Salle de vente à l'Élysée-Bourbon*, 1797
Huile sur bois, Paris, musée Carnavalet

son séjour d'études à Rome. À son retour, il expose le seul tableau de sa carrière où il traite directement un sujet politique : l'émancipation des Noirs[57].

La correspondance de Girodet en Italie, en parti-culier les lettres originales déposées au musée Girodet de Montargis par les héritiers de l'artiste, fourmillent des témoignages de la forte conviction républicaine du peintre. Leur lecture doit cependant conjuguer deux censures qui pesaient alors sur toute expression entre Paris et Rome celle de l'inquisition vaticane mais aussi la répression jacobine[58].

De retour en France, Girodet se rend immédia-tement aux Bourgoins, la propriété Trioson près de Montargis, afin de jouir de sa famille retrouvée. Le temps qu'il prend pour rétablir sa santé délabrée et celui qu'il consacre au docteur, frappé par le deuil de sa femme éloigne Girodet de Paris et du milieu artistique pendant plus d'un an. C'est David et son ami le peintre Mullard qui le rappellent à la réalité lui écrivant «qu'il doit [ses] talents à la patrie[59]». Girodet retourne alors à Paris où il se voit propo-ser un atelier au Louvre dans lequel il loge à partir d'avril 1796. Malheureusement rien ne documente ou explique les circonstances de la réalisation de ce portrait. Aucun document d'archives des milieux abolitionnistes, aucune correspondance particulière ne permet de situer une commande non plus que la rencontre de Girodet et de Belley. Le peu de for-tune de ce dernier ne permet d'ailleurs pas de voir en lui le commanditaire du tableau. En octobre 1795, Belley déclare ne posséder «que la garniture de [sa] chambre[60]». Plus important encore, le tout premier titre sous lequel Girodet expose le tableau en octo-bre 1797 exclut que Belley en fût le propriétaire. Un

autre indice plaide dans ce sens : le tableau resta dans l'atelier de Girodet au mois quatre ans après sa pré-sentation au Salon. Bruun-Neergaard l'y voit encore en 1801[61].

Il n'est pas exclu donc que le *Portrait de Belley* ré-sulte de la seule volonté de Girodet. Il existe d'autres exemples de tableaux majeurs, ayant toutes les appa-rences d'une commande, mais qui furent conçus sans mécène dans le seul but de la gloire. Un exemple récemment révélé est le *Portrait de Napoléon* que le jeune Ingres peignit de sa propre initiative et envoya au Salon de 1806, juste avant de partir pour Rome[62]. On sait l'accueil catastrophique qui fut réservé au ta-bleau. Mais son ambition artistique et politique sont telles qu'il fut rapidement considéré comme le résul-tat d'une prestigieuse commande impériale alors qu'il est le fruit byzantin d'une extravagance ingresque.

Une double exposition

Le *Portrait de Belley* fut montré successivement, à dix mois d'intervalle, à deux expositions publiques : celle de l'hôtel de l'Élysée et celle du Salon de 1798. L'exposition de l'Élysée [ill. 226], ouvrit ses portes le 1er brumaire an VI (22 octobre 1797)[63]. Les circons-tances politiques avaient ajourné le Salon, alors an-nuel, Girodet y expose *Belley* et *Endymion endormi, effet de clair de lune*. Le livret de l'exposition de l'Élysée [ill. 225], que l'on ne connaissait que par un résumé de Guiffrey est, ne serait-ce que par la modestie de la publication, plein d'enseignement.

L'exposition de l'Élysée était une manifestation privée, aux finalités philanthropiques et commer-ciales, organisée par une société d'artistes et de gens de lettres qui sous-louaient l'hôtel de l'Élysée, propriété de la duchesse de Bourbon. L'ambition de cette exposition permanente et ouverte tous les jours dépassait les arts plastiques et s'adressait tout autant à la musique, à l'opéra et au théâtre. Les objets exposés à l'Élysée étaient généralement à vendre et pouvaient être acquis par l'intermédiaire de l'administration de l'Élysée et son bureau de correspondance qui assurait le contact entre les acheteurs et les artistes. Un registre, connu seulement de l'administration et du vendeur, en proposait la liste. Rien ne montre cependant dans l'introduction du livret de cette exposition que Girodet exposait *Belley* avec l'intention de le vendre. Sous le numéro 71, le livret mentionne : « Giraudet […] Le portrait d'un Nègre. Le costume dénote un Représentant du Peuple Français. Le buste du célèbre Raynal, philosophe et historien, est un tribut de reconnaissance que les hommes de couleur doivent au premier apôtre de la liberté des Américains Français[64] » On sait par le texte introductif du livret que « chaque objet doit être accompagné d'une note explicative du sujet, du nom, de l'adresse de l'auteur, et du n° de la rue[65]. » Il faut en conclure que le terme nègre du titre est donné par Girodet lui-même, qui ne désigne pas l'identité de son modèle indiqué seulement par sa race et sa fonction officielle. Rappelons que le terme nègre était d'usage courant mais que la Société des amis des Noirs n'y avait pas recours et le dénonçait comme un vocabulaire de la traite. Girodet ne nomme pas Belley, alors que Raynal, un accessoire dans le tableau, est cité pour la reconnaissance que lui doivent les noirs des colonies françaises en Amérique. Cette vision caritative plutôt que militante de l'abolitionnisme est bien éloignée des principes de l'abbé Grégoire, fondateur de la Société des amis des Noirs. L'année suivante, au Salon de 1798, Girodet corrigeait son titre et exposait le tableau comme *Portrait du C[itoyen] Belley, ex-représentant des Colonies*[66]. Le changement du titre entre l'Élysée en 1797 et le Salon en 1798 est radical. Si radical qu'il transforme la signification du tableau et la nature de son message politique. Que s'est-il passé entre ces deux expositions ? Girodet – il le prouvera avec sa querelle sur la différence entre *Scène de Déluge* et *Scène du Déluge* pour son tableau de l'exposition de 1806 – n'est pas homme à négliger le sens des mots et le changement de titre ne peut que lui être attribué. L'actualité politique de l'année 1797 explique les raisons de ce changement de titre et du sens dont Girodet charge son tableau.

La politique coloniale du Directoire est, à de rares exceptions près, oubliée par les historiens qui passent sans transition du décret de l'abolition de l'esclavage du 16 pluviôse an II (4 février 1794)

celui de son rétablissement dans toutes les colonies le 21 messidor an X (16 juillet 1802). Or la chronologie du Directoire est nécessaire à la compréhension du tableau de Girodet[67].

La difficulté du régime était de neutraliser la tendance royaliste du « parti de l'ordre », essentiellement les Clichyens, du club de Clichy, ou au contraire les tendances communistes, comme celles de Babeuf. C'est ce qu'on l'a appelé la politique de bascule. Pendant toute la période, la victoire d'une tendance ou de l'autre et l'avenir de la Révolution ne sont jamais joués complètement et tous les six mois, le paysage politique en est bouleversé. Sans rentrer ici dans toutes les subtilités et intrigues politiques des partis de gauche ou de droite au sujet de la question coloniale, il faut rappeler que les élections du printemps 1797 avaient été remportées par la droite clichyenne. Les principaux orateurs de cette majorité faisaient du problème colonial l'un des angles d'attaque majeurs contre l'exécutif. De même que les Clichyens prétendaient ne pas vouloir de restauration monarchique pour la France métropolitaine, en matière coloniale il n'était à aucun moment ouvertement question de rétablir l'esclavage. La nouvelle majorité, sans avouer d'autre but, voulait tout d'abord démontrer que la situation dans les Antilles était toujours plongée dans le chaos révolutionnaire et qu'elle était loin du processus de constitutionnalisation. Cette majorité de droite fut renversée par le coup d'État du 18 fructidor de l'an V (4 septembre 1797)[68]. Ce coup d'État d'une partie du pouvoir exécutif du Directoire qui renversait la tendance conservatrice des Chambres envoya à Cayenne les opposants les plus gênants dont deux Directeurs, Carnot et Barthélemy, et renforça le pouvoir exécutif écartant du même coup les attaques conservatrices sur la situation des colonies. Si le nouveau courant dominant n'a pas encore d'effets en octobre quand Girodet montre *Belley* à l'exposition privée de l'Élysée, il n'en va pas de même pour l'exposition officielle de l'année suivante où le titre déplace le sujet vers le député Belley, négligeant cette fois l'abolitionniste Raynal. Girodet montre avec son changement de titre une habileté particulière à suivre les renversements politiques. Le paradoxe de ce singulier opportunisme est de vouloir concilier la provocation qui distingue son auteur et la conformité idéologique qui assure la bienveillance du pouvoir et les commandes. Girodet se servirait donc de la politique pour assurer sa promotion artistique. Au Salon de 1798, outre le portrait de Belley, il exposait aussi *Un jeune enfant regardant des figures dans un livre*[69]. Chercher à s'imposer en début de carrière par le portrait plutôt que par un tableau d'histoire peut paraître une erreur de stratégie, mais le raccrochage du Salon amena Girodet à s'expliquer sur son objectif et le sens de ses tableaux. Le ministre

de l'Intérieur, Neufchâteau[70], ayant souhaité qu'[…] jury puisse examiner à son aise les ouvrages du Sal[…] et décider des prix d'encouragement, l'accrocha[…] fut repris en cours d'exposition afin de mettre[…] valeur les sujets d'histoire[71]. À cette occasion, […] deux tableaux de Girodet disparurent des cimais[…] Ce dernier réagit promptement et vivement, reve[…] diquant son statut de premier prix de Rome, et e[…] pliquant que ses tableaux « […] presque en pied, […] la manière dont ils sont traités les fait nécessaireme[…] rentrer dans le genre historique […][72]. » Tout re[…] tra dans l'ordre et les tableaux furent réintégrés da[…] l'exposition.

La critique contemporaine salua unanimeme[…] la facture et la science du tableau. Chaussard écri[…] « C'est un des tableaux les plus savamment peints q[…] je connais : je conseille à plusieurs artistes d'inte[…] roger ce tableau ; il fera leur désespoir ou leur gén[…] J'irai souvent rêver devant ce portrait. Que d'obje[…] sublimes ! Raynal, la liberté des nègres, et le pince[…] de Girodet[73]. »

Un autre critique écrit : « Une grande intellige[…] dans la composition […] la pureté du dessin […] l[…] mains d'un faire étonnant tant par l'exécution q[…] par le ton. […][74]. » Sans surprise, c'est surtout la […] gure du Noir qui captiva la critique populaire. : « A[…] Mon dieu ! Comme il est noir ! […] il ne faut p[…] ainsi juger des gens sur la figure […] Oui, noir, m[…] pas si diable[75]. »

Le critique du *Journal d'indications* qui loue « […] grandes connaissances de l'artiste[76] » et exprime l'i[…] tuition confuse d'un déplacement de l'enjeu rac[…] dans le tableau vers l'enjeu chromatique, autreme[…] dit le détournement de la morale et du politiq[…] par l'esthétique : « La translation du noir et du bla[…] n'est pas ménagée ; il aurait fallu ramener l'œil p[…] gradations, ce qui aurait ajouté plus d'harmoni[…] ce portrait. » Nous l'avons vu, la graduation des to[…] Girodet l'a réservée aux couleurs de la Républiq[…] qui ceignent la taille de Belley et son couvre-ch[…] Fondues dans des dégradés pastel, les trois coule[…] républicaines ne sont plus qu'une évocation distan[…] comme atténuée ou passée des couleurs, au sens […] les couleurs passent ou bien que l'histoire est pass[…] Tout contraste chromatique est dans le tableau […] servé à l'opposition absolue du noir et du blanc. […] tête de Belley, le blanc de son œil, le marbre de Ra[…] nal, tout contribue à concentrer la peinture sur s[…] objet : la représentation d'un sujet noir. Ce thèm[…] dérangeait le cœur même des principes académiqu[…] Dans la formation artistique à la fin du xviiie siècle[…] modèle noir n'existe pas. Il reste un exploit rarem[…] tenté dans l'histoire de l'art. Avant le romantism[…] dans aucun atelier de Paris, on apprend à peindre […] chairs et la peau noires. Quand, au Salon de 18[…] Marie-Guillemine Benoist expose son *Portrait d'*[…]

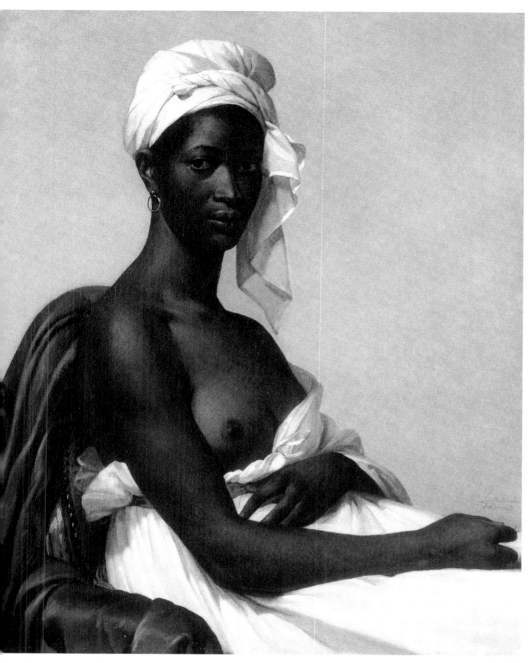

227 Benoist, *Portrait d'une femme noire*, 1800
le sur toile. Paris. musée du Louvre

une noire [**ill. 227**] le sujet noir et la couleur noire
~~n~~t décriés par la critique comme un exercice re-
~~lati~~le à l'art de la peinture même[77].

Plus encore que sa présence, le buste de Raynal
~~sur~~trepasse par son traitement la valeur iconographi-
~~qu~~e d'un accessoire et introduit un double sujet dans
~~le~~ tableau[78]. *Le Mercure de France* suggère que si Bel-
~~ley~~ avait «embrassé cette image sacrée de l'éloquent
~~avo~~cat des hommes de couleur» plutôt que de s'ac-
~~co~~uder contre lui, on aurait «pu intituler ce tableau :
~~ho~~mmage de la reconnaissance[79]». Tout comme le
~~pre~~mier titre que Girodet donne à son tableau lors
~~de~~ l'exposition de l'Élysée, ce commentaire est un
~~des~~ nombreux à souligner que le sujet moral et poli-
~~tiq~~ue du tableau est au moins autant un hommage à
~~Ra~~ynal qu'un portrait de Belley.

Postérité de Belley au XXᵉ siècle

Le *Portrait de Belley* figure en 1972 à la Royal
Academy de Londres dans l'exposition «The Age
of Neoclassicism». En 1989, Hugh Honour, qui fut
l'un des commissaires de l'exposition, consacre au
tableau de Girodet plusieurs pages dans *L'Image du
Noir dans l'art occidental* et le reproduit en couverture de cet ouvrage[80]. Tony Halliday[81] dans son livre
sur le portrait consacre un long paragraphe à Belley. Son analyse iconographique repose sur l'étude
d'Helen Weston[82] qui reconnaît dans le paysage les
ruines fumantes du Cap-Français[83]. En 2001, un
colloque de la villa Médicis «Les portraits du pouvoir» ne lui consacrait pas moins de trois communi-
cations[84]. Aux États-Unis, la critique fait également
porter à *Belley* les stigmates politiques et sexuels
exacerbés de la société américaine[85]. Le paysage qui

fut compris comme une image de la révolte noire[86]
et le corps de Belley dont la critique *gender* souligne la dimension érotique et raciste, furent utilisés
comme des clefs nouvelles pour la compréhension
du tableau et la sexualité de Girodet. Cependant,
comme nous l'avons remarqué plus haut, le paysage
que peint Girodet est paisible, les fumées du fleuve
comme celle de la petite ferme isolée n'évoquent
pas la violence insurrectionnelle de l'incendie du
Cap-Français[87].

Ce sont de paisibles fumées domestiques qui font
plutôt écho à la fonction officielle de Belley responsable de l'ordre dans l'île. Immortaliser Belley devant
le Cap incendié aurait été un contresens pour celui
qui avait dédié sa vie à l'émancipation des Noirs par
le droit plutôt que par la force.

Le portrait de Belley est plus récemment devenu une icône sexuelle et les attributs sexuels de
Belley sous sa culotte de peau[88] ont donné lieu à
des commentaires qui soulignent l'indéniable stéréotype racial[89] ou qui relèvent du contexte so-
cioculturel américain. L'importance des attributs
de Belley est perçue comme un lapsus libidinal de
Girodet. «*Undoubtly, Belley was an object of Girodet's
desire and fantasy. In the portrait, the large penis is fan-
tasmatically touched by the hand whose spread fingers
conjure its width and thereby permit the imagining of
Belley remarkable virility. […] The thirty years old artist
standing before the fifty year old black deputy and military officer was facinated by Belley's hidden virility, his
sexual power, his potential erotic domination*[90].»

Sans aller jusqu'à cet excès, il est difficile d'appréhender le contexte historique et la sexualité de
Girodet avec l'apparat critique post-freudien et
post-colonialiste sans commettre de graves contresens. Comme curieusement aucun dessin préparatoire au *Portrait de Belley* n'a subsisté, il nous
est impossible de déterminer si les organes sexuels
proéminents de Belley dans son portrait relèvent
de la nature ou de l'idéologie. Pourtant, il est raisonnable de penser que Girodet a commencé son
portrait par l'étude du nu dans la tradition classique[91]. Nous savons que c'est un principe qu'il a
utilisé même pour ses dessins d'illustration pour
Racine[92]. Ce serait commettre un autre contresens
que de nier également que le stéréotype sexuel
bien présent dans le portrait de Belley ne relève pas
«d'un indice racial vivace encré dans les mentalités[93]». Le *Portrait d'une femme noire*, de Mᵐᵉ Benoit[94],
montrée les seins nus à la manière de la *Fornarina*,
mais à une époque où aucun portrait de femme
n'aurait exposé une nudité aussi provocante, révèle
le même fantasme ancestral sur la nature noire. Au
XXᵉ siècle, d'autres artistes ont plus explicitement
encore sacrifié à l'inspiration de l'homme noir.
Encore faut-il placer dans un contexte approprié

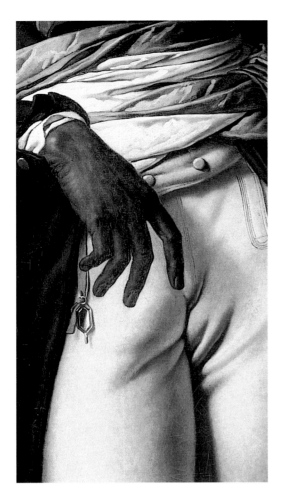

Cat. 66 Détail de la culotte

III. 228 Robert Mapplethorpe, *Man in polyester suit*, 1980
Photographie, coll. part.

les concepts si mobiles dans l'histoire de fantasme, de corps et d'érotisme : on analyserait difficilement Girodet comme on analyse Robert Mapplethorpe **[ill. 228]** dont les photographies sont indissociables de l'exhibitionnisme et de la revendication du désir homosexuel.

Il est en revanche nécessaire de comprendre la représentation du corps de Belley dans le contexte de catégorisation raciale typique de l'esprit scientifique du XVIIIᵉ siècle et dans l'esthétique du beau idéal. Les essais de catégorisation raciale effectués par Johann Caspar Lavater entre 1775 et 1778 **[ill. 229]** et Petrus Camper en 1791 se concentrent sur la tête et la forme du crâne, plaçant le sujet humain entre les prétendues extrémités de la chaîne de la création de l'espèce : le singe et la tête antique. Jusqu'à quel point Girodet qui, par l'intermédiaire du docteur Trioson, baignait dans le milieu médical, épouse-t-il les théories de son temps est difficile à déterminer d'autant qu'il n'existe pas d'autre portrait de Belley qui pourrait lui être comparé.

Tableau révolutionnaire
ou tableau franc-maçon ?

La base du buste a été aussi considérablement raccourcie par Girodet qui en modifie l'inscription. Les initiales du prénom G.T pour Guillaume Thomas, séparées par la marque triangulaire du ciseau ont été interprétées comme des symboles maçonniques relatifs à la possible appartenance de Girodet

ou de Raynal au Grand Orient De cette appar nance qui n'a pas été démontrée, il resterait diffic de tirer le moindre enseignement. Marcel Dorigny Bernard Gainot soulignent que s'il y avait de no breux francs-maçons parmi les Amis des Noirs, i avait également une présence massive de négriers de colons dans les loges[95]. La maçonnerie était i portante chez les négriers de Rouen et du Hav de Bordeaux et Nantes. La multiplication des lo aux Antilles, à Saint-Domingue surtout, montre q l'appartenance à la maçonnerie n'était pas perç comme incompatible avec la traite et l'esclavage par les colons ni par le Grand Orient qui n'a jan exclu ses « frères » esclavagistes. « De la présence nombreux maçons aux Amis des Noirs nous ne co clurons pas à une similitude, ou à une parenté d'o jectifs, mais plus sûrement au constat que le fait m çonnique avait atteint un tel taux de pénétration d les élites de l'époque que toutes les options idéo giques et tous les intérêts sociaux s'y croisaient Le G pourrait aussi être celui de Girodet et le T lui de Trioson, ces deux lettres étant constamm associées dans le monogramme de Girodet après s adoption par le docteur.

Loin d'être une œuvre militante au message li pide et clair comme un drapeau ou un slogan, le *trait de Belley* se révèle être un tissu d'ambiguïtés ne doivent pas nous étonner de la part d'un pein qui plonge tous les sujets dont il s'empare dans abîmes de sens chargés d'une puissance évocatrice d'une polysémie propre à la poésie.

Les enjeux de la peinture

Le pinceau de Girodet est maître des rendus de chair, de la peau et des lumières. Le génie de la ~sparence de ses glacis et la subtilité de ses clairs-~curs lui étaient reconnues dès l'atelier de David[97]. portrait de Belley ne relève pas du défi politique ~ l'histoire a schématisé, mais il offre néanmoins ~ réponse au politique. L'idée que l'art n'avait de ~pte à rendre qu'à l'art lui-même avait été for-~lée dès la Renaissance et l'ouverture des musées ~Louvre ouvre en 1793) l'affirmait et la répandait ~s le public. Peindre Belley était peindre la peau ~re. Cependant, le visage et les mains de Belley ne ~t pas noirs mais plutôt ardoise, cuivre, argent, mar-~, avec un indéfinissable mélange de jaune et des ~ches de gris.

~La subtile complexité de sa couleur est reprise ~me un étendard du savoir-faire de l'artiste dans ~orme socle de marbre sombre, de provenance in-~taine peut être des Pyrénées, qui occupe près d'un ~rt du tableau. Que cette qualité de marbre soit ~lle ou qu'elle soit inventée importe au fond assez ~. Cela reste du vrai ou du faux marbre peint, tout ~me les « *finti marmi* » dont Georges Didi-Huber-~n dévoile le savant réseau signifiant chez Lorenzo ~naco ou chez Fra Angelico[98]. Le marbre accentue ~ure visualité de la peinture et introduit une dia-~ique avec les enjeux de son sujet.

~Veiné comme les mains de Belley, ce marbre re-~nd en écho les tonalités de la peau noire. C'est ~si par le marbre que Girodet choisit de montrer ~eau blanche, c'est le marbre de Carrare du buste ~Raynal. Le blanc est fait de reflets brun clair, ivoi-~sépia et gris. La peau et sa couleur, si essentielle ~s la peinture du corps, est l'énigme que pose Jean ~ir[99] : « De quelle couleur est la peau ? Cette ques-~ simple n'avait cessé, enfant, de m'inquiéter. […] ~ vêtements c'était facile, bleu, vert, rouge jaune, ~r ou gris. […] mais la peau ? […] la peau n'était ~ blanche. Elle n'était pas rose. Ni jaune, ni mauve ~violette, ni brune. Un peu de tout cela sans doute. ~is si l'on tentait de l'approcher par des mélanges, ~ait pire encore. […] les noirs, les jaunes, les rou-~ ? […] Étaient-elles vraiment rouges ces peaux, ~ plutôt cuivrées, bistrées, ocrées ? Les Noirs eux-~mes n'étaient rarement que tout à fait noirs, mais ~tôt café, crème, chocolat […]. » L'identification ~iale s'efface donc sur la palette du peintre comme ~e noir et le blanc, questions manichéennes, con-

duisaient l'art et la morale vers des voies sans issue. La caractérisation raciale résiste aux catégories chroma-tiques comme elle se refuse aux catégories ethnolo-giques. Cette impossibilité de la catégorie, Girodet s'amusa un jour à la pousser jusque dans l'ordre du beau et devant toutes les académies de l'Institut réu-nies pour leur séance annuelle et publique il déclara : « […] Tous les peuples de l'Europe représentent le démon avec une peau noire, tandis que les Éthio-piens donnent à leurs mauvais génies un visage blanc ; on peut donc penser assez vraisemblablement que la figure la plus étrangement originale, j'ai presque dit la plus ridicule, la plus effrayante même aux yeux non encore dépaysés d'un nègre de l'Abyssinie ou d'un Tartare Calmouk, serait par exemple celle de l'Apol-lon du Belvédère[100]. »

S. B.

III. 229 Lips d'après Chodowieski,
Espagnol, hollandais, maure et indien de Virginie
Gravure d'après Lavater, Physiognomishe Fragmente…,
1775-1778

notes

1. Londres, Royal Academy, 9 septembre - 19 novembre 1972, n° 106, p. 71, plate 11.

2. Établie dès la fin du XVIe siècle à la cour de France par les Clouet, et les peintres de la cour d'Espagne sous Philippe II et Philippe II.

3. Lettre [d'Anne Louis Girodet] au docteur Trioson, Rome, 3 octobre 1792, fonds Pierre Deslandres, déposé au musée Girodet de Montargis, t. III, n° 28.

4. AN, C/352/2, *« n° 40, Isle de Saint-Domingue »* [Déclaration des députés de Saint-Domingue conformément à la loi du 5 fructidor an III - 22 août 1795]. Jean-Baptiste Belley déclare être « [...] né à Goré, comptoir français, âgé de quarante-huit ans [.]» Cette déclaration datant de 1795, Belley serait né en 1747.

5. Voir Olivier Pétré-Grenouilleau, 2004, p. 162-163.

6. En 1697, au traité de Ryswick, l'Espagne reconnaît la colonie française à l'ouest de l'îl

7. Le discours fut publié par la suite (voir Belley [s.d., 1794?], p. 5).

8. Dorigny, Gainot, 1998, p. 360 et Madiou, *Histoire d'Haïti*, 1847-1848, t. I, p. 145, qui écrit : « Mars Belley, citoyen noir d'une grande moralité, ayant servi pendant la guerre de la Nouvelle Angleterre sous le Comte d'Estaing. »

9. Price-Mars, *Revue*, janvier 1940, p. 7.

10. Dorigny, Gainot, 1998, p. 337, 360 et « Déclaration de fortune des représentants du peuple à la Convention nationale : dossier Jean-Baptiste Belley », Paris, 10 vendémiaire an IV (2 octobre 1795), AN, C/353 (2), n° 88.

11. Price-Mars, *Revue...*, janvier 1940, p. 12 et Honour ; *Image du Noir...*, 1989, t. I, p. 104.

12. Anon., *Convention nationale...* [1790], p. 40.

13. Premier document officiel conservé en langue créole. L'article II stipule : *« Toute nègues & milates, qui zesclaves encore, nous déclaré io toute libe. Io gagné même droit que toutes les autes citoyens Français ; mais, io va suive zordonnance que nous va fait. »*

14. Je tiens à remercier tout particulièrement Pierre Baudrier pour les précieuses informations qu'il m'a généreusement communiquées sur Saint-Domingue pendant la Révolution.

15. Réchin donna sa démission avant d'avoir siégé et fut remplacé par Laforest.

16. Les départements de la France métropolitaine avaient été créés le 15 janvier 1790.

17. Stein, 1985, p. 95.

18. Price-Mars, Revue..., janvier 1940, p. 15.

19. Madiou, t. I, p. 171

20. « Discours d'un député de Saint-Domingue [Dufaÿ] », séance du 16 pluviôse an II (4 février 1794), *Moniteur universel*, n° 138, 18 pluviôse an II (6 février 1794), p. 393. Il aurait aussi déclaré : « Vous ne pouvez m'ôter celle que je porte dans mon cœur. » (voir Belley, Mills, Dufaÿ, Garnot, Georges, [1794], *Convention...*, p. 8).

21. Séance du 16 pluviôse an II, *Moniteur universel*, n° 137, 17 pluviôse an II (5 février 1794.

22. Cité par Madiou, Histoire d'Haïti..., t. I, p. 176.

23. Voir les publications suivantes : Belley, [6 fructidor an II - 23 août 1794], et Belley [s.d., 1794?]

24. Verneuil, [8 fructidor an II - 25 août 1794], p. 1. Voir aussi Weston, *Res., automne 1994*, p. 85-86. Serres, participant à la discussion faisant suite au rapport de Defermon sur l'état de Saint-Domingue devant la Convention le 23 juillet 1795 (5 thermidor an III), demande que cesse de « couler le sang français par torrents ; vous ne voulez pas faire triompher les Africains. » Un député noir réagit vivement (Belley selon Bénot, AHRF, no 293-294, juillet-décembre 1993, p. 345-348) en répondant : « Est-ce que je suis un chien ? » On répondit dans la salle : « Non, mais tu n'es pas français. » Lorsque Page et Brulley protestèrent contre l'admission au sein de l'Assemblée nationale des députés de Saint-Domingue le 4 février, ils considérèrent Belley comme non Français mais « de nation afriquaine-bambara » (Wanquet, La France et la première abolition de l'esclavage..., 1998, p. 246).

25. Le 9 thermidor de l'an II (7 juillet 1794). Voir Honour, Image du Noir..., 1989, t. I, p. 106 et note 278, p. 322.

26. Elle est remplacée par celle de l'an III ou de 1795 qui donne naissance au Directoire.

27. Les deux Conseils étaient annuellement renouvelables au tiers. Le pouvoir exécutif était confié à un Directoire composé de cinq membres renouvelables annuellement par cinquième.

28. Étienne Mentor sera rayé d'un trait de la liste des députés après le 18 brumaire.

29. Vincennes, Service historique de l'Armée de terre, Yb 319, Cité par Honour, 1989, t. 1, note 278, p. 322.

30. Price-Mars, *Revue...*, janvier 1940, p. 3, et Archives municipales du Palais (Morbihan), registres paroissiaux, acte de décès de Jean-Baptiste Belley, « ex chef de légion de Gendarmerie », 18 thermidor an XIII (6 août 1805).

31. François Dominique Toussaint, dit Toussaint Louverture (1743? - 7 avril 1803), esclave affranchi, prend les armes dès le soulèvement d'août 1791, rejoint les forces françaises après l'abolition de l'esclavage en 1794 et obtient le grade de général. Devenu gouverneur (puis gouverneur à vie), il promulgue une Constitution autonomiste pour l'île en 1801 tout en prenant la tête d'une armée d'environ quarante mille hommes. Perdant le soutien de Paris sous le Consulat, il mène une guerre contre le corps expéditionnaire du général V.-E. Leclerc, envoyé par Bonaparte pour ramener Saint-Domingue dans le giron de la République. Ses forces défaites, il se rend en 1802. Assigné à résidence dans sa plantation, il est toutefois arrêté par traîtrise la même année et est déporté au fort de Joux dans le Doubs par décret consulaire du 23 juillet 1802. Épuisé par les conditions de sa détention, il meurt dans son cachot le 7 avril 1803.

32. Jean-Marcel Champion, « Toussaint-Louverture », in Tulard, 1987, p. 1646.

33. Pluchon, *Toussaint Louverture...*, 1989, p. 72.

34. Bénot, *AHRF*, 1992, p. 54.

35. Archives municipales du Palais (Morbihan), Registres paroissiaux, acte de décès de Jean-Baptiste Belley, 18 thermidor an XIII (6 août 1805) : « [...] Jean-Baptiste Belley, ex chef de légion de gendarmerie, jouissant du traitement de réforme, nègre, âgé d'environ cinquante ans, natif de Léogane à l'Île de Saint-Domingue, est mort au dit hôpital militaire de Belle-Île-en Mer [...]. » À titre de comparaison, il est intéressant de rappeler que l'orthographe de Toussaint Louverture est phonétique et mêlée de créole, comme celle de Belley : « Premire Consul, père de toute les militre, defenseur des innosant, juige intégre, prononcé donc, sure un homme qui e plu mal heure que couppable... » Post-scriptum manuscrit d'un mémoire envoyé à Bonaparte en 1802. Voir Jean-Marcel Champion, « Toussaint-Louverture », in Tulard, 1987, p. 1645.
Le préfet de Vannes transmit à Belle-Île, en 1809, soit quatre ans après la mort de Belley l'autorisation de sa remise en liberté (communication écrite de M. Nicolas Tafoiry, conservateur de la citadelle Vauban, du 1er octobre 2004).

36. *Buonaparte, premier Consul, Notes pour servir aux instructions à donner au Capitaine général Leclerc, 9 brumaire an X [31 octobre 1801]*, AN, A/F/IV/863, cité par Roloff, 1899, p. 253.

37. En qualité de chef de brigade puis chef de la gendarmerie de Saint-Domingue, Belley aurait possédé le grade de colonel, donc d'officier supérieur (à la différence d'un capitaine). Il aurait été ainsi le premier homme de couleur venant d'Outre Mer a accéder au grade d'officier supérieur de la Gendarmerie (communication orale de l'adjudant Dupuis, conservateur du musée de la Gendarmerie nationale de Melun, le 20 octobre 2004).

38. Price-Mars, *Revue...*, janvier 1940, p. 19, donne par erreur de conversion du calendrier républicain la date du 12 février 1806 pour le 3 ventôse an XIII.

39. *Ibidem.* L'auteur transcrit la lettre p. 21 « « ...] le général Miollis m'avait promis de parler au ministre de la guerre pour moi. Mais, mon bon ami, vous savez qu'on promet beaucoup aux malheureux mais on leur tient peu. »

40. Lille, musée des Beaux-Arts, n°Inv. P 869.

41. Aulard, 1893, p. 228, cité par Grimaldo Grigsby, 2002, p. 12.

42. Rosenberg et Prat, t. I p. 150-157.

43. C'est Jacques de Caso qui a identifié l'auteur du buste, Jean Joseph Espercieux (1757-1840), réalisé d'après le modèle en terre de 1790 et actuellement conservé à la mairie de Saint-Geniez-d'Olt dans l'Aveyron (voir Caso, in Michel, 1996, t. II, p. 533, fig. 252, p. 618 et AN, F/21/0005, dossier 31, artistes.

44. Durozois, article « Raynal » dans Michaud [éd.], 1824, t. 37, p. 180.

45. Raynal, 1791 et archives parlementaires, t. XXVI, séance du mardi 31 mai 1791, p. 650.

46. Malouet fut commissaire à Saint-Domingue entre 1768 et 1774.

47. Lüsebrink, in *Marseille*, 1989, p. 69-73.

48. Chaussard, *Lettre d'un homme libre à l'esclave Raynal*, Paris, Impr. du cercle social, [1791].

49. Il existait une constellation de sociétés anti-esclavagistes aux États-Unis d'Amérique et en Angleterre. D'emblée le mouvement anti-esclavagiste fut international comme l'était le commerce d'esclave qui bafouait ouvertement tous les droits douaniers et humanitaires. Je ne citerai ici que la Pennsylvania Abolition Society crée en 1775 sous les auspices de Franklin. New York, Boston, Baltimore, avaient suivi l'exemple de Philadelphie, sans oublier l'action des églises méthodistes et Quaker qui avaient été fondés même dans les États du Sud où l'esclavage avait une portée économique considérable. En Angleterre, The Society for Effecting the Abolition of the Slave Trade, fondée en 1783, deviendra l'un des correspondants réguliers de la Société des amis des Noirs de Paris.

50. Dorigny et Gainot, 1998, p. 37, note 27.

51. Grégoire, 1790.

52. Grégoire, *Lettres aux citoyens...*, 1791, p. 11-12.

53. Publié dans Dorigny et Gainot, 1998.

54. *Ibidem*, p. 44-45.

55. Ces informations rendent improbable que ce tableau ait pu être été une commande à Girodet par la Société qui ne le porte pas dans ses registres et qui apparaît constamment confrontée à des difficultés de trésorerie. Par-dessus tout, elle est en cessation d'activité au moment où Girodet peint le *Portrait de Belley*

56. Une lettre de d'Angiviller à Ménageot du 18 avril annonce le départ de Girodet pour Rome (voir Monta Guiffrey, *Correspondance des directeurs*, 1906, n° 907, p. 414 ; AN 0/1/1927). Le 26 avril 1790, Gi est à Lyon (lettre d'Anne Louis Girodet au docteur Tri Lyon, 26 avril [1790], fonds Pierre Deslandres, dépo musée Girodet de Montargis, t. III, n° 1. À la « Citoy Trioson » au Bourgoin, dans une lettre adressée de Ge le 9 octobre 1795, il écrit : « je serai dans une heure en qué dans la diligence qui part directement d'ici pour Pa (lettre d'Anne Louis Girodet à Mme Trioson, Genève, 9 bre [1795], *ibidem*, n° 80).

57. Il avait eu le projet, non retenu par Talleyrand, mi des Relations extérieures, de peindre un tableau repré tant les ambassadeurs de la Porte auprès du directoire République, où il voulait montrait « l'opposition et le traste du luxe asiatique et de la dignité du costume c titutionnel », Leroy, 1892, p. 43-45. Le *Portrait de E* hérita en partie de cette ambition.

58. Voir infra S. Bellenger, « Trop savant pour nous »

59. Coupin, 1829, t. II, lettre de David à Girodet, F 22 pluviôse an V (10 février 1797), p. 313.

60. *Déclaration de fortune des représentants du peu la Convention nationale : dossier Jean-Baptiste B* Paris, 10 vendémiaire an IV (2 octobre 1795), AN., C (2), n° 88.

61. « On voit encore chez Girodet le portrait d'un repré tant des colonies » (Bruun-Neergaard, Sur la situatior Beaux-Arts en France..., 1801, p. 5.

62. Quatremère de Quincy, 1834, p. 318-319.

63. Anon., *Elysée. Exposition Des Ouvrages De Peir Sculpture, Architecture, Mosaïque, Gravure, Dessir Modèles d'Artistes Modernes. Du premier Brumaire [22 octobre 1797]*, [Paris], [1797]. Précédé de deu troductions dont l'une est signée Alexandre Lenoir. J mercie tout particulièrement Joseph Baillo, qui m'a pro ce livret qui ne se trouve ni à la Bibliothèque nationa France ni dans les bibliothèques Doucet, Frick ou celle du Congrès.

64. *Ibidem*, p. 26-27.

65. *Ibidem*, p. 7 (de la seconde introduction). La préc littéraire de la notice d'*Endymion* (voir cat. 10) nous in penser que les deux textes de présentation de ces tab doivent être considérés comme émanant de Girodet même.

66. Anon., *Explication des ouvrages de peinture et des sculpture, architecture, et gravure, Exposées au Musée tral des Arts, le ler Thermidor an VI de la République F çaise d'après l'Arrêté du Ministre de l'Intérieur [19 j 1798]*, [Paris], [1798], p. 32, no 194.

67. Halliday, 2000, p. 106-113, est le premier à souli l'importance des bouleversements politiques successi Directoire pour l'interprétation du tableau.

68. Le Directoire est divisé en deux périodes. Le pre Directoire qui se met en place aux lendemains de therm 1794 et dure jusqu'au coup d'État du 18 fructidor de l' (4 septembre 1794) et le second Directoire qui comm avec le coup d'État du 18 fructidor 1797 et s'achève pa lui du 18 brumaire an VIII (9 novembre 1799).

69. Paris, Salon, 1798, p. 32, n° 195 : *Portrait de B Agnès Trioson ou Ruhaus*, fils unique du docteur Tri qui venait de perdre sa mère, musée Girodet Monta

'7).

icolas Marie, comte de Neufchâteau (1750-1828) est
stre de l'Intérieur du 15 juillet 1797 au 13 septem-
797, puis du 17 juin 1798 au 22 juin 1799.
N/21/257/, dossiers an II-an XII, chemise an VI.
Montaiglon, *AAF*, 2ᵉ série, t. I, 1861, p. 317-320. Let-
ommuniquée par le sculpteur Mathieu-Meusnier et
par erreur du 16 août au lieu du 16 septembre 1798
uctidor an VI) : «ayant remporté tous les prix de la
vant Académie de peinture, *je n'ai pu être banni de
osition par le juri lui-même,* et encore moins sans
e par le caprice de celui qui a dirigé l'exposition, sans
us criante injustice» (p. 319). Le retrait de ses peintu-
u Salon avait été fait en l'absence du citoyen Jollain et
inement son ancien professeur «n'aurait certainement
ouffert cette violation formelle» (*idem*) de l'arrêté du
stre.

haussard, *La Décade philosophique*, nᵒ 33, IVᵉ semes-
0 thermidor an VI, p. 344.
Anon., *Journal d'indications*, [1798?], coll. Deloynes,
nᵒ 541, p. 207-208.
rmant, [1798?], p. 6.
non., *Journal d'indications*, [1798?], coll. Deloynes,
nᵒ 541, p. 207-208.
outard (?), *Journal des débats*, 6 brumaire an IX
ctobre 1800), p. 1-2.
oir Crow, 1994, p. 277, 279-280.
non., *Mercure français*, nᵒ 2, 20 vendémiaire an VI
ctobre 1798), p. 93.
onour, 1989, t. I, p. 17, 104, 106, 110, 179, ill. 55,
5, t. II, p. 28.
alliday, 2000, p. 101, 106-113, fig. 19.
Weston, *Res.*, automne 1994, p. 83-99, fig. 1, p. 84.
alliday analyse le coup d'État du 18 fructidor comme
oup de force militaire, sans reconnaître que celui-ci
dirigé contre la droite monarchienne et quelquefois
iste des Conseils législatifs victorieux aux élections
intemps 1797.
osséno, in Bonfait, Marin, *(2001) 2003*, p. 135-151,
3, p. 140 (détail), ill. 21, p. 142 (détail), fig. 23, p. 146
il); Lafont, in *ibidem*, p. 110-113 et p. 115-125, ill. 1,
4; Weston, in *ibidem* p. 127-133, ill 12, détail).
rimaldo Grigsby, 2002, p. 9-63.
Weston, *Res.*, Autumn 1994, p. 86-87.
ibidem.
Cette culotte de peau moulante, couleur chamois, est
itement à la mode : voir le *Portrait de Charles Louis
et de Gassicourt* par Prud'hon (1791, Paris, musée Jac-
hart-André, huile sur toile, H. 1,15 x L. 0,89 m, inv. nᵒD
ou le *Portrait de Pierre Sériziat* par David (1795, Paris,
ée du Louvre, huile sur toile, H. 1,290 x L. 95,5 cm,
281).
Caso, in Michel, actes du colloque «Géricault…»,
, t. II, p. 533-534.
rimaldo Grigsby, 2002, p. 55-56. «Sans aucun doute,
y était pour Girodet un objet de désir et de fantasme.
» le portrait, l'important pénis est touché de manière
smatique par la main dont les doigts écartés soulig-
la dimension et permettent d'imaginer la remarquable
é de Belley […]. En face du député et officier noir de
uante ans, l'artiste de trente ans était fasciné par sa vi-
cachée, son pouvoir sexuel et sa domination érotique
ntielle» (traduction de l'auteur).

91. Voir Chaussard, *La Décade philosophique*, nᵒ 33, IVᵉ
semestre, 30 thermidor an VI, p. 343-344.
92. Voir cat. 107-119.
93. Caso, in Michel, 1996, t. II, p. 534.
94. Paris, musée du Louvre ; Boutard (?), *Journal des débats*, 6 brumaire an IX (28 octobre 1800), p. 1-2.
95. Dorigny, Gainot, 1998, p. 31, qui reprend Eric Saunier,
*Révolution et sociabilité en Normandie au tournant des XVIIIᵉ
et XIXᵉ siècles : 6 000 francs-maçons de 1770 à 1830*, thèse,
université de Rouen, 1995.
96. Dorigny, Gainot, 1998, p. 1998, p. 31.
97. Coupin, 1827, p. 62-63 ; Crow, 1994, p. 277, 279-280.
Voir *Le Serment des Horaces* cat. 00.
98. Georges Didi-Huberman, 1990
99. Jean Clair, 2002, p. 85 et 87.
100. Coupin, 1829, t. II, p. 199, tiré «De l'Originalité
dans les arts du dessin», discours lu par Girodet lors de
la séance publique annuelle des quatre académies le
24 avril 1817.

« Il le fit noir »

cat. 67 Portrait de Chateaubriand, dit aussi Un homme méditant sur les ruines de Rome

uile sur toile, 120 x 96 cm

int-Malo, musée d'Histoire et d'Ethnographie, inv. MSM
.17.1

st. Peint pendant l'été 1808, commandé à Girodet par
ntermédiaire de Bertin l'Aîné (voir cat. 51) ; exposé au Salon
1810, n° 373 (*Homme méditant sur les ruines de Rome*).

portrait de Girodet ne figurant pas dans les testaments de
hateaubriand, nous avons développé la chronologie de ce
bleau afin de le suivre depuis le moment ou Chateaubriand
prend possession jusqu'au moment où Ampère le fait
voyer à Saint-Malo. Cette chronologie comprend les
pies demandées, acceptées ou refusées par Chateaubriand.
dernière de ces copies, faite pour Mme Recamier en
placement de l'original qu'elle avait envoyé à Saint-Malo
st connue que par l'aquarelle de Mme Toudouze de la coll.
normant (*infra* et note 7).

Salon de 1810, n° 373 : *Homme méditant sur les ruines de*
me

26 septembre 1812, Chateaubriand prend possession de
n portrait : « j'ai été bien longtemps à prendre chez vous
on seul titre à l'immortalité […] (lettre de Chateaubriand à
rodet, *Correspondance générale*, t. II [textes établis et annotés
r Pierre Riberette] Paris, Gallimard, 1997, p. 178 et notes
355 (voir *infra* note 14).

2 septembre 1828, « […] si Marie veut me voir tel que j'étais
y a vingt ans, elle trouvera l'admirable portrait de Girodet
ns mon ermitage ; elle pourra demander à le voir dans ma
tite maison, après avoir vu La Sainte Thérèse à la chapelle
l'infirmerie ; […] » *Un dernier amour de René, Correspondance*
Chateaubriand avec la Marquise de V. [Marie-Louise-Élisabeth
Hauteville, marquise de] *Vichet*, (1779-1848), Paris, 1903,
51.

décembre 1839, le Maire à Mr le Vicomte de Chateaubriand,
ris : « Mr le Vte, J'ose vous prier de permettre que M. Riss,
intre distingué qui travaille à une galerie de portraits
toriques à l'Hôtel-de-ville, nous mette à lieu de placer le
tre au dernier rang de cette noble réunion.
s écrivains célèbres ont une existence assurée par-delà les
cles, mais leur image qui semble ne parler qu'aux yeux,
eille aussi dans les cœurs, tout un souvenir d'admiration.
Riss aura l'honneur, M. le Vte de solliciter avec moi, au
m de votre berceau, cette haute faveur, à laquelle son amour
pre d'artiste attache, à tant de titres, un si grand prix. Je
çois, M. le Vte, les sentiments de M. Riss, mes concitoyens
moi, nous les partageons avec un vif empressement. Il nous
de bien de savoir si l'art aura l'honneur d'être admis auprès
génie inspirateur. Tous nos vœux sont renfermés dans une
si flatteuse espérance ! Daignez, M. le Vte, les accueillir avec
te grâce répandue dans vos écrits, & votre reconnaissance
lera le respect filial avec lequel je suis, Mr le Vte, votre, etc.
ovius [1] » En marge : « Voir 2e lettre du 7 janv. 1840 ci-après »
chives municipales de St-Malo, SMD 307, registre de
ies de lettres du maire).

★ 14 décembre 1839, lettre de Chateaubriand à Louis François
Hovius maire de Saint-Malo : « Je connais le talent de M. Riss,
si je ne me trompe, M. Riss est un des premiers élèves de notre
grand peintre Gros, mais à mon âge, il ne me reste plus assez de
vie sur la figure de l'homme pour qu'on ose en confier la ruine
au pinceau. Madame de Chateaubriand possède le seul portrait
qui existe de moi, c'est un chef d'œuvre de Girodet, il le fit en
1807 à mon retour de terre sainte : je le donnerai par testament à
mon île maternelle. J'obtiendrai le consentement de Madame de
Chateaubriand lorsque j'aurai le courage de lui parler d'un sujet
si triste, toutefois l'article de mon testament ne sera exécutoire
que quand ma femme reposera elle même dans le sein de
Dieu » (lettre retranscrite dans les manuscrits de Charles Cunat,
manuscrits inédits, bibliothèque municipale de Saint-Malo, t.VI,
1778-1844). Voir aussi Philippe Petout, « Les origines du musée
de Saint-Malo », *Annales de la société d'histoire & d'archéologie de*
l'arrondissement de St-Malo, 1991, p. 87 -99 (ici p. 89-90).

★ 7 janvier 1840, le Maire, à Mr le Vicomte de Chateaubriand,
Paris : « Mr le Vicomte, La réponse que vous avez eu la bonté
de faire à la lettre que j'ai eu l'honneur de vous écrire le
9 décembre dernier, nous donne un espoir trop flatteur pour
ne pas exciter la plus vive reconnaissance. Je suis chargé, M. le
vicomte, de nous en offrir le respectueux hommage pour mes
concitoyens et pour moi-même ; mais il s'écoulera, si Dieu le
veuille, beaucoup d'années avant que nous possédions ce beau
portrait que vous allez léguer à votre ville natale ; jusque là
nous serions privés de la vue des traits que nous aimerions
pourtant à contempler souvent, si vous ne daignez permettre à
Mr Riss de faire une copie de l'œuvre de Girodet. Il est permis,
quelques fois, Mr le Vte d'être importun ; surtout quand il s'agit
de posséder ce que d'autres villes voudraient bien être à lieu
d'obtenir. Voila, mon excuse, M. le Vie, en faveur des instances
réitérées que je me permets encore. Dites seulement un mot
et nos plus chères espérances seront réalisées. M. Riss travaillera
avec ardeur à imiter le célèbre Girodet : il sait que toute une
ville attend aujourd'hui son oeuvre : son zèle sera proportionné
à l'ardeur de nos vœux & le motif doublera son talent. Son
empressement, M. le Vte, ne pourra cependant surpasser
les sentiments de respect & de reconnaissance avec lesquels,
ainsi que mes concitoyens, je suis, etc… Hovius » (archives
municipales de Saint-Malo, SMD. 30, registre de copies de
lettres du maire).

★ 18 avril 1846 : « je laisse au musée de Saint-Malo, ville natale
de M. de Chateaubriand, le bas relief en marbre représentant
Eudore et Cymodocée, exécuté à Rome par Tenérani [détruit
en 1944]. Je laisse au même musée le dessin d'Atala, copie du
tableau de Girodet [retrouvé par Philippe Petou dans donjon-
musée de Saint-Malo] et le dessin de Fragonnard [également
détruit en 1944] où il a voulu me représenter assise au bord
de la mer » (testament de Mme Récamier, étude Delapalme,
rue Neuve-Saint-Augustin, n° 3 Paris (publié *in extenso* in
Pierre-Émile Buron, *Le Cœur et l'esprit de Madame Récamier*,
Combourg, Atimco, 1981, p. 351 -354.

★ 9 février 1847, mort de Céleste de Chateaubriand.
Le premier testament de Mme de Chateaubriand (1774-1847)

daté de Paris le 19 novembre 1806 institue son mari « pour
héritier unique et légataire universel de tous les biens de toute
nature qui se trouveront m'appartenir le jour de mon décès ».
Un deuxième testament daté de Paris du 18 juillet 1829 réitère
ces dispositions. Enfin, le 10 mars 1846 Mme de Chateaubriand
rédige une lettre de quatre pages où elle rédige ses dernières
volontés [2]. Dans aucun des testaments ni dans la lettre de
Céleste de Chateaubriand n'est mentionné le portrait de son
époux par Girodet. En revanche, le buste de Chateaubriand par
David d'Angers, celui du duc de Bordeaux et d'autres objets
sont stipulés comme étant donnés à son neveu le comte Louis
de Chateaubriand.

★ 4 juillet 1848, mort de Chateaubriand.

Chateaubriand rédigea trois testaments [3]. Le premier, rédigé
par-devant Me Robin successeur de Me Le Brun, date du
29 avril 1825 ; il fait de Mme de Chateaubriand sa « légataire
universelle sans exception ni réserve ». Le second date du
12 juin 1837 auquel s'ajoutent deux codicilles du 12 juin 1837
et du 22 février 1845, tous déposés chez Me Pinçon de
Valpinçon, notaire à Paris rue du Petit-Bourbon n° 7 (AN,
ET/XCII/1241). Dans ce testament, Mme Récamier reçoit
« […] la copie de la Sainte Famille de Raphaël par mignard
que je tenais par testament de Madame la duchesse de Duras ;
elle est digne de cet héritage consacré par l'amitié et par la
mort. Je n'ai pas besoin de lui renouveler les assurances d'un
attachement dont elle trouvera des preuves à toutes les pages de
mes mémoires. » Enfin, un dernier testament du 17 mars 1847
suit les volontés de Céleste de Chateaubriand à l'exception
des legs destinés à Louis de Chateaubriand qui « a exprimé
le désir que la disposition plus étendue contenue en sa faveur
dans l'écrit de sa tante fut réduite à un seul objet ». Le buste
de David d'Angers lui est donc légué, mais celui du duc de
Bordeaux revient à sa sœur, la comtesse de Marigny. La copie
de la *Sainte Famille* de Raphaël par Mignard est désormais
laissée à son exécuteur testamentaire M. Mandavoux-Vertamy.
Ce testament révoquait tous les testaments antérieurs et ne
fait aucune mention de son portrait par Girodet. À la fin
du codicille du 22 février 1845, Chateaubriand stipulait
que ses dernières volontés seraient déposés chez son ami
M. Mandavoux-Vertamy. Celui-ci est nommé exécuteur dans
le dernier testament. C'est lui qui confirme à Mme Récamier
que le portrait de Girodet est destiné à Saint-Malo (voir
infra, lettres d'Amélie Lenormant à la comtesse de Boigne du
8 juillet et du 6 août 1848).

★ Le portrait de Girodet ne figure pas dans l'inventaire après
décès de Chateaubriand dressé le 20 septembre 1848, AN, ET/
XCII/1249, minutier central 20/09/1848-25/10/1848.

★ 8 juillet 1848, lettre d'Amélie Lenormant à la comtesse
de Boigne, le soir des funérailles de Chateaubriand : « Chère
madame, c'était aujourd'hui une cruelle journée et dont ma
pauvre tante a bien souffert. Elle est dans un accablement
qui fait pitié. […] elle ne veut pas quitter Paris sans être
éclaircie sur beaucoup de points qui l'inquiètent. M. Vertamy
qui était le conseil et en quelque sorte l'homme d'affaire de
M. de Chateaubriand, absent de Paris, y est revenu seulement

aujourd'hui. C'est par lui que l'on connaîtra les volontés de M. de Ch., au moins relativement à ses mémoires. Ma tante est d'ailleurs chargée d'accomplir un des legs de M. de Chateaubriand, c'est-à-dire de remettre à la ville de Saint-Malo le portrait de Girodet qui était déposé chez elle » (*Mémoires de Madame de Boigne*, Paris, 1924, t. II, p. 280).

★ 30 juillet 1848 : lettre de Jean-Jacques Ampère au maire de Saint-Malo : « Mr Marion [4] représentant du peuple s'est présenté chez Madame Récamier pour réclamer au nom de la ville de Saint-Malo le portrait de M. de Chateaubriand peint par Giraudet (*sic*) auquel vous destinez une place d'honneur dans votre musée historique. Le portrait de M. de Chateaubriand a été en effet déposé par lui chez Madame Récamier il y a environ un an. Cette dame connaissant les intentions de M. de Chateaubriand pour la ville et le musée de Saint-Malo, s'empressera de livrer le tableau dès qu'on aura achevé à en prendre une copie. Vous trouverez le vœu bien naturel Monsieur le Maire, de la part d'une personne dont le dévouement pour M. de Chateaubriand a été si constant et a inspiré à ceux qui en ont été les témoins les plus vifs sentiments d'attendrissement et de respect. [...] » (archives de la Société Chateaubriand, archives Hélène Daremberg, maison de Chateaubriand, copies du dossier 5, pièce 11 des archives communales de Saint-Malo détruites en 1944).

★ 6 août 1848, lettre d'Amélie Lenormant à la comtesse de Boigne : « Le portrait est légué à Saint-Malo, ma tante le savait, elle a prévenu toute demande et fait écrire au maire qu'elle était chargée du soin de remettre ce legs à la ville natale de M. de CH. Elle vient d'en faire faire une copie qu'elle garde, mais hélas, qu'elle ne verra pas. Le buste en Marbre de David est légué au Château de Combourg. Ma tante attend que M. L[ouis] de Chateaubriand le fasse réclamer » (*Mémoires de Madame de Boigne*, Paris, 1924, t. II, p. 280).

★ 18 septembre 1848, A Monsieur Ampère, Membre de l'Institut [5] : « Des complications malheureuses dont les causes était l'embarquement des pommes de terre m'ont empêché de répondre plutôt à la lettre que vous m'avez fait l'honneur de m'écrire le 30 juillet dernier. Je vous remercie, Monsieur, du bienveillant avertissement que vous avez bien voulu me donner sur les dispositions prises à l'égard du portrait de notre illustre compatriote. Le désir de Mme Récamier est bien naturel et nous devons le respecter. Les démarches faites près de cette dame pour obtenir ce portrait sont aussi justifiées par notre désir de posséder la reproduction fidèle des traits de l'illustre écrivain dont les restes reposent parmi nous. J'ai la certitude que vous le comprenez » (archives municipales de Saint-Malo, SMD 308, registre de copies de lettres du maire).

★ 10 octobre (?) 1848, lettre d'Ampère au maire de Saint-Malo : « Madame Récamier à qui l'état de la vue ne permet pas d'écrire elle même me charge de vous transmettre ses remerciements pour l'empressement que vous avez mis à vous prêter au désir qu'elle avait de faire une copie du portrait de M. de Chateaubriand, elle me charge de vous prévenir, Monsieur le Maire, que ce portrait est dès ce moment à votre

disposition et celle de la ville de Saint malo » (archives de la Société Chateaubriand, archives Hélène Daremberg, maison de Chateaubriand, voir Pierre Riberette, « Chateaubriand et les archives détruites de Saint-Malo », in *Chateaubriand, 1848-1998*, Saint-Malo, 1998, p. 45-52.

★ 9 octobre 1848, maire de Saint-Malo à Messieurs Marion [6] & Garnier Kerruault, représentants du peuple : « Je viens avec la certitude d'obtenir votre empressement accoutumé, vous prier de vouloir bien accorder votre bienveillante intervention, à la ville dans l'expédition du portrait de notre illustre compatriote Mr de Chateaubriand. Mr Ampère, Membre de l'Institut, vient de m'écrire que la copie du portrait dessiné pour Mme Récamier était achevée & que l'on pouvait faire prendre longueur chez elle. Je vous serai donc très obligé de charger quelqu'un de cette mission & de bien vouloir bien en surveiller l'exécution. Je pense que pour y parvenir sûrement et prudemment, vous pourriez inviter Mr Durand Ruel, Rue des Petits-Champs près de la rue de la Paix, à le faire faire, il a des emballeurs de confiance & nous serions assurés qu'au moyen de son concours le portrait arriverait à St-Malo sans mal. A première demande, je vous rembourserai tous les frais occasionnés pour l'emballage & autres de toute nature » (archives municipales de Saint-Malo, SMD 308, registre de copies de lettres du maire).

★ 1er décembre 1848, A Mr Durand Ruel, Rue des Petits-Champs, près de la rue de la Paix : « Mr Marion, (2) représentant du peuple pour le département d'Ile-et-Vilaine, m'a informé par sa lettre du 16 novembre que la veille grâce à vos bons soins, le portrait de Mr de Chateaubriand était parti de Paris pour St-Malo par le routage accéléré. Nous voici au premier décembre et nous n'avons nullement entendu parler de ce portrait. Veuillez donc je vous prie Monsieur, dès la réception de la présente vous assurer si réellement la caisse a quitté Paris le 15 novembre dans le cas de l'affirmative vous enquérir des motifs du retard que nous éprouvons. Je vous serai très reconnaissant de vos démarches » (archives municipales, SMD 308, registre de copies de lettres du maire).

★ 9 décembre 1848, lettre du maire de Saint-Malo à Jean-Jacques Ampère, le priant de remercier Mme Récamier qui avait donné à la ville le portrait de Chateaubriand, un reçu du 19 novembre 1848 constatant la remise du portrait » (archive non localisée documentée par Edouard Herriot (neveu de Mme Récamier), *Madame Récamier et ses amis*, thèse de doctorat, archives de la famille Charles de Loménie, n° 1, cité dans Pierre-Émile Buron, « L'énigme du portrait de Chateaubriand », *Annales de la Société d'histoire et d'archéologie de l'arrondissement de Saint-Malo*, 1984, p. 246.

★ 11 mai 1849, mort de Mme Récamier.

L'aquarelle représentant le salon de Mme Récamier [7] à l'Abbaye-aux-Bois tel qu'il était en 1849, l'année de sa mort est généralement donnée à Auguste-Gabriel Toudouze (1811-1854) [8]. Auguste-Gabriel Toudouze, architecte élève de Labrouste, architecte de la ville de Marseille, toujours en voyage, est connu pour ses relevés architecturaux surtout orientaux. Il est plus vraisemblable que cette aquarelle soit

l'œuvre de Mme Toudouze, née en 1822 Anaïs Colin (f du peintre Alexis Colin, élève de Girodet). Elle s'était fait spécialité de l'aquarelle et, à partir de 1846, signe ses œuv Toudouze. Dans cette aquarelle signée et datée 1849, portrait de Chateaubriand figure à gauche de la chemi en pendant au portrait de Mme de Staël d'après Gérard et grand tableau *Corinne au cap Misène* de Gérard. Contrairem aux deux autres tableaux qui ont chacun un cadre Empire portrait de Chateaubriand a un cadre de style Louis XV re à la mode sous Louis-Philippe. En 1849, le tableau de Giro avait été remis au musée de Saint-Malo. Il faut donc voir d cette aquarelle la copie non localisée aujourd'hui réalisé la demande de madame Récamier pendant l'été 1848 (v *supra* lettre d'Amélie Lenormant à la comtesse de Boigne 6 août 1848).

Exp. 1810, Paris, Salon, n° 373 ; 1814 Paris, Salon, n° 4 (?) ; 1878, Paris, n° 799 ; 1959, Londres, n° 190 ; 19 Copenhague, n° 20 ; 1961, Paris n° 922 ; 1967, Montar n° 39 ; 1968, Saint-Malo, n° 116 ; 1969, Paris, p. 87, n° 2 (repr. en couverture) ; 1969, Londres, n° 17 ; 1996, Ber p. 119 (repr.), 267, n° 4b/9 ; 1998, Saint-Malo, p. 58, n° 6.1 ; 2001, Gênes, p. 245 (repr.), 246 ; 2003, Rome, p. 2 469, 470, n° 41 (repr.).

Bibl. Nombreuses mentions dans les archives municipa de Saint-Malo, voir ici même l'historique du table J.B. B. Boutard, *Journal de L'Empire*, 9 janvier 1811, Sal de 1810, n° X, p. 3 ; Q... Z [Gigault de Lassalle], *La Gaze de France*, 6 novembre 1810 ; Guizot, 1810, [1852] p. ¹ Pillet, *Journal de Paris*, 14 février 1811 ; Boutard, *Journal l'Empire*, 9 janvier 1811 ; Morgan, 1817, t. II, p. 29 ; Coup 1829, p. lx ; Boigne, [1908] 1924, t. II, p. 280 ; Guizot, 18 p. 92 ; Récamier, 1860, t. I, p. 326 ; Jouin, 1878, p. 173, n° 7 G. Pailhès, 1896, p. 423 ; Mme de Chateaubriand, 19 p. 31 [110, 207] ; Durry, 1933, p. 361, 587 ; Chateaubria 1979, t. II, p. 178, n° 593. ; P.-É. Buron, 1981, p. 354-3 Buron, 1984, p. 239-247 ; Ribeiro, (1995) 1997, p. 1 ill. p. 101 ; Guégan, 1996, p. 54-60 ; Ph. P., 1997, p. 164-1 Chateaubriand, 1997, t. I, livre XVIII, chap. 5, p. 1033-10 Riberette, 1998, p. 48-52 ; Bellenger, 1999, p. 111- 135.

Œuvres en rapport localisées
Réplique

Girodet, Portrait de Chateaubriand, (les ouvertures du Coli sont ouvertes dans cette version) [Ill. 230].

Huile sur toile, 130 cm x 96 cm, monogrammé *ALGD* daté *1811* sur le mur romain vers le milieu à droite, Versail musée national des châteaux de Versailles et de Trianon, MV 5668, RF 1724

Hist.: 1814, Paris, Salon, no 442 (?) ; acquis à la vente Chéra 1908, n° 69, pour la somme de 2 200 francs.

Bibl.: Constant, 1995, t. I, P. 396 n° 2239.

Cette version fut lithographiée par Aubry-Lecomte (18 avec le monogramme *GT*, 1809.

Elle pourrait correspondre à la réplique commencée Dejuine (Coupin, 1829, P. Lx).

III. 230 Girodet, *Portrait de Chateaubriand*
Huile sur toile, Versailles, musée national des châteaux de Versailles et de Trianon

les

rait de Chateaubriand d'après Girodet
le sur toile, 1, 185 m x 0,935 m,
t-Quentin, musée Antoine Lécuyer, inv. 1983.7.7
.: Don Yves Carlier de Fontobbia, journaliste, avec
semble de sa collection, le 15 novembre 1983.
fenêtres du Colisée sont fermées dans cette copie.

res en rapport documentées

les

Portrait de M. le vicomte de Châteaubriand, copié d'après
i qui a été exposé au Salon, h. 47p. l. 36 p.» (Pérignon,
5, p. 47, n° 349). L'exemplaire de la bibliothèque Doucet
NHA porte la mention manuscrite : «terminé par Girodet
a soigné surtout les mains surtout les mains», n° 269 du
ès-verbal de la vente, adjugé 950 francs à Lafontaine

(Voignier, 2005, p. 75 et 102) (seul lot acheté par cet acheteur) ;
Coupin 1829, p. lx […] : «il existe une réplique commencée
par Dejuine et terminée par Girodet» ;
Copie par la marquise de Valory : «Elle même nous révèle
que dans sa jeunesse, elle fit une copie du portrait de
Chateaubriand, par Girodet, avec lequel elle était liée », in
Pierre Lemée, «Extraits de l'agenda de la marquise de Valori»,
*Annales de la Société d'histoire et d'archéologie de l'arrondissement
de Saint-Malo*, 1948, p. 85 (le marquis de Valory, père de la
filleule de Girodet possédait dans sa galerie une tête de
femme grecque par Girodet, voir *infra* ill. 265) ; la lettre de
Chateaubriand du 19 mai 1826 en «remerciements à une
dame qui veut faire la copie de son portrait par Girodet
pourrait se reporter à cette copie : «Je vous remercie
Madame, j'ai une bien grande répugnance à faire connaître
à la postérité ma triste figure. Mon portrait par Girodet

appartient à Mme de chateaubriand, il est dans sa chambre et
par cette raison très difficile à copier à des heures convenables
mais si par hasard Madame, je prévois mon absence alors le
portrait serait bien à votre disposition. Recevez Madame, je
vous prie mes nouveaux remerciements et mes hommages.
Chateaubriand» (autographes et manuscrits anciens et
modernes littéraires, historiques, artistiques et musicaux,
vente hôtel Drouot, 23 juin 1971, salle 8).
Copie commandée par Mme Récamier en 1847 après la mort
de Chateaubriand.

III. 231 Girodet, *Portrait de Bertin l'Aîné*
Dessin, New York, The Metropolitan Museum of Art

III. 232 Girodet, *Portrait d'Edouard Bertin*, 1821
Dessin, Paris, musée du Louvre, département des Arts graphiques

« Hélas ! J'étais seul sur la terre[9] »

Nous sommes en juillet ou août 1808. En juillet, Chateaubriand, âgé de quarante ans et de retour de son voyage à Jérusalem depuis un an, réside près d'Aulnay, non loin de Paris, à la Vallée-aux-Loups; il est occupé par la rédaction de ses mémoires et des *Martyrs*. À la même époque, il tomba malade : «Les médecins rendirent la maladie dangereuse [...][10].» Il dut rentrer à Paris[11] où Girodet peint son portrait. De même que *Atala au tombeau* peint l'année précédente avait éliminé toute autre iconographie de la célèbre nouvelle, le portrait à son tour allait résumer la légende de Chateaubriand et éclipser toute représentation de l'écrivain[12]. C'est le seul que Chateaubriand consigne dans ses mémoires, avec une formule fameuse : «Girodet avait mis la dernière main à mon portrait. Il le fit noir comme j'étais alors ; mais il le remplit de son génie[13].»

Chateaubriand pose de face, debout, de trois quarts, la tête tournée vers la gauche. Il s'appuie en *contrapposto* sur le coude gauche contre un muret de pierres appareillées recouvert de lierre. De ce déhanchement se dégage une impression d'élégante nonchalance, avec un air entre concentration intérieure et conscience d'être l'objet du regard.

Son visage grave, le teint pâle, presque brouillé, les cernes de ses yeux et l'ombre de sa barbe donnent à sa physionomie un aspect maladif, exténué, accentué par le désordre de ses cheveux ébouriffés par les vents. Son regard intense et contemplatif ne regarde rien mais semble scruter le lointain comme s'il poursuivait une vision. Il porte un pantalon de drap gris vert, un manteau vert bronze, presque brun, entrouvert et un peu trop grand dont la doublure et les revers sont en velours plus sombre encore. Sa

tenue mêle recherche et bohème. Sous son mante se voit un gilet croisé, brun sombre, à larges revers, haussé par le liséré de teinte beurre frais d'un seco gilet. Une ample cravate noire ferme le col relevé sa chemise blanche. Sa main droite aux veines saillaₜes est glissée juste au-dessous du cœur, l'autre se énergiquement le poing. Chateaubriand pose deva un paysage romain où l'on voit, à gauche, les rui du Colisée, telles qu'on les aperçoit depuis les j dins de Dioclétien, et à droite, les collines de la V éternelle bleuies par la lumière de l'aube. Le ciel bleu gris, sans nuages, la légèreté de la lumière na sante étant évoquée par un léger *sfumato*. L'hume ténébreuse et le costume sombre de Chateaubria tranchent sur la transparence de l'air.

Louis-François Bertin[14] s'était entremis dans commande du tableau et négocia lui-même le p Bertin, dit l'Aîné, avait connu Chateaubriand à Pa vers 1800 et s'était lié avec lui en Italie en 180 Cette amitié, capitale dans l'histoire de l'oppositio Napoléon, marquait le début de l'influence de Ch teaubriand[16] sur l'esprit des Bertin et sur le *Jour des débats*[17]. Cet organe de presse qui devint le p influent journal de l'Empire puis de la Restaurati jusqu'à la monarchie de Juillet, avait été acheté 1799 par deux des frères Bertin[18], Louis Franç dit Bertin l'Aîné, et son frère, aussi surnommé Lo François, dit Bertin de Veaux, ou de Vaux[19]. Partis d'une monarchie à l'anglaise, tempérée par les lois, Bertin firent du *Journal des débats* l'organe de l'opp sition royaliste libérale, une mouvance constituée les déçus de la Révolution puis de l'Empire, plu que par les royalistes légitimistes.

Bertin l'Aîné, soupçonné de complicité avec attentats royalistes, fut arrêté et emprisonné au Te

en février 1801[20]. Il fut ensuite exilé par Bona-
[par]te à l'île d'Elbe où il arriva en février 1802. Grâce
[à] Chateaubriand, secrétaire d'ambassade auprès du
[Sai]nt-Siège, il put rentrer en France en 1804 muni
[d']un passeport établi au nom de son frère cadet, Ber-
[tin] Latouche. À son retour d'exil, Bertin l'Aîné était
[plu]s qu'un royaliste d'opinion, il appelait de tout son
[cœur] le retour des Bourbons[21].

Peut-être l'influence de son beau-frère Jean-Bap-
[tist]e Bon Boutard[22], premier critique artistique du
[Jour]nal des débats[23] et fervent supporteur de Girodet,
[Ber]tin l'Aîné est un admirateur de longue date lors-
[que] Girodet reçoit la commande du Portrait de Cha-
[teau]briand. L'année précédente, il lui avait commandé
[Ata]la au tombeau[24]. À peu près dans ces années, où il
[est] sensiblement plus jeune que dans le tableau d'In-
[gre]s, Girodet dessine son portrait[25] [ill. 231] et ceux
[de] Bertin de Vaux. Ces derniers étaient aussi très
[pro]ches du peintre qui dessina le portrait de François
[Ber]tin de Vaux[26] [ill. 278] et peint deux portraits de
[son] épouse, née Augustine Bocquet (cat. 98) [ill. 276].
[C'e]st à Girodet que Bertin de Vaux allait confier
[l'éd]ucation artistique de son fils le paysagiste Édouard
[Ber]tin. Son portrait dessiné par Girodet [ill. 232] est
[con]servé au Louvre.

[Gi]rodet est né le 29 janvier 1767 et Cha-
[teau]briand le 4 septembre 1768. Malgré leur diffé-
[ren]ce de milieu, étant issus l'un de la petite noblesse
[bre]tonne, chrétienne et conservatrice, et l'autre de la
[bou]rgeoisie ancienne et progressiste, leur traversée de
[l'hi]stoire offre de nombreuses similitudes. La Révo-
[luti]on leur réserve un sort différent, le deuil et l'exil
[pou]r le gentilhomme breton, le pensionnat à l'Aca-
[dé]mie de France à Rome et la fuite à Naples pour
[le] peintre. Mais s'ils vivent différemment, et loin de
[Par]is, l'époque révolutionnaire, tous deux compren-
[nen]t l'espoir qu'une société nouvelle peut apporter
[à le]ur destin individuel. Girodet revient en France
[en] 1795 et Chateaubriand en 1800. Sous le Con-
[sula]t, le peintre et l'écrivain tentent l'un et l'autre
[de] séduire Bonaparte. En 1801, avec son tableau Os-
[sian] pour Malmaison, Girodet voulait flatter les goûts
[litt]éraires du Premier consul; Chateaubriand va or-
[gan]iser une opération plus ambitieuse en publiant
[le] 14 avril 1802 Le Génie du christianisme. Sa sortie
[dev]ait coïncider avec la signature du Concordat qui
[réta]blissait la religion catholique en France. Napo-
[léo]n comprit vite que le talent de Girodet n'était pas
[de] ceux qui servaient les empires. Il fut plus attentif à
[Ch]ateaubriand qui, pendant leur courte et pâle lune
[de] miel, fut nommé secrétaire d'ambassade à Rome.
[Il] ne devait pas s'entendre avec le cardinal Fesch et
[quit]ta Rome vers janvier 1804, moins de neuf mois
[aprè]s son arrivée, pour un congé à Paris d'où il de-
[vait] repartir comme représentant de la France dans le

Valais. Indigné par la nouvelle de l'assassinat du duc
d'Enghien[27], il démissionna. Ce meurtre politique
orchestré par Joseph Fouché, ministre de la Police
depuis 1799, dévoilait la nature des ambitions personnelles de Bonaparte et ses intentions à l'égard des
royalistes. Cet acte brutal réduisit d'un coup à néant
tous les espoirs royalistes concernant le retour des
Bourbons et marqua un point de non-retour dans les
relations de Bonaparte avec Chateaubriand. Celui-ci
s'embarqua en juin 1806 pour un voyage de près de
deux ans en Orient. Poursuivi jusqu'en juillet 1807,
ce périple constituait un pèlerinage sur les lieux des
ruines des civilisations disparues : la Grèce, Constan-
tinople, l'Anatolie, Rhodes, Jérusalem, l'Égypte et
Tunis. Ses méditations sur la grandeur des civilisations mortes et sa mélancolie face à l'état présent du
monde seront publiées en 1811 dans Itinéraire de Paris
à Jérusalem[28].

Quand Girodet peint son portrait, Chateaubriand
est l'un des hommes les plus célèbres de France. La
publication d'Atala l'avait rendu d'un coup immensément populaire en France et en Europe. Napoléon
Bonaparte, qui apprécie toute l'importance de sa littérature[29], a dans un premier temps tenté de l'attirer.
À la suite de l'article du Mercure de France, du 4 juillet
1807[30], il figura sur la liste des suspects politiques.
Dans une métaphore à peine déguisée, Chateaubriand
annonçait publiquement son entrée dans la résistance littéraire : «Lorsque, dans le silence de l'abjection,
l'on n'entend plus retentir que la chaîne de l'esclave
et la voix du délateur; lorsque tout tremble devant le
tyran, et qu'il est aussi dangereux d'encourir sa faveur
que de mériter sa disgrâce, l'historien paraît, chargé
de la vengeance des peuples. C'est en vain que Néron
prospère, Tacite est déjà né dans l'empire…» Les Mémoires d'outre-tombe racontent la fureur de Bonaparte
et les dangers encourus alors. «Chateaubriand croit-il
que je suis un imbécile, que je ne le comprends pas !
Je le ferai sabrer sur les marches des Tuileries[31].» Dans
une lettre au comte de Lavalette[32], son ancien aide
de camp, directeur des postes impériales, directeur de
la censure dit «cabinet noir», Napoléon écrit : «[…]
il est temps enfin que ceux qui ont, directement ou
indirectement, pris part aux affaires des Bourbons, se
souviennent de l'Histoire Sainte et de ce qu'a fait
David contre la race d'Achab. Cette observation est
bonne aussi pour M. de Chateaubriand et pour sa
clique. Ils se mettront, par la moindre conduite suspecte, hors de ma protection[33].»
C'est l'infaillible protecteur, Fontanes[34], fidèle
des difficiles moments de l'émigration londonienne,
qui aurait sauvé Chateaubriand en déclarant à
Bonaparte : «Après tout, Sire, son nom illustre votre
règne et sera cité dans l'avenir, au-dessous du vôtre. Quant à lui, il ne conspire pas; il ne peut rien

contre vous; il n'a que son talent. Mais, à ce titre, il
est immortel dans l'histoire du siècle de Napoléon.
Voulez-vous qu'on dise, un jour, que Napoléon l'a
tué ou emprisonné pendant dix ans[35]?» Napoléon
laissa faire à Chateaubriand ce qu'il ne toléra pas
pour Mme de Staël et, sans jamais l'exiler, il se contenta de le voir retiré à la Vallée-aux-Loups. En 1809,
un autre conflit opposa de nouveau Chateaubriand
à Napoléon. Son cousin, Armand de Chateaubriand
du Plessis, émissaire des princes, fut arrêté sur les côtes de Bretagne et condamné à mort[36]. Cette affaire
sinistrement conclue quelques mois avant l'ouverture du Salon de peinture ne résume pas l'opinion
de Napoléon sur Chateaubriand car il ne le craint
pas comme opposant politique et est intervenu à
plusieurs reprises pour qu'il soit reconnu par l'Institut[37]. En 1810, alors que se mettaient en place les
jurys et les lauréats des prix décennaux qui devaient
couronner les œuvres des sciences et des arts des dix
premières années du siècle, Napoléon s'étonna de ne
pas voir figurer Le Génie du christianisme sur les listes.
On sait que ces prix n'aboutirent pas plus pour les
peintures que pour la littérature et les autres œuvres
de l'art et de l'esprit[38], mais Chateaubriand y aurait
côtoyé Girodet.

La présentation du tableau
Peindre le portrait de Chateaubriand et l'exposer
au Salon était un peu plus que flirter avec la défaveur,
mais demeurait une insolence plutôt qu'un acte radical. C'était aussi pour Girodet, le moyen d'associer
son nom, pour la seconde fois après Atala au tombeau,
à la célébrité de l'écrivain français le plus fameux
du siècle.
Le lundi 5 novembre 1810, le Salon ouvrait ses
portes. Girodet y exposait La Révolte du Caire et huit
portraits[39] dont celui de Chateaubriand. Avec ces
portraits, le milieu du Journal des débats était largement représenté[40]. Feignant la prudence ou l'obéissance devant la censure, Girodet joue à dissimuler
l'identité son célèbre modèle et intitule son tableau
Un homme méditant sur les ruines de Rome. Dans la
même logique, il ne signe ni ne date son tableau
attendu par tous et qui fut l'un des événements du
Salon. Au demeurant, si ce titre, faussement anodin,
taisait le nom de Chateaubriand, il résumait parfaitement la dimension philosophique et politique de
son œuvre, une méditation à la Volney[41] sur la vanité
des empires, un manifeste qui considérait l'introspection et la nostalgie comme les seuls tenants possibles de la raison moderne.
Craignant l'humeur de l'Empereur, Denon avait
pris soin de reléguer le portrait dans un coin peu
visible du Salon. Mais Napoléon demanda à le voir,
et Chateaubriand s'en souvient avec orgueil dans

les *Mémoires d'outre-tombe* : «M. Denon reçut le chef-d'œuvre pour le salon ; en noble courtisan, il le mit prudemment à l'écart. Quand Bonaparte passa sa revue de la galerie, après avoir regardé les tableaux, il dit : "Où est le portrait de Chateaubriand ?" Il savait qu'il devait y être : on fut obligé de tirer le proscrit de sa cachette. Bonaparte, dont la bouffée généreuse était exhalée, dit, en regardant le portrait : "Il a l'air d'un conspirateur qui descend par la cheminée[42]."» À l'honneur d'avoir été réclamé par le maître du monde d'alors, Chateaubriand ajoute les railleries de l'Empereur qui montre le peu de cas qu'il fait de l'opposant politique. Derrière la moquerie se profile cependant un enjeu plus grave dont ni Napoléon ni Chateaubriand ne pouvaient avoir conscience. Ce noir de cheminée ou d'humeur − «Il me fit noir comme j'étais alors[43]» − était en passe de devenir le signe et bientôt le symptôme du siècle. Ce malaise fondamental, «Weltschmerz» chez le poète Jean Paul, «mal du siècle» chez Vigny et Musset, Pouchkine et de Sowacki, «discontent» chez lord Byron est encore «l'idéal» et le «spleen» baudelairien ou la «saudade» de Fernando Pessoa. Il indique une Gestalt dominée par le deuil où «l'homme n'est lui-même qu'un édifice tombé, qu'un débris du pêché et de la mort. [...] Tout chez lui n'est que ruine[44].» Pas plus que Napoléon, la critique ne comprit la portée philosophique de cette expression et ce noir du tableau fut simplement jugé «d'une couleur trop sombre[45]», «d'une couleur grise et morte[46]». Désemparée par cette tonalité qu'elle ne parvint pas à associer à un enjeu poétique ou philosophique, la critique se contenta de constater ce noir qui introduisait une étrangeté qu'elle ne s'expliquait pas. «Plusieurs personnes s'étonnent de voir des ombres si prononcées sur une figure en plein jour, sous un ciel pur et si azuré[47].» Même Boutard, si bienveillant et généralement informé par Girodet lui-même de ses recherches picturales, est hésitant devant cette «[...] couleur d'un ton excessivement grave [qui] paraît un peu verdâtre dans les demi-teintes[48]». Mme de Chateaubriand, dans ses *Mémoires*, explique le noir du tableau par la longue et douloureuse maladie de Chateaubriand pendant l'été 1808. «[...] il avait encore le teint fort jaune, ce qui faisait croire que ce portrait d'ailleurs si ressemblant, a poussé au noir, [...][49].» Ce noir qui ne surprend pas aujourd'hui ne relevait pas d'un quelconque problème technique, il ne résultait pas de l'imitation mais de l'interprétation du monde. Le teint plombé de Chateaubriand, les ombres envahissant sa physionomie résumaient l'identité littéraire de l'écrivain, cette sombre mélancolie qui imprégnait les *Martyrs* et qui deviendra sa marque après la *Vie de Rancé*. Ce genre littéraire fut imité par plusieurs générations mais il était neuf alors, le noir s'étendra sur l'homme du xixe siècle dont le *Portrait de Chateaubriand* par Girodet est devenu l'icône.

Critique d'un portrait

Jean-Baptiste Boutard, l'un des rares commentateurs à s'arrêter longuement devant le tableau, choisit, selon son habitude, de s'interroger sur la valeur artistique du portrait face à la peinture d'histoire[50] : «[...] le portrait n'exclut pas plus que les autres genres le beau idéal.» Il considère les portraits de Girodet au Salon de 1810 comme des chefs-d'œuvre de l'école moderne. Quand «[...] les brigues de l'envie contemporaine auront cessé ; que l'équitable avenir se sera soulevé en faveur des merveilles de notre siècle qu'[...] il ne restera plus que les chefs-d'œuvre, ce sera un précieux et beau moment que le portrait de l'auteur du *Génie du christianisme* et des *Martyrs*, par le peintre d'*Une scène de déluge* et d'*Atala*[51].» Faisant l'innocent, il feint de s'étonner de l'accrochage du tableau que l'on avait «je ne sais pourquoi relégué dans un coin de la galerie d'Apollon, où il était impossible de le bien voir». Sans nommer pleinement Chateaubriand, il se risque à reconnaître M. de C. dans l'homme méditant sur les ruines de Rome[52]. Le *Journal de Paris* se moque de cette discrétion affichée : «Ce portrait qu'on doit à un grand peintre est dit on celui d'un grand écrivain[53].» L'anonymat était un secret de polichinelle qui contribua à la réputation du tableau. Julie Candeille écrit : «[...] Mon ami, que je suis charmée ! Il n'est de bruit que de vos succès. On parlait hier avec enthousiasme du Portrait de Mr de Château B… − et Mme Clavier, qui, l'autre jour, en sortant de chez vous, m'a amené son Prince Italien, m'a donné le plus vif désir de voir le beau Buste dont elle était toute ravie. − Cher girodet, vous savez bien que je jouis encore plus que vous-même de tout ce qui vous arrive d'heureux et qu'en dépit de nos mutuelles Boutades rien dans le monde ne fera divorcer mon âme d'avec la vôtre[54].» Sans aucun doute si le portrait n'eut pas un grand retentissement public il fut un événement mondain et compta chez les monarchistes et l'opposition royaliste libérale.

La ressemblance que confirment Mme de Chateaubriand et lady Morgan[55] fut louée à plusieurs reprises «la vérité de l'imitation[56]», «[...] l'expression et le caractère de la physionomie, l'habitude de corps de l'illustre modèle[57]». Aucune analyse, ni celle de Boutard si amateur de ce langage ni celle de Guizot, qui est plus favorable au portrait de Chateaubriand qu'à *La Révolte du Caire*[58], ne commenta la symbolique des accessoires qui jouent avec la convention traditionnelle du portrait du Grand Tour ou ceux des administrateurs français à Rome comme celui de Moltedo[59] par Ingres [ill. 233]. La vue des ruines du Colisée joue de cette convention mais n'est pas associée au court et insignifiant séjour de Chateaubriand dans la Ville éternelle. Sa valeur géographique et biographique s'efface au profit du grand sanctuaire du martyre chrétien, rappel du *Génie du christianisme*

et des *Martyrs* précisément en cours d'achèveme au moment des séances de pose. On pourrait arg menter sur la polysémie des accessoires et voir a dans le Colisée un lien romain entre le peintre et s modèle. Mais ce serait négliger l'importance de religion chrétienne dans la littérature, la philosop et la politique de Chateaubriand. Les compositi de Girodet, particulièrement ses portraits, excelle à enserrer le signifié à l'économie narrative pro à la peinture d'histoire. Les signifiants se font écho la manière d'une partition musicale où chaque n ajoute et modifie la valeur de la précédente. D ce *requiem* visuel, les ruines du Colisée font réson le vestige du muret de briques sur lequel s'app Chateaubriand. Elles font écho au lierre, symbole souvenir de ce qui n'est plus. Cette unité funèbre encore dans l'image du corps, dans l'expression e mélancolie de l'attitude, dans le costume, l'ébour excentrique de la chevelure, la tristesse de l'abso tion dans un monde intérieur. Tout converge ver quintessence de l'enchanteur.

Les années 1807 et 1808 marquent un tourn dans l'intérêt que Girodet porte aux lettres. C'e début de ses compositions anacréontiques[60], d'*A au tombeau* et du commerce intellectuel avec Ch teaubriand, mais c'est aussi l'époque où il rencon l'abbé Delille[61], membre de l'Institut, titulaire de chaire de poésie latine au Collège de France, «le p grand poète de la Révolution[62]» constamment lébré pendant près de soixante ans. Girodet, rend hommage à sa dépouille mortelle, le dessina sur s lit de mort[63] [ill. 37]. La seconde moitié du xixe siè et tout le xxe siècle ont oublié Delille. L'alexan descriptif et lyrique est pour nous lettre morte, layée depuis longtemps par la prose éloquente, la l gue musicale et sensuelle de Chateaubriand, prem héritier de Rousseau. Mais, comme presque tous contemporains, Girodet avait un culte pour le «V gile français», ainsi que l'on appelait Delille. Ses p pres vers en sont l'imitation directe. Cependant Girodet versifie à la manière de Delille, sa peintur la modernité de Chateaubriand. Il remplit son p trait de cette modernité, une prose poétique nouve dont l'éloquence, le rythme, les images, la musica faisait émerger à la conscience le sentiment des ch ses, des lieux et des êtres sous le mode mélancoli de leur disparition. La méditation sur les ruines tout le sens de son tableau.

Le spleen de l'âme n'exclut pas, loin s'en fa la stratégie publicitaire. Ainsi le spleen vestime taire[64] joue son rôle tout comme le piteux état santé de l'écrivain vient à point pour l'apparen Du lierre aux sombres vêtements, du Colisée teint malade, jouant de la célébrité comme de défaveur, Girodet ne néglige rien : il fallait renco

er l'histoire et incarner le siècle, fût-ce par son mal.
irodet et Chateaubriand, qui caressent tous deux la
oire qu'ils peuvent retirer l'un de l'autre, ne sont
is dupes. Le *Portrait* fut créé et «lancé», avec l'esprit
à-propos qui avait présidé au lancement du *Génie
christianisme* «mis en vente à point nommé, le jour
i Vendredi Saint précédent le Te Deum à Notre-
ame de Paris en actions de Grâces pour la Paix
Amiens et le Concordat[65]».

Un jour à Londres, alors qu'il était revenu de tous
s régimes politiques et que, temporairement ambas-
deur, Chateaubriand regardait sa nouvelle opulence
i se souvenant du misérable émigré famélique qu'il
rait été pendant la Terreur, il sourit de la frivolité
es modes et des nouveaux dandys. Sans indulgence
iur lui-même et pour son portrait il écrivit : «[…]
fashionable devait offrir au premier coup d'œil un
mme malheureux et malade ; il devait avoir quel-
ie chose de négligé dans sa personne, les ongles
igs, la barbe non pas entière, non pas rasée, mais
andie un moment par surprise, par oubli, pendant
s préoccupations du désespoir ; mèche de cheveux
i vent, regard profond, sublime, égaré et fatal ; lèvres
intractées en dédain de l'espèce humaine ; cœur
nuyé, byronien, noyé dans le dégoût et le mystère
e l'être[66].» Le «fashionable» des premiers temps du
imantisme a cependant rencontré l'histoire ; son
irtrait par Girodet, son «seul titre à l'éternité[67]», est
evenu son image définitive et plus encore celle du
éros romantique en général. C'est Delécluze qui a
mot de la fin dans un petit croquis et dans une
nouvante description de Chateaubriand aux funé-
illes de Girodet[68], faits des années plus tard. «Cet
imme a une expression magnifique de grandeur et
e calme dans la figure. Ses cheveux grisonnants et
ii deviennent rares donnent quelque chose de ma-
stueux à ses traits qui expriment à la fois la force et
aucoup de douceur.» Delécluze se souvient alors
e deux portraits de Chateaubriand, celui de Gué-
n **[ill. 234]** et celui de Girodet. Le portrait de celui-

ci, popularisé par la lithographie «n'a guère rendu
que la qualité forte de la physionomie du modèle.
Dans l'autre, qui est une ébauche faite avec soin par
(Louis) Guérin[69], le peintre a reproduit seulement ce
que l'écrivain montre de gracieux et d'aimable sur
sa physionomie. […] En voyant la propre figure de
Chateaubriand où toutes les nuances sont si complètement confondues entre elles, le me félicitais de ce
que j'ai écrit cette année sur le portrait, et de m'être
écrié : «Je ne crois pas à la ressemblance[70]!»

S. B.

Notes

1. Louis-François Hovius, maître imprimeur jusqu'en 1833, puis négociant armateur, maire de Saint-Malo de 1830 à 1855.

2. Voir comtesse de La Tour du Pin Verclause, *Bulletin de la société Chateaubriand*, no 34 1991, p. 25-29.

3. Comte d'Antioche, *Chateaubriand ambassadeur à Londres (1822)*, Paris, 1912, p. 419-425, publie ces trois testaments.

4. Député de Saint-Malo.

5. Jean-Jacques Ampère (1800-1864) avait été chargé de l'impression des *Mémoires* de Chateaubriand dans le testament de 1837.

6. Jean-Louis Marion, avocat, banquier, né à Saint-Malo en 1801 et député en 1848, neveu de Félicité Lamennais (1782-1854).

7. Coll. part. Voir Anne Dion-Tenenbaum, cat. exp. *Un âge d'or des arts décoratifs, 1814-1848*, Paris Galerie nationale du Grand Palais, 10 octobre-30 décembre 1991, p. 462, ill. 269. Anne Dion-Tenenbaum écrit par erreur Antoine-Gabriel Toudouze.

8. Pierre-Émile Buron, *Le Cœur et l'esprit de Madame Récamier*, ATIMCO, Combourg, 1881, P. 321,

9. « Hélas ! J'étais seul, seul sur la terre ! Une langueur secrète s'emparait de mon corps. Ce dégoût de la vie que j'avais ressenti dès mon enfance, revenait avec une force nouvelle. Bientôt mon cœur ne fournit plus d'aliment à ma pensée, et je ne m'apercevais de mon existence que par un profond sentiment d'ennui » (Chateaubriand, 1997).

10. Chateaubriand, *Mémoires d'outre-tombe*, 1997, livre XVIII, chap. 5, p. 1033.

11. Mme de Chateaubriand donne aussi cette date : « Vers le mois de Juillet (ou juin) M. de Chateaubriand tomba tout à fait malade. Nous revînmes loger à l'hôtel de Rivoli. Cette maladie fut longue et extrêmement douloureuse. Quelques mois avant, ou peu de temps après, Girodet fit le portrait de mon mari ; il avait encore le teint fort jaune, ce qui ferait croire que ce portrait, d'ailleurs très ressemblant, a poussé au noir : c'est ce qui arrive aux portraits de Girodet, et qui fit dire à Bonaparte qui vit le portrait au Salon : « Chateaubriand a l'aire d'un conspirateur qui descend par la cheminée » Gabriel Pailhés, *Chateaubriand, sa femme et ses amis*, Bordeaux 1896, p. 422-423.

12. Chateaubriand ne prit pas possession de son tableau avant 1812, ce qui donna à Girodet le temps d'en faire une réplique qu'il réalisa avec la collaboration de son élève Dejuine. Cette deuxième version, monogrammée et datée de 1811, montre une variante dans les trois ouvertures du Colisée qui sont percées, alors quelles sont bouchées dans l'original.

13. Chateaubriand, 1997, livre XVIII, chap. 5, p. 1033.

14. La lettre citée ci-dessous, note 7 ne permet pas d'assurer avec certitude qu'il ne s'agisse pas de Bertin de Vaux. Girodet était très lié avec les deux frères et fréquentait le salon d'Augustine Bertin de Vaux, mais c'est Bertin l'Aîné qui avait commandé le tableau d'Atala. « Mon cher Maître, j'ai été bien longtemps à prendre mon seul titre à l'immortalité. Enfin j'ai le bonheur de pouvoir vous le demander aujourd'hui. Mme de Marigny, ma sœur, qui vous remettra ce billet, vous remettra aussi le prix convenu avec notre ami Bertin. Il est bien au-dessous de votre ouvrage que je garderai comme un présent et non comme une chose payée à sa juste valeur. Je suis à la campagne assez malade, et je vous serai très obligé de faire donner le portrait à ma sœur. Mille compliments affectueux. De CH »

Au verso, autre mention de sa main : « 26 7bre 1812. Cette lettre n'a pas été envoyée, mon frère ayant été prendre son portrait chez Girodet (lettre de Chateaubriand à Anne Louis Girodet, copie de la main de Mme de Marigny, sœur de Chateaubriand) ; archives du château de Combourg, 26 septembre 1812.

15. Dans son testament holographe du 12 juin 1837, Chateaubriand dit adieu « à son grand ami Bertin, fidèle depuis trente-quatre ans à ma bonne et mauvaise fortune [...]. Voir cat.

16. Delécluze, 1862, p. 100-101.

17. Sous le directoire, Bertin l'Aîné publia d'abord un journal, *L'Éclair*, « dont il se servit pour poursuivre à outrance les partis révolutionnaires. Ce journal fut supprimé après le 18 brumaire an VII (9 novembre 1799) n Delécluze, 1862, p. 83-84. [...] Vers la fin 1799, ils [Bertin l'Aîné et Bertin de Vaux] acquirent en commun avec Roux-Laborie [1769-1840] et l'imprimeur Lenormand, deux camarades du collège Sainte-Barbe], une feuille qui existait depuis 1789 dans laquelle on se bornait à publier le compte rendu des discussions législatives et les actes de l'autorité, comme son titre l'indiquait : Journal des débats et des lois du pouvoir législatif et des actes du gouvernement. [...] Rapidement deux puissances se firent sentir en France : celle de la dictature exercée par le Premier Consul et celle du Journal des débats, toute littéraire il est vrai mais dont l'influence morale se faisait sentir à tous les esprits qui avaient quelque culture. Bertin l'Aîné fut accusé de complicité avec les complots royalistes et en 1800 fut enfermé au Temple. En 1801 après deux mois de liberté il fut exilé à l'île d'Elbe. Napoléon tenta de contrôler le journal en nommant Fiévée puis Étienne à sa direction, puis en février 1811 le journal fut simplement confisqué et réuni au domaine de l'Etat » (Delécluze, 1862, p. 85-91) [Les Bertin reprirent possession du *Journal* en 1815].

18. Il y avait quatre frères Bertin, Louis-François Bertin, dit Bertin l'Aîné (14 décembre 1766-13 septembre 1841), Bertin de Lachesnaye, (1771, parti pour les grandes Indes, disparu), Louis-François Bertin, dit Bertin de Vaux (15 août 1771 - 23 avril 1842), Bertin de Latouche (sans dates). Voir *Le Centenaire du Journal des débats* [Léon Say], « Bertin l'Aîné et Bertin de Veaux », in [collectif], 1889, p. 12-13, 47, et Delécluze, 1862, et 1948.

19. Le *Journal* de Délécluze, Paris 1948, et le *Livre du Centenaire du Journal des débats* donnent l'orthographe de Veaux à ce nom. Le nom est aussi écrit Devaux par Delécluze, 1862.

20. En résidence surveillée à l'île d'Elbe, il obtint un laisser-passer de trois mois pour Florence (octroyé par le commissaire du gouvernement à l'île d'Elbe), il rejoint la terre ferme toscane, voyageant dans la péninsule dans une semi légalité et parfois sous de faux noms, aidé par une complaisance croissante des autorités indigènes et françaises. Ayant rejoint Rome, il y retrouve Chateaubriand, avec qui il visite Naples et entreprend de retourner en France. Ils regagnent la région parisienne presque en même temps, Bertin muni d'un passeport rédigé par son ami, avec ou sans l'autorisation de son supérieur l'ambassadeur de France à Rome, le cardinal Fesch, et sous le faux nom de son frère cadet, L.F. B. Delatouche. Après un séjour dans ce qui devient rapidement sa propriété des Roches à Bièvres, il retourne définitivement à Paris, dans sa maison de la rue des Prêtres. Voir [Léon Say], « Bertin l'Aîné et Bertin de Veaux », in [collectif], 1889, p. 31-32.

21. *Le centenaire du Journal des débats*, Paris, 1889, p. 27.

22. Sa sœur Geneviève-Aimée-Victoire Boutard épouse Bertin l'Aîné en 1798.

23. Voir Andrew Shelton, *supra*.

24. Voir cat. 51. Daniel Ternois, *Ingres, Monsieur Bertin* service culturel du Louvre, Paris 1998, p. 10.

25. Ancienne collection Léon Say, Metropolitan Museum inv 2003.184.

26. 1815, coll. part. France.

27. Soupçonné d'être lié au complot royaliste du chef chouan breton George Cadoudal (1771-1804), Louis Antoine de Bourbon Condé né à Chantilly en 1772, dernier descendant des Condé est enlevé dans la nuit du 15 mars 1804 à Ettenheim, dans le grand-duché de Bade. Sommairement jugé, il est fusillé à l'aube du 21 mars 1804 dans les fossés du château de Vincennes. Cet assassinat politique organisé par Fouché devait aussi rassurer les régicides et inquiéter l'opposition royaliste. Il creusa définitivement le fossé entre Napoléon et les Bourbons. Vingt accusés du complot royaliste furent exécutés le 24 juin. Le général Pichegru (1761-1804) étranglé dans sa cellule avant son procès. Quelques mois après, le 2 décembre 1804, Napoléon était sacré empereur par le pape dans la cathédrale Notre-Dame-de-Paris.

28. Paris, librairie Lenormant, 1811.

33. Voir note 41.

30. Chateaubriand, 1997, p. 946.

31. « Si Napoléon en avait fini avec les rois, il n'en avait pas fini avec moi. Mon article tombant au milieu de ses prospérités et de ses merveilles, remua la France : on en répandit d'innombrables copies à la main ; plusieurs abonnés du Mercure détachèrent l'article et le firent relier à part ; on le lisait dans les salons, on le colportait de maison en maison. Il faut avoir vécu à cette époque pour se faire une idée de l'effet produit par une voix retentissant seule dans le silence du monde. Les nobles sentiments refoulés au fond des coeurs se réveillèrent. Napoléon s'emporta : on s'irrite moins en raison de l'offense reçue qu'en raison de l'idée que l'on s'est formée de soi. Comment ! Mépriser jusqu'à sa gloire ; braver une seconde fois celui aux pieds duquel l'univers était prosterné ! « Chateaubriand croit-il que je suis un imbécile, que je ne le comprends pas ! Je le ferai sabrer sur les marches des Tuileries. « Il donna l'ordre de supprimer le Mercure et de m'arrêter. Ma propriété périt ; ma personne échappa par miracle : Bonaparte eut à s'occuper du monde ; il m'oublia, mais je demeurai sous le poids de la menace. » Chateaubriand, 1997, livre XVIII, chap. 5, p. 1030.

32. Antoine-Marie Chamans comte de Lavalette (1769-1830).

33. Napoléon « Saint-Cloud, 14 août 1807/A Lavalette

« J'approuve beaucoup que M. Bertin-Devaux cesse toute influence directe, ou non, sur le Journal de l'Empire. Je suis trop bien instruit des relations qu'il a eues à l'étranger dans d'autres temps pour que je ne sois pas satisfait du parti qu'il prend. En effet, son existence ne peut être sûre, et à l'abri de tout retour dans des circonstances imprévues, qu'en ne se mêlant plus d'aucune manière d'influence politique. Tout cela ne serait pas vrai, que j'en ai tellem le préjugé qu'il est un des hommes de France qui a plus besoin de se conduire avec prudence et d'éviter ce qui tendrait à l'impliqué dans des affaires politiqu Car il est temps enfin que ceux qui ont, directement indirectement, pris part aux affaires des Bourbons, souviennent de l'Histoire Sainte et de ce qu'a fait Da contre la race d'Achab. Cette observation est bo aussi pour M. de Chateaubriand et pour sa clique. Ils mettront, par la moindre conduite suspecte, hors de protection. Quant à la place d'agent de change, je m ferai rendre compte. Si M. Bertin est bien famé sous rapports d'argent, ce que je crois, je le nommerai et ve avec plaisir que M. Fiévée acquière à son profit ces d douzièmes du journal. Je suppose qu'il connaît b maintenant l'esprit dans lequel je veux qu'il soit rédigé qu'il est bien convaincu que celui qui reçoit mes bienf et dont les écrits influent directement sur l'opinion, c suivre une marche droite et franche, sans réaction, agi parler enfin comme aurait parlé un bon serviteur de Da aux partisans de la dynastie précédente. »

34. Louis de Fontanes (1757-1819), lié à Elisa et à Luc Bonaparte, était devenu grand maître de l'Univers (1808).

35. Jean-Paul Clément, *Revue du souvenir napoléon.* n° 421, déc.-janv. 1998-1999, p. 79-87.

36. Mme de Chastenay, *Mémoires, 1771-1815*, Alphonse Roserot, Paris, Plon, 1896-1897, t. II, p. 79- Chateaubriand sollicita Napoléon par l'intermédiaire Mme de Rémusat, dame du palais, l'impératrice Joséph et sa fille la reine Hortense, et par Delphine de Custi amie très proche de Fouché, le maître d'œuvre de ce ténébreuse affaire. Il écrivit personnellement à Napolé Voir Clément, 1998-1999, p. 00.

37. C'est Napoléon qui fit placer Chateaubriand dans liste des lauréats pour les prix décennaux en 1810 et força son entrée à l'Académie française. Chateaubriand consentit pas à intégrer les modifications que Napolé voulait qu'il apporte à son discours de réception. Il fut dc nommé mais jamais reçu. Voir Chateaubriand, 1997, li XVIII, chap. 9, p. 1070 et suiv.

38. Pour les prix décennaux de peinture, voir cat.42, *L scène de déluge.*

39. N° 369. *La Révolte du Caire* (cat. 55) ; n° 3 *Portrait de Mad de L. G, épouse du général de ce nc Fond de paysage.* [Portrait de Mme de La Grange, c part.] ; n° 371. *Portrait de Mad. L. ***, en robe ble* (localisation actuelle inconnue) ; n° 372. *Portrait Mad. D. V.**** [Portrait d'Augustine Bertin de Vaux, cc part., cat. 98] ; n° 373. *Portrait d'homme méditant sur ruines de Rome* ; n° 374. *Portrait de Mad. La comtes de P., en pelisse et robe de velours bleu* (Localisat actuelle inconnue) ; n° 375. *Portrait de Mad. R. * en robe verte* (Localisation actuelle inconnue) ; n° 37 *Portrait de Mlle L. N. tenant un bouquet de viole* (coll. part., San Francisco] ; n° 377. *Autre portrait femme, en robe blanche et pelisse* (localisation actue inconnue).

40. Voir *Portrait de Madame Bertin de Vaux*, cat. 98.

41. Constantin François Chassebœuf, comte de Volr (1757-1820), *Les Ruines ou méditations sur les révolutic des Empires*, Paris, 1791 : « Je vous salue ruines solitair tombeaux saints, murs silencieux [...] C'est vous

ue la terre entière asservie se taisait devant les tyrans
amiez les vérités qu'ils détestent, et qui confondent la
uille des rois à celles du dernier des esclaves, attestiez
int nom de l'égalité. »
hateaubriand, 1997, livre XVIII, chap. 5, p. 1033.
uégan, « *Il le fit noir*. Chateaubriand par Girodet au
de 1810 », Société Chateaubriand, bulletin nº 38
e 1995), 1996, p. 54-60.
Le Génie du christianisme, Paris, Gallimard, coll.
iothèque de la Pléiade », 1978, III ; V ; IV, p. 883.
... Z [Gigault de Lassalle], *La Gazette de France*,
embre 1810.
uizot, 1810, [1852] p. 93.
illet, *Journal de Paris*, 14 février 1811.
outard, Journal de l'Empire, 9 janvier 1811.
abriel Pailhés, *Chateaubriand, sa femme et ses amis*,
aux, 1896, p. 422-423.
B. B. Boutard, *Journal de L'Empire*, mercredi 9 janvier
Salon de 1810, no X, p. -4.
idem.
idem, p. 3 « M. Girodet a aussi au Salon un assez
nombre de beaux portraits, entre lesquels je distingue,
e des ouvrages d'un ordre tout à fait supérieur, celui
dame (no 373) et celui de C *** (no 373). »
abien Pillet, « Variétés : Exposition des tableaux :
e article », *Journal de Paris*, 14 février 1811, no 45,
) no 373.
ettre inédite de Julie Candeille à Anne-Louis Girodet,
»], jeudi [8 novembre] [1810], correspondance Julie
eille, Montargis, musée Girodet, t. II, 1810, nº 45 ; don
lonel Filleul (descendant des Becquerel) en 1967.
Gabriel Pailhés, *Chateaubriand.*, p. 422-423 ; Lady
an, 1817, t. II, p. 29.
uizot, *De l'état des Beaux-Arts*, 1852, p. 92.
B. B. Boutard, *Journal de L'Empire*, mercredi 9 janvier
Salon de 1810, no X, p. 3.
a *Révolte du Caire* manque à ses yeux « d'ordre et de
» (*De l'état des Beaux-Arts*, p. 81).
oseph Antoine Moltedo, préfet de Rome, Ingres, vers
New York, Metropolitan Museum.
ans le carnet « anacréontique »récemment acquis
e Louvre, autrefois coll. Beraldi (inv. RF 54204-
Girodet écrit au dos d'un dessin d'Anacréon qu'il a
encé ses dessins d'Anacréon le 4 janvier 1808.
acques Delille (1738-1813). Voir Stéphanie Nevison
n, 1980, appendices, p. 462.
arc Fumaroli, *Chateaubriand, poésie et Terreur*, Paris,
p. 149.
elécluze, *David*, 1855, p. 269.
leen Ribeiro, (1995) 1997 (éd. utilisée), p. 102, ill.
.
arc Fumaroli, 2003, p. 189.
hateaubriand, 1997, livre XXVII, chap. 3, p. 1729.
opie (par Mme de Mariginy) d'une lettre de René
hateaubriand à Anne Louis Girodet, [La Vallée-aux-
s], [26 septembre 1812], archives du château de
ourg, publiée dans Chateaubriand, *Correspondance
ale…*, 1979, p. 178, no 593.
e-Louis
eptembre 1812.]
cher maître, j'ai été bien longtemps à prendre chez
mon seul titre à l'immortalité. Enfin j'ai le bonheur de
ir vous le demander aujourd'hui. Mme de Marigny,

ma soeur, qui vous remettra ce billet, vous remettra aussi le prix convenu avec notre ami Bertin. Il est bien au-dessous de votre ouvrage que je garderai comme un présent et non comme une chose payée à sa juste valeur. Je suis à la campagne assez malade, et je vous serais très obligé de faire donner le portrait à ma soeur.
Mille compliments affectueux.
De Ch. ». La lettre comporte aussi une en-tête de la main de Mme de Marigny : « Copie de la lettre de M. de Ch. à M. Girodet peintre, le 26 7bre 1812 ». Au verso, autre mention de sa main : « 26 7bre 1812. Cette lettre n'a pas été envoyée, mon frère ayant été prendre son portrait chez M. Girodet ».

68. Le lundi 13 décembre 1824.

69. Le tableau (France, coll. part.) est reproduit pour la première fois dans H. Le Savoureux, Paris, Rieder, 1903. Louis Guérin n'est pas documenté et le tableau est attribué aujourd'hui à Pierre Narcisse Guérin un peintre familier de Chateaubriand. Il parait étrange que Delécluze ou R. Baschet se trompent sur le prénom de Guérin. D'autre part la description d'un Chateaubriand aimable correspond mal au tableau qui montre l'écrivain assez sauvage posant devant un paysage héroïque de montagnes enneigées. Ce portrait est au demeurant assez peu caractéristique de Pierre Narcisse Guérin. Le tableau auquel songe Delécluze pourrait-il être un autre portrait ?

70. Delécluze, 1948, p. 59, et note 1.

cat. 68 Portrait de Giuseppe Fravega
1795
Huile sur toile, 56 x 48,5 cm
Marseille, musée des Beaux-Arts, inv. 286

Hist. Peint à Gênes pendant l'été 1795 ; acquis par le musée des Beaux-Arts de Marseille en 1866 de M. de Saint-Jean agissant pour le compte de Joseph Pagano, agent général des comités d'assurances maritimes de Gênes à Marseille, avec le Portrait de Madame Fravega, par le baron Gros.

Exp. 1913, Paris, n° 142.

Bibl. Bouillon-Landais, 1877, n° 76 ; cat. Auquier, 1908, n° 208 ; Levitine, 1952 (1978), p. 310, 314-316, fig. 62 ; Ripert, 1954, p. 4-6, ill. ; Latour, Collin, 1964, n° 89 ; Levitine, (1956) 1972, p. 314-316, ill. 62 ; Bernier, 1975, p. 30, 33 ; Bordes, (1980, p. 226-229, 241 ; Levitine, 1978, p. 312-313 ; New Brown, 1980, t. I, p. 137, ill. 44 ; Michel, 1990, p. 83, 86, ill. p Lafont, 2001, t. II, p. 389-390, n° 96 ; Lafont, 2003, p. 248 ill., p. 253.

Un Génois francophile

Girodet arrive dans la Sérénissime République de [Gê]nes quelques jours avant le 11 mai 1795[1] et en [re]part le 16 septembre de la même année. Il y retrou[va] son camarade d'atelier Antoine Jean Gros, qu'il [n'a]vait pas vu depuis plus de cinq ans. Selon Tripier-[Le] Franc[2], Gros avait précipité son départ de Paris à la [sui]te d'une interpellation de Gérard qui l'aurait pu[bli]quement apostrophé sur ses projets d'émigration. [Fra]nçois Gérard était membre du tribunal révolu[tio]nnaire et Gros, qui désirait aller étudier en Italie, fut [pri]s de panique. Grâce à l'aide de David, il obtint son [pas]seport pour Rome le 26 janvier 1793[3] et il partit [cin]q jours plus tard[4]. Il ne se rendit pas directement en [Ital]ie mais à Nîmes, Montpellier et Marseille avant de [s'e]mbarquer pour Gênes où il arriva le 19 mai 1793. [Le] but de son voyage, étudier les arts à Rome était [sin]gulièrement contrarié par la situation politique en [Ital]ie, l'hostilité de la population romaine, le sac de [l'A]cadémie de France à Rome (13 janvier 1793) et la [sup]pression de toutes les académies et sociétés litté[rair]es patentées ou dotées par la nation (8 août 1793). [La] carence de structure, la disparition de tout con[trô]le académique accorda à Gros et à Girodet une [libe]rté dont ils usèrent pour étendre la sphère de leur [cu]riosité au-delà des modèles recommandés par les [inst]itutions défuntes. Pendant les six mois de l'année [17]95, qu'assombrit l'arrestation de David[5], ils trans[for]mèrent le flottement qui immobilisait leurs exis[ten]ces en une communion artistique qui fut à bien [des] égards fondamentale pour l'art français [cat. 19, [et] 54]. Leur union artistique s'exprima symbolique[me]nt dans la pratique académique volontairement [inve]rsée de l'échange de leurs autoportraits.
Drapés dans une toge blanche, le cheveu long, Gi[rod]et et Gros pourraient passer pour des membres [de] la secte la plus excentrique de l'atelier de David, [les] Barbus qui vénéraient Ossian à la place d'Ho[mè]re et affectaient de se vêtir à Paris comme dans [A]thènes de Périclès[6]. Malgré l'avantage de Girodet, [qu]e son Sommeil d'Endymion avait imposé à Paris [co]mme l'un des artistes montants de la nouvelle gé[né]ration et les trois ans qui les séparaient, les deux [co]mpagnons étaient assez avancés dans leur forma[tio]n pour pouvoir voler de leurs propres ailes. Pen[dan]t ces six mois d'émulation mutuelle[7], Girodet et [Gr]os partagent le même intérêt pour les sujets issus [de] la littérature anglaise, Milton, Ossian, Shakespeare,

diffusés par les gravures de Füssli et les traductions italiennes et françaises[8]. Les carnets d'Italie des deux artistes[9] montrent leur commune émulation. Gros a aussi copié deux tableaux perdus de Girodet, *Écho et Narcisse* et *Orphée et Eurydice*[10]. Ces carnets et la série de dessins ossianiques qui sont réalisés à Gênes où juste avant[11] montrent que c'est à cette période que Girodet élabore ses projets les plus originaux et les plus radicalement éloignés de David, Ossian[12] et Une *Scène de déluge*[13] du Salon de 1806. C'est aussi à Gênes que Gros dit s'être adonné à sa passion pour Rubens[14] dont *La Bataille d'Aboukir* sera le couronnement au même Salon. Le rapprochement artistique des deux artistes n'empêche pas de voir émerger dès cette époque les divergences fondamentales qui caractérisent leur originalité propre. Girodet qui manifeste plus intempestivement sa rébellion a déjà opté pour l'onirisme et l'inspiration poétique. Gros, plus fidèle et plus loyal envers son maître, introduit silencieusement une rupture d'un ordre plus directement plastique déjà visible dans la plupart de ses nombreux portraits génois; il ouvre dans l'école française la brèche coloriste dont il se blâmera bien plus tard sur la tombe même de Girodet[15].

À Gênes, Gros logeait chez les Meuricoffre[16] dans l'aristocratique via Balbi. Comme tous les Français résidant à Naples, le banquier Jean George Meuricoffre et sa famille avaient dû quitter le royaume des Deux-Siciles quand la flotte de Nelson mouilla dans le port de Naples à la mi-août 1793. Cette famille est une ancienne connaissance pour Girodet qui avait eu recours aux services de la banque[17] lors de son arrivée à Naples en janvier 1793. Lorsqu'il parvient à Gênes, la famille l'invite à s'installer chez elle. Les désagréments du voyage s'étant ajoutés à la syphilis qui le torture depuis Rome[18], Girodet est de nouveau gravement malade. Dans son premier courrier envoyé de Gênes, il écrit à Trioson qu'il souffre de la fièvre tierce[19], symptôme d'un paludisme qu'il aurait attrapé entre Lérici et Gênes, «route abominable, pendant laquelle [il] eut la pluie sur le corps trois jours consécutifs, sans pouvoir [se] changer et avec le risque d'être précipité plus de vingt fois dans des torrents, à deux ou trois cent pieds de fond[20].» Le hasard des circonstances a voulu que le docteur Maloët, une autre connaissance romaine, puis napolitaine qui l'avait soigné d'un sévère refroidissement après une

III. 235 Gros, *Madame Meuricoffre, née Céleste Coltellini*
Huile sur papier, Louisville (Kentucky),
The Speed Art Museum

excursion au tombeau de Virgile au Pausilippe[21] se trouvât à Gênes. Il exerce au lazaret français et loge également chez les Meuricoffre. Les soins de Maloët, l'amitié de Gros et des Meuricoffre le remettent sur pied. Il peut alors fréquenter la société francophile et les français de Gênes et se remettre au travail. Dans ce milieu progressiste et souvent partisan des idées nouvelles de la Révolution jacobine française, Gros et Girodet, sans ressources, peignent ensemble et tentent de subvenir à leurs besoins en réalisant des portraits. Gros resta beaucoup plus longtemps que Girodet et peignit les portraits de plusieurs membres de cette société [ill. 235][22]. Girodet qui ne resta que cinq mois peignit celui d'un riche commerçant génois gagné aux idées de la Révolution, Giuseppe Fravega.

En 1795, Napoléon n'est pas encore commandant de l'armée d'Italie[23] et la carte politique de péninsule, divisée en principautés et en vieilles républiques aristocratiques n'a guère changé depuis la fin du XVIe siècle. La Sérénissime République de Gênes, malgré les troubles de l'année 1746 qui avaient soulevé le peuple contre l'invasion autrichienne et révélé l'inanité de l'aristocratie[24], est encore une république oligarchique que les vieilles familles génoises, les Durazzo, les Balbi, les Spinola dirigent sous l'autorité d'un doge élu pour deux ans. En 1795, le doge est Giuseppe Maria Doria, duc de Massanova, auquel succède en novembre 1795 Giacomo Maria Brignole, une famille plus libérale qui saura ménager ses intérêts auprès des Français. Anna Pieri Brignole-Sale, mère des deux frères Brignole, réussit à maintenir la position de la famille sous le gouvernement de la République ligure et fit plus tard partie de la cour de l'impératrice Marie-Louise. Fravega appartient à la riche bourgeoisie génoise. Son nom, typiquement génois, vient de «Fravegi», membre de la corporation des argentiers. Il occupa une position prééminente pendant l'éphémère République ligure (juin 1797 - 4 juin 1805), un régime qui imitait celui de la jeune République française. Membre du gouvernement, il est président de la magistrature et dirige à ce titre les saisies révolutionnaires d'œuvres d'art après la nationalisation des biens aristocratiques et religieux[25]. Il doit à ces fonctions l'appellation de doge Fravega[26], mais sans être gouverneur; patriote, il s'éloigna du gouvernement jacobin après l'annexion de Gênes à la France[27]. S'est-il enrichi pendant la république jacobine? Il loue à partir de 1806 tout l'étage noble du Palazzo Bianco, demeure des Brignole-Sale qu'Anna Perri, à son intention, fait mettre au goût du jour, ce que nous appelons aujourd'hui le goût néoclassique. À l'instar de nombreux patriotes italiens rebutés par le brutal esprit de conquête des armées françaises, Favrega n'accepta d'autres responsabilités qu'à la chute de Napoléon, dans le gouvernement provisoire de la Sérénissime République génoise temporairement ressuscitée[28]. Il démissionna[29] lors de son annexion par le royaume de Sardaigne.

Fravega a trente-deux ans quand il pose pour Girodet[30]. Le peintre l'a représenté assis de trois quarts, décontracté et élégant, les jambes croisées, dégagées vers sa gauche, une plume à la main. Sous cette main, qui porte au doigt un rubis serti dans un anneau d'or, se trouve une lettre adressée aux Supremi sindicatori ou écrite en leur nom. On lit l'inscription manuscrite en haut de la page : *Supremi Sindicatori / Giustizia*. Au-dessous, une autre feuille porte écrit en français : *A L Girodet / à Gênes An 3 d.L.R.F.* Son avant-bras droit repose sur une table ronde sur laquelle est jetée une nappe de drap de laine rouge vif à bordure noire. Sur la table, on voit une plume posée sur un encrier doré, une clochette également dorée et la base carrée d'un sceau d'argent, posé en équilibre sur une liasse de papiers. Sur l'un d'entre eux, on distingue les mots écrits à l'encre noire et partiellement cachés par le sceau : *Rim… e/ DE. / Giuseppe… Vega rim*[arque?] *de*[l signore?] *Giuseppe* [Fra?]*vega*. Il a été suggéré que le document pouvait être «une protestation contre l'emprisonnement en janvier 1794 de quatre membres du Grand conseil dont son ami Gian Carlo Serra[31], le principal représentant du mouvement libéral[32]». Le bras du modèle tombe sur sa cuisse, il tourne légèrement la tête vers la gauche. Son regard est dirigé vers le haut, cherchant l'inspiration. Son front est suffisamment dégarni pour apparaître bombé, suggère la pensée. Ses cheveux déjà blancs, mi-longs, poudrés, lui donnent un air de pureté et de douceur qui concorde avec l'aménité de son vi-

sage aux traits délicats, le teint pâle, la bouche et les lèvres vermeilles. L'ombre de sa barbe, sa pose dégagée, ses cheveux peignés sans grand soin, le nœud relâché de sa cravate et le jabot largement ouvert sur un cou blanc lui donnent l'air d'un jeune poète frondeur plutôt que d'un législateur. Fravega a la sensualité mélancolique et décontractée des jeunes gens de la fin du siècle. Son habit, étroit, léger, de soie noire ou en pékin à rayures mates et brillantes alternées, sa culotte à la française, du même tissu et de la même couleur, est tenue par une large boucle d'or et boutonnée aux genoux. Les bagues de ses doigts, la simplicité de ses manchettes montrent une élégance vestimentaire recherchée, presque précieuse, empreinte de l'aisance raffinée d'un jeune aristocrate ou d'un riche bourgeois, introduit dans la société. Le haut col de son habit, à la dernière mode de Paris, est proche de celui que portait Robespierre en 1794. Rien pourtant dans sa tenue n'évoque la rigueur jacobine ni l'excentricité des «Incroyables». Le noir de son habit, le foulard de soie rouge et or, quadrillé de noir ou son manteau également noir peuvent avoir été fabriqués à Lyon, Florence ou Venise[33] et n'évoquent pas nécessairement l'industrie génoise. Le noir est une constante de la mode vestimentaire et des lois somptuaires en imposaient depuis toujours le port aux citoyens génois[34]. En 1795, les jacobins de Gênes sont dans la phase secrète de ce qui a été appelé le jacobinisme insurrectionnel en opposition au jacobinisme officiel[35]. La vieille oligarchie, ultime et fragile scène coupée du monde, dirige encore la cité que la bourgeoisie et la petite noblesse pauvre espèrent voir prendre le chemin de la Révolution française. Cette modernité qu'incarne la France est partout présente dans le décor raffiné et radicalement moderne qui entoure Fravega. La banquette droite, rigoureusement néoclassique, recouverte d'un velours ciselé vert-gris aux motifs de losanges et de rosettes sur fond satiné, le mur de faux marbre clair, légèrement veiné et ombré de gris et beige, la frise qui le borde et lie des motifs grecs à des feuillages enroulés sont le décor du nouveau goût typiquement opposé à la scénographie architecturale génoise du siècle de Bartolomeo Bianco. On songe ici à la simplicité de Percier et Fontaine. La cariatide presque grecque qui décore le trumeau, à gauche derrière Fravega, est sculptée d'après un dessin de Carlo Barabino (1768-1835), l'un des premiers architectes néoclassiques génois[36] étudiant à Rome entre 1780 et 1792, son dessin des cariatides de l'autel de la chiesa del Rimedio, à Gênes, était comme pour le miroir de Fravega, une variation, les bras levés, des cariatides de l'Erechthéion **[ill. 236]**. La longue banquette, le manteau noir jeté sur le dossier comme si Favrega était entré pour quelque temps dans les lieux, font moins penser à un intérieur privé qu'à un lieu public, un

des cafés[37], comme le café Pedrocchi[38] de Padoue. café est au XVIIIᵉ siècle, après que les navigateurs marchands eurent introduit en Europe la mode boissons alcoolisées, un lieu de rencontre et d'écha ges intellectuels et politiques.

La communauté francophile et progressiste entoure les Meuricoffre profita de la présence deux élèves de David à Gênes pour faire réaliser l portrait à la dernière mode. Dans ce milieu, la mo est celle de l'école de David et le portrait de Frav est le portrait le plus davidien jamais peint par rodet. Non seulement l'atmosphère du tableau, m les détails réalistes du portrait comme les objets l'écriture, occupation de Fravega, la position du m dèle, la jambe avancée devant la table de travail le jeu des couleurs, nappe rouge, habit noir, chem blanche et la neutralité du fond uni gris sont des tations du *Portrait d'Antoine Laurent Lavoisier et de femme*[39], un des grands-chefs d'œuvre de David Girodet avait vu terminé dans l'atelier en 1788.

Le regard de Lavoisier est dirigé vers le haut, v son épouse debout à côté de lui, alors que celui Fravega, dirigé aussi vers le haut, est un regard id absorbé par ses pensées qui le détachent du conte immédiat. Plus tard, Girodet enseigna à ses élève peindre ce regard idéal qu'il reproduit comme l'u des grandes variations de l'expression du regard d son album de principes de dessin **[ill. 237]**.

Ainsi, le *Portrait de Giuseppe Fravega*, peint l d'une des époques les plus créatives de Girodet, contrepoids à ses grands projets en gestation com à ses triomphes récents. En résonance avec le re de sa production italienne, ce portrait est l'un grands hommages qu'il rend à David, express d'une ambivalence qui traverse son œuvre de p en part, son opposition au maître s'enracinant d David lui-même.

S. B.

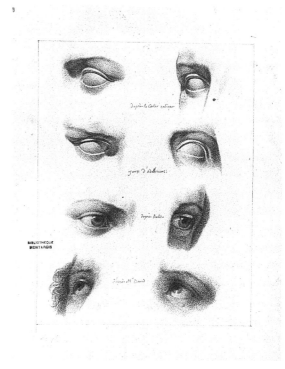

. 68 Détail du trumeau

III. 236 Barabino, détail d'une cariatide
de l'Erechthéion
Dessin, Gênes, Palazzo Rosso

III. 237 Girodet, *Album de principes de dessin* (n° 100)
Dessin, Montargis, musée Girodet

Notes

ettre d'Anne Louis Girodet au docteur Trioson, Gênes, 11
mai an III [11 et 24 mai 1795], fonds Pierre Deslandres,
sé au musée Girodet de Montargis, t. III, n°71 ; publiée
Coupin, t. II, 1829, p. 453-456, lettre n° 59. À propos
on départ, voir la lettre inédite d'Anne Louis Girodet au
eur Trioson, Genève, 23 septembre 1795.

ripier Le Franc, *Histoire [...] du Baron Gros...*, 1880,
.

idem, p. 75.

idem, p. 77.

econde arrestation de David qui est détenu pendant trois
, du 28 mai au 21 août 1795, au palais du Luxembourg.
evitine, *The Dawn of Bohemians*, Pennsylvania State
ersity, 1978, et Charles Nodier, in Delécluze, *David...*,
, appendice p. 420 -438.

ir James Henry Rubin, « An Early Romantic Polemic... »,
Art Quaterly, vol. XXXV, n° 3, automne 1972, p. 210-
Paul Joannides, « Some English Themes in Early
k of Gros », *Burlington Magazine*, décembre 1975,
4-785 ; James Henry Rubin, « Gros and Girodet... »,
ngton Magazine, novembre 1979, p. 716-721 ; Anne
t, « Girodet e Gros in Italia », *Genova alle origine del*
antismo francese, 2003. p. 243-253.

ettre d'Anne Louis Girodet à Julie Candeille, Le Bourgoin,
vembre 1815, Orléans, Société historique et archéologique
éans, don Becquerel (17 septembre 1860) ; publiée par Nivet,
tin de Société archéologique et historique de l'Orléanais,
ll, n°138, 4e trimestre 2003, p. 31-33, lettre n°VIII.

es carnets de Gros conservés au Louvre furent publiés
Jacqueline Bouchot-Saupique (inv. RF 29956,84) *AAF*,
XXII, 1959, p. 297-303. Les carnets de Girodet sont
ntiellement l'album Deslandres RF 36153 et l'album
ailleurs inv. 005.51 (Montargis, musée Girodet) et le
et de la BNF DC 48 C.

ripier Le Franc, *Histoire [...] du Baron Gros...*, 1880,
9 ; Rubin, *Burlington Magazine*, novembre 1979, p. 719-

720 ; Bajou, Lemeux-Fraitot, 2002, p. 103, n°334, p. 104, n°342.

11. Voir Carter Forster, *supra* cat. 25-33.

12. Cat. 21.

13. Cat. 42.

14. *Saint Ignace guérissant des démoniaques*, de l'église du Gesu à Gênes, lettre du 25 mai 1793, publiée par Philippe Bordes, 1978, p. 235.

15. Delécluze, 1948, p. 63. Sur l'origine italienne du colorisme de Gros, voir Joannides, *The Burlington Magazine*, 1975, p. 774-775.

16. La famille Meuricoffre est originaire du canton de Thurgovie, en Suisse. Son véritable nom est Mörikhoffer. Jean George Meuricoffre reprit à Naples la direction de l'établissement que son oncle Frederick Robert Meuricoffre avait créé en 1760. Il épousa en 1792 une célèbre cantatrice toscane, Céleste Coltellini. En 1793, les Meuricoffre, oncle et neveu, qui étaient nés à Lyon, durent quitter le territoire napolitain avec tous les français qui s'y étaient établis et se fixèrent à Gênes où ils fondèrent un second centre d'affaires en relation avec leur maison de Naples. Ils y restèrent jusqu'en 1800. Le siège que Masséna soutint alors contre les Autrichiens les obligèrent à en partir pour Marseille. Mme Meuricoffre était musicienne et étudia le dessin avec Gros. Elle protégea les artistes, Gros et Girodet mais aussi Réattu, Poize. Voir Oscar Meuricoffre, consul général suisse à Naples, *Souvenirs*, Genève, S.D., 2003 Berne, Bibliothèque nationale suisse. p. 1-15 ; Philippe Bordes, « Antoine-Jean Gros en Italie (1793-1800)... », *BSHAF*, (1978) 1980, p. 226, a montré que le *Portrait dit de Madame Fravega* par Gros (Marseille, musée des Beaux-Arts) était probablement un portrait de Mme Meuricoffre.

17. Coupin, 1829, t. II, p. 435.

18. Mark Ledbury, « Unpublished Letters to Jacques-Louis David from his Pupils in Italy », *The Burlington Magazine*, t. CXLII, n°1166, mai 2000, p. 300.

19. Fièvre intermittente qui se produit tous les trois jours.

20. Coupin, 1829, t. II, p. 454.

21. Lettre d'Anne Louis Girodet au docteur Trioson, Naples, 25 juillet, 2 août et 1er septembre [1793], fonds Pierre Deslandres, déposé au musée Girodet de Montargis, t. III, n°42 ; publiée par Coupin, 1829, t. II, p. 434-439, lettre n°55 (le dernier feuillet de cette lettre n'est pas publié par Coupin qui ne l'a pas retrouvée). Sur le Docteur Moloëv voir *supra* Jean-François Lenain.

22. Ripert, 1954, p. 3-12 ; Bordes, *BSHAF*, (1978) 1980, p. 221-231.

23. Cette nomination intervint le 2 mars 1796.

24. Dino Carpanetto and Giuseppe Ricuperati, *Italy in the Age of Reason 1685-1789*, Londres et New York, Longman Publishing Group, 1987, p. 202-204.

25. Son intérêt pour les arts est peu documenté mais il ne devait pas être indifférent puisque le chef-d'œuvre de Gerard David, *La Cruxifixion* du Palazzo Bianco, ainsi que le Pieter Coeck van Aelst provenant de l'abbaye de San Gerolamo della Cerva furent mis en dépôt dans sa précédente demeure, piazza Pelliceria, avant d'être remis à l'administration.

26. Auquier, 1908, n°208.

27. En 1805, Gênes est annexée par la France et devient un département.

28. Entre le 26 avril et le 26 décembre 1814, pendant les négociations des alliés à Vienne.

29. Proclamation du général Bentick, 31 juillet 1814.

30. Il n'est pas certain que le règlement après livraison du portrait se soit passé de la meilleure façon. En effet, Gros, qui se plaignait de ne pouvoir être payé par ses modèles, écrit à sa mère que Girodet « aussi pourrait lui dire quelques mots sur la vile avarice [et les] procédés bas » des Génois, voir Bordes, *BSHAF*, (1978) 1980, p. 241.

31. Comme Fravega, Serra fit partie du Grand Conseil du gouvernement provisoire qui dirigea la ville pendant le congrès de Vienne, voir *supra* note 29.

32. O. Michel, « Portrait de Giuseppe Fravega », in Catalogue du musée des Beaux-Arts de Marseille, 1990, p. 83.

33. Je remercie Jean Blazy conservateur du musée des Tissus de Lyon et Stéphane Houy-Towner, Research Associate du Costume Institute au Metropolitan Museum of Art, pour l'aide qu'ils m'ont apportée dans l'analyse et la description des tissus dans ce tableau.

34. Tulard, *Dictionnaire Napoléon*, 1987, p. 786. Le noir, le rouge et le blanc dominent dans les portraits de l'aristocratie génoise de Rubens à Van Dyck.

35. Feliciano Lepore, *Il Giacobinismo italiano*, Naples, 1939, p. 35.

36. Je remercie Bertrand Gautier qui m'a mis sur la piste de Barabino. Voir Emmina De Negri, *Ottocento e rinnovamento urbano, Carlo Barabino*, Gênes, Sagep, 1977, p. 41-54, pour la période génoise avant la République ligure.

37. Je n'ai pas pu confirmer sur place cette hypothèse d'un lieu public. Les cafés les plus anciens de Gênes qui ont conservé leur décor original sont plus tardifs ; le plus ancien, Romanengo, Fu Stephano, est de 1814.

38. Construit par l'architecte Giuseppe Jappelli (Venise, 1783-1852).

39. David, *Antoine Laurent Lavoisier et sa femme*, 1788, huile sur toile, New York, The Metropolitan Museum of Art.

L'avocat du roi

cat. 69 **Portrait du comte de Sèze**
1806
Huile sur toile, 115 x 88 cm,
Collection particulière

Hist. Commandé par l'épouse et les enfants du modèle (lettre de Raymond Desèze à son fils Paul Romain Desèze, Sévin, p. XVI) par descendance dans la famille du comte de Sèze.
Exp. 1814, Salon, p. 45, n° 441 ; 1913, Paris, n° 134.
Bibl. Boutard, *Journal des Débats*, 6 novembre 1814, p. 3 ; *Journal des Débats*, 3 décembre 1814, p. 2 ; Anon. [F. Raoul], *Le Véridique*, 1814-1815, p. 270 ; Anon., *L'Observateur au Museum*, s. d. [1814-1815?], p. 5, n° 441 ; Delécluze, 1848, p. 127-129 ; Coupin, 1829, t. I, p. lxj ; Marquet de Vasselot, 1880, p. 220 ; Brière, Rosenthal, 1913, p. 129 ; Lecomte, 1913, p. 18 ; Saunier, 1913, p. 285-286 ; Levitine, 1953, p. 335-336, ill. 22 ; Levitine, 1956 (1972), p. 314-316, ill. 63 ; Pruvost-Auzas, in cat. exp. Montargis, 1967, chronologie : 1806 ; Bernier, 1975, p. 116, p. 125, ill. ; Levitine, 1978, p. 314, ill. pl. 63 ; Nevison Brown, 1980, p. 232, 432, ill. n° 94.

Œuvres en rapport
Une étude à la mine de plomb, mise au carreau sur calque, rehaussée à la craie noire, don Reilly, Snite Museum of Art, University of Notre Dame, inv 96.70.11 ; vendu chez Sotheby's le 25 novembre 1985, n° 715 ; acquis par Reilly en 1987 dans le commerce de l'art new-yorkais.
Copie par François-Louis Dejuinne (voir Coupin, 1829, t. I, p. ixj), coll. part.
Lithographié en 1824 par Aubry Le Comte sous la direction de Girodet, mentionnant : *Girodet-Trioson ping.¹ et dire.*¹

LE DÉFENSEUR DU ROI LOUIS XVI.
RAYMOND COMTE DE SEZE,
PAIR DE FRANCE, MINISTRE D'ÉTAT, CHEVALIER-COMMANDEUR DES ORDRES DU ROI,
GRAND TRÉSORIER DE L'ORDRE DU SAINT-ESPRIT, CHEVALIER DE MALTE,
PREMIER PRÉSIDENT DE LA COUR DE CASSATION, L'UN DES XL DE L'ACADÉMIE FRANÇAISE.
NÉ À BORDEAUX LE 26 SEPT 1748, À PARIS LE 2 MAI 1828.

Les débuts d'un avocat de province pendant la Révolution

Lorsque Girodet entreprend son portrait en 1806, le comte de Sèze, célèbre avocat de Louis XVI dans le procès que lui intenta la Convention nationale en décembre 1792[1], n'est encore que Raymond Desèze[2]. Il vit retiré dans sa maison du hameau de Brevannes[3] au sud-ouest de Paris. À la Restauration, il devint l'un des grands personnages du royaume, premier président de la cour de cassation[4], pair de France[5], comte[6], ministre d'État, commandeur des ordres du roi et grand trésorier de l'ordre du Saint-Esprit[7], chevalier de Malte, membre de l'Académie française[8]. L'année de son portrait, en 1806, l'Empire florissant lui accorde peu d'importance ou, au mieux, une certaine méfiance[9]. Le portrait du comte de Sèze fut perçu par la critique du XXe siècle[10] comme une preuve des engagements royalistes de Girodet, jacobin repenti. L'examen de la vie de Desèze et l'iconographie du tableau conduisent à des conclusions moins tranchées. La société du XVIIIe siècle et celle de l'Empire sont plus perméables et moins cloisonnées qu'elles ne paraissent *a posteriori*. Le royalisme ne paraît pas tant une conviction politique que le refuge ultime du libéralisme, chez l'homme de loi comme chez le peintre. Aussi y avait-il une certaine bravoure de la part de Girodet à peindre, sous le régime autoritaire de Napoléon, un homme qui avait résolument exposé sa liberté et sa vie sous un autre régime, au nom de ses principes. À la différence du portrait que Girodet fit de Chateaubriand **(cat. 67)**, cette bravoure gratuite pourrait difficilement être suspectée de réclame pour soi-même, compte tenu du peu de notoriété du modèle lorsque Girodet peint son portrait. Le tableau répond à une commande certes, mais traduit aussi l'admiration que le peintre portait à de Sèze, plus immortel que les héros militaires, ainsi qu'il l'exprime dans la dédicace en vers **[ill. 238]** qui accompagne le tableau[11].

Raymond Desèze (1748-1828) est né à Bordeaux dans une famille de la bourgeoisie parlementaire[12]. Prénommé Raymond comme son oncle et son parrain Raymond Dubergier, il abandonna jeune son nom de baptême et se fit appeler Romain. Avocat au barreau de Bordeaux, son père Jean Desèze (1709-1770) est à la tête d'un cabinet qui draine toutes les affaires importantes de la ville. Raymond est éduqué au collège jésuite de la Madeleine. Après la suppression de la Compagnie de Jésus en 1762 et la dispersion de l'ordre[13], il poursuit ses études avec Antoine Duranthon[14] comme précepteur. Suivant la carrière de son père, il devient avocat à Bordeaux à la fin de l'année 1767, à dix-neuf ans. Un autre juriste, Charles Mercier Dupaty[15] (1744-1788), devenu rapidement avocat général, va exercer une influence

considérable sur le jeune homme. Érudit, orateur talentueux et philanthrope, ami des encyclopédistes, Dupaty est considéré par le groupe des idéologues comme l'un de leurs maîtres. Il engage comme secrétaire Duranthon, l'ancien précepteur de Desèze, et devient un familier du salon Desèze[16], rue de la Devise-Saint-Pierre[17] que fréquentait toute la société de Bordeaux[18] et les futurs membres du parti girondin.

Sous Louis XV, les parlements avaient repris la lutte avec le pouvoir royal, une tradition qui ne s'était interrompue que sous le Roi-Soleil[19] et les cours de justice deviennent le véhicule de l'anti-absolutisme. Lors de la révolte de juin 1770, Dupaty s'affiche comme l'un des principaux contestataires[20]. Cet exemple, qui gagne toutes les provinces conduit le ministre Maupéou, déterminé à briser les parlements, à le faire arrêter[21]. Voltaire s'inquiète auprès de D'Alembert : «On prétend qu'un jeune philosophe, avocat général à Bordeaux, amoureux de la tolérance, de liberté et de Henri IV, a été enlevé par lettre de cachet[22]…» Scandalisé et solidaire, Raymond Desèze publia dans le *Mercure* un éloge en vers de l'avocat général[23]. La mort de Louis XV et l'avènement de Louis XVI amenèrent la disgrâce de Maupéou et le nouveau ministre, Turgot, rappela les parlements. Libéré, Dupaty reprend ses fonctions à Bordeaux où il apparut dans une audience triomphale de la Grande chambre. Il déclama un discours sur la liberté, la vérité et la justice «sources uniques du peu de bonheur dont l'humanité est susceptible, seuls objets vraiment dignes du dévouement d'un homme libre et de la passion d'une âme immortelle […][24] ». Ces propos qui s'apparentent au déisme des Lumières et des fraternités franc-maçonnes reflètent l'esprit des élites réformistes qui retrouvent sous le ministère Turgot un pouvoir qui croîtra jusqu'aux États généraux de 1789.

L'année qui suit l'avènement de Louis XVI, R[ay]mond Desèze se rend à Paris avec son frère Vic[tor] qui avait embrassé la carrière médicale. Il s'arrête à Angoulême pour rendre visite à Mme Necke[r]. À Paris, il rencontre Target (1723-1806)[26] et G[er]bier (1725-1788)[27], deux des avocats les plus en [vue] de la capitale[28]. Le premier l'engage à rester à Pa[ris] «Pourquoi renoncer à un si beau théâtre avec tan[t de] talent […] J'ai même en ce moment une très bell[e et] très grande cause qui devait être ma dernière et [que] je tacherai de vous procurer[29].» Son soutien affi[ché] pour Dupaty et l'amitié qui les lie est une appréci[able] introduction, notamment auprès des francs-maç[ons] de la loge des Neuf Sœurs dont Dupaty est pro[che]. Affilié à la loge en 1779, il la présidera vers le [mi]lieu de l'année 1784[30]. C'est au cours de leur séj[our] parisien que les deux frères Desèze[31], Victor et R[ay]mond, rejoindront cette loge, la plus intellectuell[e et] la plus artistique de la fin du XVIIIe siècle[32]. [La vie] mondaine, les académies, les loges franc-maçon[nes,] les cafés et les théâtres tissent à Paris une soc[iété] éclairée, très largement aristocratique, mais ouv[erte] au talent et à l'argent roturier. Si la franc-maçon[nerie] avait d'abord attiré par ses aspects galants, mystiq[ues,] philanthropiques et thaumaturgiques des rites [de] Mesmer et de Cagliostro, elle est devenue au dé[but] du règne de Louis XVI un phénomène si largem[ent] étendu qu'il serait difficile de lui trouver une défi[ni]tion politique bien cohérente. La bourgeoisie éc[lai]rée s'y retrouve, mais la duchesse de Bourbon, pu[is la] princesse de Lamballe président ses loges d'adop[tion] qui font l'opinion dans les salons. Marie-Antoi[nette] calmait les inquiétudes de sa sœur, Marie-Chris[tine] de Saxe-Teschen, en lui écrivant : «Tout le mo[nde] en est; on sait ainsi tout ce qui s'y passe où donc [est] le danger[33]!» Raymond Desèze n'est cependant [pas] encore prêt à tourner la page bordelaise et dé[cide] de rentrer en Aquitaine. Sur le chemin du ret[our] il s'arrête à Avignon et traverse les Alpes, en p[lein] mois de janvier, pour rendre visite à Voltaire à Fer[ney]. Il a alors ses plus hautes exaltations démocrati[ques] et s'enthousiasme pour Genève. Il écrit à son f[rère] Paul-Romain : «Je ne suis plus en France, je [suis] dans un pays étranger, un pays libre, un pays ré[pu]blicain, en un mot à Genève[34].» Voltaire le reti[ent à] déjeuner et il passe quatre heures en sa compag[nie.] Peut-on imaginer que leur conversation évoqu[a la] fraternité franc-maçonne? C'est l'année suivan[te, le] 7 juillet 1778, que Voltaire, autorisé à revenir à [Paris] après vingt-sept ans d'exil, fut initié apprenti-ma[çon] et qu'il ceint le tablier de maître qui avait apparte[nu] à Helvétius. L'événement intéressa le tout-Paris [qui] fêta Voltaire alors que la cour refusait de le recevo[ir]. Ironie de l'histoire, la cérémonie se déroula dans [les] locaux de l'un des principaux établissements jé[sui]tes[37]. De retour à Bordeaux, Desèze conseille la m[ère] se d'Anglure, une cliente de Target, amie de l'avo-parisien Élie de Beaumont[38], autre membre de la e des Neuf Sœurs, qui avait acquis une réputation opéenne en plaidant la réhabilitation de Calas[39]. faire d'Anglure[40] mettait en cause le statut des testants[41] après la révocation de l'édit de Nantes 85). La plaignante était privée de son héritage, ses ents n'ayant pu obtenir de reconnaissance légale leur union car son père était protestant. L'affaire a plus de vingt ans et captiva toute l'aristocratie çaise. La plaidoirie de Desèze raffermit sa réputa-n. Il perdit son procès mais y gagna l'amitié d'Élie Beaumont ainsi que la célébrité[42]. Son ascension it désormais être très rapide. Le ministre Vergen-[43] souhaitait que Desèze vienne à Paris. Target et rbier insistèrent de leur côté et Élie de Beaumont une partie de son logement à sa disposition. En il 1784, il s'installait définitivement à Paris. Target confia la cause de la comtesse d'Andlau, la fille du losophe Helvétius, une intime des réunions de la e des Neuf Sœurs qui avait été créé chez sa mère uteuil. L'affaire était une banale affaire d'héritage, s la plaideuse était intime de Mme de Polignac, che de la reine et gouvernante des enfants de nce. Desèze gagna le procès et devint célèbre au âtelet. En août 1784 et dans les premiers jours de 5, il plaide pour Worms accusé d'usure par l'un ses débiteurs. Exemple sans précédent, Worms, de fession israélite, est acquitté[44]. En 1786, il plaide . Tournelle pour la marquise de Cabris[45], la sœur Mirabeau, qui demandait la curatelle honoraire de mari contre sa belle-mère. Grâce à ces succès, il chargé de plaider pour la reine à l'occasion de l'ac-sition du château de Saint-Cloud[46]. Cette affaire impliquait le duc d'Orléans, lui aussi membre des uf Sœurs, a souvent été confondue avec l'affaire collier à laquelle Desèze ne fut jamais mêlé. En 1787 éclate le grand conflit entre le roi et le lement de Paris qui aboutit à la convocation des ts généraux. La réforme du système fiscal était au ur de ce conflit[47]. Le pouvoir financier devint le âtre d'affrontements entre les deux pouvoirs, le et les parlements[48]. Les émeutes qui avaient trou-les dernières années du règne de Louis XV au ment des réformes de Maupéou réapparurent. La testation des parlements de Provence, du Dau-né, de Dijon, de Besançon et de Bretagne amena oi à rappeler Necker et l'on annonça dans la liesse érale la convocation des États généraux pour le mai 1789. Le débat allait rapidement et dépasser la orme fiscale pour toucher à la refonte du système itique.

Lors de la préparation des États généraux, Desèze élu commissaire du Tiers État pour la rédaction cahiers de doléances du second district du Ma-[49]. Son rôle politique se limite à la présidence de

son district et à la rédaction des cahiers. Il ne s'engage pas dans la représentation politique mais s'efforce de convaincre ses frères Victor et Paul Romain de se faire élire députés du tiers état. Après la prise de la Bastille, il fait partie, le 29 juillet 1789, de la commission des treize membres chargés d'ouvrir et de ranger les papiers de la forteresse[50]. Le procès qu'il plaide au début de la Révolution, celui du baron de Besenval[51], permet de situer très précisément sa position politique de bourgeois libéral. Dans ce procès, il s'oppose pour la première fois à la dynamique de la Révolution. Sa plaidoirie expose toutes les convictions politiques qu'il reprendra au moment du procès de Louis XVI : la révolution légale[52].

Dans le procès de Bezenval, Desèze va s'attaquer aux méthodes et aux prérogatives du comité de re-cherches, et publie 19 pages d'observations sur le rapport de ce comité dont le rôle aurait dû se limiter «à recevoir les dénonciations et les dépositions sur les trames, complots et conspirations qui pourraient être découverts […] mais qui franchit toutes les bornes du pouvoir qui lui était prescrit et publie un rap-port détaillé de toutes les circonstances qui supposent avoir précédé ou accompagné la conspiration qu'il dénonce et qui n'est qu'un tissu d'assertions hardies ou de faits calomnieux». Desèze, redoutant une condamnation par décret, demanda que l'accusation contre Besenval ne fût pas jugée d'après d'autres rè-gles que celles qui gouvernent les accusations ordi-naires[53]. Empruntant son exorde au *Pro Milone* de Cicéron[54], il exalta Besenval qui «avait bien mérité de la République au moment même où on l'avait accusé d'avoir conspiré contre elle. […] La Nation s'est dotée d'une constitution garantie par le roi. La tyrannie est donc derrière nous. La loi et l'égalité de-vant la loi est la seule garantie de la liberté acquise […]». Desèze dénonça le danger de l'opinion[55] et fit acquitter Besenval. C'est sa vision légaliste de la Révolution qui lui vaudra d'être appelé trois ans plus tard à défendre le roi dans un procès qui avait une importance historique bien plus considérable auquel il tentera d'imposer un cadre juridique, jusqu'alors inexistant.

Le procès du roi

La journée du 10 août 1792 fut un débordement populaire qui échappa au contrôle de l'Assemblée législative et qui fit basculer la Révolution, faisant perdre aux députés des Feuillants et au courant de la Gironde tout espoir d'une monarchie constitution-nelle à l'anglaise. Réagissant aux vetos du roi et à la menace étrangère, sous le prétexte de célébrer la prise de la Bastille, les sections fédérées convergèrent vers Paris, apportant de leurs provinces un soutien qui fut déterminant pour les sections parisiennes.

Dans la nuit du 9 au 10 août, le palais des Tuileries est envahi par la foule et la famille royale est contrainte de se réfugier dans la salle du Manège où l'Assem-blée tenait ses réunions. Sous la pression de la rue, l'Assemblée décida de suspendre Louis XVI et de le remplacer par un comité exécutif provisoire en at-tendant l'élection au suffrage universel d'une Con-vention nationale. Le souverain est enfermé dans le donjon du vieil enclos médiéval du Temple, ancienne forteresse des Templiers, sous la garde de la Nation. Le 21 septembre, la Convention, élue au suffrage universel, décréta l'abolition de la royauté. L'avenir du roi déchu était au centre des enjeux de la lutte acharnée à laquelle se livrèrent les différentes tendan-ces politiques de la Nation. Cependant, son procès étant celui de la royauté, il ne pouvait pas être gagné par un plaidoyer, seule la tournure des événements pouvait le sauver, or la victoire de Valmy (20 septem-bre 1792), faisant reculer la menace étrangère, l'aile radicale de la Convention se sentit confortée dans sa détermination de supprimer le roi.

Le 5 décembre, la Convention décida qu'elle jugera elle même le roi. Le 10 fut présenté l'«acte énonciatif des crimes du roi» Le 11 décembre, Louis XVI comparut devant ses juges. Après avoir entendu lecture par Barère de son acte d'accusation, le roi de-manda copie des documents et le choix d'un conseil juridique. Il choisit les avocats Target et Tronchet. Le choix de Target, l'un des auteurs de la Constitution de 1791 était judicieux puisque l'accusation repo-sait sur la Constitution que le roi était accusé d'avoir violée. Évaluant les risques auxquels l'exposait une telle défense, Target allégua son âge, 60 ans, et refusa dans une lettre signée «le républicain Target[56]». Ma-lesherbes[57] se proposa spontanément et Tronchet ac-cepta le 13 décembre. Le dossier d'accusation était volumineux et compte tenu de la brièveté du temps imparti[58], les avocats s'adjoignirent Desèze que le roi accepta par la connaissance qu'il avait eue de sa plai-doirie pour Besenval. La tâche n'allait pas sans risque, mais lorsque, le 19 décembre, les envoyés de Ma-lesherbes se présentèrent chez lui, Desèze l'accepta immédiatement[59].

La marche de manœuvre était très étroite. Inter-pellant les citoyens et les juges selon une tactique qui avait impressionné lors du procès de Besenval[60], Desèze s'attacha à démontrer les contradictions ju-ridiques du procès, et l'impossibilité légale pour la Convention de pouvoir juger le roi. La Déclaration des droits de l'homme et du citoyen et précisément les articles 2 et 8 du chapitre II de la Constitution de 1791[61] garantissaient la personne du roi comme inviolable et sacrée, et fixaient les conditions de son abdication, seul acte par lequel il pouvait rejoindre la classe des citoyens et et pouvait être traité selon la loi commune. Toujours d'après la Constitution, le roi ne pouvait être jugé comme citoyen que sur des actes postérieurs à son abdication. De ce point de vue, le procès était donc illégal. Mais la dynamique révolutionnaire entrait dans sa phase la plus radicale, la première Terreur qui aboutit à la création du tribunal révolutionnaire le 10 mars 1793. Le véritable objet de ce procès était l'abolition de la royauté. Tuer le roi désacralisait à tout jamais le pouvoir politique et le régicide rendait impossible un retour en arrière, rassurait les acquéreurs des biens nationaux et tous les intérêts idéologiques, économiques et sociaux du nouveau régime. Desèze plaida la légalité mais la cohérence technique de l'orateur pesait peu devant les enjeux historiques du moment. Desèze prononça sa plaidoirie le 26 décembre, les débats s'engagèrent le 14 janvier 1793, la mort fut votée le 19, et le roi fut guillotiné le 21 janvier. Chateaubriand, dans son lyrisme, ainsi que la Restauration tout entière, transformèrent le courage de Desèze en une émouvante dévotion royaliste[62] alors que les circonstances, mais plus encore ses convictions intimes avaient circonscrit la défense dans la stricte légalité constitutionnelle. Malesherbes paya le prix de son engagement sur l'échafaud et Desèze par dix mois de prison. La loi des suspects[63] provoqua son arrestation le 21 octobre et il passa les moments les plus sanglants de la Terreur à la prison de la Force puis à la maison Coignard, à Picpus, à deux pas de la guillotine de la place de la Nation[64]. Il fut libéré le 30 thermidor de l'an II (17 août 1794) quelques jours après la chute de Robespierre. Sous le Consulat et l'Empire, Desèze reprit progressivement ses affaires qui devinrent bientôt florissantes. Il n'occupa aucune fonction administrative sous l'Empire mais se lia avec Portalis[65], Fontanes[66], le banquier Jaubert et de nombreux représentants du courant d'opposition monarchiste, Chateaubriand, Lainé[67] mais aussi Garat[68] qu'il retrouve aux réunions de la loge des Neuf Sœurs qui se reforme à partir de 1805[69]. C'est à cette époque que Girodet peint son portrait. Desèze écrit à Paul Romain : « J'ai cédé moi-même, il y a quelques jours à de très vives insistances de ma femme et de mes enfants. J'ai consenti enfin à laisser faire mon portrait pour le leur donner. C'est notre plus habile peintre qui l'a fait, Girodet et il en a fait une espèce de tableau historique. Il est de la ressemblance la plus frappante et c'est son moindre mérite. Du reste, c'est fort cher parce que j'y suis presque en entier, travaillant dans mon cabinet, méditant la défense du roi qui est indiquée par les accessoires et tenant une plume à la main, prêt à écrire, quoique assis (ce qui est comme tu sais, contre mon usage) mais c'est un chef d'œuvre[70]. »

En 1806, Desèze a 59 ans. La composition de son portrait reprend une formule, maintes fois éprouvée, notamment par David[71] et utilisée par Girodet pour

III. 239 Girodet, *Portrait du baron Philippe-François-Didier Usquin*, 1809, huile sur toile, coll. part.

Fravega **(cat. 68)** et pour le portrait du baron Usquin **[ill. 239]**. Le modèle est assis de côté, dans un fauteuil de bureau, derrière une table ronde recouverte d'un drap orangé, au premier plan. Les jambes croisées, il fait face au public. Desèze est vêtu d'un costume de velours noir, avec culotte à la française à petite boucle d'argent. Ce vêtement est celui d'un bourgeois de l'Empire, confortable et dénué du luxe ostentatoire affiché par les dignitaires de l'Empire. Les tons sombres du portrait, le faux marbre et le gris vert du fond évoquent l'atmosphère d'un homme grave et discret. Il est coiffé à la mode du règne de Louis XVI, les cheveux poudrés, arrangés en rouleau au-dessus des oreilles. La bouche mince exprime la détermination, aurait dit Lavater. Les sourcils dessinent un fort arc noir et contrastent avec sa chevelure poudrée. Derrière l'avocat, hommage aux talents de l'orateur, se trouve une statuette du messager des dieux, Hermès, le porteur du sens[72]. Sa main gauche se détache sur la reliure rouge de trois épais volumes les écrits des trois plus grands orateurs et grands théoriciens de la citoyenneté démocratique antique[73] : Cicéron, Démosthène et Isocrate. Cicéron, « l'homme verbe » selon Lamartine, partisan d'une république aristocratique, théorisa les principes d'un pouvoir confié aux talents de toutes les origines sociales. Démosthène[74], le plus grand orateur grec, l'ennemi acharné de Philippe de Macédoine, grand zélateur de la souveraineté athénienne est réuni dans un même volume que le grec philhellène, Isocrate[75] auquel il s'opposa fondamentalement dans le conflit entre Athènes contre le roi de Macédoine. L'orateur est entouré des grands classiques du droit antique et des grands plaidoyers des philosophes de la cité. La plume à la main, il appuie le bras droit sur le *Pro rege Dejotarum*[76], la plaidoirie que Cicéron avait adressée à César et qui innocentait entièrement son ami Dejotarus, roi de Galicie, accusé

de complot contre l'État. Ces accessoires résument propre de l'avocat législateur et donnent au portrait signification d'une composition historique que D sèze avait bien vue. Girodet évoque par la référenc la littérature antique, garantie de pureté morale po le législateur comme pour l'artiste, le grand mome de la vie de son modèle et limite soigneusement le gnifié au domaine historique et oratoire des lois. To comme Desèze avait tenté de le faire pour sa prop plaidoirie, il moralise son portrait et le dépolitise excluant tout signe contemporain, partisan, royali ou républicain.

Cependant, le tableau ne fut pas montré au Sa avant 1814, lors du retour des Bourbons. Il y figu en regard du *Portrait de Chateaubriand*, sous le titre P trait de M. de Sèze méditant la défense du roi Louis XV un titre qui liait aussi les deux œuvres[78].

Dès qu'il en eut le pouvoir, Desèze exprima sympathie et sa reconnaissance envers Girodet lui faisant accorder par le roi, en 1816, le grade chevalier dans l'ordre royal de Saint-Michel[79]. T lié avec Lainé, qui devient ministre de l'Intérieu Louis XVIII, il soutient Girodet qui va recevoir so la Restauration la reconnaissance que l'Empire ne avait pas accordée. Le roi acquit *Endymion*, *Atala* *Une scène de déluge*, et commanda des décors po le temple de la Grande Armée converti en église l'expiation[80]. Du vivant du comte ou un peu ap sa mort[81], le tableau fut placé dans un important dre de bois doré (p. 351), orné à chaque angle larges fleurs de lys, surmonté de la couronne de p de France et d'un blason portant la couronne co tale et les armes que Louis XVIII avait accordée la branche aînée des Sèze (trois tours d'argent gurant la tour du Temple, soutenue de fleurs de l avec la devise 26 décembre 1792[82]). Raymond D sèze avait reçu le titre héréditaire de comte de Sè le 31 août 1817. Le royalisme ostentatoire du cad s'oppose donc à la prudente retenue idéologique portrait. Les temps et les hommes avaient changé. comte de Sèze, comblé d'honneurs par les Bourbo est devenu un ultra et l'ancien défenseur de la léga lité constitutionnelle va devenir un virulent partis de la monarchie absolue, s'opposant à la liberté de presse, défendant le dogme sacré de la légitimité de l'union du trône et de l'autel. À plusieurs repris il harangue la Chambre pour que le 21 janvier s décrété deuil national et pour que les cris séditie soient punis par la déportation ou la peine de mo peine qu'il recommande lors d'un procès pourta plus politique que légal, celui du maréchal Ney[84].

S. B.

Notes

Le manifeste du général en chef des armées austro-ssiennes, le duc de Brunswick (25 juillet 1792), qui naçait le peuple parisien d'une vengeance exemplaires, e « moindre outrage était fait à la famille royale » eut un t opposé à son but et aviva la colères des révolutionnaires squ'il fut publié dans *Le Moniteur* du 3 août (Albert let et Jules Isaac, Paris, 1929, t. VI, p. 125 ; Archives lementaires, t. 47). La capitale et les sections fédérées des vinces montées à Paris depuis plusieurs jours répondirent l'insurrection. Voir Furet et Richet, (1963) 2003, p. 155-2.

« Bien qu'il ait porté toute sa vie le prénom de Romain et le smit à son fils aîné son acte de baptême ne lui donne que ui de Raymond (Pierre Larousse, 1870, t. VI).

y vécut entre 1793 et 1806 et l'avait acquise en juillet 9.

Nommé par Louis XVIII le 15 février 1815.

Promotion du 17 août 1815 avec Chateaubriand, Lally-endal, Brézé, Jules de Polignac, etc.

1 août 1817.

À la demande de la duchesse d'Angoulême (*Biographie verselle des frères Michaud*, 2e éd., 45 vol. Paris, 1843, 9, p. 209).

lu le 22 mai 1816 en remplacement de Jean-François is et reçu par le marquis de Fontanes, le 25 août suivant. ès sa mort, Chateaubriand prononça son éloge.

evin, p. 274, note 7.

Friedrich Antal, « Reflections on Classicism and nanticism. II », *The Burlington Magazine*, mars 1936, 38-139 ; Grimaldo Grigsby, 2002, p. 158.

Le temps jaloux détruit les œuvres des humains, / Mais peut respecter la vertu magnanime, / Il en conservera pression sublime/Dans ce faible tableau qu'ont achevé mains. /Ton nom, ton nom fameux qui vivra d'âge en âge sauvera des coups de sa cruelle faulx. / De nos neveux un il recevra l'hommage/qu'ils dénieront peut-être au buste héros. / Et peut-être qu'aussi contemplant ton image / Ils appelleront tes courageux travaux / Et feront grâce alors défauts de l'ouvrage/en faveur de l'objet tracé par mes eaux. / (manuscrit, coll. part.).

Il fut baptisé le 26 septembre 1748 à la cathédrale Saint-ré de Bordeaux. Voir André Sevin, *De Sèze, défenseur du 1748-1828)*, Paris, Guibert, 1992. L'auteur a eu accès aux es de Raymond de Sèze et aux archives familiales.

À la suite d'une banqueroute en Martinique, le ement rendit un acte de dissolution en 1762. En 4, Louis XV déclare qu'ils n'existent plus en France. 1769, les Bourbons font pression pour l'élection d'un e qui s'engage à supprimer la Compagnie de Jésus. nent XIV résiste jusqu'en 1773 où il signe un bref de olution.

Duranthon (1736-1793), avocat à Bordeaux en 1789. Il se élire en 1791 procureur général, syndic de la Gironde. Il ent le portefeuille de la justice dans le ministère Roland, 3 avril 1792. Il s'efforce alors d'éviter les conflits avec le poursuit *L'Ami du peuple* de Marat pour ses appels au rtre. Après le départ de Clavière, le 20 juin 1792, Il assure que temps l'intérim du ministère des Contributions, mais quitter le gouvernement le 3 juillet, ayant été accusé complaisances envers les prêtres réfractaires. Revenu Gironde, il est arrêté comme contre-révolutionnaire sur e de Lacombe et monte sur l'échafaud à Bordeaux, le écembre 1793.

15. Dupaty était issu d'une famille de noblesse de robe de La Rochelle, enrichie à Saint-Domingue (Fortier-Maire, Bordeaux, discours de rentrée consacré à Dupaty, prononcé à la cour d'appel de Bordeaux, Bordeaux, 1874 ; Amiable, 1989, p. 159). À leur rencontre, une faible différence d'âge sépare Desèze et Dupaty, alors âgé de 22 ans, et leur amitié dura jusqu'à la mort de ce dernier (Amiable, 1989, p. 275). Voir William Doyle, « Dupaty 1746-1788 : a Career in the Late Enlightment », *Studies in Voltaire and the Eighteenth Century*, CCXXX, 1985, p. 1123.

16. Raymond Desèze est le quatrième de 13 enfants.

17. Sevin, 1992, p. 45-46.

18. Lacaze, premier président du tribunal de Pau, le maréchal de Mouchy, gouverneur de la province, le prince de Rohan archevêque de Bordeaux, l'évêque d'Acqs, Mgr de Laneufville, la duchesse de Lesparre, mais aussi le jeune Garat (1749-1833), membre du tribunal révolutionnaire, ambassadeur à Naples en 1798), Vergniaud (secrétaire de Dupaty à partir de 1780), Guadé, Gensonné, Boyer- Fonfrède, tous membres du parti girondin en 1793.

19. Voir Furet et Richet, 2003, p. 47.

20. Par la publication des lettres patentes du 27 juin 1770, le roi imposa silence aux parlements et blanchit le duc d'Aiguillon, gouverneur de Bretagne, en perpétuel litige avec ceux-ci. Les parlements s'opposèrent à cette décision, ce qui entraîna leur dissolution jusqu'en 1774, mort de Louis XV.

21. « On prétend qu'un jeune philosophe avocat général à Bordeaux, amoureux de tolérance, de liberté et d'Henry IV a été enlevé par lettre de cachet et conduit à Pierre-Encise » (lettre de Voltaire à d'Alembert, 20 octobre 1770, in *Œuvres complètes*, Paris, 1824, t. LV, p. 184 ; Sevin, 1992, p. 47 ; Amiable, 1989, p. 161).

22. Lettre de Voltaire à d'Alembert, 20 octobre 1770, in *Œuvres complètes*, 1824, LV, p. 18, cité dans Sevin 1992, p. 46).

23. [...] toi de qui les vertus honorent mon pays,/ toi qui par le tombeau du plus grands des Henrys/poursuit, ô Dupaty les destins glorieux/[...] », *Mercure de France* octobre 1770 ; Sevin, 1992, p. 49.

24. Discours prononcé par Mr Dupaty après le rétablissement du parlement, Bordeaux, p. 31, bibliothèque de Bordeaux.

25. Sevin, 1992, p. 64.

26. Jean-Baptiste Target adhéra à la Société des Trente où il retrouvait Condorcet, d'Aiguillon, La Fayette, Mirabeau, Sieyes, Talleyrand... c'est de ce club prérévolutionnaire que partirent vers les provinces les libelles et les conseils pour rédiger les fameux cahiers de doléances. Target avait été l'un des rédacteurs du Serment du Jeu de Paume du 20 juin 1789. Il fut le principal créateur de la Constitution dite de 1791, travaillant pendant des mois à l'établissement de ses 208 articles précédés de la Déclaration des droits de l'homme (voir Pierre Sormain-Dasse, *Histoire du 3e arrdt* de Paris. www. mairie3.paris.fr).

27. P.J.G. Gerbier (1725-1788) bâtonnier du barreau de Paris en 1787.

28. Sevin, p. 72.

29. Chateaubriand, *Discours à la Chambre des Pairs à l'occasion de la mort de M. le comte de Seze*, Paris, 1828, p. 8. « L'original de cette lettre datée du 11 janvier 1778 est aux archives de monsieur le comte de Seze » (Sevin, 1992, p. 120).

30. Amiable, 1989, p. 157-169. La loge des Neuf Sœurs créée par l'astronome Joseph-Jérôme Lefrançais dit de Lalande (1732-1807) après la mort de Claude-Adrien Helvétius (1715-1771) chez sa veuve Mme Helvétius. Cabanis, Volney, Maine de Biran, le docteur Trisotin, Joseph Vernet, Greuze, Guérin, Moreau-Le Jeune, Houdon, Condorcet franklin, Champfort, etc. en firent partie.

31. Probablement peu de temps après la formation de la loge dans le second semestre 1776 (« Victor De Sèze, docteur en médecine et Romain de Sèze, avocat au Parlement », Amiable, 1989, p. 391 ; p. 274- 279).

33. *Correspondance inédite de Marie Antoinette*, 3e édition, Paris, 1864, p. 113.

34. Lettre du 28 janvier 1777, Sevin, p. 87 note 80 et p. 88 : « [...] l'égalité dont [le peuple] jouit donne à son caractère une énergie que nous ne connaissons point en France. Il n'y a point d'ouvrier qui ne sache pas écrire, c'est-à-dire faire une brochure patriotique quand les circonstances le demandent. L'égalité qui règne entre tous les bourgeois a introduit dans leurs mœurs une simplicité qui doit faire le charme et qui frappe d'abord tous les étrangers. C'est un droit si beau que celui de régner, ne fusse qu'en son corps, que ceux qui le possède ne peuvent pas manquer d'en être jaloux. [...] ».

35. *Ibidem*, p. 90.

36. *Mémoires de Mme Campan, première femme de chambre de Marie-Antoinette*, Paris, Mercure de France, 1988, p. 223-226.

37. Rue du Pot-de-Fer, près de l'église Saint-Sulpice.

38. Né en 1732 à Carentan (Manche). Jurisconsulte, avocat en 1752, Élie de Beaumont renonce à la plaidoirie pour écrire des mémoires judiciaires dont l'un, concernant l'affaire Calas, lui confère une réputation européenne, et la reconnaissance de Voltaire. Il meurt à Paris en 1786. Le *Nouveau Larousse illustré*, 1898 à 1907 (document en ligne de la Bibliothèque nationale de France)

39. En 1762, Jean Callas avait été condamné au supplice de la roue et exécuté pour avoir été reconnu coupable d'avoir assassiné son fils pour l'empêcher de se convertir au catholicisme. À la requête de Voltaire, Élie de Beaumont se fit leur avocat et obtint gain de cause en 1765.

40. Voir Jean-Baptiste Target, « Consultation sur l'affaire de la Dame Marquise d'Anglure, contre les Sieurs Petit, au Conseil des Dépêches, dans laquelle on traite du Mariage et de l'état des Protestans », Paris, 1787. Voir aussi, du même auteur, *Mémoire sur l'état des Protestants en France* publié après la promulgation du fameux édit de tolérance de 1787 qui améliorait le sort des français non catholiques.

41. C'est Target qui est à l'origine de l'édit de 1787 qui rendit un état civil aux protestants

42. Sevin, 1992, p. 108-117.

43. Charles Gravier, comte de Vergennes (1719-1787), ministre des Affaires étrangères sous Louis XVI, prépara avec Benjamin Franklin en 1778 l'alliance officielle entre la France et l'Amérique.

44. Sevin, 1992, p. 130.

45. Louise de Mirabeau, marquise de Cabris 1752-1807.

46. Sevin, 1992, p. 140.

47. Stéphane Mouton, cours de droit et des finances publiques, cours de l'année universitaire 2003-2004.

48. Le Parlement refusant d'enregistrer deux édits fiscaux approuvés par l'assemblée des notables dont le ministre des Finances Calonne, anticipant l'opposition du Parlement, avait obtenu la convocation des États généraux. Charles Alexandre de Calonne, 1734-1802, contrôleur des finances tenta, après Dupont de Nemours, Necker, Loménie de Brienne et à nouveau Necker en 1788, de réformer le système fiscal. Le roi obtint l'inscription des réformes de Calonne par le lit de justice tenu le 6 août 1787 au parlement de Versailles. Mais la fronde parlementaire, attisée par la fermeté du roi, tint bon et considéra leur enregistrement comme illégal. Cette opposition lui valut d'être exilé à Troyes. Loménie de Briennes, archevêque de Toulouse, ministre des Finances remplaçant Calonnes, institue en mai 1788 une cour plénière qui se substituait au Parlement pour l'enregistrement des actes de justice.

49. Sevin, 1992, p. 150, note 38.

50. *Ibidem*, p. 162.

51. Pierre-Joseph-Victor, baron de Besenval (1721-1791), familier du cercle de la reine à Versailles, lieutenant colonel au régiment des Gardes suisses, était chargé de l'ordre dans Paris pendant les journées des 13 et 14 juillet. Comprenant qu'il ne s'opposait pas à une émeute mais à une révolution, manquant de direction comme de détermination, il décide de retirer les troupes et de livrer Paris à lui-même. Apres le pillage des arsenaux des Invalides et la prise de la Bastille, il s'enfuit vers la Suisse mais est arrêté près de Provins. Accusé du crime de lèse-nation, il échappe à la pendaison grâce à Necker. Mirabeau obtint qu'il restât aux mains des commissaires (*Le Moniteur* du 31 juillet 1789). En pleine Terreur, il meurt de mort naturelle à Paris.

52. *Desèze, plaidoyer pour le baron de Besenval*, 1790 p. 98-99 : « [...] qu'il me soit permis de me féliciter moi-même comme citoyen de l'avoir vu enfin tomber cette épouvantable forteresse que le despotisme tenait debout depuis quatre siècles et dont il avait fait son dernier asile ! [...] C'est la, messieurs, notre plus illustre conquête, c'est celle qui a fonde notre liberté, et qui nous l'assure ; c'est celle qui a scelle le tombeau du despotisme, si l'on peut s'exprimer ainsi, c'est celle qui vivra le plus dans le souvenir de toutes les nations [...]. »

53. *Ibidem*, p. 171.

54. Discours composé par Cicéron pour la défense de Titus Annius Milo, dictateur de Lanuvium, mais qui ne fut pas prononcé, compte tenu de la tension politique. Milo fut condamné et exilé à Marseille. Voir *Orations of Marcus Tullius Cicero, literally translated by C. D. Yonge*, Londres, George Bell, 1891. Le roi de Pologne Stanislas Poniatowski (1764-1795) publia une lettre dans *Le Moniteur* du 16 mai : « [...] J'ai [...] relu le plaidoyer de M. de seze, pour le baron de Besenval. La seconde lecture m'a fait encore plus de plaisir. Il a plaidé pour mon parent avec plus de succès que Ciceron pro Millone et assurément avec plus de courage, quoique le danger fut égal pour le moins. [...]. »

55. « [...] nous pouvons tous être accusés, nous pouvons tous être victime des préventions de la multitude, nous pouvons tous être livres à la loi ; et quelle sera donc notre destinée si lors même que la loi nous aura déclarée innocent, nous ne pouvons pas recevoir d'elle notre honneur tout entier s'il faut encore le disputer à l'opinion, si nous avons encore à craindre les blessures empoisonnées et incurables de la calomnie ; en un mot, si après avoir été absout nous ne sommes pas encore justifiés [...] notre liberté est si nouvelle, nous sommes encore si près de l'ancien despotisme ! [...] Tant qu'il y aura, pour quelque cause, pour quelque motif, pour quelque prétexte même que se puisse être dans les cachots de vos prisons publiques, un seul citoyen qui n'y aura pas été renferme par la loi, je dirai que vous ne serez pas libre [...] », plaidoyer pour le baron de Besenval, 1790,

p. 98-99; *Le Moniteur*, 1er mars 1790; *Journal de Paris*, 4 mars 1790.

56. AN, 1328, Sevin, 1992, p. 192. Avant le procès, Target publia des observations dans lesquelles il présentait tous les motifs qui lui semblaient s'opposer à la condamnation du roi.

57. Chrétien-Guillaume de Lamoignon de Malesherbes, président de la cour des Aides à partir de 1750, directeur de la librairie il professa la liberté de la presse et sous son administration parut l'*Encyclopédie*, en donnant tacitement l'autorisation d'imprimer, à condition que le livre paraisse venir de l'étranger. En 1770, la suppression des parlements et de la Cour des aides entraînèrent son exil dans ses terres. Il retourna triomphalement sur la scène politique sous Louis XVI qui le fit ministre d'État chargé de la Maison du roi et des Provinces (équivalent de l'actuel ministère de l'Intérieur), mais il démissionna lors du renvoi de Turgot en 1776. Il fut fait une deuxième fois ministre en 1787. Il se proposa spontanément pour défendre Louis XVI dans une lettre à la Convention écrite de Paris le 11 décembre 1792. Accusé d'avoir conspiré contre l'unité de la République, il fut arrêté en décembre 1793 et guillotiné le 22 avril 1794 avec sa fille et son gendre, frère de Chateaubriand. Voir Dezobry et Bachelet, *Dictionnaire général de biographie [...] et étrangères*, 2 vol., 5e ed., 1869.

58. La Convention avait fixé la date du 26 décembre pour entendre la défense.

59. Sevin, p. 199.

60. *Journal de Paris*, 4 mars 1790 : « [...] C'est la première fois qu'on a vu le Défenseur adresser la parole à la fois au magistrat et au peuple [...]. »

61. Convention nationale, 1791 : Section première. De la Royauté et du roi.
Article 2. La personne du roi est inviolable et sacrée; son seul titre est roi des Français Article 3. Il n'y a point en France d'autorité supérieure à celle de la loi. Le roi ne règne que par elle, et ce n'est qu'au nom de la loi qu'il peut exiger l'obéissance. Article 6. Si le roi se met à la tête d'une armée et en dirige les forces contre la nation, ou s'il ne s'oppose pas par un acte formel à une telle entreprise, qui s'exécuterait en son nom, il sera censé avoir abdiqué la royauté. Articl 8. Après l'abdication expresse ou légale, le roi sera dans la classe des citoyens, et pourra être accusé et jugé comme eux pour les actes postérieurs à s on abdication.

62. Chateaubriand, « Discours prononcé à la chambre des pairs à l'occasion de la mort de M. le comte de Seze », *Le Moniteur*, 20 juin 1818, p. 889-891 : « [...] Citoyens je vous parlerai avec la franchise d'un homme libre : je cherche parmi vous des juges et je n'y vois que des accusateurs ! [...] vous voulez prononcer sur le sort de Louis, et c'est vous-même qui l'accusez ! Vous voulez prononcer le sort de Louis et vous avez déjà émis votre vœu ! Ce beau mouvement de l'orateur couvrit la Convention de confusion : le crime rougit, et Louis XVI, présent à la barre, reconnut un moment ses sujets. »

63. Votée le 17 septembre 1793.

64. Sevin, 1992, p. 263.

65. Jean-Étienne-Marie Portalis (1746-1807), philosophe, orateur et jurisconsulte, participa à la rédaction du Code Napoléon et du Concordat.

66. Louis-Marcelin de Fontanes (1757-1821), poète et journaliste, traducteur de Pope, ami de Chateaubriand, membre de l'Institut, oo il reçut de Sèze.

67. Lainé, Joseph-Louis-Joachim (1767-1835) député de la Gironde, avocat, auteur d'un rapport sur les libertés constitutionnelles qui lui valut la vindicte de Napoléon. Élu en 1815 à la « Chambre introuvable », ministre de l'Intérieur en 1816. Royaliste modéré il démissionne en 1818. Il entre à la Chambre des pairs en 1823 avec le titre de vicomte.

68. Voir note 20.

69. La Loge des Neuf Sœurs, composée de tendances politiques très diverses, se transforma après 1789 en Société nationale des neuf sœurs et, après 1792, fut inactive, puis se reforma en1 808 (Louis Amiable, 1897, p. 180-185).

70. Sevin, p. XVI.

71. *Portrait de Philippe-Laurent de Joubert*, Montpellier, musée Fabre; *Portrait de Jacobus Blow*, 1795-1796, Londres, National Gallery; *Portrait de Gaspard Meyer*, 1795-1796, Paris, musée du Louvre.

72. La cour de l'octogone, Museo Pio Clementino, Rome, conserve un marbre, dit *Hermès de l'octogone*, copie romaine de l'époque d'Hadrien d'après un original grec en bronze (fin du IVe siècle).

73. Raymond de Sèze, note sur mes lectures à Brevannes (Sevin, p. 273).

74. Demosthène (384? - 322 av. J.-C.) Voir W. W. Jaeger, *Demosthenes and the Last Days of Greek Freedom*, Pickard-Cambridge, 1914.

75. Isocrate (436 - 338 B. C). Voir A. E. Raubitschek, « Isocrates », *Collier's Encyclopedia*, New York, 1994, p. 319-320.

76. Cicéron, 44 av. J.-C. Voir Albert Curtis Clark, *M. Tulli Ciceronis Orationes : Recognovit breviqve adnotatione critica instrvxit Albertus Curtis*, Oxford, 1918.

77. *Explication des ouvrages de peinture, sculpture, architecture et gravure des artistes vivants exposes au musée royal des arts le 1er novembre* 1814 Paris, 1815, no 441; Boutard, Beaux-Arts, Salon de 1814, no VI; M. Girodet-Trioson, *Journal des débats, politiques et littéraires*, 3 décembre 1814, p. 2; Boutard, Beaux-Arts, Salon de 1814, no I; M. Girodet-Trioson, *Journal des débats, politiques et littéraires*, 6 décembre 1814, p. 3.

78. *Un homme méditant sur les ruines de Rome*, titre du Salon de 1809. C'est la deuxième version du portrait qui est exposée en 1814. Le titre est alors *M. de Chateaubriand, au milieu des ruines de Rome*.

79. A.N. O³ 822, dossier Saint-Michel pièce D, dossier Girodet.

80 AN F 21 4397 dossier 18; 25 juillet 1816. Dans le programme des tableaux de la Madeleine dévolue temporairement à l'expiation, Girodet, ainsi que Vernet, Prud'hon, Gérard, Meynier, Gros, Guérin, tous peintres peu suspects de royalisme virulent, est chargé de peintures illustrant l'histoire royale et chrétienne de France. Une fois de plus Girodet péchera par excès de zèle et son sujet, l'Apothéose de saint Louis XVI est refusé par le ministre qui n'est pas certain « qu'il fait temps de traiter ce sujet ». Finalement le projet sera présenté au roi le 14 septembre 1816, mais à cause de la situation financière aucune des commandes n'aboutit et un autre monument fut chargé de l'expiation nationale : la chapelle nationale. Voir aussi L. Raffin, *La Madeleine*, Paris, 1937, p. 276-285.

81. Stylistiquement, le cadre date de la fin des années 1820-1830, avec des références au style Louis XVI dans les rubans.

82. Sevin, 1992, p. 333.

83. *Ibidem*, p. 348

84. *Ibidem*, p. 350.

Héros vendéens

« En 1793, la France faisait front à l'Europe, la Vendée tenait tête à la France. La France était plus grande que l'Europe ; la Vendée était plus grande que la France. »

VICTOR HUGO

Réconcilier héroïsme national et royalisme

Après la bataille de Waterloo, Paris est occupé et [Lo]uis XVIII cherche à conforter le pouvoir qui lui a [été] restitué par les armées étrangères. Comparées aux [glo]ires de la Révolution et de l'Empire, deux pé-[rio]des qui regorgent d'icônes de l'héroïsme national, [la] monarchie a besoin de héros, de héros royalistes [fran]çais. En associant les efforts du comte de Pradel[1], [du] comte de Forbin[2], du baron de Barante[3], un pro-[tégé] de la filleule de Louis XVIII, la marquise de la [Ro]chejacquelein, et ceux de Boutard[4], l'administra-[tio]n va tenter de rassembler un panthéon royaliste et [fran]çais[5]. Le 10 juin 1816, le comte de Pradel écrit à [Lo]uis XVIII : « Sire, Déjà Votre Majesté possède les [po]rtraits d'un grand nombre de généraux français, [qui] ont combattu et versé leur sang glorieusement [dan]s les guerres étrangères, durant son règne[6]. Ces [po]rtraits, placés dans votre demeure Royale, ont [le c]aractère de monument. Les familles d'autres guer-[rier]s tous morts non moins glorieusement pour la [déf]ense du trône de France, aspirent à l'honneur de [voi]r aussi les portraits de ceux-ci placés sous les yeux [de] leur Roi. Je me fais un devoir de porter ce dé-[sir] aux pieds de Votre Majesté royale[7]. » Quatre jours [plu]s tard, le roi accepte la proposition de Pradel qui [pro]posait d'ordonner « que les portraits de MM. les [gé]néraux Henri de La Rochejaquelein, Louis de La [Ro]chejaquelein, Cathelineau, de Lescure, Charette, [Bo]nchamp, Pichegru et Moreau, soient exécutés aux [frai]s de la liste civile, pour êtres placés dans le palais de [not]re résidence[8] ». Cette liste, qui fut élargie plus tard, [asso]ciait six généraux de l'armée insurrectionnelle de [Ven]dée à deux anciens généraux républicains conspi-[rate]urs royalistes contre Bonaparte. Louis XVIII, très [sou]cieux de l'équilibre constitutionnel et que l'aris-[toc]ratie ultra percevait comme un jacobin[9], devait [com]poser avec ses supporters et les sensibilités par-[tag]ées du pays sans se laisser déborder par l'enthou-[sias]me d'une frange de l'aristocratie qui « n'avait rien [ou]blié et rien appris ». Elle voyait dans le mouvement [ven]déen la justification de ses valeurs profondes. Les [deu]x derniers portraits, ceux de Pichegru et de Mo-

[mo]reau, providentiels généraux républicains repentis, évitaient à point de trop célébrer la Vendée. Ils avaient tous deux été accusés de tremper dans les complots royalistes en 1803 et leur présence élargissait le champ de la résistance royaliste jusque chez les proches de l'ogre corse. Pichegru avait été retrouvé étranglé dans sa cellule[10] avant son jugement, et Moreau avait été exilé avant qu'il ne rejoigne les armées de la coali-tion. Il était mort en combattant contre Napoléon à la bataille de Dresde[11]. L'insurrection vendéenne, dont le cri de ralliement était « Pour Dieu et pour le Roi », avait commencé en mars 1793 lorsque la Con-vention déclara la levée forcée de 300 000 hommes. Déjà très mécontents des réquisitions de grains et de la Constitution civile du clergé de 1790, les ven-déens avaient été révoltés par l'exécution du roi et ils refusaient d'aller verser leur sang pour la République. Le mouvement, parti de Saint-Florent-le-Vieil (12 mars 1793), s'étendit rapidement, débordant le département de Vendée. On chercha des chefs : ce furent soit des hobereaux (Charette, d'Elbée, Lescure, La Rochejaquelein), soit de simples roturiers (Stof-flet, Cathelineau). Les prêtres exaltaient le courage des combattants. Le pays, un vaste bocage coupé de haies, propice aux embuscades, constituait un terrain d'action idéal pour ces soldats en sabots. La guerre fut atroce de part et d'autre. Dès le début, à Machecoul, les vendéens massacrèrent leurs prisonniers[12]. En gui-se de représailles, les Bleus brûlèrent les villages, mas-sacrant femmes et enfants. Les insurgés connurent d'abord de nombreux succès. Après la prise de Saint-Florent-le-Vieil et de Cholet[13], ils conquirent tout le pays des Mauges. Une colonne armée républicaine fut défaite au Pont-Charrault le 19 mars 1793. Puis l'armée paysanne « catholique et royale » s'empara de Bressuire, de Parthenay, de Thouars, puis de Saumur[14]. Angers fut occupé[15], mais les opérations échouèrent devant Nantes, où Cathelineau trouva la mort le 14 juillet 1793. Il fut remplacé par d'Elbée comme généralissime de l'armée vendéenne. Cependant, la Convention s'était ressaisie et envoya des troupes aguerries du front est, dite l'armée de Mayence, sous les ordres de Canclaux et de Kléber. Les vendéens remportèrent quelques nouveaux succès mais furent battus à Cholet le 17 octobre 1793. Conduits par La Rochejaquelein, qui succéda à Bonchamp, blessé à mort à Cholet, ils traversèrent la Loire, entraînant des centaines de civils, et gagnèrent Granville, où ils comptaient sur l'aide des Anglais. Mais aucun ba-

III. 240 Girodet, esquisse pour le *Portrait de Cathelineau*
Huile sur toile, coll. part.

[ba]teau britannique ne pointant à l'horizon, ils durent rebrousser chemin. Épuisés, démoralisés, ils se firent tailler en pièces d'abord au Mans[16] puis à Savenay[17], mettant ainsi fin à « la virée de Galerne ». Dès lors, la Terreur s'abattit sur le pays. À Nantes, Carrier noyait ses victimes dans la Loire, tandis que les « colonnes infernales » de Turreau ravageaient le bocage. D'El-bée fut fusillé à Noirmoutier (6 janvier 1794) et La Rochejaquelein trouva la mort dans une escar-mouche à Nouaillé (28 janvier 1794). Après thermi-dor, Hoche tenta de pacifier le pays et un accord fut conclu à la Jaunaye (17 février 1795). Mais, malgré l'échec du débarquement anglais et émigré de Qui-beron (juin 1795), les plus fanatiques refusèrent de déposer les armes. Stofflet, puis Charette furent pris et fusillés (25 février et 29 mars). Cadoudal les rem-plaça à la tête des troupes royalistes, mais sans succès. Aussitôt après brumaire, Bonaparte travailla à son tour à la pacification de l'Ouest : le concordat favo-risa le retour au calme. Quand il parlait de la guerre civile de Vendée, Bonaparte évoquait une « guerre de géants et quoiqu'ils eussent été vaincus, il témoignait une grande estime pour les chefs qui avaient souvent conduit des paysans mal armés à la victoire[18] ». Sous la Restauration, le terme vendéen devint synonyme de fidèle à la légitimité[19].

Sur la proposition de Barante, six peintres furent chargés de l'exécution de la commande des portraits : Guérin pour Henri de La Rochejaquelein, Girodet pour Cathelineau et Lescure ; Paulin Guérin pour Charette et Bonchamp ; Gérard pour Moreau ; Steu-ben pour Pichegru et Delaval pour Louis de Laro-chejaquelein[20]. La distribution fut légèrement modi-fiée à la demande conjointe de Girodet et de la mar-quise de Bonchamp qui évoquaient la « très ancienne liaison[21] » que le peintre entretenait avec la famille. Girodet fut donc substitué à Paulin Guérin pour le

rtrait de Bonchamp. Lescure fut alors confié à Ro-
rt Lefèvre[22] et c'est Barbier-Walbonne et non pas
rard qui peignit le général Pichegru[23]. La dépense
imputée pour un tiers sur le budget des «Portraits
s ministres du Roi» et le reste sur les «tableaux
statues à ordonner[24]». Le projet, annoncé par *La*
uotidienne du 27 juin[25], émut fortement les cercles
ndéens et à la suite de leur intervention auprès du
nte d'Artois, le portrait du général de Suzannet
ajouté et confié aux pinceaux de Mauzaisse[26]. En
22, il fut arrêté que la galerie de portraits[27] serait
tallée dans la salle des Gardes du roi du palais de
nt-Cloud. Les premiers tableaux y furent installés
juin 1822[28]. Ce programme commémoratif était
ompagné de directives précises que n'auraient
s désavouées l'autorité de l'administration impé-
le. Les généraux devaient être représentés «en pied
une toile de 6 pieds 8 pouces 7 lignes de haut
4 pieds 4 pouces 6 lignes de large[29]». La ressem-
nce de ces portraits posthumes exigeait la con-
bution de la famille ou des proches qui fourni-
t de nombreuses informations. La marquise de la
ochejaquelein, avait été particulièrement touchée

par le deuil vendéen. Veuve de Louis de Lescure en
1793, puis veuve de Louis de La Rochejaquelein en
1815, elle avait aussi perdu son beau-frère Henri de
La Rochejaquelein, tué à vingt ans au début 1794.
D'un royalisme infaillible, elle fut spécialement active dans l'édification du souvenir. C'est à elle et à
sa famille autant qu'aux pinceaux de Guérin que
nous devons cette image si populaire d'un Larochejaquelein, archange vendéen aux cheveux blonds en
culotte moulante. Un contrôle minutieux fut exercé
sur Guérin qui avait dû s'inspirer d'une miniature.
Le tableau fut trouvé très ressemblant «quoique trop
basané […][30]». Le costume vendéen aussi inspirait
un respect presque religieux qu'il fallut respecter à
la lettre : «le mouchoir a été mis comme il faut mais
qu'il aye l'air bien serré et plat sur la tête au lieu qu'il
est bouffant et a l'air d'être mis pour une tête malade […] il faut aussi le mettre moins bas surtout les
oreilles […] alors le nœud ne se trouvera pas si fort
dans le col et on verra des cheveux par-dessous. Les
cheveux et les sourcils ne sont pas assez blonds […]
Le teint doit être beaucoup plus blanc […]. Les joues
plus maigres […] le menton un peu plus plat. Le nez

serait à merveille si le petit bout était un peu moins
gros et surtout moins tombant mais qu'on aille pas
le faire pointu […] Le bas de la figure est un peu
trop plein. Le corps est trop gros il faudrait voir des
pistolets dans la ceinture et le bras en écharpe […] Le
regard encore plus perçant si c'est possible […] il faut
surtout conserver à la figure cette noblesse et cette
douceur qui en est le vrai caractère mais avec un regard perçant qui fait un si beau contraste […] Henry
[…] n'avait pas de barbe […] et surtout [des] cheveux plus blonds d'un beau blond cendré[31].» Delaval,
chargé du portrait de Louis de La Rochejaquelein,
frère du précédent, se trouva fort dépourvu quand il
reçut une note lui recommandant de représenter son
général «en grand uniforme de grenadier [à cheval]
tenant son bonnet de grenadier appuyé sur une pièce
de canon […] l'autre main appuyée sur son sabre[32]».
Sa propre enquête auprès du préfet de Vendée lui
avait indiqué que «M. de La Rochejaquelein combattait en habit bourgeois et n'avait de son uniforme
de Colonel des Grenadiers que le sabre et le pantalon
gris, qu'il n'y avait pas point de canon à cette affaire[33]». Delaval concéda le costume mais tint bon pour

cat. 70 **Portrait de Cathelineau,
généralissime de la grande
armée catholique et royale**

ile sur toile, 226 x 156 cm

cription dans la peinture sur la lame du sabre :
CATHELINEAU

olet, musée d'Art et d'Histoire, inv. 915.005, dépôt du
sée national du château de Versailles et de Trianon, inv.
58

t. Commandé en 1816 par la Maison du roi (Louis XVIII)
r la salle des gardes du roi au château de Saint-Cloud,
é 4000 francs à la commande (AN, O³ 1393 et AMN,
); Girodet mettra huit ans à peindre ce portrait et celui
Bonchamp); n° 774 du livret du Salon, le tableau ne fut
présenté à l'ouverture de l'exposition le 25 août 1824,
raison de l'état de santé du peintre, mais fut livré à la fin
ctobre; château de Saint-Cloud avec le reste de la série des
néraux de 1825 à 1830; dans les réserves du Louvre sous
uis-Philippe; entré à Versailles en 1870 (MR 3916); à la
uête de la municipalité de Cholet, déposé par Versailles au
sée de la ville, aujourd'hui musée d'Art et d'Histoire, par
ret du 22 juin 1914.

. 1824, Paris, Salon, n° 774 (*Portrait en pied de feu
Cathelineau, général vendéen, M.d.R.*); 1943, Cholet, n° 167;
95, Nantes, Paris, Plaisance, n° 102 (repr. pl. 27).

. Anon., *La Quotidienne*, 27 juin 1816, p. 2; Anon.,
plication des ouvrages de peinture…], 1824, n° 774, p. 85;
ndhal [*Journal de Paris*], 7 octobre 1824, n° 281, p. 2-3;
on., *Le Mercure du dix-neuvième siècle*, 1824, T.VI, p. 373-
3; Anon., *La Quotidienne*, n° 301, 27 octobre 1824; p. 3;
on., *L'Etoile*, 29 octobre 1824, n° 1659, p. 3-4; Anon. [D.],

Le Moniteur universel, 31 octobre 1824, n° 305, p. 1434; Landon,
1824, t. II, p. 44-48 (repr. pl. 32); Anon. [Marie Mely-Janin], *La
Quotidienne*, 31 octobre 1824, n° 305, p. 3-4; Stendhal, *Journal
de Paris*, 1er novembre 1824, n° 306, p. 3-4; Délécluze, *Journal
des débats*, 12 novembre 1824, p. 1-4; Stendhal, *Journal de Paris*,
22 décembre 1824, n° 306, p. 3; Thiers, 1824, p. 91; Anon.,
[Coupin], *Revue encyclopédique*, vol. XXIV, décembre 1824,
p. 593-594; Anon., *Le Masque de fer, Journal épistolaire*, 1825, t. I,
p. 133; Anon., *L'année française, ou mémorial des sciences, des arts
et des lettres*, 1825, p. 106; Anon., *Revue critique des productions
de peinture…*, 1825, p. 190-191; Anon. [Auguste Chauvin], *La
Gazette de France*, 28 février 1825, p. 2-4; Coupin, 1829, p. lxij;
Quatremère de Quincy, 1834, p. 331-332; Marquet de Vasselot,
1880, p. 220-221; Pélissier, 1896, p. 136; Levitine, 1952 (1978),
p. 318-320 (repr. ill. 68); Lacambre, 1972 (1973), p. 340 (repr.
ill. 8, p. 341); Bernier, 1975, p. 192-193 (repr. p. 193); Bottineau,
1975, p. 175-176, 183-185, 189 (repr. ill. 8 p. 184); cat. exp.
Paris, Detroit, New York, 1975, p. 448; Nevison-Brown, 1980,
p. 343-351 (repr. ill. 176); Constans, 1980, n° 2040, p. 62;
Constans, v. 1995, n° 2238, p. 396; Chaudonneret, 1999, p. 126,
167; Guégan et Reid, 2001, p. 79, 113-114, 139; Oppenheimer,
2001, p. 219-222.

Œuvres préparatoires
Esquisse, huile sur toile; 32 x 23 cm; Pérignon, 1825, n° 34,
adjugé à Bonnemaison pour 480 francs, sans doute pour le
compte de la duchesse de Berry; Bonnemaison acheta également
l'esquisse du portrait de Bonchamp (Pérignon, n° 33) pour
520 francs; Coupin, 1829, t. I, p. lxxv; Voignier, 2005, p. 96; anc.
coll. duchesse de Berry, les deux esquisses étant réunies dans
le même cadre; sa vente, hôtel Drouot, 19 avril 1865, n° 289;

vente 2-3 avril 1879 (expert : Haro), n° 155; coll. part., Vendée
(Mme de Suzannet); vente à Paris à l'hôtel Drouot le 18 juin
2005, Beaussant-Lefèvre, n°50; les deux esquisses ont été
achetées pour le musée de Historial de la Vendée, Les-Lucs-sur-
Boulogne : *Portrait de Bonchamp* [ill. 244], inv. CDMV. 2005.11.1
et *Portrait de Cathelineau* [ill. 240], inv. CDMV. 2005.1.11.2.

Œuvres en rapport
Portrait de Jacques Cathelineau fils, huile sur toile, 47 cm x 55 cm,
coll. part. (ce portrait servit de modèle à la réalisation du
portrait posthume de Cathelineau, ill. 241).

Estampes
Gravure au trait par Réveil in Landon, 1824, t. II, pl. 32;
Lithographie de Belliard, dite «à la fleur de lys» (lettre : à
gauche : *Girodet-Trioson pinxt*; à droite : *Zin Belliard del.
1824*; au centre : *Lith. de Sentex Rue Richelieu N° 10 à Paris*;
en dessous : *JACQUES CATHELINEAU*; lithographie de
Belliard et Vidal (lettre : à gauche : *Girodet-Trioson pinxt*; à
droite : *Belliard et Vidal del. 1825*; au centre : *JACQUES
CATHELINEAU*.

Copies
Copie réalisée pour la famille Cathelineau par Pierre Sentiès
(1824), huile sur toile, 222 x 150 cm, Historial de la Vendée,
Les-Lucs-sur-Boulogne (inv. ECV.987. 16.1.) (AMN, P6 :
«Théodore Sentier d'une copie du tableau représentant le
général Cathelineau, destinée au fils de ce célèbre chef vendéen.
Les 1,000. Fr. que coûtera la copie seront pris sur les fonds de
réserve porté au Budget de 1825»).

III. 241 Girodet, *Cathelineau Fils*
Huile sur toile, coll. part.

Cathelineau Général Vendéen.

N°4. Ce dessin original a été envoyé de la Vendée en fait de souvenir après la mort du général.

III. 242 Anonyme, *Cathelineau, général vendéen*
Dessin, Paris, BNF

le canon, sans être plus inspiré pour autant. Comme la plupart de ses collègues, il réussit mal à transcender l'histoire et ne parvint pas à donner une vérité à ce projet qui mêlait l'image pieuse du sacrifice à l'exaltation aristocratique pour des morts réincarnés, travestis en généraux de parade alors qu'ils avaient lutté comme des chefs de bande.

« Le saint de l'Anjou »

Jacques Cathelineau[34], « le saint de l'Anjou », généralissime de la « grande armée catholique et royale » était le seul paysan de ce panthéon du sang bleu. L'immortalisation de son image releva de la volonté politique de l'administration royale plutôt que des ambitions dynastiques de sa descendance. Comme les autres, Girodet avait reçu des consignes très précises et il les respecta dans les grandes lignes. « Vêtu en paysan, grande veste avec de grandes poches et culotte gris bleu pâle, gilet croisé de laine blanche, une ceinture de toile blanche dans laquelle était placé une paire de pistolets, un sabre à la hussarde ; un sacré cœur cousu sur l'habit, sur le cœur ; le sacré cœur est un cœur rouge ; et une croix noire par dessus ; un chapelet passé dans plusieurs boutonnières. Une cravate d'un mouchoir chollet, violet et blanc, un mouchoir pareil à la tête, noué la Vendéenne. point de chapeau. des guêtres de cuir, souliers très communs. tenant son sabre baissé, montrant de l'autre main, comme signe de ralliement, une croix placée dans le paysage du tableau ; de manière à ce que le mouvement du général Cathelineau ait beaucoup d'énergie et de vivacité ; et la physionomie très douce mais très animée. On peut faire son portrait sur la figure de son fils qui lui ressemble beaucoup ; mais ses yeux étaient plus grands […][35]. » C'est le fils de Cathelineau, Jacques Cathelineau[36], dont Girodet fit

le portrait en buste [ill. 241] qui servit de modèle au père[37]. La jeunesse du modèle, l'idéalisation du héros et l'art de Girodet ont prodigieusement embelli le vendéen qu'un dessin anonyme nous montre fort dégarni et parfaitement dénué d'éclat [ill. 242] Girodet prend donc le fils comme modèle et l'angélise en déployant sa chevelure et en supprimant moustache et favoris. Le recours au modèle vivant distingue ce tableau de tous les autres portraits de la série : seul à ne pas s'inspirer de miniatures et de descriptions, il parvient à l'expression.

Girodet a représenté Cathelineau au milieu du champ de bataille, fervent et pur sur un fond de ciel d'orage, au sommet d'une hauteur du bocage vendéen. Suivant les indications fournies, il tient d'une main son sabre baissé, mais il tend l'autre vers le feu de l'action au lieu d'indiquer la croix. La posture de Cathelineau reprend un code visuel de l'autorité que Girodet avait utilisé pour le portrait de Napoléon en costume de sacre. La croix paraît derrière lui non comme un signe de ralliement mais nimbée comme une apparition, encadrée à gauche par les faux, les faucilles et les pics des paysans et à droite par le drapeau blanc qui porte lys et devise des chouans brodée en lettres d'or. Girodet a respecté les détails prescrits pour le costume avec un souci presque archéologique de la vérité historique comparable à son respect des costumes des ambassadeurs perses pour son tableau d'*Hippocrate refusant les présents d'Artaxerxès* ou celui de *La Révolte du Caire*. Ainsi les attributs iconiques du chapelet et de l'agrafe d'argent qui ferme la cape ont été dessinés d'après leurs modèles vendéens tels qu'on les voit dans les collections du musée d'Art et d'Histoire de Cholet.

La part de l'imagination n'est pas pour autant sacrifiée et le costume moins apprêté que celui des

autres généraux vendéens ne suit pas à la lettre la description spécifiée par l'administration. Les couleurs surtout sont enrichies, le pantalon est vert au lieu d'être gris, le violet et blanc recommandées pour « mouchoir Cholet » sont devenus éclatants. Le violet a glissé sur tout l'intérieur de la cape et le blanc sur gilet, sur l'écharpe qui le ceint et sur son éclatant de chemise. Il porte des gants, des guêtres et l'humble mouchoir de Cholet, magnifié par de somptueuses couleurs lavande, orange et jaune sur carreaux verts donne au costume du paysan un luxe de couleurs et de matière comparable aux tissus que Girodet avait déployés sur ses Orientaux de *La Révolte du Caire* [cat. 51]. Aussi bardé de pistolets qu'un corsaire, Cathelineau tient son sabre hors du fourreau. La lame ébréchée ornée du nom du héros « J. Cathelineau » gravé à l'or fin entre la croix et le lys royal élève l'arme au rang de sabre d'honneur présent dans *L'Apothéose des héros français* (cat. 21).

« Grâce aux prisonniers »

Le marquis Charles Melchior Arthus de Bonchamp (ou Bonchamps) (1760-1793) avait fait ses armes contre les Anglais, en Inde, dans le régime du bailli de Suffren. De retour en France, il avait refusé de se prêter serment à l'Assemblée nationale et avait démissionné de l'armée en juin 1791. Retiré sur ses terres au château de la Baronnière, près de Saint-Florent-le-Vieil, Bonchamp rejoint le mouvement en mars 1793 quand les paysans contraignirent les nobles à prendre leur tête. Il se rallie alors à Cathelineau, Elbée et Stofflet. Après avoir remporté plusieurs fulgurantes victoires, les insurgés vendéens furent défaits par les Bleus à Cholet le 17 octobre 1793. 40 000 combattants royalistes avaient été cernés par trois armées républicaines et tentaient sans succès de rompre l'encerclement. Charles de Bonchamp, blessé à mort, se replia avec l'armée vaincue vers la Loire. Il fut ramené mourant vers Saint-Florent-le-Vieil où se trouvaient 5 000 républicains prisonniers que les insurgés voulaient mettre à mort. Bonchamp demanda la grâce des prisonniers et mourut quelques instants après. Parmi les Bleus libérés eux se trouvait le père du sculpteur David d'Angers. En témoignage de reconnaissance pour le chef ennemi, l'artiste exécuta son tombeau pour l'église de Saint-Florent-le-Vieil (Maine-et-Loire).

Bonchamp était un fin stratège, mais Mme de Larochejaquelein écrit dans ses mémoires[39] qu'« il était malheureux dans les combats : il a paru rarement au feu sans être blessé, et son armée était ainsi souvent privée de sa présence ». S'inspirant d'une miniature[40], Girodet concevant probablement l'effigie en accord avec la marquise de Bonchamp[41] crée une image essentiellement pacifiste d'un Bonchamps au visage porcelainé, encadré

III. 243 Girodet, *Portrait de Bonchamp*
Huile sur toile, Cholet, musée d'Art et d'Histoire

III. 244 Girodet, esquisse pour le *Portrait de Bonchamp*
Huile sur toile, coll. part.

brillants cheveux noirs [ill. 243]. Debout, plein de ...uceur, en retrait des combats, les jambes croisées, ...ossé contre un rocher qui porte sous des feuilles de ...êne jaunies, non loin de la date du tableau et du ...onogramme de Girodet, l'inscription de ses paroles ...gendaires : «grâce aux prisonniers» placées entre la ...oix et la fleur de lys. À sa droite, gisant sur le rocher ...rmi les ronces est posé un chapeau à large cocarde ... grande plume blanche. Bonchamp tient de sa main ...uche un portefeuille à son chiffre orné par une ...ur de lys. Un crayon à la main droite, le bras droit ...essé, pansé d'un foulard noir semblable à celui qui ...ue son col, la manche blanche discrètement macu-... de sang, il évoque l'image d'un poète plutôt que ...le d'un soldat. Bonchamp ne montre de son sabre ...'un fourreau doré qui dépasse de sa cape et pointe ...sol vers une feuille de chêne, morte, tombée parmi ... ronces qui l'enserrent. Il est vêtu d'un habit de ...ap gris souris à boutons d'or fleurdelisés. Il est ceint ... ne écharpe blanche et du baudrier de son sabre, ... e fleur de lys d'argent à ruban blanc et le cœur de ...ndée décorent sa poitrine. Doublée de velours lie ... vin, sa cape d'un vert bleu sombre, ouverte, s'at-...he avec une double agrafe vendéenne semblable

à celle de Cathelineau, mais en or. Le paysage et les branches de chêne qui surmontent le rocher ont les couleurs d'octobre, mois de la mort du général ven-déen. À gauche, on voit les insurgés royalistes bran-dir le drapeau blanc et traverser un pont à dos d'âne qui enjambe une rivière rocailleuse. Bonchamp avait constamment préconisé de traverser la Loire pour étendre la cause et soulever l'Anjou, la Bretagne et la Normandie. Girodet choisit-il d'évoquer cette stra-tégie où le général ne fut jamais suivi ou illustre-t-il sa dernière bataille ? L'attitude calme et réfléchie, le crayon, le portefeuille et les papiers évoquent davan-tage le stratège que le mourant héroïque. Mais la ri-vière est très loin de ressembler à la Loire vendéenne qui, presque à son embouchure, est beaucoup plus large que cette petite rivière. Au troisième plan, der-rière la rivière, un clocher pointu tel qu'on les ren-contre fréquemment en Vendée, plus loin d'épaisses fumées blanches et un vaste bâtiment classique où flotte le drapeau blanc évoquent des combats du bo-cage mais ne correspond ni à Cholet, ni à l'église du petit village de Saint-Florent-le-Vieil dont l'église a un aspect bien différent aujourd'hui. Seule l'inscrip-tion «grâce aux prisonniers» portée sur le rocher,

pourrait renvoyer explicitement à la bataille de Cho-let et aux derniers moments de Bonchamp. Mais une première pensée connue par l'esquisse du tableau [ill. 244], montre que Girodet avait d'abord inscrit le cri de ralliement vendéen «Dieu et le Roi». Cette première inscription[42], qui se voit aussi en transpa-rence sous les couches picturales du tableau définitif laisse penser que Girodet résume les combats du gé-néral et qu'il ne cherche peut-être pas à représenter un épisode précis de sa vie militaire.

Les tableaux de Girodet ne furent montrés au Sa-lon que huit ans après leur commande. En 1817, il n'avait commencé que le portrait de Bonchamp[43] et en 1824, le livret indiquait que ses portraits ne paraî-traient pas avant le milieu ou la fin de l'exposition[44]. Ils arrivèrent à la fin du Salon, en octobre. Plutôt que de se consacrer aux portraits des vendéens, Girodet avait préféré consacrer ses efforts à *Pygmalion et Ga-latée* (cat. 136), mais son état de santé s'était dégradé et ne lui laissait juste assez de force pour l'écriture et l'illustration de l'*Énéide* qu'il considérait comme le point d'orgue de ses principes. Inévitablement, les portraits des généraux vendéens passaient au second plan. En 1822, il avait fait une lecture de son poème à Fabre et lui écrivait : «Pour vous donner une idée de l'inaction à laquelle j'ai été condamné, vous saurez que les deux portraits de vendéens ne sont pas encore finis, et j'ai grand'peur qu'ils ne le soient pas de l'année. Bref, je n'ai pas donné un seul coup de pinceau depuis votre départ, et je n'ai guère quitté un grand fauteuil, au coin de la cheminée[45].» Il mourut le 9 décembre, un peu plus d'un mois après que les tableaux furent portés au Salon[46]. En signe de deuil, une couronne d'honneur fut suspendue au-dessus de son portrait de Cathelineau[47].

Le Salon de 1824 est un des premiers grands Salons où s'affirment les coloristes. Delacroix y montre *Les Massacres de Scio*[48], Léon Cogniet *Le Massacre des innocents*[49], Ary Scheffer *Saint Thomas d'Aquin prêchant dans la tempête*[50]. C'est aussi l'apparition des Anglais au Salon : Constable y présente *The Hay Wain* et Lawrence le portrait du duc de Richelieu[51].

Le combat des modernes contre les classiques davidiens battait son plein. Déjà en 1810, Stendhal avait blâmé la pauvreté d'expression des classiques et accusé, chez David même, la faillite du sentiment au profit de la forme seule ou de sa caricature théâtrale. Il récusait *Une scène de déluge* dans laquelle il ne voyait qu'un excès du système de David[52], qu'il opposait à furieuse énergie de *La Révolte du Caire*, tableau qu'il aimait particulièrement[53]. Il regrettait alors les expressions que Girodet avait données à Desaix ou aux combattants du Caire où il avait «su peindre avec un grand talent l'œil de l'homme qui se bat pour une cause qu'il croit sacrée[54]. «[…] l'expression [de Cathelineau] n'est que celle d'un paysan en colère» où Stendhal «[…] ne retrouve point cet air profondément religieux et simple à la fois, qui [l']avait fait surnommer […] le *Saint d'Anjou*[55]». Il vilipende surtout Bonchamps : «[…] On doit la vérité à un grand peintre ; ce contresens est peut-être l'un des plus frappants du salon de cette année[56].» Pour leur part, Landon et Delécluze défendent la vraisemblance[57] et le respect des psychologies. Le genre posthume était lui aussi particulier : «[…] aucun monument n'a transmis les traits [de Cathelineau et Bonchamp]. Dans ce cas, il fallait forcément idéaliser ; et cette condition, qui eut été si embarrassante pour d'autres artistes, a été pour M. Girodet une occasion heureuse de développer son talent de peintre d'histoire […][58]. » Le journal royaliste *La Quotidienne* insiste, sous la plume de Michaud, sur l'individualisation des sujets bien dans «l'habitude même de leur corps et l'expression de leur physionomie[59]». Plus féroce, Le *Mercure du dix-neuvième siècle* se lamente : «Ah sans doute, si la mort n'eut pas déjà habité dans son sein […], jamais il n'osait représenter comme un petit maître bien soigneux de sa personne […] le royaliste sublime dont le dernier cri fut le salut de quatre mille soldats républicains […][60]. » L'affaiblissement des forces du pein-

tre [61] et les contraintes d'un genre qui, pour beaucoup, apparaissait comme déjà suranné, expliquent le peu d'enthousiasme de la critique et du public. En 1816, la commande des portraits des généraux vendéens tentait de prendre pied dans l'histoire, en 1824, sa signification était balayée par l'actualité. Le bref moment de grâce qui avait accompagné la paix des Bourbons était révolu. L'assassinat du duc de Berry en 1820 et la mort de Louis XVIII laissaient présager un avenir trouble pour la cause légitimiste. L'histoire politique et l'histoire artistique ne comprenaient plus ces figures de sacrifice d'un idéal périmé. Parce qu'il émanait de l'élitisme aristocratique ce projet n'offrit pas à la nation les images qui auraient pu lui permettre de s'identifier au mouvement vendéen. Et le réalisme descriptif de ces portraits nuisait à l'expression d'un idéal supérieur qui aurait pu sublimer les factions. Seule l'abstraction historique du Bonchamp de David d'Angers parvenait à lier dans une même idée Patrocle, Bara et le jeune duc d'Enghien. La guerre de géants dont parlait Bonaparte était moins en 1824 un sujet monarchiste qu'une grande vision romantique. La grandeur absente que déplore Stendhal nourrit *Les Chouans* de Balzac mais ni Girodet, ni Guérin, ni Robert Lefèvre ni aucun des autres artisans de cette galerie ne réussirent à montrer la ferveur des masses paysannes qui avaient vénéré ces généraux. Niée par les termes même du programme, symbolisés par quelques faucilles ou caricaturés par des trognes patibulaires, les vendéens sont en définitive absents de la galerie des héros de la Vendée.

S. B.

Notes

Directeur général de la Maison du roi.

Auguste, comte de Forbin (1777-1841), directeur des sées royaux de 1816 jusque sous Louis-Philippe.

Prospère de Barante (1782-1866), alors directeur général Contributions indirectes.

Jean-Baptiste Bon Boutard (1771-1838), chef de la vision des Beaux-Arts au ministère de la Maison du roi. artir de février 1817, Boutard est membre du conseil norarie des musées où il siège avec Girodet, Gérard, us et Guérin. Il collabore au *Journal des débats* de 1800 823 où il est remplacé par Delécluze (voir A. Shelton, ra).

Voir Josette Bottineau, « Les portraits des généraux déens. Commande et critique - diffusion et destin », zette des Beaux-Arts, t. LXXXV, mai-juin 1975, p. 175-.

es tableaux auxquels se réfère Pradel sont ceux des néraux d'Empire qui décoraient les Tuileries. Le règne minal de Louis XVIII commence en effet en 1795, mort cielle du Dauphin. Je remercie Philipp Mansel pour son e dans l'interprétation de cette information.

Rapport du [comte de Pradel] adressé au Roi, Paris, juin 1816, AN, O³ 1393.

Rapport de [Boutard] au comte de Pradel, Paris, 14 juin 6, *ibidem*.

es hôtes du pavillon de Marsan autour du comte rtois, mais surtout l'entourage du duc de Bourbon et de aronne de Feuchère. Sur ce milieu, voir José Cabanis, arles X : roi ultra, Paris, Gallimard, 1972.

À Paris, le 5 avril 1804.

Les 26 au 26 août 1813.

Mars 1793.

20 avril 1793.

5 mai et 9 juin 1793.

17 juin 1793.

12 décembre 1793.

23 décembre 1793.

Bottineau, *GBA*, mai-juin 1975, p. 185, citant Coupin vue encyclopédique), décembre 1824, p. 593.

Ibidem, p. 190.

Lettre du baron de Barante au comte de Pradel, Paris, mai 1816, AN, O³ 1393.

Lettre de la marquise de Bonchamp au comte de Pradel, is, 4 juin 1816, *ibidem*.

Rapport de Boutard au comte de Pradel, Paris, 14 juin 6, *ibidem*.

Bottineau, *GBA*, mai-juin 1975, p. 190, note 3.

Rapport de Boutard au comte de Pradel, Paris, 14 juin 6, AN, O³ 1393. Voir aussi Lettre du comte de Pradel au nte de Forbin, Paris, 22 juin 1816, Paris, AMN, P 6. La nme totale allouée est de 32 000 francs, soit 4 000 francs portrait.

La Quotidienne, nº 179, 27 juin 1816, p. 2.

Bottineau, *GBA*, mai-juin 1975, p. 176.

Elle ne cessa de s'élargir jusqu'en 1827

Bottineau, *GBA*, mai-juin 1975, p. 187.

220 x 140 cm environ. Bottineau, p. 176, cite les lettres l'administration aux artistes du 27 juin 1816, AMN. Voir si la Lettre du comte de Pradel au comte de Forbin, is, 22 juin 1816, AMN, P 6.

Note de la marquise de la Rochejaquelein à ministration des Beaux-Arts sur le portrait d'Henri de Rochejaquelein, sans date, Paris, AN, O³ 1393.

31. Note de la marquise de La Rochejaquelein à l'administration des Beaux-Arts sur le portrait d'Henri de la Rochejaquelein, s. d., AN, O³ 1393.

32. Note de la marquise de La Rochejaquelein (?) à l'administration des Beaux-Arts sur le portrait de Louis de la Rochejaquelein, sans date, AN, O³ 1393, et lettre de Delaval adressée au comte de Forbin, Paris, le 20 octobre 1816, AN, O³ 1393.

33. Lettre de Delaval adressée au comte de Forbin, Paris, le 20 octobre 1816, AN, O³ 1393

34. Au moment où éclata la révolte de Vendée, Jacques Cathelineau (né au Pin-en-Mauges, dans le Maine-et-Loire, le 5 janvier 1759) était colporteur pour le commerce des laines au Pin-en-Mauges mais il faisait aussi fonction de sacristain de sa paroisse. L'extrême piété avec laquelle il remplissait cet office lui valut le surnom de « saint de l'Anjou ». Dès qu'il apprit que le village de Saint-Florent-Le-Vieil s'était soulevé contre la Convention (12 mars 1793), il réunit tous les hommes valides de son village et courut sus aux républicains. Il s'empara d'abord de Jallais et de Chemillé. Puis, avec l'aide de Stofflet il prit Cholet, capitale du Bocage, Vihiers, Chalonnes, et participa à la prise de Thouars. Battu à Fontenay, il prit sa revanche en occupant Montreuil-Bellay et Saumur. Le 12 juin 1793, l'assemblée des chefs vendéens le proclama généralissime de l'armée catholique et royale, à l'âge de trente-quatre ans. C'est en dirigeant l'attaque de Nantes que, le 29 du même mois, il fut renversé par un coup de feu. Cathelineau dit à ceux qui voulaient le relever : « Laissez-moi et faites votre devoir ». Voyant leur chef très aimé grièvement frappé, les vendéens reculèrent et abandonnèrent la partie. Le « saint de l'Anjou » mourra quinze jours plus tard.

35. Lettre du comte de Pradel au comte de Forbin, Paris, 7 août 1816, AMN, P 6.

36. Jacques Cathelineau (fils) (Le-Pin-en-Mauges, 1787 - La Chaperonnière près Jallais, 1832) prend part à la révolte vendéenne de 1815 et devient sous la Restauration capitaine au troisième régiment de la garde royale, sergent major des cent suisses. Il prend encore par au soulèvement tenté dans la région par la duchesse de Berry en 1832 en temps que commandant de la Vendée angevine mais l'affaire tourna rapidement court.

37. Landon (1824), t. II, p. 44. Le portrait du fils (huile sur toile, 45 x 54 cm) fut lithographié par Delaunois.

38. Il était demandé aux militaires « [...] d'employer les armes remises entre mes mains à la défense de la patrie, et à maintenir contre tous les ennemis du dedans et du dehors la constitution décrétée par l'assemblée nationale, de mourir plutôt que de souffrir l'invasion du territoire français, et de n'obéir qu'aux ordres qui seront donnés en conséquence des décrets de l'Assemblée nationale.

39. *Mémoires de Madame la marquise de La Rochejaquelein*, Paris 1881, tome premier, p. 152.

40. Landon, 1824, t. I p. 98-99

41. Girodet conservait dans sa bibliothèque un volume des mémoires de madame de Bonchamp, *État descriptif...*, nº 52.

42. Girodet a pu la recouvrir après qu'il eut connaissance du marbre du mausolée de Bonchamp que David d'Angers exposa aussi au Salon de 1824, qui portait gravés les derniers mots du généreux royaliste.

43. *La Quotidienne* du 29 avril 1817, nº 119, voir Bottineau, *GBA*, mai-juin 1975, p. 177.

44. Paris (musée du Louvre, livret du Salon), 1824, p. 85, « nº 773-Portrait en pied de feu M. le marquis de Bonchamp,

général vendéen. M. d. R./ 774 -Portrait en pied de feu M. Cathelineau, général vendéen. M. d. R ».

45. Lettre d'Anne Louis Girodet-Trioson à François Xavier Fabre, Paris, 23 mai 1822, retranscrite dans Pélissier (*Nouvelle Revue rétrospective*), vol. V, 1896, p. 136.

46. *La Quotidienne*, 27 octobre 1824, *GBA*, t. LXXXV, mai-juin 1975, p. 184.

47. Anon., *Le Masque de Fer*, 1825, t. I, p. 133. Ajoutons que le tableau de François-Joseph Heim, *Charles X distribuant des récompenses aux artistes à la fin du Salon de 1824* nous en fournit un aperçu (173 x 256 cm, Paris, musée du Louvre, inv. 5313.

48. Huile sur toile, 419 x 354 m, Paris, musée du Louvre, inv. 3823.

49. Huile sur toile, 265 x 235 cm, Rennes, musée des Beaux-Arts, inv. 88.6.1.

50. Huile sur toile, 353 x 295 cm, Paris, chapelle de l'hôpital Laënnec, déposé en 1974 au musée du Petit Palais, inv. PPP 3769.

51. Voir cat. exp. *Constable to Delacroix, British Art and the French Romantics*, Londres, 2003.

52. Guégan et Reid, 2001, P. 79.

53. *Ibidem*, p. 113-115.

54. *Ibidem*, p. 114.

55. *Ibidem*.

56. *Ibidem*.

57. Landon, 1824, t. I p. 98-99 et t. II, p. 44-48, p. 98 : « On a pu trouver la physionomie de ce jeune guerrier trop calme pour la situation dans laquelle il se trouve ; mais outre que cette tranquillité du moment n'est pas contre toute vraisemblance, et que le général n'est pas sur le champ de bataille, il est possible que le peintre ait eu pour principal but de lui conserver cet air de douceur et d'aménité qui faisait le fond de son caractère. »

58. Delécluze, *Journal des débats*, 12 novembre 1824.

59. *La Quotidienne*, 31 octobre 1824.

60. *Le Mercure du dix-neuvième* siècle, 1824, p. 483-497, 9ᵉ article sur le Salon.

61. Chauvin, *La Gazette de France*, 28 février 1825.

cat. 71 **Napoléon en costume impérial**
Huile sur toile, 261 x 184 cm
Collection particulière

Hist. des vingt-six tableaux achevés par Girodet (lettre d'Anne
Louis Girodet au comte Molé, Henri Stein, « Girodet-Trioson,
peintre officiel de Napoléon », *Annales de la Société du Gatinais*,
t. XXV, 1907 p. 362-363, n° 5), trois se trouvent dans l'atelier du
peintre à sa mort : les n° 127 (« Portrait de Napoléon en pied
par Girodet prisé deux cent francs »), n° 207 (« une étude du
portrait en pied de Napoléon non encore achevée, estimée dix
francs ») et n° 347 (« un grand chevalet sur lequel est un portrait
de Napoléon en pied estimé quatre cent francs ») (*État descriptif
des objets d'art…*, Voignier, 2005, p. 24 et 37, Lemeux-Fraitot,
2003, p. 338) ; le numéro 207 correspond au n° 87 du catalogue
de Pérignon (1825, p. 21) : « étude très avancée d'un portrait
en pied et en grand costume ; la figure est en grande partie
terminée, les fonds ne sont qu'indiqués », adjugé mille francs à
Bequerelle (*sic*) à la vente Girodet (n° 264 de la vente, Voignier,
2005, p. 102) ; le n° 347 fut probablement acquis hors de la
vente après décès par Antoine César Becquerel directement
auprès des Becquerel-Despréaux par l'acte de cession du
27 septembre 1825 : « un tableau de grande dimension peint
par m. Girodet représentant napoléon en Costume Impérial »
(Lemeux-Fraitot, 2002, p. 175) ; ce tableau fut vendu par
Antoine César Becquerel au duc de Padoue pour mille francs
(Lemeux-Fraitot, 2002, p. 197) ; coll. du général Arrighi de
Casanova, duc de Padoue ; sa descendance.

Exp. 1965, Paris n° 165 ; 1969, Paris, n° 159.

Bibl. Pruvost- Auzas, 1967, n° 40 (cité).

cat. 72 Napoléon en costume impérial

Huile sur toile, 251 x 179 cm
Barnard Castle, County Durham, The Bowes Museum, inv. BM.364

Hist. Acquis par les fondateurs du musée John and Josephine Bowes à une date inconnue.

Œuvres en rapport pour les cat. 68 et 69
Napoléon en costume impérial, huile sur bois, 93 x 74 cm, Bruxelles, musée royal de l'Armée, peut-être le *modello* de présentation **[ill. 239]**
Exemplaires localisés : Salon-de-Provence, musée de l'Empéri, Barnard Castle, The Bowes Museum ; Montargis, musée Girodet ; Balleroy, château (autrefois, Minneapolis, Walker Art Center ; Cendrieux, musée Napoléon.
Marie Victoire Jacotot (1772-1859), plaque sur porcelaine, 15,5 115 m).
– Paris, Fondation Napoléon, inv. 654 (donation Lapeyre).

cat. 75 Étude pour le grand collier de la Légion d'honneur (pour le grand portrait de Napoléon)

Dessin au fusain, à l'estompe, avec rehauts de blanc sur papier beige, 39,2 x 52,7 cm
Paris, musée du Louvre, département des Arts graphiques, inv. RF 34530

Hist. Coll. Émile Louis Calando ; coll. Marguerite Calando, ; acquis par le musée du Louvre en 1970.
Exp. 2003, Nouvelle-Orléans, n° 57 (*Drawing of the Grand Collier of the Legion of Honor*), repr.

cat. 76 Étude pour le manteau du portrait de Napoléon en costume impérial, dit aussi Homme en costume impérial

Crayon noir, craie noire, rehauts de blanc sur papier beige, 57,2 x 43,1 cm
Paris, musée du Louvre, département des Arts graphiques, inv. RF 34528

Hist. Coll. Marguerite Calando ; acquis par le musée du Louvre en 1970.

Peindre le pouvoir

Ill. 245 Girodet, *Caricature de Napoléon* (recto), *Portrait de Napoléon en costume impérial* (verso)
Dessin, coll. part.

Les rapports des artistes et de l'Empereur ne furent pas toujours marqués par l'enthousiasme des premiers ; si les premières années du Consulat insufflèrent l'espoir dans le monde des arts pressentant un nouveau Mécène, la reprise en main de cette troupe indisciplinée par les soins de Denon imposa les sujets et freina les appétits financiers des plus turbulents. Des années plus tard, le ressentiment persistait chez certains qui reprochaient au régime impérial d'avoir détourné pour sa célébration toute la peinture d'histoire de son temps et d'avoir négligé l'histoire antique au profit exclusif de l'illustration des faits d'armes de l'empereur, tout en soumettant chacun à la dure loi de prix fixés à l'avance.

Girodet était l'un de ces peintres qui avaient connu leurs premiers succès au moment même où le général Bonaparte remportait ses premières victoires ; à un moment ou à un autre, ces artistes croisèrent la route du nouvel homme fort et obtinrent, sur une de ses commandes, de nouveaux succès. Toutefois, leur attachement au régime impérial fut loin d'aller de soi pendant toute la période et notre peintre n'en est pas le plus mauvais exemple.

Orner d'une grande composition, fruit de son invention la plus exacerbée, la demeure du Premier consul allait propulser Girodet au tout premier rang ; dans une lettre adressée à son illustre commanditaire, il écrivit : « J'ai élevé, j'ose dire, un monument national à la mémoire des généraux que votre exemple a fait naître ; j'ai offert à l'admiration de la postérité, sous un même point de vue, des ombres vénérées, sous l'emblème de la Victoire et sous la figure du brillant symbole de la France, l'image de son génie conservateur. Vous avez agréé l'hommage de ce fruit d'un travail et des veilles pénibles qui embrassent le cours de plus d'une année ; tels sont les motifs qui me font solliciter, aujourd'hui, des marques publiques de votre bienveillance particulière [1]. »

À cette lettre, connue par plusieurs copies (comme autant d'essais de rédaction d'une requête délicate), on ne sait quelle fut la réponse du Premier consul, à vrai dire, quelles étaient ces *marques publiques* que réclamait le peintre. On connaît la réaction de Napoléon devant *Ossian*, grâce à une lettre transcrite par Coupin, où l'on relève le passage suivant : « Le premier consul, pour qui j'ai fait ce tableau, parut sentir vivement cet effet : lorsque je lui présentai, il me dit ces trois mots remarquables que j'ai plus estimés que des pages d'éloges vulgaires, et qui m'ont dédommagé de beaucoup de critiques : "Vous avez une grande pensée : les figures de votre tableau sont de véritables ombres ; je crois voir celles des généraux que j'ai connus." Voilà mot pour mot ce que m'a dit Bonaparte. J'avoue que je fus comblé de cet éloge laconique, mais aussi expressif que flatteur et

inattendu [2]. » Il ne peut être question aujourd'hui de s'interroger sur la sincérité de ce compliment, mais combien d'artistes se virent ainsi distingués par un seul mot, voire un regard du nouveau maître de la France et se prirent à rêver d'une carrière sous son égide, et combien d'entre eux durent déchanter et rentrer dans le rang.

Au Salon de 1804, Girodet exposait un *Portrait en pied de feu M. Bonaparte, père de S.M. l'Empereur* (n° 208 du livret) [3] ; pour ce portrait **[ill. 61]** d'un homme mort en 1785, le peintre ne disposait, dit-on, que d'une miniature – l'exercice était ingrat en regard de l'attente de son auteur : était-ce bien là une « marque publique de la bienveillance particulière » du tout nouvel empereur ? S'il témoignait de la confiance que l'on mettait en l'artiste chargé de réaliser le portrait du fondateur de la dynastie impériale (même s'il ne s'agissait pas d'une commande officielle, mais privée [4]), on ne peut s'empêcher de penser qu'il ne s'agissait pas là d'une tâche majeure. Ce sentiment ne peut être que conforté par l'aspect même de l'œuvre d'une exécution parfaite, mais parfois un peu froide, comme le sera le portrait de l'Empereur quelques années plus tard. L'analogie ne s'arrête d'ailleurs pas à ce point : en effet, l'on connaît deux exemplaires de ce tableau, respectivement datés de 1805 (Versailles) et 1806 (Ajaccio), qui ne peuvent donc être le premier original exposé en 1804 ; quelle fut ici la part prise par d'hypothétiques collaborateurs, il est impossible de le préciser.

Il est certain que Girodet ne dut pas se sentir comblé d'honneurs par l'administration impériale, par la suite et, à travers tout l'Empire, on peut relever de nombreux jalons qui témoignent de son mauvais esprit. Ainsi, en décembre 1807, s'exprimait-il ainsi dans une lettre à Julie Candeille : « Nous sommes tous enrégimentés quoique nous ne portions point l'uniforme, pinceau a droite, crayon a gauche. en avant marche – et nous marchons [5]. » Cette conscience d'être ainsi enrôlés dans les troupes napoléonien

nes, au même titre que les victimes de la conscription militaire, pesait sur de nombreux artistes ; elle ne s'exprima publiquement, bien sûr, qu'après la chute de l'Empire, mais la formule de Girodet reflète certainement le sentiment de nombre de ses confrères à cette époque.

Le 4 mars 1809, Julie Candeille écrivait à son ami : « L'Emp.[r] fait bien de poser pour vous : il aura, une fois, exercé le Pinceau d'un véritable homme de génie [6]. » À vrai dire, nous ne pouvons affirmer avec certitude de quel tableau il s'agissait alors ; l'hypothèse la plus vraisemblable serait une allusion au *Napoléon recevant les clefs de Vienne* **[ill. 211]** [6] que Girodet venait d'exposer au Salon de l'année précédente [7]. Cette remarque révèle, au moins, que notre artiste s'était déjà vu honoré d'une faveur que nombre de ses confrères avaient sollicitée en vain, une séance de pose ; ceci expliquerait peut-être que lorsqu'il fut chargé des portraits destinés aux cours de justice, on ne semble pas s'être soucié de lui offrir à nouveau cette possibilité, ce qui le contraignit, en 1812, à « croquer » Napoléon à Saint-Cloud dans les divers dessins que nous examinerons plus loin.

L'agacement de l'artiste soumis au pouvoir napoléonien pouvait se traduire de diverses façons, mais il était tout naturel que, chez un dessinateur, il prît la forme de la caricature. Nous en prendrons comme témoin une feuille [8] présentant un premier projet inabouti pour le grand portrait qui nous occupe **[ill. 245]** ; si ce sérieux dessin reste dans la tradition classique des portraits de souverains, plus encore que l'œuvre finale, en revanche, le croquis du verso est surprenant : un anguleux et schématique Napoléon, reconnaissable à sa mèche frontale et à sa couronne de laurier en pointe. Le modèle de cette irrespectueuse effigie n'est rien de moins que le portrait de l'Empereur en grand costume, gravé par Malbeste et Dupreel, d'après Isabey, dans le *Livre du Sacre*. Certes, le trait n'est pas aussi féroce que celui des caricaturistes anglais, mais la présence de ce griffonnage rageur

III. 246 Girodet (d'après), *Double portrait de Napoléon*
Lithographie, BNF

III. 247 Girodet, *Napoléon assis en uniforme*
Dessin, Chateauroux, Musée Bertrand

au dos même d'un sérieux projet de portrait officiel (dont il reprend d'ailleurs les grandes lignes, au point que les deux seraient superposables par transparence) témoigne d'une ironie peu commune dans l'art de l'époque. Et que dire de l'emploi par Girodet d'un modèle aussi sage que celui d'Isabey pour une charge de son propre dessin ?

Enfin, il est un autre groupe d'œuvres dont il nous faut parler, ne serait-ce que parce qu'elles sont elles aussi très proches dans le temps du grand portrait de Napoléon et parce qu'elle relèvent d'un genre peu commun à l'époque : le portrait sur le vif d'un souverain sans cesse en mouvement. On sait à quel point Napoléon détestait l'immobilité et combien il fut difficile pour les artistes de son temps de pouvoir obtenir une séance de pose ; la leçon que le Premier consul donna à David reste, avant tout, la profession de foi d'un homme peu soucieux de se soumettre à cette contrainte : «Certainement Alexandre n'a jamais posé devant Apelles. Personne ne s'informe si les portraits des grands homme sont ressemblants. Il suffit que leur génie y vive[9].» On sait, par ailleurs, que les rares séances accordées à des artistes l'étaient sans que l'emploi du temps de l'Empereur en fût altéré : pendant son déjeuner ou lorsque les circonstances le contraignaient à une relative immobilité, c'est-à-dire à la chapelle ou au spectacle. C'est dans ces deux dernières conditions que Girodet réalisa un petit groupe d'œuvres au statut ambigu : en effet, il est loisible de voir en certaines une célébration du souverain de nature quasi divine, mais comment ne pas noter également que l'homme, avec ses particularités et surtout les traces patentes de son vieillissement, y est observé sans complaisance et parfois avec cruauté.

Il faut tout d'abord noter que toutes sont datées de Saint-Cloud et au cours d'une période comprise entre mars et avril 1812, lors d'un long séjour de l'Empereur à Paris, juste avant le départ pour la campagne de Russie.

Le premier de ces dessins[10] aurait, selon la légende, été exécuté à la chapelle de Saint-Cloud[11]. Louis Garros[12] relate ainsi l'exécution de ce dessin : «Le dessinateur Girodet-Trioson, n'ayant pu obtenir séance, guette l'Empereur à la chapelle des Tuileries [*sic*], pendant l'office. D'abord, il le prend de côté, se dissimulant dans une des tribunes d'entre-colonnes, puis de face en se cachant derrière l'autel.» On pourrait douter du caractère «clandestin», de cette séance de pose, peut-être un peu trop souligné par le rédacteur, mais nous ignorons quelle était la source de Garros[13].

Il montre le visage de l'Empereur sous deux angles et comprend, du moins dans sa version lithographiée [ill. 246], une étoile lumineuse au-dessus de ces deux effigies : cet effet, d'autant plus proche de l'atmosphère du tableau d'*Ossian* que les deux bustes sont encadrés de nuées, est porteur d'une signification louangeuse, telle qu'on les cultivait en cet apogée de l'Empire. Était-il déjà présent sur le dessin original ? On peut se le demander lorsque l'on examine les deux autres œuvres connues, infiniment moins élogieuses, à notre sens.

Le second dessin que nous voudrions évoquer[14] montre un Napoléon «en grand buste», assis dans un grand fauteuil d'apparat, son chapeau négligemment posé sur les genoux, sur un fond assez imprécis (lambris, peinture de grand format avec son cadre?) [ill. 247]. Peut-être faut-il croire que ce dessin, certes rapide dans son tracé, mais d'une composition plus élaborée, fut le fruit de cette séance de pose que l'artiste n'avait pu obtenir en mars de cette même année. Sans grand risque d'erreur, on peut supposer que cette séance avait été sollicitée afin de faciliter le travail sur le grand portrait commandé au début même de cette année. On pourrait objecter que, dans ce dessin, la pose de l'Empereur n'a rien à voir avec

ce qu'elle deviendra dans la composition définiti mais il nous semble intéressant de noter que le visa est vu ici de trois quarts gauche, tout comme ce du dessin que nous avons déjà évoqué [ill. 246] – est évident, comme le montrent d'ailleurs les dess conservés au Louvre, que seul le visage intéressait Girodet, le corps étant posé par un modèle en a lier. Faut-il, pour autant, penser que le dessin de composition d'ensemble reflète un premier projet Girodet? Ce n'est pas à exclure, d'autant que l'on s que l'élaboration du tableau n'occupa pas le pein moins d'une année : c'est en effet en janvier 18 qu'il demanda à Constance de Salm de venir v le tableau achevé dans son atelier[15]. Sur le prése croquis, on peut noter la franchise de la descripti de l'Empereur dans ces années de la fin de l'Empi tous les contemporains notèrent l'épaississement la silhouette, le cheveu plus rare.

On retrouve ces caractéristiques dans le trois me dessin connu mais si l'on y retrouve le cadre nuées fréquent dans les portraits dessinés de Giroc cette fois-ci, le propos est moins louangeur et bi plus ironique : une légende est portée sous chac des trois visages de l'Empereur : *Bonaparte dorm au Spectacle à / St Cloud le 13 avril 1812. / S'Eveill frappé de la pensée / qu'on a pu le voir dormir. / Et s'effor de sourire en regardant la Scène. / Girodet del.* (cat 73). Il là une petite comédie en trois scènes, qui montre souverain désormais fatigué, ce qui surprenait to ceux qui avaient connu le rythme de travail inc sant des débuts du règne ; ici encore, de nombre contemporains relevèrent ce changement dans habitudes de l'Empereur, qui coïncidait avec la p tite enfance du roi de Rome. Nous sommes loin premier dessin du héros marqué au front d'une éto En outre, le commentaire du second visage mon un homme soucieux de son image comme tout chacun ; on est aussi loin, ici encore, du mythe du ros inaccessible au doute et aux faiblesses humair Ces croquis auraient été pris le même jour que dessin précédent, le 13 avril 1812, au théâtre du ch teau de Saint-Cloud où l'on donnait *L'Amant bou de Monvel*, pièce que l'Empereur avait déjà vue de fois, circonstance atténuante, peut-être, pour son dormissement.

La commande de 1812

Pour la destination de cette imposante série, évoque, dans tous les documents d'archives con les «cours de justice» ; on désignait ainsi les c d'appel, qui venaient de prendre par la loi du 20 a 1810 l'appellation de «cours impériales[16]». Se quelques lettres peuvent nous donner les dates rythmèrent cette affaire. Une première lettre, ad sée à [Ambroise?] Firmin-Didot, qui ne nous

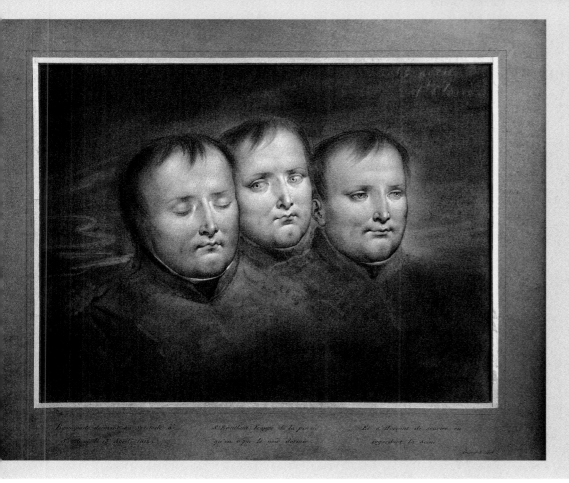

cat. 73 Trois têtes d'étude de Napoléon à Saint-Cloud en 1812

Crayon et craie noire, estompe, avec rehauts de blanc sur papier beige, 32,9 cm x 38,9 cm

Inscription : *Bonaparte dormant au Spectacle à/Sᵗ Cloud le 13 avril 1812. / S'Eveillant frappé de la pensée/qu'on a pu le voir dormir. / Et s'efforçant de sourire en regardant la Scène. / Girodet del.*

Collection particulière

Hist. Coll. comte d'Hunolstein au début du siècle ; par descendance dans la même famille.
Exp. 1969, Paris, n° 327.

alheureusement connue que par une rapide ana-
e[17], indique que Girodet intervint le 23 décem-
e 1811 pour obtenir cette commande : «Il désire
re chargé d'une entreprise à laquelle l'Empereur a
nné son consentement et dont la décision dépend
Grand-Juge. Il compte sur M. Favart, qui voudra
en prendre intérêt à cette affaire auprès du Grand-
ge, son ami.» On peut se demander pourquoi le
ntre qui avait déjà décliné plusieurs propositions
commandes des pouvoirs publics[18], se mettait
si en avant pour une commande somme toute
grate ; même s'il s'agissait d'un portrait en pied de
Empereur, cette tâche ne pouvait qu'être confiée,
sous-main, à une armée organisée de copistes. Par
eurs, même sans faire la part des premiers signes
sibles de craquement de l'édifice impérial, Giro-
t devait bien prévoir que le règlement des sommes
i lui seraient dues ne manquerait pas de nécessiter
nombreuses réclamations de sa part. Il fallait que
besoin d'argent fût bien vif pour décider le peintre
olliciter cette énorme commande.

Dans une lettre de la fin décembre 1811 (?)[19]
ressée au duc de Massa, ministre de la Justice, Giro-
t donnait quelques précisions sur son projet et cet-
lettre nous fournit pour la première fois des détails
r son ampleur : 36 portraits, du format de 8 pieds
r 6 (environ 256 x 192 cm) ; chaque tableau devait
re payé 4000 francs ; il fallait y ajouter le prix de
ncadrement, de l'emballage et du transport dont
peintre se chargeait, le tout se montant à plus de
4000 francs.

Dans une nouvelle lettre du 16 janvier 1812, le peintre renouvelait son engagement de se charger de cette commande et entrait dans quelques détails qui nous laissent penser qu'il avait déjà soumis un projet au duc de Massa : «Je joins le programme de la composition des portraits de S. M. que j'ai médité d'avantage encore depuis que j'ai eu l'honneur d'en conférer avec Votre Excellence. J'y ai ajouté quelques idées nouvelles ; l'Empereur ayant participé lui-même à la rédaction du Code, j'ai voulu exprimer cette circonstance en supposant que S. M. tient la plume à la main, non pas écrivant, mais venant d'écrire elle-même sa pensée. Si S. M. n'approuvait pas cette idée, rien ne serait plus facile que de la supprimer sans rien changer à la composition du tableau dont Votre Excellence a paru approuver les autres dispositions[20]». On ne peut que conclure que la composition actuelle ne fut pas la première (comment y placer une plume dans la main de l'Empereur ?) ; en revanche, le dessin déjà cité **[ill. 245]** pourrait admettre cette modification et le geste de Napoléon tenant le grand Code de la main gauche pourrait même évoquer cette idée tout naturellement.

Dès la première lettre, Girodet mettait en place le système de travail prévu : il se chargerait lui-même des tableaux destinés aux principales cours de justice, mais ses élèves les plus brillants se chargeraient de l'essentiel des autres qu'il se bornerait à terminer. On connaît plusieurs noms d'élèves ou d'amis ayant ainsi collaboré à cette tâche ; ces noms sont révélés par des correspondances : Dufau, qui se proposa, ne

fut pas agréé[21] ; en revanche, Lancrenon ne dut son exemption de la conscription en septembre 1813, qu'à l'intervention de son maître qu'il devait aider dans cette tâche[22]. À une date qui nous est, malheureusement, inconnue, Girodet dut presser Mauzaisse[23] qui lui avait promis de travailler à ses ébauches et n'avait encore rien fait[24] ; ce terme même d'ébauche mériterait d'être élucidé, Girodet ayant prévu de faire exécuter d'abord une première série de toiles qui allaient servir de modèles pour les copies suivantes[25] ; cette lettre doit donc remonter à cette époque du début d'exécution de la commande.

Par la suite, d'autres artistes (élèves ou non du maître) furent chargé d'exécuter des copies. Pour s'assurer de la plus grande fidélité possible à l'original et ainsi que d'une grande rapidité d'exécution, Girodet avait mis au point un artifice qu'il dévoile dans une lettre du 8 septembre 1813 adressée à l'un de ses copistes : «Mon cher Duvivier, voudriez vous et pourriez vous venir demain matin faire le calque du portrait sur la toile qui vous est destinée ? Nous avons un grand voile noir de la même grandeur que l'original ou il est déjà tracé et il n'y a plus qu'à repasser le trait. Rien n'est plus commode ni plus expéditif. Très incessamment vous pourrez l'emporter avec la Copie qui vous servira pour l'ébauche […][26]. On le voit, on dispose sur l'exécution de cette série d'informations partielles, mais, toutefois, d'une précision rare. On suit également assez clairement la suite du dossier administratif, puisque, dès octobre 1813, le peintre doit commencer de réclamer le paiement

Ill. 248 Girodet, *Napoléon Iᵉʳ en costume de sacre*
Huile sur toile, 117 x 98 cm, Bruxelles, musée royal de l'Armée

des sommes qui lui dont dues, puisqu'il peut annoncer dans un délai de six semaines la livraison de douze ou quinze exemplaires et, dans les quatre mois, la fin de la livraison des trente-six commandés. Devant régler le travail des copistes et l'encadrement des exemplaires déjà terminés, il demanda un acompte de 50 000 francs[27]. Ses réclamations se firent plus pressantes encore auprès du successeur du duc de Massa (nommé à la présidence du Corps législatif), le comte Molé ; le 14 janvier 1814, celui-ci reçut une lettre du peintre lui déclarant qu'il avait terminé les vingt-six premiers portraits et que huit étaient encore à l'état d'ébauche, attendant les ordres du ministre. Ceux-ci ne se firent pas attendre, et le 29 du même mois, Girodet recevait une lettre[28] le priant de ne plus poursuivre son travail ; si l'on doit en croire la publication de cette lettre, le peintre aurait été prié également à cette époque de conserver ces toiles dans son atelier. On ne sait à quoi attribuer ce brusque revirement et surtout cette décision de laisser à un artiste les œuvres qui lui avaient déjà été payées (même si la somme n'atteignait pas le montant préalablement fixé) ; il n'était pas d'usage que l'administration impériale (et royale, par la suite) abandonnât ainsi les œuvres payées, que le personnel politique eût changé ou non.

Dans une lettre du 3 septembre 1814, Girodet dut faire un bilan de cette opération auprès du succes-seur du comte Molé, le chancelier Dambray, garde des Sceaux ; à cette date, il avait reçu 50 000 francs et attendait que l'on honorât trois ordonnances de 10 000 francs ; le 15 octobre suivant, il dut renouveler sa demande, sans que nous sachions quel fut le sort réservé à sa demande ; ses créanciers, copistes et encadreurs, ne cessaient de lui réclamer le montant de leurs travaux depuis janvier 1812. Dans une lettre adressée à Cambacérès, on voit même Girodet prier son correspondant d'intervenir auprès de l'administration royale afin d'obtenir la commande de portraits de Louis XVIII pour prendre la place des portraits de Napoléon prévus dans les cours d'appel ; on ne peut que constater combien, en cette fin de l'Empire, le peintre était aux abois et se disait prêt aux travaux les moins gratifiants afin d'assurer ses revenus.

Le sort des portraits

Contre toute attente, Girodet semble donc bien avoir été laissé en possession des vingt-six (sa dernière lettre disant même vingt-sept) portraits de l'Empereur déchu ; les Cent-Jours ne furent certes pas le moment idéal pour régler ce genre de question et, de fait, aucun de ces tableaux ne fut livré à un bâtiment public ; par voie de conséquence, aucun d'eux ne se trouve aujourd'hui dans une collection publique,

sauf cas de donation d'un particulier. On ne conna somme toute, qu'un petit nombre de ces grand toiles ; outre celle qui sera exposée à Paris **(cat. 7** on ne peut citer celle du Bowes Museum à Barna Castle, qui sera exposée dans les étapes outre-atla tique de l'actuelle exposition **(cat. 72)**, la version musée de l'Empéri à Salon-de-Provence, celle musée Girodet de Montargis, du château de Ball roy[29] ou du musée Napoléon de Cendrieux. À grandes versions, de mérites inégaux, il faut ajou quelques modèles en buste, dont on pourrait cro (sous réserve de vérification à faire sur les toiles ell même) qu'il s'agit d'exemplaires découpés[30]. Il fa ici faire un sort particulier à un tableau de plus p format **[ill. 248]**, conservé au musée royal de l'A mée de Bruxelles[31], peint sur bois, de petit form (93 x 74 cm).

Cette œuvre d'une grande finesse d'exécuti montre en certains endroits une légèreté diffici ment compatible avec un travail de copiste (le des des pieds encore visible sous les souliers brodés) une omission de certains détails (dentelle des ma chettes) qui ne se comprendrait pas chez un pein voulant transmettre une image fidèle d'une œuv déjà achevée. Il n'est pas exclu que ce panneau pui être un *modello* soumis à l'approbation du duc Massa avant le début du travail[32].

Enfin, une grande miniature due au talent de m dame Jaquotot[33], copie fidèle du buste du grand po trait par Girodet, pose un autre problème, celui de sincérité même des artistes, du moins quand il s'a de Napoléon ; son auteur n'hésita pas à affirmer potentiel acquéreur en 1838 que ce portrait lui av été demandé en secret par Napoléon en 1813 po faire une surprise à l'impératrice ; l'Empereur aur donné à l'artiste une heure et demie de pose, en de séances (!). Il ne peut s'agir, selon nous, que d' pieux mensonge lui permettant de mieux vend cette miniature ; dès la chute de l'Empire, de no breux amateurs appréciaient de tels portraits, surto parmi les visiteurs étrangers, mais il fallait presq toujours leur affirmer que lesdits portraits avaient exécutés d'après nature[34] ; si l'on pouvait, de plus, firmer qu'ils avaient été peints à la demande instan de tel ou tel grand personnage, ils n'en acquérai que plus de valeur.

L'effigie et ses contradictions

Il faut souligner l'étrange importance que sem avoir revêtu pour le peintre l'étude d'après nature. l'on admet que l'Empereur avait déjà posé pour en 1808, était-il vraiment nécessaire de réclam une autre pose pour un portrait officiel qui, *in f* s'éloigne beaucoup de ce que Girodet fut à mê l'observer, si l'on en juge par les quelques dessins effectués à Saint-Cloud? Ne faut-il pas interpréter cette demande comme l'exercice d'un droit, d'une distinction qui devait être donnée selon lui à tout portraitiste du souverain? Plus que d'un réel besoin, ne s'agissait-il pas là de l'affirmation de la dignité d'un artiste?

L'élaboration de ce grand portrait fut surprenante : tout d'abord une série de dessins sans complaisance, où perce même parfois une certaine ironie ; puis un étonnant dessin du nu de l'ensemble de la figure (cat. 70) où Girodet associe un corps athlétique, certainement emprunté au meilleur de ses modèles d'atelier, et une tête de l'Empereur un peu idéalisée mais très proche de ce que l'on pouvait voir sous le pinceau d'autres artistes à la même époque ; enfin, un tableau où ce visage prend un aspect étrangement marmoréen, en contradiction avec tous les témoignages contemporains. Ce dessin, replacé au milieu d'un ensemble de superbes études de détails pour le grand manteau ou le collier de la Légion d'honneur (cat. 75,76), donne tout son sens à cette étonnante transposition de la réalité.

Tout ce qu'un portrait peut impliquer de convention est exacerbé dans ces grands portraits royaux ou impériaux. Le premier et le plus flagrant de ces pieux mensonges est le grand habillement dont est revêtu le souverain, le plus souvent improprement qualifié de « costume du Sacre » par l'opinion publique. Encore faut-il ici noter que si Napoléon ne porta le grand habillement de cérémonie que lors de la célébration à Notre-Dame, au moins ses portraitistes furent-ils scrupuleusement fidèles, même s'ils donnaient à son effigie un cadre bien éloigné de l'apparence réelle de la cathédrale le 2 décembre 1804. Que dirait-on, par comparaison, de l'effigie de Louis XIV fixée par Rigaud ou de celle de Louis XV par Louis Michel Van Loo ; ces deux souverains, respectivement sacrés à l'âge de 15 et de 12 ans, n'en furent pas moins montrés adultes (voire vieillard pour le premier) dans le costume et accompagnés de quelques objets rituels, qu'ils n'avaient utilisés, par ailleurs, que bien épisodiquement, fort longtemps auparavant. Le mensonge est d'autant plus flagrant que l'on sait combien Napoléon aimait à porter l'uniforme en toutes circonstances et combien, malgré l'existence de ces effigies hiératiques, drapées dans d'étranges et intemporels costumes d'apparat, c'est cette image du « Petit Caporal » qui s'imposait dans la plupart des tableaux de commande et allait triompher, par la suite, dans l'imaginaire populaire.

Lors des cérémonies du sacre de l'Empereur, la prestation de serment ne fut pas effectuée sur le code civil, mais sur les Évangiles ; si ce portrait évoque, donc, par le costume et par les accessoires, la journée du sacre, le contenu en est sensiblement différent. Ce

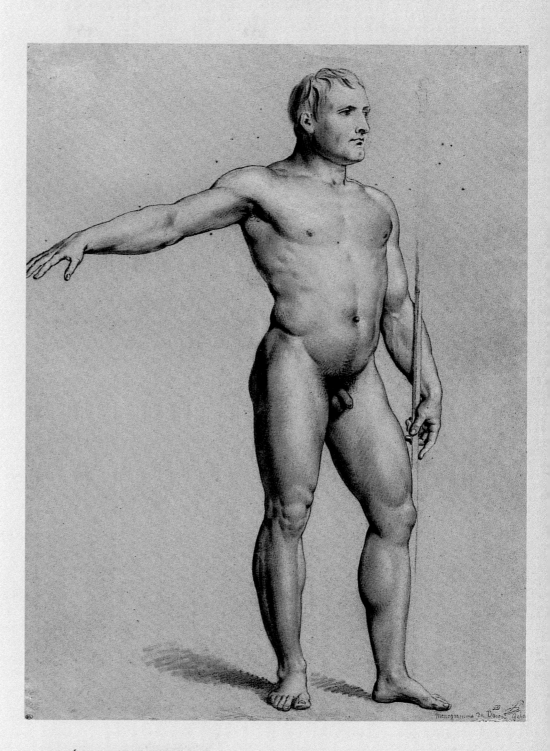

cat. 74 Étude de nu pour le Portrait de Napoléon en costume de sacre

Crayon et craie noire, estompe, avec rehauts de blanc sur papier beige, 56,9 x 41,3 cm

Paris, musée du Louvre, département des Arts graphiques, inv. RF 34527

Hist. Coll. Émile Louis Calando ; coll. Marguerite Calando ; acquis par le musée du Louvre en 1970.

Exp. 1972, Londres, n° 624 (*Study of a Standing Male Nude Figure : Three-Quarter View towards the Right*, étude d'homme nu, debout, de trois quarts vers la droite) ; 1977, Paris (musée du Louvre), p. 3 (*Homme nu debout, étendant le bras droit*) ; 1993-1994, Paris, n° 209 (*Étude pour Napoléon*), non repr.; 2003, Nouvelle-Orléans, n° 36 (*Nude Study of Napoleon*), repr.

geste du bras est, d'ailleurs, ambigu : étendu vers cet immense volume dont on ne voit que la page de titre, il l'est tout autant au-dessus du globe symbolisant le pouvoir impérial.

L'attitude de l'Empereur est, elle-même, énigmatique ; cette vue de profil ne constitue certes pas un *unicum*, mais combien d'étrangeté n'ajoute-t-elle pas à l'effigie d'un souverain. David lui-même, se penchant sur une effigie projetée de l'Empereur pour la cour d'appel de Gênes (1806), avait été tenté par une composition similaire : on connaît en effet deux croquis qui montrent ainsi Napoléon de profil sous un dais[35] à la suite, probablement, d'une copie faite par David d'une estampe du début du xviie siècle[36]. Cette solution fut abandonnée au profit de la composition définitive qui ne nous est plus connue que par l'esquisse peinte (Lille, musée des Beaux-Arts) ; cette dernière est strictement frontale et, par son large cadrage, donne à la figure énergique et quelque peu grandiloquente de Napoléon, l'impression de flotter dans un espace impossible à occuper en totalité. De même, l'impressionnante effigie due à Ingres (Paris, musée de l'Armée) ne pouvait que déplaire par sa massivité géométrique obtenue au prix de quelques déformations et par la complexité de son jeu formel. Gérard, plus conventionnel, et, dans une moindre mesure, Robert Lefèvre répondirent certainement mieux aux attentes de leurs commanditaires ; leurs œuvres restaient suffisamment fidèles à la tradition du portrait monarchique pour répondre au besoin du pouvoir impérial de se rattacher à l'Ancien Régime.

À l'époque où Girodet recevait sa grande commande, David peignait son portrait de l'Empereur dans son cabinet de travail. Le registre sur lequel joue ici le peintre est celui de la vision familière du grand homme dans son véritable cadre de travail. Les mensonges y sont toutefois légion pour construire l'image d'un souverain travaillant sans repos au bonheur de ses compatriotes ; nous n'en relèverons qu'un ici, mais il est de taille : l'Empereur y est censé se lever de sa table de travail pour aller passer la revue de ses troupes dans la cour des Tuileries – à quatre heures du matin, comme en atteste la pendule ? À moins de supposer la pleine lune et un ciel clair… Même cette peinture strictement contemporaine, sans références au grand portrait royal, pouvait mentir pour construire une image idéale du souverain. Il est pourtant étonnant de constater que cette représentation, si riche et promise à une telle diffusion dans la légende napoléonienne, ne fut pas commandée par le gouvernement impérial. Assez prudemment, on semble s'être toujours tenu à des figures plus solennelles et plus traditionnelles du souverain.

Le paradoxe de Girodet, à cette même époque, est celui d'un artiste qui, s'étant parfois tenu à l'écart

du monde officiel, en vint, à la fin de l'Empire, à célébrer de cette façon un peu archaïque le pouvoir impérial, au moment même où son maître renouvelait l'iconographie napoléonienne. En outre, ce peintre, qui avait refusé de nombreuses commandes, s'engagea dans la réalisation de la commande la plus archaïque et probablement la plus répétitive qui fût à cette époque[37]. Desservi d'une part par une manière souvent très sèche (à l'instar du portrait de Charles-Marie Bonaparte) et d'autre par l'incertitude qui pèse toujours sur le statut exact de l'exemplaire que l'on regarde (quelle part doit être rendue aux exécutants ?), ce portrait étrange reste une œuvre qui dérange également par l'incertitude du sens de sa composition : devant qui l'Empereur (qui ne nous regarde pas) prête-t-il ce serment, en un geste qui n'est peut-être que l'appropriation du globe terrestre ? Le sens à donner à une telle effigie d'apparat semble avoir, dès le début, sollicité l'imagination de Girodet : nous avons déjà montré ce que nous pensons être une première idée pour ce portrait **[ill. 235]** – il faut savoir que, dans un premier temps, le peintre avait songé à placer dans la main de l'Empereur une plume, indiquant par là l'intervention de son modèle dans l'élaboration du Code civil ainsi que le révèle une lettre au duc de Massa, datée du 16 janvier 1812 : « […] Je joins le programme de la composition des portraits de S. M. que j'ai médité d'avantage encore depuis que j'ai eu l'honneur d'en conférer avec Votre Excellence. J'y ai ajouté quelques idées nouvelles ; l'Empereur ayant participé lui-même à la rédaction du Code, j'ai voulu exprimer cette circonstance en supposant que S. M. tient la plume à la main, non pas écrivant, mais venant d'écrire elle-même sa pensée. Si S. M. n'approuvait pas cette idée, rien ne serait plus facile que de la supprimer sans rien changer à la composition du tableau dont Votre Excellence a paru approuver les autres dispositions[38]. » D'autres ajouts semblent avoir été étudiés pour infléchir le sens du portrait ; en effet, on retrouve dans l'inventaire après décès du peintre la mention d'un carton renfermant : « […] 3°) celle pour le napoleon en pied y compris les études d'armure, du sabre de la draperie de l'académie nue de napoleon […][39] » ; les détails donnés ici renvoient évidemment aux dessins étudiés plus haut (Louvre) et l'on peut s'interroger sur le rôle de cette armure dans le portrait projeté.

Si ces accessoires furent rejetés, peut-être en raison de leur caractère convenu, la composition finale ne manque pas de laisser au spectateur une impression d'étrangeté, qui ne peut que s'accroître lorsque celui-ci examine les portraits dessinés ; il y a là un gouffre, de l'observation la plus crue et la plus impitoyable d'une physionomie à sa pétrification. Peut-on y voir

un phénomène parallèle à l'évolution de David, d[e] ces années de la fin de l'Empire, évolution qui [va] s'accentuant dans ses années d'exil ? Girodet serait-[il] lui aussi, ainsi pris, à l'instar de son maître, entre d[es] dessins expressifs jusqu'au grimaçant et une peintu[re] où froideur et dureté restent les seuls attributs cla[s]siques ?

A. P.

N. 249 David, *Étude pour Napoléon en costume impérial*
Dessin, Paris. musée du Louvre.

Notes

1. Coupin, 1829, t. II, p. 295-297, lettre n° 6.

2. *Ibidem*, lettre n° 3 – la lettre, adressée à Bernardin de Saint-Pierre, n'est pas datée, mais doit remonter à 1804, année de fréquents échanges épistolaires entre les deux hommes ; peut-être pourrait-on également la mettre en rapport avec une lettre de Bernardin de Saint-Pierre, curieusement datée du « 21, mois d'Ossian, an XIV » [21 novembre ou 21 décembre 1805], lettre qui semble répondre à celle-ci ou, du moins, évoquer les mêmes œuvres.

3. Voir à son sujet la notice de S. Laveissière, in cat. exp. *Napoléon, la collection napoléonienne de la cité impériale*, Ajaccio, musée Fesch, 2005.

4. Comme le fait remarquer S. Laveissière, l'identité même du commanditaire nous échappe : Madame Mère, Lucien Bonaparte ou le cardinal Fesch ?

5. Original à Orléans, Société historique et archéologique d'Orléans ; publié dans Nivet, 4e trimestre 2003, p. 24, lettre n° 14.

6. Salon de Versailles, musée national du château et de Trianon (MV 1549).

7. En ce cas, le profil de Napoléon conservé au musée Bonnat de Bayonne pourrait peut-être revendiquer ce statut d'étude préparatoire exécutée sur le vif.

8. Pierre noire au recto, sanguine au verso, cat. exp. galerie De Bayser, octobre 1978, n° 15.

9. Delécluze, *Louis David...*, (1855) 1983, p. 232.

10. Connu par une lithographie imprimée en Angleterre et due à Mailhe, ce dessin porte la date du 8 mars 1812, encadrant le monogramme du peintre.

11. Cette affirmation pourrait être tout à fait exacte, le 8 mars de cette année (date portée sur la lithographie) étant effectivement un dimanche.

12. Louis Garros, *Itinéraire de Napoléon Bonaparte, 1769-1821*, Paris, 1947, p. 365.

13. Celui-cite ensuite un avis de Bouchot sur ce dessin qu'il estimait des plus véridiques.

14. Dessin à la pierre noire, 65 x 49 cm, D.h.g. : *13 avril 1812/St Cloud*, Châteauroux, musée Bertrand.

15. Lettre du 13 janvier citée par Robert Bied, « Le Rôle d'un salon littéraire au début du xixe siècle : les amis de Constance de Salm », *Revue de l'Institut napoléonien*, no 133, 1977, p. 127.

16. Une lettre de Denon, en date du 13 juillet 1812, évoque l'envoi d'un portrait de l'Empereur par Robert Lefèvre à la cour d'appel de Gênes, en l'attente de celui de Girodet (Denon, *Correspondance...*, Paris, 1999, t. II, p. 874, no 2503). Les cours d'appel étaient situées, sur l'actuel territoire français, dans les villes suivantes : Paris, Agen, Aix, Ajaccio, Amiens, Angers, Besançon, Bordeaux, Bourges, Caen, Colmar, Dijon, Douai, Grenoble, Limoges, Lyon, Metz, Montpellier, Nancy, Nîmes, Orléans, Pau, Poitiers, Rennes, Riom, Rouen et Toulouse ; il faut y ajouter les villes annexées de Bruxelles, Florence, Gênes, Hambourg, La Haye, Liège, Rome, Trèves et Turin (soit le chiffre exact des 36 portraits à livrer).

17. Vente J. Le Petit, 22 novembre 1919, Noël Charavay, expert, n° 62, citée par Gaston Brière, « Relevé des autographes intéressant l'histoire des arts en France passés en vente. I. 1919-1920 », *BSHAF*, 1922, p. 247.

18. Nous pensons, en particulier, à un tableau destiné à la salle de l'Empereur au palais du Luxembourg en mai 1809

(voir à ce sujet notre texte, in cat. exp. *Dominique-Vivant Denon...*, Paris, 1999, p. 342-343)

19. Musée du Louvre, département des Arts graphiques, BC. b5. L13. aut. 992.

20. AN, BB4. 52.

21. Vente J. Le Petit, 22 novembre 1919, Noël Charavay, expert, no 86, cité par Gaston Brière, *BSHAF*, 1922, p. 247. Il s'agit certainement de Fortuné Dufau (1770-1821), élève de David.

22. Baron de Girardot, « Anne-Louis Girodet-Trioson. Série de pièces inédites relatives à cet artiste », *AAF*, t. III, 15 septembre et 15 novembre 1853, p. 32-330. Il s'agit de Joseph Ferdinand Lancrenon (1794-1874).

23. Jean-Baptiste Mauzaisse (1784-1844), élève de Vincent, semble avoir été, notamment, un ami de Gros.

24. Montargis, musée Girodet, inv. Ms. 982.1

25. Le 4 mars 1813, il avertit le duc de Massa qu'il ne pouvait encore rien livrer, bien qu'ayant déjà pourtant plusieurs ébauches dans son atelier, mais celles-ci devaient servir à exécuter les autres copies. Il déclare à cette date en avoir déjà, plus de vingt sur le chantier, AN, BB4. 52.

26. Angers, bibliothèque municipale, ms. 1949 (papiers David d'Angers). Il s'agit de Jean-Bernard Duvivier (1762-1837), élève de Suvée.

27. AN, BB4. 52.

28. Cette lettre, non localisée, est citée, mais non reproduite, in Baron de Girardot, *AAF*, t. III, 1853, p. 31.

29. Cet exemplaire appartenait naguère au Walker Art Center de Minneapolis.

30. L'un de ces tableaux a été déposé par le Louvre à la Maison Bonaparte à Ajaccio. Plusieurs autres sont récemment passés dans le commerce d'art.

31. Publié par Françoias T'Sas, « A propos d'un don munificent d'Émile Brouwet au Musée de l'Armée, *L'Empereur Napoléon Ier en costume du Sacre* par Girodet », *Revue belge d'histoire militaire*, XVIII-5 – mars 1970.

32. Un examen de l'œuvre en cours auprès de l'Institut royal du Patrimoine artistique permettra peut-être de donner une réponse à cette question.

33. Miniature sur porcelaine, 15,5 x 11,5 cm – portant au dos une inscription : « [...] d'après nature [...] en 1813, et 1814 », Paris, fondation Napoléon, inv. 654 (donation Lapeyre) ; voir cat. exp. *Trésors de la Fondation Napoléon. Dans l'intimité de la cour impériale*, Paris, Musée Jacquemart-André, septembre 2004-avril 2005, p. 70-71.

34. Ainsi, au dos d'un portrait de Pauline Borghese (conservé au musée de Malmaison), Robert Lefèvre, portraitiste de chic s'il en fut alors, dut-il inscrire : « fait d'après nature, à la demande de son acquéreur en 1818, George Watson-Taylor ».

35. Musée du Louvre, département des Arts graphiques, album RF 41.385, f° 7 recto et 23 verso.

36. *Ibidem*, album RF 41.385, dessin d'après une planche gravée par Léonard Gautier (1561 - vers 1630) pour les psaumes de David.

37. On ne sait exactement combien de portraits impériaux furent commandés à Gérard, mais il est peu probable que leur nombre eût approché les trente-six de Girodet.

38. AN, BB4. 52, lettre publiée par Henri Stein, « Girodet-Trioson, peintre officiel de Napoléon », *Annales de la Société du Gatinais*, t. XXV, no 2, 1907 p. 358-359.

39. Bajou, Lemeux-Fraitot, 2002, p. 256.

**cat. 77 Benoît Agnès Trioson regardant
des figures dans un livre**

Huile sur toile, 73 x 59 cm
Montargis, musée Girodet, inv. 988-27

Hist. Coll. Becquerel-Despréaux ; coll. de Rosa Becquerel-Despréaux, sa
fille, mariée en 1847 à Edmond Filleul ; par descendance dans la famille
Filleul ; coll. colonel Paul Filleul qui le lègue au musée sous réserve
d'usufruit en 1945 ; entré dans les collections du musée en 1976.
Exp. 1798, Paris, Salon de l'an VI, n° 195 (*Un jeune enfant regardant des
figures dans un livre*) ; 1936, Paris, n° 325 ; 1967, Montargis, n° 21 ; 1972,
Londres, n° 107 ; 1980, Sydney, Melbourne, n° 59 (repr.) ; 1987, Tokyo,
Hiroshima, Fukuoka, Shizuoka, n° 100.

Bibl. Anon., *Explication des ouvrages de peinture…* an VI (1798), n° 195,
p. 32 ; Lebrun, 1798, coll. Deloynes, t. XIX, n° 534, p. 714 ; Anon., *Journal
d'indications*, 1798, coll. Deloynes, t. XX, n° 541, p. 208-209 ; Doix, an VI
(1798), p. 24-25, coll. Deloynes, t. XIX, n° 531, p. 692-693 ; Coupin,
1829, t. I, p. lix ; Mathieu-Meusnier [dans Montaiglon, 1861], 1861, vol.
I, p. 317-319 ; Escholier, 1941, p. 77 ; Levitine, 1952 (1972), p. 323-325 ;
Gonzales-Palacios, 1973, p. 45 ; Bernier, 1975, p. 54 ; Nevison Brown,
1980, p. 223 ; Heim, Béraud, Heim, 1989, p. 225 ; Laveissière, in *Musée du
Louvre, Nouvelles acquisitions du département des peintures 1991-1995*, 1996],
1996, p. 181 ; Halliday, 1999, p. 97-102 ; Lafont, 1999, p. 52 ; Kurtz, 2000,
p. 69 ; Lafont, 2001, t. II, n° 113, p. 424-426 ; Dagorne, Lemeux-Fraitot,
2005, p. 5.

Portraits de famille

Girodet disciple de Rousseau

À la fin du mois d'octobre 1795 [1], Girodet, rentré d'Italie, s'attarde au Verger, sa campagne de Montargis, tout proche de celle du docteur Trioson, le château des Bourgoins. En raison de ses difficultés à trouver un atelier qui lui convienne et des malheurs [2] qui vont accabler la famille Trioson, il reste longtemps auprès du docteur. Pendant ces séjours, Girodet va entreprendre une tâche tout à fait inhabituelle : peindre exécuter à des dates proches – 1797, 1800, 1803 – trois portraits du même enfant, Benoît Agnès, le fils de Trioson. Résultat plutôt que projet, cette série due à l'affection de Girodet pour l'enfant, voire de commandes passées par son père, est unique dans l'histoire de la peinture et seuls peut-être les autoportraits d'artistes qui poursuivent avec obsession leur propre image et le théâtre de ses transformations dans le temps nous donnent l'idée d'une démarche cognitive équivalente.

Benoît Agnès est né en 1790, deux ans après le mariage du docteur Benoît François Trioson avec Jeanne Marie Mallet. Ce mariage est une première union pour le docteur, déjà âgé de 53 ans. Son épouse, une jeune veuve de 28 ans, avait perdu son mari, Pierre Brouet, quatre ans auparavant. Elle avait eu deux enfants de ce premier mariage, Marie Virginie [3] [ill. 252], et Pierre Eugène, surnommé Romainville [4]. Au printemps 1790, quand Girodet part en Italie [5], le seul enfant que Trioson a eu de Jeanne Marie Mallet n'est qu'un nourrisson [6]. Il est surnommé Ruhaus ou Ruoz [7], déformation de Ruhehaus, ancien nom des Bourgoins, la propriété de son père et son héritage. Girodet le retrouvera cinq ans plus tard à l'âge de l'apprentissage de la lecture. L'enfant fait l'objet d'une attention particulière de la part de son père qui avait déjà exercé ses dons de pédagogue sur le tout jeune Girodet [8]. La pédagogie est au cœur des trois portraits de Girodet qui mêle ses propres souvenirs d'enfance quand il s'attache à l'évolution psychologique de «Ruhehaus».

L'enfant regardant dans un livre

Le premier portrait est présenté au salon de 1798 [9], sous le titre *Jeune Enfant regardant des figures dans un livre* (cat. 77) [10]. L'enfant pose de trois quarts, assis sur un coussin damasquiné. Sur sa table, un livre in folio ouvert porte le titre « Figures de la Bible » [11]. La page est ouverte à l'histoire de Tobie qui raconte le dévouement d'un fils pour son vieux père [12]. Contrairement au titre du tableau, l'enfant ne regarde pas les figures de son livre mais bien plutôt nous-mêmes, qui le regardons. Son air est profondément mélanco-

III. 250 Chardin, *Jeune homme jouant avec des cartes*
Huile sur toile, Washington, National Gallery of Art

III. 251 Greuze, *Le Petit Paresseux*
Huile sur toile, Montpellier, musée Fabre

lique, voire somnolent, comme s'il avait été arraché à sa lecture par notre présence ou par celle du peintre. De la poche de sa jupe enfantine de coton chamois sort un bilboquet à boule d'ivoire. Le tiroir de son bureau ouvert, clé dans la serrure, contient un jeu de cartes dont on distingue un valet de trèfle et l'on voit dans le compartiment des encriers un valet de cœur. Dans le tableau qui comprend peu d'accessoires, dominent les variations chaudes de brun, marron glacé, teinte bois, châtain foncé. Le costume de l'enfant est légèrement désordonné, le col de sa chemise blanche immaculée largement ouvert. Ses manches sont retroussées au-delà du coude comme s'il venait d'abandonner des jeux plus actifs que la lecture. Sa longue et épaisse chevelure bouclée, partagée par une raie au milieu, tombe librement sur ses épaules. À cause de sa jupe et des boucles de sa chevelure déliée, il a longtemps été pris pour une petite fille [13] mais les codes «gender» sont mobiles et changent dans l'histoire. Cette tenue légèrement débraillée ainsi que le négligé de la chevelure sont caractéristiques d'un jeune garçon de la fin du XVIIIe siècle. Les garçons, jusqu'au début du XXe siècle, ont continué à porter des jupes dans l'enfance. Le désordre dans la tenue des enfants est, au XVIIIe siècle, constamment associé à la vitalité énergique des garçons. Une petite fille, même d'un milieu inférieur à celui du docteur Trioson, eût été représentée avec une chevelure attachée, la tête presque toujours couverte et un vêtement plus ordonné [14].

Benoît Agnès est ici tout au plus âgé de sept ou huit ans. Tendrement solidaire de son modèle, le peintre fait de son flegme mélancolique le vrai sujet de son tableau : la révolte muette de l'enfance contrainte à l'étude qui le frustre des jeux qui l'entourent. Sa tristesse est profondément différente du sérieux enfantin du tableau de Chardin, *Un jeune homme jouant avec des cartes* [ill. 250] [15] et cette vision d'une enfance, rêveuse, rebelle est bien sûr celle de *L'Émile* qui apparut comme une nouveauté absolue

à la fin du XVIIIe siècle. Grand lecteur de Rousseau, Girodet transportait les vingt-sept tomes de son œuvre complet quand il quitta Naples [16].

Avant Rousseau, l'enfant était perçu comme un adulte de petite taille, sans caractère distinctif du jeune âge. Émile, héritant de la rébellion de Rousseau, ne lit pas avant un âge avancé : «La lecture, écrit Rousseau, est le fléau de l'enfance, et presque la seule occupation qu'on lui sait donner. À peine à douze ans Émile saura-t-il ce que c'est qu'un livre [17].» Montrer l'ennui de l'enfant étudiant devient un thème pictural propre au XVIIIe siècle finissant ; Greuze, en 1755, avait montré *Le Petit Paresseux* [ill. 251] [18] plongé dans un profond sommeil devant son livre ouvert. Curieusement, le critique Chaussard [19] qui reconnaît l'influence de Rousseau dans le *tableau de famille* que Mérimée présente aussi au Salon de 1798, ne la perçoit pas dans le portrait de Girodet. Le tableau reçut d'ailleurs un accueil mitigé et la spécificité du portrait d'enfant comme catégorie particulière de

III. 252 Girodet, *Virginie Brouet*
Dessin, coll. part.

cat. 78 Détail du livre de grammaire latine

l'investigation psychologique échappa entièrement à la critique qui le traita à l'aune de tous les autres portraits. La technique surtout retint l'attention. Le partage des ombres sur le visage et le dessin des mains déplurent[20]. La grâce du modèle fut remarquée mais jugée un peu froide[21]. Les efforts de Girodet pour peindre la différence des âges ou celle des races ne furent perçus que pour le portrait du député noir Belley **(cat. 66)**, montré au même Salon mais qui, plus spectaculaire et plus provocateur, remporta toute l'attention et tous les suffrages. Pourtant, lorsque ces deux tableaux furent momentanément retirés du Salon afin de dégager de la place pour les tableaux d'histoire, Girodet protesta avec la même véhémence pour son portrait d'enfant que pour celui de son député noir : il les considérait être tous deux comme deux tableaux d'histoire[22]. Il eut gain de cause et les deux tableaux furent n'en rejoignirent pas moins les cimaises.

Dans une lettre de Rome à Mme Trioson, du 24 novembre 1790, Girodet avait pris le parti du jeu contre la lecture dans l'éducation des enfants : «[…] j'aime mieux lui savoir à présent le goût de la toupie que celui des livres[23].» Dans *Le Peintre*, versifiant sur ses années d'enfance, on ne sait s'il parle de lui ou du portrait de Benoit Agnès quand il écrit : «que ronfle la toupie et roulent les cerceaux/[…][24].» À l'âge de Benoit Agnès, dès 7 ans, Girodet avait été envoyé à Paris à la pension Watrin, il décrit dans les respectueuses lettres envoyées à ses parents les progrès faits en dessin et en latin. Toute

son éducation est alors étroitement surveillée par le docteur Trioson qui informe les parents de ses perfectionnements. Une autre identification, plus dramatique, s'offrit à Girodet lorsque le jeune Ruoz perdit sa mère. Girodet avait perdu la sienne à l'adolescence, et ce deuil rapprochait encore le peintre et son modèle. Neuf mois plus tard[25], c'est Romainville, demi-frère et compagnon de jeux de Ruoz qui meurt à son tour.

Jeune enfant étudiant son rudiment

Le sentiment mélancolique de l'enfant est plus sensible encore dans le second portrait de Benoît Agnès, peint près de trois ans plus tard, en 1800. Le tableau, de mêmes dimensions que le précédent, explore à nouveau la résistance à l'étude. L'apprentissage est cette fois dans le titre même de l'œuvre : *Jeune enfant étudiant son rudiment* **(cat. 78)**. Mais une fois encore, le jeune enfant n'étudie pas, loin s'en faut, et si le rudiment est bien là, il s'en détourne, le tenant négligemment de la main droite tandis que sa main gauche est posée sur sa joue, dans l'attitude traditionnelle de la mélancolie depuis Dürer. Benoît Agnès a maintenant dix ans. Il a grandi, ses cheveux sont plus courts, son visage moins poupin. Comme dans les allégories de la Mélancolie de Dürer ou de Domenico Fetti[26], les instruments du savoir sont dispersés et abandonnés avec négligence. Dans la définition du *Dictionnaire de la fable* de François Noël, l'âme mélancolique «ne reçoit des objets qui l'entourent aucune impression[27]». Benoît Agnès s'en détourne entière-

ment, la tête tournée vers la gauche du tableau, u espace vide d'où semble venir la lumière. Il ne com munique ni avec l'extérieur ni avec le peintre, com me dans son précédent portrait ; son regard est pens absent comme ces regards aveugles qui poursuiver une rêverie intérieure.

Un *Enfant étudiant son rudiment* appartient à un période où Girodet insiste sur les accessoires signi fiants de ses tableaux, allant jusqu'à une saturatio du sens comme dans *Ossian* ou dans ses deux *D naé*. L'enfant est accoudé sur le dossier d'un fauteu voltaire recouvert de cuir jaune. Sur le siège est jet en vrac un fatras de cabinet de curiosités, un pêle mêle d'objets incongrus comme on les voit dar la tradition des trompe-l'œil des écoles du Nord Un violon aux cordes cassées, ou tendues par un coquille de noix fait immédiatement songer à l période destructrice d'Émile qui «discole, gât tout ce qu'il touche[29]». Sur les cordes du violo court un hanneton attaché par la patte à un fil qu s'enroule le long d'un porte-crayon, piqué dar un triste guignon de pain sec. Le fil remonte lor guement jusqu'à une épingle plantée sur le cor d'un papillon mort, les ailes ouvertes. L'enfant tier négligemment son rudiment de grammaire latin ouvert à la page du verbe réjouir. On lit distincte ment : «les rudiments, verbes neutres passifs de l 2ème conjugaison», avec au-dessous : «On appel un verbe neutre passif parce que…» puis le text devient illisible. Plus bas on lit : «indicatif présen Gaudeo, je me réjouis, imparfait, gaudegam, je m réjouissais» et suit, peu lisible, le reste de la conju gaison. Rebelle, l'enfant s'est vengé avec son crayo en gribouillant sur le fatidique rudiment, macul d'encre, un bonhomme soldat portant bonnet d hussard et épée. La page opposée est moins lisib et semble être consacrée aux conjugaisons. Un feuille froissée posée sur le siège du fauteuil, port l'inscription incompréhensible «ifanfreluquiro coxycabrinborionycue», facétie sur les déclinai sons, ou encore refuge enfantin du langage autis tique. Rousseau comptait «l'étude des langues a nombre des inutilités de l'éducation […] jusqu' l'âge de douze ou quinze ans […][30]». Peut-on voi une tendre critique adressée à l'éducateur Trioson L'exposition du tableau au Salon incite à pense que Girodet souhaitait lui accorder une significa tion qui débordait la sphère privée du milieu fam liale. Par ailleurs, la maxime de La Rochefoucaul inscrite sur une page traînant sur le fauteuil : «Il y des reproches qui louent et des louanges qui médi sent[31]», improbable dans les papiers d'un enfant d dix ans, semble bien un avertissement à la critiqu artistique. C'est certainement avec elle que Gir det veut en découdre plus qu'avec son ami Trioso L'affaire Lange[32] n'est pas si loin et Girodet s'e

**cat. 78 Jeune enfant étudiant son rudiment,
ou Benoît Agnès Trioson étudiant son rudiment**

...ile sur toile, 73 x 59,5 cm

...onogrammé et daté en bas à gauche : *ALG 1800*. Au revers
... étiquette manuscrite : *Mme Tiersonnier 9 rue de Penthièvre*
...is, musée du Louvre, inv. R.F. 1991-13

... Coll. Rosine Becquerel-Despréaux, née Girodet, nièce et
...itière du peintre ; n° 31 de l'inventaire après décès de Denis
...enne Becquerel-Despréault, 4 mars 1835 : «Un tableau
...ginal de Girodet représentant le jeune Trioson appuyé
... le dos d'un fauteuil, et tenant un livre et tenant un livre
...vert dans sa main droite prisé trois cent francs» (Voignier,
...5, p. 46) ; coll. Rosa Becquerel-Despréaux, sa fille, mariée
...1847 à Edmond Filleul ; par descendance dans la famille
...eul jusqu'en 1976 ; coll. Arode de Peyriague ; vente de la
...ction de tableaux anciens de la famille Arode de Peyriague,

Sotheby's Monaco, 21 juin 1991, n° 25 ; acquis par le musée
du Louvre.
Exp. 1800, Paris, Salon de l'an VIII, n° 169 (*Un jeune enfant
étudiant son rudiment*) ; 1936, Paris, n° 324 ; 1967, Montargis,
n° 23 (repr.)
Bibl. Anon., *Exposition des ouvrages de peintures…*, an VIII
(1800), n° 169, p. 30 ; Chaussard, *Bulletin universel des sciences, des
lettres et des arts*, non daté, 1800, p. 27-29, n° 4 ; Lebrun, 1800,
coll. Deloynes, t. XXXIII, n° 640, p. 256 ; Bruun Neergaard,
1801, p. 41 ; Coupin, 1829, t. I, p. lix ; Levitine, 1952 (1978),
p. 325-330 ; Laclotte, in cat. exp. Montargis, 1967, non paginé ;
Rosenblum, 1969, p. 100-101 ; Gonzales-Palacios, 1973, p. 42,
45 ; Bernier, 1975, p. 54, 57 ; Nevison Brown, 1980, p. 176-179 ;
Toussaint, in cat. exp. Sydney, Melbourne, 1980, p. 119-120 ;
Bailey, 1989, p. 234 ; Sotheby's, *Sotheby's Preview*, 1991, p. 26 ;
Closel, 1991, p. 124 ; Sotheby's Monaco, cat. de la vente du

21 juin 1991, p. 42-44 ; Murat, 1991, p. 42-43 ; Deflassieux,
1991, p. 17 ; Georgel, 1991, p. 244-245 ; Rosenberg, 1991,
n° 4, p. 11 ; Rosenberg, 1992, p. 23 ; *Musée du Louvre, Guide du
Visiteur. La peinture française*, 1993, p. 119 ; Cuzin, 1996, p. 93
-94 ; Laveissière, in *Musée du Louvre. Nouvelles acquisitions du
département des peintures 1991-1995*, 1996, p. 181-184 ; Lafont,
1999, p. 52 ; Riopelle, dans Russell, Vaizey, 1999, p. 236 ;
Temperini, in Rosenberg, 1999, p. 645 ; Kurtz, 2000, p. 63 ;
Voignier, 2005, p. 46 ; Dagorne, Lemeux-Fraitot, 2005, p. 5,
8,11.

Œuvres en rapport

Gravure de Monsaldy et Devisme : *Vue des ouvrages de peinture…*
(BNF, Est. Ef. 248, pl. II) montrant l'accrochage du Salon ;
lithographie par Levilly (BNF Est. Dc 48).

cat. 79 La Leçon de géographie

Huile sur toile, 101 x 79 cm

Monogramme : *ALGR 1803.*

Au dos, une étiquette sur le châssis : *Rue de la Cha. Antin N.29/ JULES BERVILLE/Papeterie et couleurs fines/FOURNITURES DE BUREAUX/Magasin de tous les objets nécessaires pour la Peinture/à l'huile, l'Aquarelle, la Miniature et le Dessin/LOCATION DE TABLEAUX/DESSINS & MANNEQUINS/D'ARTISTES : ENCADREMENS DE TOUS GENRES/RESTAURATION DE TABLEAUX/PARIS.*

Montargis, musée Girodet, inv. 005.1.1

La Leçon de géographie a été acquise en 2005 par l'Agglomération Montargoise Et rives du Loing (AME) pour le musée Girodet, grâce à une aide exceptionnelle du fonds du patrimoine décidée par le Ministre de la culture et de la Communication. Cette acquisition a bénéficié du soutin de la Région Centre et du Conseil Général du Loiret. La Lyonnaise

des eaux-Suez, la Chambre de Commerce et de l'Industrie du Loiret, Cegedim, les transports Tendron, la Société des amis des musées de Montargis, le Rotary Club de Montargis, et plusieurs particuliers de la région montargoise ont également contribué à cette acquisition.

Hist. Coll. Virginie Liger née Brouet; coll. Pauline Liger (sa fille), veuve Frédéric Bourguignon en 1829 (Coupin 1829, t. I p. lx) ; coll. Itasse en 1936 ; marché de l'art parisien en 2004, acquis par le musée Girodet en 2005.

Exp. 1806, Paris, Salon, nº 225 (*Portrait de M. le docteur T**, donnant une leçon à son fils*) ; 1936, Paris, nº 326 ; Montargis, 2005, sans numéro.

Bibl. Anon., *Explication des ouvrages de peinture…,* 1804, nº 211 (*Portrait de M. Trioson, docteur en médecine, donnant une leçon de géographie à son fils*) ; Chaussard, *Le Pausanias Français,* 1806, p. 418 ; Anon. coll. Deloynes, t. XXXII, nº 880, p. 103-104 ; Coupin, 1829, t. I, p. lx ; Marquet de Vasselot, 1880, p. 221-

222 (reprend le *Pausanias français* de 1806) ; Escholier, 1⁹ t. I ; Levitine, 1952 (1978), p. 332-334 ; Levitine, 1957, p. Gonzales-Palacios, 1973, p. 45 ; Bernier, 1975, p. 56 ; Nevi Brown, 1980, p. 223, 430 ; Anon., *L'Estampille, L'Objet d* nº 247, 1991, p. 15 ; Laveissière, in *Musée du Louvre, Nou acquisitions du département des peintures 1991-1995,* 1⁹ 1996, p. 182 ; Lafont, 1999, p. 52-53 ; Kurtz, 2000, p. 69, fi Dagorne, Lemeux-Fraitot, 2005, p. 9.

Œuvres en rapport

Miniature reprenant le sujet, avec en note : «mort à l'âge 15 ans», coll. part.

Portrait de Benoît-Agnès Trioson de profil, huile sur toile, 46 38 cm, coll. part. [ill. 253]

Copie anonyme du précédent, huile sur toile, 73 x 59 Montargis, musée Girodet.

79 Détail de la mouche

Ill. 253 Girodet, *Benoît-Agnès Trioson de profil*
Huile sur toile, coll. part.

vient au moins autant que le chroniqueur de la [*Dé*]*ade philosophique* qui écrit que «les petites con-[tra]riétés que Girodet a éprouvées semblent avoir [aug]menté son talent[33].»

[À] Le Salon de 1800, peut être en partie à cause de [l'af]faire Lange et plus généralement en réaction à [l'é]talage de nudités», tentait un retour à l'ordre[34]. [De] nouveau, l'exposition est organisée par un jury [au]quel sont soumises toutes les œuvres destinées à [être] présentées. Toujours indiscipliné et sans res-[pec]t pour le nouveau règlement, Girodet envoie ses [œu]vres avec retard[35]. Le contrôle du jury de 1800 [n'em]pêcha d'ailleurs pas la le foisonnement de por-[trai]ts et sur 380 tableaux et dessins, on en comptait [15]0[36]. Girodet expose trois portraits et ses dessins [pou]r l'illustration d'*Andromaque*[37], mais c'est surtout [le] *Portrait de Mme [de Bonneval]*[38] *en robe blanche* qui [re]tenu l'attention[39]. Non seulement Girodet ne [sou]mettait pas de tableau d'histoire là où le public [l']attendait, mais ses personnages étaient des inconnus. [Le] *Mercure de France* s'insurge : «L'histoire et le public [ne] lui prescriviaient rien à leur égard[40].» Symptoma-[tiqu]e d'une époque qui s'intéresse peu à la psycho-[log]ie de l'enfance, le portrait passe inaperçu. Boutard, [aga]cé par la récidive, écrit : «Girodet avait fourni à [la] dernière exposition le portrait d'un petit garçon, [qui] avait tout a fait l'air d'un enfant, son bilboquet [sor]tait de sa poche, il était appuyé sur un livre ouvert, [re]gardait les passants. La lumière qui l'éclairait ne [pro]duisait aucun effet que celui du jour que répand [or]dinairement le soleil. Je ne sais si cela lui avait coûté [moi]ns de peine à faire que l'enfant au rudiment de [cet]te année mais on était en général fort content de [ce]lui de l'année passée.» Habituellement plus perspi-[cac]e, Chaussard n'a que l'intuition de la dimension

pédagogique du tableau, encore qu'il n'attache aucu-ne importance à la gravité mélancolique de l'enfance. Il écrit : «Portrait d'un vrai nébulo : enthousiaste de la polissonnerie de collège, Girodet a pris la malice et l'espièglerie sur le fait. Ce tableau en respire toute la verve.» De façon général, la critique habituée aux jolies frimousses des enfants de Fragonard[41], ou aux enfants modèles de Greuze[42] et de Lépicié[43], plus à l'aise avec l'enfance ludique de Fulchran-Jean Har-riet[44] ne reconnaît pas la particularité des enfants gra-ves et rebelles de Girodet.

Comme l'avait perçu Chaussard, le peintre avait une nouvelle fois pris le parti de son modèle, il sympa-thise avec sa tristesse et la justifie. Observateur atten-tif, il en fait le sujet de son tableau et plonge au cœur du psychisme enfantin, dénonçant avec Rousseau l'ennui de la rébarbative leçon latine. Il perce la vul-nérable bulle autistique où se réfugie Benoît Agnès, se moque avec lui de l'ordre adulte et se montre fin connaisseur des jeux de l'enfance. Le peintre sou-ligne néanmoins leurs pulsions destructrices et leur sadisme en germe : ainsi le hanneton, alors insecte très populaire et très maltraité par les enfants. Rodol-phe Töppfer[45] raconte qu'à un âge trop avancé pour qu'il s'agisse de «l'attacher à un fil pour le faire voler ou l'attacher à un petit chariot» il y avait encore bien des façons de s'amuser avec les hannetons. Avec un singulier discernement, Girodet note le sadisme de la sexualité naissante, l'éveil de la curiosité et la révolte dans le repli sur soi ou à travers des expressions plus spontanées comme le dessin : recherche d'une rela-tion de l'enfant avec le monde. Pierre Georgel, dans son article sur les dessins d'enfant dans la peinture, a le premier perçu la pénétration psychologique de Girodet[46] qui «n'atténue la difformité, n'en camoufle

les profondeurs suspectes, qu'il souligne au contraire par un luxe de détails cruels[47]». Son interprétation est aujourd'hui renforcée par quelques dessins d'en-fant de Girodet qui sont parvenus jusqu'à nous, tels la feuille du bonhomme au chapeau pointu[48], le dessin «à mon mètre» [ill. 14][49] ou *La Mort de Sophonisbe* [ill. 13] une œuvre bien plus aboutie, supérieure aux dessins libres de l'enfance, probablement effectuée avec un maître[50].

Girodet projette, dans *Enfant apprenant son rudi-ment* comme dans sa littérature, des éléments per-sonnels de sa vocation précoce. Le poème *Le Peintre* consigne l'épanouissement d'un enfant qui peut être indifféremment Benoit Agnès ou Girodet en person-ne : «L'enfant que son génie appelle à la peinture, / A peine voit le jour ; déjà de la nature / le spectacle imposant captive ses regards. / [...]De chaque objet nouveau son œil observateur/Déjà sait remarquer la forme et la couleur. / Hâtez-vous de serrer les car-tons, les écrans,/La gravure de prix et le rare volume ; / Car l'encre, à flots pressés jaillissant de sa plume, / Va barbouiller sans choix, l'estampe de Callot, / Ou le livre classique de Didot. / [...] Son maître entrave-t-il ce docte amusement ? / il s'en venge : soudain, son oisif rudiment/plaisament griffonné, présente la fi-gure / De ce pédant fâcheux peint en caricature[51]»

La précocité de la vocation artistique est certes un lieu commun de l'hagiographie ; plus important est le caractère proprement enfantin du dessin griffonné sur la page de grammaire. Avec un sens étonnant des mécanismes psychiques de l'enfance, Girodet in-vente un véritable dessin d'enfant, libre et imagina-tif, précédant la discipline qu'apportera l'éducation. Peu d'artistes, à la fin du XVIIIe siècle, ont reproduit comme lui, avec une telle précision, la créativité et la

Ill. 254 Domenico Ghirlandaio, *Portrait d'un vieillard et d'un jeune garçon*
Huile sur bois, Paris, musée du Louvre

liberté du dessin enfantin s'opposant à l'étude. Plus tard, avec le développement de la pédagogie enfantine ces dessins seront considérés comme l'expression cruciale de la personnalité et à ce titre, fondamentaux pour la psychanalyse des enfants : pour Donald Winnicott[52], le dessin des enfants permet d'accéder à leur réalité. Il est remarquable que Girodet mette en relation le mutisme de son modèle et l'affirmation du moi à travers ce petit soldat, image élaborée, avec vêtements, tête, chapeau, pipe et épée, dont Benoît Agnès outrage l'austère leçon de grammaire. La curiosité du peintre pour cette forme d'expression est peu conforme avec l'idéal académique qui ne valorise guère les expressions «incultes». Chez Girodet, le dessin d'enfant rejoint l'intérêt qu'il porte à ce qu'il considérait comme «des expressions sauvages» que Dubuffet appelait «l'art brut».

Les objets qui entourent Benoît Agnès ont perdu le caractère heureux de ceux du premier portrait. Le clair-obscur qui les baigne, l'atmosphère mélancolique, leur étrange et dérisoire rapprochement, contribuent à évoquer le funèbre. Devonsnous oublier que le hanneton est aussi le scarabée de l'immortalité chez les Égyptiens ? Le papillon sacrifié, symbole de l'âme dans l'Antiquité, est aussi celui des heures qui passent sur la fresque du *Banquet des dieux* à la Farnésine ou bien dans les décors florentins du plafond de la terrasse de Saturne et ceux de la salle des Éléments du Palazzo Vecchio. Vasari, dans son *Ragionamenti*[53] ne nous rappelle-t-il pas «qu'il n'est pas chose plus légère que l'heure ni qui nous fuit plus vite».

Leçon de géographie

Le troisième portrait de Benoît Agnès est peint trois ans plus tard, en 1803. L'enfant a donc main-

tenant treize ans. C'est l'enseignement du docteur quiest le sujet et le titre de la peinture : *Portrait du docteur Trioson donnant une leçon de géographie à son fils*. Perdu depuis la mort de Girodet, le tableau vient d'être acquis par le musée de Montargis qui complète ainsi ses collections. Dans cette ultime représentation de Ruoz, l'enseignement de Trioson semble avoir eu raison sur celui de Rousseau : hommage au pédagogue, éducateur de Girodet avant d'être celui de Benoit Agnès, c'est Trioson et l'univers de sa bibliothèque qui occupent la position centrale. Derrière le maître, on aperçoit des ouvrages médicaux[54], surmonté du buste d'Hippocrate, peut être celui que Girodet se proposait de retrouver pour remplacer le plâtre qu'il avait perdu à Rome[55]. L'enfant ne résiste plus à l'étude, il n'est plus seul parmi ses devoirs, et le père, pédagogue et intermédiaire de la curiosité, lui enseigne la géographie devant un globe terrestre. Debout, placé à droite du docteur, derrière une table ronde recouverte de feutre bleu, Benoît Agnès, vêtu d'une élégante redingote marron, a l'air maintenant d'un petit monsieur. Il porte une cravate parfaitement nouée. Plus rien dans son attitude n'exprime la révolte ou le refuge intérieur. Le rudiment boudé dans son précédent portrait a apparemment porté ses fruits, il sait lire le latin et sa main gauche recouvre un livre à reliure rouge, un volume des *Commentaires* de César. Trioson aide son fils à placer sur le globe la partie du monde concernée par sa lecture, l'Afrique romaine où César écrasa Pompée : l'histoire conduisant donc à la géographie. Présenté de face, Trioson est profondément absorbé dans l'observation de son fils peint entièrement de profil. Il a l'âge d'être le grand-père de l'enfant et l'intimité qui les lie est très frappante. Interrogateur et tendre, le regard du père est intensément concentré sur l'expression de l'enfant, comme s'il n'en voulait manquer aucun mouvement et s'assurer qu'il avait compris. Cette tendresse du pédagogue constitue l'élément le plus bouleversant du tableau **(cat. 79)**. Dans son *Portrait du docteur Trioson en redingote blanche* **(cat. 80)**, un tableau tout à fait contemporain également conservé au musée de Montargis, Girodet avait saisi l'expression bonhomme du docteur, cette fois son visage s'est animé de sa raison d'être : l'amour paternel. Outre ce portrait, peint de face, Girodet a réalisé un profil de Benoît Agnès **[ill. 253]**[56], comme si les deux tableaux préparaient chacun à leur manière la composition définitive. En associant un portrait de face et un portrait de profil dans une même toile, *La Leçon de géographie* reprend une typologie caractéristique de la Renaissance, celle du *Portrait d'un vieillard et d'un jeune garçon*[57] de Domenico Ghirlandaio **[ill. 254]**, par exemple.

Selon une habitude qui lui est propre, Girodet tend a transformer son tableau en un hommage à la

peinture, ou plus exactement il ajoute une leçon peinture à la *Leçon de géographie*. Ainsi, la mouche trompe l'œil posée sur le globe, poncif du pouvoir lusionniste du peintre ajoute t-elle un autre clin d' à la tradition de la Renaissance. Plus explicite e core est la grappe de raisins que Ruoz a commen à grignoter. Elle introduit, comme dans le jeu sept erreurs, la fameuse anecdote de Pline racont que les raisins du grand peintre grec Zeuxis avai l'air si vrai que les oiseaux tentaient de les picore L'hommage au pédagogue n'est pas dénué d'une te dre ironie, et ce portrait d'enfant dompté est enc imprégné de Rousseau : «Je me souviens d'avoir quelque part une géographie qui commençait ain qu'est ce que le monde? C'est un globe de cart Telle est précisément la géographie des enfants. pose en fait qu'après deux ans de sphère et de c mographie il n'y a pas un seul enfant de dix ans, sur les règles qu'on lui a données sût se conduire Paris à Saint Denis[59].»

La mort brutale de Benoit Agnès en 1804 terrompit cette étonnante série qui s'achève sur dessin *post mortem* du visage de l'enfant entouré draperies de son lit funèbre **[ill. 10]**. Cette mort fut drame pour Trioson qui adopta Girodet cinq ans p tard. Le tableau, annoncé pour le Salon de 180 année de la mort de l'enfant, ne fut en définit montré qu'en 1806[61]. Dans son testament olograp Trioson écrivait : «La providence m'a éprouvé d'u manière bien douloureuse et bien pénible, mais e m'avait accordé un fils qui me donnait le courag de supporter toutes mes peines morales et phy ques. Cet enfant précieux et chéri m'a été enle au moment où il commençait à développer des c positions qui me faisaient espérer, en lui recomma dant de mieux faire que moi, qu'il finirait la tâc que je me suis imposée, d'être un citoyen honn et utile[62].» Après le décès de Ruhehaus et peut ê même après celui du docteur Trioson, dans une n du chant premier du *Peintre*, Girodet souligne l lusion bienfaisante des portraits : «[…] O triomp d'un art rival de la nature ! / Céleste illusion, ra sante imposture ! / Des amants séparés par toi s réunis ;/ Tu rends le fils au père, et le père à son f / D'une épouse un époux plaint le trépas funest Il n'a pas tout perdu, son image lui reste ; / Il croi voir encore, encore lui parler ; […][63] » La critique Salon de 1806 formula les habituels reproches rés vés aux portraits qui prenaient la place de l'histo mais en dépit de la *Scène de déluge* qui focalisa to l'attention, on remarqua le naturel et le réalisme la composition : «Cette tête est parfaite, je la conn je la vois, je cause avec elle […][64] ». Pour nous regardons ces tableaux aujourd'hui, le silence gr de ces trois portraits d'enfant est chargé d'une m lancolie et d'une inquiétude particulière. C'est e

cat. 80 Portrait du docteur Trioson en redingote blanche
le sur toile, 67 x 56,5 cm
ntargis, musée **Girodet**, inv. 988-29

coll. Rosine Becquerel-Despréaux, née Girodet, nièce
héritière du peintre (Coupin, 1829 T. I p. lx) ; n° 27 de
ventaire après décès de Denis Étienne Becquerel-Despréault

dressé le 4 mars 1835 ; coll. de Rosa Becquerel-Despréaux, sa
fille, mariée en 1847 à Edmond Filleul ; par descendance dans la
famille Filleul ; coll. colonel Paul Filleul qui le lègue au musée
sous réserve d'usufruit en 1945 ; entré dans les collections du
musée en 1976.

Exp. 1967, Montargis, n° 30.

Bibl. Anon., *Journal de Paris*, 1806, coll. Deloynes, t. XXXVIII,

n° 1042, p. 352-353 ; Coupin, 1829, t. I, p. lx ; Maison, in Laclotte
1979, 1979, t. I, p. 726 ; Nevison Brown, 1980, n° 84 ; Lafont,
1999, p. 53 -54 ; Dagorne, Lemeux-Fraitot 2005, p. 5-6.

Œuvre en rapport

Miniature sur émail par Salomon Guillaume Counis, élève de
Girodet, 8,5 x 7 cm, Montargis, musée Girodet.

notre regard va plus loin que notre connaissance de la seule biographie de Benoît Agnès ou de la réalité du docteur Trioson. Que nous le voulions ou non, nous ajoutons à cette tristesse une conscience du temps, par définition arrêté et toujours déjà passé dans l'art du portrait. Seul le portrait familial et intimement privé autorisait pleinement l'expression de cette angoisse que l'évanescence de l'enfance rend encore plus sensible et dont «les Ruhehaus» de Girodet nous livrent la profondeur mystérieuse et la muette incertitude. Mais l'enfance est familière et comprise par le peintre, elle tourne le dos aux enfants macrocéphales et menaçants de Runge[65] ou ceux, inquiétants d'ambiguïté, que Géricault[66] peindra un peu plus tard.

S. B.

Notes

1. Lettre inédite à madame Trioson, adressée de Genève le 9 octobre 1795, Girodet écrit qu'il rentre par « la diligence qui part directement d'ici pour Paris ». Fonds Pierre Deslandres, déposé au musée Girodet de Montargis, T. III, n° 80.

2. Mme Trioson mourut le 21 septembre 1796 et son fils Romainville Brouet disparut l'année suivante à l'âge de 13 ans et demi (le 19 prairial de l'an V, [7 juin 1797]). Jeanne Marie Mallet était née le 11 novembre 1760 à Montargis. Le 29 octobre 1777, elle épouse Pierre Brouet, procureur au parlement de Paris et administrateur perpétuel de l'hospice du collège royal de Chirurgie. Ce dernier mourut le 14 janvier 1786, après neuf ans de mariage dans son domaine du Croc situé près de Montliard prés de Bois-Commun dans l'Orléannais (étude Me A.B. Belurey. LXXXII, liasse 555, AN, minutier central ; voir Lafond, 1999, p. 49 et 55 note 27). Le 21 mars 1788, elle se remaria avec le docteur Trioson (*ibidem*).

3. Née à Paris le 18 octobre 1778.

4. Le nom de Romainville qui a intrigué les exégètes de Girodet vient d'une terre située au-dessus de Beaune-la-Rolande, arrondissement d'Orléans. C'est une tradition de la bourgeoisie de l'Ancien Régime que de désigner les enfants mâles par le nom d'une terre qui leur est promise. C'est cette coutume qui prévalait dans le nom de Girodet de Roussy, du nom de sa terre de Roussy.

5. La lettre de d'Angiviller à Ménageot du 18 avril 1790 annonce le départ de Girodet pour Rome (voir Montaiglon, Guiffrey, 1907, t. XV, p. 422).

6. Lettre inédite d'Anne Louis Girodet au docteur Trioson, Rome, 3 novembre 1790, fonds Pierre Deslandres, déposé au musée Girodet de Montargis, t. III, n° 12.

7. Acquise par Trioson en 1775 (Lafont, 1999, p. 49).

8. À partir de l'année 1774. Girodet avait alors 7 ans. Voir les lettres de M. et Mme Girodet et les lettres d'enfance de Girodet à ses parents. Fonds Pierre Deslandres, déposé au musée Girodet de Montargis, T. I.

9. *Explication Des ouvrages de Peinture, Sculpture, Architecture, Gravure, Dessins, Modèles, etc. exposés dans le Salon du Musée central des Arts, le 1er Thermidor an VI de la République, n° 195.*

10. Musée Girodet Montargis, inv. 988-27.

11. Il s'agit probablement de l'ouvrage *Figures de la Bible*, La Haye, Pierre de Hondt, 1728, 1 vol. *in-folio*, 1 titre-frontispice gravé et 212 planches gravées hors-texte dont 29 doubles, d'après Picart, Van Leiden, etc.

12. Toussaint, 1980-1981, p. 121.

13 Le catalogue de l'exposition *Gros ses amis ses élèves*, Petit Palais, Paris, 1936, p. 183 liste les trois portraits de Benoît-Agnès par Giropdet. Le n° 325, « La Jeune Trioson » doit correspondre au *Jeune enfant regardant des figures dans un livre* qui seul a fait l'objet de confusions de genre. Dans le catalogue de l'exposition Girodet (1767-1824), exposition du deuxième centenaire, musée de Montargis 1967, le portrait est exposé, n° 21, sous le titre de *Portrait présumé de Mademoiselle Trioson*. Gayle Rodda Kurtz, 2000, p. 69 et Nevison Brown, 1980, p. 151, maintiennent l'identité féminine du portrait et y voient un portrait de Virginie Trioson.

14. Voir par exemple les portraits de Louis Lagrenée, *Jeune Femme au pigeon*, coll. part. ou les portraits de Greuze, *La Lavandière*, Harvard University Art Museum, ou les figures du contrat de mariage, musée du Louvre.

15. Chardin, *Jeune homme jouant avec des cartes*, huile sur toile, Washington, National Gallery. Montrée au Salon de 1737,

16. Emilie Beck Saiello, « Alcuni documenti inediti su Gir[...] a Napoli », *Ricerche di Storia dell'arte*, n° 81, 2003, p[...] 109.

17. Jean-Jacques Rousseau, *Émile ou de l'éducation*, liv[...] Gallimard, coll. « Bibliothèque de la Pléiade », 1969, p. 3[...]

18. Jean-Baptiste Greuze, *Le Petit Paresseux*, 1[...] Montpellier, musée Fabre, legs Fabre en 1837.

19. Le critique Chaussard, par exemple, indique l'*É*[...] comme la source du tableau de famille de Mériné[...] Salon de 1798, J.B. Chaussard, *La Décade philosoph*[...] coll. Delloynes t. XX, n°s 539-540, p. 172.

20. F.J.A. Doix, *Itinéraire critique du Salon de l'an*[...] *dédié aux artistes par un amateur*, Paris, an VI, [1[...] coll. Delloynes, t. XIX, n° 531, p. 24 ; Anon., *Expositio*[...] *peintures, sculptures, architecture, gravures et des*[...] *Journal d'indications*, coll. Delloynes. t. XX, n° 541, p. 2C[...]

21. F.J.A. Doix, *Itinéraire critique du Salon de l'an VI, dédi*[...] *artistes par un amateur, Paris, an VI*, [1798], coll. Delloy[...] t. XIX, n° 531, p. 24.

22. Lettre du 30 fructidor an VI (16 août 1798), Anato[...] Montaiglon, *AAF*, 11e année, 2e série, t. I, 1861, Paris, p.[...] 319.

23. Coupin, 1829, t. II, p. 377.

24. Coupin, 1829, t. I p. 53, cité par Levitine, 1978, p. 32[...]

25. Le 7 juin 1797.

26. Domenico Fetti (1589-1624), *La Mélancolie*, musé[...] Louvre.

27. François Noël, *Dictionnaire de la fable*, Paris 1801, ré[...] en 1803 avec des enrichissements de Girodet.

28. Par exemple, Johan Klopper, Gottlieb Friedrich Ri[...] Modestin Eccardt. Voir Fabrice Faré, Dominique Chevé, «[...] Tableaux de trompe-l'œil ou la jouissance de l'illusio[...] XVIIIe siècle », dans Le *Trompe-l'œil de l'Antiquité au XXe s*[...] sous la direction de Patrick Mauriès, Gallimard, 1996.

29. Jean-Jacques Rousseau, 1969, p. 333.

30. *Ibidem*, p. 346.

31. Il s'agit de la maxime 148 de La Rochefoucault.

32. Voir cat. 41.

33. Anon., *La Décade philosophique*, an VIII-IX [18[...] coll. Deloynes, t. XXIII, n° 638, p. 215.

34. « il y aura pour le Salon d'exposition des ouvrage[...] peinture, sculpture, architecture et de gravure pour[...] huit une commission d'artistes chargés d'en éloigne[...] productions indignes d'y avoir place. [...] Les ouvrage[...] sont présentés et dont la composition blesserait les bo[...] mœurs, non par le nu des figures lorsque le sujet le pe[...] ou l'exige, mais par l'intention manifeste de rappele[...] souvenirs ou d'exciter les passions contraires aux princ[...] du gouvernement et de la tranquillité publique ne s[...] point admis » *Correspondance des Directeurs*, XXIII, n[...] p. 177 ; arrêté du ministre de l'intérieur, 15 thermidor d[...] huit. Et n° 617, Musée central des arts, l'administratio[...] musée aux artistes. « [...] on ne recevra aucun ouvrage a[...] l'ouverture du Salon. [...] »

35. Boutard, *Journal des débats*, an IX (1800), coll. Deloy[...] t. XXII, n° 632, p. 682,689.

36. Anonyme, *La Décade philosophique*, « dern[...] observations sur cette exposition », coll. Deloynes t. [...] n° 6644, p. 493.

16. [...]l'œuvre fut célébrée par la gravure, justement rapproché[...] tableau de Girodet : Levitine, 1978, p. 324 ; Hélène Touss[...] Sydney, Melbourne, *The Revolutionary Decade*, 1980-1[...] p. 120.

Explication des ouvrages de peinture et dessins ...oture, architecture et gravure des artistes vivans, ...osés au muséum des Arts, d'après l'arrêté du ministre ...'Intérieur, le 25 Fructidor, an VIII de la République ...çaise,* [2 septembre 1800], Girodet, élève du C. David, ...aux, 167. *Portrait du C. B.[ourgeon]* ; 168. *Portrait de* ...e. *[de Bonneval]* ; 169. *Un jeune enfant étudiant son* ...ment; Dessins 170. *Un cadre renfermant cinq dessins* ...de l'Andromaque de Racine. 1) Oreste vient, de la part ...Grecs, demander a Pyrrhus qu'il lui livre Astianax. 2) ...evue d'Orestre et d'Hermione. 3) Pyrrhus ordonne à ...romaque d'aller l'attendre au temple ou il doit l'épouser. ...Jermione abandonnée de Pyrrhus, le menace de sa ...ence. 5) Oreste, après avoir tué Pyrrhus par l'ordre ...rmione, se présente à elle : Hermione lui reproche son ...e. Ces dessins appartiennent au C. Didot aîné, et sont ...inés à la nouvelle édition in folio des œuvres de Racine ...prépare, actuellement sous presse.* ...Voir cat. 99.

...Ermengard [ou Esmengard,], *Mercure de France*, an IX ...0], coll. Deloynes, t. XXII, nº 633, p. 736-737.

...Ermengard [ou Esmengard], *Mercure de France*, an IX ...0], coll. Deloynes.t. XXII, nº 633, p. 735.

...Cat. exp. Cholet, 2003, p. 75, nº 29.

...*La Jeunesse studieuse,* Salon de 1757 (Édimbourg, ...onal Gallery), faisant suite au *Petit Paresseux,* Salon de ..., musée Fabre.

...Nicolas Bernard Lépicié (1735-1784), *Le Petit Dessinateur,* ...eintre Carle Vernet à l'âge de 14 ans*, 1772, Paris, musée ...ouvre.

...Fulchran-Jean Harriet (1778-1805), *Portrait d'un jeune* ...on tenant un cerceau,* 1797 peut-être présenté au Salon ...802, Orléans, musee des Beaux arts ; cat. exp. Cholet, ..., p. 167, nº 76.

...Rodolphe Töppfer (1799-1846), *Nouvelles Genevoises,* ..., Garnier frères, 1855. Réédité dans Armand Weil et ...e Chenin, *Contes et récits du XIXe siècle*, Paris, Larousse, ..., p. 160.

...Georgel, 1991, p. 244-247.

...*Ibidem,* p. 245.

...Coll. part., réalisé à une date inconnue mais forcément ...précoce.

...Coll. part., la différence entre la précision du dessin ...d'après une gravure et le graphisme maladroitement ...ntin de l'inscription laisse penser qu'il s'agit peut-être ...e plaisanterie simulant un dessin d'enfant. Le jeu de ...s sur *mètre* et *maître* ajoute à cette interprétation.

...Montargis, musée Girodet, inv. 989.13 fait, d'après ...cription, à l'âge de quatorze ans, probablement ...rès une gravure en tout cas sous la direction d'un ...re. On sait que Girodet reçoit des cours de dessin ...1774 à l'âge de sept ans. Lettre inédite de Watrin à ...e Girodet, Picpus, 2 novembre 1774, fonds Pierre ...andres, déposé au musée Girodet de Montargis, t. I,

...Coupin, 1829, t. I, p. 52-54.

...Donald W. Winnicott (1887-1971), qui exerce une ...que à mi-chemin entre Anna Freud et Mélanie Klein ...a le « Middle group », en Angleterre. Sa célèbre ...nique du « Squiggle game » ou « griffonnage » est ...nterprétation tour à tour par l'adulte et par l'enfant des ...ins d'enfant librement projetés sur une feuille blanche. ...Citer l'édition de Chastel, p. 11.

54 Voir Lemeux-Fraîtôt et Dagorne, cat. exp. *Anne Louis Girodet-Trioson La leçon de Géographie,* Montargis, 2005, p. 13.

55. Lettre d'Anne Louis Girodet au docteur Trioson, Venise, 5 pluviôse an III [24 janvier 1795], fonds Pierre Deslandres, déposé au musée Girodet de Montargis, t. III, nº 68 ; publiée par Coupin, t. II, 1829, p. 451-453, lettre nº 58.

56. Le portrait original de Girodet reproduit [ill. 247] se trouve dans une collection privée. Le musée Girodet en conserve une copie.

57. Acquis par le Louvre en 1886, il aurait pu être vu par Girodet dans la collection Frescobaldi à Florence en 1795.

58. Pline, *Histoire naturelle*, Paris, Belles Lettres, 1970, XXXV, 36, 65.

59. Rousseau, 1969, p. 347.

60. *Explication des ouvrages de peintures sculptures architecture et gravure des artistes vivans exposés au Musée Napoléon, le 1er jour complémentaire, an XII de la République française,* Paris. Nº 211 : *Portrait de M. trioson, docteur en médecine, donnant une leçon de géographie à son fils.* La même année, Girodet expose, du livret le *Portrait en pied de feu M. Bonaparte, père de S. M l'Empereur* (nº 208) ; *Portrait de M. Larrey, ex-chirurgien en chef de l'armée d'Egypte* (nº 209) ; *Portrait du Katchef Dahout* (nº 210) ; *Un cadre renfermant 5 sujets de la Phèdre de Racine* (nº 212) ; *Paul chargé de Virginie, traversant une rivière* (nº 213).

61. *Explication des ouvrages…,* le 15 septembre 1806, Paris. Nº 225, *Portrait de M. le docteur T**, donnant une leçon de géographie à son fils.* La même année Girodet exposait nº 223, *Une scène de Déluge, une famille est prête à être engloutie par la tempête*; nº 224, *Portrait de Mr Bonhommet*; nº 226, *Portrait de M. D. P.,*; nº 227, *Portrait de Mme B.**

62. Testament de Trioson, déposé chez Me Appert par Girodet-Trioson, le 2 décembre 1815, archives privées, fonds Filleul/Arodes de Peyriague.

63. Coupin, 1829, t. I, p. 48.

64. Anon., *Le Journal de Paris,* coll. Deloynes, t. XXXVIII, p. 352-354.

65. *Les Enfants Hülsenbeck*, 1805-1806, ou *Les Parents de l'artiste,* 1806, Hambourg, Kunsthalle.

66. *Portrait de Louise Vernet enfant,* 1818-19, Paris, musée du Louvre.

Portraits d'orientaux

Dans un passage cité par tous les historiens d'art et souvent interprété comme un renseignement sur les mœurs de son maître, Coupin a décrit Girodet peignant avec verve et vivacité *La Révolte du Caire*, «entouré de Mameluks qui étaient pour ainsi dire à demeure chez lui et dont la beauté l'électrisait[1]». Cet enthousiasme pour l'exotisme des physiques orientaux ne se limita pas pour Girodet à l'époque de *La Révolte du Caire*. Entre 1804 et 1819, il peignit, outre deux portraits en pied d'Orientaux, une douzaine de têtes masculines que leur sujet et leur format identiques apparentent à une série[2]. Cette série ne ressemble pas à une tentative de classification raciale dans l'esprit encyclopédique d'un Vivant Denon dessinant pour son *Voyage en Haute et Basse Égypte* treize têtes masculines de cheiks, moines grecs, juifs de Jérusalem, grecs de Rosette ou du clergé orthodoxe d'Alexandrie[3]. Elle est également étrangère à un projet de galerie de dignitaires comme les portraits des cheiks du Caire peints par Michele Rigo[4] en donnent l'exemple. L'étude de son abondante production de têtes orientales montre que, contrairement à la typologie ethnique, l'Orient de Girodet s'avère le lieu de l'émotion pittoresque et du bizarre, celui d'une peinture solaire qui ferait pendant aux sujets lunaires d'*Endymion*, *Ossian* et *Atala*. Sa motivation profonde relève de la curiosité associée à une tentation coloriste. Sa galerie de modèles orientaux est indissociable de l'esprit de collection qui l'avait conduit à accumuler un nombre surprenant d'objets et costumes turcs ou indiens conservés pieusement chez lui jusqu'à sa mort[5]. La présence à Paris de nombreux citoyens de l'Empire ottoman qui avaient suivi le rapatriement de l'armée d'Orient après la campagne d'Égypte et la création d'un corps d'armée et d'un escadron mameluck de la garde impériale servirent à point la curiosité de Girodet et lui fournit bon nombre de modèles à demeure. L'Orient de Girodet est à Paris.

Katchef Dahout

En 1804, le Katchef Dahout[6] était assez connu en ville pour que la critique du Salon trouvât son portrait ressemblant[7]. Le titre du livret donnait sur le personnage des précisions inhabituelles : «Portrait du Katchef Dahout, Mameluck chrétien de la Géorgie, âgé de plus de 70 ans» (cat. 81).

Le destin des mamelouks fascinait : esclaves enlevés enfant dans les populations du Caucase, ils étaient pendant des siècles devenus les maîtres de l'Égypte. Affaiblis à la fin du XVIe siècle, ils avaient reconquis

leur pouvoir au XVIIIe siècle, marquant une indépendance croissante vis-à-vis de la Sublime Porte et reconduisant leur histoire romanesque : ainsi Ali Bey (1728-1773), esclave d'origine caucasienne, s'étant assuré la direction des mamelouks, était devenu bey d'Égypte en 1757. L'histoire du Katchef Dahout se rapproche de la sienne, il avait dû naître en Géorgie, contrée largement chrétienne, vers 1726, enlevé, asservi et devenu mamelouk, il avait quitté l'Égypte avec les troupes de Bonaparte. Le titre du tableau indique que la qualité, la race, la religion et l'âge du Katchef constituent l'attraction du modèle, présenté comme un phénomène. L'enjeu est de montrer la curiosité culturelle et l'étonnante nature que représente cet impressionnant Katchef (mot arabe signifiant «l'éclaireur») à barbe blanche assis sur des coussins de velours, portant habits et armes d'apparat[8]. Une note malheureusement anonyme, écrite vingt ans plus tard sur un exemplaire du catalogue de la vente Girodet, le décrit en détail : «La lumière frappe principalement la tête où le peintre a voulu attirer l'attention, sa tête est ornée d'un turban de cachemire jaune semé de petites palmettes, ses mains sont mollement, tranquillement posées sur ses genoux, l'expression de la figure est calme et exprime ce repos auquel les orientaux s'abandonnent volontiers; ici ce calme est encore augmenté par l'âge; ce mamelouck avait près de cent ans. Sa robe est bleue, son pantalon rouge, le reste d'un ton intermédiaire entre le rouge et le jaune, sa ceinture est armée d'un poignard, à sa gauche pend un sabre relevé sur sa cuisse gauche – plus grand que nature. C'est un vieillard d'une grande beauté et l'âge n'a amené aucune pauvreté de force. On voit qu'il a été et il est encore d'une force herculéenne, les yeux regardent le spectateur[9].»

La complexité du portrait fut soulignée par Jean-Baptiste Boutard qui vit dans le tableau des qualités de synthèses propres au métier du peintre d'histoire : «Il ne resterait que le torse qu'on devinerait sans crainte de se tromper que c'était celui d'un vieillard, de tempérament replet et élevé dans la mollesse des mœurs de l'Orient [...] Voila ce que j'entends par le portrait historique, en ce sens qu'il suppose de l'auteur les connaissances et les études propres au peintre d'histoire [...].» Nos deux critiques sont donc en complet désaccord, l'un voit une mollesse orientale où l'autre voit un Hercule!

Portrait d'un indien

À dire vrai les deux qualités, mollesse dépravée et puissance physique, toutes deux constitutives du mythe des Mamelouks dominent ce portrait d'apparat,

où la position même du personnage herculéen co ché sur des coussins contraste avec la vision douce l'orient d'un autre portrait accroché en pendant da le salon de Girodet[10] : le *Portrait d'un Indien* (cat. 8 *A contrario*, le modèle debout devant un paysage r nimal donne, irrégularité de la doxa académiq l'exemple d'une beauté idéale adaptée à l'Orient.

Le *Portrait d'un Indien* que Coupin[11] date de 18 soit de l'époque de *Atala au tombeau* n'a figuré aucune exposition publique du vivant de Giro L'homme jeune, qu'on appelle l'Indien, se tient c bout de face, fixant le public, la silhouette coupée a genoux sur le fond bleu clair, vide et lumineux ciel. Son visage est rond, ses traits fins. Le teint de peau est brun clair. Il porte une fine moustache no qui remonte le long des joues jusque d'épais favo sombres. Sa main gauche, puissante, sombre, for ment veinée, est posée sur la poignée d'un large sa à l'oriental, gainé d'un fourreau orangé. L'autre m a le poing serré. Les tons orange safrané et jaune de de son turban font un chaleureux écho aux coule du long châle, aux extrémités richement brodées, passe derrière son épaule et retombe devant lui. S manteau de soie jaune d'or est doublé de taffetas v émeraude. Sous ce vêtement chamarré, l'Indien po une longue chemise, ras le cou, en coton blanc, ce turée par un deuxième châle de cachemire oran brodé de fils d'or. Il porte en bandoulière une bes à double bretelle de cuir clair. À sa droite vers le l l'esquisse d'un lointain paysage du désert et deux p miers minuscules le font paraître monumental, co me placé devant le décor ébauché d'un théâtre. L esquisse conservée au Metropolitan Museum [cat. montre peu de variations majeures à la compositi si ce n'est que le sabre y est davantage courbé et c la silhouette, coupée plus bas, plus allongée, sem plus encore celle d'un géant.

Contrairement au *Portrait du Katchef Dahout*, le tre de l'Indien est posthume, fourni seulement pa liste de Coupin et par le catalogue de la vente ap décès[12]. À l'exposition de cette vente, l'amateur an nyme qui a annoté *Le Portrait du Katchef Dahout* é sur le livret : «Le teint est celui d'un africain n les traits sont de la plus belle régularité[13].» La rem que est ordinaire, car on appelle «africain» tout qui est au-delà de la Méditerranée et les «conn seurs» jugeaient le «teint africain» discordant avec beau idéal : le portrait d'une jeune femme noire Mme Benoît [ill. 227] en avait fait les frais au Salon 1800[14]. Les remarques de l'amateur anonyme p tent ensuite sur les couleurs «le turban est d'un rou rompu, sa robe jaune rompu est verte en dessous, laisse voir en l'ouvrant une autre robe blanche

255 Girodet, *Tête d'Oriental au turban bleu*
[hu]ile sur toile, Doullens, musée Lombard

[...]chée avec un cachemire [...][15] », nous confortant [da]ns l'impression que l'enjeu véritable du portrait est [bi]en la couleur. Dans les années 1800, l'engouement [po]ur le costume chamarré des mamelouks avait pris [u]ne telle importance que le vêtement des femmes et [de]s enfants en avait été transformé[16]. Mais l'Indien [de] Girodet, vêtu comme un combattant de parade [n'] est probablement pas un mamelouk, même s'il [res]semble assez à celui gravé par Denon[17]. Anony[m]e, ce modèle est-il un Indien de l'Inde ou plutôt

un Persan comme le note le clerc qui rédige l'inventaire après décès de Girodet[18] ? La clarté de son teint et ses traits pourraient en effet le faire penser, tout comme ses châles de cachemire. Mais ces tissus étaient communs dans tout le monde oriental et la collection de Girodet en comptait plusieurs. Le sabre de l'Indien est celui que l'artiste introduit parmi les combattants du Caire et avec lequel pose le Katchef Dahout. Il est vrai que cette forme d'arme, proche des Talwar indiens de la période islamique des XVIe siècle et XVIIe siècles, s'était répandue dans tout l'Empire ottoman[19].

Avec les deux portraits en pied, Girodet a peint douze têtes d'hommes orientaux une demi-douzaine est localisée, *Tête d'Oriental au turban bleu*[20] (Doullens, musée Lombart), *Tête de Mameluck à la fleur d'hibiscus* (musée de l'île d'Aix) ; *Portrait dit de Notis Botzaris* (coll. part.) ; *Portrait d'oriental* (Avignon, musée Calvet) ; *Portrait d'Oriental, Mustapha* (Montargis, musée Girodet) ; *Tête d'Oriental, au burnous esquissé*[21] (coll. part.). Le dessin rehaussé de pastel des collections du Louvre **(cat. 86)** fait le lien technique entre cette série et les dessins brillamment colorés de *La Révolte du Caire*.

La plupart de ces études sont cadrés au tiers du torse et montrent le haut d'un costume oriental. En-

turbannées et souvent plus grandes que nature, ces têtes s'apparentent moins au portrait qu'à la «tête d'expression» académique, envisagée d'une manière singulière puisque l'essentiel du caractère résulte ici du costume. À la différence des dessins de Denon qui classifie les races foisonnantes de l'Égypte en en soulignant jusqu'à la caricature les archétypes, Girodet individualise ses portraits et s'efforce de les relier à un domaine plus large que l'identité raciale. Mais plus que la singularité c'est la délectation picturale qui parait être la raison d'être principale de ces têtes flamboyantes et exotiques. La plupart présentent un visage singulièrement placide, un regard lourd et impénétrable comme si cette impénétrabilité inquiétante était le propre du caractère oriental.

Mustapha et Mardochée

La dispersion partielle de cette série limite son interprétation d'autant que nous ignorons les titres de ces tableaux. Ils sont rarement montrés au salon et quand ils le sont ils ne figurent pas au livret[22]. Leur appellation, souvent limitée à la désignation sommaire et imprécise de «Tête de turc» est posthume[23]. Seule une paire de lithographies, présentées par Dassy au Salon de 1824[24], dessinées d'après le portrait

Cat. 81 Portrait du katchef Dahout, mameluck chrétien, de la Géorgie, âgé de plus de 70 ans
1804

Huile sur toile, 145 x 113 cm
Monogrammé et daté *1804*
Chicago, The Art Institute, Charles H. and Mary F. S. Worcester Collection, inv. 1987-260

Hist. Atelier de l'artiste, n°216 de l'*État descriptif des objets d'art* : «portrait d'un turc jusqu'au genou par Girodet prisé trois cent francs» (Voignier, 2005, p. 28) ; vente après décès de Girodet, n°1 du catalogue établi par Pérignon (Pérignon, 1825, p. 7) ; l'exemplaire du catalogue Pérignon conservé à la bibliothèque centrale des Musées nationaux porte une description manuscrite (voir *infra* note 9) ; acquis par Bellot pour 2050 francs, n°266 du procès verbal de la vente (Voignier, 2005, p. 102) ; coll. du duc d'Orléans : «*Un officier de mamelucks, assis, vu de face et jusqu'aux genoux. Appartient à S. A. R. le duc d'Orléans*» (Coupin 1829, t. I, p. xvj ; Vatou et Quénot, s. d. [avant 1830], t. I, s. p.) ; coll. M. Gary Mayer ; vente Sotheby's New York, 27 février 1986, n°30 ; acquis par M. Stair Sainty, New York ; Colnaghi, New York ; acquis en 1987 par l'Art Institute of Chicago grâce à un don de Frank H. and Louise B. Woods.
Exp. 1804, Salon n°210, p. 36.
Bibl. Livret du Salon de 1804, n°210, p. 36 ; Boutard,

1804, p. 108-109, 111-112, 114, 116 ; Ducray Duminil, 1804 ; *Gazette de France*, 1804, p. 61 ; M★★★ 1804, t. I, p. 276-280, 309-312 ; Marant, 1804, n°1- 3 ; *L'Observateur au Salon*, 1804, p. 870 ; Voiart, 1804, 28 nov. p. 2-4 ; Valin, 1806, p. 104 ; Pérignon, 1825, n°1, p. 7-8 ; Rénouvier, 1863, p. 104 ; Levitine, 1956 (1978), p. 308-309 ; Nevison Brown, 1980, p. 151, 248-249 ; New York (Sotheby's, 27 février), 1986, n°30 ; *Art Institute of Chicago Report*, 1987-1988, 1988, p. 27, 65, pl. 11 ; Bajou, Lemeux-Fraitot, 2002, n°216, p. 229, 310 ; Lafont, 2003, p. 110 (cité) ; Voignier, 2005, p. 102.

Œuvres en rapport

Contre-épreuve du dessin d'Antoine-Maxime Monsaldy, BNF, département des Estampes et de la Photographie, 4509.

Le Turc, lithographie de C. Molle (*Marin Lavigne del.*, *J. P. Guenot direx.*), 34,4 x 52,2 cm

Portrait du Katchef Dahout, huile sur toile, 113 x 146 cm, réplique attribuée à Girodet, France, coll. part.

cat. 82 Un Indien

1807

Huile sur toile, 145 x 113 cm

Montargis, musée Girodet, inv. 988-2

Hist. Atelier de l'artiste, *État descriptif des objets d'art*, nº 217 : «Portrait d'un Persan, également peint jusqu'aux genoux, estimé 300 francs» (Voignier, 2005, p. 28) ; vente Girodet, nº 2 du catalogue (Pérignon, 1825, p. 8) : «Un indien, représenté debout et jusqu'aux genoux, la tête de trois quarts, coiffé d'un turban, et la main sur la poignée de son sabre. Un schall de cachemire, tourné autour de son corps, et la richesse de ses vêtements contrastent avec le ton basané de sa figure, qui se détache sur un fond de ciel clair. T. h. 53 p. l. 41 p.» ; l'exemplaire de la bibliothèque des musées nationaux porte une description manuscrite (voir infra note 14) Paris, 11 avril 1825, nº 2, adjugé 2901 francs à Becquerel-Despréaux, nº 193 du procès-verbal de la vente (Voignier, 2005, p. 100) ; coll. Becquerel-Despréaux (nº 25 de l'inventaire après décès de Denis Étienne Becquerel Despréaux dressé le 4 mars 1835 : «Un tableau original de Girodet représentant un Indien prisé six cent francs», Voignier, 2005, p. 46) ; par descendance dans la même famille ; acheté par le musée de Montargis en 1973.

Exp. 1974-1975, Paris (Grand Palais), nº 81, p. 453-454 ; 1980-1981 ; Paris, 1995-1996, Marmottan, nº 35, p. 90.

Bibl. Coupin, 1829, t. I, p. xvj, «Appartient à M. Becquerel-Despréaux.» ; *Revue du Louvre*, 1976, p. 389 ; Nevison Brown, 1980, nº 105, 151, 248-249 ; Monneret, 1998, p. 165-166 ; Bajou, Lemeux-Fraitot, 2003, p. 176, n. 98, p. 229 et 331, nº 217 ; Voigner, 2005 (acquis par Despréaux pour 2901 francs).

Œuvre en rapport

Un Indien, huile sur toile, 140 x 108 cm, copie par Alexandre Duméis (élève de Girodet) Montargis, musée Girodet.

cat. 83 Un Indien
(esquisse)

Huile sur toile, 40,6 x 32,7

Inscription sur le châssis : *Rue du Cherche-Midi* ; sur le cadre, à la peinture, encore lisible : *de G.*

New York, The Metropolitan Museum of Art, Purchase, Gift of Joanne Toor Cummings, by exchange, 1997 (1997.371).
Photograph © 1997 The Metropolitan Museum of Art

Hist. Commerce de l'art parisien, 1995 ; acquis en 1997 par le Metropolitan Museum of Art, purchase, gift of Joanne Toor Cummings, by exchange.

Exp. Calerie Mercier Duchemin Chanoit 1995, n° 7.

Bibl. Cat. Paris, Salon des beaux-arts, 1997, p. 103 ; *Metropolitan Museum of Art Bulletin*, 1998, n° 2, p. 40 ; *Gazette des Beaux-Arts*, 1999, p. 60.

cat. 84 Tête d'Oriental
(Tête de Turc)

Craie noire, pastel, sanguine et rehauts de blanc sur papier gris, 58 x 45 cm

Paris, musée du Louvre, inv. RF 1705

Inscription : *ACHETE A LA VENTE DE GIRODET PAR M. DE MUSIGNY. ACQUIS A LA VENTE DE M. DE MUSIGNY, LE 8 mars, LHX* [Lehoux].

Hist. Vente Girodet, le 26 avril 1825 (dernier jour de la vente), n° 2176 du procès verbal de la vente *Étude de turc adjugée deux cent soixante et un francs* (Voignier, 2005, p. 123) ; coll. Musigny ; vente Musigny, 8 mars 1845 ; acquis par Pierre-François Lehoux ; don de son fils, P. P. Lehoux, au musée du Louvre en 1890.

Exp. 1927, Paris, n° 887, p. 74 (*Turc*) ; 1937, Paris, n° 660 (*Portrait d'un janissaire*).

Bibl. Guiffrey-Marcel 1911, n° 4252, p. 15, ill. n° 4254, p. 14 ; 1972, Londres, p. 72, n° 108 (cité) ; Bernier 1975, p. 150 ; Paris, hôtel Drouot, 14 novembre 1980, n° 125 (cité) ; 1983, Montargis, n° 52 (cité) ; Donateurs 1989, p. 253 (cité) ; 1991, New York (Paul Drey Gallery), p. 84–85 (cité) ; 1995, Paris, Édimbourg, Oxford, n° 63, p. 160 (cité) ; Bajou, Lemeux-Fraitot 2002, n° 376, p. 363 (cité) ; Voignier 2005, p. 123.

III. 256 Girodet (d'après), *Mustapha*
Lithographie, Paris, BNF

III. 257 Girodet (d'après), *Mardochée*
Lithographie, Paris, BNF

III. 258 Girodet, *Tête de Mameluck à la fleur d'hibiscus*
Huile sur toile, musées de l'île d'Aix

de Mustapha [25] et d'après celui Mardochée [26], donne du vivant de Girodet une précision sur l'identité des modèles [27] **[ill. 249 et 250]**.

La lettre de ces estampes comprend un chandelier à sept branches placé sous le nom de Mardochée et un croissant sous celui de Mustapha. Ces symboles qui fonctionnent pratiquement comme les accessoires que Girodet introduit volontiers dans ses portraits pourraient indiquer un projet où l'appartenance religieuse se confondrait avec l'identité raciale [28]. Le prénom, Mustapha, si commun dans le monde musulman qu'il est presque générique [29], le nom biblique de Mardochée [30], ajoutés au croissant et au chandelier à sept branches tirent ces têtes vers des figures d'histoire où le musulman fait pendant au juif. Girodet a dirigé les gravures et leur lettre n'a certainement pas échappé à sa sagacité. Cependant l'opération lithographique relève de l'entreprise commerciale et le titre des estampes n'indique pas avec certitude que ces portraits avaient reçu un titre avant l'impression des estampes.

Tournée vers la droite, presque de profil, la tête de Mardochée remplit presque entièrement la toile. C'est dans l'ensemble de têtes le seul à avoir la tête nue et un vêtement sobrement drapé à l'antique. La gamme des couleurs, le blanc de son manteau et le jaune sombre de sa tunique est à l'opposé des flamboyantes couleurs et des luxurieux vêtements de Mustapha et des autres Orientaux. Les tons de terre dominent, et s'harmonisent sur le fond, frotté de brun clair à la manière de certains tableaux de David. L'expression, surtout celle des yeux et de la bouche, est empreinte d'une douceur et d'une spiritualité qui tranche sur la sensualité ou le farouche des autres modèles. La chevelure de Mardochée, noire, luxuriante, aux boucles en désordre et sa barbe en broussaille, lui donnent plus un air de prophète antique que l'aspect du pieux et modeste héros biblique.

L'iconographie usuelle de Mardochée est celle d'un vieillard habillé en mendiant [31]. Celui de Girodet est vêtu pauvrement, mais c'est un homme jeune dont le type s'apparente à celui des Assyriens d'*Hippocrate refusant les présents d'Artaxexès* ou encore à l'iconographie de saint Jean-Baptiste telle que l'a fixée l'art de la Renaissance. Denon remarque dans son voyage en Égypte que «les beaux juifs, surtout les jeunes, rappellent le caractère de tête que la peinture a conservée à Jésus-Christ [32]».

Mustapha est le portrait d'un individu, bien distinct de cet autre Mustapha, domestique de Géricault [33], qui vivait à Paris dans le premier quart du XIXᵉ siècle. Posant de face, sa tête plus grande que nature occupe presque toute la surface de la toile. L'œil lourd, les paupières rabattues couvrant presque la moitié d'un iris aussi noir que la pupille, il affiche un air impénétrable, imperceptiblement farouche. Il fronce légèrement les sourcils, la barbe noire taillée d'assez près, la moustache longue et fournie. Cette tête dont le cou est aussi large que les mâchoires dégage une impression de force et de potentielle sauvagerie qui résulte en partie de la mise en page et des couleurs éclatantes des vêtements qui couvrent le haut de son buste, trop large pour tenir dans la toile. Plusieurs épaisseurs d'habits flamboyants, rouge doublé de bleu, jaune doré, violacé, recouvrent une chemise blanche, ras le cou, et saturent la toile dans toute sa partie basse. Un large turban de crêpe blanc, moucheté de violet, surmonté d'un burnous blanc et de ses pompons double pratiquement le volume de la tête et remplit la partie haute de la toile où ne subsiste qu'un peu de fond gris bleu. Ce portrait magnifique fait songer aux somptueux ottomans du chant quatrième du poème *Le Peintre* [34]. Gaspar Lavater qui cultive le mythe des physionomies morales pensait que «chaque classe religieuse» possédait «une conformation physionomique particulière», et que «le sentiment religieux se manifeste dans l'intérieur

de l'homme, dans sa physionomie et dans les traits [?] son visage [35]». Sa typologie dominée par l'éloge [?] la religion chrétienne distingue «trois classes principales de conformations religieuses : la forme tendu[?] les formes lâches et molles, la forme droite et dé[?] gagée […] [36]». Sans écarter complètement l'impa[?] de ces théories, sur Girodet elles restent trop vagu[?] pour servir à créer des types religieux. Girodet re[?] court plutôt à un accessoire cultuel particulier qu[?] caractérise l'arabe et le juif, comme pour pallier à [?] dissolution dans le noir et blanc de la différenciatio[?] chromatique de ses modèles.

Lavater est d'ailleurs muet sur la religion maho[?] métane et la série de portraits de Girodet est surtou[?] concernée par le pittoresque des physionomies o[?] tomanes. Comme dans les portraits de l'Indien o[?] du Katchef Dahout, les éléments pittoresques so[?] interchangeables et Girodet pare Mustapha du bur[?] nous blanc de l'esclave maure qui soutient le pach[?] mourant de la *Révolte du Caire*. Ce burnous figur[?] dans sa collection et il le recycle dans son portrait d[?] jeune arabe de profil qui a glissé une fleur d'hibisc[?] dans son turban [37] **[ill. 258]**.

Portrait du héros grec

C'est encore au répertoire oriental qu'appa[?] tient le portrait dit de *Notis Botzaris* [38] **(cat. 87)**. C[?] titre n'apparaît nulle part avant la lithographie qu[?] a donné une identité [39] au modèle. Cette lithogra[?] phie, exécutée par Engelmann d'après le dessin d[?] *Mlle Bès* a été réalisée un an après la mort de Gi[?] rodet, mais laisse cette identification parfaiteme[?] aléatoire [40] **[ill. 259]**. La date du portrait de Girod[?] n'est pas connue : la célèbre figure historique d[?] la guerre d'indépendance grecque [41] ne s'est jama[?] rendu à Paris et n'a pu poser pour Girodet. No[?] tis, diminutif de Panayotis, Botzaris [42] est le derni[?] des fils de Yorgos Botzaris, chef du clan souliote [?]

cat. 84 Portrait de Mustapha
1819

Huile sur toile, 56 x 46 cm
Monogrammé h.g. : *ALGT 1819*
Montargis, musée Girodet, inv. 988-28

Hist. Marché de l'art parisien, 1988 ; acquis par la Ville de Montargis grâce à des subventions du FRAM, de la DMF et au mécénat de la Caisse d'épargne de Montargis, 1988.
Exp. 1998, Rueil-Malmaison, n° 80.
Bibl. Gabet, 1831, p. 176 ; Nevison Brown, 1980, p. 272, fig. 118 ; *RLMF*, 1988, p. 439 ; Peltre, 1997, p. 74–75 ; Lafont, 2000, p. 44, 47 ; Lemeux-Fraitot, 2003, p. 261.

Œuvres en rapport
Girodet, *Portrait de Mustapha*, pastel
Hist. : Pérignon, 1825, n° 165, p. 28 : « Étude au pastel, d'après Mustapha, Sussen de Tunis, fait le 15 août 1819 » ; acquis par Gustave Bioche de Misery (Coupin, 1829, t. I, p. xxxv ; Lafont, 2000, p. 44), Lemeux-Fraitot, 2003, n° 392, p. 259 ; Voignier, 2005, p. 97 (acquis par Bioche pour 191 francs).
Mustapha, lithographie par Joseph Dassy, d'après Girodet, Imprimerie Engelman, dépôt légal 11 juin 1823, 57,6 x 46,1 cm
Inscriptions : *Girodet-Trioson pinxt. et dirext.; Joseph Dassy delint. 1823*
Bibl. Johnson, 1976, n° 109, p. 81, ill. p. 147.

cat. 85 Portrait de Mardochée
1824

Huile sur toile, 59 x 46 cm
Inscription au crayon, au dos du tableau : *Pérignon père d'après Girodet ; 1623*
Collection particulière

Hist. atelier de l'artiste, *État descriptif des objets d'art…* : « Sont attachés à la porte d'entrée, […] La tête de mardochée prisée trente francs » (Voignier, 2005 p. 27) ; (en ce qui concerne l'inscription au dos du tableau, elle fait référence à Alexis Nicolas Pérignon père (1785-1864), élève de Girodet. Peintre d'histoire, de genre et de paysages et de portraits, il expose aux salons de Paris, de Douai et de Lille de 1814 à 1850 et est commissaire expert des musées royaux en 1816. Le musée de Versailles conserve de lui le portrait de Louis Nicolas Davout commandé en 1834 pour la salle de 1792 et une copie de Carle Vernet, *Le Départ pour la chasse*. Ces tableaux ne permettent aucun rapprochement avec la qualité du *Mardochée* de la collection Becquerel. Le fils, Alexis Félix Pérignon (1808-?), élève de Gros et de son père, est, selon le dictionnaire Gabet, expert de tableaux aux ventes publiques et s'adonne à la restauration de tableaux anciens. Il a peint de nombreux portraits entre 1834 et 1881. L'inscription est d'une écriture tardive nécessairement d'une époque où il était utile de distinguer Pérignon de son fils) ; coll. Antoine César Becquerel ; par descendance dans cette famille.
Exp. Salon de 1824.
Bibl. *État descriptif…*, n° 196 ; peut-être Coupin 1829, t. I, p. lxv : « Étude d'homme à barbe vu de profil, la poitrine est couverte d'une robe jaune et d'un manteau blanc » ; Lemeux-Fraitot, 2002, n° 196, p. 227, 307, l'identifie à Pérignon n° 47, p. 16 : « Étude d'homme à barbe, vu de profil ; la poitrine couverte d'une robe jaune et d'un manteau blanc. T. h. 22 p. l. 18 p. [161] » : ce lot n° 171 de la vente fut adjugé 161 francs à Didot (Voignier, 2005, p. 99).

Œuvres en rapport
Portrait de Mardochée, lithographie par Dassy sous la direction de Girodet en 1824, imprimerie Vilain
Inscription : *Joseph Dassy del 1824 / d'après Girodet pinxt et dirext*, dépôt légal 10 février 1824, exposée en pendant de la lithographie de Mustapha au Salon de 1824
Bibl. Nevison Brown, 1980, n° 156 ; Johnson, 1976, n° 110, p. 147 ; Bajou, Lemeux Fraitot, 2002, n° 213, p. 228, 310.

Ill. 259 Girodet (d'après), *Noti-Botzaris*
Lithographie Engelmann, BNF

Ill. 260 Anonyme, *Portrait de Notis Botzaris,*
dans la Grande Encyclopédie grecque

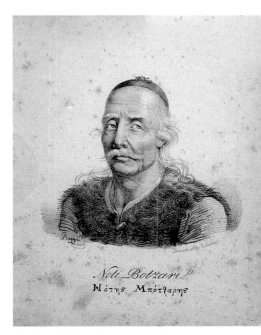

Ill. 261 Anonyme, *Portrait de Noti Botzaris* (lettres grecques)
Estampe, coll. part.

Épire [43]. Il est né à Souli en 1759 [44]. Avec son frère Christos et son neveu Markos, le plus célèbre du clan, Notis fut l'un des plus vaillants combattants de la lutte pour la liberté de sa patrie. Il se distingua en 1805 à la bataille de Sestos contre Ali Pacha de Jannina [45] et fut gravement blessé cette année-là à Jannina. Allié, selon les circonstances et l'intérêt des Souliotes, avec la Porte ou avec Ali Pacha, il se réfugia après le traité de Tilstit [46] en 1807 à Corfou où il servit dans le régiment épirote. En 1821, quand le mouvement révolutionnaire grec souleva le Péloponnèse et les îles, le clan Botzaris s'engagea dans le mouvement. Notis prit la tête des phalanges lors de l'exode de Missolonghi. Markos fut tué à Karpenisi en 1823. Lord Byron mourut du choléra au deuxième siège de Missolonghi en 1824. Notis survécut à la révolution et, décoré de la médaille du sauveur, il mourut à Lépante en 1841 à l'âge présumé de 82 ans.

Dans ce portrait, le modèle est représenté en buste, le regard lourd et fixe, la tête tournée de trois quarts vers la gauche. Son costume est sobre : chemise au ras du cou de coton blanc, le haut d'un manteau rosé doublé de brun ainsi qu'un turban de soie blanche. Il porte une large moustache qui dépasse de sa barbe noire taillée avec netteté. Nul élément de sa tenue n'évoque le costume national grec dont l'image, fort répandue à partir de 1826, était connue dès les débuts de la révolution hellénique [47]. Le portrait en buste ne permet pas de voir s'il porte la fameuse «fustanella» [48] mais les Grecs portent une moustache tombante et un fez plutôt que la barbe et le turban. Tout laisse penser qu'Engelmann a exploité le philhellénisme répandu partout en Europe [49] et baptisé du nom d'un des plus grands résistants grecs un portrait qui ressemble à s'y méprendre à un second portrait de Mustapha. La diffusion de cette image fut exploitée à nouveau par

A. Friedel dans une lithographie de juin 1826 qui combine le portrait de Girodet avec un arrière-plan tiré de Dupré [50].

D'autres images de Notis Botzaris comme la série de Giovanni Boggi [51] **[ill. 261]**, diffusée à Florence par les lithographies de Salucci montrent une figure sauvage, plus souliote que le portrait de Girodet, mais la publication de la composition de Friedel par la grande encyclopédie grecque [52] établit inopinément le tableau de Girodet comme le portrait officiel du héros national grec **[ill. 260]**. Chez Girodet, le pittoresque ethnique relève pratiquement de la fantaisie orientaliste et d'une tentation coloriste qu'il partage avec son ami Gros. Ses modèles ottomans, orientalisés à l'aide des nombreux costumes et tissus orientaux de ses collections, se rapprochent du travestissement et donnent le ton de la démarche d'un Delacroix qui puisa une partie de son Orient dans la collection de Monsieur Auguste.

S. B.

cat. 87 Portrait dit de Notis Botzaris
Huile sur toile, 54,9 x 46,4 cm
Collection particulière

Hist. Coll. Becquerel–Despréaux; par descendance dans cette famille; vente Paris, 1992, hôtel Drouot, 27 mars, n° 68, comme *Portrait présumé de Mustapha* attribué à Girodet; 1992, Londres (Sotheby's, 17 juin), n° 73.

Œuvres en rapport
Lithographie de Mlle Bès, d'après Girodet, dont la lettre porte : *Noti-Botzaris/L'un des Chefs Grecs qui combattent le plus vaillamment pour la liberté de leur Patrie*, Paris, BNF.
Voir Voignier, 2001, p. 9–11
Lithographie par Jeantet, d'après Girodet, Paris, BNF; A. Friedel, *Portrait de Notis Botzaris*, juin 1826.
Voir *Megali Helliniki Engyclopedia*, Athènes, t. XVII, repr. p. 715.

Notes

Coupin, 1829, T. I, p. xviij. Le verbe *électriser* est un ~~o~~logisme de la fin du XVIIIᵉ siècle, réservé d'abord aux corps ~~é~~ctrisables et progressivement étendu aux mouvements et ~~s~~ousses de l'âme. Le *Nouveau Dictionnaire français* de ~~B~~etlage, Paris, 1794 inclut l'adjectif *électrique*.
Pougetoux, 1996, n° 30, p. 75-82.

Vivant Denon, *Voyage dans la basse et la haute ~~É~~gypte, pendant les campagnes du général Bonaparte*, ~~Pa~~ris, an X, 1802, vol. de planches, pl. 101-112, vol. ~~de~~ texte p. XXXIJ-XXXV. La bibliothèque de Girodet ~~co~~ntenait à sa mort l'ouvrage publié par l'Institut en ~~18~~09 : «description de l'Égypte, un (rayé) ouvrage ~~pu~~blié par le gouvernement» (*État descriptif...* 11 avril, ~~18~~25, n° 335).

~~«~~Galerie de 13 portraits de dignitaires du Caire au ~~mo~~ment de l'expédition d'Égypte, par Michele Rigo (?-~~18~~15) conservée à Malmaison (voir Alain Pougetoux *La ~~co~~llection de peintures de l'Impératrice Joséphine*, 2003, ~~p.~~ 129-130).

5. Pérignon, 1825, p. 104-107 : «Plusieurs boucliers en fer et en osier, etc., la plupart turcs ou indiens... Plusieurs beaux casques en fer et en cuivre, anciens et modernes, dont plusieurs turcs et arabes... Quatre damas, ornés de poignées, poignards, de différens pays... Deux beaux gantelets damasquinés, un modèle de couleuvrine, parties d'armures dépareillées... Un barnouffe d'étoffe fine... un autre en laine blanche... Une robe turque en soie jaune, une autre en soie rayée et brodée, une autre en drap rouge fin, une autre en satin rayé, une autre d'étoffe noire brodée, une autre de couleur rouge foncé avec paremens en soie verte, une autre en drap noir, une autre doublée en taffetas blanc... Une veste turque en étoffe de Perse, une autre en drap jaune, deux en drap rouge, une en soie rayée, une autre brodée, une en basin brodé... Plusieurs culottes et pantalons turcs, dont quelques-uns à bottines, de diverses étoffes de soie et laine... Une grande ceinture en soie rayée et brodée, une ceinture en satin blanc à franges, une ceinture en soie bleue, une autre rouge, une en tricot de

soie amarante avec franges, une ceinture en soie jaune, une ceinture en gaze à franges, deux autres en soie rayée, une blanche, deux autres brodées, une en mousseline, une autre en toile coton ouvrée à franges... Deux morceaux d'étoffes brochées et rayées, un morceau de Madras, un autre en soie brodée à franges, un morceau d'étoffe des Indes broché, un autre d'étoffe de soie et laine blanche, un autre ouvré... Deux très grands schalls, dont un en belle mousselines, un autre en soie rayée, un autre en mousseline brochée, un voile brodé... Plusieurs bottines brodées, gants, calottes de turbans, pantoufles turques et autres parties d'habillement turcs... Autres beaux coussins indiens brodés.»

6. *Explication des ouvrages de Peinture Sculpture Architecture et Gravure des Artistes Vivans*, Paris an XII de la République (1 804), p. 38, n° 210 : «Portrait du Katchef Dahout, Mameluck chrétien de la Géorgie, âgé de plus de 70 ans.»

7. Anonyme, *L'Observateur au Salon* (1 804), coll. Deloynes, t. XXX, n° 870, p. 478.

8. Ces coussins pourraient fort bien être ceux de la collection de Girodet; Pérignon, 1825, p. 107 n° 911 : «[...] autres beaux coussins indiens brodés.»

9. Bibliothèque centrale des musées nationaux, Pérignon, 1825, p. 7-8.

10. Lemeux Fraitot, 2003, p. 229, nᵒˢ 216,217.

11. Coupin, 1829, t. I, p. lxvj.

12. *Ibidem*; Pérignon, 1825, p. 8, n° 2.

13. Pérignon, 1825, p. 7-8, exemplaire de la bibliothèque des musées nationaux, cité note 14.

14. Voir cat. 62.

15. Pérignon, exemplaire du Louvre, *op. cit.*

16. Joseph Lavallée, *Lettres d'un Mameluck, ou tableau moral et critique de quelques parties de mœurs de Paris*, Paris, 1803, p. 22-24 «[...] la veille de mon arrivée, elles étaient toutes habillées comme il y a trois mille ans... J'arrive : soudain elles sont toutes à la Mameluck [...] mais comme ces dames n'ont jamais vu de femme mameluck, et que je suis la poupée qui sert de patron à cette nouvelle folie, les voila toutes sans y penser en habit d'homme. […] », cité par Darcy Grimaldo Grigsy, 2002, p. 117, note 51, ill. 70, p. 118.

17. *Voyage dans la basse et haute Égypte, pendant les campagnes du général Bonaparte*, Paris, an X, 1802, planche 101, p. XXXIJ.

18. Lemeux-Fraitot, 2003, p. 229, n° 217.

19. Anthony North, *An Introduction to Islamic Arms*, Londres, 1985, n° 30 ; P.S. Rawson, *The Indian Sward*, Copenhague, 1967, n° 42.

20. Réattribué à Girodet par A. Pougetoux, 1996, n° 30, p. 75-82.

21. Huile sur toile, 46,5 x 55.5 cm, ancienne collection Doria. Le visage et le turban seuls sont terminés, le regard est dirigé vers le bas à gauche. Inscrit en bas à droite : *à mon ami Ricard souvenir E. Delacroix*

22. Seules les lettres à David (voir note 9), mentionne ces tableaux au Salon de 1819.

23. Titres donnés par Coupin, Pérignon, ou lors de leur diffusion par l'estampe après la mort de Girodet. L'inventaire après décès de Girodet précise au numéro 196 « Tête de Mardochée » et au n° 213 « dix lithographies de Mardochée ». C'est la lettre de la lithographie qui permet au clerc de reconnaître le sujet qu'ignorent Coupin et Pérignon chez lesquels la description la plus proche est « Étude d'homme à barbe, vu de profil, la poitrine couverte d'une robe jaune et d'un manteau blanc » (Pérignon, 1824, p. 16, n° 47 ; Coupin, 1829, T.1, p. lxv). Coupin indique que ces deux études appartiennent à M. A. Firmin-Didot Fils. Si cette description correspond à ce tableau, il aurait été racheté par la famille Becquerel qui le possède aujourd'hui. Ce cas n'est pas le seul dans la collection Becquerel voir cat. 87.

24. Paris, livret du Salon, 1824, p. 222, n°s 2095 et 2096.

25. On apprend dans les lettre envoyées à David par un correspondant anonyme, que Girodet montra au Salon de 1819 : « deux têtes, l'une de mameluk et l'autre de Dalmate : La première exprime la douleur elles sont d'une proportion presque double de nature, et dessinées avec une correction remarquable ; […] » (*Lettres à David*, Paris, 1819, p. 94). Comme *Pygmalion* et *Galatée*, ces deux œuvres durent arriver assez tard au Salon puisque Girodet ne figure ni dans le livret ni dans son supplément. Le *Mustapha* de Montargis monogrammé et daté 1819, n'exprime pas le sentiment de la douleur.

26. New York, collection particulière.

27. *Girodet-Trioson pinxt et dirext, Mustapha, lith d'Engelman, Joseph Dassy delint 1823.*
Girodet-trioson pinxt et dirext, Mardochée, lith de Vilain Joseph Dassy delint 1824.
Mustapha a été enregistré au dépôt légal le 21 juin 1823 sous l'intitulé « Mustapha, tête lith. par J. Dassy, 1823, d'après Giraudet [sic] ». Mardochée a été enregistré le 21 février 1824 sous l'intitulé « Mardochée par Joseph Dassy, d'après Géraudet [sic] », le même jour que la lithographie de Galatée des mêmes auteurs.

28. La notion de race apparaît au sens moderne du terme dans l'*Histoire naturelle* de Buffon publiée à partir de 1749.

29. Un pastel du même sujet conservé par Girodet jusqu'à sa mort précise que Mustapha était « Sussen de Tunis », autrement dit originaire de la ville de Suse, tout comme Mardochée. Mais là encore, l'intitulé est posthume. Pérignon, 1824, p. 28, n° 165 ; Coupin 1829, t. I, p. lxxxv, année 1819 ; Lemeux Fraitot, 2002, p. 259, 372 ; Lafont, 2000, p. 44.

30. Livre d'Esther ; sous le règne du roi persan Xerxès I, dit Assuérus (régnant de 485 à 465 av. J.-C.). Esther, orpheline est adoptée et guidée par Mardochée. Sa beauté et sa modestie conquièrent l'amour d'Assuérus. Dans un des chapitres, il est question, à plusieurs reprises, de Mardochée, transporté de Jérusalem à Suse, avec les captifs. Il fait partie du peuple dont la misère contraste si fort avec les fastes de la cour. Sa foi et sa modestie sauveront les juifs de la destruction à laquelle les destinait la haine de l'antisémite Haman.

31. Voir par exemple *Trois Scènes de l'Histoire d'Esther : Mardochée se lamentant, L'Evanouissement d'Esther en présence d'Assuérus, Aman implore en vain sa grâce.*

32. Denon, 1802, p. 61.

33. *Portrait présumé de Mustapha*, vers 1819-1821, Besançon musée des Beaux arts, inv. 886.3.4. Géricault fit également un dessin de ce modèle, Louvre, inv. RF. 31700.

34. Coupin, 1829, t. I, p. 144.

35. Gaspard Lavater, *L'Art de connaître les hommes par la physionomie*, Paris 1820, (réédition enrichie de l'édition de 1807), t. VI, p. 42 et 51.

36. *Ibidem*, p. 53.

37. Girodet a fait un deuxième portrait de ce modèle, mais vu de face (voir Pougetoux, 1996, p. 81 ; la légende est erronée et a été inversée avec celle de la p. 79) ; musée Girodet, acquis en 1973, inv. rétrospectif 987.1.

38. Je dois à l'amitié de Costas Vanvacoulas nombre des informations qui ont enrichi l'analyse de ce tableau.

39. La lettre de la gravure est *Girodet Trioson pinxt. ; à d., Mlle Bés delt.* ; au centre : *Lith. De G. Engelmann.* / Noti-Botzaris *(sic)* / L'un des Chefs Grecs qui combattent le plus vaillamment / pour la liberté de leur Patrie.

40. Déposé par Engelmann au dépôt légal le 4 octobre 1825. Jean-Marie Voignier, : 2001, p. 10. Mlle Bés (1798-1881) est documentée dans l'atelier de Girodet en 1821 ; Adhémar et Lethève p. 335.

41. Girodet ne consacra pas de tableaux à la cause grecque et réserva à la poésie et à la gravure d'incarner son profond philhellénisme. Dans une illustration du peintre, (Coupin, 1829, t. I, en regard de p. 136), il représente un artiste qui lui ressemble, en gilet brodé et chemise blanche, un sabre oriental, proche de celui du *Portrait d'Indien* pendant à ses côtés. Un crayon à la main, assis, il réfléchit, aux pieds du Parthénon, devant l'ombre du grand Périclès. Un groupe de figures barbues et enturbannées conversent sur les ruines fait songer à ses vers : « L'ignorance en turban foule d'un pied profane / le sol où s'imprimaient les pas d'Aristophane […] » (Coupin, 1829, t. I, p. 144).

42. Voir ce nom dans *Megali Helliniki Engyclopedia* (*Grande Encyclopédie grecque*), Athènes, 1931, t. XVII, p. 715.

43. Région partagée entre l'Albanie et la Grèce de population essentiellement turque.

44. Cette date est indicative, compte tenu de l'absence d'état civil dans cette région de la Grèce au milieu du XVIII° siècle.

45. Ali Pacha de Ioánnina (Tebelen, Albanie, v. 1741-Ioánnina, Épire, 1822) avait soumis l'Albanie et l'Épire à son autorité et se distingua d'une part par sa cruauté et d'autre part ses capacités d'administrateur. Il fut vaincu par les Turcs et assassiné.

46. Le traité de Tilstit livrait Corfou et les îles Ioniennes à Napoléon.

47. Pouqueville, *Histoire de la régénérescence de la Grèce*, Paris, éditions Firmin-Didot, Paris, 1824, t. I, avec, en regard de la page de titre, une gravure de Normand représentant un soldat grec (kleftis), dessiné d'après nature par Voutier.

48. Jupe blanche bouffante, d'origine albanaise, portée par les combattants grecs.

49. Après la déclaration d'indépendance de la Grèce, congrès d'Épidaure en 1822.

50. « Constantin (*sic*) Friedel, juin 1826 / This print forms one of the series of Greek portraits now in the course of publication in London by A. Friedel and sold by the principal books and print salers in the town and the country. / Bouvier lith / printed by Ingrey and Madeley proof. »

51. Giovanni Boggi (1790 -1832).

52. *Megali Helliniki Engyclopedia*, Athènes, 1931, t. XVII, ill. p. 715.

Amazones et odalisques

[Hi]st. atelier de l'artiste (n° 383 de l'*État descriptif* : «une tête [d']Amazone par Girodet estimée cent francs» (Voignier, 2005, [p.] 40) ; vente après décès n° 6 du catalogue Pérignon (Pérignon, [1]825, p. 9) ; sur l'exemplaire conservé à la bibliothèque centrale [de]s musées nationaux une note manuscrite précise : «Le corps [es]t de face, la tête tournée vers l'épaule droite vue de profil. [U]ne tunique blanche sur laquelle est passée en bandeau la [pe]au de tigre laisse à nue ses épaules et le sein droit. Le regard [to]urné vers le ciel, la bouche légèrement entrouverte ; le [ca]ractère et la tête grec sont d'une beauté achevée. Les ombres [so]nt peut-être un peu grises et les tons clairs un peu roses», [a]jugé 1 950 francs à Bonnemaison, n° 39 du procès-verbal de [la] vente (Voignier, 2005 p. 96) ; coll. duchesse de Berry ; vente [de]s tableaux anciens et modernes composant la galerie du [pa]lais Vendramini, à Venise et appartenant à Mme la duchesse [de] Berry, hôtel Drouot, salle n° 5 le mercredi 19 avril 1865 et [jo]urs suivants ; n° 290 du catalogue ; racheté à cette vente ou [ap]rès cette vente par Antoine César Becquerel ; coll. Henri [Be]cquerel ; coll. Louise Lorieux, sa veuve ; Pierre Deslandres, [so]n neveu ; puis par descendance dans la même famille.

[La] présence de ce tableau dans les collections de la duchesse de [Be]rry [1] et son retour dans les collections Becquerel a prêté à [bi]en des confusions [2]. En 1825, à la vente posthume de Girodet [le] chevalier de Bonnemaison, directeur des restaurations des [mu]sées royaux depuis 1816 et conseiller pour les acquisitions [de] peinture du duc de Berry puis de la duchesse, acheta trois [œu]vres : une esquisse du portrait de Cathelineau, une esquisse [du] portrait de Bonchamp [ill. 244 et ill. 240] et *Amazone* [3].

[Lo]rs d'une visite que la duchesse de Berry rendit à son atelier, [Gi]rodet lui fit don d'une esquisse qu'il décrit comme une [si]mple esquisse trop imparfaite [4]». En remerciement de ce [ca]deau, il reçut de la duchesse une coupe en vermeil [5] que [lui] porta le chevalier Ferréol de Bonnemaison [6], son voisin [de] la rue Neuve-Saint-Augustin. Cette coupe reposait sur un [so]cle qui représentait d'un côté le sujet même de l'esquisse [off]erte à la duchesse *Énée reçu aux enfers par Anchise* et de l'autre [Py]gmalion amoureux de sa statue [7]. Ce cadeau princier soulignait [dé]licatement le lien personnel qui s'était établi entre l'artiste [et la] duchesse et prenait part au triomphe de *Pygmalion et Galatée* [que] Girodet montrait dans son atelier avant l'ouverture du [Sal]on de 1819. Tout Paris, y compris le roi Louis XVIII et sa [niè]ce de Berry, s'étaient rendus chez le peintre pour admirer [ce] chef d'œuvre qui devait réveiller l'école française [8]. Mélange [d'a]mnésie, d'opportunisme artistique et de cynisme politique,

Girodet nourrissait probablement de nouveau l'espoir d'une reconnaissance que les précédents régimes lui avaient refusée et manifestait un dévouement parfaitement courtisan envers la famille royale [9]. Une fois de plus, il ne convainquit qu'à moitié. En 1818, les Musées royaux avaient acquis *Le Sommeil d'Endymion, Atala* et la *Scène de déluge,* trois de ses chefs-d'œuvre que l'Empire n'avait pas songé acheter, mais il n'obtint pas la charge de premier peintre du comte d'Artois [10]. L'achat d'*Amazone* pour la galerie de la duchesse de Berry indique cependant que son genre de peinture poétique et son classicisme radical, sans satisfaire complètement à un art de cour, trouvait une certaine résonance dans la Restauration. Du moins satisfaisait-il à la sensibilité contemporaine à la recherche d'une alternative entre l'art de l'Empire et les coloristes dont le réalisme au sens moderne commençait à poindre dans les Salons. Et, sans que cela corresponde nécessairement à un acte délibéré ni même tout à fait conscient, l'achat en 1824 d'une étude de femme à l'allure martiale, d'une amazone, convenait au climat de la société de la Restauration qui redonnait aux

femmes un pouvoir social et politique dont la Révolution et l'Empire les avait écartées. La duchesse de Berry en deviendra le symbole malheureux à la chute de Charles X.

Le tableau et les esquisses de Bonchamp et de Cathelineau furent conservés par la duchesse jusqu'à ce que la faillite l'oblige à s'en séparer. Les œuvres furent mises en vente avec la collection Berry provenant du palais Vendramini à l'hôtel Drouot en 1865 [11]. L'*Amazone* fut acquis par Antoine César Becquerel [12] ou par son fils Edmond soit à cette vente [13] ou à une vente postérieure ; il porte au dos le cachet de la collection Berry de Venise [14] et appartient encore aujourd'hui aux descendants Becquerel.

Collection particulière.

cat. 90 Odalisque
ile sur toile
7 x 32,8 cm
ntargis, musée Girodet, inv. 987-2

nombreuses descriptions peuvent lui correspondre dans
elier de l'artiste, *État descriptif des objets d'art* […] (Voignier
05 p. 18-44) ; vente après décès nº 74 du catalogue établi
Pérignon (Pérignon, 1825 p. 19) : «étude ébauchée et
ins grande que nature, offrant une jeune odalisque la gorge
ouverte, les bras croisée et dans la demi teinte, elle est coiffée
n turban ; les bras et les accessoires sont très peu avancés
. 21 p. l.17 p.», adjugé à Girardin pour 655 francs, nº 21 du
cès-verbal de la vente (Voignier, 2005, p. 96) ; coll. becquerel ;
. Filleul jusqu'en 1976 ; coll. Arodes de Peyriague ; acquis
le musée Girodet en 1976.
. 1967, Montargis, nº 42.

cat. 89 Tête de femme au turban bleu
Huile sur toile
40,7 x 32,8 cm
Collection particulière

Hist. coll. Antoine César Becquerel, Châtillon-Coligny ; coll.
Henri Becquerel ; coll. Louise Lorieux, son épouse ; Pierre
Deslandres, par descendance dans la même famille
Coupin 1829, t. I, p. lxviij («1820, […] Tête d'étude très
terminée, d'une jeune fille coiffée d'un turban bleu, les yeux
levés vers le ciel […] appartient à M. Becquerel»).
Exp. 1967, Montargis.

III. 262 François Girard, *Mademoiselle Duchenois dans le rôle de Didon*
Huile sur toile, Paris, musée Carnavalet

III. 263 Girodet (d'après), *La Belle Élisabeth*
Lithographie, Paris, BNF

Une farouche amazone

Pérignon situe l'*Amazone* à une date tardive dans la production de Girodet, il la décrit d'une beauté sauvage, riche en couleur d'une expression fière et très prononcée[15]. Coupin date l'œuvre de 1812 et l'énumère parmi l'ensemble des têtes d'études[16]. Cet exercice de tête d'étude semble préoccuper Girodet qui, pendant et après sa grande composition du Caire, consacre beaucoup de ses études à des têtes masculines, même si nombre d'entre elles sont destinées à la mise en page de têtes ou de bustes de femmes. Beaucoup sont perdues ou ont survécu par l'estampe[17]. Celles que nous connaissons sont moins des études d'expression que des études de cadrage visant à donner monumentalité ou dynamisme à la tête. Certaines se rapprochent des études du buste de *Galatée*. La date de Coupin est donc vraisemblable et pourrait même être plus tardive.

L'*Amazone* présente une tête idéale. Strictement cadrée, autour de la tête et du buste coupé aux épaules et sous la poitrine, elle montre un profil parfaitement grec, des joues empourprées, un regard martial dirigé vers le haut. Du buste à moitié nu émerge un sein au large mamelon rose qui saille d'une tunique blanche, drapée sous une peau de léopard nouée par les pattes en bandoulière à travers la poitrine. La chevelure noire détachée, aussi sauvage que celle de Chactas dans *Atala*, tombe le long de l'épaule. L'amazone porte sur le dos un carquois rempli de flèches qui se terminent par des plumes. Une courroie de cuir damasquiné barre la poitrine à même la chair. La composition lie sauvagerie et sensualité, se concentrant autour d'accessoires à la fois classiques et consubstantiels la nature guerrière et féminine du sujet.

Le haut de la toile à gauche est occupé par un coin de ciel qui semble balayé à la manière des ciels de Reynolds. Ce procédé que Girodet a développé plus largement dans plusieurs autres tableaux[18] ne peut s'expliquer que par coïncidence plastique car il n'avait pu voir aucune peinture de l'école anglaise en France. Il se peut aussi que ce traitement des fonds relève d'une technique de la lithographie étendue à la peinture Alexandre Colin[19], un élève de Girodet, s'en fera une spécialité dans ses dessins.

C'est en apparence seulement que le tableau d'une chasseresse, sensuellement dénudée sous sa peau de panthère, renouait avec les portraits mythologiques du XVIIIe siècle car à la différence de *Mademoiselle Duchesnois*[20] *dans le rôle de Didon*[21], l'*Amazone* n'est pas un portrait transposé dans la mythologie [ill. 262]. C'est une étude de tête grecque, une version féminine d'*Endymion* qui rassemble dans une simple tête le caractère qui avaient converti l'académie d'un nu masculin en un tableau d'histoire. Sa radicalité, concentrée dans le profil et dans le sein sensuellement déformé par la voluptueuse et pure arabesque de la ligne, surenchérit sur d'autres nudités féminines de Girodet.

Odalisques et femmes au turban

La tendresse de la chair empourprée renvoie tout entière à l'art jouisseur de Boucher mais son dessin et celui d'autres bustes nus comme *La Belle Élisabeth* [ill. 263], ou la *Jeune Fille sortant du bain* qui ne sont plus connues que par la gravure vont trouver dans les nus d'Ingres l'écho amplifié de leurs déformations anatomiques et l'aboutissement stylistique d'un art profondément commandé par l'abstraction de la ligne. Dans *Tête de jeune fille au turban bleu* (cat. 89)[22], seul un pompon bleu, placé sur une draperie rouge révèle la nature orientale du sujet qui pourrait aisément être confondu avec une figure du genre bolonais imitant les vierges extatiques de Guido Reni, les Sibylles de Dominiquin et le bleu saturé de Guerchin. Un modèle professionnel a posé pour cette version féminine des études de mamelouk, car il n'y avait pas à Paris de femmes orientales suscep-

tibles de servir de modèle. Un châle ou un turb[an] enroulés autour de la tête, un fichu blanc, transforr[ment] la même jeune femme en une *Odalisque*[23] [ill. 26[4]] ou *Tête grecque* [ill. 265][24], qu'un arrangement e[n]core un peu différent métamorphose en *Caucasien[ne]* [ill. 266][25]. Hormis ses Arianes abandonnées ou s[es] Érigones couchées qui rivalisent avec l'érotisme [de] l'*Endymion*, rares sont les exemples où Girodet ti[re] un parti érotique de ces femmes orientalisées. Seu[le] peut être, l'*Odalisque* (cat. 90) du musée de Monta[r]gis, le buste nu, la tête couverte d'un seul turban, [les] bras d'Ingres croisés sous les seins nus évoquent cet[te] beauté de harem que lady Montagu[26] décrit dans s[es] licencieuses lettres d'Istanbul et qu'Ingres introd[uit] dans *Le Bain turc* (1862, musée du Louvre). Le m[o]dèle est probablement toujours le même, celui q[ui] a une petite bouche et qui a posé pour la tête [de] *Jeune Fille au turban bleu*, mais la ligne sinueuse [du] dos arrondi et l'anatomie stylisée des seins relève [s]d'une synthèse de la forme qui apparente *Odalis[que]* à *Baigneuse à mi-corps vue de dos* d'Ingres[27]. Les refle[ts] dorés de la lumière sur les tons orange sanguin [et] rose de la peinture rappellent l'éclairage particuli[er] que Girodet utilisait pour prolonger le temps quo[ti]tidien consacré au travail dans l'atelier. La matiè[re] légèrement usée, avec quelques reprises à la craie a[u]dessus de la peinture, fait penser à un frottis de co[u]leur laissant apparaître par endroits la toile origina[le]. Ce mélange des techniques s'ajoute à l'inachevé [de] l'œuvre, le faisant accéder à une modernité à laque[lle] nous sommes particulièrement sensibles. Cet aspe[ct] est néanmoins purement accidentel. En revanc[he] la ligne et l'arabesque, lot commun d'Ingres et [de] Girodet, qu'il est convenu d'appeler l'ingrisme par[ce] que Ingres en a fait un système, traverse toute l'œu[v]vre de Girodet. Nous pourrions cependant aiséme[nt] retourner la proposition et montrer que, dans ses n[us] comme dans ses études inlassablement reprises [de] *Stratonice*, Ingres déploie une manière héritée de G[i]rodet. Cet effet relève peut-être moins du mécanism[e] des influences que d'une communauté d'esprit bi[en] inattendue chez deux personnalités si différentes. [Le] dessin d'Ingres, une étude pour *Stratonice*[28], que G[i]rodet conservait dans sa chambre à coucher[29] résum[e] le paradoxe de leur ressemblance : ce dessin est le pl[us] girodien des dessins d'Ingres, comme si Girodet r[e]gardait son cadet à la manière d'un miroir[30].

S. B.

Ill. 265 Girodet (d'après), *Tête grecque*
Lithographie, coll. part.

Ill. 266 Girodet (d'après), *La Caucasienne*
Lithographie, coll. part.

264 Girodet (d'après), *L'Odalisque*
nographie, Paris, BNF

Notes

oupin, 1829, t. I, p. lxvj.

aul Mantz, *Gazette des Beaux-Arts*, vol. XIV, 1er mai 3, p. 414, la confond avec l'esquisse offerte par Girodet duchesse de Berry. Pruvost-Auzas, 1967, no 41 y voit réplique du tableau de la duchesse de Berry. Lemeux-ot, 2000, p. 366 n° 383 et p. 381, n° 410 suggère de cette toile dans une *Amazone* conservée à « l'Ermitage loscou (?) ».

oir *supra* Historique de l'œuvre. L'exemplaire du logue Pérignon de la Frick Library comporte des ajouts uscrits correspondant aux résultats financiers de la e et confirme *1960* pour le prix de l'Amazone.

ettre sans date de Girodet à la duchesse de Berry, iothèque d'Art et d'Archéologie Jacques Doucet ographe, carton 15, peintres, Girodet, mf BVII 5874-5).

ujourd'hui perdue, cette coupe de forme antique par connier, d'après un modèle de Bosio, est décrite par Mantz, *Recherches sur l'orfèvrerie française*, ve partie, ode moderne (dixième article), *Gazette des Beaux-*, t. XIV, 1er mai 1863, p. 414. Voir aussi le *Journal des* ts, octobre 1823 et Voignier, 2005 p. 46, no 12.

ur le chevalier Ferréol de Bonnemaison (1770-1827), la notice de Linda Whiteley, *Grove Dictionary of Art*. oignier, 2005.

e duc de Berry alla voir le tableau de Girodet au Salon 1819 le 2 novembre, F7 3874 Préfecture de Paris, *etin de Paris*. Surveillance du Salon de 1819.

Les paroles si remplies/pleines/de la plus ourageante bonté, que j'ai pu entendre de la bouche otre A.R. sans éprouver la plus profonde émotion, ernière fois que j'eus l'honneur de paraître/en sa ence/, étaient déjà pour moi une récompense trop orable et trop au-dessus de mon Espoir pour que uisse imaginer qu'elle voulut mettre le comble à aveur en me faisant don d'un monument qui, en lant la pensée délicate et généreuse de votre A.R. à

mon égard, restera un titre immortel d'honneur attaché à l'histoire des artistes, comme le sera pour eux et pour toute la France le souvenir de ses bienfaisantes vertus. Ce monument, Madame, dont vous avez daigné honorer un artiste français, conservé après lui avec vénération dans sa famille, y perpétuera son ancien et fidèle dévouement à votre A.R. et à Sa Dynastie Sacrée : il fera pus, il continuera d'exister dans l'âme de tous ceux qui cultivent les arts. [...] » (brouillon d'une lettre d'Anne Louis Girodet à la duchesse de Berry, Paris sans date, bibliothèque d'art et d'Archéologie Jacques Doucet (Autographes, carton 15, peintres, Girodet, mf B VII 5874-5875).

10. Lettre de Girodet à S.A.R. Monsieur, frère du roy, lieutenant général du royaume 30 juillet 1814, écrite avant que Gérard ne soit nommé premier peintre de Louis XVIII (1817), archives, fonds famille d'Arrodes, coll. part., France.

11. Catalogue des tableaux anciens et modernes composant la galerie du palais Vendramini, à Venise et appartenant à Mme la duchesse de Berry, hôtel Drouot, salle 5 le mercredi 19 avril 1865 et jours suivants. Charles Pillet commissaire-priseur et Ferdinand de Laneuville expert. L'*Amazone* est au n° 290 de la vente, les esquisses au n° 289.

12. Veil ami et cousin, Antoine César Becquerel (1788-1878), membre de l'Académie des sciences en 1829, membre de l'Institut en 1839, avait acquis de nombreuses œuvres avant et après la mort de Girodet. Il avait surveillé l'édition de ses œuvres lithographiques posthumes. Son fils Edmond Becquerel (1820-1891) lui succéda à la chaire de physique appliquée aux sciences naturelles et fut aussi membre de l'Institut. Son petit-fils Henri (1852-1908) découvrit en 1896 la radioactivité de l'uranium. Cette acquisition n'est pas le seul exemple de rachat par les Becquerel d'œuvres dispersées à la vente Girodet.

13. Nous remercions Jean-Marie Voignier qui a recherché l'acquéreur dans le procès-verbal de la vente. Hélas le nom est illisible.

14. Ce tableau est bien celui de la vente Girodet et non une réplique comme l'avait publié Pruvost-Auzas, 1967, no 41.

15. Pérignon, 1825, p. 4 no 6.

16. Coupin, 1829, t. I, p. lxvj.

17 Voir à la Bibliothèque nationale de France la série Girodet 48 Fol qui en conserve un grand nombre.

18. Notamment *Portrait de Jeune Homme en chasseur*, musée du Louvre (cat. 91), et Bellenger, 1989, p. 66-100.

19. Alexandre-Marie Colin (1798-1873)

20. François Gérard, *Mademoiselle Duchesnois (1777-1835) dans le rôle de Didon*, huile sur toile, musée Carnavalet, inv. P. 1005 (voir cat. exp. *Au temps des merveilleuses, la société parisienne sous le Directoire et le Consulat*, Paris musée Carnavalet 9 mars - 12 juin 2005, n° 376, p. 233,).

21. Lefranc de Pompignan

22. *Tête de jeune fille au turban bleu*, titre repris par le catalogue de l'exposition du musée Girodet, 1967, no 46 d'après la description donnée par Coupin, 1829, t. I, p. Lxviij, « tête d'étude, très terminée, d'une jeune fille coiffée d'un turban bleu, les yeux levés vers le ciel ».

23. L'*Odalisque, Madame Louise G. delt, Girodet-Trioson Pinxit d'après une étude de M. Girodet*.

24. *Tête grecque* tirée du cabinet de M. le Marquis de Valory, lithographie de Mlle Fromentin, Girodet Pinxit, Coupin, 1829, t. I, p. lxviij, : « 1820, Tête d'étude d'une jeune femme coiffée d'un voile blanc. Appartient à M. le Marquis de Valory ».

25. *Tête de femme en turban*, huile sur toile, 41 x 33,5 cm, lithographiée par Mlle Bés sous le titre *La Caucasienne*.

26. Lady Mary Wortley Montagu (1689-1762).

27. Bayonne, Musée Bonnat. Peint à Rome en 1807 peut être préparatoire à la *Baigneuse Valpinçon*, Paris, musée du Louvre.

28. Très proche du tableau perdu de Girodet à Naples, ce dessin est conservé au château-musée de Boulogne-sur-Mer (voir Bellenger, Washington 1999, Center 19, p. 45-51).

29. Ingres fut enchanté quand ses dessins furent vendus très cher à la vente après décès de Girodet. Voir Bellenger, 1999.

30. Boyer d'Argens, *Ingres, d'après une correspondance inédite*, Paris, 1909, p. 126.

Portraits d'hommes

cat. 91 Portrait de jeune homme en chasseur
Huile sur toile
64,5 x 54,5 cm
Inscriptions : monogrammé et daté en bas à droite : *ALGDRT 1811*
Paris, musée du Louvre, don de la Société des Amis du Louvre, inv. RF 1994-7

Hist. Coll. Saint Maurice (?) ; coll. Charles de Sabran-Pontevès (1875-1936) ; sa descendance ; acquis par le musée du Louvre en 1994.
Bibl. Laveissière, *Revue du Louvre*, n° 4, 1994. Cuzin, *Connaissance des Arts*, n° 533, novembre 1996 ; S. Laveissière, in cat. exp. Paris, 1997, p. 308 ; Temperini, in Rosenberg, 1999, p. 581-651 ; éd. fr., 2001, p. 548-613.

Portrait d'un chasseur

L'acquisition de cette toile, il y a une dizaine d'années, par le musée du Louvre, a non seulement fait réapparaître un tableau jusque-là complètement inconnu de l'artiste, mais aussi modifié la vision que l'on pouvait avoir de Girodet portraitiste. L'œuvre n'avait pas figuré à l'exposition de 1967, et n'ayant jamais été exposée au Salon ou ailleurs, du vivant de Girodet comme après sa mort, n'avait pas été répertoriée par les spécialistes. Son histoire, attestée, ne remonte en tout cas pas au-delà du début du XXᵉ siècle : dans les collections du château de Préchac, en Gironde, chez Charles de Sabran-Pontevès, puis au château d'Ansouis, près de Tarascon, dans la même famille. On ne sait pas exactement dans quelles circonstances Girodet l'exécuta, ni comment il entra chez les Sabran. Faut-il imaginer un portrait amical ou familial toujours resté dans la même famille ou bien passé plus tard du modèle ou de sa famille dans les collections Sabran?

L'identité de ce jeune homme reste mystérieuse et le restera encore longtemps. Mais cela a au moins l'avantage d'orienter l'analyse dans une direction plus formelle, ce qui d'ailleurs rejoint probablement l'esprit dans lequel Girodet a peint ce portrait.

On peut distinguer plusieurs groupes dans les portraits exécutés par Girodet : au premier rang figurent les portraits de format important, en pied, exposés pour la plupart au Salon ou destinés à des édifices publics, ceux de Chateaubriand, de Napoléon ou de Bonchamps. Un second ensemble réunit les tableaux de commande, en buste, parfois reproduits par la gravure, dont les modèles ont été identifiés : ainsi de celui du comte de Sèze, de la reine Hortense ou de Mme Reiset. Un troisième regroupe les portraits de la très proche famille, notamment ceux du docteur Trioson et de son fils, ainsi que les autoportraits. Le dernier, enfin, rassemble des portraits semble-t-il amicaux (les modèles n'étant pour la plupart

pas identifiés avec précision), tel le *Portrait de je homme en chasseur*. Girodet a balancé, dans tous tableaux, entre deux possibilités : soit inscrire le m dèle dans un décor ou une iconographie explicit sa personnalité, sa position, ses intérêts, soit s'en nir au simple visage, avec un décor neutre, sans dication précise. Chateaubriand est représenté av en arrière-plan, le Colisée, Belley avec un paysa d'Haïti. Bonchamp est un des généraux de la gran armée catholique et royale, Napoléon un souver dans la grande tradition des portraits de monarq illustrée par Rigaud, Larrey porte son uniforme la Grande Armée. Girodet suit alors les conventi traditionnelles du genre, comme, d'une manière p détournée, quand il multiplie les allusions par le b de l'iconographie ou du détail descriptif, que ce dans son *Autoportrait* du musée Magnin, dans la çon de géographie ou dans *Benoît Agnès Trioson*. P simples en revanche sont les portraits en buste o

i-corps, dont rien, dans le costume ou le décor, ne
rmet *a priori* d'identifier les modèles. Quelques-uns
t été gravés ou lithographiés, notamment celui du
mte de Sèze, d'autres avaient des commanditaires
p connus pour risquer de tomber dans l'oubli,
si la reine Hortense, d'autres encore ont survécu
âce à la tradition familiale, comme Mme Reiset ou
me Merlin. Mais Girodet, en dehors de la repré-
ntation du visage, s'est surtout attaché, dans ces œu-
es, à de purs effets de peinture : effets de touche, de
uleurs, rendu des chairs et des matières. C'est dans
tte perspective qu'il faut replacer le *Portrait de jeune
mme en chasseur*, qui paraît autant un portrait qu'un
ercice pictural.

On le rapprochera d'abord, pour ce faire, d'un
bleau conservé dans la descendance Becquerel, un
tre portrait de chasseur, celui *d'Antoine François
ormier* [ill. 267] qui pourrait presque en être consi-
ré comme un pendant. Si l'on rapproche les deux
intures, Girodet, en effet, semble avoir délibéré-
ent fait des choix opposés quant à leur mise en
ge et à leur composition. L'un est tourné vers la
oite, l'autre vers la gauche, l'un regarde directement
rs le spectateur, l'autre non, l'un est en habit plutôt
gligé, assis sur une chaise, dans un intérieur, l'autre
billé plus strictement, en extérieur, enfin le fusil de
n est relevé, alors que l'autre le tient à l'horizontale,
rs le bas. Le format des deux œuvres est à peu près
entique. Néanmoins, à la suite de Coupin, on date
ditionnellement *Antoine François Cormier* de 1789
ors que le *Jeune homme en chasseur* est daté, par Giro-
t lui-même, de 1811. On l'a ainsi rapproché d'un
ssin, le *Portrait de Brucelle en chasseur*, crayon avec
auts de gouache et de sanguine, lui aussi daté et
né de 1811 (coll. part.). Brucelle était le régisseur
Girodet au château du Verger. Hormis le thème
le cadrage, et en faisant abstraction de la techni-
e, l'esprit en est pourtant complètement différent :
ucelle est en effet décrit avec un très grand réa-
ne et un effort pour rendre la physionomie et le
ractère, absent du *Portrait de jeune homme en chasseur*,
nt le modèle est beaucoup plus distant et presque
strait. Que Girodet varie ainsi ses effets et son style,
même moment, n'est pas pour étonner, ni qu'il ait,
ne vingtaine d'années d'intervalle, poursuivi dans
e veine identique. Il est d'ailleurs possible que les
bleaux datés d'après Coupin du début des années
90, celui de Cormier ou celui, présumé, de Fran-
is Xavier Fabre [ill. 268] soient en réalité, comme
ui de Mme Merlin, des alentours de 1810 et donc
ntemporains du portrait du Louvre. L'unité stylisti-
e des uns et des autres n'en est pas moins patente :
ême cadrage rapproché, même fond brossé plus lar-
ment, même «immédiateté» du modèle, dans une
itude simple, détendue, familière, qui le rapproche
spectateur. Le *Portrait de jeune homme en chasseur*

est de ce point de vue celui qui, dans cet ensemble,
pousse le plus loin ces effets, qui font immédiatement
penser (le point a été souligné par tous les commentateurs ou les historiens de ces différents tableaux) au
portrait anglais contemporain.

La date de 1811, pourtant sûre, du *Portrait de jeune
homme en chasseur* n'en devient que plus troublante.
N'existerait-elle pas que l'on n'hésiterait pas à le placer à l'extrême fin de la carrière de Girodet et à y voir
un écho aux portraits anglais de mieux en mieux connus et appréciés du public français après la chute de
l'Empire, et en particulier ceux de Thomas Lawrence,
qu'il évoque irrésistiblement. Mais il a été peint sous
l'Empire, en plein blocus continental, alors que les relations entre la France et la Grande-Bretagne étaient
pratiquement inexistantes. Plusieurs hypothèses sont
possibles : une simple coïncidence de style serait bien
extraordinaire, et il faut admettre que Girodet, d'une
manière ou d'une autre, connaissait ce qui se faisait
outre-Manche. On mesure mieux aujourd'hui les
conditions de la réception de la peinture britannique
en France à la fin du XVIIIᵉ et au début du XIXᵉ siècle :
peu de contacts directs, hormis pendant la période,
très courte, qui suivit la paix d'Amiens en 1802-1803,
avant la reprise des hostilités, et qui vit une vague
d'artistes anglais déferler en France et nouer ou renouer des contacts approfondis avec leurs confrères
parisiens. Il est tout à fait possible que Girodet ait fait
partie de ces derniers, même si rien ne l'atteste précisément. Peu de peintures, et en tout cas de portraits
anglais, furent alors exposés à Paris, mais ceux-ci, en
revanche, et depuis le milieu du XVIIIᵉ siècle, étaient
largement diffusés, commentés et appréciés par l'estampe. C'est très probablement par ce biais que Girodet connut ce genre si spécifiquement britannique,
dont il s'inspire visiblement ici. Mais plus qu'à ses
contemporains immédiats, on pense plutôt aux artistes des générations antérieures, notamment Reynolds
et Gainsborough, par le biais notamment d'estampes
en «manière noire» ou mezzotinte, de format réduit,
aux cadrages identiques et aux effets de fond très
analogues à ceux de ces portraits. Girodet suit là une
autre voie, plus intimiste, moins formelle, que celle
d'un David, par exemple, qui, lui, s'inspire plutôt du
portrait d'apparat, en pied, lui aussi très bien connu
par des gravures alors fort célèbres (ainsi le *Prince de
Galles* gravé par John Raphaël Smith d'après Gainsborough, une des sources possibles pour le portrait de
Bonaparte à côté de son cheval, projeté à la fin des
années 1790 et finalement non réalisé). Mais les deux
artistes témoignent, en plein conflit européen, d'une
commune admiration pour l'art anglais de leur temps.
C'est ce qui distingue, encore aujourd'hui, le *Portrait
de jeune homme en chasseur*, un tableau où le sujet s'efface d'une certaine manière devant le style.

B.J.

III. 267 Girodet, *Portrait d'Antoine François Cormier
en chasseur*
Huile sur toile, coll. part.

III. 268 Girodet, *Portrait d'homme en habit bleu*
(Portrait présumé de François-Xavier Fabre)
Huile sur toile, Cherbourg, musée Thomas-Henry

III. 269 Girodet, *Portrait d'homme*
Huile sur toile, Bayonne, musée Bonnat

Benjamin Rolland

Dans sa liste des élèves de David, Étienne-Jean Delécluze cite un «Roland, de la Jamaïque[1]» qui n'est autre que Benjamin Rolland (1777-1853). En réalité, Rolland est né à la Guadeloupe et il est entré à l'atelier de David vers 1796[2]. Delécluze brosse un portrait saisissant du jeune artiste surnommé «le Furieux» par ses condisciples : «Roland [*sic*] était un créole de la Martinique, honnête, brave, peu spirituel, excessivement fort de corps et qui travaillait comme un galérien à la peinture pour se faire une profession et réparer les pertes que sa famille avait faites lorsque la Révolution ruina les colonies[3].» Il signale aussi les liens de Rolland avec un groupe d'artistes du Midi, dont François Marius Granet (1775-1849) et Jean-Louis Ducis (1775-1847), qui «représentaient assez bien le parti aristocratique à l'atelier[4]» dans la période révolutionnaire. Ces peintres allaient se distinguer plus tard par leurs reconstitutions historiques minutieusement détaillées, et contribuer ainsi à la vogue du style troubadour. Rolland, pour sa part, s'est essayé à des genres divers, comme l'attestent ses envois aux Salons de 1801 à 1824, qui vont de l'*Enlèvement d'Iphigénie par Oreste et Pylade* (Salon de 1801) à *Un père profondément affligé tient son enfant malade* (Salon de 1822). Stendhal trouve ce dernier tableau «exécrable[5]» quand il le voit en juin 1838. En 1817, Benjamin Rolland a accepté le poste de conservateur du musée de Grenoble, où il allait rester jusqu'à sa mort en 1853[6].

On ignore les circonstances et la nature des relations de Rolland avec Girodet. Tous deux ont étudié auprès de David, mais à près de dix ans d'intervalle. Quand Rolland est entré à l'atelier vers 1796, Girodet, de retour de Rome, commençait déjà à prendre ses distances avec son maître[7] et il a obtenu un appartement et un atelier au Louvre. De plus, Rolland ne devait guère apprécier les opinions républicaines professées par Girodet vers la fin des années 1790, car Delécluze le compte au nombre de ceux qui «n'étaient point d'humeur à entendre vanter les exploits de 1793[8]». Une hypothèse séduisante résiderait dans leurs liens communs avec l'artiste Fortuné Dufau (1770-1821), originaire de Saint-Domingue, que Girodet a connu à Rome en 1792. Dufau et Rolland étudiaient tous les deux à l'atelier de David en 1796. L'année suivante, Girodet a peint Jean-Baptiste Belley **(cat. 66)**, également originaire de Saint-Domingue. Il pourrait donc avoir revu Dufau à cette occasion, et rencontré Rolland par son intermédiaire[9]. Toujours est-il que le portrait de Rolland, inachevé, constitue le seul et unique souvenir de leur rencontre. Rolland a gardé cette œuvre jusqu'en 1847, date à laquelle il l'a vendue au musée de Grenoble.

On a pu écrire que Girodet avait peint *Benjamin Rolland* d'après nature, en quelques séances de pose[10]. Le portrait possède effectivement la spontanéité d'une étude sur le vif. La vivacité de l'expression, soulign[ée] par le modelé puissant du visage, ne contredit pas [les] souvenirs de Delécluze : «Roland avait quelque ch[o]se de brusque dans le caractère, mais n'était nulleme[nt] méchant[11].» Les aspects inachevés de cette œuvre ([les] frottis sommaires du manteau et la couche d'appr[êt] laissée à nu en guise d'arrière-plan) créent une rupt[u]re entre figure et fond. Le personnage se projette v[ers] l'avant du tableau et se découpe en relief sur la su[r]face claire. Tous les auteurs sont partis du postulat q[ue] Girodet avait complètement fini de peindre la t[ête] de Rolland[12]. Pourtant, les coups de pinceau enco[re] visibles, surtout sur l'arête du nez et sur le front, ai[nsi] que les boucles rapidement esquissées, surprenne[nt] de la part de Girodet, qui avait l'habitude de soig[ner] l'exécution de ses tableaux. On peut donc pen[ser] qu'il n'a pas fini de peindre le visage et les cheveu[x.] Le portrait de Rolland, resté à l'état d'ébauche, se d[é]robe aux tentatives d'évaluation de l'œuvre que G[i]rodet projetait de réaliser en fait. On a proposé [de] situer ce tableau entre 1814, où Rolland est rentr[é à] Naples après la première Restauration, et 1816-18[..] c'est-à-dire la période qui a précédé sa nominati[on] au musée de Grenoble[14]. Or, il ne reste plus aucu[ne] trace d'ébauche dans les tableaux de Girodet ap[rès] 1804. En 1814, les frottis rapides seraient de véritab[les] anomalies dans son œuvre. Les considérations de st[yle] incitent à placer ce tableau bien plus tôt dans la c[ar]rière de Girodet, autour de 1800.

Le *Benjamin Rolland* de Girodet fait penser a[ux] portraits inachevés de David datant de la pério[de] révolutionnaire, par son exécution apparemme[nt] sommaire et sa composition dépouillée, notamme[nt] ceux de *Louise Pastoret* (Chicago, Art Institute) et [de] *Louise Trudaine* (Paris, musée du Louvre). Le reco[urs] au frottis pour déterminer la forme générale et l'[at]tention portée à la physionomie du modèle révèl[ent] que l'élève imite, consciemment ou non, les méth[o]des du maître. Benjamin Rolland, le regard fixé su[r le] spectateur, n'est pas sans rappeler l'attitude hardie [de] David dans son autoportrait de 1794 **[ill. 53]**. Dans [ces] deux œuvres, le vêtement brossé en frottis et la ju[xta]taposition des cheveux rapidement esquissés avec [le] visage au modelé plus fouillé servent à saisir au vol [un] moment bien particulier. Girodet a peint le por[trait] d'un inconnu [Bayonne, musée Bonnat, **ill. 269**] d[ans] une technique et une mise en page comparable[s à] celles de *Benjamin Rolland*. Là aussi, on a l'impress[ion] que l'œuvre restitue un instant précis. Mais le table[au] du musée Bonnat est achevé, laissant imaginer l'a[p]parence finale du portrait de Rolland. La démar[che] que Girodet a adoptée pour l'un et pour l'autre at[teste] l'influence durable de l'exemple fourni par s[on] maître dans le genre de portraits, alors même q[u'il] s'écartait de ce modèle dans les autres genres.

K. C. G.

cat. 92 **Portrait de Benjamin Rolland**
1816
uile sur bois
x 53 cm
enoble, musée de Grenoble, inv. MG 156

coll. Benjamin Rolland; acquis par le musée auprès de
olland en 1847 pour 600 francs.

1930, Paris, n° 327 ; 1935, Paris, n° 125 ; 1936, Paris, n° 328 ;
57, Montargis, n° 43 ; 1994, Paris, n° 37.

lettre de demande d'acquisition du maire de Grenoble
ur le musée, du 1er décembre 1847 (archives du musée,
240) ; «Registre des commissions du musée-bibliothèque»
cond livre), Grenoble, archives municipales, R 238;
lécluze, 1855, p. 417 ; catalogues du musée de Grenoble,
56, n° 154 ; 1866, n° 174 ; 1870, n° 222 ; 1872, n° 224 ; 1874,
224 ; 1878, n° 224 ; 1884, n° 224 ; 1891, n° 104 ; 1901, n° 38 ;
11, n° 38 ; Jouin, 1888, p. 168 ; Roman, 1892, p. 26 ; *Inventaire*
richesses d'art de la France 1892, p. 26, 198 ; Beylié, 1909,
8 ; Robiquet, 1935, préface ; Vergnet-Ruiz et Laclotte, 1962,
237 ; Nevison Brown, 1980, n° 152 ; Angrand, 1988, p. 140 ;
omé 1992, p. 32 ; Le Pommeré, 1994, p. 76 ; Lemoine, 1999,
8 ; Chomer, 2000, p. 126-127 ; Lemeux-Fraitot, 2003, p. 68-

Notes

Delécluze, 1855, p 417.
Rolland intervient dans deux incidents, relatés par
écluze (ibidem, p. 77-79 et 87), survenus en 1797.
bidem, p. 50.
bidem, p. 79.
Stendhal, *Voyages en France*, édition établie et annotée
V. Del Litto, Paris, Gallimard, coll. «Bibliothèque de la
iade», 1992, p. 853.
Voir Gilles Chomer, *Peintures françaises avant 1815,*
collection du musée de Grenoble, Paris, RMN, 2000,
26-127.
Sur les rapports de Girodet avec David, voir Crow, 1995,
39-90, 102-103, 117-119, 256-257 et *passim*
Delécluze, 1855, p. 50.
Le nom de Fortuné Dufau figure dans une liste d'élèves
David datée du 14 mars 1796. Voir Wildenstein, 1973,

n° 1227. Je remercie Sylvain Bellenger de m'avoir signalé
les relations de Girodet avec Dufau, attestées par une lettre
du 3 octobre 1792 (fonds Pierre Deslandres, déposé au
musée Girodet de Montargis, t. III, n° 28), en suggérant
la possibilité d'une rencontre entre Girodet et Rolland à
l'époque du portrait de Belley.
10. Chomer, *Peintures françaises...*, p. 127.
11. Delécluze, 1855, p. 87.
12. Ce postulat remonte à la fin du xixᵉ siècle. Alexandre
Debelle écrit dans sa *Notice des tableaux et objets*
d'art du musée de Grenoble, Grenoble, musée de
Grenoble, 1856, p. 135, que «la tête seule est à peu
près terminée». Mais la nuance disparaît en 1892,
où l'on peut lire que «la tête seule est terminée», in
Inventaire général des richesses d'art de la France, t. VI,
Province, monuments civils, Paris, Plon-Nourrit, 1892,

p. 26. En 2000, Gilles Chomer (*Peintures françaises,*
op. cit., p. 126) présume encore que la tête est achevée :
«Outre la cravate blanche, seules les traits forts et la tête
massive et puissamment modelée de Benjamin Rolland
ont été poussés jusqu'au bout.»
13. Dans ce cas, la méthode de Girodet resterait conforme
à l'enseignement de David qui attendait d'avoir fini tout le
reste pour préciser l'expression du visage et les signes
révélateurs de la personnalité du modèle. Voir Donna Marie
Hunter, «Second Nature : Portraits by J.-L. David, 1790-
1792», thèse, Harvard University, 1988, p. 389.
14. Chomer, *Peintures françaises...*, p. 126.

cat 93 **Portrait du citoyen Bourgeon**
Huile sur toile, 92x 172 cm
Monogrammé et daté en bas à gauche : *ALG 1800*
Saint-Omer, musée de l'hôtel Sandelin

Hist. Teil Chaix d'Est-Ange ; don de la baronne Joseph du Teil
Chaix d'Est-Ange au musée Sandelin en 1921.
Exp. 1974-1975, Paris, n° 79.
Bibl. Dezarrois, Féral et Mannhein, 1925, n° 2, p. 24-2- ; Blazy,
1981, n° 162, p. 52 ;

Joli portrait

Après le scandale provoqué par l'effigie allégori
que de *Mademoiselle Lange en Danaé* au Salon de 179
Girodet expose l'année suivante des œuvres très sag
en comparaison, peut-être pour calmer ses détrac
teurs. Parmi les trois portraits qu'il a envoyés figu
celui de Jean-François de Bourgeon (né en 1757
Ce tableau suscite des commentaires favorables da
la presse, où il est qualifié de «joli portrait[2]» et ju
«parfaitement ressemblant *de tous points*[3]». Cepe
dant, le modèle a un peu trop «l'air d'un homr
qui se fait peindre[4]». Il est vrai que le portrait ne f
rien pour dissimuler le caractère contraint de la po
bien perceptible dans le regard de Bourgeon diri
vers le spectateur. Pourtant, Girodet, présente le m
dèle apparemment interrompu dans sa lecture, intr
duisant ainsi un «scénario d'intimité violée[5]» cen
faire oublier l'artifice de la pose. Bourgeon a glis
le pouce dans le livre pour marquer la page, ind
quant par là qu'il a l'intention de reprendre sa lectu
L'effet d'intrusion dans un moment de tranquilli
participe des conventions du portrait au XVIIIe sièc
En témoignent au moins deux œuvres antérieures
Jacques Louis David, montrant respectivement Jac
bus Blauw **[ill. 270]** et Gaspard Meyer, plume d'oie
la main, qui s'arrêtent d'écrire pour se tourner vers
spectateur ou vers quelque présence invisible[6]. M
ce sont des exceptions dans l'art de David, qui pr
férait représenter des modèles qui prennent la po
au lieu d'essayer de faire diversion avec une mise
scène anecdotique[7].

Au Salon de 1800, les œuvres de Girodet pâti
sent de la lassitude grandissante causée par la «stér
abondance des portraits[8]». Le genre prédomine ne
tement : «Sur trois cent quatre-vingt, tant tablea
que dessins, qui tapissent le Salon, on compte jusqu
deux cent cinquante portraits[9]», écrit Boutard. Mais c
qui gêne surtout les critiques, c'est l'anonymat
tous ces citoyens et citoyennes de la bonne bou
geoisie. «Je me demande pourquoi nous voyons q
beaucoup de ces particuliers qui désirent être vus
public ne jugent point à propos d'être reconnus
ce même public[10]», s'étonne un commentateur. Ci
quante ans auparavant, la place grandissante occupe
au Salon par les portraits de simples particuliers av
déjà provoqué des réactions analogues, dénonçant
vanité de leurs propriétaires[11].

Le portrait de Jean-François de Bourgeon f
partie de ces images anonymes au Salon de 1800. I
livret n'indique que l'initiale de son nom. Si Bouta
s'en réfère aux «gens qui connaissent M.C.B.[12]» po
saluer la ressemblance du portrait, on est en droit
penser que, pour la plupart des visiteurs du Salo
Bourgeon et les autres personnes peintes par Girod
sont «peu connus[13]». C'est une œuvre personnel
qui atteste les liens d'amitié entre l'artiste et son m

ële, encore soulignés par le choix du livre *De Ami-*
tia de Cicéron, sans doute tiré de la bibliothèque de
Girodet[14]. Le rôle symbolique du livre est un motif
que l'on retrouve dans plusieurs portraits de Girodet,
bibliophile averti et grand lecteur[15]. On ignore dans
quelles circonstances les deux hommes se sont connus, mais une lettre de 1801 confirme que Girodet
avait beaucoup de considération pour Bourgeon :
« Comme je ne cesserai jamais, mon ami, de prendre
le plus vif intérêt à tout ce qui vous concerne, j'ap-
prendrai toujours avec une satisfaction égale tout ce
qui pourra contribuer à votre bonheur[16]. »

Jean-François de Bourgeon, maire de Boissy-le-
Sec, avait quarante-trois ans à la date du portrait. Il a
une attitude élégamment décontractée, jambes croisées dans un fauteuil d'acajou, orné de sphinx en
bronze doré, qui ressemble aux sièges réalisés à cette
époque par les frères Jacob. Bourgeon se poudrait les
cheveux, comme le révèlent les traces blanches sur
l'épaule de sa redingote. L'effet n'a pas semblé très
convaincant à Boutard, qui remarque que « l'auteur a,

contre son intention, fait des cheveux blancs et non
des cheveux poudrés ; c'est un bien léger défaut[17] ».
La facture lisse du portrait, évoquant la porcelaine, est
caractéristique du style de Girodet. Du reste, Pierre
Chaussard lui reproche cette exécution léchée, dé-
plorant qu'il ait perdu son temps à peindre avec « tant
d'art et de vérité » un sujet aussi inconsistant : « Celui
qu'il a perdu à lustrer un habit aurait pu être employé
à laisser un chef-d'œuvre historique[18]. » Girodet démontre ici une grande maîtrise du dessin. « De votre
art le dessin est le plus ferme appui[19] », conseillera-t-il
plus tard aux portraitistes, suivant en cela l'enseignement de son maître David. La sobriété raffinée de
la présentation de *Monsieur Jean-François de Bourgeon*
illustre une autre recommandation de Girodet aux
portraitistes : « Élégant sans apprêt, toujours vous saurez plaire[20]. »

K. C. G.

III. 270 Jacques Louis David, *Portrait de Jacobus Blauw*
Huile sur toile, Londres, The National Gallery

Notes

Explication des ouvrages […] 25 fructidor an VIII, Paris,
imprimerie des Sciences et des Arts, an VIII [1800], p. 35,
n° 167, *Portrait du citoyen B.*

Brunn-Neergaard, an IX [1801], p. 40 : « Girodet nous
a donné deux jolis portraits, un d'homme, et l'autre de
femme. »

[Jean-Baptiste Boutard], « Salon de l'an VIII, Girodet
et Gérard », *Journal des débats*, 11 brumaire an IX
[2 novembre 1800], p. 2. C'est lui qui souligne.

Ibidem

Halliday, 2000, p. 104. Il trouve les portraits de Girodet
« conventionnels », estimant sa représentaton de Bourgeon
« presque entièrement dénuée d'indices sur sa personnalité
intime ».

Portrait de Jacobus Blauw, 1795-1796, Londres,
National Gallery, et *Portrait de Gaspard Meyer*, dit *L'Homme
au gilet rouge*, 1795-1796, Paris, musée du Louvre. Une
gravure d'après le portrait de Blauw figurait au Salon de
1796, tandis que le portrait de Meyer est resté dans l'atelier
de l'artiste jusqu'à sa mort. Je remercie Sylvain Bellenger
de m'avoir suggéré le rapprochement avec *Jacobus Blauw*.
Voir Philippe Bordes, cat. exp. *Jacques-Louis David :
Empire to Exile*, J. Paul Getty Museum et au Sterling and
Francine Clark Institute, coédité avec Yale University Press,

2005, p. 144. L'auteur signale une troisième exception dans
les portraits de David, son *Alexandre Lenoir* peint en 1817
(Paris, musée du Louvre).

8. Jacques Lebrun, dans *Le Moniteur universel*, cité par
Jean Lacambre, in cat. exp. Paris, 1974-1975, p. 450.

9. M. B. [Jean-Baptiste Boutard], « Salon de l'an VIII,
portraits peints par des femmes », *Journal des débats*, 6
brumaire an IX [28 octobre 1800], p. 1.

10. *Dernières observations sur cette exposition*, cité par
Jean Lacambre, in cat. exp. Paris, 1974-1975, p. 450.

11. Philippe Bordes, *Jacques-Louis David…*, 2005,
p. 131.

12. [Jean-Baptiste Boutard], « Salon de l'an VIII, Girodet
et Gérard », *Journal des débats*, 11 brumaire an IX
[2 novembre 1800], p. 2.

13. Joseph-Alphonse Esménard, « Salon de l'an VIII »,
Mercure de France, coll. Deloynes t. XXII, n° 633, p. 735.

14. Voir l'« état contenant la description de tous les objets
d'art et autres effets mobiliers dépendant de la succession
de Girodet-Trioson », reproduit in Bajou et Lemeux-Fraitot,
2002, p. 234, n° 243 (« œuvres de Cicéron, un volume »).

15. Par exemple *Portrait du comte de Sèze* (cat. 65) et
Benoît Agnès Trioson regardant des figures dans un livre
(cat. 77). Girodet a placé le *Pro rege deiotaro* de Cicéron

dans les mains de Raymond de Sèze, qui fut l'un des
avocats de la défense au procès de Louis XVI.

16. Anne-Louis Girodet de Roussy Trioson à Jean-François
de Bourgeon, le 15 ventôse an IX [6 mars 1801], reproduite
dans Félix Davoine et A.P. de Miremonde, *Musée du Baron-
Martin à Gray*, Vesoul, imprimerie IMB, 1983, p. 466.
Dans ce catalogue, le nom du destinaire de la lettre est
orthographié par erreur « Bourgoin ».

17. [Jean-Baptiste Boutard], « Salon de l'an VIII, Girodet
et Gérard », *Journal des débats*, 11 brumaire an IX
[2 novembre 1800], p. 2.

18. Publicola [Pierre-Jean-Baptiste] Chaussard, *Bulletin
universel des sciences, des lettres et des arts*, an IX, n° 4
[28 novembre 1800], cité par Philippe Bordes in cat.
exp. *Portraiture in Paris around 1800 : Portrait of Cooper
Penrose by Jacques-Louis David*, San Diego, Timken
Museum of Art, 2003, p. 25.

19. Anne Louis Girodet, « Conseils aux artistes, quatrième
veillée » (Coupin, 1829, p. 396).

20. *Ibidem*, p. 391.

cat. 94 Portrait de la reine Hortense
Huile sur toile, 69,3 x 55,8 cm
Monogrammé et daté en bas à gauche : *ALGDRT / 1813*
Rueil-Malmaison, musée national des châteaux de Malmaison et Bois-Préau (dépôt du Louvre), inv. M.N.R.158

Hist. Acquis d'un collectionneur privé français par l'intermédiaire de Gurlitt en 1943 ; exporté en Allemagne par Gurlitt pour le musée de Linz ; attribué au musée du Louvre par l'Office des biens et intérêts privés en 1950 ; déposé à Malmaison par arrêté du 7 juillet 1954.
Exp. 1954, Sarrebrück-Rouen ; 1993, Rueil-Malmaison, n° 97.
Bibl. Lesné et Roquebert, 2004, p. 138.

La reine de Hollande

Portrait d'une reine

Fille d'Alexandre de Beauharnais et de Marie-Joseph Rose de Tascher de la Pagerie (qui ne prit que plus tard le prénom de *Joséphine*, en devenant l'épouse de Napoléon Bonaparte), Hortense naquit le 10 avril 1783 à Paris ; l'enfant fut élevée à Fontainebleau à partir de la procédure de séparation de ses parents (1785-1787), puis passa plus de deux ans en Martinique avec sa mère (1788-1790). À partir de 1795, elle fut confiée au pensionnat tenu à Saint-Germain-en-Laye par Mme Campan, ancienne lectrice de la reine Marie-Antoinette ; elle lia dans cet établissement des amitiés durables et conserva avec sa directrice des relations d'affection et de confiance.

En janvier 1802, elle épousa Louis Bonaparte, frère du Premier consul ; par ce mariage, Joséphine souhaitait renforcer les liens du «clan Beauharnais» avec son époux ; pressentant l'évolution personnelle du pouvoir et perdant l'espoir d'une nouvelle maternité, elle se plaisait à espérer que les enfants nés de cette union pourraient prétendre au premier rang dans la succession dynastique.

L'avenir allait lui donner tort ; le couple allait se révéler très vite désuni. En outre, le 5 mai 1807, le premier enfant du couple, Napoléon-Charles, considéré par l'Empereur lui-même comme son héritier, mourait à La Haye : l'événement réduisait à néant les projets dynastiques de l'Impératrice et faisait à nouveau peser sur elle la menace d'un divorce. Louis et Hortense, un instant réunis par ce deuil, n'allaient pas tarder à se séparer, cette rupture appelant même la condamnation de Napoléon, jugeant sévèrement la jalousie maladive de son frère.

À partir de 1807, Hortense allait entreprendre une vie qui la mènerait, seule ou en compagnie de sa mère, à séjourner en divers lieux de l'Europe. Son personnage de femme-artiste allait s'affirmer dans tous ces voyages et ne fit que se confirmer lors de son exil qui la mena d'Augsbourg et Constance à sa dernière résidence, le château d'Arenenberg, en Suisse. C'est là qu'elle s'éteignit le 5 octobre 1837.

Deux exemplaires de ce portrait sont connus : restés dans une collection particulière, en provenance des héritiers de Girodet, jusqu'à sa récente entrée dans les collections du Rijksmuseum (cat. 95), le premier jouissait d'une réputation d'unique original, l'exemplaire déposé à Malmaison étant considéré comme une réplique, sans doute d'atelier» dans le catalogue de l'exposition de 1967 ; la découverte de la signature et de la date de ce dernier, peu lisibles, il est vrai, font mieux considérer cette seconde version, dont le mérite n'est pas aussi négligeable qu'on l'avait cru (cat. 94). Par ailleurs, l'absence de signature et de date

sur l'exemplaire d'Amsterdam ne font que brouiller les pièces de ce dossier.

De quelle aide peuvent être les variantes entre les deux versions ? Sur la première, la reine porte une robe rouge, qui devient bleue sur la seconde ; hormis ce changement de couleur, les détails vestimentaires semblent être quasi identiques d'une version à l'autre[1]. Le format plus haut de la seconde version permit de montrer le bras droit du modèle, ce détail étant repris par le graveur Laugier[2] [ill. 271] et pourrait nous laisser penser que cette seconde version fut peinte pour servir de modèle au graveur.

La principale différence tient à la présence, sur la droite du tableau d'Amsterdam, d'un paysage où se voit une cascade ; cet élément disparaît dans le tableau de Malmaison. Il ne fait aucun doute que la clef de cette disparition réside dans un événement survenu l'année même où fut peint le second portrait : le 10 juin 1813, mourait accidentellement Adèle de Broc, amie de la reine Hortense depuis leur éducation commune dans la pension de Mme Campan, à Saint-Germain-en-Laye[3]. Accompagnant Hortense, dans l'un de ses séjours à Aix-les-Bains, elle fit une chute dans la cascade de Grésy, dans les gorges du Sierroz, près de Moiron, dans l'arrière pays d'Aix ; la reine Hortense, qui précédait Mme de Broc dans sa promenade, fut le témoin impuissant de l'accident. Le corps de madame de Broc fut retrouvé quelques instants plus tard, mais ne put être rappelé à la vie ; cet accident fut un choc considérable pour Hortense.

Ainsi, il nous paraît évident qu'il ne pouvait plus être question de présenter à la reine un portrait d'elle-même où figurât un détail qui pouvait lui rappeler ce drame. On peut noter, à cette occasion, que la partie droite de la version de Malmaison semble avoir fait l'objet d'un repeint[4] ; même s'il ne nous est pas possible, faute d'image lisible, d'émettre d'hypothèse satisfaisante sur les éléments couverts par ce repeint,

on peut présumer que la cascade de la première version avait été répétée sur celle-ci. En ces conditions, il nous semble évident que la version aujourd'hui à Amsterdam doit être antérieure à celle de Malmaison[5].

Enfin, pour en terminer avec les détails et les variantes, l'une des premières remarques que fera tout historien de la reine Hortense en voyant ce portrait est celle d'une curieuse inexactitude : en effet, il est souvent fait allusion, dans les mémoires contemporains, à la couleur des cheveux d'Hortense : châtains très clairs, presque blonds[6] [ill. 272] : ici, elle se voit dotée d'une magnifique chevelure noire. Même en faisant la part de la licence artistique, comment pourrait-on imaginer un seul instant, devant une telle différence, que ce portrait ait été exécuté d'après nature ? Cette inexactitude n'était toujours pas corrigée dans la seconde version, qui fut pourtant gravée et diffusée ainsi.

L'histoire même des deux tableaux n'est pas exempte de mystère. En effet, l'exemplaire du Rijksmuseum semble bien être celui qui figure dans l'inventaire après décès du peintre[7], si l'on doit en croire le parcours de l'œuvre conservée aujourd'hui à Amsterdam. Mais doit-on accorder crédit à sa description par le notaire ? : «105°) une copie du tableau portrait de la reine Hortense par Mr de Meglin prisée trente francs »? Sidonie Lemeux-Fraitot propose de voir en ce peintre « M. Negelen, élève de Girodet[8] ».

On peut être surpris par cette attribution précise : ne s'agissait-il pas d'une confusion de la part du notaire ? Son acte est parfois rédigé de bien curieuse façon[9], même si les renseignements donnés par les personnes l'assistant dans sa tâche semblent des plus fiables. Mais ici, la précision est d'importance : on mentionne qu'il s'agit d'une copie et l'on donne même le nom de son auteur (avec une marge d'erreur non négligeable pour l'orthographe de celui-ci…). Cette

cat. 95 **Portrait de la reine Hortense**
Huile sur toile, 60,9 x 49,8 cm
Amsterdam, Rijksmuseum, inv. SK-A-4943

Hist. Atelier de l'artiste, n° 105 de l'*État descriptif des objets d'art…* : «Une copie de tableau (barré) portrait de la reine Hortense par Mr de Neglin prisé trente francs» (Voignier, 2005, p. 22, Lemeux-Fraitot, 2002 p. 292) ; n° 32 de l'inventaire après décès d'Étienne Becquerel-Despréaux, établi le 4 mars 1835 : «un tableau copie de l'original de Girodet représentant la reine Hortense estimé cent francs» (Voignier, 200,5 p. 46) ; coll. Rosa Becquerel-Despréaux, sa fille, mariée en 1847 à Edmond Filleul ; par descendance dans la famille Filleul ; coll. Peyriague ; vente de la collection de tableaux anciens de la famille Peyriague, Sotheby's Monaco, 21 juin 1991, n° 25 ; New York, marché de l'art ; acquis en 1998 par le Rijksmuseum.
Exp. 1936, Paris, n° 322 ; 1938, Arenenberg, n° 21 (appartenant alors au colonel Filleul) ; 1967, Montargis, n° 35.
Bibl. *Rijksmuseum Kunstkrant*, 1999, n° 2, p. 16-17 ; *Bulletin van het Rijksmuseum*, 2000, n° 1-2, p. 19-27.

PORTRAIT DE S. M. LA REINE HORTENSE.

information semble s'être transmise chez les héritiers de Girodet, puisque l'inventaire après décès de Denis Étienne Becquerel-Despréaux [10] le mentionne ainsi : « Un tableau Copie de l'original de Girodet représentant la Reine Hortance [*sic*], estimé cent francs ». Or, si le tableau aujourd'hui exposé à Amsterdam ne porte aucune signature, sa qualité ne semble pas faire de doute, non plus que son attribution à Girodet lui-même.

L'historique de la seconde version en date se perd, quant à elle, dans l'obscurité de la période où elle fut acquise par le marchand Gurlitt ; vente de bon ou de mauvais gré, aucune trace ne subsiste de son histoire antérieure.

Tous les éléments de ce dossier n'aident guère à élucider la genèse de ce portrait ; en effet, si certains faits plaident en faveur d'une commande du modèle, d'autres nous feraient préférer l'hypothèse d'une initiative personnelle de Girodet, initiative qui n'aurait pas rencontré d'écho de la part d'Hortense. On doit noter que la correspondance de la reine ne renferme aucune mention de ce portrait, ni même de son auteur [11]. Certains ont jugé que l'existence de dessins pour un portrait en pied de Louis Bonaparte [12] ou d'un portrait en buste du même [13] impliquait que Girodet était en passe de devenir le portraitiste attitré des éphémères souverains hollandais ; des datations ont parfois été proposées pour le portrait d'Hortense, souvent en fonction des dates d'exécution supposées des portraits de Louis ; la mésentente croissante entre les époux nous semble une raison suffisante pour rejeter ce rapprochement, un peu expéditif selon nous [14]. On sait, par ailleurs, que Louis Bonaparte avait eu l'intention de prendre des leçons de dessin auprès de Girodet ; c'est du moins le motif qu'invoque David qui l'accompagne dans une visite à l'atelier de Girodet, le 1er brumaire an X [15].

Si l'on voulait croire à une œuvre de commande, comment expliquer qu'aucun des deux tableaux n'ait jamais fait partie d'une collection princière ? Comment expliquer le silence total des sources ? Si, adoptant une autre vue, l'on suppose que l'exécution de ce portrait relevait d'une initiative personnelle de Girodet, devançant une commande, comment expliquer cette délicate attention de la suppression de la cascade à l'arrière-plan ? Ce détail du paysage aurait-il eu un sens pour tout autre qu'un proche de la reine, voire pour elle même ?

Condisciple de Girodet, Gérard semble bien avoir été, sous l'Empire, le portraitiste attitré de la reine Hortense, si l'on en juge par la quantité de portraits qu'il laissa d'elle ; la plupart utilisent, selon la pratique habituelle du peintre, la même pose pour le visage. On peut noter que l'un d'entre eux fut gravé ; cette estampe, due à Charles Simon Pradier, est datée de 1812 et fut exposée au Salon de cette même année [**ill. 266**]. On pourrait penser que la gravure de Laugier où le fond de paysage est totalement supprimé, se proposait de rivaliser avec celle de Pradier.

La mise en scène très simple de ce portrait en buste reprend celle de nombreux portraits de la Renaissance (nous pensons, en particulier, au geste du bras droit, comme appuyé sur le bord inférieur du tableau, calant ainsi la composition en bas) ; le fond évoque une grotte rocheuse et l'échappée lumineuse à droite de la composition montre un paysage montagneux. Le contraste est grand avec la luminosité de la carnation du modèle, mais aussi avec l'élégance de ses vêtements ; mousseline brodée et cachemire s'y marient et il faut aussi remarquer la parure de perles, diadème et pendants d'oreille, qui ajoute une note d'éclat et de luxe (remarquons, toutefois, qu'Hortense ne porte ni collier, ni bracelets) ; les fleurons du diadème évoquent discrètement le statut royal du

modèle Pour discrètement qu'il soit exprimé, le con traste est notable entre ce personnage élégamment mis et le sombre décor de rochers qui lui est offer on ne peut s'empêcher d'évoquer ici d'autres por traits contemporains, au premier rang desquels celu de Christine Boyer par Gros (1801, Louvre) ou, sur u mode mineur, celui de madame d'Aucourt de Sain Just par Boilly (vers 1800, Lille). *A fortiori,* on ne peu s'empêcher de songer au portrait de M. Lequien d La Neuville dû à Girodet lui-même [16]. C'est surtou *Atala au tombeau* (1808, Louvre) qui vient à l'espri comment, en effet, ne pas relever dans les deux ta bleaux la même approche sensuelle de mettre en va leur le corps féminin dans la grotte sombre qui lu sert d'ermitage.

Le peintre réussit, par ce biais, un portrait qui rem compte de l'ambiguïté du personnage de la rein Hortense : portant bien malgré elle ce titre royal, ell voulut laisser à la postérité l'image d'une femme att rée par la beauté simple de la nature, ne reculant p devant la solitude d'une vie dégagée des obligation officielles. Quel que soit le jugement porté par l'his torien sur la véracité de cette image, on ne peut ni que Girodet n'en rende ici toute la complexité.

A. P.

273 Gérard (d'après),
Portrait de la Reine Hortense
gravure, coll. part.

Notes

Les détails relevés dans le catalogue de l'exposition de
1967 (dentelle des manches et diadème) ne nous semblent
guère différer d'une version à l'autre ; en revanche, sur la
gravure de Laugier (voir note suivante), la dentelle a disparu
et le diadème montre un dessin très différent.

Jean-Nicolas Laugier (Toulon, 1785 - Paris, 1865),
Portrait de S.M. la Reine Hortense, A Paris, chez Bénard,
marchand d'estampes de la Bibliothèque impériale,
boulevard des Italiens, n° 11 (fig. 1).

Gravure au burin, 31,5 x 25 cm (coup de planche), un
exemplaire à Malmaison (inv. M.M.40.47.1981) ; un autre
à la BNF, Estampes (N2). Cette gravure est arbitrairement
datée de 1837 (date de la mort du modèle) dans l'Inventaire
du fonds français, malgré la titulature : S.M. la reine
Hortense et la mention ; Bibliothèque impériale.

Elle fut rééditée avec une légende différente (La Reine
Hortense), par Chardon, L'Artiste, 1864/II (9e livraison,
novembre - face à la p. 204 - texte p. 216).

Née Adélaïde Auguié (en 1784), elle avait épousé le général
comte de Broc, Grand-Maréchal du Palais du roi Louis ; elle
était la sœur d'Eglé Auguié, épouse du maréchal Ney.

Le 7 février 1956, Madeleine Hours, chef du Laboratoire
du musée du Louvre, évoquait cette hypothèse en rendant
compte d'un examen subi par ce tableau dans ses services
(archives du musée de Malmaison).

Nous voudrions remercier ici Aude Lamorelle qui, lors d'un
examen de ce tableau, a attiré notre attention sur ce détail.

C'est ainsi que le montre Jean-Baptiste Regnault dans le
portrait conservé aujourd'hui à Malmaison (ill. 265).

Valérie Bajou et Sidonie Lemeux-Fraitot, 2002, p. 220.

Joseph Mathias Negelen (Porrentruy, 1792 - id., 1870)
exposa notamment en 1823 à Douai Les Funérailles d'Atala
(cat. exp. 1993 ; tome II, p. 131).

Nous n'en prendrons pour exemple que la confuse
mention sous le n° 99 : son tableau d'écrevienne, vite
raturée et remplacée par : des Clefs de Vienne...

Inventaire dressé par Me Jalouzet, notaire à Montargis,
du 4 au 12 juin 1835 (Archives départementales du Loiret,
E 18464) ; le même document mentionne, juste après le
portrait : « deux portraits sur émail, l'un représentant la
reine Hortence [...] ».

11. Nous remercions ici particulièrement Christophe
Pincemaille, qui prépare. actuellement une édition de la
correspondance de la reine Hortense, de nous avoir fourni
cette information.
12. Dessin reproduit, notamment, dans les Mémoires de la
reine Hortense, publiés par le prince Napoléon avec notes
de Jean Hanoteau, Paris, 1930 (t. I, face à la p. 112)
13. Portrait en buste, monogrammé G.D. (?) et daté de 1805,
90 x 60 cm environ, Dalmeny House (Écosse), collection du
comte de Rosebery. Ce portrait montre, également, Louis
Bonaparte en uniforme d'officier de dragons, uniforme qu'il
porte aussi dans le portrait que fit de lui Isabey (ce portrait
orne une tabatière conservée au musée de Malmaison, que
l'on peut dater vers 1802, année du mariage, en raison de
la présence des quatre portraits en miniature de Joséphine,
Eugène Hortense et Louis).
14. Le tableau aujourd'hui conservé au Rijksmuseum est
daté de 1807 dans le catalogue de l'exposition de 1967,
et de 1808 par Coupin. L'existence de portraits de Louis,
généralement datés autour de 1805, ne permet en aucun
cas de justifier le choix de Girodet pour l'exécution en

1813 d'un portrait destiné à être gravé ; à cette époque, la
séparation entre les époux était consommée.
15. Lettre conservée dans une collection particulière.
Notons qu'à cette époque, Girodet travaillait à son grand
tableau Ossian, destiné au château de Malmaison ; Louis,
qui allait épouser Hortense quelques mois plus tard, venait-
il admirer l'œuvre ?
16. Coll. part.

Portrait d'une femme du monde

Le portrait féminin n'a pas toujours été l'activité la plus paisible de Girodet. Sa réputation avait finalement peu souffert du scandale du portrait satirique de *Mademoiselle Lange en Danaé*[1] au Salon de 1799 et en 1824, les esprits avaient oublié le fâcheux événement. La position de Girodet dans la société de la Restauration est bien différente de celle qu'il tentait d'établir sous le Directoire. Chevalier des ordres de la Légion d'honneur et de Saint-Louis, Louis XVIII avait acquis en 1818 en une seule fois, pour les collections royales, trois de ses chefs-d'œuvre, *Endymion*, *Atala* et *Une scène de déluge*. De plus, l'exil de David libérait la première place dans la peinture française. En dépit de ses biens immobiliers à Paris et peut-être du fait de ces biens, il est toujours à court d'argent et le portrait reste une activité lucrative pour l'artiste que courtisent l'aristocratie et la haute bourgeoisie de la Restauration. Au Salon de 1824, son dernier Salon, Girodet n'exposait que des portraits[2], ceux des généraux vendéens, le *Marquis de Bonchamp*[3] et *Jacques Cathelineau*[4], deux grands portraits rétrospectifs et allégoriques en pied, qui s'apparentent, il est vrai, au genre historique plus qu'à celui du portrait. Les trois autres, *Madame de La Grange*, *Monsieur M.* (*Merlin ?*) et *Madame Reiset*, sont des portraits de commande qui n'excluent ni formule ni convention. *Monsieur M.*, membre de la famille des frères Bertin, est toujours conservé chez les descendants du modèle ; celui de *Madame de La Grange* se trouve sur le marché de l'art et le magnifique *Portrait de Madame Reiset* a été récemment acquis par le Metropolitan Museum.

Ce portrait prend un relief particulier au Salon de 1824, et Étienne Delécluze le compare dans le *Journal des Débats*, à la manière de Léonard dans la *Joconde*. À deux reprises, ce critique pas toujours bienveillant pour Girodet en fait le garant de la bonne manière, celle de la maîtrise de la forme qui prévaut sur l'expression[5]. Au Salon de 1824, la génération coloriste montante admirait sans retenue les maîtres anglais tels que John Constable, Richard Parkes Bonington et Thomas Lawrence vus par les davidiens comme un désordre d'expression et de forme[6]. Coupin honnit la manière de Lawrence dans son *Portrait du duc de Richelieu*[7], un tableau accroché, par malice, dit-il, à côté du *Portrait de Madame Reiset*[8]. Il oppose au flou anglais le délicat travail du pinceau et la technique de la dentelle et des tissus de *Madame Reiset*. C'est là le terrain de prédilection d'un duel de générations, et Stendhal, comparant le *duc de Richelieu* par Lawrence et le même sujet par Hersent, prend parti pour la supériorité de l'expression du premier[9]. La correspondance de Mme Reiset, récemment retrouvée, contient dix-huit lettres de Girodet avec beaucoup d'autres échangées avec Mme Vigée-Lebrun, Ingres et surtout le milieu musical parisien. Ces lettres permettent de retracer la genèse de son portrait autant que la personnalité du modèle. Sans surprises, les lettres de Girodet se distinguent par leur aisance de lettré sophistiqué ; proustiennes en quelque sorte, elles exposent dans leurs circonvolutions la complexité de son caractère, une pensée subtile quelquefois tortueuse, ainsi que l'étendue de sa culture.

Colette Désirée Thérèse Godefroy de Suresnes est née à Paris le 4 mai 1782. Elle y meurt le 25 février 1850. En 1804, elle avait épousé Jacques Louis Étienne Reiset, haut fonctionnaire des Finances, futur régent de la Banque de France. Elle en eut six enfants. Trois de ses fils s'illustreront suffisamment pour figurer dans le *Grand Larousse du XIXe siècle*[10]. Marie Frédéric Reiset (1815-1891), grand collectionneur, directeur des Musées nationaux de 1874 à 1879, fut dessiné par Ingres ainsi que sa femme, née Hortense Reiset, qui fut peinte par le même[11]. Sa collection considérable fut acquise en 1879 par le duc d'Aumale pour le château de Chantilly où elle se trouve aujourd'hui. Jules de Reiset (1811-1868) fut agronome et homme politique, membre de l'Académie des sciences. Gustave Armand Henri de Reiset (1821-1905) ambassadeur de France, ami intime de Cavour et de Victor-Emmanuel, fut fait comte romain par brevet pontifical en 1842 (confirmé par Louis-Philippe la même année). Il publia des *Lettres inédites de Marie-Antoinette*[12]. La famille Reiset est une famille d'ancienne chevalerie lorraine remontant au XIVe siècle. Marie Antoine Reiset (1775-1836), frère cadet de Jacques Louis Étienne, fut anobli et reçut le titre de baron héréditaire en 1813. L'anoblissement du propre fils de Mme Reiset, Benjamin, et la baronnie de la branche cadette, explique l'ajout occasionnel de la particule que l'esprit nobiliaire de la Restauration étend, par courtoisie, à Jacques Louis Étienne et à Colette Reiset. De même, l'orthographe de leur nom de famille n'est pas encore fixée comme il est souvent le cas au XVIIIe siècle et au début du

---

cat. 96 Portrait de Madame Jacques Louis Étienne Reiset

Huile sur toile, 60 x 49 cm

Monogrammé et daté en haut à droite : *G-T 1823*

Au revers, sur la toile, une marque de collection (initiales *FR* entrelacées pour Frédéric Reiset) et un chiffre : *54* (numéro du tableau au sein de sa collection)

New York, The Metropolitan Museum of Art, Purchase, Gifts of Joanne Toor Cummings, Mr. and Mrs. Richard Rodgers, Raymonde Paul, and Estate of Dorothy Lictensteiger, exchange, 1999. (1999.101) Photograph © 1999 The Metropolitan Museum of Art.

Hist. Commande de Colette Reiset ; coll. de son fils Frédéric Reiset, *Inventaire des tableaux appartenant à Fc Reiset, Directeur des Musées nationaux, et déposés dans son appartement au Musée du Louvre, 20 juillet 1874* (AMN, Z 14) ; resté dans la famille du modèle jusqu'en 1997 ; marché de l'art, Paris ; marché de l'art, New York ; acquis par le Metropolitan Museum de New York en 1999.

Exp. 1824, Paris, Salon, n° 776 (*Portrait de Mme. R****) ; 2003, Londres, Minneapolis, New York, n° 102 (repr.)

Bibl. Anon., *Explication des ouvrages de peinture…*, 1824, n° 776, p. 85 ; Stendhal, *Journal de Paris*, 16 octobre 1824 ; Delécluze, *Journal des Débats*, 12 novembre 1824, p. 3 ; Mély-Janin, 1er décembre 1824, p. 4 ; Coupin, 1829, t. I, p. lxij ; Marquet de Vasselot, 1880, p. 220 ; Tinterow, 1999, p. 40 ; Lamorelle, 2002, t. II, n° 19, p. 44 ; Bajou, Lemeux-Fraitot, 2002, n° 169, p. 225 et n. p. 304.

Œuvres en rapport

Réplique de même format, ni signée ni datée, coll. Reiset ; par descendance dans la même famille ; coll. part.

Mme Reiset assise, en pied, crayon, estompe, rehauts de blanc, 51 x 37,5 cm, coll. part. [cat. 97]

Une pierre lithographique par Mauzaisse (lettre : en bas, au centre : *Mauzaisse ft 182*), coll. part.

cat. 97 Portrait de Madame Reiset assise
1819
Crayon noir, craie noire, estompe, rehauts de blanc sur papier
blanc, 51 x 37,5 cm
Collection particulière

Hist. Commande de Colette Reiset; dans la famille par
descendance jusqu'en 1997.

XIXᵉ siècle et s'écrit tantôt avec un s, tantôt avec un z.
Girodet l'écrit avec un z mais ne place pas toujours la
particule devant le nom.

C'est dans le milieu artistique et mondain de Paris
que le peintre et son modèle se rencontrèrent. Musicienne, Colette Reiset organisait des soirées musicales; elle voulut même étudier la peinture de miniature, sollicitant Girodet et, par son intermédiaire,
Isabey[13]. La première lettre de Girodet date de 1818
environ. C'est une réponse formelle à une invitation
à écouter de la musique[14]. Girodet joue lui-même
du violon et son amie Julie Candeille, compositeur
autant qu'actrice, très introduite dans le milieu musical connaissait bien Étienne Méhul[15]. Dès la seconde
lettre, sans doute de mars 1819, Girodet s'excuse déjà
de son absence. Il n'a pu commencer à travailler au
portrait tant il est occupé à terminer *Pygmalion et Galatée*[16]. Entre cette lettre et la précédente, les deux
protagonistes ont dû gagner en intimité: madame
Reiset est passée à l'improviste chez Girodet qui était
absent. En octobre, alors que *Pygmalion et Galatée*
n'est toujours pas terminé, elle est invitée à se rendre
à quatre heures à l'atelier pour poser[17]. La quatrième lettre de Girodet est plus troublante et date du
moment où *Pygmalion et Galatée* est enfin accroché
au Salon[18]: «Vous ne vous doutez pas à quel point
je me suis trouvé malade moi-même lors que vous
m'eûtes quitté: l'émotion que j'ai éprouvée s'est fait
sentir toute la journée. j'avais été trop peiné de l'état
ou je vous ai vue. Votre lettre me fait présumer que
présentement vous vous portez mieux que moi et je
m'en réjouis bien sincèrement. mais moi Madame
j'ai le plus grand besoin de repos — les secousses ne
conviennent point aux personnes aussi délicates et
aussi malades même que je le suis, et je vous supplie
d'avoir pitié de moi[19]?» Les relations de Girodet avec
les femmes ont fait l'objet de multiples commentaires

III. 274 Girodet, *Portrait de femme d'après Sebastiano del Piombo* (musée des Offices)
Dessin, Montargis, musée Girodet

III. 275 Girodet,
Portrait de Mademoiselle Lenormant
Huile sur toile, coll. part.

les sacrifices faits à sa gloire, sa santé ou encore ses [goû]ts sexuels ont été rendus responsable de ses rap[po]rts tourmentés avec le sexe féminin. La vie privée [de] Girodet est extrêmement secrète et les lettres qu'il [fit] brûler par Coupin après sa mort ont probable[m]ent emporté leurs secrets dans les flammes, émous[s]ant la curiosité. Seule la correspondance avec Julie [C]andeille comporte des éléments assez explicites sur [u]n amour qui, au moins dans les premières années, [fu]t partagé et fut probablement charnel autant qu'in[te]llectuel, mais rien ne montre en dehors de cette [é]trange lettre que Girodet ait pu entretenir avec Co[m]te Reiset autre chose qu'une relation en rapport [av]ec son portrait. La froideur de la lettre suivante, [a]dressée à la troisième personne, marque une certaine [di]stance : «il paraît qu'une agitation violente et con[ti]nuelle est indispensable à Madame de Reizet – à [m]oi au rebours il me faut un calme parfait[20]». Dans [la] suite de la correspondance, la tension disparaît et [lai]sse place à une amitié respectueuse exclusivement [ré]servée aux problèmes posés par la réalisation du [po]rtrait.

Envisagé d'abord en pied, accompagné d'acces[so]ires, le portrait est dicuté par les intéressés «[…] [pe]rmettez-moi de vous demander si vous tenez [tou]jours invinciblement au projet d'un portrait en [pi]ed, qui deviendra nécessairement d'une grandeur [pl]us que double d'un portrait jusqu'au genoux tel [qu']est celui de Mlle de Monte-Hermoso que vous [av]ez vu chez moi. le cadre en augmente encore [be]aucoup la dimension en tous sens, et peut-être [se]rait il possible que ce volume vous devint em[ba]rrassant a placer dans vos appartemens[21].» Cu[ri]eusement, Mme Reiset répond : «Ce n'est pas [pr]omptement Monsieur que, je désire avoir mon [po]rtrait – je vous prie au contraire de le mettre [de] côté jusqu'a ce que des ouvrages plus dignes

d'occuper vos pinceaux ayent encore obtenus/les requetes [?] de\l'admiration, je conçois parfaitement que la dimension d'un portrait en pied doive devenir plus volumineuse, cependant mes salons de Rouen ont bien la dimension nécessaire pour que ce tableau ne perde pas de son effet j'y tiens donc invinciblement. je conçois encore que le prix (je dis le prix ce qui ne peut jamais signifier avec vous la valeur,) soit différent aussi de celui que vous mettrez a un portrait seulement jusqu'au genoux[22].» Et Girodet d'ajouter galamment : «Si vous voulez une robe de velours je la préfère noire par la raison qu'elle nous plait davantage à tous deux, et que son effet doit être de donner aux carnations plus d'effet et de fraîcheur. l'art toujours au dessous de la nature, surtout lorsque c'est vous qui êtes le modèle a besoin de ne négliger aucune de ses ressources et d'en faire un choix judicieux. le vert ou le rouge conviendra d'ailleurs fort bien au velours de la table qui ne pourrait être noir : cette table peut être chargée de vos livres favoris : nous n'oublierons ni la lettre ni les roses. tout ce qui est un emblème du sentiment et de la grace doit trouver tout naturellement sa place auprès de vôtre portrait, et en devenir l'accessoire indispensable. Ce sera à l'art du peintre d'arranger toutes ces choses dans un rapport qui se concilie avec les loix de la peinture. Nous pourrons même ajouter un rouleau de musique qui laissera entrevoir quelqu'un de ces airs que vous chantez avec un[e] expression si attachante pour les auditeurs que vous voulez bien admettre a les entendre[23].» Ce portrait tel que Girodet et Mme Reiset le conçoivent alors a survécu dans un dessin préparatoire qui montre le modèle assis près d'une table couverte de velours et de livres, dans une robe de velours noir, une grande pelisse de fourrure jetée sur l'accoudoir d'un fauteuil du style de l'Em-

pire (cat. 97). Ces deux vêtements subsistent dans le portrait final et contribuent incontestablement à sa magnificence. Comment est-on passé d'un tableau grandiose à la manière de Van Dyck, au portrait en buste du salon de 1824? Dans un courrier envoyé à M. Reiset vers la fin de l'année 1820, Girodet explique qu'il est attaché à l'achèvement d'un tableau dont Monsieur Reiset a vu l'ébauche (probablement Cathelineau ou Bonchamp exposés au Salon de 1824) et qu'il n'a toujours pas commencé le portrait de madame Reiset[24]. Une étude, déjà réalisée, du modèle en buste lui permettra, dit-il, de procéder à l'exécution de la peinture et dispenser Mme Reiset de nombreuses séances de poses et de déplacements entre Paris et Rouen. C'est cette dernière formule qui sera retenue en définitif. Mais le 29 juillet 1822, les portraits des généraux vendéens ne sont toujours pas achevés et Girodet n'a toujours pas entrepris l'œuvre discutée depuis 1819. C'est seulement au cours de l'année 1823, que le modèle sera invité à passer voir son portrait fini…, à l'exception du pendant d'oreille. En plus de ce portrait, il faut mentionner ici une seconde version parfaitement identique ni signée ni monogrammée, réplique de grande qualité peut-être réalisée pour un des enfants Reiset et encore très récemment conservée chez les descendants du modèle[25].

La correspondance, muette sur la transformation du projet, fournit d'intéressantes informations sur un aspect rarement documenté des portraits : la négociation financière. Avec élégance, Mme Reiset, tente d'abord de mettre Girodet à l'aise en lui écrivant qu'elle s'attend à payer 3 000 francs pour un portrait en pied mais que si elle se trompait il devait le lui dire «franchement et sans réticences[26]». Or les prix de Girodet sont beaucoup plus élevés. Les bustes simples sont à 2 100 francs, les portraits jus-qu'aux genoux à 3 000 francs et les portraits en pied à 6 000 francs[27]. Girodet consent toutefois à réaliser le portrait en pied, composé avec accessoires, pour 4 000 francs payables à la volonté du commanditaire. Nous ne savons pas combien ce tableau fut en dé-finitif payé par les Reiset. La fortune des Reiset et l'ambition de Mme Reiset laisse supposer que les délais imposés par le peintre ou peut-être encore son étrange relation avec Girodet a pu peser sur la décision d'un portrait plus rapidement exécuté, sans accessoires et sans les mains.

Bien qu'il ait renoncé à l'apparat d'un por-trait en pied, Girodet n'a pas abandonné dans sa représentation la dignité qu'il souhaitait donner au personnage. Les attributs ont disparu, la di-mension s'est considérablement réduite, mais la robe noire, commandée quatre ans auparavant, est restée. La mode du noir pour les femmes est de tous temps associée à l'élégance. En 1824, Étienne Delécluze note comme un fait remarquable que toutes les dames présentes dans son salon sont en noir. Il songe avec nostalgie à Amélie Cyvoct, la nièce de Mme Récamier, dans sa robe noire, à Rome[28]. Ingres peint la reine de Naples, *Caroline Murat*[29], en 1808, vêtue entièrement de noir alors qu'aucun deuil ne semble le justifier, en 1822 c'est encore en robe de velours noir qu'il peint le *Por-trait de Madame Jacques Louis Leblanc*[30]. La même année, de Bruxelles, David peint en robe noire *Zenaide et Charlotte Bonaparte*[31]. Avec le noir de sa robe, c'est aussi l'admirable fourrure doublée de soie blanche qui donne à Mme Reiset la splendeur d'un *Balthazar Castiglione* peint par Raphaël ou encore cette allure vénitienne à la Titien si exem-plaire dans l'association du noir et de la fourrure[32]. Cette fourrure, enjeu pictural, esthétique et sensuel autant que social, éloigne ce portrait des modèles de l'Empire et le rattache à la peinture de la Re-naissance italienne que Girodet connaissait si par-faitement par les collections du Louvre et par son séjour italien. La qualité italienne et renaissante du portrait n'avait pas échappé à Delécluze dans son apologie de la manière classique où il appelle Léo-nard à la barre des témoins du « bon art ». Lors de son passage à Florence au printemps 1795, Girodet avait été frappé par un portrait fameux que l'on croyait alors être celui de *La Fornarina* par Raphaël et qui est considéré aujourd'hui comme un *Portrait d'une femme inconnue* par Sebastiano del Piombo[33] **[ill. 274]**. Alors qu'il l'avait admiré plus de trente ans auparavant, ce tableau, dont il avait fait un dessin assez fini avec des relevés d'aquarelle[34], est encore présent dans son imagination en 1824. Quinze ans plus tôt, il avait dans le *Portrait de Mademoiselle Thé-rèse Lenormant*[35] **[ill. 275]** substitué pour la première

fois les cachemires recherchés sous l'Empire par une matière plus luxueuse encore mais aussi plus rebelle à la peinture, la fourrure. La splendeur de la pelisse réaffirme les ambitions du tableau d'apparat dont rêvait madame Reiset et ajoute un chatoyant contrepoint chromatique au noir de la robe que le peintre goûtait pour son effet sur les carnations de la chair. La lumière, presque intérieure, qui émane de la gorge et de la peau est glorifiée par les glacis, les transparences de la dentelle noire et la sensua-lité de la fourrure. La technique certes, mais aussi l'expression, mystérieuse, douce, idéale, le sourire suspendu rappelant la retenue spirituelle des visages de Léonard, comme le remarquait Delécluze, est à l'opposé de la tournure du portrait de Lawrence qu'aimait Stendhal. Se détournant de la stylisation et l'arabesque qu'il déploie dans ses dessins con-temporains, indifférent au flou anglais ou au réa-lisme coloré des tableaux davidiens de la même période, le *Portrait de Madame Reiset*, le dernier ta-bleau de Girodet hérite de la lumière d'*Endymion* et du miracle de *Pygmalion et Galatée* où il avait supérieurement montré son inégalable maestria de la peinture poétique de la chair.

S. B.

Notes

oir cat. 41.

e livret du Salon (*Explication des ouvrages de nture, sculpture, gravure, lithographie et architecture artistes vivans, exposés au Musée royal des Arts, 25 août 1824*, Paris, C. Ballard, 1824, p. 101) liste portraits : *La Marquise de La Grange, Monsieur lin, Madame Reiset, Jacques Cathelineau* et *Charles Bonchamps*. Mais le deuxième supplément du livret oupe sous le n° 2318 (*idem*, p. 251) plusieurs raits sous le même numéro. Parmi ces derniers se ve probablement le *Portrait d'homme en chasseur* de 9 actuellement conservé au musée du Louvre (inv. 1994-7, voir cat. 91).

harles-Melchior-Artus, Marquis de Bonchamp, général déen (1760-1793), huile sur toile, 220 x 150 cm, dépôt musée national du château de Versailles au musée d'Art Histoire de Cholet, inv. 915.006.

at 70.

ournal des débats, vendredi 12 novembre 1824, section ux-Arts. Exposition du Louvre, n° XV : *M. Girodet-son*, signé *D.*, p. 2 :

prie le public de m'excuser si la nécessité me e d'employer un langage avec lequel il est peu lier ; mais depuis l'ouverture du Salon, j'ai lu ou ndu répéter des phrases sur les arts, où il y avoit fois tant d'ignorance et de présomption, qu'il est spensable d'opposer des idées précises et quelque eté à un abus aussi étrange de l'esprit. Je répète c que l'expression n'est que la modification de la e, modification communiquée par les sensations, sentimens et les passions. Ce principe accordé, et e crois pas qu'on puisse le nier, il est évident que de et la connoissance des formes, depuis l'état de e jusqu'à la passion, doit conduire l'artiste à rendre pression avec plus de sûreté et de profondeur. Non ement le crois, mais j'en suis certain. Je puis en ner pour preuve la tête de Cathelineau, mais, comme isque d'offusquer la raison de beaucoup de gens en citant les ouvrages d'un artiste contemporain, je nerai à ceux qui voudront pas me croire sur parole, onseil d'aller regarder très attentivement les têtes de oconde, de la belle Feronnière par Léonard de Vinci, s portraits peints par Raphaël. »

Noon *et al.*, cat. exp. *Constable to Delacroix, British and the French Romantics*, Londres, Minneapolis, York, 2003-2004 p. 185, n° 102.

rmand-Emmanuel du Plessis, duc de Richelieu 6-1822), huile sur toile, 89 x 79 cm, Chancellerie des versités, Sorbonne, Paris.

oupin, *Revue encyclopédique*, novembre 1824, p. 597-

endhal, *Le Constitutionnel*, 10 octobre 1824.

. Larousse, *Grand Dictionnaire universel du XIXe siècle*, 769, 1865-1888.

rédéric Reiset, 1844, dessin, Londres, coll. Brinsley ; *Madame Frédéric Reiset, née Hortense Reiset*, 1844, in, ibidem ; *Portrait de Madame Frédéric Reiset née ense Reiset*, huile sur toile, 1846, Cambridge, Mass., Art Museum, Harvard University Art Museums. Le d'Hortense, beau-frère de Mme Reiset, a aussi été raituré au crayon par Ingres (*Portrait de Louis Reiset*, ction de M. et Mme John Warrington, Cincinnati,).

12. Lettres inédites de Marie-Antoinette et de Marie-Clotilde de France (sœur de Louis XVI), reine de Sardaigne (Paris, Firmin-Didot, 1876).

13. Lettres inédites d'Anne Louis Girodet à Mme Reiset ; n° 4, lettre de Girodet à [Mme Reiset], [Paris], [mi-novembre (?) 1819] et n° 6, Lettre de Girodet à [Mme de Reiset], [Paris], [1819 (?)] (France, collection particulière).

14. *Idem*, n° 1, lettre de Girodet à [Mme Reiset], [Paris], [1818].

15. Correspondance de Julie Candeille avec Girodet, France, collection particulière :

1817, vol. 3, f. 71 : « Le Dimanche / 19 Octbre/ Hélas, que j'ai le cœur serré ! Méhul est mort ! - Il est mort sans avoir pu répondre aux derniers témoignages de mon affection ! - Je ne le verrai plus ! - Encore un homme de mérite à qui je ne pourrai plus parler de vous ! »

– 1817, t. III, f° 72 : « Parlant de fin, j'ai vu hier un homme bien affecté de la mort de Méhul. C'est ce pauvre Kreutzer qu'il aimait tendrement - et néanmoins tous les regrets n'empêchent pas de songer que cette mort, tant pleurée et si pleurable qu'elle soit, laisse une place vacante à l'Institut. Kreutzer sait bien que cete fois, il est à peu près certain que c'est Boieldieu qui succèdera à son maître. -

Mais ensuite, c'est à dire à la mort de Gossec, une autre place sera vacante, et celle-là reviendrait, de droit au Chef d'orchestre de l'Opéra, si Berton, si Chérubini ne trompent point leur ami Kreutzer.

Vous savez, mon ami, ce dont nous sommes convenus à ce sujet ; je n'ai donc pas besoin de vous le rappeler. Seulement, si les devoirs actuels de votre professorat vous mettaient en contact avec quelques autres académiciens, je vous prierai de tâcher de faire joindre à votre voix pour Mr Kreutzer celle des personnes qui vous en croient - même en musique. - Un argument qui, je pense, les frapperont, c'est que notre Académie de musique, de peinture et cetera - est une institution française, créée, sans doute à dessein d'encourager et de récompenser les artistes nationaux ; qu'ainsi Mrs Paer, Spontini, etc. qui intriguent beaucoup mieux que Kreutzer, ne doivent point l'emporter sur lui, même à égalité, - ou même, encore, avec quelque supériorité de talent. - (ceci n'est que pour Monsr Paer). »

– 1819, t. IV, f° 13 : « Lundi 3 […] Méhul doit, demain soir, venir causer quelques instants avec moi. Si vous êtiez libre, je vous prierai de venir ; la chaleur de votre amitié pourrait avertir la sienne… […] Julie S »

– 1815, t. III, f° 40 : « Côtes d'Angleterre / 15 avril 1815 […] Je vous prie de donner de mes nouvelles à Méhul, et de lui faire savoir que ses lettres pour Chérubini ne seront remises que dans 8 jours »

16. Lettres inédites de Girodet à Mme Reiset ; n° 2, lettre de Girodet à [Mme de Reiset], [Paris], [1819, mars (?)].

17. *Idem* ; lettre n° 3, lettre de Girodet à [Mme Reiset], [Paris], [vendredi 29 octobre 1819].

18. *Pygmalion et Galatée* est accroché au Salon le 5 novembre 1819.

19. Lettres inédites de Girodet à Mme Reiset ; n° 4, lettre de Girodet à [Mme de Reiset], [Paris], [mi-novembre (?) 1819].

20. Lettres inédites de Girodet à Mme Reiset ; n° 5, lettre de Girodet à [Mme de Reiset], [Paris], [fin 1819 (?)].

21. *Idem* ; le portrait de Mlle de Montchermoso est conservé dans cette collection privée.

22. *Idem* ; n° 8, minute d'une lettre de Mme Reiset à [Girodet], [Paris], [30 ou 31 (?) janvier 1820].

23. *Idem*, n° 7, lettre de Girodet à [Mme Reiset], [Paris], jeudi 13 janvier [1820].

24. *Idem* ; n° 10, lettre de Girodet à [M. Reiset], [Paris], [1820-1821 (?)].

25. Coll. part. Peut-être faut il rattacher cette seconde version à la mention d'un portrait vendu à « mde. de Reizet » pour 1 000 francs qui apparaît dans les comptes d'Antoine César Becquerel (Lemeux-Fruitut, 2002, p. 196). Si c'est le cas cette réplique on ignore pourquoi cette réplique se trouvait chez Becquerel plutôt que dans l'atelier du peintre.

26. *Idem* ; n° 8, lettre de Mme Reiset à [Girodet], [Paris], [30 ou 31 (?) janvier 1820].

27. *Idem* ; ln° 9, lettre de Girodet à [Mme Reiset], [Paris], [début février 1820].

28. **E.** J., Delécluze, 1948, p. 77 : « 26 décembre [1824], dimanche. […] Notre dîner a été fort gai. Mes petit-neveux ont distribué des bouquets à toutes les dames, et rien n'a l'air d'une fête et ne me réjouit la vue comme des fleurs, surtout quand elles sont portées par des femmes. C'était un joli coup d'œil dans mon petit réduit que toutes ces dames vêtues de noir avec un bouquet brillant de diverses couleurs à leur côté. J'ai passé une agréable journée. Il faut que j'avoue cependant que deux ou trois fois j'ai pensé à Amélie. Je la voyais avec ses yeux bleus, ses cheveux blonds, sa robe noire et un joli bouquet à son côté, car elle n'aurait pas été oubliée si elle eût été là. La vie est un songe. »

29. Ingres, *Portrait de Caroline Murat, reine de Naples*, huile sur toile, 92 x 6 cm, 1814. Coll. part.

30. Ingres, *Portrait de madame Jacques Louis Leblanc, née Francoise Poncelle*, huile sur toile, 119,4 x 92,7 cm, 1823, New York, Metropolitan Museum of Art, 19.77.2.

31. David, *Zenaïde et Charlotte Bonaparte*, huile sur toile, 129,5 x 100 cm, Los Angeles, J.-Paul Getty Museum, inv. 86.PA.740.

32. Voir à la Frick Collection de New York : Titien, *Portrait d'homme avec un manteau rouge*, v. 1516, huile sur toile, 82,3 x 71,1 cm, ainsi que son *Portrait de Pietro Aretino*, peint entre 1548-1551, huile sur toile, 102 x 85,7 cm, acquis en 1905, Florence, palais Pitti.

33. Sebastiano del Piombo, *Portrait d'une femme inconnue*, 1512, huile sur toile, 68 x 55 cm, Florence, Galleria degli Uffizi.

34. D'après Sebastiano del Piombo, *Portrait de femme*, 12,8 x 8,4 cm, pierre noire, mine de plomb, plume, lavis d'encre brune, rehaut d'aquarelle, in *Album factice de dessin de Girodet* déposé par le musée du Louvre, département des Arts graphiques, au musée Girodet de Montargis, R.F. 36153, f° 9 recto.

35. *Mademoiselle Thérèse Lenormant, épouse Nicolas Pichard (1793-1872)*, localisation inconnue (volé sous l'Occupation en 1940).

Une puissante famille

La figure la plus connue de la famille est Bertin l'Aîné[1], peint par Ingres dans le célèbre portrait du Louvre. Les Bertin sont emblématiques de l'opposition monarchiste constitutionnelle qui se forma dès l'organisation de la Terreur d'État de 1793 et 1794 et se développa avec le durcissement autoritaire de l'Empire. Grand ami de Chateaubriand, Bertin l'Aîné avait commandé à Girodet *Les Funérailles d'Atala* et s'était entremis dans la commande du portrait de l'écrivain qui figure au Salon de 1809 avec celui d'Augustine. L'intimité de Girodet avec le milieu monarchiste des propriétaires du *Journal des débats* est un des effets de l'évolution de sa position politique sous l'Empire. Les Bertin étaient quatre frères. Leur père François Bertin (1711-1774), écuyer dans la maison de Choiseul, chevalier de Saint-Louis, proche de Mme du Deffand et de l'abbé Barthélemy et de la duchesse de Choiseul avait été admis parmi les écrivains et les femmes d'esprit qui composaient la cour de Chanteloup[2]. Le premier des enfants s'appelait Louis François, dit Bertin l'Aîné. Le cadet, Bertin de Lachesnay, s'embarqua pour les Indes et ne reparut jamais. Le troisième, avait été prénommé Louis François comme son frère aîné, mais sa famille, ajoutant à son nom celui d'une petite terre près d'Essonne, l'appelait Bertin de Vaux. Enfin le quatrième, Bertin de Latouche, plus obscur, mourut à Amboise. L'union qui exista toujours entre les deux frères Bertin, l'Aîné et de Vaux, «ne permet pas d'écrire la vie de l'un sans écrire la vie de l'autre[3]». Bertin l'Aîné avait vingt-trois ans en 1789. Selon leurs biographes, ils accueillirent la Révolution avec enthousiasme[4]. L'aîné destiné à la carrière ecclésiastique, était chanoine à Corbeil. Il fut heureux que la Révolution l'écartât de ce destin. Delécluze écrit : «Les événements du 20 juin, du 10 août, puis les massacres de Septembre 1792[5] remplirent d'indignation ceux des honnêtes gens qui, dans l'espoir d'une sage liberté avaient si chaudement accueilli les commencements de la révolution[6].» Les deux frères qui publient alors *L'Éclair*, un journal dirigé contre la politique jacobine pendant la Terreur, correspondent à ce profil. Ils échappent à l'arrestation des journalistes lors du coup d'État de fructidor (4 septembre 1797) mais *L'Éclair* est supprimé par celui du 18 brumaire (9 novem-

bre 1799). Sans désarmer, les deux frères acquièrent en commun avec Roux Laborie[7] et l'imprimeur Le Normant une feuille qui existait depuis 1789 et publiait le compte rendu des discussions de l'Assemblée législative, *Le Journal des débats et lois du pouvoir législatif et des actes du gouvernement*». Ce journal allait devenir un des principaux organes d'opposition à l'Empire et un instrument de propagande du retour des Bourbons et de la monarchie constitutionnelle. Symptomatiquement, l'opposition politique muselée par les pouvoirs dictatoriaux s'exprime par le biais de la littérature et c'est par les lettres que le *Journal* s'exprima, s'affirma et devint sous le Consulat et l'Empire le journal le plus lu de la France postrévolutionnaire[8]. Foucher et Bonaparte qui mesuraient l'importance du journal accusèrent Bertin l'Aîné de complot royaliste. Il fut arrêté en 1800 et retenu prisonnier au Temple pendant une année. Deux mois après sa libération, il est arbitrairement exilé – ironie de l'histoire – à l'île d'Elbe. Bertin de Vaux assura alors la direction du journal. Peu après le retour de son frère, le journal est par décret impérial de 1805 rebaptisé *Journal de l'Empire* avec à sa tête un censeur choisi par l'Empereur, Fiévée[9]. Celui-ci s'accorda plutôt bien avec les Bertin et fut remplacé en 1807 par Étienne[10]. Finalement, en 1811, le journal est saisi et les Bertin en sont dépossédés sans autre forme de procès. Le comité de rédaction n'est pas transformé. Il réunissait toute la génération contemporaine de Girodet et se composait surtout d'écrivains que Bertin l'Aîné avait, pour beaucoup, rencontrés dans sa jeunesse alors que, protégé par l'abbé Barthélemy, il étudiait au collège Sainte-Barbe, une institution qui fournit une large partie de l'élite intellectuelle libérale après la Révolution. Parmi ceux-ci, figuraient l'abbé de Feletz[11], célèbre sous son pseudonyme des *Débats*, la lettre A., le savant géographe Malte-Brun[12], les hellénistes Boissonade[13] et Planche[14], le vicomte de Bonald[15], Royer Collard[16], Dussault[17], Mely-Janin[18], Geoffroy[19], le critique d'art Boutard[20], Hoffmann[21], et Chateaubriand qui, par sa gloire et sa relation particulière avec Bertin l'Aîné, eut une influence considérable sur le journal. Tous ces personnages fréquentaient le bureau du journal et formaient l'essentiel du salon Bertin de Vaux où Delécluze les rencontre vers 1809. Dans son enfance, Étienne Delécluze avait été intime d'Augustine Bertin de Vaux et plus encore de sa sœur Sophie Massé[22]. Il les avait connues à Meudon où la famille Delécluze s'était retirée pendant

cat. 98 Portrait de Madame Bertin de Vaux
Huile sur toile, 17,6 x 91 cm
Monogrammé et daté : *ALGRT 1809*
Collection particulière

Hist Resté dans la famille du modèle jusqu'à l'ac[...] propriétaire.
Exp. 1809, Paris, Salon, n° 72 (*portait de Mad. D.V.* **
Bibl. Coupin, 1829, p. lxj; Nevison Brown, 1980, p. 2[...] 233; Lamorelle, 2002, n° 13, p. 32; Lemeux-Frai[...] 2003, p. 348.

Œuvre en rapport
Une peinture sur émail par G. F Soiron d'après la t[...] de Girodet, Genève, musée d'Art et d'Histoire.

la terreur. Leurs voisins Bocquet avaient deux filles sensiblement de son âge, Augustine et Sophie. Dans l'isolement et le désœuvrement des années de la Révolution qui avait fermé les écoles, des liens sentimentaux s'étaient noués entre les enfants. Sophie fut le premier chagrin amoureux de Delécluze[23] avant qu'il ne languisse pour la nièce de Mme Récamier[24]. Apparemment, Augustine ne montrait pas de prédispositions à devenir la femme lettrée que peint Girodet. « Par une rare exception de ce temps, elle avait été élevée, [nous dit Delécluze], par une femme de chambre de sa mère, dans des sentiments profondément religieux qui l'ont animée jusqu'à son dernier jour. Quant à son instruction proprement dite, elle se ressentait des malheurs du temps ; et sauf la musique qu'elle aimait […] elle ignorait à peu près tout ce qu'à d'autres époques on savait ordinairement a son âge[25]. » L'arrivée des frères Bertin à Meudon fit éclater l'univers enfantin d'Augustine, de sa sœur cadette et d'Étienne. Delécluze avait dix-sept ans et Bertin de Vaux vingt-six ou vingt-sept quand il épouse en 1798[26] Augustine Bocquet. Il devint hardi de laisser Sophie et Étienne en tête à tête et leur commerce s'interrompit pendant dix ans. C'est à l'époque où Girodet peint le *Portrait d'Augustine* que Delécluze revit ses anciennes amies de Meudon. « Bertin-Devaux habitait alors un petit hôtel élégant de la rue de Hauteville[27]. » Girodet, alors si célèbre, comptait parmi les familiers du salon d'Augustine Bertin de Vaux où une société lettrés de bourgeois royalistes « affectait de remettre en honneur le ton et les habitudes de l'ancienne politesse française ». « Madame Bertin De vaux (Augustine) et sa sœur Madame Massé (Sophie) étaient lancées dans le monde. Chacune d'elle avait un fils[28] et toutes deux vivaient entourées d'un cercle de gens lettrés, la plupart concourant à la rédaction du journal des débats[29]. » Le livre que Girodet associe au portrait d'Augustine renvoie à ce milieu des lettrés qui contribuaient au journal. Entre 1811 et 1815, Bertin de Vaux et sa famille vécurent chez Mme Merlin où s'installa le salon du *Journal des débats*. Après Waterloo, les Bertin reprirent possession de leur journal. Le royalisme des Bertin ne plut pas davantage aux Bourbons que le catholicisme de Chateaubriand ne plut au clergé. Sous la Restauration de Charles X, ils rentrèrent à nouveau dans l'opposition jusqu'à la révolution de Juillet 1830 où le *Journal des débats* devint l'organe officiel du régime de Louis-Philippe.

Le portrait d'Augustine

La mise en page du portrait d'*Augustine Bertin de Vaux*[30] reprend presque comme une citation, mais en l'inversant, une formule mise au point par David en 1799 dans son *Portrait de Madame de Verninac* [ill. 279]. Comme elle, Augustine Bertin de Vaux, la tête de face, regarde son public droit dans les yeux. Son buste est de trois quarts, l'épaule droite rejetée vers l'arrière, le bras gauche replié s'appuyant sur le dossier de la chaise gondole où elle est assise. Delécluze, se souvenant des faux-semblants grecs adoptés

par les jeunes gens de Paris à l'occasion du tra[n]fert des cendres de Voltaire au Panthéon le 11 jui[l] 1791, écrit dans son livre sur David : « L'introducti[on] subite d'un costume nouveau chez un peuple n'[est] jamais un fait isolé ni complètement stérile ; il p[ré]cède ordinairement un changement ou au mo[ins] une modification importante dans les mœurs[ ]. La mode serait donc un baromètre du politique. [En] 1799, David peignait aussi les *Sabines* et réaffirm[ait] la valeur politique de l'antique, c'est d'ailleurs la [re]présentation sculpturale des matrones romaines [qui] servit de modèle au portrait de *Madame de Vernina[c].* Girodet reprend l'histoire là où David l'avait lais[sée] mais il la pousse dans le XIX[e] siècle et la métamo[r]phose. L'étole n'est plus la simple écharpe jaune a[ux] motifs grecs, mais un somptueux châle de laine b[ro]dée du Cachemire[33]. La robe de coton blanc tra[ns]parent devient une luxueuse tenue de velours n[oir] largement décolletée et brodée d'or. L'antique n'[est] plus un idéal mais un souvenir qui survit dans la f[rise] de palmettes ornant le lambris du mur et la brode[rie] du bustier. Depuis le Consulat, les modes grecque[s et] les coiffures à la Titus étaient esthétiquement et p[o]litiquement discréditées[34]. La coiffure « grecque » [de] Mme de Verninac qui mêlait la coiffure de l'*Apo[llon] du Belvédère* à des cheveux à la Titus est devenue ch[ez] Augustine un arrangement de boucles et d'angla[is] qui, tombant sur la gauche de la tête, répondent a[ux] torsades du châle savamment drapées sur la droite [de] la composition. La femme moderne du Directoi[re a] cédé le pas à une élégante de l'Empire français.

élégances d'Augustine, au demeurant assez discrètes, ne sauraient être comparées à celles de Mme Récamier peintes par Gérard ni à celles plus naïvement érotiques de la *Comtesse de Bonneval* **(cat. 99)**. Le portrait comme son modèle sont placés sous le signe du convenable. Autre signe des temps et du renouveau des salons littéraires, Mme Bertin de Vaux, comme la marquise de Pompadour dans son portrait par Boucher[35], mais en plus modeste, tient un livre à la main. Avec la Restauration, les femmes reprennent à la ville le rôle social que leur avait retiré la Révolution puis l'Empire. Ce livre fermé ressemble d'ailleurs fort à un de ces ouvrages brochés à couverture colorée que publiait la librairie Ladvocat ou l'éditeur Lenormant, associé des Bertin.

Au Salon de 1810, Girodet expose *La Révolte du Caire*, sept portraits féminins dont celui de madame D.V. (celui de Mme Bertin de Vaux[36]) et le portrait de Chateaubriand. Même dans un contexte où explose la production des portraits, ce nombre est inhabituel pour tout artiste, peintre d'histoire ou même portraitiste. Selon son usage, la critique s'attacha surtout à *La Révolte du Caire*, restant prudemment muette sur le portrait de Chateaubriand[37], en disgrâce. Un portrait, celui de *La Comtesse de P. en robe bleue* fit l'unanimité[38] et seul Guizot mentionne le portrait de «la jeune personne tenant un bouquet de violettes» (*Mademoiselle Lenormant*, ill. 275). Augustine Bertin de Vaux ne retint pas l'attention. Pourtant le tableau ne dut pas passer totalement inaperçu dans la société parisienne, ne serait-ce que par la position et la personnalité de son époux, directeur du fameux *Journal des débats*, opposant notoire de l'Empire, un homme cultivé et haut en couleurs qui s'attira le mot de Talleyrand : «Les deux hommes les plus spirituels de France sont : Bertin de Vaux et moi[39].» Le silence de la presse s'explique aisément quand on songe à la profusion des portraits au Salon et la critique savante, informée, celle qui pouvait le plus sûrement s'intéresser au modèle et à l'artiste était aussi la plus tributaire des valeurs du temps et de la hiérarchie académique ; elle tient le portrait comme un genre secondaire qui ne pouvait s'élever dans la hiérarchie des arts que par ses affinités avec l'histoire. Guizot[40], Boutard[41] sont de ce parti. Une autre raison de l'absence de critiques sur le tableau est que Boutard, habituellement commentateur si prolixe des œuvres de Girodet, ne pouvait décemment faire la promotion du portrait d'Augustine qui était devenue la belle-sœur de sa propre sœur[42]. Jean-Baptiste Bon Boutard[43], fervent partisan du peintre lors de la polémique déclenchée par *Ossian* dans le *Journal des débats*[44] n'était pas le seul lien de Girodet dans le milieu Bertin. Avec Ingres et Fabre et, dans une moindre mesure, Gérard, Girodet est le peintre emblématique, celui qui correspondait le mieux à l'idéal esthétique, à la sophistication littéraire et au raffinement des Bertin. Il connaît vraisemblablement la famille depuis les débuts de l'Empire. En 1806, il avait déjà peint Augustine en buste **[ill. 276]**, une épingle à l'effigie de Vénus dans les cheveux, portant un col de dentelles brodé et relevé «à la Médicis», une mode que Joséphine avait imposée à la cour[45]. La mère[46] d'Augustine lui avait confié son portrait en 1804[47] **[ill. 277]** et vingt ans après, celui de son troisième époux M. Merlin[48]. Girodet dessine aussi Bertin l'Aîné **[ill. 231]**, plus jeune que dans son portrait peint par Ingres[49], son fils le peintre Édouard Bertin[50] **[ill. 232]** et son frère Bertin de Vaux[51] en 1815 et le fils de ce dernier, Auguste Bertin de Vaux, en 1817[52]. Le portrait de jeune fille aux violettes mentionné plus haut (voir ill. 275) est celui de Thérèse Lenormand, fille de l'imprimeur royaliste, copropriétaire avec les Bertin du *Journal des débats*[53].

S. B.

Notes

1. Louis François Bertin (1766-1841), voir cat. 73.

2. Léon Say, Bertin l'aîné et Bertin de Vaux, 1889, p. 14-15.

3. Michaud, *Biographie universelle*, 1856, p. 163-169.

4. Delécluze, 1862. Say, 1889.

5. La journée du 20 juin 1791, anniversaire du Serment du jeu de Paume (20 juin 1789), le roi assiégé aux Tuileries coiffe le bonnet rouge. Lors de l'insurrection du 10 août, après la publication du menaçant manifeste publié par le duc de Brunswick, le peuple donne l'assaut aux Tuileries. Du 2 au 6 septembre, les prisonniers de l'Abbaye, de la Force, du Châtelet et de la Conciergerie, environ 1 100 personnes furent massacrés par les septembriseurs.

6. Delécluze, 1862, p. 83.

7. Antoine Athanas Roux de Laborie (1769-1840). Homme politique, destiné avant la Révolution à l'état ecclésiastique, étudie au collège Sainte-Barbe où il rencontre Bertin l'Aîné. Il fut inquiété avec Bertin en 1800 pour complicité dans les complots royalistes.

8. Claude Bellanger *et al.*, Histoire générale de la presse. 5 vol. Paris, PUF, 1969-1976.

9. Jean Fiévée (1767- 1839), voir Michaud, 1854.

10. Charles Guillaume Étienne (1777-1845), voir Michaud, 1854.

11 Charles Marie d'Orimont de Feletz (1767-1850), voir Michaud, 1854.

12. Malte Conrad Bruun (1755-1826), dit Malte Brun, un des plus importants géographes de l'Empire, fondateur des *Annales de voyages* (1808), auteur du *Précis de la géographie universelle*. D'origine danoise, Malte Brun, favorable à la Révolution française, vivait exilé à Paris. Il s'opposa activement à Napoléon.

13. Jean-François Boissonade de Fontarabie (1774-1854).

14. Joseph Planche (1763-1853), élève, puis professeur à Sainte-Barbe, contribua à ranimer et vulgariser la langue grecque.

15. Louis Gabriel Ambroise de Bonald (1754-1840), théoricien de la monarchie, ancien de l'armée de Condé, qui avait refusé d'être le précepteur du roi de Rome et du fils de Louis de Hollande, le future Napoléon III.

16. Pierre Paul Royer Collard (1763-1845), avocat, membre du Conseil des Cinq-Cents, prosélytes de la religion catholique, s'opposa à la fois aux ultra et aux manœuvres anti-constitutionnels de la gauche.

17. Jean Joseph Dussault (1769-1824) étudia également au collège de Sainte-Beuve, voir Michaud, 1854. Médecin, littérateur, publiciste, et critique, élevé au collège Saint-Barbe, déporté le 18 fructidor an V, il prit part à la collaboration du *Journal des débats* après le 18 brumaire an VIII (1799).

18. Jean Marie Mely-Janin (1777-1827) étudie au Collège Sainte Barbe. Il est l'auteur de *Louis XI à Péronne*, comédie historique en cinq actes et en prose représentée pour la première fois sur le Théâtre-Français, le 15 février 1827.

19. Julien Louis Geoffroy (1743-1814), voir Michaud, 1854.

20. Jean-Baptiste Bon Boutard (1771-1838). Voir *supra* Andrew Shelton.

21. François Benoît Hoffmann (1760-1828), poète et dramaturge. Plusieurs de ses pièces ont été mises en musique par Méhul (*Euphrosyne* et *Stratonice*).

22. Delecluze, 1862, p. 15-31.

23. Delécluze, *ibidem*.

24. Voir Delécluze, *Journal 1824-1828*, 1948, p. 229-244.

25. Delécluze, 1862, p. 17.

26. 6 thermidor an VI.

27. Delécluze, 1862, p. 77.

28. Delécluze peint en 1815 le portrait de ces deux enfants, *Auguste Bertin De Vaux* âgé de dix ans et *Tom Massé*, âgé de sept ans (coll. part., France).

29. Delécluze, 1862, p. 73.

30. Michaud dans son dictionnaire biographique écrit le nom de cette manière. Delécluze, 1862, l'écrit quelquefois De Veaux ou Devaux. Léon Say en 1889 l'écrit de Vaux.

31. Delécluze, 1855, p. 135-136.

32. Voir A. Lens, *Costumes de peuples de l'Antiquité*, 1776, cité par Aileen Ribeiro, 1995, p. 113.

33. L'impératrice Joséphine contribua à mettre les châles à la mode. Elle et en possédait un très grand nombre. Son couturier Louis Hyppolite Leroy qui eut sur la mode à la cour impériale une importance comparable à celle de Rose Bertin près de Marie-Antoinette et son entourage lui fournissait les châles de cachemire importés par les anglais. C'est l'un des rares produits qui, malgré les interdictions, de Napoléon résista au blocus intercontinental. Voir Aileen Ribeiro, 1995, p. 118.

34. *Ibidem*, p. 122.

35. 1756, Pinacothèque de Munich.

36. *Explication des ouvrages de peinture, sculpture, Architecture, gravure, des Artistes vivans, exposés au Musée Napoléon le 5 novembre 1810*, Paris, 1810, p. 46-47 ; n° 369, *La Révolte du Kaire*. 370, *Portrait de Mad. De L.G. épouse du général de ce nom. Fond de paysage.* (Portrait de Mme de La Grange ? connu par deux versions, conservées dans les coll. part. à New York et à Paris). 371, *Portrait de Mad. L. ***, en robe bleue.* 372, *Portrait de Mad. D.V.**** (Augustine Bertin De Vaux). 373, *Portrait d'homme méditant sur les ruines de Rome.* (Chateaubriand, *supra*). 374 *Portrait de Mad. La Comtesse de P., en pelisse et robe de velours bleu.* 375, *Portrait de Mad. R. ***, en robe verte.* 376, *Portrait de M. Ile. L. N. tenant un bouquet de violettes.* (Portrait de Mlle Le Normand). 377, *Autre portrait de femme, en robe blanche et pelisse* (peut-être Mme de la Grange, Londres, marché de l'art).

37. Cat. 67.

38. Fabien Pillet, *Journal de Paris*, 14 février 1811 ; Guizot, *Étude sur les Beaux-arts en général*, Paris 1852 *De l'état des Beaux-Arts en France, au Salon de 1810*, p. 91 : « [...] tout s'y réuni pour rappeler la manière des maîtres de l'école italienne, et surtout les belles têtes de Léonard de Vincy [...]. Landon, *Annales du musée et de l'Ecole Moderne des Beaux-Arts*, Paris, 1810 [...] Il ne serait pas déplacé près de certains portraits de Raphaël et de Léonard de Vinci, dont M. Girodet semble chercher le style noble et pure. [...]. »

39. Léon Say, Bertin l'Aîné et Bertin de Veaux, 1889. p. 17. Say détaille entre les p. 12 et 47 l'histoire du *Journal des débats* jusqu'à la mort des fondateurs.

40. *Ibidem*.

41. Boutard développe son point de vue dans le *Journal des débats* du 9 janvier 1811.

42. Geneviève Aimée Victoire (1772-1838) épouse Louis François Bertin (1766-1841). Ingres fait son portrait dessiné en 1834, musée du Louvre.

43. Sur Boutard, voir Andrew Shelton, *supra*.

44. Cat. 45 ; *Journal des débats*, 14 prairial an X ; 2 messidor an X

45. Ribeiro, 1995, p. 173.

46. Françoise Triquart (1753-1816) épouse Michel Bocquet en 1775 puis Thomas Merlin en 1808.

47. Coll. part. (Coupin, 1829, t. I p. lxj) parle de « deux portraits différens de Madame Merlin » qu'il situe en 1812 ; Nevison Brown, 1980, p. 225, estime avec raison que la date de Coupin est erronée et reconnaît Mme Merlin dans le portrait reproduit ici et dans le portrait du Smith College (Northampton Mass.) que Levitine, 1956, identifiait à celui de madame Trioson, alors perdu (mais retrouvé depuis, ill. 9) ; Lafont, *Revue de l'Art*, 1999, p. 54, ill. 13 ; dans le chapitre « Le journal des Débats » des *Portraits féminins par Girodet*, 2002, t. I.

48. Salon de 1824, coll. part.

49. 1832, Paris, musée du Louvre.

50. En 1821, Girodet dessine le portrait d'Édouard Bertin, né en 1797 (musée du Louvre).

51. Coll. part.

52. Coll. part.

53. Léon Say, Bertin l'Aîné et Bertin de Veaux, 1889.

Portrait d'une femme à la mode

« Ô Julie ! Que c'est un fatal présent du ciel qu'une âme sensible. »
Rousseau, *La Nouvelle Héloïse,* 1761

Portrait d'une femme à la mode

Madame de Bonneval est une femme à la mode[1]. ˌélécluze nous alerte du sérieux de cet objet d'étu-ˌ. « L'introduction subite d'un costume nouveau ˌez un peuple n'est jamais un fait isolé ni complè-ˌment stérile ; il précède ordinairement un change-ˌent ou au moins une modification importante dans ˌs mœurs[2]. » Le modèle porte une robe de coton ˌanc froncé, aux manches légèrement bouffantes sur ˌs épaules. Une gaze de mousseline blanche, pres-ˌe invisible, crée une vaporeuse enveloppe depuis ˌ haut de l'épaule jusqu'au milieu du bras. Serti de ˌux rubans de soie blanche, le voile de mousseline ˌ resserre pour épouser étroitement le bras et l'avant-ˌas. La longue manche se prolonge au-delà du poi-ˌet, coupée en biais sur le dos de la main comme ˌ voulait la mode médiévale naissante. Largement ˌndue sur le côté, cette manche, dont on aperçoit ˌguichante couture tout au long du bras droit, a ˌe saveur troubadour qui envahit la mode grecque ˌsqu'à la rendre méconnaissable. La taille haute, qui ˌssine les formes féminines au tournant du siècle ˌsqu'à la fin de l'Empire, est marquée par les lacets ˌun bustier de velours bleu qui, noué sur le devant, ˌhausse la poitrine. Pour être raffinée et élégante, la ˌnue de Mᵐᵉ de Bonneval n'en est pas moins d'ins-ˌration champêtre et évoque une simplicité digne ˌ *La Nouvelle Héloïse.* Elle pose, assise de côté, les ˌnbes allongées devant un paysage montagneux qui ˌoque les Alpes. La lumière brumeuse et bleuâtre ˌmble être celle de l'aube qui se lève derrière les ˌonts. La tête et le buste, jusqu'aux épaules, se dé-ˌoupe sur un ciel léger et vide. Au fond de la vallée ˌrpente une rivière.

Le portrait est tout entier empli d'une volupté ˌngeuse, presque mélancolique. Un large décolleté ˌcouvre à peine la poitrine et, sous la transparence ˌ la robe, on distingue la pointe de ses seins. Ses bras ˌposent sur les cuisses. La main gauche est nue, les ˌigts étendus sur les feuillets d'une lettre. À son poi-ˌet gauche est attaché un bracelet d'or orné d'un ˌmée à fond bleu. La chevelure brun noir est relevée ˌ savant désordre, attachée par un étroit bandeau sur ˌquel est fixée une tresse. De longues mèches frisées

s'échappent de chaque côté de la tête et des boucles plus courtes forment une frange qui s'écarte au milieu du front. Cette coiffure évoque une liberté qui tranche avec l'érotisme retenu de David et les coiffu-res fixées à l'« huile antique », mode qui faisait fureur[3] autour de 1800. La tête est légèrement inclinée vers la gauche, dans une expression mêlant attendrisse-ment et abandon. On peut y voir une douce mé-lancolie, comme une nostalgie du bonheur. Mᵐᵉ de Bonneval ne voit pas le spectateur. Son regard est celui de la contemplation intérieure, faite d'attente et de souvenirs qui semblent se rapporter à la lettre posée sur ses genoux. Tout cela traduit la mélancolie de l'amoureux éloigné de l'être aimé et que, dans ses moments les plus ardents, Bonaparte en route vers l'Italie, recommandait à Joséphine : « Ah ! ne sois pas gaie, mais un peu mélancolique, et surtout que ton âme soit exempte de chagrin, comme ton beau corps de maladie : tu sais ce que dit là-dessus notre bon Ossian[4]. »

« Sans toi je suis un corps sans âme. »
Marie-Henriette de Bonneval, 1815

Dans le portrait de Mme de Bonneval, la repré-sentation de la chair et l'expression de bonheur mé-lancolique convergent vers le discours amoureux tel que l'invente alors la génération romantique naissan-te. Delécluze et les classiques les appellent « les sha-kespeariens ». Le sentiment est désormais la mesure de toute chose, et ses ambiguïtés sont complaisam-ment fouillées : il n'existe pas de joie sans mélange, sans souffrance. La souffrance est elle-même source de volupté. L'époque vit au rythme des tourments de Julie et de Saint-Preux dans *La Nouvelle Héloïse,* les affres de l'âme du jeune Werther[5] de Goethe, l'amour de Paul pour Virginie, et la passion mortelle de Chactas et Atala. Le paysage de montagne, où le modèle est placé, n'a pas nécessairement valeur bio-graphique, mais, plus probablement, marque l'exalta-tion du sentiment. Girodet confessait dans ses lettres d'Italie[6] que la découverte de la montagne avait été sa plus forte émotion esthétique. La combinaison de la mélancolie, de l'érotisme et du sentiment fait très certainement de ce tableau un des premiers portraits romantiques dans l'école française.

III. 280 Girodet (d'après), *Étude pour le Portrait de la comtesse de Bonneval*
Contre-épreuve, Paris, Bibliothèque nationale de France

«Toutes les femmes à la mode sont vêtues de blanc»

La pureté du blanc que la fin du XVIIIᵉ et le début du XIXᵉ siècle jugeaient flatteur pour tous les âges concourt à la sensualité du portrait[7]. Napoléon aimait voir Joséphine vêtue de cette couleur qu'elle porte dans la plupart de ses portraits. Après David[8], Girodet l'adopte dans plusieurs de ses effigies féminines dont ceux de la comtesse de La Grange [ill. 281] et de Mme Bioche de Misery [ill. 282]. Tout comme la première, Mme de Bonneval tient une lettre à la main. Alors que celle de la comtesse porte l'inscription *Wagram 1809*, où son fils vient de combattre, celle de Mme de Bonneval est une feuille blanche. L'introduction de mots dans la peinture est un procédé auquel Girodet recourt fréquemment. La lettre circonscrit l'expression de la comtesse de La Grange et lui donne son sens : l'apaisement des angoisses et l'orgueil maternel de la victoire de son fils. La lettre de *Fravega*, la grotte d'*Atala*, le rocher de *Bonchamp* contribuent également à la sémantique de l'œuvre, mais dans le *Portrait de Madame de Bonneval*, la lettre ne porte aucune inscription. L'absence de contexte événementiel donne à la missive sa valeur absolue de message. La jeune femme a reçu une lettre ! Le sens du portrait se resserre autour de cet objet. Avec la sensualité du costume et la mélancolie de l'expression, il contribue à faire de Mme de Bonneval le type même de l'amoureuse. Née le 13 novembre 1776, dans une ancienne famille de magistrats anoblie par l'échevinage de Bourges, Marie-Henriette Doulé avait épousé le comte Philippe Armand de Bonneval en 1796, quatre ans avant l'exécution de cette œuvre[9]. En 1801, un fils[10] naquit de cette union. La correspondance des épous montre que Marie Henriette était profondément amoureuse de son mari[11]. «Sans toi, je suis un corps sans âme, je ne me trouve capable de rien. Et t'aimant uniquement il me semble que je sois seule au monde. Je

me trouve bien qu'avec toi, juge de ma joie quand je t'embrasserai» lui écrit-elle après dix-neuf ans de mariage.

Girodet excelle dans la représentation de la peau et de la chair, en particulier la chair féminine qu'il célèbre avec son suprême art des glacis. Le *Mercure de France* vante son «blanc onctueux, égal, sans être pâle ni mat ; c'est ce mélange imperceptible de rouge et de bleu qui transpire imperceptiblement ; c'est le sang et la vie qui font le désespoir des coloristes[12]». La blancheur de la robe de Mme de Bonneval s'impose inévitablement comme une réponse de Girodet à son éternel rival, Gérard, qui grandissait dans les faveurs du premier consul et dont le *Portrait de madame de Regnault de Saint-Jean d'Angély*, couverte de transparents voiles de soie noire avait été considéré comme le plus beau portrait du Salon de 1799 [ill. 283].

L'érotisme vestimentaire masculin et féminin de la société postrévolutionnaire résulte d'une mosaïque de réactions souvent contradictoires. La tenue des Parisiens et surtout des Parisiennes, assez peu pudique et souvent luxueuse, est la réponse d'une société qui reconquiert son expression favorite, celle de la mode et de la frivolité. Ce savant talent qui lui fait donner le tempo à l'Europe et la définit depuis des siècles, connaît l'art de la récupération du drame par la légèreté, l'art de la litote et de tromper la tragédie en dansant sur les volcans. À la manière du désastre d'Azincourt qui avait entraîné la mode des vêtements déchiquetés à la cour de France, la Terreur avait inspiré la coiffure dite «à la victime», cheveux relevés sur la nuque ou l'échancré particulier d'une robe qui dégage le dos avec un croisement des bretelles. Les «bals des victimes» réservés aux parents de décapités figuraient parmi les événements mondains du Paris postrévolutionnaire[13]. Transformant en style sur le mode de la dérision l'austère puritanisme révolutionnaire qui les avait brimés, l'érotisme, la mode et le luxe font un retour fracassant sur la scène

cat. 99 Portrait de la comtesse de Bonneval
1800
Huile sur toile, 105 x 80 cm
Au dos, collée sur le châssis, étiquette de l'exposition *Deux siècles d'élégance 1715-1915*, Paris, galerie Charpentier, 1951.
Collection particulière

Hist. Collection comte Armand de Bonneval, p[...] descendance, coll. vicomtesse de Bonneval ; coll. Mar[...] Praz (*Portrait de femme*) ; Milan, coll. part.
Exp. 1800, Paris, Salon, nº 168 (*Portrait de Mme…*) ; 195[...] Paris (Charpentier), hors catalogue.
Bibl. A. D. F., 1800, p. 384 ; Anon., *La Décade philosophique*, 1800, p. 214-215 ; Boutard, *Journal des débats*, 180[...] p. 689, 691-692 ; Chaussard, 1800, p. 30 ; E., *Mercure [de] France*, 1800, p. 730-731, 735-737 ; Landon, 1800, p. 15[...] 154 ; Monsaldy, 1800 ; Bruun-Neergaard, 1801, p. 15[...] Coupin, 1829, T. I, p. lx ; collection des livrets 1872, p. 3[...] nº 168 ; Praz, 1979, 1983 (1ʳᵉ pl. hors texte) ; Nevis[...] Brown, 1980, p. 176-177.

Œuvres en rapport
Portrait de femme, contre-épreuve du dessin d'Antoi[...] Maxime Monsaldy, Paris, Bibliothèque nationale [...] France, département des Estampes et de la Photograph[...] Ad 89 a fᵒ, nº 168.
Le portrait de Mᵐᵉ de Bonneval figure sur le mur [...] droite, dans *Vue des ouvrages de peinture exposés au Musé[...] central des arts, an VIII de la République française* [180[...] gravure de Monsaldy d'après le dessin de Monsal[...] et Devisme (Paris, Bibliothèque nationale de Fran[...] département des Estampes et de la Photographie, c[...] Hennin, t. I).

du Directoire. L'Empire saura exploiter cette forme de la liberté, y mettre de l'ordre et la faire marcher au rythme de l'étiquette et du développement de l'industrie du luxe, en affirmant une forte distinction entre masculin et féminin.

En 1800, Éros, de retour, est encore dans sa phase de reconquête et associe la revendication du corps naturel et libre à l'idéale nudité antique. Winckelmann en avait fait un système, Emma Hamilton un métier et une arme diplomatique, les femmes de Paris en feront un style. Le grand art est de combiner impudeur et chasteté. Boucher avait conçu ses scènes de genre autour de cette recette qui, au début du siècle, se déplace et s'applique au portrait. C'est, par Chinard, le buste de Juliette Récamier, sein dénudé sous son étole, qui baisse chastement les yeux. C'est la même, peinte par Gérard, qui expose ses charmes au Salon de 1805. C'est, encore de Chinard, la belle inconnue du Louvre, datant de messidor de l'an X[14] dont le bustier découvre à peine la pointe du sein. C'est enfin le portrait de Mme de Bonneval où l'abandon du sentiment fait écho à celui de la chair. Un critique du Salon de 1800 s'extasie sur «[…] la tête d'une beauté ravissante et ce qui [...] séduit le plus en elle, [écrit-il] est qu'il me semble qu'on peu se flatter de la rencontrer. Il n'y a rien là qui soit idéal ou mythologique ; ce n'est pas non plus une figure grecque romaine ou babylonienne ; c'est une beauté bien simple, bien naturelle, bien vraie,

qui peut appartenir à tous les pays, à tous les siècles et qu'on chercherait de préférence à Paris[15].» Tout naturel dépend d'une construction et des conventions d'une époque. L'expression mélancolique de Mme de Bonneval n'appartient plus guère à nos mythes érotiques. La sensualité «naturelle» de son portrait, réjouissante pour la critique de 1800 est, pour l'œil moderne, moins une suave et familière beauté qu'une magnifique recherche formelle qui appartient entièrement à la stylisation. La tête est un ovale incliné sur la géométrie tubulaire du cou et les arabesques de la poitrine. Cette schématisation des courbes que montre à nu l'étude inachevée de la jeune fille à la draperie bleue [ill. 284] qui a figuré dans la vente de Girodet, aboutit dans l'histoire de la ligne aux formes phalliques de la *Princesse X* [ill. 285] où Brancusi, exaltant l'idéal et le mythe, fait surgir le primitif obscène et anéantit le corps en le résumant à son concept.

S. B.

Page de gauche :
III. 281 Girodet, *Portrait de la comtesse de La Grange en robe blanche*
Huile sur toile, coll. part.

III. 282 Girodet, *Portrait de Madame Bioche de Misery*
Huile sur toile, Ottawa, National Gallery

III. 283 Gérard, *Portrait de Madame Regnault de Saint-Jean d'Angely*
Huile sur toile, Paris, musée du Louvre

III. 284 Girodet, *Buste de jeune fille à la draperie bleue,*
Huile sur toile, coll. part.

III. 285 Brancusi, *Princesse X,* 1915
Marbre, Sheldon memorial Art Gallery, University of Nebraska, Lincoln, Nebraska

notes

Ribeiro, 1999, p. 93 : « Toutes les femmes à la mode ont vêtues de blanc, coiffées de blanc, chaussées de anc » (*Journal de Paris*, 1805).

Delécluze, 1863, p. 135-136.

Ribeiro, 1995, p. 115.

Lettres de Napoléon à Joséphine, www.bmlisieux.com/ uriosa/napoleon.htm

Publié en 1774.

Lettre d'Anne Louis Girodet au docteur Trioson, Turin, mai 1790, fonds Pierre Deslandres, déposé au musée irodet de Montargis, t. III, n° 3.

Voir Ribeiro, 1999, p. 96.

Portrait d'Émilie Sériziat, 1795, Paris, musée du Louvre.

La provenance du tableau a permis à Roger Bory de econnaître Marie Henriette de Bonneval.

es Bonneval ne séjournèrent à Paris ni pendant la évolution ni pendant le Directoire. (Le tableau a-t-il u être peint ou commencé à Montargis ou Orléans ?). 'après le certificat de résidence délivré à Philippe-rmand de Bonneval et à son épouse, le couple a éjourné à Orléans du 25 juillet au 4 décembre 1799. e laissez-passer accordé à la citoyenne Henriette oulet indique le signalement suivant : « taille 1,57 m ; heveux châtains, sourcils idem, yeux noirs, nez assez en fait, bouche moyenne, front couvert, menton ointu, visage oval […] ». Roger Bory a notamment ublié sur les Bonneval « Un pair de la "fournée llèle" : le comte Philippe-Armand de Bonneval (1773-340) », *Revue de la Société d'histoire de la Restauration de la monarchie constitutionnelle*, n° 5, 1991, p. 42-7. Je le remercie tout particulièrement des nombreuses formations qu'il m'a généreusement communiquées.

10. La comtesse de Bonneval est abondamment citée par Delécluze dans ses *Impressions romaines, carnet de Route d'Italie*, 1823-1824, Paris, Robert Baschet, ed. 1942. C'est très vraisemblablement elle qui voyage en Italie avec son fils. Delécluze l'appelle « son vampire », qui l'introduit chez Mme Récamier à Rome. Lors d'une soirée organisée par Mme de Bonneval, il rencontre Stendhal.

11. Lettre de la comtesse de Bonneval à Philippe Armand de Bonneval le 13 novembre 1815 (communication de Roger Bory).

12. *Mercure de France*, an IX [1800], p. 736-737.

13. À ce sujet, voir Lajer-Burcharth, 1999, p. 181-204.

14. Musée du Louvre, terre cuite, 1802.

15. *Mercure de France*, an IX [1800], coll. Deloynes, T. XXII, n° 633, p. 736.

cat. 100 Le Serment des sept chefs devant Thèbes
vers 1800
Crayon noir, pierre noire, estompe, rehauts de craie blanche, sur
deux feuilles assemblées de papier vélin beige, 41,8 x 62 cm
Cleveland, The Cleveland Museum of Art, J. H. Wade Fund,
inv. 2000. 71

Hist. Atelier de l'artiste, *État descriptif des objets d'art…* n° 382
[…] : «[accroché à côté de Bayard refusant les présents de son
hôtesse qui porte le même n°] la belle composition du Serment

des sept chefs devant Thèbes estimé deux cents francs» (Voignier,
2005, p. 40) ; «Grand dessin sur papier de couleur rehaussé de
blanc. Lithographié par M. Aubry-Lecomte, dans la même
dimension que l'original, depuis la mort de Girodet - Appartient
à M. Becquerel» (Coupin, 1829, p. 00) ; Bayeux, hotel des ventes,
11 novembre 1997, n° 40 ; (cat. 105) ; marché de l'art, New York,
acheté en 2000 par le musée de Cleveland.
Bibl. Coupin, 1829, t. I, p. lxxx ; Levitine, 1978 ; Foster, *The
Cleveland Museum of Art Magazine,* février 2001, p. 4–5 ; Lemeux-
Fraitot, 2003, p. 366 ; Voignier, 2005, p. 40.

Œuvre préparatoire
Étude pour le Serment des sept chefs de Thèbes, Paris, École national
supérieure des beaux-arts [ill. 287].

Œuvres en rapport
Tête du blasphémateur (cat. 101)
Tête de Thydée, huile sur toile, Le Havre, musée André-Malrau
[ill. 288].
Aubry-Lecomte, lithographie, Montargis, musée Girode
[ill. 101]

Dessins d'histoire

Le «plus beau de ses dessins»

Girodet a conservé jusqu'à sa mort cette composition, l'une des plus grandes et des plus abouties qui soient parvenues jusqu'à nous. Il l'avait même accrochée au mur dans sa chambre, sans doute dans le cadre néoclassique que nous lui connaissons aujourd'hui, à côté d'une autre œuvre de dimensions comparables, *Bayard refusant les présents de son hôtesse, à Brescia* **(cat. 104)**. Lorsque Victor Bertin évoque *Le Serment des sept chefs devant Thèbes* de Girodet dans une lettre à François Xavier Fabre, il le considère comme le «plus beau de ses dessins[1]». C'est l'une des œuvres sur papier qui font l'objet de l'estimation la plus haute dans l'inventaire après décès de l'artiste. Avant sa réapparition sur le marché de l'art en 1997, cette feuille était surtout connue par la lithographie de Hyacinthe Aubry-Lecomte imprimée par Constans en 1825.

Le sujet est tiré de la tragédie d'Eschyle intitulée *Les Sept contre Thèbes*, qui relate la guerre entre Thèbes et Argos provoquée par la rivalité des deux fils d'Œdipe, Étéocle et Polynice. Au début de la pièce, un messager s'adresse à Étéocle, prince des Cadméens (les Thébains), pour rapporter ce qu'il vient de voir au pied des remparts de Thèbes : «Sept preux capitaines ont, sur un bouclier noir, égorgé un taureau et, leurs mains dans le sang, par Arès, Ényô et la Déroute altérée de carnage, fait serment, ou d'abattre et saccager la ville de Cadmos, ou, par leur mort, d'engraisser ce sol de leur sang[3].» C'est la scène à laquelle nous assistons ici. Six guerriers nus, tous munis d'une arme quelconque, tendent le bras vers une tête de taureau sanglante. Un personnage vêtu d'une longue robe, sans doute Adraste, roi d'Argos, s'interpose entre le groupe et la statue des divinités de la guerre, placée dans le fond à gauche, à laquelle il tend une offrande. Un prêtre se tient à côté de lui, soulignant l'invocation divine qui scelle le serment.

Pour son interprétation de la scène, Girodet s'est certainement inspiré des dessins de John Flaxman gravés au trait par Tommaso Piroli. Il possédait des recueils d'illustrations de Flaxman pour *L'Iliade*, *L'Odyssée* et les tragédies d'Eschyle[4], toutes exécutées dans le célèbre style simplifié de l'artiste anglais, qui élimine le modelé au profit du seul contour et insère les personnages dans un espace scénique aplati privilégiant la clarté du récit. Girodet a déjà créé des images

étroitement associées à un texte, pour l'édition de luxe des œuvres de Racine publiée par Didot **(cat. 110-118)**. Le *Serment des sept chefs devant Thèbes* va un peu plus loin en développant encore l'aspect théâtral de la composition. Girodet a sans doute pris pour point de départ l'illustration de Flaxman figurant *Les Sept contre Thèbes* **[ill. 286]**.

On connaît une seule étude de composition[5] en rapport avec le *Serment des sept chefs devant Thèbes*. Elle représente une version antérieure **[ill. 287]**, où la position du taureau mort est à peu près la même que dans l'illustration de Flaxman. Girodet a modifié le geste des soldats. Au lieu de lever les bras au ciel, ils tendent la main pour toucher l'animal sanglant, conformément au texte d'Eschyle. Entre l'étude et le dessin définitif, ce geste ne change pratiquement pas, mais l'espace s'élargit et s'organise autour de la géométrie architecturale. À présent, on voit bien que les sept chefs prêtent serment devant Thèbes : la ville apparaît en haut à droite, tandis que les divinités guerrières se dressent de l'autre côté, de sorte que le décor fait partie intégrante du schéma narratif.

On sait que Girodet avait l'intention de réaliser un tableau sur ce thème[6]. L'inventaire après décès répertorie trois études de têtes pour les chefs. Deux de ces esquisses à l'huile sont parvenues jusqu'à nous **(cat. 101 ; ill. 288)**[7]. Leur format, presque grandeur nature, révèle que l'artiste envisageait un tableau de très grandes dimensions dont il aurait élaboré les détails avec sa précision habituelle. Il possédait une collection d'armes et armures[8] où figurait sans doute le casque qu'il a représenté sur la tête du *Blasphémateur*. C'est un modèle de la Renaissance italienne actuellement au musée de l'Ermitage, comme l'a découvert Stuart W. Pyhrr[9].

La théâtralité de cette tête d'expression est également perceptible dans le dessin, malgré son échelle beaucoup plus réduite. Girodet utilise largement les procédés de composition appris chez David. Les deux soldats nus au premier plan offrent un condensé de la situation, qui n'est pas sans rappeler *Les Sabines* de David, tandis que l'épée dressée dans la lumière fait penser au *Serment des Horaces*. Cependant, l'émotion exacerbée qui s'exprime sur les visages et, plus encore, l'éclairage spectaculaire rompent avec la calme grandeur néoclassique. La blancheur de la craie joue un rôle cardinal dans la composition. Elle contraste vivement avec le pa-

III. 286 John Flaxman (d'après),
Serment des Sept contre Thèbes
Gravure, coll. part.

III. 287 Girodet, *Étude pour le Serment
des sept chefs de Thèbes*
Dessin, Paris, École supérieure nationale des Beaux-Arts

III. 288 Girodet, *Tête de Thydée*
Huile sur toile, Le Havre, musée André-Malraux

cat. 101 Tête du blasphémateur
Huile sur toile, 55 x 46 cm
Collection particulière

Hist. Vente après décès, n° 9 du catalogue Pérignon : «Une autre tête, frappante d'expression, représentant le blasphémateur. Elle est aussi d'un fini parfait, à l'exception du casque qui n'est qu'indiqué»; les notes manuscrites contenues dans l'exemplaire du catalogue de Pérignon conservé à la bibliothèque centrale des musées nationaux permettent d'identifier précisément l'esquisse : «La tête est couverte d'un casque. La tête est terrible d'expression, grince des dents en relevant la lèvre. La figure me paraît trop rouge (la colère enflamme son visage), les parties nues du col et de la poitrine me semblent violettes. La charpente osseuse trop fortement articulée. Vue de profil», adjugé 285 francs à Bunel, n° 131 du procès-verbal de la vente (Voignier, 2005 p. 98); coll. part.
Bibl. Pérignon, 1825 ; Voignier, 2005.

pier beige[10] que Girodet a dû choisir exprès pour faire ressortir les points de lumière des yeux et des visages, et accentuer encore la tension dramatique grâce à l'éclair qui zèbre le ciel, relie les gestes des soldats aux statues de divinités guerrières et présage la violence à venir.

C. F.

Notes

1. Pélissier, 1896, p. 44.

3. Eschyle, *Tragédies complètes*, présentées et traduites par Paul Mazon, avec une préface de Pierre Vidal-Naquet, Paris, Gallimard, 1982, p. 158.

4. Pérignon, 1825, p. 88, n°s 719, 722 et 723.

5. Deux esquisses à l'huiles conservées respectivement à Bayonne, musée Bonnat, et à Cambridge, Fogg Art Museum, ont pu être rapprochées du dessin de Girodet, mais leur attribution est très problématique.

6. Levitine, 1978. Voir Carter Foster, « Magnificent Seven », *The Cleveland Museum of Art Magazine*, février 2001, p. 4-5.

7. Pérignon, 1825, p. 9, n°s 7-9 p. 9.

8. Pérignon, 1825, n°s 882-890.

9. Correspondance entre Stuart W. Pyhrr avec Sylvain Bellenger, le 6 avril 1992, (archives Bellenger) déposée au Louvre. Le casque est reproduit dans *Arsenal de Tsarkoé-Sélo ou collection d'armes de Sa Majesté l'empereur de toutes les Russies*, Saint-Pétersbourg, 1869, réédition en fac-similé, La Tour-du-Pin, éditions du Portail, 1993, pl. 97b.

10. La description de Coupin confirme que le papier était teinté à l'origine, même s'il a peut-être un peu jauni depuis lors.

cat. 102 Le Combat des Troyens contre les Rutules

lume et encre noire sur trait de crayon, avec traces d'estompe,
llé en plein sur carton, 48,8 x 73 cm

u revers, étiquette d'encadreur : *Quai Malaquais, n° 19/*
ALARD, / Succes' DE MONSIEUR Gerset.

rléans, musée des Beaux-Arts, inv. 747

st. Vente après décès de l'artiste, Paris, 11 avril 1825 et
urs suivants, n° 259 : «une riche composition à la plume ;
ombat des Grecs contre les Troyens» ; n° 338 du procès-
rbal de la vente, adjugé 249,95 francs à Coutan (Voignier,
005, p. 105) ; ne figure pas à la vente Coutan du 19 avril
830 ; coll. de l'imprimeur orléanais Henri-Alexandre Jacob ;

vendu par ce dernier au musée (information consignée par le
conservateur Demadières-Miron dans l'exemplaire annoté du
catalogue du musée de 1843, n° 145, archives du musée), en
1852, selon une liste de *Travaux à exécuter au musée d'Orléans*
en 1852 : «Achat d'un dessin de Girodet, grande composition
représentant la descente d'Énée dans le Latium. Le musée ne
possédant rien de cet artiste qui donne son nom à une des
salles du musée monsieur Demadières avait prié le possesseur
de ce dessin de le garder espérant s'en rendre acquéreur
pour l'établissement […] la somme de 150 F [sur le] fonds
d'entretien du musée» (dossier de l'œuvre, documentation
du musée) ; n° inv. et marque du musée en bas à droite (Lugt
1999c).

Bibl. Coupin, 1829, I, p. lxxxiij (*Combat des Grecs et des Troyens*) ;
[Marcille], Eudoxe-François, *Catalogue des tableaux, statues,*
et dessins exposés au musée d'Orléans, Orléans, 1876, n° 799
(*Descente d'Énée dans le Latium*) ; cat. exp. Paris, 1974–1975, cité
p. 150 (*Énée combattant dans le Latium*) ; Stief, 1986, p. 160, 364,
n° A3 (*Descente d'Énée dans le Latium*) ; cat. exp. Montargis, 1997,
n° 152, (*Débarquement d'Énée dans le Latium*) ; Voignier, 2005,
p. 105 ; Korchane, à paraître..

Les Troyens en Italie

Le plus grand et le plus élaboré des dessins de Girodet aujourd'hui conservés est aussi le plus méconnu. Exposé au musée d'Orléans durant les trente années qui suivirent son acquisition en 1852, il a ensuite regagné la réserve du cabinet des dessins pour ne plus en sortir. Le *Combat des Troyens contre les Rutules* tient pourtant une place d'exception dans l'œuvre de Girodet. D'une complexité plastique qui n'a d'égale que celle des tableaux d'*Ossian* et de *La Révolte du Caire*, il s'impose comme l'une de ses compositions historiques les plus ambitieuses, mais constitue aussi un exercice graphique hors norme, à la fois emblématique de la haute conception que l'artiste se faisait du dessin et marginal sur le plan de son exécution. S'il s'apparente par son sujet et par son style à la série d'illustrations pour l'*Énéide* entreprise au tournant de l'année 1810 (date que l'on considérera, à défaut de tout autre élément de datation, comme le *terminus ante quem* du dessin), ses dimensions, son élaboration technique et l'envergure de sa composition en font une œuvre autonome dégagée des contraintes formelles du cycle narratif : le combat virgilien a servi de prétexte à un exercice de style et d'invention dans le genre de la bataille, ressuscité dans les premières années du siècle pour les besoins de l'illustration impériale et dans lequel Girodet s'est démarqué aux côtés de Gros.

Ce combat, décidé par Jupiter à la suite d'un conseil de dieux partagé entre Vénus et Junon, est la première étape de la conquête de l'Italie par les Troyens (*Énéide*, X, 310-361). De retour d'Étrurie où il s'est concilié de nombreux renforts, Énée vient de débarquer avec sa flotte sur le rivage du Latium et trouve son camp assiégé par les Rutules : «La charge sonne. / Énée au même instant s'élance : / Par lui, présage heureux ! l'affreux combat commence ; / Le fer en main, il fond sur ces nouveaux soldats / Que Cérès à regret cède au dieu des combats» (310-313, trad. Delille, livre IV, p. 49). Le héros ne rencontrera ses ennemis mortels qu'à un stade avancé du livre X, ce qui explique l'absence de fortune figurée de cet épisode dans l'art ancien (il ne constitue guère qu'un arrière-plan lointain dans la fresque du livre X peinte par Nicolo dell'Abate pour le *gabinetto* de Giulio Boiardo à La Rocca di Scandiano vers 1540, et ne figure pas dans le cycle peint par Pierre de Cortone au palais Pamphilij). Mu par une énergie farouche, Énée enchaîne les assauts et d'un coup porté fait invariablement périr ses adversaires : Théron, Lichas, Cissée, Gyas, Mélampus, Pharon, Cydon et Clytius, personnages secondaires dont l'extermination a pour but d'augmenter la rage des forces en présence. De la description d'actions particulières le récit progresse vers celle du mouvement général : «Tels dans les champs des airs luttent deux vents égaux ; / Les courans opposés, les nuages rivaux, / Soutiennent sans céder leur choc opiniâtre : /

Tels Troyens et Latins sur ce sanglant théâtre / Se poussant, s'approchant, s'éloignant de la mer, / Luttent pied contre pied, le fer contre le fer» (358-361).

Ce n'est pas l'héroïsme individuel mais la violence collective, magnifiée par la langue, qui domine cette terrible collision. Mais Girodet, qui n'aurait su se satisfaire d'une représentation simplement terrible, a sublimé le sacrifice des vaincus par le sentiment et par l'éros. L'image des deux guerriers «tendrement unis [...] se disputant, sous le glaive ennemi, le funeste avantage d'en recevoir l'atteinte mortelle pour sauver les jours de son autre lui-même» (Girodet sur l'épisode de Nisus et Euryale, cité par Coupin, t. II, p. 98) se décline en plusieurs couples dont l'un dérive du célèbre groupe antique de *Ménélas et Patrocle* (dit aussi *Il Pasquino*, voir Haskell et Penny, nᵒˢ 151-153) à l'extrême droite de la composition. Au centre de l'accrochage, un éphèbe expire dans la posture sensuelle de l'*Énée endormi* de 1791 (*Les dieux pénates d'Énée lui apparaissant pendant son sommeil*, gravé par François Godefroy pour l'édition des œuvres de Virgile par Didot en 1798) : le mariage d'Éros et de Thanatos n'est pas un vain poncif chez Girodet, mais un principe souverain, hérité autant de Winckelmann que de certains maîtres du Cinquecento.

Girodet a donc trouvé là un sujet à la hauteur de son imagination et une occasion de rivaliser non seulement avec le génie de Virgile, mais avec celui des grands maîtres. L'exigence de *varietà* imposée par le genre a été résolue par un recours aux modèles de Michel-Ange (*Bataille de Cascina*), de Raphaël et Jules Romain (*Bataille de Constantin contre Maxence*) et de Le Brun (*Passage du Granique*), que l'artiste a par ailleurs commentés en vers dans sa *Troisième Veillée* (Coupin, t. I, p. 380). Ces citations littérales sont cependant neutralisées par la composition qui constitue elle-même une autocitation emblématique, celle de l'*Apothéose des héros français*, reconnaissable par le schéma pyramidal composé de deux groupes qui désormais ne se rencontrent plus mais s'affrontent, soutenus non plus par des nymphes mais par des moribonds, Vénus occupant la place dévolue à la Victoire dans le paradis d'Ossian. En recyclant ces motifs historiques, Girodet, loin de compenser un quelconque défaut d'invention, s'affirme comme le dernier terme d'une prestigieuse généalogie artistique.

Sur le plan de l'exécution, le dessin d'Orléans n'a rien de commun avec les feuilles rapidement griffées à la plume de la série virgilienne, tel *Le Cheval de Troie* (Paris, Louvre) ou *Pyrrhus tue Politès* (Montargis, musée Girodet). Afin d'égaler l'efficacité descriptive du verbe et rendre la complexité de l'action, le dessinateur s'est astreint à un travail méticuleux en suivant une méthode inhabituelle : pour garantir la perfection formelle, le trait d'encre a été apposé sur une esquisse au crayon qui s'est effacée à mesure que les

figures ont pris leur forme définitive. Cette mise a propre s'est non seulement accompagnée d'un soi extrême apporté aux détails narratifs (le profil d bouclier d'Énée entamé par les flèches qui s'y bri sent, par exemple), mais aussi d'un raffinement orne mental qui confine au fétichisme : accessoires varié à loisir, chevelures et musculatures minutieusemen tracées, drapés sophistiqués. Ainsi le *Combat des Troyen* apparaît-il comme l'un des rares dessins de Girode sinon le seul, dans lequel se soit cristallisée l'obsessio de perfection technique dont ses peintures les plu ambitieuses sont empreintes. À l'instar des tableau d'*Ossian* et de *La Révolte du Caire*, sa conception fu un défi aux lois de l'ordonnance, mais comme dan ces deux tableaux, la surenchère a fini par l'emport sur la mesure, et la saturation graphique, par compro mettre la lisibilité d'une composition qui, sans êtr achevée, est devenue un écheveau inextricable. Cett tendance à accumuler les formes jusqu'à l'asphyxi cette quête d'une virtuosité jamais satisfaite, sont le traits marquants d'une imagination parfois plus fam lière au maniérisme qu'au romantisme à venir.

M. K.

cat. 103 Le Christ quittant Pilate emmené par les soldats

VERS 1790

Pierre noire et rehauts de blanc sur papier vergé blanc cassé, 46 x 64,9 cm

Notre Dame, Snite Museum of Art, University of Notre Dame, inv. 2000.74.7

Hist. Paris, marché de l'art ; New York, marché de l'art ; coll. John D. Reilly ; donné au Snite Museum en 1987.
Exp. 1993, Notre Dame, Snite Museum of Art, n° 50.
Bibl. *The University of Notre Dame Friends and Alumni collect : A sesquicentennial celebration 1987*, p. 50 ; *Master Drawings Recent Gifts from the John D. Reilly Collection,* Notre Dame, Snite Museum, 2001, p. 48-49.

Selon l'Évangile

Girodet ayant remporté le grand prix de Rome 1789 avec *Joseph reconnu par ses frères* **(cat. 6)**, continue à aborder un certain nombre de thèmes bibliques pendant une brève période, mais il les traite sur un mode plus personnel et affectif. La composition sobre et l'atmosphère mélancolique de son *Christ mort soutenu par la Vierge* **(cat. 9)** s'écartent considérablement des représentations traditionnelles du sujet. La grotte sombre qui sert de décor amplifie la théâtralité mystérieuse de la scène. Dans ce grand dessin, Girodet s'éloigne encore de l'iconographie traditionnelle pour donner une interprétation originale centrée sur l'expression des émotions.

La composition très élaborée recèle beaucoup de mouvement et d'animation. Au centre, le Christ nu, au corps musclé, subit les outrages d'un groupe de soldats romains. Ils le frappent et lui tirent les cheveux. Le visage du Christ traduit la douleur et l'effroi, contrairement à la tradition qui insiste plutôt sur sa noble résignation. La scène correspond au passage de l'Évangile selon saint Marc situé juste après la sentence de Pilate (Marc, XV, 16-20) : « Les soldats le conduisirent à l'intérieur du palais, c'est-à-dire du prétoire. Ils appellent toute la cohorte. Ils le revêtent de pourpre et lui mettent sur la tête une couronne d'épines qu'ils ont tressée. […] Ils lui frappaient la tête avec un roseau, ils crachaient sur lui et, se mettant à genoux, ils se prosternaient devant lui. Après s'être moqués de lui, ils lui enlevèrent la pourpre et lui remirent ses vêtements. Puis ils le font sortir pour le crucifier. »

Le dessin de Girodet réunit plusieurs éléments du récit : la décision de Pilate, les outrages dans la cour du palais, le retrait des vêtements. La sculpture qui se dresse au-dessus du groupe représente Rome. Au pied de la statue, on lit l'inscription : *LA ROMA*. C'est peut-être une allusion au séjour de Girodet à Rome, de 1790 à 1795, ou un rappel des fonctions officielles de Ponce Pilate, procurateur romain de Judée. Girodet a figuré Pilate sur son trône, tout à gauche. Après avoir prononcé sa sentence, il montre au spectateur le visage de l'indifférence. Le Christ et les soldats se précipitent vers la porte à droite et semblent pénétrer dans les ténèbres de la crucifixion prochaine, car un jeune garçon tient une chandelle pour les éclairer.

À Rome, Girodet était entouré en permanence d'images religieuses. Ce type de sujet devait plaire davantage dans la capitale italienne qu'à Paris. Vers 1790, époque à laquelle il a sans doute exécuté ce dessin, le gouvernement révolutionnaire confisquait les biens du clergé en France, supprimait la plupart des ordres religieux et abolissait les privilèges ecclésiastiques. Malgré l'ambivalence de Girodet à l'égard de la religion catholique, on peut supposer que le visage apeuré de son Christ persécuté évoque la transformation radicale de la physionomie religieuse de son pays. De fait, l'affrontement entre Pilate et le Christ pourrait renvoyer à l'antagonisme entre la Révolution et le christianisme.

La facture fougueuse de la feuille extrêmement travaillée nous présente le talent de Girodet sous son jour le plus théâtral. Il façonne des personnages à la pierre noire, en nourrissant le trait, puis il estompe et racle pour faire apparaître les formes musclées qui caractérisent ses œuvres aux environs de 1790. Les portions de surface noircies contrastent avec la finesse des contours et des détails tracés à la pierre noire soigneusement aiguisée. Le jeune artiste se dégage de la tutelle de son maître David, affirmant sa singularité dans des compositions entièrement originales et vibrantes d'émotion.

J. A. C.

**cat. 104 Bayard refusant les présents
de ses hôtesses à Brescia,**
vers 1789

Craie noire et bistre, estompe, plume et encre brune, et rehauts
de blanc, sur papier vergé, 36,4 x 51,3 cm
Inscription sur la monture, en bas, à l'encre brune : *BAYARD/
Dédié et présenté à Monsieur Trioson, Docteur en médecine, par son
dévoué serviteur, et ami, G.D.R.*

**Chicago, The Art Institute of Chicago, don de H. Karl et
Nancy von Maltitz**, inv. 1990.495

Hist. Porté chez le doreur Dulac à Paris en 1789 (Adhémar,
1933); coll. Benoît François Trioson; coll. Girodet-Trioson,
n° 382 de l'*État descriptif des objets d'art…* : «un tableau fixé
dans à la porte d'entrée représentant Bayard refusant des cadeaux à Brast [Brescia] de M. Girodet estimé quarante francs»
(Voignier, 2005, p. 40); coll. Becquerel-Despréaux; Paris, vente
anonyme de la famille Becquerel, 1922, n° 37; coll. Henri Baderou, vers 1960; coll. Norman Schlenoff jusqu'en 1983; par
descendance dans la famille; New York, marché de l'art; acquis
par l'Art Institute en 1990.

Exp. 1985, New York, n° 1; 1990, New York, n° 24; 199.
New York, n° 34.

Bibl. Coupin 1829, t. I, p. lxxvj; Adhémar, 1933, p. 281; Ant
1936, p. 132, n. 9; Levitine, 1952 (1978), p. 24, 26, 27, 29; Boy
1967, p. 241-243; Nevison Brown, 1980, t. I, p. 48-49, 10
Ribeiro, 1995, p. 171, fig. 175; Lafont, 1999, p. 49-51, fig.
Lafont, 2001, t. I, n° 50, p. 300-302, t. II, p. 555 (repr.); Voigni
2005, p. 40.

Un héros médiéval

Girodet représente l'un des épisodes les plus célè-
[b]res de la vie de Bayard, épisode tiré de l'ouvrage de
[G]uyard de Berville, *Histoire de Pierre Terrail, dit le che-*
[va]lier Bayard, sans peur et sans reproche[1] : blessé lors du
[si]ège de Brescia, le chevalier est recueilli dans la mai-
[so]n d'un gentilhomme où il est soigné par une mère
[et] ses deux filles. Lorsqu'il fut rétabli, son hôtesse lui
[of]frit deux mille cinq cents ducats d'or, qu'il rendit
[à] la mère pour doter les deux filles. Ces dernières lui
[of]frent alors un bracelet et une bourse brodée. C'est
[la] remise de ces cadeaux qu'illustre ici Girodet.

On sait par la dédicace que ce dessin fut conçu
[po]ur Trioson. Il a été suggéré que ce dessin pouvait
[êt]re le pendant d'*Hippocrate refusant les présents d'Ar-*
[ta]xercès, exécuté pour la demeure de Trioson, le châ-
[te]au des Bourgoins. Il y a une concordance de sujet,
[le] médecin antique et le héros médiéval refusant les
[pr]ésents qu'on leur offre. Il y a également une simili-
[tu]de de format, composition en longueur, en bas
[re]lief. Anne Lafont[2] a montré que c'est *Hippocrate et*
[le]s Abdéritains qui avait été envisagé comme pendant.
[L]es lettres adressées, de Rome, par Girodet à Trio-
[so]n ne laissent aucun doute à ce sujet[3]. Anne Lafont
[aj]oute deux autres arguments pour prouver que le
[B]ayard ne peut être perçu comme une esquisse pour
[le] décor des Bourgoins. Cette composition est un
[de]ssin achevé, il s'agirait donc d'une « œuvre en soi »
[et] non d'un dessin préparatoire. D'autre part, une
[dé]dicace, au dos d'une esquisse préparatoire, serait
[in]congrue, ainsi que le cadre commandé par l'artiste
[po]ur ce dessin. Cette composition aurait donc été
[co]nçue comme une œuvre achevée pour être don-
[né]e par Girodet à son bienfaiteur au moment où il
[pa]rtait pour Rome.

Girodet part pour Rome en avril 1790, et le
[B]ayard, selon Coupin[4], est de 1789. On peut émettre
[l'h]ypothèse que, en 1789, alors que Trioson envisage
[de] décorer les Bourgoins, Girodet ait eu l'idée du
[B]ayard comme pendant à *Hippocrate et Artaxercès*, idée
[ap]poussée par le commanditaire. On peut supposer
[qu]e le peintre aurait alors retouché son esquisse pour
[en] faire un dessin achevé et l'offrir à son bienfai-
[te]ur et ami. La dédicace au dos aurait été apposée à
[ce] moment-là : *Bayard / dédié et présenté à Monsieur*
[Tr]ioson… Le mot *présenté* prend alors tout son sens.
[D']autre part, le cadre a bien été exécuté en 1789[5] ce
[q]ui tend à prouver que le dessin a été offert à Trioson
[pl]usieurs mois avant le départ du peintre pour Rome.
[E]t l'on comprend mieux pourquoi Girodet a donné
[au] docteur ce dessin dont le sujet était quelque peu
[in]attendu pour un tel destinataire. Anne Lafont note
[qu]'« on ignore ce qui présida au choix de ce sujet, si
[ce] n'est, peut-être, l'actualité théâtrale parisienne[6] » :
[le] 24 août 1786 était créée au Théâtre-Français une
[co]médie héroïque qui eut un grand succès, *Le Che-*

valier sans peur et sans reproche ou les Amours de Bayard;
le 30 mai 1789 était créée à la Comédie-Italienne
Les Savoyardes ou la Continence de Bayard. Les liens de
la deuxième épouse de Trioson avec la Comédie-Italienne pourraient justifier le choix du sujet[7].

L'attrait pour le héros « sans peur et sans reproche »
est plus ancien que ces événements théâtraux. Au
milieu du XVIIIe siècle, la vogue des romans pseudo-
médiévaux, le goût pour « le siècle de la chevalerie »
avaient attiré l'attention sur des chevaliers valeureux
et vertueux, notamment Du Guesclin et Bayard. Ce
culte de l'héroïsme national s'était développé après
les défaites infligées à la France par les Anglais. Les
commandes du surintendant des Bâtiments du Roi le
confirment quand il ordonne des tableaux d'histoire
pour revivifier le grand genre mais aussi pour raviver
la flamme patriotique. En 1775, le comte d'Angiviller
commande *La Continence de Bayard* à Durameau, en
1781 une *Mort de Bayard* à Beaufort, en 1787 une
statue de Bayard à Houdon pour la série des Grands
hommes français. Au Salon de 1783, Brenet présente
La Courtoisie de Bayard. Il n'est pas étonnant que, dans
ce contexte de création d'une mythologie nationale,
Girodet ait été intéressé par le personnage du chevalier « sans peur et sans reproche ». Plus tard, dans
la *Quatrième Veillée*, celle consacrée au *genre chevales-*
que, Girodet conseillera aux peintres de représenter
« nos preux chevaliers », de méditer « des Dunois, des
Bayard les exploits héroïques ». Il n'est donc pas surprenant que celui qui va s'inspirer très tôt d'*Ossian*
ait été attiré par des sujets non classiques, l'histoire
légendaire de héros chevaleresques. On ne peut suivre George Levitine qui perçoit la composition de
Girodet comme un « sujet royaliste[8] ». Par ailleurs,
l'attrait pour Bayard perdure après la Révolution et
avant la restauration des Bourbons. En témoignent
les rééditions régulières (1807, 1808, 1809, 1812) de
l'ouvrage de Guyard de Berville, à un moment où les
peintres dits troubadours s'emparent du personnage
(Dumet au Salon de 1808, Duperreux aux Salons de
1810 et de 1812, Richard à celui de 1810).

Le dessin de Girodet s'inscrit dans cette réappropriation du passé national. L'artiste fait preuve d'un
souci assez nouveau de restituer « la couleur locale »
avec une architecture médiévale, une scène chevaleresque (un tournoi ?) sur le tympan au-dessus de
la porte. Mais, les costumes et accessoires sont ceux
des représentations de personnages médiévaux aux
XVIIe et XVIIIe siècles, en particulier les inévitables
casques à panache, le mélange de costume antique
et de costume médiéval (la tunique et l'armure de
Bayard). De plus, le profil de Bayard est dérivé d'un
modèle romain. La composition même, en frise, avec
le héros au centre, s'apparente à la grande peinture
d'histoire. Elle est loin des petites scènes intimistes,
familières, des descriptions minutieuses des peintres

« troubadour » comme, par exemple, *La Convalescence*
de Bayard, à Brescia (1817, Louvre) de Pierre Révoil,
l'un des peintres « troubadour » les plus caractéristiques. Tout sépare la scène grave de Girodet des scènes
de genre sentimentales des peintres « troubadour » où
l'argument historique n'est qu'un prétexte à décrire
costumes, mobilier et objets médiévaux. Même si
le dessin de Girodet possède certains caractères des
« troubadours » de l'Empire, il se rattache à la grande
tradition, aux peintures des Brenet et des Durameau.
Il est presque le contraire des scènes doucereuses des
petits maîtres du début du XIXe siècle.

M. C. C.

Notes

1. Paris, 1760.
2. Lafont, 1999, p. 50.
3. Coupin, 1829, t. II, p. 365, 373, 381.
4. Coupin, 1829, t. I, p. lxxvj.
5. Adhémar, 1933, p. 281.
6. Lafont, 2001, t. I, p. 302.
7. *Ibidem.*
8. Levitine, 1952, p. 24-27.

cat. 105 Le Jugement de Midas

Plume et encre brune, lavis brun et gris, rehauts de blanc et tracé préalable à la pierre noire sur deux feuilles de papier collées ensemble, 30,2 x 49,8 cm

Paris, musée du Louvre, département des Arts graphiques, inv. R.F. 5346

Hist. Coll. Becquerel?; vente, hôtel Drouot, Paris, 7 février 1922; acquis par le musée du Louvre à cette vente.

Exp. 1927, Paris, p. 75; 1933, Paris (musée de l'Orangerie), nº 183; 1934, Paris (musée des Arts décoratifs) nº 505; 1936, nº 624; 1948, Berne, Kunstmuseum, nº 69; 1945-1950, Rotterdam, nº 118; 1952, Londres, nº 81; 1955-1956, Chicagoc, nº 97; 1958, Hambourg, Cologne, Stuttgart, nº 110; 1963, Lausanne, Aarau, nº 55; 1972, Londres, nº 623 pl. 88b; , 1989, Paris (musée du Louvre), nº 80 repr.; 2000, Paris, nº 10.

Bibl. Joannides et Sells, 1974, p. 361; Bernier, 1975, p. 100 et 102, repr. p. 98-99; Nevison Brown, 1980, p. 127-129.

Apollon et Midas

Ce dessin occupe une place à part dans l'œuvre graphique de Girodet, tant par sa facture variée que par son iconographie profuse. Le foisonnement de personnages et d'incidents semble très éloigné de la limpidité et de la sobriété néoclassiques qui caractérisent souvent ses compositions. Les multiples personnages tissent un réseau d'éléments narratifs empruntés à la mythologie et enrichis d'allusions à des œuvres d'art célèbres. La scène se passe sur le Tmolus, un mont de Lydie, où «Pan vantait aux jeunes nymphes son talent musical et modulait des airs légers sur les roseaux enduits de cire. Il eut alors l'audace de dire avec mépris que les accords d'Apollon ne valaient pas les siens; soumettant le débat au Tmolus, il engagea une lutte inégale[1].» Contrairement à la plupart des représentations traditionnelles de cet épisode, la composition de Girodet accorde une position centrale au Tmolus, incarné dans un personnage aussi âgé que le rocher éponyme visible derrière lui. Le dessin aurait peut-être dû s'intituler «Le jugement de Tmolus», car c'est exactement ce que l'artiste nous donne à voir : le dieu-montagne flanqué d'une nymphe nue dépose une couronne de lauriers sur la tête d'Apollon, tandis qu'un Amour ailé appuyé contre sa cuisse redouble son geste. Ce motif ne se trouve pas dans *Les Métamorphoses*. De fait, Girodet interprète librement le texte. Ovide dit qu'Apollon est déjà couronné de laurier quand il commence à jouer de la lyre, et Girodet en tient compte, de même qu'il a représenté les feuilles de chêne sur la chevelure de Tmolus, avec «des glands qui pendent autour des méplats de ses tempes[2]». Mais l'Amour est un ajout de l'artiste, dont le geste coordonné à celui de Tmolus attire l'attention sur la victoire d'Apollon.

Midas a eu la sottise de préférer les roseaux de Pan, et Apollon l'a affublé d'oreilles d'âne pour le punir. Sa mésaventure se déroule en parallèle dans le même dessin. Apollon, maniant son plectre de la main droite, comme le précise Ovide, un pied posé sur une marche dans la roche, fait vibrer les cordes de sa lyre en regardant Tmolus qui lui tend la couronne. À droite, Pan tient sa syrinx d'une main. Son geste de l'autre bras, renforcé par une mimique expressive, montre bien qu'il s'avoue vaincu. À côté de lui, Midas saute sur place et ouvre la bouche comme si les oreilles d'âne qui viennent de lui pousser sur la tête lui faisaient horriblement souffrir. Girodet a englobé dans une seule et même scène les moments distincts du concours de musique, du verdict et de la punition, qui forment la trame du récit.

Le jugement de Midas évoqué dans le titre n'est pas le seul événement représenté, loin s'en faut. Les nombreux personnages secondaires, pas tous identifiables, introduisent d'autres thèmes. La présence d'un âne en haut à droite est un clin d'œil amusant.

L'animal contemple stupidement le malheur de Midas, comme pour mieux souligner l'erreur de jugement du roi. Derrière l'âne, sur la gauche, on aperçoit Diane, la déesse de la chasse, accompagnée de ses nymphes. Dans le dessin lui-même, sinon dans les reproductions, on voit bien qu'elle vise vers le bas avec son arc et qu'elle porte une demi-lune sur la tête. Reléguée au rang de figurante à l'arrière-plan, elle n'en est pas moins la sœur d'Apollon, ce qui explique sa présence. Ce que l'on remarque davantage, c'est l'accumulation de personnages imbriqués les uns dans les autres dans une frise dense qui fait penser aux bas-reliefs de sarcophages. À gauche, on reconnaît Bacchus parce qu'il a une panthère à ses pieds, qui se frotte le museau contre le mollet d'Apollon. Bacchus enlace sa chère Ariane. Il a un lien avec Midas, car il lui reste reconnaissant d'avoir porté secours à son compagnon Silène, que l'on voit en train de cuver son vin à côté de Midas. Presque tous les autres personnages ont une relation ou une autre avec Apollon. Le jeune homme qui lui baise les pieds et dont la main gauche se transforme en excroissance végétale doit être son bien-aimé Hyacinthe, métamorphosé en fleur quand il l'a tué par mégarde. Une nymphe nue semble sortir de la rivière à côté de Hyacinthe, au premier plan. C'est sans doute Daphné, la compagne de Diane. Elle supplie son père, le dieu-fleuve Pénée endormi juste au-dessus d'elle, de la protéger contre les avances d'Apollon que l'Amour a piqué de sa flèche. Une autre nymphe s'est perchée dans l'arbre au-dessus d'Apollon. Indiscernable dans les reproductions, elle est passée inaperçue jusqu'à présent. Tout porte à croire qu'il s'agit de Mélia, fille de l'Océan, parfois associée au chêne[3].

L'identité du personnage devient plus compréhensible si l'on examine les œuvres qui ont servi d'exemples pour la composition du *Jugement de Midas* : le tableau tardif de Poussin *Apollon amoureux de Daphné* et ses *Bacchanales* d'une période antérieure, ainsi que *Bacchus et Ariane* et *Les Andriens* de Titien. Apparemment, Girodet s'en est inspiré directement pour plusieurs de ses personnages. Le jeune satyre qui bâille, en bas à droite, et son petit chien jappeur ressemblent à ceux que Titien a placés au centre de *Bacchus et Ariane*. La pose de Mélia, un bras rejeté derrière la nuque, rappelle la femme nue couchée en bas à droite des *Andriens*. Mais c'est Poussin qui a fourni un modèle pour l'iconographie. La pose d'Apollon, genou fléchi et cuisse levée à l'horizontale, semble indiquer que Girodet a regardé le *Bacchus* de Poussin, dit *Bacchus-Apollon* (1626-1627, Stockholm, Nationalmuseum), où un Amour ailé pose une couronne de lauriers sur la tête du dieu. D'autres personnages appellent des comparaisons avec des sculptures célèbres. Midas fait songer au groupe du *Laocoon*. L'Amour s'inspire du petit Jésus dans la *Vierge à l'En-*

fant de Michel-Ange, dite *Vierge de Bruges*. Ils ont exactement les mêmes jambes. Girodet a encore emprunté à Michel-Ange l'homme nu en bas à gauche du dessin, dont la pose rappelle la statue du *Jour* de Michel-Ange à la chapelle Médicis[4]. Le bâton placé à côté de lui, au premier plan à gauche, semble l'identifier au pâtre Endymion, qui ferait le lien avec le personnage de Diane à l'arrière-plan.

Ce genre de citations librement adaptées n'a rien d'étonnant de la part d'un artiste doué d'une aussi grande faculté d'assimilation que Girodet. L'introduction de nombreux personnages d'Ovide dans une seule et même image renvoie manifestement à l'exemple de Poussin.

Le Jugement de Midas se présente comme un tour de force iconographique et technique. Girodet emploie des procédés aussi divers et complexes que le sujet lui-même. Il semble avoir d'abord mis en place les grandes lignes de la composition à la pierre noire. Puis il a dessiné tantôt à la pierre noire, tantôt à la plume ou au pinceau, utilisant l'estompe, les lavis et les hachures pour les ombres et les lumières, sans privilégier aucune méthode en particulier. Certaines parties du dessin sont sommairement exécutées, notamment la portion de l'arrière-plan où se trouve Diane, en haut à droite. Les protagonistes, en revanche, sont minutieusement détaillés et soulignés de fins rehauts de gouache blanche. À gauche, Girodet a appliqué de larges lavis d'encre sous les branches d'arbre. Quelques touches de gouache blanche mettent en relief certains éléments comme le nu féminin rapidement brossé, sur la gauche, qui semble presque une variante de l'autre femme nue placée juste en dessous. Autant le dessin de Girodet se rapproche des effets picturaux dans ses illustrations de livres, autant cette feuille démontre l'étendue de ses compétences purement graphiques.

C. F.

Notes

1. Ovide, *Les Métamorphoses*, traduction de Georges Lafaye, Paris, Gallimard, 1992, p. 356.
2. *Ibidem*.
3. Voir la notice d'*Apollon amoureux de Daphné*, in P. Rosenberg dir., cat. exp. *Nicolas Poussin, 1594-1665*, Paris, Grand Palais, 1994, p. 520.
4. Nevison Brown, 1980, p. 128.

cat. 106 Télémaque et Mentor

vers 1810-1814

Pierre noire et rehauts de blanc sur deux feuilles de papier
collées bord à bord, 24,2 x 37,8 cm

New York, Wildenstein, & Company

Hist. Coll Becquerel-Despréaux ou cédé par l'artiste à Rossi.
Collection Rossi en 1829 (Coupin, 1829, p. lxxxiij) ; coll.
Jean-Pierre Collot ; vente de la succession Collot, Paris, hôtel
des ventes de la rue des Jeûneurs, les 25 et 26 mars 1852,
n° 44 ; adjugé à Aimé Charles, dit Horace His de La Salle ; ses
héritiers ; coll. Froberville, Blois, jusqu'en 2001 ; vente, Paris,
Drouot-Richelieu, le 11 juillet 2001, n° 33 ; Wildenstein &
Company.

Bibl. Coupin, 1829, t. I, p. lxxxiij («Télémaque et Calypso.
Grand dessin terminé. Appartient à M. Rossi, dentiste») ; pour
les achats de Rossi (ou Rossy) à la vente après décès de Girodet,
voir Voignier, 2005, p. 144.

Les aventures de Télémaque

Cette grande feuille a appartenu à Jean-Pierre Collot, munitionnaire auprès de l'armée française, père d'un banquier et ancien ami de Bonaparte. Collot estimait qu'il s'agissait du «plus beau dessin de Girodet» et le classait juste «après le grand dessin du *Serment du Jeu de paume*» de Jacques Louis David, ajoutant qu'aucune autre œuvre graphique de l'école française ne lui était supérieure[1]. La fierté du collectionneur influençait certainement son opinion. Il n'en reste pas moins vrai que le dessin de Girodet est un véritable tour de force tant par la conception iconographique que par le brio de sa facture et par la disposition des personnages.

Le voyage de Télémaque revêt une actualité particulière à ce moment de l'histoire. Son message touche aux deux thèmes de la séduction sexuelle et du devoir patriotique qui préoccupent Girodet et ses contemporains Jacques Louis David[2], Pierre Narcisse Guérin, Pierre Paul Prud'hon et Jean Broc, pour ne citer qu'eux. Le sujet est tiré des *Aventures de Télémaque* publiées par Fénelon en 1699. Fénelon était le précepteur du duc de Bourgogne, petit-fils et héritier présomptif de Louis XIV, et il a rédigé le roman à des fins didactiques, en empruntant à Homère un héros susceptible de retenir l'attention de son élève. Le livre a connu une grande vogue autour de 1800. Télémaque, ne voyant pas rentrer son père Ulysse à la fin de la guerre de Troie, part à sa recherche. La déesse Minerve l'accompagne dans ce voyage périlleux, déguisée en Mentor, le fidèle ami d'Ulysse.

Dans la scène représentée par Girodet, Télémaque raconte son périple à la déesse Calypso entourée de ses nymphes. Mentor veille sur lui. Son expression inquiète reflète le danger de la situation : Calypso s'est éprise de Télémaque et va l'empêcher de poursuivre son voyage vers Troie. L'Amour, en haut à gauche, intervient pour compliquer encore un peu plus les choses. Il pointe sa flèche vers le héros et la chaste Eucharis qui se tient juste derrière lui. L'Amour se fait assister de trois chérubins. Le premier chuchote à l'oreille d'Eucharis, le deuxième se cache derrière Télémaque et le troisième passe la tête sous le vêtement d'une nymphe. Télémaque et Eucharis s'aiment d'un amour contrarié par la ferme détermination du héros, qui décide courageusement de quitter l'île de Calypso pour accomplir sa mission.

Comme souvent dans ses dessins mythologiques exécutés vers 1810, Girodet propose une interprétation originale de la fable et se l'approprie entièrement. Il mélange plusieurs épisodes pour augmenter encore l'effet théâtral, selon un procédé employé également dans ses dessins de l'*Énéide* **(cat. 108-109)**. Le passé est évoqué par l'horizon marin, le présent par le regard résolument sensuel de Calypso, et l'avenir par l'arc et la flèche de l'Amour.

La virtuosité technique de Girodet accentue encore la force de ce dessin. Un détail du premier plan révèle clairement qu'il a associé habilement les traits de pierre noire et les coups de gomme pour suggérer l'herbe. Les rehauts de blanc joints aux effaçages soulignent le modelé des personnages soigneusement dessinés à la pierre noire. Ce travail minutieux fait penser à la lettre où il écrit, vers 1817 : «C'est un tort pour les dessins de n'être que des dessins, et cependant ils exigent la même conception et presque les mêmes études qu'un tableau[3] [d'histoire]» Cette feuille que Collot qualifiait de «plus beau dessin de Girodet» est en réalité une création inventive et extrêmement aboutie, qui n'a rien à envier à un tableau.

J.A.C.

Notes

1. Inscription au dos du châssis, citée par Joseph Baillio, *The Arts of France from François Ier to Napoléon Ier : A Centennial Celebration of Wildenstein's Presence in New York*, New York, Wildenstein & Company, 2005. Je remercie Joseph Baillio de m'avoir communiqué la notice de cette œuvre avant sa publication.

2. Sur Télémaque dans l'art de David, voir Dorothy Johnson, *Jacques Louis David : The Farewell of Telemachus and Eucharis*, Los Angeles, Getty Museum Studies on Art, 1997 ; et Philippe Bordes, *Jacques Louis David : Empire to Exile*, cat. exp., Williamstown, Sterling and Francine Clark Art Institute, et Los Angeles, Getty Center, édité à New Haven, Yale University Press, 2005, p. 244-250.

3. Lettre d'Anne Louis Girodet à Emmanuel Pastoret reproduite par Coupin, 1829, t. II, p. 343.

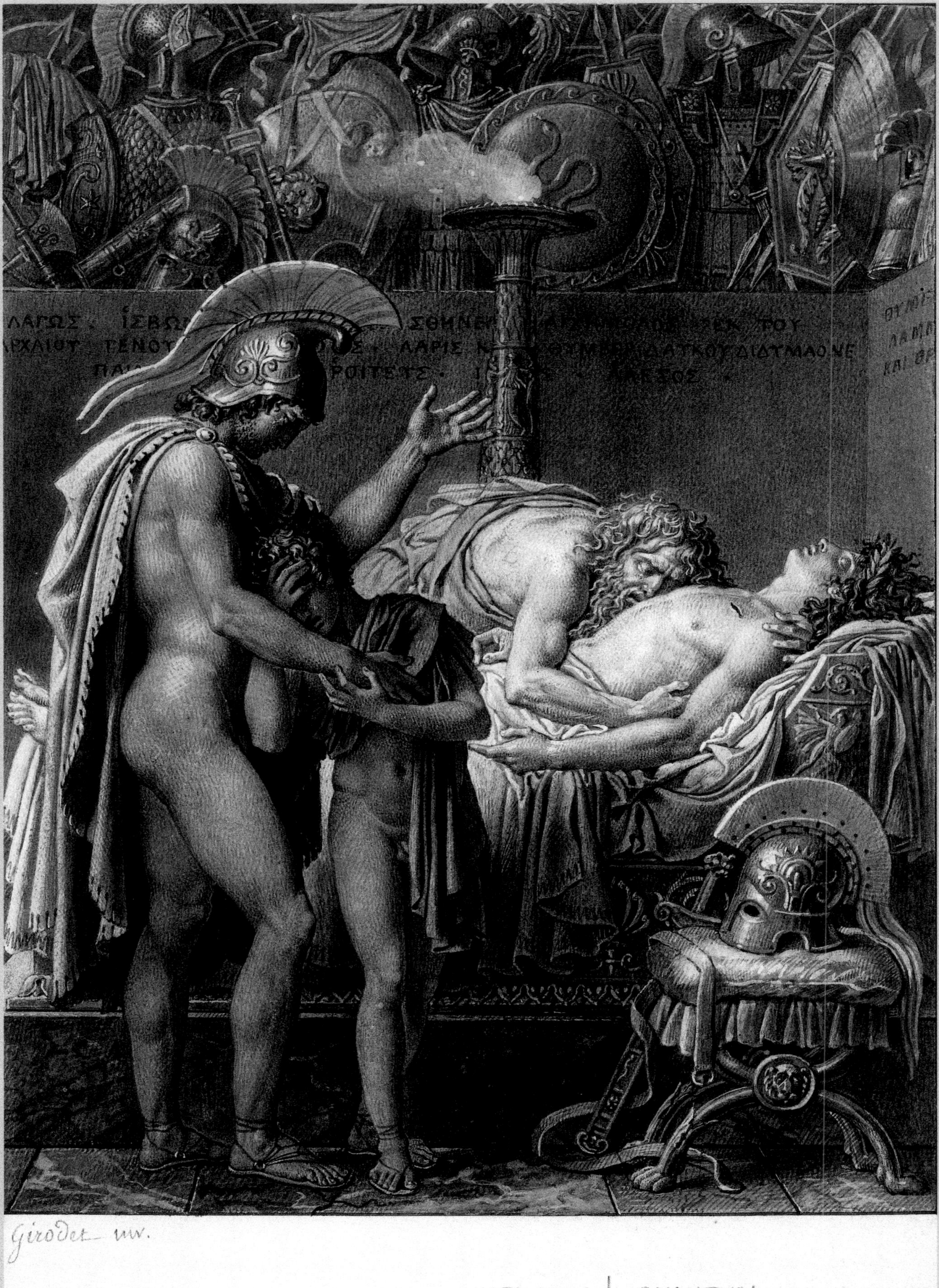

Girodet inv.

. . . . . . HEI MIHI ! QVANTVM
PRÆSIDIVM AVSONIA ET QVANTVM TV PERDIS , IVLE !

Enéide liv. XI

Édition de Virgile de 1798

En 1798, Pierre Didot publie les œuvres de Virgile, comprenant les *Géorgiques,* les *Bucoliques* et l'*Énéide.* C'est le premier d'une suite d'ouvrages bientôt désignés sous le nom d'«éditions du Louvre» parce que Didot a reçu l'autorisation d'installer ses presses à la place de l'ancienne Imprimerie royale, dans le palais qui abrite également l'Institut et les ateliers attribués aux artistes les plus éminents de la nation. La consécration officielle de l'imprimeur, placé sur un pied d'égalité avec les grands peintres et sculpteurs, correspond bien à ses ambitions artistiques, car il se préoccupe beaucoup de l'harmonie entre texte et images[1]. Quand l'édition in-folio de Virgile paraît en 1798, après sept ans de gestation, Didot la présente à l'Exposition publique des produits de l'industrie française, au Champ-de-Mars, et reçoit une médaille d'or[2].

Le travail a commencé en 1791, après la commande des illustrations à David, comme l'indique la note insérée dans sa petite édition de Virgile publiée cette année-là[3]. Pierre Didot veut favoriser la connaissance de la littérature gréco-latine en la rattachant à la culture française de son temps et à l'école de peinture néoclassique. Il explique dans son prospectus pour la grande édition de Virgile : «Jaloux d'élever au prince des poètes un monument digne de sa gloire, je crus que je ne pourrais y réussir complètement qu'avec l'aide et la réunion de tous les autres qui pouvaient y concourir. Je fis part de mon projet à David, le premier peintre de la France, et peut-être de l'Europe. Il l'accueillit avec enthousiasme, et s'offrit à faire les dessins lui-même; ou du moins, si ses occupations ne lui permettaient pas d'y mettre assez de suite, il me proposa d'en confier quelques-uns à deux de ses élèves qu'il jugea capables de travailler concurremment avec lui[4].»

David suit le projet de très près sans exécuter lui-même les illustrations, qu'il répartit entre ses élèves François Gérard et Anne Louis Girodet. Le premier réalise seize dessins, dont six pour l'*Énéide.* Le second crée le frontispice du livre[5] et six illustrations pour l'*Énéide.* Les deux jeunes artistes terminent leurs études à l'Académie de France à Rome lorsque leur maître leur transmet la commande, comme l'atteste une lettre de Girodet à David datée du 18 janvier 1791[6].

Les deux dessins présentés ici trahissent l'influence de David. L'attention accordée au nu héroïque, différente de ce que l'on observe dans les illustrations ultérieures pour l'édition de Racine, appelle la comparaison avec un tableau de David comme *Les Sabines* de 1799. En fait, David semble avoir activement supervisé le travail de ses élèves. Girodet dit dans sa lettre : «Faites-nous passer le plus tôt possible vos intentions sur les changements que vous jugerez nécessaires. Aussitôt votre réponse reçue, nous nous y mettrons avec zèle et promptitude[7].» Les changements en question sont perceptibles dans la version gravée du *Énée sacrifiant à Neptune.* Le dessin définitif de Girodet pour cette illustration a disparu, mais un état antérieur, sans doute celui qu'il a soumis à David, présente un Énée vêtu **[ill. 78]** remplacé ensuite par un nu athlétique **[ill. 79]**.

Dans *Énée et ses compagnons abordent dans le Latium,* Girodet se sert d'une draperie à l'antique pour exalter la nudité du héros. Énée, bras écartés, domine la composition. Son fils Iule se trouve à gauche. À droite, deux soldats s'étreignent en levant les yeux au ciel.

III. 289 Girodet (d'après), Étude pour la *Lamentation sur le corps de Pallas*
Lithographie, Paris, Bibliothèque nationale de France

III. 290 David, *La Douleur d'Andromaque*
Huile sur toile, Paris, musée du Louvre
(dépôt de l'École nationale supérieure des beaux-arts)

---

cat. 107 Lamentation sur la mort de Pallas (Énéide)

Crayon noir plume, encre de Chine, lavis brun et lavis gris et rehauts de blanc, 21,5 x 16,5 cm
Inscription : *Hei MIHI! QUANTUM/PRAESIDIUM AUSONIA ET QUANTUM TU PERDIS, IULE* (Énéide, XI, 57-58)
New York, The Metropolitan Museum of Art, The Elisha Whittelsey Collection, The Elisha Whittelsey Fund 1996 (1996.567)

Hist. Réalisé en Italie entre 1790 et 1793 pour Pierre Didot Aîné (1760-1853); inclus dans une édition sur vélin conservé dans la collection Firmin Didot (1764-1836); vendu à la vente Didot de 1810; édition vue par Henri Cohen à Londres avant 1912, sans précision sur la présence des dessins; coll. Shubert-Coutan Auguet selon prospectus de la vente Me F. Baille, Marseille, 29 septembre 1996, lot 154; acquis à cette vente par le Metropolitan Museum.
Exp. 1999, New York, p. 210-212.
Bibl. Coupin, 1829, t. I xxxix, lxxxvij, t. II, p. 343; Cohen, 1912, p. 1019; Stein, 1999, p. 38; Osborne, 1985, p. 90, 256.

Œuvres en rapport
Gravé par Marais, édition Didot, Paris 1798.
Lithographie anonyme d'après un dessin préparatoire non localisé [ill. 289].

III. 291 Girodet (d'après), *Lamentation sur le corps de Pallas* (*Énéide*)
Gravure, Paris, Bibliothèque nationale de France

III. 292 Girodet (d'après), *Énée et ses compagnons abordent dans le Latium* (*Énéide*)
Lithographie, Paris, Bibliothèque nationale de France

Ce groupe rappelle fortement *Le Serment des Horaces* peint par David en 1784. Girodet représente le moment où Énée, ayant achevé son repas, prie Jupiter qui apparaît sous la forme d'un aigle pour lui répondre : «Alors le père tout-puissant, du haut d'un ciel serein, fit éclater trois fois son tonnerre et, l'ébranlant lui-même de sa main, fit paraître au fond de l'éther une nuée ardente d'or et de rais de lumière[8].» Pour transcrire cette image spectaculaire, Girodet a choisi un papier de teinte sombre, qui fait ressortir les rehauts de gouache blanche maniés avec virtuosité. On retrouve un peu le même ténébrisme théâtral dans *Le Serment des sept chefs devant Thèbes* (cat. 100). En tout cas, ces deux dessins de jeunesse annoncent l'étrange effet de lumière blanche créé dans le tableau *L'Apothéose des héros français* (cat. 21).

La *Lamentation sur le corps de Pallas* reflète encore plus nettement l'influence de David. Le corps de Pallas, dans le dessin de Girodet, ressemble trait pour trait à celui d'Hector dans le tableau peint en 1783 par David [ill. 290], par-delà l'inversion droite gauche. Même la tête couronnée et la blessure à la clavicule sont identiques. Girodet a repris la composition en frise dans un espace aplati où brûle un candélabre. Il a emprunté également des motifs comme la scène de bataille figurée sur le bois de lit et l'épée à pommeau en forme de tête d'animal, placée à côté du casque comme dans le tableau de David[9]. Girodet élague la scène décrite dans l'*Énéide*, où Virgile dit que «beaucoup de Troyens et les femmes d'Ilion[10]» s'étaient réunis chez Évandre, le père de Pallas. Il ne garde que quatre personnages, qui représentent les éléments essentiels de l'épisode et, plus largement, les quatre âges

de la vie, comme le souligne Perrin Stein[11]. Énée nu (dont le modèle provient peut-être d'un bas-relief ornant la colonne de Marc Aurèle) console son fils Iule, auquel il adresse ces paroles que Girodet a recopiées en latin en bas de l'image : *HEI MIHI! QUANTUM/PRAESIDIUM AUSONIA ET QUANTUM TU PERDIS, IULE!* («Hélas Ausonie, quel appui tu perds, quelle perte pour toi, Iule[12]!»)/ Leur jeunesse et leur vigueur contrastent avec le corps inanimé de Pallas, qu'un Acétès barbu et tout aussi livide serre contre lui. Ce groupe baigné d'une lumière anormalement blafarde préfigure les personnages fantomatiques des œuvres ossianiques de Girodet. La technique employée ici, comme dans les illustrations de Racine, s'apparente davantage à la peinture qu'au dessin à certains égards. Les minuscules larmes blanches sur les joues d'Énée et de Iule révèlent le soin attentif apporté aux plus infimes détails.

C. F.

Notes

1. Osborne, 1985, p. 50.
2. *Exposition publique des produits de l'industrie française, catalogue des produits industriels qui ont été exposés au Champ-de-Mars pendant les trois derniers jours complémentaires de l'an VI* [septembre 1798], Paris, Imprimerie de la République, vendémiaire an VII [1798].
3. Osborne, p. 85.
4. Prospectus publicitaire de l'imprimerie Didot, juin 1897, cité par Arlette Sérullaz dans *Le Néo-classicisme français, dessins des musées de province*, cat. exp., Paris, Grand Palais, 1974-1975, p. 62.
5. Le dessin du frontispice est conservé à Angers, musée des Beaux-arts. Voir *Le Néo-classicisme français...*, p. 69-70, cat. 62.
6. J. L J. David, 1880, t. I, p. 59.
7. *Ibidem.*
8. Virgile, *Énéide*, texte présenté, traduit et annoté par Jacques Perret, Paris, Gallimard, 1991, p. 219.
9. *Eighteenth-Century French Drawings in New York Collections*, cat. exp. par Perrin Stein et Mary Tavener Holmes, New York, The Metropolitan Museum of Art, 1999, p. 212, note 6.
10. Virgile, *Énéide*, p. 331.
11. *Eighteenth-Century French Drawings...*, p. 211, cat. 91.
12. Virgile, *Énéide...*, p. 332.

Cat. 108 Énée et ses compagnons abordent dans le Latium

Lavis brun rehaussé de blanc sur traits de pierre noire, 22 x 16 cm

Montpellier, musée Fabre, inv. 836-4-255

Hist. Réalisé en Italie entre 1790 et 1793 pour Pierre Didot l'Aîné (1760-1853) ; inclus dans une édition sur vélin conservé dans la coll. Firmin Didot (1764-1836) ; édition vendue à la vente Didot de 1810 ; vue par Henri Cohen à Londres avant 1912 sans précision sur la présence des dessins ; coll. Marc-Antoine Valedau ; légué au musée Fabre en 1836.

Bibl. Coupin, 1829 t. I xxxix, lxxxvij, t. II, p. 343 ; Lafenestre-Michel, 1878, p. 288, n° 217 ; Cohen, 1912, p. 1019 : Ames, 1954, n° 14 (repr.) ; Leroy Bercet, 1967, n° 56 ; *Revue du Louvre*, 1976, p. 71 ; Osborne, 1985, p. 107-108, p. 254.
Exp. 1900, Paris, n° 992 ; 1940, Montpellier, n° 70 ; 1974-1975, Paris, p. 70, n° 63.

Œuvre en rapport
Gravé par Massard, édition Didot, Paris, 1798.

cat. 110 Rencontre d'Hermione et d'Oreste (étude pour Andromaque de Racine)

vers 1800

Crayon, encre brune et craie noire avec rehauts de blanc, de gris et d'ocre sur papier, 28,5 x 21,8 cm

Cleveland, The Cleveland Museum of Art, Leonard Hanna Jr. Fund, inv. 1989.101

Hist. Réalisé vers 1800 pour Pierre Didot Aîné (1760-1853); incorporé avec les autres dessins dans une édition sur vélin conservée dans la coll. Firmin Didot (1764-1836); n° 679 de la vente Didot de 1810, retiré de la vente; catalogué dans la collection Firmin Didot par Van Praet en 1824; la Bibliothèque nationale achète cet exemplaire sans les dessins, alors remplacés par des gravures, le 3 novembre 1847 à Ambroise Didot pour 6 000 francs; 1988, Paris, marché de l'art; 1989, New York, marché de l'art; acquis par le musée de Cleveland en 1989.

Exp. 1800, Paris, Salon, n° 170.2; 1990, Cleveland; New York, n° 17 (repr.); 1993-1994, Los Angeles, Philadelphie, Minneapolis, p. 37, 216, 217, n° 55 (repr.); 2000, Cleveland, New York, p. 224-125 (repr.).

Bibl. Landon, [1809] 1815, 71, p. 162, pl. 45; Van Praet, 182█ t. II, supplément, p. 168; Coupin, 1829, t. I, p. xxxix, lxxxvi█ t. II, p. 343; Cohen, 1912, p. 850; Osborne, 1985, p. 37, 120█ 121, 220-221; 1990, *Cleveland Museum of Art Bulletin* 77, p. 4█ 50-74, n° 149 (repr.).

Œuvre en rapport

Gravé par Raphael Urbain Massard, édition Didot, Paris, 1801█ 1802 [ill. 293].

Girodet illustre *Andromaque* et *Phèdre*

III. 293 Girodet (d'après), *Andromaque*
Gravure, Bibliothèque nationale de France

Dessiner Racine

L'édition des œuvres de Racine en trois volumes publiée par Pierre Didot marque l'apogée de l'illustration néoclassique et même un des sommets de l'esthétique néoclassique en général. Plusieurs dessins de Girodet pour cette édition de Racine sont réapparus sur le marché de l'art depuis une dizaine d'années et la plupart sont entrés dans des collections publiques. On connaît désormais ses cinq compositions définitives pour *Phèdre*, qu'il redevient possible d'appréhender ensemble, telles que l'artiste les avait exposées au Salon de 1804 [1].

Carol Osborne et d'autres auteurs ont pu retracer précisément les circonstances de la commande pour le Racine de Pierre Didot. On sait que ce dernier voulait établir la suprématie de Racine dans la littérature classique française en le plaçant sur le même plan que Virgile, bien au-dessus de son compatriote Corneille. Pour cette publication, il a augmenté le format et le nombre des illustrations par rapport à son édition des œuvres de Virgile publiée récemment, à laquelle Girodet avait également collaboré **(cat. 108-109)**. Il a aussi amélioré la qualité d'impression en choisissant un papier blanc surfin et une encre noire spécialement mise au point à cet effet. Son frère Firmin a redessiné les caractères typographiques afin de les harmoniser avec le style des illustrations [2]. L'édition des œuvres de Racine comportait cinquante-six planches, une pour chaque acte de chaque pièce, renforçant ainsi la corrélation entre texte et image. Pierre Didot défend Racine pour des motifs expressément nationalistes. Dans le prospectus qui accompagne la publication, il déclare avoir voulu élever à la gloire de Racine un monument typographique qui devînt pour ainsi dire national [3] ».

Jacques Louis David a commencé à collaborer avec Pierre Didot lors de la mise en route du projet d'édition de Virgile, vers 1791. C'est lui qui a réparti les illustrations de Racine entre ses élèves. Au départ, Didot pensait plutôt faire appel à Pierre Paul Prud'hon, qui d'ailleurs dessiné le frontispice de l'édition, figurant *L'Apothéose de Racine* [4]. Mais il a préféré s'en remettre à l'autorité de David, et Girodet s'est vu confier des illustrations pour les deux tragédies les plus importantes : *Andromaque* **(cat. 111-112)** et *Phèdre* **(cat. 113-119)**. On a du mal à discerner le rôle exact de David dans ce projet d'édition, et son intervention a dû rester minime, hormis l'influence stylistique sur la conception d'ensemble. Pierre Didot, en revanche, semble avoir donné des directives très précises. Carol Osborne suppose qu'il a choisi lui-même les scènes à illustrer pour chaque acte des différentes pièces [5], en rupture avec l'iconographie traditionnelle de Racine, fortement marquée par les créations de François Chauveau au XVIIe siècle. Contrairement aux dessins de Chauveau, ceux de Girodet laissent de côté les épisodes violents de la tragédie (qui se passent hors scène) pour se concentrer sur les rapports psychologiques entre les personnages, dans le respect des idéaux classiques de la dramaturgie. Girodet a veillé à l'homogénéité plastique de l'ensemble de ses cinq illustrations. Les scènes illustrées correspondent à des moments clés de chaque acte, offrant ainsi une sorte de résumé visuel de l'action, de sorte qu'il suffit de regarder les images pour suivre les principales péripéties du drame.

Girodet a exécuté les cinq dessins sur des feuilles de dimensions quasi identiques en encadrant l'image d'un filet tracé à l'encre et en laissant en bas assez de place pour indiquer le numéro de la scène. Leur facture méticuleuse et la décision de les exposer au Salon reflètent la conviction profonde de Girodet, formulée dans une lettre au marquis de Pastoret : « C'est un tort pour les dessins de n'être que des dessins, et cependant ils exigent la même conception et presque les mêmes études qu'un tableau [6]. » De fait, l'exécution soignée de ces œuvres les apparente à des tableaux de petit format, et l'artiste a même souligné certains détails à la pointe du pinceau au lieu de les dessiner à la plume ou à la pierre noire. Les lavis couvrent presque toute la surface, atténuant ainsi l'effet graphique des hachures.

L'intrigue de *Phèdre* tourne autour de l'amour incestueux de l'héroïne pour son beau-fils Hippolyte. Le jeune homme devient la victime innocente du mensonge de Phèdre et de sa confidente Œnone à son père Thésée, le roi des Athéniens. Au début de la pièce, Thésée passe pour mort. Phèdre confie son amour à Œnone et s'offre à Hippolyte qui la repousse. Mais Thésée revient. Œnone conseille à Phèdre d'accuser Hippolyte d'avoir tenté d'abuser d'elle avant qu'il ne la dénonce. Thésée la croit et ordonne le châtiment de son fils. Neptune, exauçant son vœu, fait surgir un monstre qui affole les chevaux d'Hippolyte et provoque sa mort. Finalement, Phèdre avoue la vérité au roi et s'empoisonne.

Girodet a accordé beaucoup d'attention à la disposition des personnages. L'architecture détermine un espace de profondeur réduite qui assure l'unité de l'ensemble d'images. Le sol quadrillé évoque le dallage des monuments antiques et structure la perspective rigoureuse fermée par un mur dans le fond. Comme bien souvent, Girodet ménage des ouvertures dans le décor architectural, pour introduire d'autres éléments iconographiques qui enrichissent la trame narrative. À l'acte I, scène III, Œnone lève les yeux au ciel en s'écriant : « Hippolyte ! Grands dieux ! » Phèdre vient de lui révéler son amour coupable qui va déclencher la suite d'événements tragiques. Par la fenêtre, on voit des rayons de lumière qui descendent du ciel. À l'acte III, scène IV **(cat. 115)**, on aperçoit dehors, entre les têtes du roi Thésée et de son fils Hippolyte, un fronton de temple désignant Athènes, objet des luttes de pouvoir qui sous-tendent la tragédie. Dans la der-

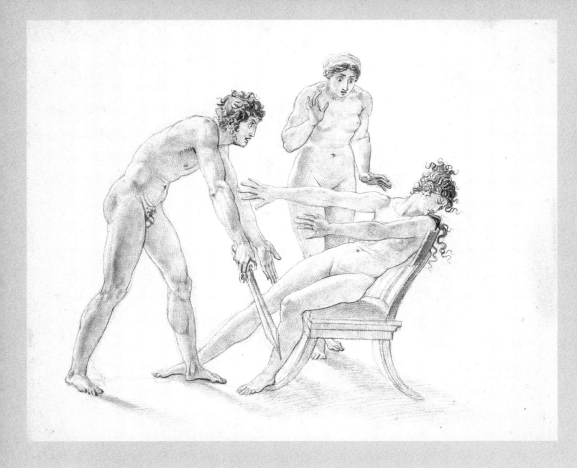

cat. 111 **Hermione rejetant Oreste**
(étude des personnages au nu)
Andromaque, acte V, scène III
Crayon noir, craie noire, estompe, plume et encre noire, lavi
gris et brun, rehauts de blanc sur papier ivoire, 26,3 x 32,3 cm
Chicago, The Art Institute, Margaret Day Blake Func
inv. 1986.428

Hist. atelier de l'artiste?; Pérignon, 1825, n° 262? p. 38 : « Étude
d'après nature, au crayon, sur papier blanc : trois figures pou
celle d'Andromaque », adjugé 175 francs à Lhuillier, n° 327 d
procès-verbal de la vente (Voignier, 2005, p. 105); New York
marché de l'art; acquis en 1986 par l'Art Institute.
Exp. 1991, New York, cat. 91.

Œuvre en rapport
Gravé par Raphael Urbain Massard, édition Didot, Paris, 1801
1802 [ill. 294].

III. 294 Girodet (d'après), *Andromaque (dernier acte)*
Gravure, Bibliothèque nationale de France

III. 295 Girodet (d'après), *Phèdre acte I, scène III*
Gravure, Bibliothèque nationale de France.

nière scène, c'est le transport du corps d'Hippolyt
que l'on voit par la fenêtre à l'arrière-plan. La mor
d'Hippolyte fait partie des faits violents que le théâ
tre classique ne présente jamais sur la scène mais fai
relater par l'un des personnages.

Si Didot voulait ériger Racine en héritier direc
de Virgile, Girodet a compris également qu'il devai
retourner aux sources antiques du texte à illustre
pour mieux restituer son univers. Les carnets de l'ar
tiste prouvent qu'il a longuement étudié les statue
visibles à Rome. Dans les illustrations de *Phèdre*, le
statues gréco-romaines ponctuent le récit et assuren
la continuité entre les scènes. La statue représenté
dans la première image s'inspire vraisemblablemen
du marbre antique de *Phocion* à Rome[7]. À la scène v
de l'acte II, où Phèdre tente de se donner la mor
avec l'épée d'Hippolyte qui vient de la repousser, o
voit une statue de chasseresse appartenant au peu
ple des Amazones dont la mère du jeune homm
était la reine. Dans la troisième illustration, Girode
introduit la statue de Neptune que l'on retrouver
dans les images suivantes. Neptune, dieu de la me
et protecteur de Thésée, intervient à maintes reprise
dans l'histoire de Phèdre et c'est lui qui accompli
la malédiction proférée contre Hippolyte. À l'acte IV
scène II, Thésée bannit son fils qui se tient près de l
même statue; et dans la scène finale, Neptune réap
paraît au-dessus des personnages, tandis qu'au loi
on aperçoit le corps d'Hippolyte dont il a causé l
mort. Ici, sa présence incarne le Destin[8].

La statuaire antique a aussi inspiré la représenta
tion des personnages eux-mêmes. Dans la premièr

PHEDRE .

Tu connais ce fils de l'amazone .
Ce prince si longtems par moi même opprimé

OENONE .

Hippolyte ! grands Dieux !

**cat. 112 Phèdre
(acte I, scène III)**

Crayon noir, plume et encre brune, lavis brun
et rehauts de blanc, 26 x 20,2 cm
Monogrammé en bas à gauche : *AL G INV*; inscriptions plus
as : *Girodet inv.*; au centre : *PHEDRE/Tu connais ce fils de
amazone / ce prince si longtemps par moi meme opprimé / Œnone /
Hippolyte ! Grands Dieux !*
New York, **Pierpont Morgan Library**, purchased on the
EdwinH. Herzog Fund, the Gordon Ray Fund, and as a gift of
Mrs John Hay Withney 1997.3

Hist. Réalisé vers 1800 pour Pierre Didot l'Aîné (1760-1853);
incorporé avec les autres dessins dans une édition sur vélin
conservée dans la coll. Firmin Didot (1764-1836); n° 679 de la
vente Didot de 1810, retiré de la vente; catalogué dans la coll.
Firmin Didot par Van Praet en 1824; la Bibliothèque nationale
achète cet exemplaire sans les dessins, remplacés par des gravures,
le 3 novembre 1847 à Ambroise Didot pour 6000 francs; coll.
Schubert-Coutan Auguet selon le prospectus de la vente Mᵉ F.
Baille, Marseille, 29 septembre 1996, lot. 155; New York, marché
de l'art; acquis par la Pierpont Morgan library en 1997.
Exp. Paris, 1804, Salon, n° 212 (1) dans un cadre avec quatre
autres dessins pour *Phèdre*; 2002, New York, n° 11.

Bibl. Landon, 1809, XVI bis, p. 67, pl. 41; Van Praet, 1824, t. II,
suppl., p. 168; Coupin, 1829, t. I, p. xxxix, lxxxvij, t. II, p. 343;
Cohen, 1912, p. 850; Osborne, 1985, p. 113-140, 220-221;
Bellenger, 1998-2000, n° 109, p. 334-336 n. 9.

Œuvre préparatoire
Phèdre et Œnone, crayon noir, 31,6 x 34,6 cm, Bayonne, musée
Bonnat, inv. 717.

Œuvre en rapport
Gravé par Raphael Urbain Massard, édition Didot, Paris, 1801-
1802 [ill. 295].

PHEDRE

Au défaut de ton bras prête moi ton épée
Donne.

OENONE.

Que faites vous Madame. Justes Dieux !
Mais on vient. Evites des témoins odieux

Ill. 296 Girodet (d'après), *Phèdre, acte II, scène V*
Gravure, Bibliothèque nationale de France

image, la pose de Phèdre et même son siège proviennent apparemment d'une stèle athénienne. L'élégan
déhanchement de Thésée dans les illustrations de
actes III et IV **[cat. 115-116]** a beaucoup de précéden
célèbres, depuis l'*Antinoüs* du Belvédère jusqu'à di
verses statues d'Hercule, un autre chasseur souven
vêtu d'une peau de lion. De manière générale, l'im
mobilité des personnages, y compris dans la com
position relativement dynamique de l'acte II, scène
fait penser irrésistiblement à la sculpture, soulignan
l'idéal de perfection intemporelle auquel aspiraien
tous les artistes néoclassiques.

La poursuite de cet idéal se reflète dans les étude
de nus qui ont servi à préparer les illustrations d
Phèdre. L'étude pour *La Mort de Phèdre* est la seul
esquisse de composition conservée à ce jour dans l
série des dessins en rapport avec *Phèdre*[9]. Malgré so
exécution sommaire, elle renferme déjà tous les élé
ments de la version définitive. Là encore, Girodet
exécuté de nombreuses études de nus pour les diffé
rents protagonistes, perpétuant la méthode apprise
l'atelier de David, qui consistait à dessiner les person
nages nus avant de les habiller éventuellement. Il
peut-être élaboré les poses d'après le modèle vivan
mais il y a toujours une grande part d'idéalisatio
dans ses dessins. Ainsi, il est évident que personne n
pourrait tenir réellement la pose d'Œnone à l'acte IV
scène II. De même, son Hippolyte est un gracieu
éphèbe issu de l'art antique, et son Thésée un guer
rier herculéen. Les gestes et les expressions n'en son
pas moins éloquents. Girodet applique à ses illustra
tions tout son savoir-faire de peintre d'histoire.

Les conventions de la peinture d'histoire l'on
peut-être incité à inscrire les études préparatoire
dans un rectangle horizontal, alors que les compo
sitions définitives sont verticales, comme l'exigeait l
format du livre et comme en témoigne la versio

**cat. 113 Phèdre
(acte II, scène v)**
Crayon noir, plume et encre brune, lavis gris, lavis bruns et
rehauts de blanc, 26 x 20,8 cm
Chicago, The Art Institute, inv. 1997.303

Hist. Réalisé vers 1800 pour Pierre Didot l'Aîné (1760-
1853) ; incorporé avec les autres dessins dans une édition
sur vélin conservée dans la collection Firmin Didot (1764-
1836) ; n° 679 de la vente Didot de 1810, retiré de la vente ;
catalogué dans la coll. Firmin Didot par Van Praet en 1824 ;
la Bibliothèque nationale achète l'exemplaire sans les dessins, alors remplacés par des gravures, le 3 novembre 1847
à Ambroise Didot pour 6 000 francs ; coll. Shubert-Coutan

Auguet selon le prospectus de la vente Mᵉ F. Baille, Marseille, 29 septembre 1996, lot. 155 ; New York, marché de
l'art ; acquis par l'Art Institute en 1997.
Exp. 1804, Paris, Salon, n° 212 (dans un cadre avec quatre
autres dessins pour Phèdre.
Bibl. Landon, 1809, XVI bis, p. 67, pl. 41 ; Van Praet, 1824,
t. II, supplément, p. 168 ; Coupin, 1829, t. I xxxix, lxxxvij,
t. II, p. 343 ; Cohen, 1912, p. 850 ; Osborne, 1985, p. 113-
140, 220-221.

Œuvre en rapport
Gravé par Raphael Urbain Massard, édition Didot, Paris,
1801-1802 [ill. 296].

PHEDRE.
INDIGNE DE VOUS PLAIRE ET DE VOUS APPROCHER
JE NE DOIS DESORMAIS SONGER QU'A ME CACHER

THESÉE.
QUEL EST L'ÉTRANGE ACCUEIL QU'ON FAIT A VOTRE PERE
MON FILS ?

HIPPOLYTE.
PHEDRE PEUT SEULE EXPLIQUER CE MYSTERE.

PHEDRE.   ACTE III.   SCENE IV ET V.

cat. 114 Phèdre rejetant les embrassements de Thésée (acte III, scènes IV et V)

Crayon noir, plume et encre brune, lavis et rehauts de blanc, 3,7 x 22,5 cm

Inscriptions en bas à gauche : *GIRODET INV.*; plus bas : *Phedre/Indigne de vous plaire et de vous approcher / je ne dois désormais songer qu'à me cacher/Thésée. / Quel est l'étrange accueil qu'on fait à votre père / Mon fils ? / Hippolyte. / Phedre eut seule expliquer ce mystère. / (Phèdre, acte III, scènes IV et V)*

Los Angeles, The Getty Museum, inv. 85.GG.209

Hist. réalisé vers 1800 pour Pierre Didot l'Aîné (1760-1853); incorporé avec les autres dessins dans une édition sur vélin conservée dans la coll. Firmin Didot (1764-1836); n° 679 de la vente Didot de 1810, retiré de la vente; catalogué dans la coll. Firmin Didot par Van Praet en 1824; la Bibliothèque nationale achète l'exemplaire sans les dessins, alors remplacés par des gravures, le 3 novembre 1847 à Ambroise Didot pour 6 000 francs; Londres, marché de l'art, 1975; coll. part.; New York, marché de l'art; acquis par le Jean-Paul Getty Mseum en 1985.

Exp. 1804, Paris Salon, n° 212, dans un cadre avec quatre autres dessins pour Phèdre; 1975, Londres, n° 50; 1993, New York, n° 49; 1993-1994, Londres, Royal Academy of Arts, n° 107;

2001, Los Angeles; 2002, Los Angeles; 2005, Los Angeles; W. M. Brady & co, *Master Drawings 1760-1880*, New York, 1990, n° 17.

Bibl. Landon, 1809, t. XVI bis, p. 72, pl. 41; Van Praet,–1824, t. II, supplément, p. 168; Coupin, 1829 T. I xxxix, lxxxvij, t. II, p. 343; Cohen, 1912, p. 850; Osborne, 1985, p. 113-140, 220-221; *J Paul Getty Journal*, 14, 1986, n° 156; Goldner, Hendrix Williams, 1988, n° 71.

Œuvre en rapport

Gravé par Raphael Urbain Massard, édition Didot, Paris, 1801-1802.

III. 297 Girodet (d'après), *Thésée repousse Hippolyte*
Gravure, Bibliothèque nationale de France

achevée de *La Mort de Phèdre*. L'agencement hori‐
zontal se prête mieux à la suggestion d'un dérou‐
lement narratif. Girodet a dû recadrer la scène e‐
rapprochant les personnages les uns des autres. Dan‐
l'étude pour *La Mort de Phèdre* conservée au Louvr‐
(cat. 118), le groupe donne presque l'impression d'un‐
ronde-bosse autour de laquelle l'artiste tourne pou‐
modifier la disposition des personnages. Thésée y e‐
placé en retrait de sa femme mourante, tandis qu‐
dans la version définitive, il se retrouve devant ell‐
sans avoir changé de pose.

C. F.

**cat. 115 Phèdre
(acte IV, scène II)**
Crayon, plume, encre grise et brune, lavis brun et rehauts de
blanc et d'ocre sur papier japon, 25,9 x 21 cm
Nantes, musée Dobrée, inv. 975.6.6

Hist. Réalisé vers 1800 pour Pierre Didot l'Aîné (1760-
1853); incorporé avec les autres dessins dans une édition
sur vélin conservée dans la coll. Firmin Didot (1764-1836);
n° 679 de la vente Didot de 1810, retiré de la vente; catalogué
dans la collection Firmin Didot par Van Praet en 1824; la Bibliothèque nationale achète l'exemplaire sans les dessins, alors

remplacés par des gravures, le 3 novembre 1847 à Ambroise
Didot pour 6 000 francs; Londres, marché de l'art, 1975.
Exp. 1975, Londres, n° 51; 1980-1981, Sydney,-Melbourne
n° 6.
Bibl. Vilain, *Revue du Louvre*, 1979.

Œuvre en rapport
Gravé par Raphael Urbain Massard, édition Didot, Paris,
1801-1802 [ill. 297].

Œuvre préparatoire
(Cat. 116)

Notes

1. Livret du Salon de 1804, n° 212 : « Un cadre renfermant cinq
sujets de la *Phèdre* de Racine ».
2. Osborne, 1985, p. 53, 54 et 131.
3. Cité *ibidem*, p. 121.
4. Sur le frontispice de Prud'hon, voir *David to Corot : French
Drawings in the Fogg Art Museum*, cat. exp. par Agnes
Mongan, Cambridge, Harvard University Press, 1996, p. 266-
267 ; et *Pierre-Paul Prud'hon*, cat. exp. par Sylvain Laveissière,
Paris, Grand Palais, et New York, Metropolitan Museum of Art,
1997, cat. 69-69 bis.
5. Osborne, 1985, p. 127.
6. Lettre de Girodet reproduite par Coupin, 1829, t. II, p. 343.
L'artiste y fait allusion expressément aux dessins qu'il a
« composés pour le Virgile et le Racine in-folio imprimés par
M. Didot ».
7. Osborne, p. 127.
8. Voir Sylvain Bellenger, 1998, p. 334.
9. Trois dessins conservés au musée des Beaux-Arts
d'Orléans, parfois attribués à Girodet, ne sont pas de lui. Il
s'agit apparemment de copies assez grossières exécutées
d'après les compositions définitives.

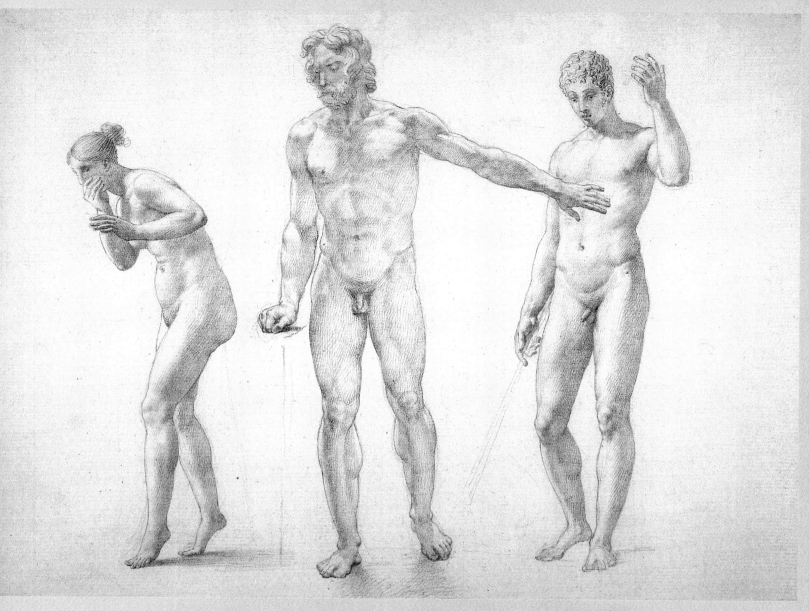

**cat. 116 Phèdre,
étude au nu pour Phèdre de Racine
(acte IV, scène II)**
Crayon sur papier, 26 x 34,3 cm
Édimbourg, National Gallery of Scotland, inv. D.5397

Hist. Coll. Antoine César Becquerel; coll. Henri Becquerel;
coll. Louise Lorieux sa veuve; Pierre Deslandres, leur neveu; par
descendance, coll. part., Montréal; vente Sotheby's, New York,
le 16 février 1994, n° 2 et suivants; New York, marché de l'art;
acheté en 1995 par la National Gallery.
Exp. 1967, Montargis, n° 70; 1999, Édimbourg, New York
Frick, Houston, n° 52.

PHÈDRE.

Déja je ne vois plus qu'à travers un nuage
Et le ciel, et l'epoux que ma presence outrage ;
Et la mort a mes yeux derobant sa clarté
Rend au jour, qu'ils souillaient, toute sa pureté.

PANOPE.

Elle expire, seigneur.

PHÈDRE.   ACTE V.   SCÈNE DERM^E.

DESSIN ORIGINAL DE GIRODET

cat. 117 Mort de Phèdre

Crayon noir, plume et encre brune, lavis bruns et lavis gris,
rehauts de blanc sur papier vergé, 32,5 x 22,5 cm

Inscriptionen bas à gauche : *GIRODET INV.*; *Phèdre / Déjà je
ne vois qu'à travers un nuage / Et le ciel, et l'époux que ma présence
outrage ; Et la mort A mes yeux Derobant sa clarté / rend au jour, qu'ils
souillaient, toute sa pureté. / Panope. / Elle expire, seigneur.* (Phèdre,
acte V, dernière scène)

Boston, The Horvitz Collection

Hist. Réalisé vers 1800 pour Pierre Didot l'Aîné (1760-1853) ;
incorporé avec les autres dessins dans une édition sur vélin
conservée dans la coll. Firmin Didot (1764-1836) ; n° 679 de
la vente Didot de 1810, retiré de la vente ; catalogué dans la
coll. Firmin Didot par Van Praet en 1824 ; la Bibliothèque
nationale achète l'exemplaire sans les dessins, alors remplacés
par des gravures, le 3 novembre 1847, à Ambroise Didot pour
6 000 francs ; coll. Schubert-Coutan Auguet Auguet selon le
prospectus de la vente Mᵉ F. Baille, Marseille, 29 septembre
1996 ; Paris, marché de l'art ; acquis par Jeffrey E. Horvitz en
1998.
Exp. 1998-2000, Toronto, Paris, Édimbourg, New York,
Los Angeles.
Bibl. Landon, 1809, t. XVI bis, p. 72, pl. 41 ; Van Praet, 1824, t. II,
supplément, p. 168 ; Coupin, 1829, t. I xxxix, lxxxvij, t. II, p. 343 ;
Cohen, 1912, p. 850 ; Osborne, 1986 p. 113-148, p. 23.

Œuvre en rapport

Gravé par Raphaël Urbain, Massard, édition Didot, Paris, 1801-
1802.

**cat. 118 Mort de Phèdre,
études pour Phèdre de Racine**

Crayons de couleur et pastel sur papier, 46 x 30 cm
Paris, musée du Louvre, département des Arts graphiques,
inv. R.F. 26780

Hist. Vente après décès de l'artiste, n° 290 du catalogue ? ; n° 390
du procès-verbal de la vente, adjugé pour 1 400 francs à Bernard
(Alexandre Bernard, fils de l'architecte Pierre Nicolas Bernard,
Voignier, 2005, p. 106) ; coll. Revil ; vente de cette coll. 29 mars–
2 avril 1842, lot n° 110 ; coll. Aimé Charles Horace His de la
Salle ; acquis par le Louvre en 1851.
Exp. 1972, Paris ; 1989, Paris-Versailles, n° 55 (repr) ; 1992,
Rueil-Malmaison, n° 36 (repr) ; 1995, Paris, n° 42 ; 1999-2000,
Mexico, p. 167.
Bibl. Reiset, 1869, n° 757 ; Sérullaz, 1966, n° 21, repr. ; Bernier,
1975, p. 49 (repr. 50-51).

cat. 109 Le Cheval de Troie

Encre brune sur papier, 36,9 x 32 cm

Paris, musée du Louvre, département des Arts graphiques, inv. RF 34732

Partie d'une série de dix-huit compositions illustrant le deuxième livre de l'*Enéide*. Virgile décrit l'entrée à Troie du Cheval de bois construit par Epeos, dont le nom apparaît sur la jambe du cheval où se cachent les Grecs : «Ils se jettent sur cette ville tout ensevelie dans le vin et le sommeil…!» Sur l'encolure du cheval apparaît la chouette athénienne illustrant l'origine des agresseurs.

Hist. Voir cat. 121 ; vente hôtel Drouot, Paris, le 17 novembre 1971, n° 4 ; acquis à cette vente par le musée du Louvre.

Exp. 1989, Paris, n° 40 (repr.) ; 1994, Paris, n° 38 ; 1994, Montargis, 1997, n° 24 (cité).

Bibl. Boucher, 1930, p. 309-310 ; Lacambre, 1974, p. 73 ; Bernier, 1975, p. 177 ; Nevison Brown, 1980, p. 198 et 332, ill. 165 ; Stief, 1986, p. 88, 166 et 322, n° 24.

L'Énéide

Illustrer Virgile

Le projet ambitieux d'illustrer l'*Énéide* de Virgile résume en lui les grandes préoccupations de Girodet dans les dix dernières années de sa vie. Ces dessins traduisent à la fois son attrait pour la mythologie antique, ses recherches intellectuelles et son désir de laisser libre cours à son imagination créatrice, loin des rigueurs du néoclassicisme selon David. Dans une lettre adressée en février 1811 à son ami Marie-Philippe Coupin de la Couperie (frère de son futur biographe Pierre-Alexandre Coupin), Girodet évoque toutes les affaires qu'il a à régler et les années qui passent trop vite. Les illustrations de l'*Énéide* font partie de ses priorités : « Dans mes soirées et un peu pendant mes nuits, je me suis occupé de votre dessert, et je rapporterai une quinzaine de dessins nouveaux, assez arrêtés, quoiqu'ils ne soient pas entièrement terminés. J'ai plus que jamais à cœur de mettre la main à cette grande entreprise et je compte m'occuper de suite, à Paris, de mettre le premier livre en état d'être bientôt gravé[1]. »

Girodet souhaite à son ami le même bonheur de travailler à des choses qui lui plaisent. La lettre fournit quelques informations sur le projet d'illustrations de l'*Énéide*. L'artiste dit bien qu'il compte faire graver ces compositions. En outre, c'est une source de plaisir pour lui, à un moment où il ne se sent « plus tout jeune ». On ne sait pas dans quel but exact il a entrepris ces dessins. Il voulait peut-être réaliser un volume de planches pour accompagner le texte de Virgile. En tout cas, l'ensemble était encore inachevé à sa mort treize ans après, en 1824.

Ses élèves se chargeront de les lithographier en hommage à sa mémoire. Lors de la vente après décès, en 1825, un murmure de frayeur a parcouru la salle à l'idée de voir partir outre-Manche le bel ensemble de dessins. D'après la musicienne, comédienne et critique Amélie-Julie Simons-Candeille, un Anglais aurait tenté de l'acquérir, mais les amis de l'artiste ont contré son offre pour défendre la mémoire de Girodet et conserver en France ce monument de l'art national[2]. C'est son élève Antoine Jean Pannetier qui a acheté les feuilles et supervisé leur transposition en lithographies[3]. Le recueil publié en 1827 réunit soixante-douze des cent quatre-vingt-deux dessins de l'*Énéide* que Girodet a laissés à sa mort, certains à l'état d'esquisse, d'autres très aboutis.

La suite de l'*Énéide*, très différente des autres dessins de Girodet sur le même thème, souligne en fait la rupture avec ses travaux d'illustration réalisés sous l'égide de David. Quand il a traité des sujets tirés du *Phèdre* de Racine (**cat. 112-118**) ou des *Œuvres* de Virgile (**cat. 107-108**), c'était dans le cadre de comman-

cat 121 La Tempête

« Heureux trois fois heureux, ô vous qui sous nos tours /
Aux yeux de vos parents terminates vos jours » (livre I)
Crayon noir sur papier blanc, 27 x 42 cm
Boston, Museum of Fine Arts, inv. 1999.7

Hist. Atelier de l'artiste, nº 373 de l'*État descriptif des objets d'art…* (Voignier, 2005, p. 38) ; vendu par Denis Becquerel-Despréaux et son épouse Rosine née Girodet à Antoine César Becquerel (Lemeux-Fraitot, 2002, p. 175) ; vendu par lui à Claude Pannetier (1772-1859), élève de Girodet (*ibidem*, p. 196) ; coll. de la Bordes ; sa vente, Paris, hôtel Drouot, 15 avril 1867, nº 3 ; coll. Ambroise Firmin-Didot ; coll. François Didot en 1930 (Henri Boucher, « Girodet illustrateur, à propos des dessins inédits sur l'Énéide », *GBA*, novembre 1930, t. IV, P. 308), puis par descendance ; vente Pierre Firmin-Didot, Paris, hôtel Drouot, 17 novembre 1971, nº 14 (repr.) ; Paris, coll. part. ; vente Paris, hôtel Drouot, 17 juin 1987, nº 37 ; New York, coll. Part. ; vente Sotheby's New York, 2 juillet 1996, nº 1025 ; vente Sotheby's New York, 12 février 1997, nº 165 ; New York, coll. part. ; New York, commerce de l'art, en 1999 ; acquis par le Museum of Fine Arts en mars 1999.
Exp. 1999, New York, nº 27.
Bibl. Boutard, 1827, p. 1-3 ; Stief, 1986, p. 79, 129, 137, 139, 147, 182 et 315, nº 3. cat. exp. Montargis, 1997, p. 44, nº 3 (cité).

Œuvre en rapport
Lithographie par Coupin de la Couperie.

---

des de Didot l'Aîné visant à relancer les arts du livre en France[4]. Il y avait participé avec d'autres élèves de David, tels que François Gérard. Son dessin très fouillé de la *Lamentation sur le corps de Pallas* (**cat. 107**)[5], destiné à l'édition des œuvres de Virgile publiée par Pierre Didot en 1798, fournit un excellent exemple des décors scéniques de ses illustrations antérieures. Les personnages figés dans leur pose ressemblent à des statues antiques, et cet effet est encore renforcé par la représentation scrupuleuse du casque, des boucliers, du mobilier et de l'autel où brûle de l'encens. C'est à bien des égards une paraphrase inversée du tableau de David *La Douleur et les regrets d'Andromaque sur le corps d'Hector son mari* (1793, Paris, musée du Louvre), où l'on reconnaît même le geste de la main ouverte. Girodet restait fidèle à une tradition bien établie. Dans les illustrations de *L'Énéide* commencées plus de dix ans après, l'exécution minutieuse cède la place à la fausse simplicité d'un dessin au trait énergique et fougueux. De toute évidence, Girodet n'a plus la même conception du dessin, et il pose un autre regard sur le texte de Virgile.

L'image mouvementée de *La Tempête* (**cat. 121**), lithographiée par Marie-Philippe Coupin de la Cou-

Ill. 298 Girodet (d'après), *La Tempête*
Lithographie, coll. part.

perie [**ill. 298**] atteste la transformation radicale de sa vision de Virgile. Le héros troyen Énée, fils d'Anchise et de Vénus, dont le destin est de fonder la race latine, fuit sa ville mise à sac par les Grecs pour aller sur les rivages d'Italie. Bien des tribulations l'attendent en chemin. Au début du livre I, son ennemie jurée Junon, bien décidée à anéantir ses efforts pour fonder Rome, déclenche une tempête qui met ses navires en

cat. 122 Neptune ordonne aux vents de se retirer

Crayon noir, 26,3 x 42 cm
Paris, musée du Louvre, département des Arts graphiques,
inv. RF 34729

« Eh quoi ! Sans mon aveu ! Quoi dans mon propre empire ! /
Je devrais […] » (livre I)

Hist. Voir cat. 132 ; vente, hôtel Drouot, Paris, le 17 novembre
1971, n° 10 ; acquis par le musée du Louvre à cette vente.
Exp. 1972, Paris, n° 84 ; 1997, Montargis, n° 4.
Bibl. Boutard, 1827, p. 1-3 ; Sells, 1972, p. 574-575, ill. 73 ;
Symmons, 1979, p. 191, n° 235 ; Symmons, 1984, p. 142 ; Stief,
1986, p. 77, 79, 84, 129, 136, 139, 147, 174, 183 et 315, n° 4.

Œuvre en rapport
Lithographie par Ferdinand Lancrenon.

cat. 123 Vénus quitte Énée

Crayon noir, 35 x 42,3 cm
Montargis, musée Girodet, inv. 71-33

« Quand pourra mon amour te presser sur mon sein, Mes yeux
fixer tes yeux, ma main serrer ta main ? » (livre I)

Hist. Voir cat. 132 ; vente hôtel Drouot, Paris, le 17 novembre
1971, n° 7, acquis par le musée Girodet de Montargis à cette
vente
Exp. 1983, Montargis, n° 56 ; Dijon, 1985 : Los Angeles, 1993,
p. 224-226, n° 60 ; 1997, Montargis, p. 45, n° 11.
Bibl. Stief, 1986, p. 76, 78, 101 et 318-319, n° 12.

Œuvre en rapport
Lithographie par Joseph Dassy.

Cat. 124 Énée traverse le Styx

Pierre noire, 29,3 x 37,6 cm
Stockholm, Nationalmuseum, inv. NM H 564/1971

« La prêtresse, bravant sa geule menaçante, / Lui jette d'un
gâteau l'amorce assoupissante » (livre VI)

Hist. Voir cat. 132 ; vente hôtel Drouot, Paris, le 17 novembre
1971, n° 56 ; acquis à cette vente par le Nationalmuseum.
Exp. 1938, Dijon, n° 440 ; 1997, Montargis, n° 90.
Bibl. Symmons, 1984, p. 141-142 ; 1980, n° 168 (localisé par
erreur au Louvre) ; Stief, 1986, p. 81, 84, 129, 139, 224 et 343,
n° 89 ; Bjurstrom, 1986, n° 1576 (repr.)

Œuvre en rapport
Lithographie par Counis.
Copie à la plume et sépia, 26 x 37 cm, Dijon, musée Magnin,
n° 440 du catalogue de 1938.

III. 299 Girodet (d'après), *Neptune ordonnant aux vents de se retirer* (*Énéide*)
Lithographie, coll. part.

III.300 Girodet (d'après), *Vénus quitte Énée* (*Énéide*)
Lithographie, coll. part.

III. 301 Girodet (d'après), *Énée traversant le Styx*,
Lithographie, coll. part.

déroute. Pour ce faire, elle promet sa plus belle nymphe au dieu des vents Éole en échange de ses services. «Engloutis, écrase leurs poupes ou bien disperse-les, parsème les eaux de leurs corps[6]», supplie-t-elle.

Dans *La Tempête,* Énée lève les mains au ciel, maudissant sa mauvaise fortune. Autour de lui, le vent fouette, la foudre tombe, les hommes et les femmes demandent grâce. Comme souvent dans cette suite de l'*Énéide*, Girodet s'éloigne du texte pour mieux accentuer la tension dramatique. Cette scène lui offre l'occasion d'étudier les réactions de peur. Un homme, au premier plan à droite, se prend la tête dans les mains, un autre prie, tandis qu'un autre encore tente de sauver un noyé. Une femme qui tient un bébé (et provient peut-être de la *Scène de déluge* de 1806, cat. 42) s'évanouit dans les bras d'un soldat. La violence théâtrale de la scène, où les personnages agités ont les vêtements gonflés par le vent, est à des lieues de la passivité inerte qui régnait dans la *Lamentation sur le corps de Pallas.* Après 1800, Girodet souligne la dimension ténébreuse des poèmes de Virgile et insiste sur les aspects tragiques de l'héroïsme d'Énée[7].

Girodet manifeste une parfaite connaissance de la disposition des muscles et accorde une attention particulière aux anatomies masculines, aussi bien dans *La Tempête* que dans l'épisode suivant, *Neptune ordonne aux vents de se retirer* (cat. 122) lithographié par Joseph Ferdinand Lancrenon [ill. 299]. Du fond des océans, Neptune entend le sourd grondement de la houle. Le dieu entre dans un vif courroux contre sa sœur Junon et son complice Éole qui ont usurpé son pouvoir sur les mers. «Et du large jetant son regard, il élève son front serein au-dessus des ondes. Il voit la flotte d'Énée dispersée sur toute l'étendue des eaux[8].» Le puissant Neptune, calmement arrimé à son trident, a tôt fait d'apaiser les flots. Girodet oppose la silhouette robuste, l'attitude raide et l'expression sévère de Neptune aux formes peureusement voûtées des vents qui déguerpissent. Ces personnages rappellent la superbe feuille des *Archers tirant sur un hermès* de Michel-Ange. De manière générale, la suite de compositions de l'*Énéide* contient maints hommages à Michel-Ange, qui n'ont pas échappé au critique Jean-Baptiste Boutard[9]. Il ne s'agit pas de simples emprunts, car des affinités profondes avec le maître italien sous-tendent les théories artistiques de Girodet visant à la même grâce et la même force dans

une version plus appropriée à l'époque moderne[10]. Dans sa conférence intitulée «De l'originalité dans les arts du dessin[11]», Girodet revendique la filiation de Michel-Ange, dont il souligne l'inspiration sublime et le génie singulier. Ses allusions au maître dans *Neptune ordonne aux vents de se retirer* réussissent à adapter Virgile à son imagination personnelle, résolument moderne.

La feuille des *Archers* de Michel-Ange témoigne de sa puissance d'invention tout en fournissant un excellent exemple de ses représentations d'hommes nus. Dans les dessins de l'*Énéide*, comme dans la plupart de ses œuvres de la dernière période, Girodet attribue une place centrale au nu masculin. L'exaltation du modèle de l'éphèbe grec dans ses œuvres, ou dans celles de ses contemporains François Gérard, Pierre-Paul Prud'hon et Jean Broc, contraste sensiblement avec la vogue antérieure des guerriers romains virils et musclés. Abigail Solomon-Godeau a montré que l'androgynie de l'éphèbe avait perturbé la perception du masculin et du féminin au moment même où les codes sexuels et sociaux traversaient une grave crise en France[12]. La glorification du nu masculin est évidente dans un dessin comme *Vénus quitte Énée* [cat. 123], lithographié par Jean-Joseph Dassy. C'est un autre passage du livre I, où Vénus, la mère d'Énée, lui apparaît sous les traits d'une jeune Spartiate en costume de chasse. «Elle avait abandonné sa chevelure au caprice des vents[13]», écrit Virgile. Elle annonce à son fils qu'il a débarqué à Carthage après ses épreuves en mer, et qu'il y sera protégé par la reine Didon. Dans le dessin délicat de Girodet, Énée et son ami le valeureux Achate regardent s'éloigner la déesse. La scène peut sembler étrange au spectateur actuel, avec ses deux personnages vêtus et le troisième, Énée, dévêtu. Or, dans la majorité de ces dessins, la nudité est précisément le signe distinctif du héros.

L'une des compositions les plus complexes et les plus mouvementées de la série n'a pas été transposée en lithographie. C'est *Le Cheval de Troie* (cat. 109), un dessin à la plume, alors que la plupart des autres sont à la pierre noire. Ce dessin diffère tellement de cette série qu'on pourrait raisonnablement le rattacher à un projet non retenu pour les premières illustrations virgiliennes commandées par Didot. La feuille illustre plusieurs passages consécutifs dans le livre II. Énée a trouvé refuge à Carthage auprès de Didon, et la

reine enamourée lui a demandé de narrer l'histoire de la chute de Troie. Le héros entame à contrecœur un récit détaillé des événements. Le dessin représente l'irruption des Grecs, cachés dans un cheval de bois, qui attaquent la ville endormie. Ce stratagème perfide constitue un épisode fondateur de la mythologie antique, relaté avec une verve impétueuse par Virgile et illustré de même par Girodet. La nervosité des traits de plume s'accorde avec la fébrilité de l'action. Les deux colonnes du premier plan encadrent la scène et évoquent le palais de Priam, roi des Troyens. Le soldat grec qui gravit une échelle au pied de la colonne symbolise la prise de la ville, révélant que tout est perdu pour les concitoyens d'Énée. Ce spectacle de désolation précipite le départ du héros dans la quête des rivages où il fondera une nouvelle cité, accomplissant ainsi la prophétie des dieux.

L'agencement de la composition et plusieurs motifs révèlent les hardiesses d'interprétation de Girodet. Son *Cheval de Troie* regroupe plusieurs moments du poème de Virgile dans une sorte de séquence quasi cinématographique avant l'heure. Régis Michel souligne justement que le lieu de dévastation est vu du côté des Troyens : Girodet adopte le point de vue subjectif de Virgile[14]. Il démontre son érudition en parvenant à télescoper plusieurs scènes dans une seule et même image magistrale, mais aussi en ajoutant des détails absents du texte, comme le nom de l'architecte Epéos, écrit en caractères grecs sur la jambe gauche du cheval qu'il a construit. Autant les traits de pierre noire dans *Vénus quitte Énée* sont subtilement modulés pour refléter le soulagement du héros arrivé sain et sauf à Carthage, autant la plume énergique de Girodet, dans *Le Cheval de Troie,* suggère la violence de la scène.

La liberté d'invention qui se manifeste dans la conception quasi cinématographique du *Cheval de Troie* s'exprime dans la solution imaginée pour un sujet aussi étrange que *Énée traverse le Styx* (cat. 124), tiré du livre VI. Après avoir quitté Carthage, Énée aborde le rivage de Cumes, où il rencontre la sybille Déiphobé. Elle l'avertit des terribles dangers qu'il devra courir afin de fonder Rome. Le héros, inflexible dans sa détermination, lui demande tout de même de le laisser descendre aux Enfers pour demander conseil à son père Anchise. Le dessin représente Énée sur le périlleux Styx qui marque la frontière entre le royaume des vivants et celui des morts. Il brave le Cerbère à queue de dragon. Les créatures fantastiques qui entourent la barque, le paysage montagneux à l'arrière-plan, le serpent enroulé autour du passeur Charon et les champignons divers qui poussent dans les souterrains humides, tout concourt à amplifier la fantaisie créatrice du dessin. Les hachures, plus abondantes que dans *Vénus quitte Énée*, par exemple, produisent un effet à la fois plus sculptural et plus ténébreux. De ce fait, cette image se prêtait tout particulièrement à une transposition lithographique. C'est Salomon Guillaume Counis qui a réalisé la lithographie **[ill. 300]**, en restituant parfaitement les dégradés d'ombres noires.

Le style graphique adopté par Girodet dans les dessins de l'*Énéide*, souvent comparé à celui de son contemporain anglais John Flaxman, participe d'une tendance perceptible en Angleterre, en France et en Allemagne autour de 1800. Robert Rosenblum remarque que l'insistance croissante sur le contour, au détriment du modelé et de la perspective, a donné naissance à des œuvres épurées jusqu'à l'abstraction[15]. Flaxman a exercé un fort ascendant en Europe grâce à la large diffusion de ses illustrations d'Homère, de Dante et d'Eschyle gravées par Tommaso Piroli. La concision extrême des dessins au trait que Flaxman exécutait à la plume est devenue emblématique d'une modernité respectueuse des anciens et néanmoins tournée vers l'avenir[16]. Les contours succincts laissaient travailler l'imagination du spectateur qui pouvait les «compléter» mentalement. Girodet connaissait Flaxman et ses illustrations au trait **[ill. 286]**, et de toute évidence, il y a pensé en exécutant les dessins de l'*Énéide*[17].

Cependant, Girodet interprète les auteurs anciens de manière totalement originale. Alors que les images de Flaxman s'organisent en frises planes comme les compositions strictement néoclassiques des années 1790, les dessins de Girodet présentent des modulations, des demi-teintes et une perspective qui affirme la profondeur de l'espace. Les lithographies d'après Girodet ne produisent pas du tout le même effet que

les burins d'après Flaxman. Les lignes d'épaisseur variable creusées par le burin conviennent mieux aux compositions planes et aux contours dépouillés de Flaxman, tandis que la lithographie permet des gradations d'ombre et de lumière beaucoup mieux adaptées aux modulations de la pierre noire de Girodet. Enfin, il ne faudrait pas sous-estimer l'importance des traditions nationales. Alors que Flaxman a opté pour le burin, technique de prédilection de la gravure anglaise, les élèves de Girodet ont préféré la lithographie, qui devenait une spécialité française. Girodet avait choisi la lithographie pour la reproduction de ses dessins ossianiques **(cat. 25-34)** et, après sa mort, ses élèves ont voulu continuer dans la même direction. Ce n'est pas un hasard si, dans son compte rendu, Amélie Julie Simons-Candeille parle des craintes de voir partir les dessins de Girodet chez un collectionneur anglais. Alors que les illustrations de Flaxman rencontraient un succès durable en Angleterre et dans le reste de l'Europe, les élèves de Girodet semblent avoir voulu souligner les parentés de style avec les œuvres de Girodet tout en affirmant la sensibilité éminemment française de leur maître.

Le sujet suivant tiré du livre VI, *Énée sort des Enfers* **(cat. 125)**, est une image hallucinante, peut-être la plus audacieuse de toutes par son iconographie. Après leur rencontre dans les Champs-Élysées, Énée raccompagne son fils et la Sybille pour les faire sortir de l'Enfer (ou du Sommeil) par la porte d'ivoire. «Il est deux portes du Sommeil. L'une, dit-on, est de corne, par où une issue facile est donnée aux ombres véritables; l'autre, d'un art achevé, resplendit d'un ivoire éblouissant. C'est par là cependant que les Mânes envoient vers le ciel l'illusion des songes de la nuit[18].» Ce court passage de Virgile sert de tremplin à l'imagination de Girodet **[ill. 301]**. Peut-être sous l'influence des images d'épouvante créées par son contemporain Henry Füsseli, Girodet représente Énée poursuivi par l'«illusion des songes» que lui ont envoyé les démons de l'Enfer. La force visionnaire de l'artiste s'exprime pleinement dans la masse grouillante et ricaneuse d'hommes aux oreilles d'âne,

III. 301 Girodet (d'après), *Enée sort des enfers*
Lithographie, coll. part.

de femmes ailées grotesques, de gnomes convulsés, d'êtres difformes et de soldats vaincus, contenue à grand peine par la séparation fragile entre la vie et l'au-delà.

C'est précisément en donnant la primauté à l'imagination artistique et à sa transcription poétique dans le dessin que Girodet pensait redresser sa réputation amoindrie vers la fin de sa vie. Dans sa conférence de 1817 traitant «De l'originalité dans les arts du dessin», il explique les dangers de la voie où il s'est engagé : «L'imagination de l'artiste, véritable chaos, semble alors n'enfanter que dans les convulsions du délire; et la monstrueuse originalité de ses produits indigestes, loin de pouvoir jamais atteindre à la vraie gloire, n'obtient pas même toujours les tristes honneurs attachés à la célébrité du ridicule[19].» Les dessins de l'*Énéide* comptent parmi ses œuvres graphiques les plus originales et lui ont procuré un grand réconfort dans les dernières années de sa vie. Persuadé de risquer le ridicule en cultivant son originalité, il n'en a pas moins créé une suite de dessins dont l'inventivité même a largement contribué à sa renommée posthume.

J. A. C.

Notes

1. Coupin, 1829, t. II, p. 309-310.

2. Mad. [Amélie-Julie] Simons-Candeille, « De Girodet, et de ses deux ouvrages sur l'Anacréon et l'Énéide », *Annales de la littérature et des arts*, t. 23, 1826, p. 303-304.

3. Voir *supra* la liste de dessins dans le catalogue *Dessiner l'Énéide*, Anne-Louis Girodet, Philippe Ségéral, rédigé par Christophe Richard, avec un texte de Bernard Noël, Montargis, musée Girodet, 1997.

4. Osborne, 1985.

5. *Eighteenth-Century French Drawings in New York Collections*, cat. exp. par Perrin Stein et Mary Tavener

Holmes, New York, Metropolitan Museum of Art, 1999, p. 210-212.

6. Virgile, *Énéide*, texte présenté, traduit et annoté par Jacques Perret, Paris, Gallimard, 1991, p. 53.

7. Angela Stief, *Die Aeneisillustrationen von Girodet-Trioson. Künstlerische und literarische Rezeption von Vergils Epos in Frankreich um 1800*, Francfort, Peter Lang, 1986, ch. Ier; *Le Beau idéal ou l'art du concept*, cat. exp. par Régis Michel, Paris, musée du Louvre, 1989, p. 67.

8. Virgile, *Énéide*, p. 55.

9. M. [Jean-Baptiste] Boutard, « Beaux-arts », *Journal des débats*, 2 janvier 1827, p. 2.

10. Stief, *Die Aeneisillustrationen, op. cit.*, p. 129-136.

11. Publié par Coupin, t. II, p. 187-204.

12. Abigail Solomon-Godeau, 1997.

13. Virgile, *Énéide, op. cit.*, p. 61.

14. *Le Beau idéal ou l'art du concept, op. cit.*, p. 69.

15. Robert Rosenblum, *The International Style of 1800 : A Study in Linear Abstraction*, New York, Garland Publishing, 1984, p. 140-142.

16. Sarah Symmons, *Flaxman and Europe : The Outline Illustrations and their Influence*, New York, Garland Publishing, 1984, p. 140-142.

17. Sur Flaxman et Girodet, voir la notice de *Vénus quitte Énée* rédigée par Sylvain Bellenger dans *Visions of Antiquity : Neoclassical Figure Drawings*, catalogue d'exposition sous la direction de Richard J. Campbell et Victor Carlson, Los Angeles, Los Angeles County Museum of Art, 1993, p. 224-226.

18. Virgile, *Énéide, op. cit.*, p. 213.

19. Coupin, 1829, t. II, p. 191.

«Ainsi le cœur rempli de sa future gloire / Le héros part et sort par la porte d'ivoire» (livre VI)

Crayon noir sur assemblage du plusieurs feuilles, Pierre noire, 28 x 37,9 cm
Montargis, musée Girodet, inv. D. 72-3, dépôt du Louvre, inv. RF 34478

Hist. Voir cat. 132; vente hôtel Drouot, Paris, le 17 novembre 1971, n° 66 (repr.); acquis à cette vente par le musée du Louvre.
Exp. 1974–1975, Paris, n° 72; 1975, Copenhague, n° 54; 1980–1981, Sydney, Melbourne, ill. 167, n° 65; 1983, Montargis, n° 70; 1985, Dijon; 1997, Montargis, n° 105.
Bibl. Sérullaz, 1974, p. 228, n° 2; Lacambre, 1975, p. 49, n° 54; Bernier, 1975, p. 185; Vilain, 1980, n° 65; Stief, 1986, p. 224, 228 et 348-349, n° 104; Michel, 1989, p. 92-93 et 153.

Œuvre en rapport
Lithographie par Monanteuil.

cat. 126 Léda et le cygne dans un paysage
Pierre noire estompée et gommée, rehauts de blanc sur papier
15,2 x 19,7 cm
Collection particulière

Hist. Par descendance dans la famille Becquerel-Despréaux, ce
dessin n'a vraisemblablement pas fait partie des 16 compositions
pour *Les Amours des dieux* de la coll. Antoine César Becquerel.

cat. 127 Léda et le cygne
VERS 1820
Pierre noire estompée et gommée, rehauts de blanc sur papier
19,7 x 15,2 cm
New York, coll. Richard L. Feigen

Hist. Voir cat. 130.
Œuvre en rapport
Lithographie, Joseph Ferdinand Lancrenon, *Amours des Dieux*.
Paris, 1826.

Les amours des dieux

III. 303 Girodet (d'après), *Léda et le cygne*
Lithographie, coll. part.

L'érotisme de Girodet

Les petits dessins précieux de la suite des *Amours des dieux* attestent l'attirance de Girodet pour les techniques de dessin très élaborées et pour les thèmes mythologiques à forte composante érotique, jusque dans les dernières années de sa vie. En 1824, un an avant sa mort, seize feuilles de la série des *Amours des dieux* se trouvaient dans son atelier. Neuf de ses élèves allaient bientôt les lithographier, puis les réunir dans un recueil accompagné de descriptions piquantes rédigées par Coupin, son futur biographe[1]. Ces œuvres n'illustrent pas un texte en particulier, mais les aventures amoureuses des dieux et des déesses de l'Antiquité grecque. Les compositions denses, centrées sur les deux protagonistes souvent accompagnés d'un Amour, se ressemblent suffisamment pour assurer l'homogénéité de l'ensemble. Une autre constante réside dans l'emploi des draperies, qui ne servent pas forcément à vêtir les personnages, mais plutôt à souligner les courbes voluptueuses des déesses ou à procurer une sorte de lit pour les ébats des amants mythiques.

Dans les deux pages de préface, Coupin fournit une présentation générale des sujets de Girodet. Il rappelle que les dieux et les déesses de l'Antiquité pouvaient produire la foudre, les inondations, les fleurs ou les arbres majestueux, et que les Anciens leur attribuaient le pouvoir de protéger ou de détruire des civilisations entières. Puis il souligne que «ces dieux, enfants de l'imagination humaine, sont animés des passions de l'homme qui leur donna l'être[2]». C'est une façon de placer Girodet au même rang que les auteurs anciens, à commencer par Ovide, en laissant entendre que l'artiste prête ses propres émotions aux divinités figurées dans ses dessins.

Aurore et Céphale (**cat 129**) est caractéristique des sujets subtilement libertins que Girodet a choisis pour cette suite de dessins. Aurore s'éprend du sim-

ple mortel Céphale et cherche à le séduire. Mariée au vieux Tithonos, elle manifeste un penchant pour les jeunes gens. Son engouement pour Céphale atteint des proportions qui menacent de semer un grand désordre dans l'univers. Elle en oublie de faire naître l'aube. Dans les *Métamorphoses* d'Ovide, Aurore enlève Céphale et l'emmène dans le séjour des dieux, mais il reste fidèle à sa femme Procris. Girodet choisit un instant riche de possibilités érotiques : Aurore emporte Céphale endormi dans une étreinte protectrice. Les membres démesurément longs et le corps sinueux de la déesse accentuent l'étrange sensualité de la scène. Il est à noter que, dans ce mythe, c'est le personnage féminin qui prend l'offensive, et Girodet amplifie sciemment le geste et la nudité d'Aurore, pour créer un contraste avec la passivité de Céphale. C'est le seul dessin de la suite des *Amours des dieux* que l'on puisse rattacher à un tableau connu, l'*Aurore et Céphale* du Cleveland Museum of Art [**cat. 128**], peint après 1810[2].

L'histoire de Léda et le cygne, en revanche, place la femme dans le rôle de la victime de l'offensive amoureuse. Léda est mariée à Tyndare, roi de Sparte. Jupiter se métamorphose en cygne pour la séduire. Certaines versions du mythe disent qu'il s'unit à elle contre sa volonté et c'est ce que montrent d'innombrables peintures. Girodet, pour sa part, dessine un *Jupiter et Léda dans un paysage* très suggestif où la jeune femme paraît totalement consentante. De cette union allaient naître les jumeaux Castor et Pollux, Hélène de Troie et Clytemnestre. L'image s'insère donc dans une trame narrative plus vaste, qui aboutit à l'enlèvement d'Hélène, à la chute de Troie et à l'effondrement de la civilisation grecque.

Tout cela semble encore très loin de la scène représentée par Girodet [**ill. 127**]. La belle Léda au corps souple enlace le cou sinueux du cygne. Comme dans les autres dessins de la série, Girodet adopte une tech-

nique aussi enchanteuse que ses sujets. Il procède par soustraction et gomme la pierre noire afin de dégager des zones de lumière. Pour figurer les bords de la robe tourbillonnante de Léda et le clapotis de l'eau devant les deux amants, par exemple, il a fait apparaître le blanc du papier sous le dessin. Le seul contour tracé à la pierre noire est celui qui définit avec beaucoup de précision la silhouette de Léda. Cette méthode savamment élaborée produit un effet pictural qui accentue la pénombre mystérieuse des alcôves de verdure où s'étreignent presque toujours les héros mythiques des *Amours des dieux*.

Une autre version (**cat 126**) de la scène nous montre Léda et le cygne dans un paysage, devant un lac et d'imposantes montagnes aux cimes enneigées dans le fond. La zone éclairée sur la droite des deux personnages sert à accentuer l'alcôve de verdure ombragée où ils s'étreignent à nouveau. *Jupiter et Léda* se différencie des autres compositions de la série par son décor détaillé, ses arbres luxuriants et ses montagnes spectaculaires au loin, mais aussi par son format horizontal.

Jupiter se réincarne en déesse Diane pour séduire une autre de ses proies, la nymphe Callisto. Ovide raconte dans les *Métamorphoses* que Jupiter a revêtu les traits de Diane afin de déjouer la méfiance de la nymphe, compagne de la déesse, qui a fait vœu de chasteté. Lorsque Diane découvre la grossesse de Callisto, elle la transforme en ourse pour la punir et lance une meute de chiens à ses trousses. Dans le dessin de Girodet (**cat. 130**), la nymphe légèrement inquiète accepte l'étreinte du dieu, tandis qu'un Amour tient le masque de Diane. Jupiter, qui ne cesse de se déguiser pour abuser de jeunes beautés, plonge un regard langoureux dans les yeux de Callisto, et ses longues boucles bien reconnaissables encadrent son visage. Girodet a commencé par placer le bras gauche de Jupiter autour de la taille de la nymphe,

puis il a modifié le geste en lui donnant un aspect plus hésitant.

Dans ce dessin comme dans plusieurs autres, la femme est nue et l'homme partiellement vêtu. Ce parti pris semble très inhabituel dans l'art de Girodet, où c'est presque toujours l'inverse qui se produit. L'importance accordée à la nudité féminine dans *Les Amours des dieux* a peut-être un rapport avec la clientèle visée : des hommes susceptibles d'apprécier des images dont le caractère licencieux bénéficie de l'alibi mythologique. L'insistance sur la nudité et la sensualité féminines frappe le critique Jean-Baptiste Boutard, qui commente le recueil de lithographies après sa parution en 1826[3]. Il parle de ces «estampes charmantes» en termes élogieux émaillés de stéréotypes féminins. La composition est «gracieuse», la situation «touchante», le groupe «élégant» et l'image «charmante». Boutard discerne une évolution esthétique, qui éloigne Girodet de son ancienne «élévation de style» au profit d'une nouvelle manière plus baroque, privilégiant la grâce et le charme.

Le commentaire de Boutard et le texte de présentation de Coupin soulignent tous les deux la pertinence du choix de la lithographie comme procédé de reproduction. Les deux auteurs évoquent la nouveauté du procédé, pourtant inventé en 1798

et utilisé en France depuis une vingtaine d'années à la date de parution du recueil. Mais c'est l'Alsacien Godefroy Engelmann, imprimeur du recueil, qui a été le premier à faire travailler des artistes pour des éditions lithographiques lorsqu'il s'est installé à Paris. La lithographie est d'ailleurs la technique préférée de Girodet, aussi bien pour la création d'estampes originales que pour la reproduction de ses dessins[4]. Coupin observe fort justement que ce mode de reproduction était le mieux adapté aux compositions de Girodet, le seul capable de «satisfaire l'impatience» du dessin. C'est précisément la capacité de la lithographie à restituer la singularité du dessin à la pierre noire qui attire les artistes du temps de Girodet. Les dessins de Girodet que les planches des *Amours des dieux* interprètent fidèlement à l'intention d'un plus large public constituent un ensemble remarquable dans l'œuvre de Girodet malgré leur petite taille. Boutard écrit à propos de *Aurore et Céphale* que c'est, à son avis, le «groupe le plus élégant […] que Girodet ait jamais conçu». Ces compositions magistralement suggestives justifient un examen plus approfondi des dessins tardifs de Girodet, où il aborde sous un angle complètement différent les sources littéraires et le corps féminin.

J. A. C.

III. **304** Girodet (d'après), *Aurore et Céphale*
Lithographie, coll. part.

Notes

. *Les Amours des dieux*, Paris, Engelmann et Cie, 1826.
Henri-Guillaume Chatillon a lithographié *Céphale et
Aurore*, et Joseph-Ferdinand Lancrenon *Jupiter et Léda* et
Jupiter et Callisto.
. Sur ce tableau et sur la suite des *Amours des dieux*, voir
Sylvain Bellenger, « *Aurora and Cephalus* : A Story of an
Acquisition », *Cleveland Studies in the History of Art*, vol.
, 2003, p. 188-199.
. M. [Jean-Baptiste] Boutard, « Beaux-arts », *Le Journal
des débats*, 2 janvier 1827, p. 3.
. Voir B. Jobert *supra.*

cat. 130 **Jupiter et Callisto**
VERS 1820
Pierre noire estompée et gommée, rehauts de blanc sur
papier, 19,7 x 15,2 cm
New York, coll. Richard L. Feigen

Hist. Ces trois dessins [cat. 127, 129, 130], partie des projets
d'illustration des *Amours des dieux*, furent acquis directement par Antoine César Becquerel auprès des Becquerel-
Despréaux (Lemeux-Fraitot, 2002, p. 196, n° 6) ; lithographiés par les soins d'Antoine César ; coll. Henri Becquerel ;
coll. Louise Lorieux sa veuve ; Pierre Deslandres, leur neveu ;
puis par descendance, coll. particulière, Montréal ; vente
Sotheby's, New York, le 16 février 1994, n° 2 et suivants ;
New York, Richard L. Feigen.
Bibl. Coupin, 1829, t. I, p. lxxix ; Feigen, 1994, p. 80-81 ;
Bellenger, 2004, p. 188-199.

Naissance de Vénus

Cette *Vénus sortant de l'onde* se rattache à un ensemble de dessins et de peintures que Girodet a consacrés à ce thème dans la première décennie du XIXᵉ siècle, si l'on en croit la liste chronologique de Pierre-Alexandre Coupin. Celui-ci cite l'esquisse à l'huile conservée encore aujourd'hui dans la collection Becquerel [ill. 296] ainsi qu'une autre petite peinture du même sujet, perdue depuis lors, dont un dessin apparu sur le marché de l'art parisien en 2000 conserve peut-être le souvenir[1]. La pose de Vénus reste quasiment identique d'une version à l'autre, mais les compositions présentent des différences d'agencement, et le nombre de personnages secondaires varie. Dans l'esquisse à l'huile, la présence de Neptune et Amphitrite enlacés à l'arrière-plan constitue un changement notable. Un autre dessin [ill. 305], actuellement dans la collection Horvitz, correspond à une version antérieure ou remaniée de la peinture perdue, où l'artiste a éliminé Amphitrite et placé sur la droite le Triton chevauché par un Amour espiègle.

L'exécution méticuleuse de la feuille conservée dans la collection Horvitz, avec ses dégradés soigneusement estompés et ses gommages précis, signale une œuvre achevée. Le dessin du Louvre, au contraire, se distingue par sa facture lâche et ses nombreuses retouches visibles, privilégiant l'esthétique de l'es-

III. 305 Girodet, *Naissance de Vénus*
Dessin, Boston, The Horvitz Collection

quisse. Ses dimensions, presque deux fois plus grandes que celles des autres versions, semblent indiquer que Girodet l'a conçu dans le même esprit que *Le Jugement de Midas* **(cat. 106)**, comme une démonstration de ses talents de dessinateur. Il abandonne les formes élancées et la ligne fluide des autres Vénus au profit d'un nu féminin plus résolument sensuel. Gi-

rodet a pu trouver maintes sources d'inspiration dans la sculpture gréco-romaine. Il possédait un plâtre de la *Vénus Médicis*, dont il a copié la tête dans au moins un dessin[2]. Pour cette version du Louvre, Girodet a préféré le type de la Vénus callipyge, aux connotations plus érotiques. Il a repris les motifs du regard baissé, du bras gauche levé et de la nudité sans fard, en allant jusqu'à supprimer toute espèce de vêtement. Le thème de Vénus sortant de l'onde, souvent associé au modèle antique, reste très présent dans le dessin de Girodet.

Ce qui surprend davantage, c'est la composition qui coupe la silhouette de Vénus à mi-cuisses, contrairement à la tradition établie au Quattrocento par Sandro Botticelli et son interprétation mémorable du thème de *La Naissance de Vénus*. L'introduction d'un Amour tenant un miroir afin de souligner la beauté de la déesse rapproche cette *Naissance de Vénus* d'un autre sujet couramment traité par les artistes, Vénus à sa toilette, où les représentations à mi-corps sont plus fréquentes. La composition reflète peut-être l'influence de l'exercice académique de la «demi-figure peinte», qui faisait l'objet d'un concours institué en 1784 par le pastelliste Maurice Quentin de La Tour et dont Girodet lui-même fut l'un des lauréats pendant ses études[3].

C. F.

Notes

1. « Naissance de Vénus aphrodite. Les Amours voltigent autour d'elle ; un d'eux lui présente un miroir ; les autres s'élancent dans les airs, en décochant leurs flèches, et semblent prendre possession de l'univers ; plus loin, on aperçoit Amphitrite et, en avant, d'elle, un Triton dont la tête, seule, s'élève au-dessus des eaux, et qui paraît étonné du spectacle qui s'offre à ses regards. Appartient à M. Pourtalès » (Coupin, 1829, t. I, p. lxxj-lxxij).

2. Pérignon, 1825, p. 108, nᵒ 926 (« plusieurs figures, dont l'Apollon, la Vénus de Médicis […] moulés sur l'antique ») et p. 37, nᵒ 246 (« deux têtes d'après l'antique, une d'après la Vénus de Médicis aux crayons noir et blanc sur papier bleu »).

3. *Ibidem*, p. 19, nᵒ 73 : « Étude sur laquelle M. Girodet a remporté le prix du torse. »

Cat. 135 Vénus sortant de l'onde
VERS 1802
Fusain, sanguine avec rehauts de blanc sur papier beige,
42 x 34 cm
Paris, musée du Louvre, département des Arts graphiques,
inv. R.F. 4144.

Hist. Coll. Jean-François Gigoux ; coll. Jean Dollfus ; vente
Dollfus, Paris, 1912, n° 98 ; acquis par le musée du Louvre à cette
date.
Exp. 1927, Paris ; 1928, Copenhague, Stockholm, n° 152 ; 1932,
Londres, n° 850 ; 1936, Paris, n° 628 ; 1989, Paris n° 79.
Bibl. Nevison Brown, 1980, p. 7, n° 82.

Le dernier chef-d'œuvre

Cat. 136 Pygmalion amoureux de sa statue, dit aussi Pygmalion et Galatée

1813-1819

Salon de 1819

Huile sur toile, 253 x 202 cm

Paris, musée du Louvre, département des Peintures, inv. RF 2002-4

Hist. coll. comte Giovanni-Battista Sommariva (1760-1836) à Paris ; vente «de la galerie du comte de Sommariva» après le décès de son fils Luigi Sommariva (1792-1838), Paris, «en son hôtel, rue Basse, n° 4», 18-23 février 1839, n° 2 (voir Paillet, 1839) ; adjugé 14 000 francs au «comte de Chevigné» ; coll. Louis Marie Joseph, comte de Chevigné (30 janvier 1793 - 19 novembre 1876) ; coll. de sa petite-fille la duchesse d'Uzès, Anne de Rochechouart de Mortemart (1847 - décédée à Dampierre en 1933), mariée en 1867 à Emmanuel de Crussol, duc d'Uzès (1840-1878) ; coll. de leur fille, la duchesse de Luynes, Simone de Crussol d'Uzès (1870-1946), mariée en 1889 au 10e duc de Luynes et de Chevreuse (1868-1924) ; coll. des ducs de Luynes ; le tableau n'a pas appartenu au célèbre mécène d'Ingres et de Rude, Honoré Paul Joseph d'Albert, 8e duc de Luynes (1802-1867), au château de Dampierre ; exposé à Paris en 1913 (*David et ses élèves*, hors cat.), le tableau est depuis réputé perdu (Levitine, 1952 [1978], p. 384, note 8) et toujours en 1965 («le plus important des tableaux disparus de Girodet» ; Levitine, 1965, p. 231) ; localisé au château de Dampierre, il figure en 1967 à l'exposition *Girodet* à Montargis ; acquis par le Louvre en 2002 ; restauré en 2004.

Exp. 1819, Paris, Salon, n° 1641 (supplément), «*Pygmalion amoureux de sa statue*» ; 1913, Paris, David et ses élèves, hors catalogue (voir Brière et Rosenthal, 1913) ; 1967, Montargis, Girodet, 1767-1824, exposition du deuxième centenaire, n° 44, repr. (cat. par Jacqueline Pruvost-Auzas ; un détail du tableau illustre l'affiche de l'exposition).

Bibl. [Pillet], *Journal de Paris*, 25 août 1819, p. 3 ; Crouton, *La Renommée*, 4 octobre 1819 ; Anon., *Le Moniteur universel*, n° 308, 4 novembre 1819, p. 1409 ; Anon., *Journal des débats*, 5 novembre 1819 ; [Pillet], *Journal de Paris*, 6 novembre 1819, p. 2 ; Anon., *Journal des débats*, 6 novembre 1819 ; Anon., *Le Moniteur universel*, n° 310, 6 novembre 1819, p. 1418 ; Anon., *Journal des débats*, 8 novembre 1819 ; *Journal des débats*, 8 novembre 1819, p. 3 (vers attachés au cadre) ; Anon., *Journal des débats*, 9 novembre 1819 ; Didot l'aîné, 9 novembre 1819, p. 3 ; [Pillet], *Journal de Paris*, 9 novembre 1819, p. 2-3 ; Anon., *Le Moniteur universel*, n° 313, 9 novembre 1819, p. 1431 ; Evariste, *Journal des dames…*, 10 novembre 1819, p. 508-510 ; [Émeric-David], 15 novembre 1819, p. 1455-1456 ; [Pillet], *Journal de Paris*, 16 novembre 1819, p. 2-4 ; Anon., *La Quotidienne*, 16 novembre 1819, p. 1-4 ; Dussault, *Le Moniteur*, 17 novembre 1819 ; [Anonyme], *Le Constitutionnel*, 18 novembre 1819, p. 4 ; Massé, *La Quotidienne*, 18 novembre 1819 ; I. G., *La Renommée*, 19 novembre 1819, p. 619-620 ; Girodet, Article autographe avec rature et correction [Évreux, archives départementales, Eure, 5 F 76 ; publié par Porée, 1907, p. 283-287] où Girodet répond aux critiques faites [par I. G.], dans *La Renommée* [n° 151, 19 novembre 1819, p. 619-620], sur son tableau de *Pygmalion*, 1819 ; Anon., *Journal des débats*, 25 novembre 1819 ; Amaury-Duval, *Le Censeur européen*, 26 novembre 1819, p. 4 ; [Étienne], *La Minerve française*, novembre 1819, p. 170-179 ; Anon., *Arlequin…*, 1819, p. 12 ; Anon., [Fonvielle ?], *Examen critique…*, 1819 ; Delécluze, *Le Lycée français*, 1819, p. 236-245 ; Coupin, *Revue encyclopédique*, 1819, p. 363-366 ; [Coupin de la Couperie, Philippe ?], P. C., *Description du tableau…*, 1819 ; *Explication des ouvrages de peinture, sculpture, architecture et gravure des artistes vivants exposés au Musée royal des Arts, le 25 août 1819*, Paris, 1819, p. 173, n° 1641 ; Gault de Saint-Germain, 1819 ; Guinard, 1819 ; *Lettres à David sur le Salon de 1819, par quelques élèves de son école*, Paris, Pillet Aîné, éditeur de la collection des mœurs françaises, 1819, 25e lettre signée P.V., pl. gravée (+/-) ; [attribué à Hyacinthe de Latouche] Monnin, 1819 ; *Notice sur la Galatée de M. Girodet-Trioson avec la gravure au trait*, Paris, imprimerie de Pillet aîné, 1819. *Nouveau coup d'œil au Salon. Critique en vaudeville de la gravure en taille douce, exposition de 1819*, Paris, 1819 ; O'Mahoney, 1819, t.V[,] p. 272-275 ; Boher, 1820, p. 7-8 ; Kératry, 1820, p. 157, 235-24[?] (Lettre XVI), et frontispice gravé par F. Massard ; Landon, 1820[,] p. 10-16, pl. 3 gravée par Ch. Normand ; *Le Moniteur universel[,]* n° 123, 3 mai 1822 ; *L'Amateur sans prétention*, 1824, p. 494[-]496 ; Landon, 1824, t. II, p. 47 ; P…, *Aux mânes…*, 1824, p. 4[?] ; Stendhal, (1824) 2002 ; Valori, 1824, p. 3 ; Chauvin, 1825, p. 2[?] ; Coupin, 1825, p. 9-10 ; Mahul, 1825, p. 123-125 ; P★★★, 182[4?] p. 4 ; Pérignon, 1825 ; Quatremère de Quincy, (1825) 183[4?] p. 327-329, 331 ; Souesme, 1825, p. 2 ou 4 ; Coupin, 1829, t.[?] p. xx, xlix-l, lviiii, lxviii, lxxxv et *Notice historique, passim* ; p. 174[-]177 : *Le Peintre*, fin du chant 5e (100 derniers alexandrins) [;] t. II, p. lviii : catalogué ; Duchesne, t.VI, 1829, pl. 419 ; Paille[t,] *Catalogue de la galerie du comte de Sommariva*, Paris, 1839, p. [6-]8, n° 2 ; Miel, 1845, p. 295 ; Delécluze, 1855, p. 270 ; Fronc[?] 1865, p. 2 ; Montaiglon, 1879 ; Leroy, 1892, p. 13-14 ; Pélissie[r,] 1896, t. IV, p. 12, 18, 29, 32, et t.V, p. 127, 131-132 ; Jouir[?] 1900, p. 47 ; Porée, 1907 ; Brière et Rosenthal, 1913, p. 12[9?] Adhémar, 1933 (1934), p. 272 ; Naef, 1935, p. 55-57 ; Aragon[,] 1949 : voir (1977) ; Recouvreur, 1935, p. 12-13 ; Levitine, 195[2] (1978), p. 384, 386-397 ; Levitine, 1965, p. 231-233 ; Laclott[e,] 1967, n. p. ; Pruvost-Auzas, in cat. exp. Montargis, 1967 ; Cas[?] 1969, p. 87 ; Rosenblum, 1969, p. 100 ; Haskell, 1972, p. 14 e[t] pl. 9 ; Bernier, 1975, p. 178-182, repr. p. 179 ; Whiteley, 197[?] p. 771, 773, repr. p. 770 ill. 8 ; Aragon, 1949 (1977), p. 88-8[9?] Stafford, 1979 (*Revue de l'Art*), p. 47 ; Borowitz, 1980, p. 261[-]262, ill. 5 ; Brown, 1980, p. 312-319, ill. 155 ; Mazzocca, 198[1?] p. 152, 153, 155-156, 167, 169-171, 259-265, 268, 280, 28[?] ill. 67-68 ; Rubin, 1985 ; Lemaire, 1988, p. 28 ; Caubet, 198[?] p. 248 ill. 1, 250 ; Haskell, 1989, p. 117 et ill. 41 ; Wrighley, 199[?] p. 65, 77, 129, 345 ; Crow, 1995, p. 265-273, 278, pl. 182 ; Cro[w] 1997, p. 330-339, 346-347, 371, ill. 98 ; Lemeux-Fraitot, 199[7?] Chaudonneret, 1999, p. 75, 144 ; Geisler-Szmulewicz, 199[?] p. 57, 60-63, 68, 109-110, 142, 149, 156 ; 2001-2005 Wettlaufe[r?] 2001, p. 101-136, repr. p. 110 ; Bastier, 2002 ; Laveissière, 200[2?] Stendhal, 2002, p. 116 ; Savettieri, 2003, p. 14, 23-26, 28-3[?] repr. p. 15, ill. 1 ; Voignier, 2005, *passim*.

«Je suis fort occupé encore d'un tableau qui me tient depuis longtems, et que j'ai recommencé plusieurs fois sans succès, ne sachant même pas si je serai plus heureux cette dernière. Le sujet est Pygmalion et sa statue. Pour vous donner l'idée de la difficulté principale que je me suis imposée, figurez-vous une femme très-blonde, toute dans le clair et se détachant décidément en demi-teinte sur un fond plus clair et avec l'effet de la dégradation et du passage, le plus doux qu'il m'a été possible de le faire, de la partie animée avec celle qui est encore de marbre ; un fond de ciel et presque point d'ombre dans le tableau. Je ne sais, en vérité, comment je m'en sortirai, mais le sort de cet ouvrage doit être d'avoir un succès décidé ou de tomber tout à plat ; je n'y vois pas d'alternative [1].» C'est le 20 juin 1819, deux mois avant le Salon, que Girodet écrivait à Fabre ces lignes inquiètes. Aux visiteurs, au roi même, présentant son tableau, il parlera poésie, citera Ovide : à son ami peintre, il ne parle que peinture. Étrange destin que celui de ce tableau, que son auteur fit attendre huit ans, et qui devait être le chef-d'œuvre de l'école française. Il tient à la fois du chef-d'œuvre inconnu (au sens littéral : disparu pendant cent vingt-huit ans, il ne fut longtemps jugé que sur gravure) et impossible (l'idéal de perfection qu'implique le sujet condamne le peintre à le reprendre sans cesse). Mais loin d'aboutir au chaos pictural de La belle noiseuse du Frenhofer de Balzac, Girodet élabore un pur et lumineux poème pictural, quintessence d'un classicisme qu'il entendait régénérer, où la postérité n'a souvent voulu voir que le chant du cygne d'un mouvement épuisé [1]. Le Salon de 1819, qui fut pour les contemporains celui de Pygalion, est en effet resté pour nous celui du Radeau de la Méduse de Géricault, qui est son contraire. Aujourd'hui que le premier a rejoint le second aux cimaises du Louvre (mais non dans la même salle), il devrait bénéficier d'un regard neuf [2].

Trente ans plus tôt, dans son Zeuxis choisissant pour modèles les plus belles filles de Crotone (1789, Louvre), Vincent avait donné l'image du processus menant au «beau idéal», par la combinaison des beautés partielles proposées par chaque modèle. Il n'avait d'ailleurs pas été jusqu'à peindre la figure d'Hélène, la plus belle des mortelles, sujet de la toile de Zeuxis : il n'en montre que le trait. A l'époque même où Girodet composait son Pygmalion, David dessinait (1813) et peignait (à Bruxelles, donc à partir de 1816) Apelle peignant Campaspe devant Alexandre (Lille, musée des Beaux-Arts). Ici, c'est un peintre qui se consume d'amour pour une femme bien vivante, au point d'être incapable de la peindre, d'où son attitude abattue, que l'on retrouve chez Girodet, qui a traité la scène dans une

III. 306 Girodet, *Tête de Galatée*
Huile sur toile, coll. part.

composition gravée en frontispice de son poème Le Peintre [3] [ill. 46].

Source essentielle de Girodet, Ovide [4] conte qu'à Chypre, île consacrée à Vénus, dans la cité d'Amathonte, les Propétides, ayant nié la divinité de Vénus, furent punies par la déesse : «elles furent les premières, dit-on, qui prostituèrent leurs charmes ; comme elles avaient dépouillé toute pudeur et que leur sang durci ne rougissait plus leur visage, elles furent, par une altération à peine sensible, changées en pierres.» Pygmalion, célèbre sculpteur, «révolté des vices dont la nature a rempli le cœur des femmes», s'était voué au célibat (trait commun à Girodet et Canova). Il créa la femme idéale en la sculptant dans l'ivoire – Girodet l'imagine de marbre ou plutôt d'albâtre –, et en devint amoureux. Pour obtenir une épouse aussi belle que sa statue, il fit un sacrifice à Vénus, qui anima la statue d'ivoire et, dans une nuée lumineuse, l'Amour réunit l'artiste et son œuvre, dont le corps minéral se transforme en chair. Tandis que la statue – que l'on nomme Galatée depuis le XVIIIe siècle seulement – s'éveille à la vie, prend conscience de son corps, Pygmalion semble pétrifié, et sa main suspendue n'ose encore toucher l'objet de son désir. Donner vie à la matière : ce rêve de l'artiste démiurge est le plus contant des lieux communs de la littérature d'art depuis l'antiquité, qui ne conçoit pas de plus grand éloge que de dire d'une œuvre d'art qu'elle semble vivante. Peintre et poète à la fois, Girodet ne pouvait échapper au mythe, auquel Jean-Jacques Rousseau avait donné en 1771 une fortune nouvelle [5]. Le chant V de son poème Le Peintre se termine par une centaine de vers consacrés à Pygmalion [6].

Ils peuvent se lire comme un commentaire précis du tableau : «Ce fut là que fuyant le joug de l'hyménée, / Pygmalion rêva la céleste beauté / Qui lui dut et la vie et l'immortalité. / A peine il en conçoit l'image enchanteresse, / Son ciseau créateur en reproduit les traits : / C'est Vénus elle-

même avec tous ses attraits. / L'albâtre, sous sa main s'amollit et respire ; / La naïve pudeur, l'ineffable sourire, / Les charmes les plus doux paraissent animer / La parfaite beauté qu'il se plut à former : / Lui-même il est surpris en la voyant si belle.»

Tombé amoureux de son chef-d'œuvre, Pygmalion supplie Vénus : «"Secourable Vénus, sois propice à mes feux, / Accorde à mes désirs une épouse aussi belle / Que celle dont mes mains ont formé le modèle." / Il n'osa proférer que ces vœux imparfaits ; / Mais Vénus a compris ses sentiments secrets. / Trois fois, comme l'éclair de la nue électrique, / S'élève de l'autel la flamme prophétique / Présage fortuné des faveurs de Cypris. / Soudain d'un vol léger, sur l'écharpe d'Iris, / L'amour descend du ciel que sa trace illumine / [...] / Il paraît le bloc cède, et le marbre est sensible.»

Girodet lui-même, dans la Description qu'il fait publier (par Coupin ?) en 1819, commente la scène ainsi : «Le lieu de la scène est dans l'endroit le plus retiré de la maison du sculpteur ; il y a fait transporter la statue dont il est épris, non loin de celle de Vénus. Au moment du prodige, une auréole brillante paraît sur la tête de la déesse, et une lumière surnaturelle se répand dans tout le sanctuaire et forme, avec la fumée des parfums, le fond du tableau, sur lequel se détache, avec une magie surprenante, la figure de Galatée [7].»

Pygmalion est drapé dans un manteau rouge sur sa tête, une couronne d'églantines est retenue par un ruban blanc. L'Amour, espiègle et frisé, rapproche les mains du sculpteur et de sa statue.

Le long temps pris par l'élaboration – près de sept années – a plusieurs causes. Psychologue, Quatremère de Quincy le met au compte d'une perte de confiance en soi. Plus pratique, Coupin parle du harcèlement des visiteurs, que la célébrité de Girodet lui attirait, et qui l'incita à peindre de plus en plus la nuit. Girodet lui-même invoque l'impossibilité de faire poser le modèle nu hors des saisons chaudes, et donc les obligatoires interruptions hivernales. Ajoutons l'embarrassante commande en 1813 de 36 portraits de l'Empereur (cat. 71), le décor de Compiègne, la construction d'un atelier, la mort de Trioson en 1815, la maladie de Girodet en 1817 et surtout le temps passé à écrire des poèmes dans le genre de Delille. Tout cela dut jouer comme cause, ou comme prétexte, pour retarder l'achèvement d'un sujet qui exigeait la perfection.

À l'origine de l'œuvre est le mécène. Ancien dirigeant milanais écarté du pouvoir, fixé à Paris en 1806, Giovanni Battista Sommariva avait commencé dès 1808 une collection unique en son genre d'art contemporain où brillaient en premier lieu Canova et Prud'hon [8]. Sa galerie était le temple du goût anacréontique, du néoclassicisme gracieux, e cela dut orienter le choix de Girodet. David peignit pour lui *L'Amour et Psyché* (Cleveland Museum of Art) daté 1817, mais projeté dès 1813 : c'est aussi l'année des deux dessins datés pour *Pygmalion et Galatée* **[cat. 137 et 140]**. Une lettre de Julie Candeille à Girodet (1809) nous apprend que le collectionneur aurait voulu acquérir son premier et plus illustre chef-d'œuvre, *Le Sommeil d'Endymion* **[cat. 10]**. Le peintre, qui espérait toujours une acquisition de la part du gouvernement (comme David pour *Les Sabines*), refusa obstinément. Peut-être envisagea-t-il un temps de lui substituer un sujet analogue, un *Narcisse*, dont on connaît le dessin. En fin de compte, avant la fin de 1812 semble-t-il, ils tombèrent d'accord pour un nouveau tableau. Il s'agissait pour l'amateur à la fois d'obtenir une œuvre majeure de l'un des plus grands peintres contemporains, et de célébrer l'art du plus grand sculpteur vivant, Canova. Le projet est explicitement annoncé par Sommariva lui-même dans une lettre à ce dernier, de Paris, en date du 13 janvier 1813 : il avait «combiné» avec Girodet que le tableau projeté serait «un hommage mérité aux incomparables talents» de Canova [9].

La veille, il avait accusé réception à ce dernier de deux estampes reproduisant sa *Vénus Italica*, et disait avoir «trouvé avec satisfaction déjà avancés les tableaux des plus célèbres peintres Girodet et Prud'hon, dans lequel [celui de Prud'hon], comme vous le savez, figureront vos statues les plus favorites, et ils seront prêts pour la prochaine exposition au Salon [10]». C'est donc dès la fin de 1812 que Girodet aurait commencé son tableau «déjà avancé» le 12 janvier 1813 – dont le sujet, il faut le noter, n'a pas encore été nommé. La lettre du 31 mars 1813 dévoile «en toute confidence» ce mystère : le tableau allusif à Canova «qui donne la vie au marbre» sera de Girodet (il l'avait déjà révélé le 13 janvier), «qui représentera Pygmalion, de grandeur naturelle, au moment où sa statue s'anime [11]». Le 13 avril 1813, Bertin annonce à Fabre : «Girodet assure qu'il va se mettre à faire un tableau pour M. de Sommarives [sic]. Le sujet n'est pas encore déterminé [12].» En fait, il est tenu secret. La statue de Canova qui doit figurer dans le tableau n'est pas, comme on aurait pu s'y attendre, la *Vénus Italica*, mais, comme le précise la lettre du 15 septembre 1813, expédiée de Milan, la *Terpsichore*, qui venait de figurer au Salon de 1812 [13].

Le 14 septembre 1814, Julie Candeille écrit à Girodet ces lignes révélatrices : «Je sais que vous faites *Pygmalion* : cela sera beau. Vous savez ce que c'est d'animer une femme. Quand vous me rendîtes ce service, j'étais déjà une assez vieille Galathée... depuis vous, mon cœur ne paie qu'en fausse monnaie. Jamais homme, – non, mon ami –, jamais

III. 307 Dejuinne, *Girodet peignant Pygmalion et Galatée en présence de Sommariva* Huile sur toile, coll. part.

homme n'eut sur une femme un tel empire. Pensez à moi en terminant le Pygmalion [14].»

Le 30 janvier 1815, de sa villa sur le lac de Côme, Sommariva avoue à Canova que Girodet n'a pu finir à temps pour le Salon de 1814 «mon tableau représentant Pygmalion (Canova) surpris par la vitalité de sa statue (la Muse) ; mais il sera pour l'exposition de l'année à venir [15]». Or cette muse est vêtue, et nous savons par les dessins que Girodet a déjà prévu en 1813 un nu féminin, plus proche au demeurant des *Vénus* antiques que de la *Vénus Italica* canovienne. On s'explique mal cette obstination du «patron» qui, s'il est à présent loin de Paris, y a pourtant vu le tableau «avancé» au début de 1813. Veut-il entretenir Canova dans l'illusion que Girodet peint sa *Muse Terpsichore* animée par le ciseau de Pygmalion-Canova, ou espère-t-il que le peintre changera de parti ? De Paris, il écrit encore au sculpteur, le 3 septembre 1818, que le peintre travaille sans relâche à son *Pygmalion* [16].

Si Coupin [17] et Quatremère [18] mentionnent l'œuvre comme un hommage au sculpteur italien, Girodet lui-même n'en dit mot, et l'on peut penser avec Alexandra Wettlaufer [19] qu'il se souciait peu de célébrer un autre génie que lui-même. Les lettres de Sommariva à son fils font aussi allusion au tableau : de sa villa italienne, le 10 janvier 1817, il le prie de rappeler à Girodet de lui envoyer «le dessin qu'il m'a promis de son tableau qu'il fait pour moi» ; de Naples, le 12 janvier 1818, il cite les journaux suisses qui parlent du tableau, engage Luigi à visiter le peintre, et souligne que son mécénat est un placement financier et «qui nous fait beaucoup d'honneur [20]». Le 18 mars 1818, de Rome, il s'impatiente : «S'il est vrai que l'être vit en proportion du temps qu'il met à naître, je crois que le *Pygmalion* du bon larron [Girodet !] vivra éternellement. J'espère aussi qu'il sera admiré et canonisera la haute opinion de l'auteur ; mais le sujet est froid

et a besoin de tout son talent pour se soutenir à son niveau [21].»

Dans une lettre à Turpin de Crissé, non datée mais de l'été 1817, Girodet écrit : «Voici la cinquième année que j'ai commencé le tableau de *Pygmalion* que je n'ai pu parvenir à terminer encore. [...] Je suis forcé par la nature de mes travaux et la construction de mon atelier qui ne me permet de modèles nus que pendant le tems des chaleurs, de remettre les portraits à l'hiver, et je vais très incessamment reprendre mon *Pygmalion* que je ne puis ni quitter ni interrompre, c'est pour la cinquième fois. Il me faudrait alors y renoncer et je ne le puis par égard pour la personne à laquelle il est destiné [22].»

Depuis 1804, Girodet, travailleur acharné, avait pris l'habitude de peindre à la lueur d'une lampe, qu'il finira par préférer à celle du jour [23] : plus constante, elle permet aussi d'employer les heures de nuit. Cette activité nocturne correspond bien au tempérament de Girodet et s'accommode de mystère, voire d'angoisses [24]. Coupin rapporte l'histoire significative du domestique qui fait tomber l'appareil d'éclairage : sans vouloir regarder ce qu'il en est, Girodet court se cacher, comme si son travail était perdu [25]. Mais Girodet ne dédaignait pas de se mettre en scène dans la journée, recevant ses hôtes et s'interrompant subitement, comme poussé par le génie, pour donner quelques touches à son tableau [26]. Il pouvait aussi y avoir des visiteurs nocturnes, comme le suggère le tableau de Dejuinne **[ill. 307]**, où se voit l'appareil d'éclairage à trois mèches mis au point par Pannetier.

On est loin de connaître toutes les études préparatoires à cette composition [27]. Parmi les peintures, Pérignon, dans le catalogue de la vente de l'atelier le 11 avril 1825, et Coupin (1829) ne mentionnent aucune esquisse d'ensemble [28], mais trois études pour les deux figures principales, qu'ils citent dans le même ordre.

Le n° 46 de la vente est une «Étude en buste pour Pygmalion ; cette étude, de grandeur de nature, est terminée. T. h. 26 p. l. 22 p. [70 x 60 cm.] ». Adjugée 2415 francs à Jacob [29]. Le n° 52 est décrit : «Tête de jeune fille blonde, très-fraîche de couleur, et ayant les yeux baissés ; ébauche très-avancée. T. h. 15 p. l. 12 p. [40,5 x 32,4 cm.] », adjugé 999,95 francs à Coutan [30]. Coupin précise que «plusieurs traits au crayon indiquent que Girodet voulait reprendre les contours dans quelques parties, et qu'il se proposait de mettre un voile sur la tête [31]. Cette étude est d'une finesse de modelé extraordinaire et d'un caractère charmant. – Appartient à M. Coutan.» De fait, l'œuvre apparaît à la vente Coutan le 19 avril 1830, n° 49 ; adjugée alors 601 francs, elle n'est plus localisée depuis [32].

Le n° 53 s'en distingue nettement : c'est une «Tête de jeune femme brune, les yeux baissés. Étude pour la Galatée. T. h. 17. l. 14 p. [46 × 38 cm]». Il fut adjugé 665 francs à Pannetier[33], chez qui Coupin le mentionne. Un tableau correspondant en tous points à cette description (46 × 38,5 cm ; ill. 306) et provenant de l'héritière de Girodet, Rosine Becquerel-Despréaux, a été présenté à l'exposition de Montargis en 1967 (n° 45, repr.) et vendu par Sotheby's à Monaco le 21 juin 1991 (n° 28, repr. en couleurs), avant de passer dans le commerce new-yorkais (exp. 1994, New York, Feigen, n° 24). Il est toujours identifié avec ce n° 53 de la vente : il faudrait donc supposer que la famille Becquerel, ou Edmond Filleul, l'ait acheté à la vente Pannetier[34].

Les dessins désignés par le catalogue de vente comme préparatoires sont nombreux (n°s 123, 125, 126, 127, 128, 206, 222, 226, 250, 264, 266, 285, 343, 348 [10 et 14] ; cf. aussi n° 352, d'après), alors que Coupin ne catalogue (p. lxxxv) qu'un «Dessin très terminé, qui offre [...] plusieurs différences, notamment dans la pose du Pygmalion et le caractère de tête de la Galatée. — Appartient à M. P.-A. Coupin», qu'il est tentant d'identifier avec le n° 348 [14] de la vente, décrit seulement dans une note manuscrite : «Composition pour Galathée. Elle diffère beaucoup de celle qui a été peinte, celle-ci renferme 6 ou 7 figures. Dessin au crayon noir sur papier blanc estompé. 1001 fr. à Pérignon[35]». C'est le plus haut prix pour un dessin concernant cette composition, et Pérignon, l'expert, dut l'acheter pour le compte de Coupin.

On ne connaît actuellement que quatre dessins : un croquis vigoureux et sommaire au musée d'Angers (inv. MBA 647-c (6)) ; crayon noir, 24 × 16 cm), qui semble une «première pensée», mais donne une idée presque définitive de la composition ; les deux études de nus d'après des modèles dont l'une est datée 1813 conservées à Lisbonne (n°s 127 et 128 de la vente ; [cat. 139 et 140]; contre-épreuves à Orléans, sans doute n° 343 de la vente, ici [cat. 141 et 142]) et *Galatée et l'Amour*, crayons noir et blanc, 54 × 37,5 cm, signé des initiales et daté en bas à gauche *GT 1813*, vente à Paris, hôtel Drouot, 17-18 novembre 1986, n° 56 ; New York, commerce d'art (exp. 1994, New York, Feigen, n° 23 ; [cat. 137]. C'est sans doute le n° 126 de la vente de 1825 : «Groupe, d'après nature, au crayon noir et à l'estompe, sur papier blanc ; l'Amour et Galatée.», adjugé 350 francs à Langlacé[36].

Les trop rares précisions de la vente de 1825 permettent d'identifier des études pour :

— *Pygmalion* : partie du n° 266, «une étude du profil de Pygmalion, aussi à l'estompe et au crayon noir, sur papier de couleur», 136 francs avec l'académie qui suit, à Pasteur[37] ;

— *Galatée* : partie du n° 266, «une académie d'après nature, pour la Galatée, au crayon noir, à l'estompe, sur papier de couleur, non terminée» ; le n° 226, «Une étude d'après nature, pour la Galatée, dessinée aux crayons rouge et noir, sur papier blanc», vendu 151 francs à Potrel[38]. Encore l'ambiguïté demeure-t-elle de savoir si ce sont bien des études pour la figure de Galatée, ou pour le tableau de ce nom.

L'Amour : n° 125, «Un dessin très-fini, à l'estompe, sur papier blanc, étude de l'Amour pour la composition de Galatée», vendu 162 francs à Letellier[39] ; n° 222, «Une étude au crayon et au pastel, de la figure de l'Amour pour la Galatée», vendu 370 francs à Fontalar[40] ; n° 250, «Étude au pastel ; buste de l'Amour, de grandeur de nature, pour le tableau de Galatée», vendu 176 francs à Pérignon[41].

Les autres dessins sont désignés de manière trop imprécise. Les n°s 123 et 206 sont intitulés tous deux «Un dessin pour le sujet de Galatée, à l'estompe et au crayon, sur papier blanc», vendus respectivement 81 francs à Félix Latour et 600 francs à Coutan[42] ; le n° 264 : «Une étude d'après nature, au crayon, sur papier blanc ; groupe pour le tableau de Galatée», vendu 205 francs à Bénard[43].

Draperies : n° 285, «Deux études de draperies très-soignées, aux crayons noir et blanc, sur papier de couleur.» ; une annotation précise : «savoir la figure de Pygmaion et le vase couvert du voile» : 160 francs à «Lemar...»[44].

Ce qui est curieux, lorsqu'on sait les atermoiements de Girodet, ses scrupules, effacements et corrections, c'est que la toile montre très peu de repentirs : de menus ajustements dans le cou, les bras, les jambes de Galatée. Il faut que les modifications aient affecté moins le dessin que la matière même, et que les grattages aient fait disparaître toute matière superflue[45].

Les dessins confirment cette constance de la composition. Seul le dessin «Coupin», très fini, vendu cher, mais curieusement dans un lot non décrit au catalogue, présentait une composition de six ou sept figures, dont on se demande ce qu'elles font dans une scène qui en suppose trois au plus. Si le croquis d'Angers ne porte pas de date, les deux académies de Lisbonne-Orléans et le dessin Feigen datent de 1813 et montrent les personnages dans des attitudes qui ne varieront guère.

Le modèle de Galatée n'apparaît jamais, dans l'état de la documentation graphique, avoir été une statue de Canova. Sa *Polymnie*, drapée, était évidemment impropre à figurer la beauté nue qu'adore Pygmalion, comme le voulait Sommariva ; sa *Vénus Italica*, partiellement drapée (Florence, Galerie Palatine), n'a pas servi non plus. Girodet s'adresse

directement à l'antique, la *Vénus Médicis* des Office et surtout la *Vénus Capitoline* (Rome, Capitole), qu étaient toutes deux au Louvre lorsqu'il commenç son tableau[46]. Par un procédé bien connu, il pren soin d'en renverser l'image afin de suggérer l'emprunt sans l'imposer. La draperie et le vase censé consolider la statue, à droite, viennent de la *Vénu Capitoline*, et même la coiffure de Galatée est plu proche de ce modèle. Cette coiffure, blonde, ave chignon et tresses, procède par ailleurs de *La Vierg au long cou* de Parmesan (Florence, Offices), parangon de la grâce.

Ces modèles, en bon classique, Girodet n'en es pas esclave, il en nourrit sa propre création. Comm il l'écrivait à Fabre, la gageure était ici de peindr clair sur clair, sans ombres, de suggérer le passag du marbre à la chair avec une subtilité confondante C'était enfin, ce qu'il ne dit pas, de faire palpite la matière s'éveillant à la vie. Le visage de Galaté est celui d'une jeune fille, mais avec la carnatio d'un nouveau-né, une translucidité de la chair qu évoque la naissance.

La figure de Pygmalion subit force critiques. S Galatée peut atteindre au sublime, comment mon trer l'émotion de son adorateur sans tomber dan la caricature ? L'amoureux, doutant de la réalit du prodige, n'ose la toucher : cette main dont l tremblement traduit l'hésitation, au milieu de l'es pace entre les deux figures, a dérangé plus d'u Quant à l'expression du visage, elle rejoint cell d'Oreste dans une illustration de l'*Andromaque* d Racine pour Didot (1801), *La Rencontre d'Oreste e d'Hermione* [cat. 110]. Comparé par Landon (1820 à une figure d'Angelika Kaufmann, l'Amour blon et frisé qui, dans une lumière dorée, unit l'homm et la femme est bien entendu un écho du Zéph du *Sommeil d'Endymion*.

Le 3 novembre, le duc et la duchesse de Berry, l duc et la duchesse d'Orléans vinrent voir le tablea à l'atelier du peintre. Le lendemain, c'est au pala que le tableau fut présenté au roi Louis XVIII, e compagnie du duc de Duras, du comte de Prade directeur général de la Maison du roi, et du comt de Forbin, directeur des musées[47].

Le tableau ne fut annoncé que dans le supplé ment au livret du Salon de 1819, ouvert le 25 aoû son accrochage eut lieu le 5 novembre seulement[4] et l'on glosa fort sur ce retard que beaucoup ju geaient intentionnel : au début de l'Empire, Deno avait mis fin à cette pratique qui permettait aux un de terminer leur tableau, aux autres de se mettr en valeur en se distinguant de la foule et en créa l'événement.

Le *Journal de Paris* du 6 novembre 1819 (Pille annonce : «Enfin la Galatée, de M. Girodet, vie d'être apportée au musée. La foule des curieux s presse autour de ce tableau qu'on a longtemps annoncé comme le chef-d'œuvre d'un de nos premiers peintres.»

La réception du tableau, tardivement présenté au Salon ouvert depuis dix semaines, ne fut ni triomphale ni indifférente comme le supposait Girodet : ce fut un événement hautement controversé, où l'opinion se rangea dans deux camps recouvrant souvent les divisions politiques de la Restauration.

Il y avait quelque raison à cette nervosité. Commencé en 1812, plusieurs fois annoncé depuis, le tableau était attendu avec impatience, vanté comme un chef-d'œuvre avant que personne l'eût vu, et son absence à l'ouverture du Salon, le 25 août, fut perçue comme un caprice de l'artiste : la critique dut revenir au Louvre en novembre, car il n'était pas question de le passer sous silence.

Âgé de 52 ans, l'auteur d'*Endymion* se trouvait alors dans une situation complexe : l'école française n'avait plus de chef depuis l'exil de David, début 1816 ; des trois disciples qui pouvaient prétendre à sa succession, Gros s'était vu confier l'atelier du maître et Gérard avait été nommé premier peintre du roi après le Salon de 1817 (*L'Entrée de Henri IV à Paris*). Girodet devait à sa réputation de produire un chef-d'œuvre.

Il n'avait rien créé comme peintre d'histoire, selon les exigeantes catégories du temps, depuis la *Scène de déluge* du Salon de 1806. Le concours décennal de 1810, quoique avorté, avait consacré ce tableau ; Girodet était loué comme un Michel-Ange. Il aurait voulu montrer avec Pygmalion qu'il était aussi bien l'émule de Raphaël que de Corrège.

Les contemporains retinrent surtout qu'il était le rival de Gérard. Un salonnier soutint que les tableaux de Girodet n'étaient que des réponses à ceux de Gérard, et que le *Pygmalion* pastichait *L'Amour et Psyché* de 1798. Girodet prépara une réplique à ces accusations, demeurée à l'état de brouillon[49].

«Girodet dit que Pygmalion sera son dernier ouvrage et qu'il n'est plus qu'un amateur» écrit Bertin à Fabre le 15 septembre 1821[50]. Cette année-là, Sommariva fit exécuter par Dejuinne, élève de Girodet depuis vingt ans, un tableau mémorial représentant son maître en train de peindre *Pygmalion et Galatée* en présence de son mécène assis [**ill. 307**]. L'autre homme, debout derrière Sommariva, est le fameux mécanicien Bréguet, dont l'amateur d'art possédait une montre non moins prisée que ses tableaux. La verrière de l'atelier laisse passer un rayon de lune qui semble se glisser dans une version de l'*Endymion* accrochée au mur, mais c'est une lampe qui éclaire la toile où s'élabore la composition. Au fond, à gauche, l'idéal, un plâtre de la *Vénus Médicis* ; à droite, prosaïque, un modèle féminin se rhabille (ou se déshabille). Au-devant, un brûle-parfum, des flacons pour la peinture et le violon que l'artiste a quitté pour reprendre ses pinceaux en présence de visiteurs de marque. Cette œuvre à la facture précieuse, elle-même disparue depuis la vente Sommariva et découverte récemment, participe au mystère de la création artistique dont Girodet a fait le sujet même de son ultime tableau.

S. L.

Notes

1. Wettlaufer (2001, p. 270 note 21) donne un florilège des jugements négatifs de T. Crow, R. Rosenblum, L. Eitner, F. Haskell, pourtant tous admirateurs de Girodet.

2. Les études les plus pertinentes publiées sont celles de Nevison Brown (1980), Rubin (1985), Crow (1995, éd. fr. 1997), Wettlaufer (2001), Savettieri (2003). Je remercie S. Bastier de m'avoir communiqué son mémoire de maîtrise (2002) et sa bibliographie.

3. Coupin, 1829, t. I, p. 46.

4. *Les Métamorphoses*, livre X, 238-297, traduction G. Lafaye, Paris, Les Belles Lettres, 1928, t. II, p. 130-132.

5. Rubin, 1989.

6. Coupin, 1829, t. II, p. 174-177.

7. *Description...*, 1819, p. 5.

8. On renverra, pour cette importante sinon sympathique figure d'amateur, aux études de F. Haskell (1972) et F. Mazzocca (1981).

9. Mazzocca, 1981, p. 261 : « Le parteciperò poi un felice pensiero, che abbiamo combinato con quel celebre pittore S.r Cavagl.e Girodet, il quale favorendomi di una di lui opera, sarà Essa un doveroso omaggio agli impareggiabili da Lei talenti, che non si stanca mai d'ammirare e d'amare il di Lei genero » (Sommariva ayant obtenu de Canova la statue de *Terpsichore*, il baptisait celle-ci « la superlativa di Lei figlia prediletta mia Sposa », faisant de lui-même le « gendre » du sculpteur).

10. Mazzocca, 1981, p. 260 : « 12 Gen.o 1813. [...] Trovai con soddisfazione già avanzati i quadri dei più celebri pittori Girodet e Prud'hon, in cui, come Ella sa figureranno le sue favoritissime statue, e saranno pronti per la prossima Esposizione al Salone. » Le tableau de Prud'hon est le portrait de Sommariva, exposé en effet au Salon de 1814 (Milan, Pinacoteca di Brera), où se voient la *Terpsichore* et le *Palamède* de Canova. Sommariva évoque encore le tableau de Girodet dans sa lettre du 23 janvier (*ibidem*, p. 262).

11. Mazzocca, 1981, p. 264 : « Mi pare d'averle pur detto, che un'altro di questi più celebri pittori si occupava per me d'un quadro, il cui sogetto sarebbe un allusione al mio caro S.r Suocero, che *da la vita al marmo*. Ora lo dirò in tutta confidenze ch'Egli è il S.r Cavgl. Girodet che rapresenterà Pigmalione, grande al naturale, nel momento, che la sua statua viene animata. Egli ne fà i più gran studi, e mi lusinga, che riuscirà un'opera superiore. »

12. Pelissier, 1896, t. IV, p. 11.

13. Mazzocca, 1981, p. 265 : « Anche il celebre Girodet travaglia con indefesso sapiente zelo al *Pygmalione* animante il *Tersicore*. » La statue, qui était à l'origine un portrait d'Alexandrine de Bleschamp, seconde femme de Lucien Bonaparte, en Muse, est conservée à la Fondazione Magnani-Rocca, à Corte di Mamiano di Traversetolo, près de Parme.

14. Crow, 1997, p. 330-331.

15. Mazzocca, 1981, p. 265 : « Il Sig. Cavagl. Girodet non ha potuto finire a tempo per mettere all'Esposizione del *Louvre* il mio quadro rappresentante Pigmalione (Canova) sorpreso dalla vitalita della sua statua (La Musa) ; ma sarà per l'Esposizione del venturo anno. »

16. Mazzocca, 1981, p. 268.

17. Coupin, 1825, p. 9-10.

18. Quatremère de Quincy, 1834, p. 328.

19. Wettlaufer, 2001, p. 106.

20. Montaiglon, 1879, p. 300 (nous traduisons).

21. Montaiglon, 1879, p. 305 (*id.*).

22. Publiée par Jouin, 1900, p. 47 et moins fidèlement par Recouvreur, 1935, p. 12-13.

23. Delécluze, 1855, p. 269-270 ; Whiteley, 1975, p. 771. Borowitz (1980, p. 261) en déduit que cette pratique dérive vraisemblablement de la coutume qu'avaient les touristes, à Rome, de voir les antiques de nuit, éclairées à la torche. L'absence d'ombres, volontaire, dans le tableau de Girodet contredit cette idée.

24. Un dessin de Granet (1849) représente *La Mort éteignant la lampe tandis que Girodet peint Pygmalion et Galatée* (Aix-en-Provence, musée Granet) [ill. 30].

25. Coupin, 1829, p. xlix-l.

26. Delécluze, 1855, p. 271.

27. L'inventaire après décès de Girodet a été publié par Lemeux-Fraitot (2002) et par Voignier (2005) ; ce dernier a reproduit également le catalogue de la vente de l'atelier le 11 avril 1825 et le procès-verbal de celle-ci, qui permet seul de préciser la plupart des acquéreurs.

28. On connaît la « photo-chromie inaltérable » d'un tableautin qui semble peint sur bois et fortement gercé, dont les principales différences avec le tableau sont la coiffure de Galatée, ceinte d'un bandeau clair, et sa jambe droite non fléchie. Est-il de la main de Girodet ? Une « répétition réduite », toile, 33 x 24,5 cm, à Paris, hôtel Drouot, le 22 mars 1971, n° 14, « attribué à » Girodet ; une petite peinture sur bois, sans autre variante notable que le trépied placé à droite, dans une vente sans catalogue, hôtel Drouot, salle 2 (Eric Couturier), 6 juillet 2001, reproduite dans la *Gazette de l'Hôtel Drouot* n° 26, 29 juin 2001, p. 100. Une « aquarelle sur trait de crayon noir, 27,5 x 20 cm » en vente au Nouveau Drouot, salle 4 (Audap, Godeau, Solanet), 20 octobre 1988, n° 104 comme Girodet, présentait « de légères différences de composition, mains, boucles et drapé chez Pygmalion, tête de l'Amour et coiffure chez Galatée ».

29. Voignier, 2005, p. 63, 100, 140. Coupin (1829, p. lxviii) écrit qu'elle « appartient à M. Jacob ». Lemeux-Fraitot (2002, p. 352) donne J. Lafitte comme acquéreur. Sa description correspond à une toile (74 x 60 cm), signalée en 1999 dans le commerce d'art. Pygmalion y a les cheveux courts, sans fleurs ni ruban, et sa main gauche est plus proche de son visage.

30. Voignier, 2005, p. 98, 136.

31. Ce détail exclut les exemplaires connus. Le 14 février 1825, le graveur Léon Noël s'engage envers Becquerel-Despréaux à lithographier une « tête de femme de M. Girodet [...] dont la tête est couverte d'un voile blanc, qui aura pour titre troisième étude pour le tableau de Galatée ».

32. Le commentaire de Coupin se trouve presque dans les mêmes termes en annotation au n° 52 du catalogue de la vente Girodet conservé à la bibliothèque centrale des Musées nationaux. On a confondu ce tableau avec celui acquis par Valdeau, pour 661 francs qui est le n° 35 (Voignier, 2005, p. 96), et n'a aucun rapport avec la tête de Galatée (légué en 1836 par Valdeau, Montpellier, musée Fabre, inv. 836.4.18).

33. Voignier, 2005, p. 98, 141.

34. Qui eut lieu à Paris, hôtel Drouot, salle 2, 28 avril 1857, n° 33 (Lemeux-Fraitot, 2002, p. 375). D'autres versions de même format au musée des Beaux-Arts de Lyon (legs Roccofort de Vinnière, 1841 : attribué à Girodet ; Levitine, 1965, p. 231, fig. 2) ; à une vente Christie's, Londres, 19 juin 1981, n° 54, puis Sotheby's New York, 23 janvier 2004, n° 115 ; à une vente Sotheby's, Monaco, 21 juin 1986, n° 218 (« entourage de Girodet, *Portrait de Lise.* ») ; au musée Girodet de Montargis (inv. 989.11, acquis à Orléans en 1989).

35. Voignier, 2005, p. 75, 106 n° 396.

36. *Ibidem*, p. 97.

37. *Ibidem*, p. 105 n° 339.

38. *Ibidem*, p. 106 n° 391 : « Tête, sujet de Galatée » selon le procès-verbal.

39. *Ibidem*, p. 97 n° 57.

40. *Ibidem*, p. 102, n° 288.

41. *Ibidem*, p. 105 n° 341.

42. *Ibidem*, p. 97 n° 61 et 100 n° 206.

43. *Ibidem*, p. 105 n° 359.

44. *Ibidem*, p. 73 n° 285, 106 n° 374.

45. On ne distingue guère sur la toile les « menues aspérités » dont parle Crow (1997, p. 338).

46. À la vente « Ruxthiel » (le sculpteur H.-J. Rutxhiel, 1775-1837), Paris, 21 mars 1833, repoussée au 9 avril, le n° 89 est « Une Vénus. – Debout et inclinée en avant. Ce petit bronze, dont la tête est ornée d'un diadème, a inspiré à M. Girodet la figure de son tableau de Pygmalion. »

47. P. C., *Description...*, 1819, p. 6. *Journal des débats*, 5 novembre 1819 (Levitine 1952 [1978], p. 388). Cette présentation eut lieu le 4 novembre et non le 4 août, et le roi ne vint pas dans l'atelier de l'artiste. Wettlaufer (2001, p. 272, note 38) a corrigé cette double erreur souvent répétée.

48. Evariste, 10 novembre 1819, p. 508-510 (cité par Batier, 2002, p. 3, note 10 et p. 5-6, note 18).

49. Publié par Porée, 1907.

50. Pélissier, 1896, t. IV, p. 17-18.

cat. 137 **Galatée et l'Amour**
crayons noir et blanc, 54 x 37,5 cm
signé des initiales et daté en bas à gauche : G T 1813
New York, collection particulière

Hist. Sans doute le n° 126 de la vente posthume de Girodet,
11 avril 1824 :«Groupe, d'après nature, au crayon noir et à l'estompe, sur papier blanc; l'Amour et Galatée.»; Langlacé; Paris,
vente hôtel Drouot, 17-18 novembre 1986, n° 56; New York,
commerce d'art.
Exp. New York, 1994, Feigen, n° 23.

cat. 138 **Académie dessinée de femme
(pour Pygmalion et Galatée ?)**
Crayon noir, 60 x 45,5 cm
Collection particulière

Hist. collection Becquerel-Despréaux.

**cat. 139 Étude de femme,
d'après nature, pour Galatée**

1813

Crayon noir et craie blanche sur papier beige, 20 x 16,5 cm

Lisbonne, Museu Nacional de Arte Antiga, inv. 1622

Hist. don du 1er Vicomte et 1er Comte de Carvalhido en 1895 au Museu de Belas Artes et Archeologia (ancienne dénomination de l'actuel musée).

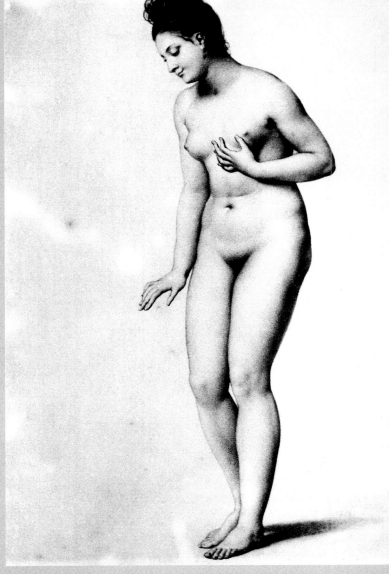

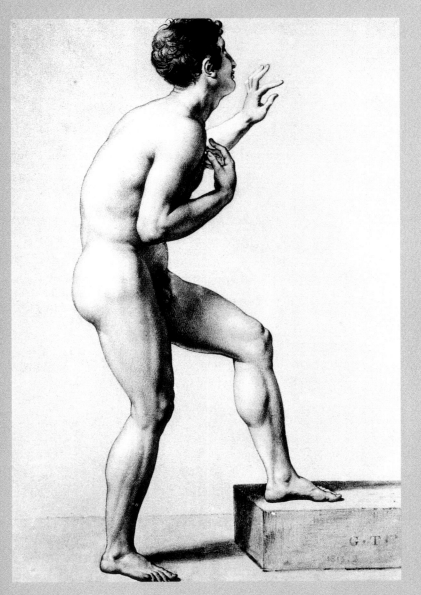

**cat.140 Étude d'homme,
d'après nature, pour Pygmalion**

1813

Fusain et craie blanche sur papier beige

20 x 16,5 cm

Monogrammé et daté sur le bord piédestal droit : Gx Tx 1813

Lisbonne, Museu Nacional de Arte Antiga, inv. 1621

Hist. don du 1er vicomte et 1er comte de Carvalhido en 1895 au Museu de Belas Artes et Archeologia (ancienne dénomination de l'actuel musée).

cat. 141 **Académie dessinée de femme (pour Pygmalion et Galatée)**

Contre-épreuve retravaillée au crayon noir, 56,3 x 38,8 cm

Signé en bas à gauche : G T★

Orléans, musée des Beaux-Arts, inv. 745

Hist. Peut-être partie du n° 343 de la vente posthume de Girodet, 11 avril 1825 : «Quatre contre-épreuves; études pour le tableau de Pygmalion»; don Antoine-César Becquerel, entre 1849 et 1851.

Bibl. Levitine, 1952 [1978], p. 387, n. 3, ill. 127; Levitine, 1965, p. 234, 232 ill. 4; Korchane, 199/, p. 86-88, n° 19

Cette feuille est la contre-épreuve du dessin inédit[1] conservé au Museu Nacional de Arte antiga de Lisbonne (inv. 1662 ; cat. 139), lequel figure à la vente posthume de Girodet, 11 avril 1825, n° 127 : «Étude de femme, d'après nature, au crayon noir, sur papier blanc et à l'estompe, pour la Galatée», adjugé 230 francs à «Da Gama Machado, place Vendôme n° 6[2]». La date que porte son pendant **(cat. 140)** est la même que celle du dessin de *Galatée et l'Amour* : 1813 **(cat. 135)**. Dans ce dernier, le modèle (est-ce «la belle Elisabeth»?[3]), aux yeux ouverts, aux cheveux clairs, bouclés et défaits, présente déjà l'attitude du tableau, sauf l'avant-bras et la main gauches, qui sont corrigés dans la feuille de Lisbonne. Celle-ci organise la coiffure, plus sombre, qui se relève en coque sur le sommet du crâne, et montre les paupières baissées.

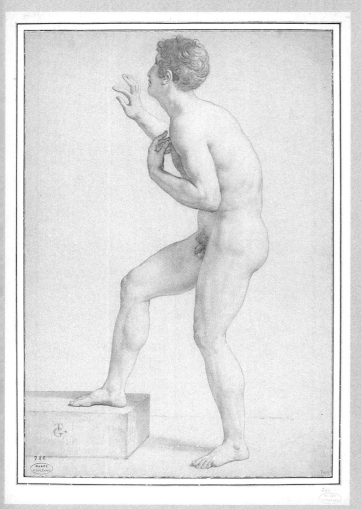

cat. 142 **Académie dessinée d'homme (pour Pygmalion et Galatée)**

Contre-épreuve retravaillée au crayon noir, 56,3 x 38,8 cm

Signé en bas à gauche : G T★; daté à l'envers : 1813

Orléans, musée des Beaux-Arts, inv. 746

Hist. voir le n° 136.
Bibl. Levitine, 1952 [1978], p. 387, note 3, ill. 128 ; Levitine, 1965, p. 234, 232, ill. 3, 245 note 9; Korchane, 199/, p. 86-88, n° 20.

Cette feuille est la contre-épreuve du dessin conservé au Museu Nacional de Arte antiga de Lisbonne (inv. 1661 ; **(cat. 140)**), signé des initiales et daté 1813, qui figure à la vente posthume de Girodet, 11 avril 1825, n° 128 : «Etude d'homme, d'après nature, pour Pygmalion, au crayon noir et à l'estompe, sur papier blanc.», adjugé 150 francs à «Da Gama Machado, place Vendôme n° 6[4]».

Notes

[1]. Repéré, avec son pendant [cat. 140] par le signataire en juillet 1987. Le nom portugais de son acquéreur à la vente de 1825 explique sa présence à Lisbonne.
[2]. Voignier, 2005, p. 96 n° 35.
[3]. *Ibidem*, p. 93-94 donne l'historique de son portrait peint, ovale, qui fut vendu 9350 fr. en 1825 (n° 15) et reproduit la lithographie d'Aubry-Lecomte [ill. 87.2, ill. 2]. Coupin date de 1808 l'œuvre, disparue depuis 1873.
[4]. Voignier, 2005, p. 96 n° 37.

Annexes

Liste des œuvres exposées et des illustrations avec les crédits photographiques

Cette liste des œuvres exposées comporte les lieux d'exposition (Paris, Chicago, New York, Montréal), sauf modification de dernière minute.
On y trouvera également l'indication des pages des numéros de catalogue placées ailleurs dans le livre, suivie de la liste des illustrations.

cat. 1 Girodet, *Académie d'homme assis le bras levé*. Sanguine sur vélin, 68 x 45 cm. Montargis, musée Girodet, inv. 885-25. Photo © Jacques Faujour. **New York, Montréal.**

cat. 2 Girodet, *Académie d'homme assis tournant la tête*. Fusain, pierre noire et rehauts de craie sur vergé bistre, 54 x 40,5 cm. Montargis, musée Girodet, inv. 885-26. Photo © Jacques Faujour. **Paris, Chicago.**

cat. 3 David, *Le Serment des Horaces*, 1786. Huile sur toile, 130,2 x 166,2 cm. Toledo Museum of Art, Purchased with funds from the Libbey Endowment, Gift of Edward Drummond Libbey, inv. 1950.308. Photo © Toledo Museum of Art. **Paris, Chicago, New York.**

cat. 4 Girodet, *Nabuchodonosor fait tuer les enfants de Sédécias en présence de leur père*, 1787. Huile sur toile, 115 x 147 cm. Le Mans, musée Tessé, inv. 10-711. Photo du musée. **Paris, Chicago, New York, Montréal.**

cat. 5 Girodet, *La Mort de Tatius (Romulus faisant tuer Tatius)*, 1788. Huile sur toile, 135 x 147 cm. Angers, musée des Beaux-Arts, inv. MBAJ. Photo © Musées d'Angers / Pierre David. **Paris, Chicago, New York, Montréal.**

cat. 6 Girodet, *Joseph reconnu par de ses frères*, 1789. Huile sur toile, 120 x 155 cm. Paris, École nationale des beaux-arts, inv. EBA 2926. Photo © École nationale supérieure des beaux-arts, Paris. **Paris, Chicago, New York, Montréal.**

cat. 7 Girodet, *Joseph reconnu par ses frères (étude d'ensemble)*, 1789. Pierre noire et rehauts de craie blanche sur papier beige, 33 x 47 cm. Montargis, musée Girodet, inv. 874-147. Photo © Jacques Faujour. **Chicago, New York.**

cat. 8 Girodet, *Joseph reconnu par ses frères (étude dessinée des trois frères)*, 1789. Pierre noire et rehauts de craie blanche sur papier bistre, 36 x 49 cm. Montargis, musée Girodet, inv. 874-13.148. Photo © Jacques Faujour. **New York, Montréal.**

cat. 9 Girodet, *Le Christ mort soutenu par la Vierge*, 1789. Huile sur toile, 335 x 235 cm. Montesquieu-Volvestre (Haute-Garonne), église Saint-Victor, inv. PM31000418 (MH). Photo © Virlogeux / l'atelier photographique, Châlette-sur-Loing. **Paris, Chicago, New York, Montréal.**

cat. 10 Girodet, *Le Sommeil d'Endymion*, dit aussi *Endymion, effet de lune*, 1791. Huile sur toile, 198 x 261 cm. Paris, musée du Louvre, inv. 4935. Photo © RMN/ R.-G. Ojéda.

Paris, Chicago, New York, Montréal.

cat. 11 Girodet, *Le Sommeil d'Endymion* (esquisse). Huile sur toile, 56 x 48,6 cm. Paris, musée du Louvre, RF 2152. Photo © RMN/ H. Lewandowski. **Paris, Chicago, New York, Montréal.**

cat. 12 [Reproduit p. 28] *La Mort de Pyrrhus*, vers 1790-1793. Huile sur papier marouflé sur toile, 26 x 38 cm. Coll. part. Photo © Richard L. Feigen & Co., New York. **Paris, Chicago, New York, Montréal.**

cat. 13 [Reproduit p. 29] *La Mort de Pyrrhus*, vers 1790-1793. Crayon noir sur papier, 18 x 26, 6 cm. Coll. part. Photo © Richard L. Feigen & Co., New York. **Paris, Chicago, New York, Montréal.**

cat. 14 Girodet, *Hippocrate refusant les présents d'Artaxerxès*, 1792. Huile sur toile, 99,5 x 135 cm. Paris, faculté de Médecine, musée d'Histoire de la médecine. Photo D.R. **Paris, Chicago, New York, Montréal.**

cat. 15 Girodet, *Paysage, vue des Alpes*. Huile sur toile, 26 x 36 cm. Montargis, Musée Girodet, inv. 37.16. Photo du musée. **Chicago, New York, Montréal.**

cat. 16 Girodet, *Vue du Vésuve et du Mas d'Anjou*. Huile sur toile, 24,5 x 38 cm. Coll. part. Photo D.R. **Paris, Chicago, New York, Montréal.**

cat. 17 Girodet, *Paysage d'Italie, vue de Capri*. Huile sur papier marouflé sur bois, 27,9 x 35,6 cm. Montargis, musée Girodet, inv. 94.1.1. Photo © Jacques Faujour. **Paris, Chicago, New York, Montréal.**

cat. 18 [Reproduit p. 99] Girodet, *Autoportrait au foulard et au chapeau*, vers 1790. Crayon noir, craie noire et rehauts de blanc, 21,6 x 17,5 cm. Cleveland, The Cleveland Museum of Art, Delia E. Holden Found, inv. 1978-79. Photo © The Cleveland Museum of Art. **New York, Montréal.**

cat. 19 [Reproduit p. 103] Girodet, *Portrait de l'artiste*. Huile sur toile, 49 x 37 cm. Versailles, musée national des châteaux de Versailles et de Trianon, inv. 4642. Photo © RMN / G. Blot. **Paris, Chicago, New York, Montréal.**

cat. 20 [Reproduit p. 105] Girodet, *Autoportrait en buste, de profil gauche*. Fusain et estompe sur papier, 25 x 20 cm. Paris, musée du Louvre, dépôt des Arts graphiques, inv. RF 36-152. Photo © RMN / J.-G. Berizzi. **Paris, Chicago.**

cat. 21 Girodet, *L'Apothéose des héros français morts pour la Patrie pendant la guerre de la Liberté*. Huile sur toile, 192 x 182 cm. Rueil-Malmaison, musée national des châteaux de Malmaison et de Bois-Préau, inv. MM. 40.47.695. Photo © RMN. **Paris, Chicago, New York, Montréal**

cat. 22 Girodet, *Les Ombres des héros français reçus par Ossian dans le paradis d'Odin*. Huile sur bois, 34 x 29 cm. Paris, musée du Louvre, inv. 2359. Photo © RMN / H. Lewandowski. **Paris, Chicago, New York, Montréal.**

cat. 23 Girodet, *Le Songe d'Ossian*. Crayon noir et rehauts de blanc sur papier calque avec bande rapportée sur le haut et sur le bas, 44,6 x 35,2 cm. Coll. part. Photo © Ph. Bernard. **Paris, Chicago, New York, Montréal.**

cat. 24 Girodet, *Le Paradis d'Ossian accueille un héros*. Crayon noir, lavis d'encre de chine et de sépia, avec rehauts de gouache, 22 x 31 cm (plusieurs feuilles raccordées). Coll. part. Photo D.R. **Paris, Chicago, New York, Montréal.**

cat. 25 Girodet, *Le Chant d'Evirallina à la fête de Selma*. Pierre noire, lavis gris et brun, rehauts de blanc, plume, crayon, 20,8 x 25,5 cm. Montargis, musée Girodet, inv. 71-17, n° 1. Photo du musée. **Chicago, New York.**

cat. 26 Girodet, *Les Ombres d'Evirallina et d'Oscar glissant dans le vent du soir*. Pierre noire, lavis brun et noir, rehauts de blanc, 21,1 x 17,7 cm. Montargis, musée Girodet, inv. 71.15. Photo du musée. **Paris, Chicago.**

cat. 27 Girodet, *Fingal devant le cadavre de Fillan*. Pierre noire, lavis gris et brun, rehauts de blanc, plume, crayon, 22,5 x 18,5 cm. Montargis, musée Girodet, inv. 71-14. Photo du musée. **New York, Montréal.**

cat. 28 Girodet, *La Mort d'Ossian*. Pierre noire, lavis gris et brun, rehauts de blanc, plume, crayon, 21 x 24,9 cm. Montargis, musée Girodet, inv. 71-16. Photo du musée. **Paris, New York.**

cat. 29 Girodet, *Le Chant d'Armin pleurant ses enfants*. Lavis gris, rehauts de blanc, plume, crayon, 15,3 x 21 cm. Montargis, musée Girodet, inv. 71.13. Photo du musée. **New York, Montréal.**

cat. 30 Girodet, *L'Ombre de Malvina parvient au palais aérien de Fingal*. Pierre noire, lavis gris et brun, rehauts de blanc, plume, crayon, 18,7 x 25,2 cm. Montargis, musée Girodet, inv. 71-20. Photo du musée. **Paris, New York.**

cat. 31 Girodet, *Erath, Daura et Arindal*. Pierre noire, lavis de sépia et rehauts de blanc sur papier, 20,5 x 29,3 cm. Coll. part. Photo D.R. **Paris, Chicago, New York, Montréal.**

cat. 32 Girodet, *Le Songe de Connal*. Pierre noire, lavis gris et brun, rehauts de blanc, plume, crayon, 18,5 x 24,8 cm. Montargis, musée Girodet, inv. 71-18. Photo du musée. **New York, Montréal.**

cat. 33 Girodet, *Les Ombres entraînent Oscar au palais de Trenmor*. Pierre noire, plume et encre brune, lavis de sépia et rehauts de blanc, 18 x 23 cm. Coll. part. Photo D.R. **Paris, Chicago, New York, Montréal.**

cat. 34 Girodet, *Fingal pleurant la mort de Malvina*. Pierre noire, lavis noir et brun, rehauts de blanc sur papier, 18,4 x 25,7 cm. Coll. part. Photo D.R. **Paris, Chicago, New York, Montréal.**

cat. 35 Girodet, *Danaé*, 1798. Huile sur toile, 170 x 87,5 cm. Leipzig, Museum der Bildenden Künste, inv. NR. 93. Photo © Maertens. **Paris, Chicago, New York, Montréal.**

cat. 36 Girodet, *Le Printemps*, 1800-1802. Huile sur toile, 146 x 80,5 cm. Aranjuez, Real Casa del Labrador, cabinet de platine. Photo © Patrimonio Nacional. **Paris, Chicago.**

cat. 37 Girodet, *L'Été*, 1800-1802. Huile sur toile, 146 x 80,5 cm. Aranjuez, Real Casa del Labrador, cabinet de platine. Photo © Patrimonio Nacional. **Paris, Chicago.**

cat. 38 Girodet, *Esquisses pour les quatre saisons d'Aranjuez*. Quatre panneaux montés dans un même cadre (61, 5 x 74 cm). A) Le Printemps, huile sur bois, 26,7 x 20,9 cm. B) L'Été, huile sur bois, 26,6 x 21,4 cm. C) L'Automne, huile sur bois, 27 x 21,2 cm. D) L'Hiver, huile sur bois, 27 x 21,4 cm. Coll. part. Photo © Shepherd Gallery, New York. **Chicago, New York, Montréal.**

cat. 39 Girodet, *L'Automne*. Huile sur toile, 184 x 68 cm. Compiègne, musée national du Château, inv. 4954. Photo © RMN / D. Arnaudet. **Paris, Chicago, New York, Montréal.**

cat. 40 Girodet, *L'Hiver*. Huile sur toile, 184 x 68 cm. Compiègne, musée national du Château, inv. 4955. Photo © RMN / F. Roux. **Paris, Chicago, New York, Montréal.**

cat. 41 Girodet, *Mademoiselle Lange en Danaé*, dit aussi *Danaé, fille d'Arcrise*, 1799. Huile sur toile, 64,8 x 54 cm. Minneapolis, The Minneapolis Institute of Art, The William Hood Dunwoody Fund, inv. 69.22. Photo © The Minneapolis Institute of Art. **Paris, Chicago, New York, Montréal.**

cat. 42 Girodet, *Une scène de déluge*. Huile sur toile, 441 x 341 cm. Paris, musée du Louvre, inv. 4934. Photo © RMN / R.-G. Ojéda. **Paris.**

cat. 43 Girodet, *Une scène de déluge*. Huile sur toile, 147 x 114,5 cm. Montargis, musée Girodet, inv. 37.5. Photo du musée. **Chicago, New York, Montréal.**

cat. 44 Girodet, *Une scène de déluge* (esquisse). Huile sur bois (une seule planche de noyer), 44,5 x 37 cm. Paris, musée du Louvre, inv. R.F. 2001-15. Photo © RMN / H. Lewandowski. **Paris, Chicago, New York, Montréal.**

cat. 45 Girodet, *Étude pour L'homme portant son père sur son dos*. Pierre noire et rehauts de blanc sur papier chamois, 53,8 x 39,4 cm. Paris, musée du Louvre, département des Arts graphiques, inv. RF 3975. Photo © RMN / M. Bellot. **Paris, Chicago.**

cat. 46 Girodet, *Homme portant son père sur son dos*. Pierre noire et rehauts de craie blanche sur papier beige, 56 x 41,8 cm. Paris, École nationale supérieure des beaux-arts, EBA 1021. Photo © ENSBA. **New York.**

cat. 47 Girodet, *Étude pour L'enfant s'accrochant à sa mère*. Crayon noir et craie sur papier gris, 56,2 x 39,5 cm. Paris, École nationale supérieure des beaux-arts, EBA 1023. Photo © ENSBA. **New York.**

cat. 48 Girodet, *Étude pour La mère*. Mine de plomb et rehauts de craie blanche sur papier gris, 53,7 x 43,9 cm. Paris, École nationale supérieure des beaux-arts, EBA 1022. Photo © ENSBA. **Montréal.**

cat. 49 Girodet, *Étude pour L'Enfant et sa mère*. Crayons noir et blanc ou fusain et estompe, pierre noire sur vélin, 60 x

44,5 cm. Montargis, musée Girodet, inv. 82.9. Photo du musée. **Paris, Chicago.**

cat. 50 Girodet, *Étude de draperie.* Crayon noir et craie blanche sur papier avec rajout d'une bande de papier le long du bord inférieur, 47,8 x 56 cm. Nantes, musée des Beaux-Arts, inv. 1523. Photo © Ville de Nantes, musée des Beaux-Arts/C. Clos. **Paris, New York.**

cat. 51 Girodet, *Atala au tombeau, dit aussi Les Funérailles d'Atala,* 1808. Huile sur toile, 207 x 267 cm. Paris, musée du Louvre, inv. RF4958. Photo © RMN / R.-G. Ojeda. **Paris.**

cat. 52 Girodet, *Atala au tombeau, dit aussi Les Funérailles d'Atala.* Huile sur toile, 210 x 267 cm. Montargis, musée Girodet, dépôt du musée du Louvre, inv. RF 4959. Photo © Jacques Faujour. **Chicago, New York, Montréal.**

cat. 53 Girodet, *Atala au tombeau.* Plume et encre brune sur mine de plomb sur papier vergé (filigrane), 32,8 x 42,5 cm. Ottawa, National Gallery of Canada, inv. 17288. Photo © Musée des beaux-arts du Canada, Ottawa. **Paris, Chicago, New York, Montréal.**

cat. 54 Girodet, *Chactas embrassant les jambes d'Atala.* Pierre noire, estompe et rehauts de blanc sur papier beige, 42,8 x 59,5 cm. Paris, musée du Louvre, département des Arts graphiques, inv. RF 3974. Photo © RMN / Th. Le Mage. **Paris, Chicago.**

cat. 55 Girodet, *La Révolte du Caire,* 1810. Huile sur toile, 339 x 507 cm. Versailles, musée national des châteaux de Versailles et de Trianon, inv. MV 1497. Photo © RMN / D. Arnaudet / J. Schormans. **Paris.**

cat. 56 Girodet, *La Révolte du Caire,* esquisse préparatoire. Huile sur papier marouflée sur papier et toile, 15,4 x 23,4 cm. Cleveland, The Cleveland Museum of Art, Gift of Eugene Victor Thaw, inv. 1965-310. Photo © The Cleveland Museum of Art. **Chicago, New York, Montréal.**

cat. 57 Girodet, *La Révolte du Caire,* esquisse préparatoire. Huile sur papier marouflée sur toile, 30,8 x 45,1 cm. Chicago, The Art Institute, inv. 1999.384. Photo © The Art Institute of Chicago. **Paris, Chicago, New York, Montréal.**

cat. 58 Girodet, *Homme noir tenant une tête décapitée,* étude pour *La Révolte du Caire.* Pastel et fusain sur papier bistre, 54,5 x 66,3 cm. Avallon, musée de l'Avallonais. Photo © Gérard Deroude. **New York.**

cat. 59 Girodet, *Combat d'un hussard et d'un Oriental,* étude dessinée pour *La Révolte du Caire.* Gouache et pastel sur papier, 59 x 45 cm. Paris, musée du Louvre, département des Arts graphiques, inv. RF 1468. Photo © Musée du Louvre / Martine Beck Coppola. **Paris, Chicago.**

cat. 60 Girodet, *Oriental debout, renversé,* étude dessinée pour *La Révolte du Caire.* Crayons de couleur, pastel et estompe sur papier beige, 46 x 30 cm. Paris, musée du Louvre, département des Arts graphiques, RF 26781. Photo © RMN / Th. Le Mage. **Paris, Chicago.**

cat. 61 Girodet, *Oriental tenant un pistolet,* étude pour *La Révolte du Caire.* Pierre noire, rehauts de craie blanche et de pastels de couleur sur papier vélin bistre, 22,5 x 20 cm. Montargis, musée Girodet, inv. 885-22. Photo du musée. **Chicago, New York.**

cat. 62 Girodet, *Oriental brandissant sa lance et son bouclier,* étude pour *La Révolte du Caire.* Pierre noire, fusain et estompe avec rehauts de blanc et de pastel sur papier beige, 31 x 41 cm. Paris, collection Louis-Antoine Prat. Photo D.R. **Chicago.**

cat. 63 Girodet, *Hussard et Oriental luttant,* étude pour *La Révolte du Caire.* Craies noire, blanche et bleue sur papier, monté sur papier, 45,5 x 41,2 cm (50,4 x 45,2 cm avec second support). Cleveland, The Cleveland Museum of Art, J. H. Wade Fund, inv. 1973.172. Photo © The Cleveland Museum of Art. **Chicago, New York, Montréal.**

cat. 64 Girodet, *Oriental debout tourné vers la droite,* étude dessinée pour *La Révolte du Caire.* Fusain, pastel, craie blanche et estompe sur papier gris, 42,9 x 27,2 cm. Paris,

collection Louis-Antoine Prat. Photo © Gallimard / C. Hélie. **Paris, Chicago.**

cat. 65 Girodet, *Oriental debout se tenant contre une colonne avec la tête tournée vers la gauche* et *Étude de main,* études pour *La Révolte du Caire.* Craie noire, blanche et rouge sur papier tanné, 28,5 x 37,1 cm. Coll. part. Photo D.R. **Paris, Chicago, New York, Montréal.**

cat. 66 Girodet, *Portrait du citoyen Belley, ex-représentant des Colonies.* Huile sur toile, 159 x 111 cm. Versailles, musée national des châteaux de Versailles et de Trianon, inv. MV 4616 (inv. 4962 [LP 105]). Photo © RMN / Gérard Blot. **Paris, Chicago, New York, Montréal.**

cat. 67 Girodet, *Portrait de Chateaubriand, dit aussi Un homme méditant sur les ruines de Rome.* Huile sur toile, 120 x 96 cm. Saint-Malo, musée d'Histoire et d'Ethnographie, inv. MSM 50.17.1. Photo © Michel Dupuis, Ville de Saint-Malo. **Paris, Chicago, New York, Montréal.**

cat. 68 Girodet, *Portrait de Giuseppe Fravega,* 1795. Huile sur toile, 56 x 48,5 cm. Marseille, musée des Beaux-Arts, inv. 286. Photo © Jean Bernard. **Paris, Chicago, New York, Montréal.**

cat. 69 Girodet, *Portrait du comte de Sèze,* 1806. Huile sur toile, 115 x 88 cm. Coll. part. Photo © Basset. **Paris, Chicago, New York, Montréal.**

cat. 70 Girodet, *Jacques Cathelineau (1759-1793), généralissime de la grande armée catholique et royale,* 1824. Huile sur toile, 226 x 156 cm. Cholet, musée d'Art et d'Histoire, inv. 915.005 ; dépôt du musée national des châteaux de Versailles et de Trianon, inv. 5258. Photo © RMN / Gérard Blot. **Paris, Chicago, New York, Montréal.**

cat. 71 Girodet, *Napoléon en costume impérial.* Huile sur toile, 261 x 184 cm. Coll. part. Photo © RMN / Gérard Blot. **Paris.**

cat. 72 Girodet, *Napoléon en costume impérial.* Huile sur toile, 251 x 179 cm. Barnard Castle, County Durham, The Bowes Museum, inv. BM.364. Photo © The Bowes Museum. **Chicago, New York, Montréal.**

cat. 73 Girodet, *Trois têtes d'étude de Napoléon à Saint-Cloud en 1812.* Crayon et craie noire, estompe, avec rehauts de blanc sur papier beige, 32,9 cm x 38,9 cm. Coll. part. Photo D.R. **Paris.**

cat. 74 Girodet, *Étude de nu pour le Portrait de Napoléon en costume de sacre.* Crayon et craie noire, estompe, avec rehauts de blanc sur papier beige, 56,9 x 41,3 cm. Paris, musée du Louvre, département des Arts graphiques, inv. RF 34527. Photo © RMN / Gérard Blot. **New York, Montréal.**

cat. 75 Girodet, *Étude pour le grand collier de la Légion d'honneur.* Fusain, estompe, avec rehauts de blanc sur papier beige, 39,2 x 52,7 cm. Paris, musée du Louvre, département des Arts graphiques, inv. RF 34530. Photo © RMN / Gérard Blot. **New York, Montréal.**

cat. 76 Girodet, *Étude pour le manteau du portrait de Napoléon en costume de sacre, dit aussi Homme en costume impérial.* Crayon noir, craie noire, rehauts de blanc sur papier beige, 57,2 x 43,1 cm. Paris, musée du Louvre, département des Arts graphiques, inv. RF 34528. Photo © RMN. **New York, Montréal.**

cat. 77 Girodet, *Benoît Agnès Trioson regardant des figures dans un livre.* Huile sur toile, 73 x 59 cm. Montargis, musée Girodet, inv. 988.27. Photo du musée. **Paris, Chicago, New York, Montréal.**

cat. 78 Girodet, *Jeune Enfant étudiant son rudiment, ou Benoît Agnès Trioson étudiant son rudiment,* 1800. Huile sur toile, 73 x 59,5 cm. Paris, musée du Louvre, inv. R.F. 1991-13. Photo © RMN / H. Lewandowski. **Paris, Chicago, New York, Montréal.**

cat. 79 Girodet, *La Leçon de géographie.* Huile sur toile, 101 x 79 cm. Montargis, musée Girodet, inv. 005.1.1. Photo © J. Faujour. **Paris, Chicago, New York, Montréal.**

cat. 80 Girodet, *Portrait du docteur Trioson en redingote*

blanche, 1802. Huile sur toile, 67 x 56,5 cm. Montargis, musée Girodet, inv. 988-29. Photo © Jacques Faujour. **Paris, Chicago, New York, Montréal.**

cat. 81 Girodet, *Portrait du katchef Dahouth, mameluck chrétien de la Géorgie, âgé de plus de 70 ans,* 1804. Huile sur toile, 145 x 113 cm. Chicago, The Art Institute, Charles H. and Mary F. S. Worcester collection ; through prior gift of Frank H. and Louise B. Woods, 1987-260. Photo © Chicago, The Art Institute of Chicago. **Chicago, New York, Montréal.**

cat. 82 Girodet, *Un Indien,* 1807. Huile sur toile, 145 x 113 cm. Montargis, musée Girodet, inv. 988-2. Photo © J. Faujour. **Paris, Chicago, New York, Montréal.**

cat. 83 Girodet, *Un Indien* (esquisse). Huile sur toile, 40,6 x 32,7 cm. New York, The Metropolitan Museum of Art, inv. 1997-371. Photo © 1997 The Metropolitan Museum of Art. **Paris, Chicago, New York, Montréal.**

cat. 84 Girodet, *Portrait de Mustapha,* 1819. Huile sur toile, 56 x 46 cm. Montargis, musée Girodet, inv. 988-28. Photo © J. Faujour. **Paris, Chicago, New York, Montréal.**

cat. 85 Girodet, *Portrait de Mardochée,* 1824. Huile sur toile, 59 x 46 cm. Coll.part. Photo D.R. **Paris, Chicago, New York, Montréal.**

cat. 86 Girodet, *Tête d'Oriental (Tête de Turc).* Craie noire, pastel et sanguine sur papier gris, 58 x 45 cm. Paris, musée du Louvre, inv. RF 1705. Photo © RMN. **New York, Montréal.**

cat. 87 Girodet, *Portrait dit de Notis Botzaris.* Huile sur toile, 54,9 x 46,4 cm. Coll. part. Photo D.R. **Paris, Chicago, New York, Montréal.**

cat. 88 Girodet, *Amazone.* Huile sur toile, 56 x 46,5 cm. Coll. part. Photo © Ph. Bernard. **Paris, Chicago, New York, Montréal.**

cat. 89 Girodet, *Tête de femme au turban bleu.* Huile sur toile, 40 x 32,8 cm. Coll. part. Photo © Ph. Bernard. **Paris, Chicago, New York, Montréal.**

cat. 90 Girodet, *Odalisque.* Huile sur toile, 40,7 x 32,8 cm. Montargis, musée Girodet, inv. 987-2. Photo du musée. **Paris, Chicago, New York, Montréal.**

cat. 91 Girodet, *Portrait de jeune homme en chasseur.* Huile sur toile, 64,5 x 54,5 cm. Paris, musée du Louvre, don de la Société des Amis du Louvre, RF 1994-7. Photo © RMN / D. Arnaudet. **Paris.**

cat. 92 Girodet, *Portrait de Benjamin Rolland,* 1816. Huile sur bois, 64 x 53 cm. Grenoble, musée de Grenoble, inv. MG 156. Photo © Musée de Grenoble. **Paris, Chicago, New York, Montréal.**

cat. 93 Girodet, *Portrait du citoyen Bourgeon.* Huile sur toile, 92 x 172 cm. Saint-Omer, musée de l'hôtel Sandelin, don de la baronne Joseph du Teil Chaix-d'Est Ange, inv. 0264. Photo © Saint-Omer, musée de l'hôtel Sandelin / Ph. Beurtheret. **Paris.**

cat. 94 Girodet, *Portrait de la reine Hortense.* Huile sur toile, 69, 3 x 59,8 cm. Rueil-Malmaison, musée national des châteaux de Malmaison et de Bois-Préau, dépôt du Louvre, inv. MNR-158. Photo © RMN / D. Arnaudet. **Paris.**

cat. 95 Girodet, *Portrait de la reine Hortense.* Huile sur toile, 69, 9 x 49, 8 cm. Amsterdam, Rijksmuseum, inv. SK-A-4943. Photo © Rijksmuseum Amsterdam. **Chicago, New York, Montréal.**

cat. 96 Girodet, *Portrait de madame Jacques Louis Étienne Reiset,* 1823. Huile sur toile, 60 x 49 cm. New York, The Metropolitan Museum of Art, inv. 199.101. Photo © 1999, The Metropolitan Museum of Art. **Paris, Chicago, New York, Montréal.**

cat. 97 Girodet, *Portrait de madame Reiset assise,* 1819. Crayon noir, craie noire, estompe, rehauts de blanc, 51 x 37,5 cm. Coll. part. Photo © D.R. **Paris, Chicago, Montréal.**

cat. 98 Girodet, *Portrait de Madame Bertin De Vaux.* Huile sur toile, 17,6 x 91 cm. Coll. part. Photo © Ferrante Ferranti. **Paris.**

cat. 99 Girodet, *Portrait de la comtesse de Bonneval,* 1800. Huile sur toile, 105 x 80 cm. Coll. part. Photo © Perotti, Milan. **Paris, Chicago, New York, Montréal.**

cat. 100 Girodet, *Le Serment des sept chefs de Thèbes,* vers 1800. Crayon noir, pierre noire, estompe, rehauts de craie blanche, sur deux feuilles assemblées de papier vélin beige, 41,8 x 62 cm. Cleveland, The Cleveland Museum of Art, inv. 2000. 71. Photo © The Cleveland Museum of Art.

cat. 101 Girodet, *Tête du Blasphémateur.* Huile sur toile, 55 x 46 cm. Coll. part. Photo D.R. **Paris, Chicago, New York, Montréal.**

cat. 102 Girodet, *Le Combat des Troyens contre les Rutules.* Plume et encre noire sur trait de crayon, avec traces d'estompe, collé en plein sur carton, 48,8 x 73 cm. Orléans, musée des Beaux-Arts, inv. 747. Photo © Musée des Beaux-Arts, Orléans. **Paris.**

cat. 103 Girodet, *Le Christ quittant Pilate emmené par les soldats,* vers 1790. Pierre noire et rehauts de blanc sur papier vergé blanc cassé, 46 x 64,9 cm. Notre Dame, Snite Museum of Art, University of Notre Dame, Gift of Mr John D. Reilly, inv. 2000.74.7. Photo © The Snite Museum of Art, University of Notre Dame. **Paris, Chicago, New York, Montréal.**

cat. 104 Girodet, *Bayard refusant les présents de ses hostesses à Brescia,* vers 1789. Craie noire et bistre, estompe, plume et encre brune, et rehauts de blanc, sur papier vergé, 36,4 x 51,3 cm. Chicago, The Art Institute of Chicago, inv. 1990.495.Photo © The Art Institute of Chicago. **Paris, Chicago, New York, Montréal.**

cat. 105 Girodet, *Le Jugement de Midas.* Plume et encre brune, lavis brun et gris, rehauts de blanc et tracé préalable à la pierre noire sur deux feuilles de papier collées ensemble, 30,2 x 49,8 cm. Paris, musée du Louvre, département des Arts graphiques, inv. 5346. Photo © RMN / M. Bellot. **Montréal.**

cat. 106 Girodet, *Télémaque, accompagné de Mentor, raconte ses aventures à Calypso assise au milieu de ses nymphes,* vers 1810-1814. Pierre noire et rehauts de blanc sur deux feuilles de papier collées bord à bord, 24,2 x 37,8 cm. New York, Wildenstein & Company. Photo © Courtesy Wildenstein. **Chicago, New York, Montréal.**

cat. 107 Girodet, *Lamentation sur la mort de Pallas (Énéide).* Crayon noir plume, encre de Chine, lavis brun, lavis gris et rehauts de blanc, 21,5 x 16,5 cm. New York, The Metropolitan Museum of Art, The Elisha Whittelsey Fund 1996 (1996.567). Photo © The Metropolitan Museum of Art. **Paris, Chicago, New York, Montréal.**

cat. 108 Girodet, *Énée et ses compagnons abordent dans le Latium.* Lavis brun rehaussé de blanc sur traits de pierre noire, 22 x 16 cm. Montpellier, musée Fabre, inv. 836-4-255. Photo © Musée Fabre, Montpellier Agglomération / Frédéric Jaulmes. **Paris, Chicago, New York, Montréal.**

cat. 109 [Reproduit p. 450] Girodet, *Le Cheval de Troie.* Encre brune sur papier, 36,9 x 32 cm. Paris, musée du Louvre, département des Arts graphiques, inv. RF 34732. Photo © RMN / M. Bellot. **Paris, Chicago.**

cat. 110 Girodet, *Rencontre d'Hermione et d'Oreste (étude pour Andromaque de Racine),* vers 1800. Crayon, encre brune et craie noire avec rehauts de blanc, de gris et d'ocre sur papier, 28,5 x 21,8 cm. Cleveland, The Cleveland Museum of Art, Leonard C. Hanna Jr. Foundation, Leonard Hanna Jr. Fund, inv. 1989.101. Photo © The Cleveland Museum of Art. **Paris, New York.**

cat. 111 Girodet, *Hermione rejetant Oreste* (étude des personnages au nu), *Andromaque,* acte V, scène III. Crayon noir, craie noire, estompe, plume et encre noire, lavis gris et brun, rehauts de blanc sur papier ivoire, 26,3 x 32,3 cm. Chicago, The Art Institute, Margaret Day Blake Fund, inv. 1986.428. Photo © The Art Institute of Chicago. **Chicago, New York, Montréal.**

cat. 112 Girodet, *Phèdre*, acte I, scène III. Crayon noir, plume et encre brune, lavis brun et rehauts de blanc, 26 x 20,2 cm. New York, Pierpont Morgan Library, inv. 1997.3. Photo © The Pierpont Morgan Library, New York. **New York, Montréal.**

cat. 113 Girodet, *Phèdre*, acte II, scène V. Crayon noir, plume et encre brune, lavis gris, lavis bruns et rehauts de blanc, 26 x 20,8 cm. Chicago, The Art Institute, inv. 1997.303. Photo © The Art Institute of Chicago. **Chicago, New York, Montréal.**

cat. 114 Girodet, *Phèdre rejetant les embrassement de Thésée*, acte III, scène IV et V. Crayon noir, plume et encre brune, lavis et rehauts de blanc, 33,7 x 22,5 cm. Los Angeles, The Getty Museum, inv. 85.GG.209. Photo © The J. Paul Getty Museum. **Chicago, Montréal.**

cat. 115 Girodet, *Phèdre*, acte IV, scène II. Crayon, plume, encre grise et brune, lavis brun et rehauts de blanc et d'ocre sur papier japon, 25,9 x 21 cm. Nantes, musée Dobrée, inv. 975.6.6. Photo © musée Dobrée, Nantes / Chantal Hémon. **Paris, New York.**

cat. 116 Girodet, *Phèdre* (étude au nu pour *Phèdre* de Racine), acte IV, scène II. Crayon sur papier, 26 x 34,3 cm. Édimbourg, National Gallery of Scotland, inv. D.5397. Photo © National Galleries of Scotland. **Paris, Chicago, New York, Montréal.**

cat. 117 Girodet, *Mort de Phèdre*. Crayon noir, plume et encre brune, lavis brun et lavis gris, rehauts de blanc sur papier vergé, 32,5 x 22,5 cm. Boston, The Horvitz collection. Photo © 2004 President and Fellows of Harvard College / David Mathews. **Chicago.**

cat. 118 Girodet, *Mort de Phèdre* (études pour *Phèdre* de Racine). Crayons de couleur et pastel sur papier, 46 x 30 cm. Paris, musée du Louvre, département des Arts graphiques, inv. 26780. Photo © RMN / Th. Le Mage. **Paris, New York.**

cat. 119 **[Reproduit p. 160]** Girodet, *L'ombre d'Hector apparaît à Énée*, dit aussi *Le Songe d'Énée* (esquisse). Huile sur toile, 29 x 34 cm. Montargis, musée Girodet, inv. 82-17. Photo du musée. **Paris, Chicago, New York, Montréal.**

cat. 120 **[Reproduit p. 160]** Girodet, *L'ombre d'Hector apparaît à Énée* dit aussi *Le Songe d'Énée*. Lavis brun et gris, rehauts de blanc, 23, 9 x 32, 1 cm. Montargis, musée Girodet, dépôt du Louvre, inv. RF 34531. Photo © RMN / M. Bellot. **Chicago, New York.**

cat. 121 Girodet, *La Tempête*. Pierre noire, 27 x 42 cm. Boston, Museum of Fine Arts, Ernst Wadworth Longfellow Fund, 1997. Photo © 2005 Museum of Fine Arts, Boston. **Chicago, New York, Montréal.**

cat. 122 Girodet, *Neptune ordonne aux vents de se retirer*. Pierre noire, 26,3 x 42 cm. Paris, musée du Louvre, département des Arts graphiques, inv. RF 34729 recto. Photo © RMN / Th. Le Mage. **Paris, Montréal.**

cat. 123 Girodet, *Vénus quitte Énée*. Pierre noire, 35 x 42,3 cm. Montargis, musée Girodet, inv. 71-33. Photo du musée. **New York, Montréal.**

cat. 124 Girodet, *Énée traverse le Styx*. Pierre noire, 29,3 x 37,6 cm. Stockholm, Nationalmuseum. Photo © The National Museum of Fine Arts, Stockholm. **Paris.**

cat. 125 Girodet, *Énée sort des Enfers*. Pierre noire, 28 x 37,9 cm. Montargis, musée Girodet, dépôt du Louvre, inv. RF 34748. Photo du musée. **New York, Montréal.**

cat. 126 Girodet, *Léda et le cygne dans un paysage*. Pierre noire estompée et gommée, rehauts de blanc, 19,7 x 15,2 cm. Coll. part. Photo © Ph. Bernard. **Paris.**

cat. 127 Girodet, *Léda et le cygne*, vers 1820. Pierre noire estompée et gommée, rehauts de blanc, 19,7 x 15,2 cm. New York, collection Richard L. Feigen. Photo © Richard L. Feigen & Co., New York. **Chicago, New York, Montréal.**

cat. 128 Girodet, *Aurore et Céphale*. Huile sur toile, 22,8 x 16,8 cm. Cleveland, The Cleveland Museum of Art, Gift of The Painting and Drawing Society of the CMA, inv. 2002.101. Photo © The Cleveland Museum of Art. **Paris, Chicago, New York, Montréal.**

cat. 129 Girodet, *Aurore et Céphale*, vers 1820. Pierre noire estompée et gommée, rehauts de blanc, 19,7 x 15,9 cm. New York, collection Richard L. Feigen. Photo © Richard L. Feigen & Co., New York. **Chicago, New York, Montréal.**

cat. 130 Girodet, *Jupiter et Callisto*, vers 1820. Pierre noire estompée et gommée, rehauts de blanc sur papier, 19,7 x 15,2 cm. New York, collection Richard L. Feigen. Photo © Richard L. Feigen & Co. **Chicago, New York, Montréal.**

cat. 131 **[Reproduit p. 167]** Girodet, *Ses Voluptés* (esquisse). Huile sur toile, 17,2 x 22 cm. Montpellier, musée Fabre, inv. 825.1-824. Photo © Musée Fabre, Montpellier Agglomération / Frédéric Jaulmes. **Paris, Chicago, New York, Montréal.**

cat. 132 **[Reproduit p. 168]** Girodet, *Contre l'Or* (esquisse d'après *Anacréon*). Huile sur panneau, 16, 8 x 22, 2 cm. Montargis, musée Girodet, inv. 001.4. Photo du musée. **Paris, Chicago, New York, Montréal.**

cat. 133 **[Reproduit p. 169]** Girodet, *L'Enlèvement d'Europe* (esquisse). Huile sur papier marouflé sur toile, 19,1 x 24, 6 cm. Montargis, musée Girodet, inv. 988-26. Photo du musée. **Paris, Chicago, New York, Montréal.**

cat. 134 **[Reproduit p. 230]** Girodet, *Une femme et ses filles surprises par des satyres*, vers 1815. Huile sur bois, 24,5 x 22 cm. Coll. part. Photo © Ph. Bernard. **Paris, Chicago, New York, Montréal.**

cat. 135 Girodet, *Vénus sortant de l'onde*, vers 1802. Fusain, sanguine avec rehauts de blanc sur papier beige, 42 x 34 cm. Paris, musée du Louvre, département des Arts graphiques, inv. RF. 4144. Photo © RMN / Th. Le Mage. **New York, Montréal.**

cat. 136 Girodet, *Pygmalion et Galatée*, 1813-1819. Huile sur toile, 253 x 202 cm. Paris, musée du Louvre, département des Peintures, inv. RF 2002-4. Photo © RMN / H. Lewandowski. **Paris, Chicago, New York, Montréal.**

cat. 137 Girodet, *Galatée et l'Amour*, 1813. Crayons noir et blanc, 54 x 37,5 cm. New York. Coll. part. Photo © Richard L. Feigen & Co. **Paris, Chicago, New York, Montréal.**

cat. 138 Girodet, *Académie dessinée de femme* (pour *Pygmalion et Galatée*). Crayon noir, 60 x 45,5 cm. Coll. part. Photo © RMN / Gérard Blot. **Paris, Chicago, New York, Montréal.**

cat. 139 Girodet, *Académie dessinée de femme* (pour *Pygmalion et Galatée*). Contre-épreuve retravaillée au crayon noir, 56,3 x 38,8 cm. Orléans, musée des Beaux-Arts, inv. 745. Photo © musée des beaux-arts, Orléans. **Paris, New York.**

cat. 140 Girodet, *Académie dessinée d'homme* (pour *Pygmalion et Galatée*). Contre-épreuve retravaillée au crayon noir, 56,3 x 38,8 cm. Orléans, musée des Beaux-Arts, inv. 746. Photo © musée des beaux-arts, Orléans. **Paris, New York.**

cat. 141 Girodet, *Étude de femme, d'après nature, pour Galatée*, 1813. Fusain et craie blanche sur papier beige, 20 x 16,5 cm. Lisbonne, Museu Nacional de Arte Antiga. Photo du musée. **Chicago, New York, Montréal.**

cat. 142 Girodet, *Étude d'homme, d'après nature, pour Pygmalion*, 1813. Fusain et craie blanche sur papier beige, 20 x 16,5 cm. Lisbonne, Museu Nacional de Arte Antiga. Photo du musée. **Chicago, New York, Montréal.**

Liste des illustrations

1. Alexandre Toussaint Menjaud (1773-1832), *Les Adieux de Girodet à son atelier*, huile sur toile, 70 x 54,5 cm, Montargis, musée Girodet. Photo du musée.

2. Anonyme, *Tombeaux de Girodet et de l'évêque de Vilmorin au cimetière du Père-Lachaise*, par Charles Percier et Pierre-François Léonard Fontaine, détail du tombeau de Girodet, dessin, plume et lavis d'encre brune, 7,8 x 12 cm, Paris, musée Carnavalet, inv. D.13569. Photo © Jacques Faujour.

3. Étienne Jean Delécluze (1781-1863), *Chateaubriand aux funérailles de Girodet*, dessin, coll. part., reproduit dans *Journal de Delécluze (1824-1828)*, Paris, Grasset, 1948. Photo © Gallimard / C. Hélie.

4. Athénaïs Paulinier, *Tête de Vierge* d'après Girodet, 1834, peinture sur porcelaine, 90 x 60 cm, coll. part. Photo D.R.

5. Girodet, *Portrait d'Antoine Étienne Girodet du Verger (1757-1802)*, huile sur toile, 53 x 44 cm, coll. part. Photo D.R.

6. Anonyme, *Portrait de Gabriel Cornier*, huile sur toile, 128 x 96 cm (à vue), coll. part. Photo D.R.

7. Anonyme, *Portrait d'Angélique Cornier née Duhau*, huile sur toile, 128 x 96 cm (à vue), coll. part. Photo D.R.

8. Simon Bernard Lenoir (1729-1789), *Portrait du docteur Trioson*, pastel sur papier, 55 x 45 cm, Montargis, musée Girodet, inv. 874.141. Photo du musée.

9. Girodet, *Portrait de Marie-Jeanne Trioson*, huile sur toile, 65 x 55 cm, coll. part. Photo D.R.

10. Girodet, *Benoît Agnès Trioson sur son lit de mort*, crayon noir sur papier bistre, 34,8 x 24 cm, coll. part. Photo © Ph. Bernard.

11. Girodet, *Jeanne Trioson sur son lit de mort*, crayon noir sur papier bistre, 35 x 25,7 cm, coll. part. Photo © Ph. Bernard.

12. Girodet, *Le Docteur Trioson sur son lit de mort*, crayon noir, estompe sanguine sur papier bistre, 27,5 x 44,2 cm, Montargis, musée Girodet, inv. 874-116. Photo du musée.

13. Girodet, *Scène antique (Sophonisbe buvant le poison ?)*, plume, encre brune et encre grise, lavis sépia sur papier bistre, 26 x 40,1 cm, Montargis, musée Girodet, inv. 989.13. Photo © Jacques Faujour.

14. Girodet, *À mon maître*, crayon noir sur papier collé sur carton, 32,1 x 24,1 cm, coll. part. Photo D.R.

15. Girodet, *Portrait de profil du docteur Trioson*, vers 1782, crayon noir sur papier gris, 30,6 x 21,6 cm, coll. part. Photo D.R.

16. Anonyme, *Caricature montrant les peintres escaladant les grands davidiens Girodet, Gérard, Guérin et Gros (de dos)*, lithographie, coll. part. Photo D.R.

17. Girodet, Esquisse pour *Le Christ mort soutenu par la Vierge*, huile sur toile, 32 x 24,5 cm, coll. part. Photo D.R.

18. Girodet, Esquisse pour *Le Christ mort soutenu par la Vierge*, huile sur papier marouflé, 25 x 31 cm, Montpellier, musée Fabre. Photo Virlogeux / L'atelier photographique, Châlette-sur-Loing.

19. Girodet, *Vieillard dans une grotte*, 1791, huile sur toile, 40 x 48 cm, Montpellier, musée Fabre, inv. 825.1.123. Photo © CICRP/Odile Guillon.

20. Girodet, *Les Têtes décapitées du marquis de Launay, gouverneur de la Bastille, de Foulon, conseiller d'État (vu de profil et par derrière), et du scalp et du cœur de Berthier de Sauvigny, intendant de Paris*, Paris, Bibliothèque nationale de France, coll. Hennin. Photo © BNF.

21. Joseph Chinard (1756-1813), *Portrait de Girodet*, terre cuite, diam. 22,5 cm, Boston Museum of Fine Arts. Photo D.R.

22. Girodet, *Portrait d'un Napolitain*, crayon noir, plume et encre noire, lavis gris et rehauts de blanc, signé en bas à gauche : *Girodet = Roussy F. à Naples 1793. 2*, 15 x 12,5 cm (à vue), coll. part. Photo © Gallimard / D. Jochaud.

23. Détail de la signature d'une lettre de Girodet, Montargis, musée Girodet. Photo © Jacques Faujour.

24. Girodet, *Portrait de mademoiselle Le Normant* (ill. 275), détail du monogramme. Photo D.R.

25. Caleidonio Casella, *Antiochus et Stratonice* d'après Girodet, plume et encre noire, lavis gris et noir, coll. part. Photo D.R.

26. Étienne Loche (1786-?) d'après Girodet, *Antiochus et Stratonice*, lithographie, Imprimerie lithographique de Villain, coll. part. Photo D.R.

27. Anonyme, *Girodet faisant le portrait du duc de Berry sur son lit de mort*, crayon noir sur papier, Paris, Bibliothèque nationale de France. Photo © BNF.

28. Nicolas Laugier (1785-?) d'après Girodet, *La Naissance du roi de Rome*, lithographie, Paris, Bibliothèque nationale de France. Photo © BNF.

29. Godefroy Engelmann (1788-1839) d'après Girodet, *La Naissance du duc de Bordeaux*, lithographie, Paris, Bibliothèque nationale de France. Photo © BNF.

30. François Marius Granet (1775-1849), *La mort qui vient éteindre la lampe de Girodet pendant qu'il peignait la nuit*, dessin, Aix-en-Provence, musée Granet, legs Granet, 1849. Photo D.R.

31. Girodet, *Saint Louis accueillant Louis XVI et la famille royale au Paradis*, craie noire, estompe et rehauts de blanc sur papier vergé, 29 x 24,5 cm, Boston, The Horvitz Collection. Photo D.R.

32. François Hippolyte Desbuissons, *Portrait de Julie Amélie Candeille (1767-1834), compositeur, actrice et écrivain*, miniature sur ivoire, diam. 6,1 cm. Paris, musée du Louvre, inv. RF 41 628. Photo © RMN / D.R.

33. Girodet, *Double portrait de Julie Candeille et de Girodet*, crayon, encre brune et rehauts de blanc, coll. part. Photo © Gallimard / D. Jochaud.

34. Girodet, *Portrait de Constance de Salm*, crayon noir, sanguine et rehauts de blanc, coll. part. Photo © Gallimard/ C. Hélie.

35. Girodet, *Sapho se jetant dans les flots, hommage à madame Constance de Salm. Par A. Girodet, Paris 1er May 1809*, plume, encre noire et encre brune, lavis gris et sépia, 15,9 x 23, 7 cm, p. 73 de l'album amicorum de la princesse de Salm, coll. part. Photo © Gallimard / C. Hélie.

36. Desprez, *Buste de Girodet*, bronze, 27 x 11 x 14 cm, coll. part. Photo © Gallimard / C. Hélie.

37. Girodet, *François Delille sur son lit de mort*, lithographie, Paris, Bibliothèque nationale de France. Photo © BNF.

38. Roger d'après Girodet, frontispice pour François Noël, *Dictionnaire de la fable*, t. I, gravure, coll. part. Photo © Gallimard / C. Hélie.

39. Louis Copia d'après Girodet, *Virgile couronné par les muses*, frontispice pour Virgile, *Énéide*, édition Didot 1798, gravure, coll. part. Photo © Gallimard / C. Hélie.

40. Girodet, *Portrait de Bernardin de Saint-Pierre*, lithographie, Paris, Bibliothèque nationale de France. Photo © BNF.

41. Jean Nicolas Laugier (1785-1813) d'après Girodet, frontispice pour J. Delille, *La Conversation*, Paris, 1812, gravure, coll. part. Photo © Gallimard / C. Hélie.

42. Henri Charles Müller (1784-1845) d'après Girodet, *La Grèce*, in P. A. Coupin, *Œuvres posthumes de Girodet-Trioson, peintre d'histoire*, Paris, 1829, t. I, après p. 136., coll. part. Photo © Gallimard / C. Hélie.

43. Girodet, *Michel-Ange*, crayon noir, estompe, rehauts de blanc, 19 x 15 cm, coll. part. Photo © Gallimard / C. Hélie.

44. Jean Pierre Sudré (1783-1866) d'après Girodet, *Raphaël*, in Coupin, 1829, après p. 198. Photo © Gallimard / C. Hélie.

45. Jean Pierre Sudré (1783-1866) d'après Girodet, *Poussin*, in Coupin, 1829, après p. 98. Photo © Gallimard / C. Hélie.

46. Jean Bein (1789-1857) d'après Girodet, *Apelle et Campaspe*, in Coupin, 1829, après p. 171. Photo © Gallimard / C. Hélie.

47. François Xavier Fabre (1766-1837), *La Mort d'Abel*, 1791, huile sur toile, 144 x 196 cm, Montpellier, musée Fabre, inv. 825.1.60. Photo © musée Fabre, Montpellier Agglomération/Frédéric Jaulmes.

48. Jacques Louis David (1748-1825), *Léonidas aux Thermopyles*, 1814, huile sur toile, 395 x 531 cm, Paris, musée du Louvre, inv. 3690. Photo © RMN / R.-G. Ojéda.

49. Pierre-Narcisse Guérin (1774-1833), *L'Aurore et Céphale*, 1814, huile sur toile, 254,5 x 186 cm, Paris, musée du Louvre, inv. RF513. Photo © RMN.

50. Charles Meynier (1786-1832) *L'Amour adolescent pleu-*

rant sur le portrait de Psyché, 1797, huile sur toile, 153 x 202 cm, Quimper, musée des Beaux-Arts. Photo du musée.
51. Girodet, *Autoportrait au bonnet phrygien*, gouache sur ivoire, diam. 6 cm, coll. part. Photo D.R.
52. Jean-Baptiste Isabey (1767-1855), *Portrait de Girodet*, crayon noir et estompe, diam. 11,7 cm, Paris, École nationale supérieure des beaux-arts, inv. MU 8645. Photo © ENSBA.
53. Jacques Louis David (1748-1825), *Autoportrait*, 1794, huile sur toile, 81 x 64 cm, Paris, musée du Louvre, inv. 3705. Photo © RMN.
54. Antoine Jean Gros (1771-1835), *Autoportrait*, 1795, huile sur toile, 49 x 40 cm, Versailles, musée national des châteaux de Versailles et de Trianon. Photo © RMN / Gérard Blot.
55. Louis Léopold Boilly (1761-1845), *Réunion d'artistes dans l'atelier d'Isabey*, huile sur toile, 71 x 111 cm, Paris, musée du Louvre, inv. 1290bis. Photo © RMN.
56. Alexandre Marie Colin (1798-?), *Portrait-charge de Girodet*, dessin, plume sur calque, 7,6 x 8,5 cm, coll. part. Photo D.R.
57. Paul Claude Michel Carpentier (1787-1877), *Portrait de Girodet d'après son autoportrait*, encaustique sur toile, 82 x 65 cm, Montargis, musée Girodet. Photo du musée.
58. Girodet (d'après), *Autoportrait*, lithographie, fac-similé du *Portrait de Girodet-Trioson dessiné par lui même en 1824 et tel qu'il l'a laissé à sa mort*, lithographié par J.-B. Lambert en 1825, coll. part. Photo © Gallimard / C. Hélie.
59. Giovanni Battista Piranesi, *Palazzo Mancini, siège de l'Académie de France à Rome*, gravure. Photo © Gallimard/ C. Hélie.
60. Lars Grandel, d'après anonyme, *Assassinat de Hugou de Basseville, 13 janvier 1793*, vers 1793, gravure, coll. part. Photo © Gallimard / C. Hélie.
61. Girodet, *Portrait posthume de Charles Marie Bonaparte (1746-1786)*, huile sur toile, 218 x 139 cm, musée national des châteaux de Versailles et de Trianon. Photo © RMN.
62. Henriquel-Dupont (1797-?) d'après Girodet, *Dibutade*, illustration dans Coupin 1829, gravure, après p. 48. Photo © Gallimard / C. Hélie.
63. Auguste Louis François Ribault d'après Lafitte, *Portrait de Bernardin de Saint-Pierre*, frontispice de *Paul et Virginie*, éd. Didot 1806, gravure de 1805. Photo D.R.
64. Antoine Jean Gros (1771-1835), *Sapho à Leucate*, huile sur toile, 122 x 100 cm, Bayeux, musée Baron-Gérard. Photo © RMN / J. Popovitch.
65. Le Guerchin (1591-1666), *Endymion*, huile sur toile, 125 x 105 cm, Rome, Galleria Doria-Pamphili. Photo D.R.
66. Henri Guillaume Chatillon (1780-1856) d'après Girodet, *Sa course avec l'Amour*, ode VII, in *Anacréon, recueil de compositions dessinées par Girodet et gravées par Chatillon son élève*, Paris 1825. Photo © Gallimard / C. Hélie.
67. Henri Guillaume Chatillon (1780-1856) d'après Girodet, *Sur un disque d'argent*, ode XLIX, *ibid.* Photo © Gallimard/ C. Hélie.
68. D'après Girodet, *L'Amour fait le portrait de Bathille*, ode XXIX, *ibid.* Photo © Gallimard / C. Hélie.
69. D'après Girodet, *Sur un songe*, ode XLIV, *ibid.* Photo © Gallimard / C. Hélie.
70. Page du *Journal de l'Empire*, 27 septembre 1806. Photo © ACRPP.
71. Girodet, *Portrait du docteur Trioson*, 1790, huile sur toile ovale, 60 x 51,15 cm, Montargis, musée Girodet, inv. 874-350. Photo du musée.
72. Anonyme, *Portrait du docteur Vicq d'Azyr*, dessin, Paris, musée d'Histoire de la médecine. Photo du musée.
73. Girodet, *Portrait du baron Dominique Jean Larrey*, 1804, huile sur toile, 65 x 55 cm, Paris, musée du Louvre, RF 1021. Photo © RMN / Gérard Blot.
74. Girodet, *Portrait du docteur Ribes*, huile sur toile, 61,5 x 50 cm, Montargis, musée Girodet, inv. 988.25. Photo © RMN / Ch. Jean.
75. Girodet, *Portrait de Chatillon de profil*, gravure, Paris, Bibliothèque nationale de France. Photo © BNF.
76. Alexandre Colin (1798-1875), *Girodet entouré de ses élèves*, lithographie, Paris, Bibliothèque nationale de France. Photo © BNF.
77. Girodet, *Virgile couronné par les muses*, crayon noir, plume et encre brune rehauts de blanc, 21 x 15 cm, Angers, musée des Beaux-arts, inv. MTC 90. Photo © musées d'Angers / Pierre David.
78. Girodet, *Énée sacrifie à Neptune*, étude pour le dessin d'illustration de Virgile, *Énéide*, livre V, édition Didot 1798, plume et encre noire, lavis gris, 15,5 x 11, Stanford, Iris & B. Gerald Cantor Center for Visual Art at Stanford University, Committee for Art Acquisitions Fund, 1979.11. Photo du musée.
79. Raphaël Urbain Massard (1775-?) d'après Girodet, *Énée sacrifiant à Neptune*, Virgile, *Énéide*, livre V, édition Didot 1798, gravure, Paris, Bibliothèque nationale de France. Photo © BNF.
80. Jean Godefroy (1771-1839) d'après Girodet, *Le Songe d'Énée*, Virgile, *Énéide*, livre III, édition Didot 1798, gravure, Paris, Bibliothèque nationale de France. Photo © BNF.
81. Girodet, *Rodogune empêche Antiochus de boire la coupe empoisonnée*, d'après Corneille, *Rodogune*, acte V, huile sur panneau de bois, 31,7 x 40,8 cm, coll. part. Photo D.R.
82. Girardet d'après Girodet, « Porte au pied des autels ce cœur qui m'abandonne ; / va, cours : mais crains encore d'y trouver Hermione », *Andromaque*, acte IV, scène V, édition Didot 1801, gravure, Paris, Bibliothèque nationale de France. Photo © BNF.
83. Henry Marais d'après Girodet, « Pyrrhus,/ Songez-y : Je vous laisse et je viendrai vous prendre / Pour vous mener au temple où ce fils doit m'attendre / Et là vous me verrez soumis ou furieux / Vous couronner, Madame ou le perdre à vos yeux », *Andromaque*, acte III, scène VII, édition Didot 1801, gravure, Paris, Bibliothèque nationale de France. Photo © BNF.
84. Roger d'après Girodet, *Le Passage du torrent*, illustration pour Bernardin de Saint-Pierre, *Paul et Virginie*, édition Didot 1806, gravure, coll. part. Photo D.R.
85. Roger d'après Girodet, *Bathilde*, pour Julie Candeille, *Bathilde, reine des Francs*, Paris, 1814, gravure, coll. part. Photo D.R.
86. Joseph Ferdinand Lancrenon (1794-1844) d'après Girodet, *L'ombre d'Hector apparaît à Énée*, Virgile, *Énéide*, livre II, in *Énéide, suite de compositions de Girodet lithographiées d'après ses dessins*, Paris, 1825, coll. part. Photo © Gallimard / C. Hélie.
87. Jean Joseph Dassy (1796-1865) d'après Girodet, *Le Tartare*, Virgile, *Énéide*, livre VI, *ibid.* Photo © Gallimard/C. Hélie.
88. Henri Guillaume Chatillon (1780-1856) d'après Girodet, *Présage de pluies*, Virgile, *Géorgiques*, livre I, *Compositions tirées des Géorgiques lithographiées par ses élèves, publiées par M. Pannetier*, Paris, 1825, coll. part. Photo D.R.
89. Henri Guillaume Chatillon (1780-1856) d'après Girodet, *Son combat avec l'amour*, Anacréon, ode XIV, pl. 16, lithographie, in *Recueil de compositions dessinées par Girodet et gravées par M. Chatillon son élève*, Paris, 1825, coll. part. Photo © Gallimard / C. Hélie.
90. Henri Guillaume Chatillon (1780-1856) d'après Girodet, *Son combat avec l'amour*, Anacréon, ode XIV, pl. 17, lithographie, *ibid.*, coll. part. Photo © Gallimard / C. Hélie.
91. Girodet, traductions d'Anacréon, in *Album des Odes d'Anacréon*, plume et encre noire, Paris, musée du Louvre, département des Arts graphiques RF 54204 - RF 54231. Photo © RMN / Gérard Blot.
92. Girodet, dessins préparatoires aux odes XVI (« Sa défaite ») et XI (« Sur l'emploi de la vieillesse ») d'Anacréon, crayon noir, *ibid.* Photos © RMN / Gérard Blot.
93. Girodet, *Inutilité de la science*, ode XXXVI, album factice préparatoire aux illustrations d'Anacréon, crayon noir et craie noire, coll. part. Photo © RMN / Th. Le Mage.
94. Henri Guillaume Chatillon (1780-1856) d'après Girodet, *Inutilité de la science*, Anacréon, ode XXXVI, in *Recueil de compositions dessinées par Girodet et gravées par M. Chatillon son élève*, Paris, 1825, coll. part. Photo © Gallimard / C. Hélie.
95. Henri Guillaume Chatillon (1780-1856) d'après Girodet, *Ses voluptés*, Anacréon, ode LV, pl. 49, *ibid.*, coll. part. Photo © Gallimard / C. Hélie.
96. Henri Guillaume Chatillon (1780-1856) d'après Girodet, *Sur l'emploi de la vie* (*contre l'or*), Anacréon, ode XXIII, pl. 24, *ibid.*, coll. part. Photo © Gallimard / C. Hélie.
97. Henri Guillaume Chatillon (1780-1856) d'après Girodet, *Europe* (huitième composition, pl. 8), Moschus, *L'Enlèvement d'Europe*, in *Sapho, Bion, Moschus, recueil de compostions dessinées par Girodet et gravées par M. Chatillon, son élève avec la traduction en vers, par Girodet, de quelques-unes des poésies de Sappho et de Moschus*, Paris, 1829. Photo © Gallimard / C. Hélie.
98. Jean Jacques François Monanteuil (1785-1860) d'après Girodet, *Diane et Endymion*, pl. 6 des *Amours des Dieux recueil de compositions dessinées par Girodet et lithographiées par… ses élèves*, Paris, 1826. Photo © Gallimard / D. Jochaud.
99. Pierre lithographique de *L'Amour fugitif*, seconde composition qui fut gravée par Chatillon dans *L'Amour fugitif*, pl. 12, imitation de Moschus, Orléans, musée des Beaux-Arts. Photo © musée des Beaux-Arts, Orléans.
100. Henri Guillaume Chatillon (1780-1856) d'après Girodet, *Le Sommeil d'Endymion*, 1810, lithographie, Paris, Bibliothèque nationale de France. Photo © BNF.
101. Hyacinthe Aubry-Lecomte (1787-1838) d'après Girodet, *Le Serment des sept chefs de Thèbes*, lithographie, Montargis, musée Girodet. Photo © J. Faujour.
102. Hyacinthe Aubry-Lecomte, d'après Girodet, *Dampierre, Championnet, Kéber, Desaix, Marceau, Dugommier*, lithographie, Paris, Bibliothèque nationale de France. Photo © BNF.
103. Hyacinthe d'après Girodet, *Starno*, lithographie, Paris, Bibliothèque nationale de France. Photo © BNF.
104. Hyacinthe Aubry-Lecomte d'après Girodet, *Darthula, Caïrbar, Collama, Slisma, Semo et Bragella*, lithographie, Paris, Bibliothèque nationale de France. Photo © BNF.
105. Godfroy Engelmann (1788-1839) d'après Girodet, *Portrait d'Alexandre Coupin*, 1816, lithographie, Paris, Bibliothèque nationale de France. Photo © BNF.
106. Henri de Triqueti, *Girodet*, marbre, 1853, Montargis, musée Girodet, inv. 874-341. Photo studio musée Girodet.
107. La galerie de peintures du musée de Montargis au début du XXe siècle, carte postale ancienne, collection Bibliothèque municipale Durzy. Photo D.R.
108. Vue de l'exposition Girodet au musée de Montargis en 1967. Photo © Virlogeux / Châlette-sur-Loing.
109. Jean-Baptiste Louis Roman (1792-1835), *Buste de Girodet*, 1827, marbre, Paris, musée du Louvre. Photo © RMN / J.-G. Berizzi.
110. Jacques Louis David (1748-1825), *Le Serment des Horaces*, 1785, huile sur toile, 330 x 425 cm, Paris, musée du Louvre, inv. RF 3692. Photo © RMN / Ph. Bernard.
111. Nicolas Jollain (1732-1804), *Bélisaire demandant l'aumône*, huile sur toile, 129 x 160 cm, coll. part. Photo D.R.
112. Jacques Louis David (1748-1825), *Bélisaire demandant l'aumône*, réduction exécutée par Fabre du tableau de 1781, huile sur toile, 101 x 115 cm, Paris, musée du Louvre, inv. RF 3694. Photo © RMN / D. Arnaud.
113. Jacques Louis David (1748-1825), *Horace vainqueur entrant dans Rome*, crayon noir, plume et encre noire, lavis gris, 27,5 x 38,7 cm, Vienne, Graphische Sammlung Albertina. Photo du musée.
114. Girodet, *La Mort de Camille*, huile sur toile, 111 x 148 cm, Montargis, musée Girodet, inv. 874.10. Photo © J. Faujour.
115. Girodet, Étude de dos pour *Nabuchodonosor fait tuer les enfants de Sédécias*, crayon noir sur papier, 21 x 17 cm, coll. part. Photo © Ph. Bernard.
116. Girodet, Étude pour la tête du soldat vu de dos pour *Nabuchodonosor*, sanguine, 45 x 29 cm, *Album de principes de dessin*, cat. Montargis 1983, n° 130, Montargis, musée Girodet, inv D. 77-1. Photo © RMN.
117. Girodet, Étude d'un des enfants de Sédécias pour *Nabuchodonosor, ibid.*, n° 133. Photo © RMN.
118. Girodet, Étude pour le soldat placé derrière Sédécias pour *Nabuchodonosor, ibid*, n° 134. Photo © RMN.
119. Girodet, Étude pour la tête de Sédécias pour *Nabuchodonosor, ibid*, n° 135. Photo © RMN.
120. Girodet, Étude de la tête du guerrier casqué pour *Nabuchodonosor, ibid.*, n° 136. Photo © RMN.
121. Girodet, Étude pour la composition de *La Mort de Tatius*, crayon noir, 16,5 x 21,5 cm, coll. part. Photo © Ph. Bernard.
122. Girodet, Étude de cinq têtes pour *La Mort de Tatius*, crayon noir, 21 x 16,5 cm, coll. part. Photo © Ph. Bernard.
123. Girodet, Esquisse pour *La Mort de Tatius* (contre-signée par Gois), crayon noir et craie noire, coll. part. Photo D.R.
124. Girodet, Étude de Tatius à terre pour *La Mort de Tatius*, crayon noir, 17 x 21,5 cm, coll. part. Photo © Ph. Bernard.
125. Girodet, Étude pour le meurtrier de droite pour *La Mort de Tatius*, crayon noir, rehauts de blanc sur papier bistre, 56 x 44 cm, coll. part. Photo © Ph. Bernard.
126. François Gérard (1770-1837), *Joseph reconnu par ses frères*, huile sur toile, 120 x 155 cm, Angers, musée des Beaux-Arts. Photo © musées d'Angers / Pierre David.
127. Girodet (?), *Étude pour Joseph reconnu par ses frères*, pierre noire et estompe, rehauts de blanc, 25,3 x 34,3 cm, coll. part. Photo D.R.
128. Girodet, *Portrait de la tante Anne (ou Marie Marguerite) Bastonneau*, vers 1789-1790, crayon noir, estompe, diam. 12 cm, coll. part. Photo © Ph. Bernard.
129. Girodet, *Portrait de la tante Marie Marguerite (ou Anne) Bastonneau*, vers 1789-1790, crayon noir, estompe, diam. 12 cm, coll. part. Photo © Ph. Bernard.
130. Annibal Carrache (1560-1609), *Pietà*, huile sur toile, 156 x 149 cm, Naples, Museo di Capodimonte. Photo du musée.
131. Normand d'après Girodet, *Le Sommeil d'Endymion*, in Landon, *Annales du Musée et de l'École moderne des Beaux-Arts*, Paris, 1800, pl. 55, entre p. 112 et 113. Photo D.R.
132. Bas-relief romain provenant de la villa Borghèse, marbre, Paris, musée du Louvre, inv. MR 751 ; Ma 362. Photo © RMN.
133. Girodet, *Étude de torse antique*, crayon noir, carnet d'Italie, Paris, Bibliothèque nationale de France. Photo © BNF.
134. Girodet, *Étude pour Zéphyr*, *ibid.* Photo © BNF.
135. Girodet, *Étude de chien d'après l'antique*, *ibid.* Photo © BNF.
136. Girodet, *Étude de chien d'après nature*, *ibid.* Photo © BNF.
137. Girodet, *Étude pour le pied*, *ibid.* Photo © BNF.
138. Francesco Goya (1746-1828), *Le songe de la raison produit des monstres*, aquatinte. Photo © Gallimard/C. Hélie.
139. Johann Heinrich Fuseli (ou Füssli) (1741-1825), *Le Cauchemar*, huile sur toile, 101,6 x 127 cm, Detroit Institute of Art. Photo du musée.
140. Luigi Ontani (1965-2001), *Kama Ama Endymion*, 1995, aquarelle sur photographie, coll. part. Photo D.R.
141. Honoré Daumier (1808-1879), *Endymion*, lithographie, Paris, Bibliothèque nationale de France. Photo © BNF.
142. Girodet, Esquisse pour *Hippocrate*, huile sur toile, 26 x 38 cm, coll. part. Photo © Ph. Bernard.
143. Girodet, Esquisse pour *Hippocrate*, huile sur toile, 24 x 36 Montpellier, musée Fabre, inv. 837-1-33 Photo © Musée Fabre, Montpellier Agglomération / Frédéric Jaulmes.
144. Girodet, *Hippocrate, première pensée*, crayon noir, 12 x 19, 5 cm, coll. part. Photo © BNF.

145. Girodet, *Hippocrate, étude avec draperie*, crayon noir mis au carreau, 23,5 x 31,1 cm, Paris, École nationale supérieure des Beaux-Arts, inv. EBA 1024. Photo D.R.

146. Girodet, *Hippocrate, étude au nu*, plume et encre noire, 32,2 x 43,1, Bayonne, musée Bonnat. Photo © RMN.

147. Girodet, *Buste de dieu terme*, crayon noir, carnet d'Italie, villa Médicis, Paris, Bibliothèque nationale de France. Photo © BNF.

148. Girodet, *Buste de dieu terme*, crayon noir, carnet Deslandres (inv. RF 36.153, f° 31 recto), Montargis, musée Montargis. Photo © Studio Le Goff, Montargis.

149. Jean Germain Drouais (1763-1788), *Marius prisonnier à Minturnes*, huile sur toile, 271 x 365 cm, Paris, musé du Louvre, inv. RF 4143. Photo © RMN / R.-G. Ojéda.

150. Girodet, *Copie d'après la figure de Méléagre*, détail de *Méléagre supplié par sa famille*, 1788-1789, tableau de Jean François Ménageot (1744-1816) conservé au musée du Louvre, crayon noir, craie blanche, lavis gris, lavis bruns et lavis noirs, coll. part. Photo D.R.

151. Girodet, *Un lac dans les montagnes (golfe de Sorrente)*, huile sur papier marouflé sur toile, 13 x 29,5 cm, Dijon, musée Magnin, inv. 1938 F 436. Photo © RMN.

152. Girodet, *Paysage d'Italie*, huile sur papier marouflé sur toile, 23,2 x 29,1, Dijon, musée Magnin, inv. 1938 F 435. Photo © RMN.

153. Jean-Pierre Péquignot (1765-1807), *Paysage*, huile sur toile, 62 x 75 cm, coll. part. Photo D.R.

154. Jean-Pierre Péquignot (1765-1807), *Chasseur dans un paysage*, huile sur toile, 62 x 74 cm, Montargis, musée Girodet, inv. 988.3. Photo © Jacques Faujour.

155. Girodet (d'après), *Portrait de Péquignot*, lithographie, 22 x 16,5 cm, coll. part. Photo D.R.

156. Chatillon d'après Girodet, *Souvenir des Alpes*, lithographie, coll. part. Photo D.R.

157. Chatillon d'après Girodet, *Souvenir des Alpes* (avec satyre endormi), lithographie, coll. part. Photo D.R.

158. Girodet, *Paysage de montagne*, dessin du carnet d'Italie, Paris, Bibliothèque nationale de France, inv. DC48C res. 4° f° 28. Photo © BNF.

159. Girodet, *Le Torrent*, 1793-1794, huile sur toile, 38 x 30 cm, Dijon, musée Magnin, inv. 1938 F 434. Photo © RMN.

160. Girodet, *Bacchus endormi*, vers 1791, huile sur bois, 37 x 47 cm, Kansas City, The Nelson-Atkins Museum ; Purchase : Nelson Gallery Foundation through the exchange of various Foundation properties, inv. F98-2. Photo © Robert Newcombe.

161. Girodet, *Paysage avec femme effrayée à la vue d'un serpent*, plume et encre noire, encre brune, lavis brun et sépia et rehauts de blanc, 23 x 33 cm, Dijon, musée Magnin, inv. 1938 DF 438. Photo © RMN / A. Berlin.

162. Girodet, *Bonaparte en Hercule terrassant Cacus*, huile sur bois, 36 x 32,2 cm, coll. part. Photo D.R.

163. Girodet, Étude du groupe des généraux pour *L'Apothéose des héros français*, crayon noir, 25 x 28 cm, Angers, musée des Beaux-Arts, inv. MTC 89. Photo © musée d'Angers, Pierre David.

164. François Gérard (1770-1837), *Ossian évoquant les fantômes au son de la harpe sur les bords du Lora*, huile sur toile, 108 x 98 cm, Rueil-Malmaison, musée national des châteaux de Malmaison et de Bois-Préau, MM 67-3-l. Photo © RMN / D. Arnaudet.

165. Girodet, *Le Chant d'Armin pleurant ses enfants*, crayon noir, craie noire, lavis, plume et rehauts de blanc sur papier, 22,2 x 25,4 cm, coll. part. Photo D.R.

166. Constellation de Persée. Photo D.R.

167. Chatillon d'après Girodet, *À sa maîtresse*, ode XX, pl. XXII, *Anacréon, recueil de compositions dessinées par Girodet et gravés par Chatillon son élève*, Paris, 1825. Photo © Gallimard / C. Hélie.

168. Girodet, *Le Jugement de Pâris*, plume et encre noire sur calque, coll. part. Photo D.R.

169. Girodet, *Érigone debout*, esquisse du tableau *Pourtalès*, papier marouflé sur bois, 32,7 x 24,5 cm, Orléans, musée des Beaux-Arts, inv. 466. Photo © Musée des Beaux-Arts, Orléans.

170. Hyacinthe Aubry-Lecomte (1787-1858) d'après Girodet, *Ariane*, 1822, lithographie, 28,1 x 37,7 cm, coll. part. Photo D.R.

171. Hyacinthe Aubry-Lecomte (1787-1858) d'après Girodet, *Érigone*, 1822, lithographie, 27,7 x 37,2 cm, coll. part. Photo D.R.

172. Vue du cabinet de platine, Aranjuez, Real Casa del Labrador. Photo © Patrimonio Nacional.

173. Girodet, *La Musique* (putto jouant de la mandoline), huile sur toile, Aranjuez, Real Casa del Labrador, cabinet de platine. Photo © Patrimonio Nacional.

174. Girodet, *L'Intrigue amoureuse* (putto blond déguisé en Arlequin tenant un billet cacheté), huile sur toile, Aranjuez, Real Casa del Labrador, cabinet de platine. Photo © Patrimonio Nacional.

175. Girodet, *Jeune Fille écrivant le Décaméron*, huile sur toile, Aranjuez, Real Casa del Labrador, cabinet de platine. Photo © Patrimonio Nacional.

176. Girodet, *Allégorie de l'Automne*, huile sur toile, 145 x 80,5 cm, Aranjuez, Real Casa del Labrador, cabinet de platine. Photo © Patrimonio Nacional.

177. Girodet, *Allégorie de l'hiver*, huile sur toile, 145 x 85,5 cm, Aranjuez, Real Casa del Labrador, cabinet de platine. Photo © Patrimonio Nacional.

178. Jean Joseph Xavier Bidauld (1756-1846), *Paysage printanier avec cerfs, biches, cygnes et canards* (placé sous l'allégorie du printemps), huile sur toile, Aranjuez, Real Casa del Labrador, cabinet de platine. Photo © Patrimonio Nacional.

179. Jean Joseph Xavier Bidauld (1756-1846), *Paysage de moissons* (placé sous l'allégorie de l'été), huile sur toile, Aranjuez, Real Casa del Labrador, cabinet de platine. Photo © Patrimonio Nacional.

180. Jean Joseph Xavier Bidauld (1756-1846), *Paysage de vendanges* (placé sous l'allégorie de l'automne), huile sur toile, Aranjuez, Real Casa del Labrador, cabinet de platine. Photo © Patrimonio Nacional.

181. Jean Joseph Xavier Bidauld (1756-1846), *Paysage hivernal de la campagne romaine vue de la Via Appia* (placé sous l'allégorie de l'hiver), huile sur toile, Aranjuez, Real Casa del Labrador, cabinet de platine. Photo © Patrimonio Nacional.

182. Girodet, *L'Aurore*, huile sur toile, 160 x 160 cm, musée national du château de Compiègne, inv. 4951. Photo © RMN.

183. Girodet, *Allégorie de Flore*, lithographie, musée national du château de Compiègne, inv. C70072. Photo © RMN.

184. Girodet, *Apollon* (toile remplaçant *Le Printemps*, endommagé en 1870), huile sur toile, 184 x 67 cm, musée national du château de Compiègne, inv. 4953. Photo © RMN.

185. Girodet, *L'Été*, huile sur toile, 184 x 67 cm, musée national du château de Compiègne, inv. 4952. Photo © RMN.

186. Girodet (d'après), *Le Printemps*, Landon, *Annales du musée et de l'école moderne des Beaux-Arts*, Salon de 1808, gravure, t. I, p. 19-21, pl. 10. Photo D.R.

187. Girodet (d'après), *L'Été*, *ibid.*, pl. 11. Photo D.R.

188. Girodet (d'après), *L'Automne*, *ibid.*, pl. 12. Photo D.R.

189. Girodet (d'après), *L'Hiver*, *ibid.*, pl. 13. Photo D.R.

190. Girodet, *Danaé, fille d'Acrise*, dite *Mademoiselle Lange en Danaé* (esquisse), huile sur bois, 21 x 17 cm, Montargis, musée Girodet, inv. 69-1. Photo © Jacques Faujour.

191. Jean François Gilles Colson (1733-1803), *Mademoiselle Lange en Sylvie dans la pièce de Collet* L'Île déserte, 1792, huile sur toile, Paris, Comédie-Française. Photo D.R.

192. Robert Lefebvre (1755-1830), *Madame Simons, née Lange*, huile sur toile, coll. part. Photo D.R.

193. Hyacinthe Aubry-Lecomte (1787-1858) d'après Girodet, *Baigneuse*, lithographie. Photo © BNF.

194. Thomas Charles Baudet (1778-1810), *Girodet apportant le portrait de Mademoiselle Lange en Danaë au Salon de 1799*, 1799, gravure, Paris, Bibliothèque nationale de France. Photo © BNF.

195. Anonyme, *Le Peintre vengé ou Le Dindon humilié, dédié au peintre Girodet*, gravure, Paris, Bibliothèque nationale de France. Photo © BNF.

196. Girodet, Deux croquis pour *Une scène de déluge*, crayon noir, carnet d'Italie, Paris, Bibliothèque nationale de France. Photo © BNF.

197. Girodet, Étude d'ensemble pour *Une scène de déluge*, crayon noir, 31 x 22 cm Montpellier, musée Fabre inv. 837.1.1143. Photo © Musée Fabre, Montpellier Agglomération / Frédéric Jaulmes.

198. Girodet, croquis du *Déluge* de Jean-Baptiste Regnault, 1789, crayon noir, 19 x 11,5 cm, carnet Destailleurs, Montargis, musée Girodet. Photo © Studio Le Goff, Montargis.

199. Girodet, Esquisse pour *Une scène de déluge* (esquisse Becquerel puis Deslandres), huile sur toile, localisation inconnue. Photo © Virlogeux.

200. Girodet, Esquisse pour *Une scène de déluge* (esquisse Delamarre), huile sur toile, localisation inconnue. Photo © Bulloz.

201. Girodet, *Paul et Virginie passant le torrent* (étude au nu), crayon noir, coll. part. Photo D.R.

202. *Le Laocoon*, copie romaine d'un bronze grec, marbre, Rome, musée du Vatican. Photo D.R.

203. Girodet, Étude des bras de l'homme et de la femme pour *Une scène de déluge*, fusain et craie blanche sur papier beige, 25,7 x 45,8 cm, Besançon, musée des Beaux-Arts et d'Archéologie, D. 2792. Photo © Charles Choffer.

204. Girodet, *Scène de déluge*, crayon noir, lavis sépia et rehauts de blanc, 14 x 16 cm, Montargis, musée Girodet, inv.989.12. Photo du musée.

205. Girodet (d'après), *Scène de déluge*, planche d'illustration du système de Lavater, Paris, Bibliothèque nationale de France. Photo © BNF.

206. Girodet, *Étude d'après Michel-Ange à la chapelle Sixtine*, sanguine, 45 x 29 cm, *Album de principes de dessin*, cat. Montargis, 1983, n° 109, Montargis, musée Girodet, inv D. 77-1. Photo © RMN.

207. Joseph Mathias Négelen (1792-1870) d'après Girodet, *Dernier Ouvrage retouché par Monsieur Girodet-Trioson*, lithographie, coll. part. Photo D.R.

208. Girodet, *La Communion d'Atala*, plume et encre brune sur papier blanc, 9,3 x 11,3 cm, Besançon, musée des Beaux-Arts, inv. D. 2796. Photo © Charles Choffer.

209. Girodet, Étude pour *Atala au tombeau*, crayon noir, rehauts de blanc sur papier bistre, Paris, musée du Louvre, inv. RF 3973. Photo © RMN.

210. Louis Léopold Boilly (1761-1845), *Flore au tombeau*, 1829, lithographie, coll. part. Photo D.R.

211. Girodet, *La Reddition de Vienne, 13 novembre 1805* (dit aussi *Les Clefs de Vienne remises à sa Majesté*), huile sur toile, 380 x 532 cm, Versailles, musée national des châteaux de Versailles et de Trianon, inv. MV 1549. Photo © RMN / G. Blot.

212. Pierre Narcisse Guérin (1774-1833), *Bonaparte fait grâce aux révoltés du Caire*, Versailles, musée national des châteaux de Versailles et de Trianon. Photo © RMN / D. Arnaudet / J. Schormans.

213. Girodet, esquisse pour *La Révolte du Caire*, crayon, plume et encre brune sur papier-calque, 28,1 x 43 cm, Cleveland, coll. Muriel Butkin. Photo © The Cleveland Museum of Art.

214. Girodet, *Portrait de Louis-Charles Balzac*, 1811, huile sur toile, 61 x 50 cm, Dallas Museum of Art, Foundation for the Arts Collection, Mrs. John B. O'Hara Fund. Photo du musée.

215. Pendule « Révolte du Caire », bronze doré, 51 x 49 x 16 cm, Montargis, musée Girodet, inv. 99.1.1. Photo du musée.

216. Eugène Delacroix (1798-1863), *Soldat oriental à terre et armes orientales*, crayon noir, 12,7 x 19,8 cm, Paris, musée du Louvre, inv. RF10025. Photo © RMN.

217. Théodore Géricault (1791-1824), copie d'après *La Révolte du Caire*, aquarelle sur papier, Bayonne, musée Bonnat. Photo © RMN.

218. Vue des montagnes, au nord de Saint-Domingue. Photo D.R.

219. Schéma des itinéraires du « commerce triangulaire ». Photo D.R.

220. Jean-Baptiste Wicar, *Portrait de Lesage-Senault en costume de Conventionnel*, huile sur toile, 60 x 54 cm, Lille, musée des Beaux-Arts, inv. P.869. Photo © RMN / R.-G. Ojéda / Th. Le Mage.

221. Anonyme, *Portrait de Bouquerot de Voligy en costume du conseil des anciens*, huile sur toile, 98 x 130 cm, Vizille, musée de la Révolution française, inv. 1992-1. Photo D.R.

222. Jean Joseph Espercieux (1757-1841), *Buste de l'abbé Raynal*, 1796, marbre, Saint-Geniez d'Olt, mairie. Photo D.R.

223. N. Launay d'après Charles Nicolas Cochin (1715-1790), *Portrait de Guillaume Thomas François Raynal*, 1780, Paris, Bibliothèque nationale de France. Photo © BNF.

224. Gravure de Ch. Gaucher d'après Ch. Eisen, Frontispice de *Histoire philosophique et politique des Etablissements et du Commerce des Européens dans les deux Indes*, de Guillaume Thomas Raynal, Maastricht, 1775. Photo D.R.

225. Page de titre du catalogue de l'exposition de l'Élysée, Paris, 1797, coll. part. Photo D.R.

226. Jacques Senave (1755-1829), *Salle de vente à l'Élysée-Bourbon en 1797*, huile sur bois, 126 x 157 cm. Paris, musée Carnavalet, inv. P. 2605. Photo D.R.

227. Marie-Guillemine Laville-Leroux (Mme Benoist) (1768-1826), *Portrait d'une femme noire*, 1800, huile sur toile, 81 x 65 cm, Paris, musée du Louvre, inv. RF 2508. Photo © RMN / Th. Le Mage.

228. Robert Mapplethorpe (1946-1989), *Man in Polyester Suit*, 1980, photographie, coll. part. Photo © Art + Commerce / Mapplethorpe Fund.

229. Heinrich Lips, d'après Daniel Nokolaus Chodowieski, *Espagnol, Hollandais, Maure, et Indien de Virginie*, illustration de l'ouvrage de Johann Gaspar Lavater, *Physiognomische Fragmente zur Beförderung des Menschenkenntnis und Menschenliebe*, Winterthur, 1775-1778. Photo D.R.

230. Girodet, *Portrait de Chateaubriand*, 1811, huile sur toile, 130 x 96 cm, Versailles, musée national des châteaux de Versailles et de Trianon, inv. RF 1724. Photo © RMN.

231. Girodet, *Portrait de Bertin l'Aîné*, crayon noir sur papier, 13,9 x 15,2 cm, New York, The Metropolitan Museum of Art, inv. 2003.184. Photo © The Metropolitan Museum of Art.

232. Girodet, *Portrait d'Édouard Bertin*, 1821, dessin, Paris, musée du Louvre, département des Arts graphiques. Photo © RMN.

233. Ingres, *Joseph-Antoine Moltedo*, huile sur toile, 75,2 x 58,1 cm, New York, The Metropolitan Museum of Art, H. O. Havemeyer Collection, Bequest of Mrs. H. O. Havemeyer, 1929, inv. 29.100.23. Photo © The Metropolitan Museum of Art.

234. Pierre-Narcisse Guérin (attr.), *Portrait de Chateaubriand*, huile sur toile, coll. part. Photo D.R.

235. Antoine Jean Gros (1771 -1835), *Madame Meuricoffre, née Céleste Coltellini*, vers 1796, huile sur toile, 68 x 49,5 cm, Louisville, The Speed Art Museum, Gift of Mrs. Berry V. Stoll, inv. 1983.10. Photo D.R.

236. Carlo Barabino (1768-1753), *détail d'une cariatide de l'Erechthéion*, crayon noir, Gênes, cabinet des Dessins et des Estampes, Palazzo Rosso, inv. 5490. Photo D.R.

237. Girodet, *Étude d'yeux*, sanguine, 45 x 29 cm, *Album de principes de dessin*, cat. Montargis 1983, n° 100, Montargis, musée Girodet, inv. D. 77-1. Photo © RMN.

238. Lettre de Girodet au comte de Sèze, coll. part. Photo © Gallimard / D. Jochaud.

239. Girodet, *Portrait du baron Philippe-François-Didier Usquin*, 1809, huile sur toile, coll. part. Photo D.R.

240. Girodet, *Esquisse pour Cathelineau*, huile sur toile, 32 x 23 cm, Les-Lucs-sur-Boulogne, Historial de la Vendée, inv. CDMV. 2005.1.11.2. Photo D.R.

241. Girodet, *Cathelineau Fils*, huile sur toile, 47 x 55 cm, coll. part. Photo D.R.

242. Anonyme, *Cathelineau, général vendéen*, crayon noir, Paris, Bibliothèque nationale de France. Photo © BNF.

243. *Bonchamp*, huile sur toile, 220 x 150 cm, Cholet, musée d'Art et d'Histoire, dépôt de Versailles, inv. MV 7670. Photo © RMN.

244. Girodet, *Esquisse pour Bonchamp*, huile sur toile, 32 x 23 cm, Les-Lucs-sur-Boulogne, Historial de la Vendée, inv. CDMV. 2005.11. 1. Photo D.R.

245. Girodet, *Caricature de Napoléon* (recto), *Portrait de Napoléon en costume impérial* (verso), crayon noir, coll. part. Photo D.R.

246. Anonyme d'après Girodet, *Double Portrait de Napoléon*, lithographie, Paris, Bibliothèque nationale de France. Photo © BNF.

247. Girodet, *Napoléon assis en uniforme*, crayon noir, estompe, rehauts de blanc, Châteauroux, musée Bertrand. Photo du musée.

248. Girodet, *Napoléon Iᵉʳ en costume de sacre*, huile sur toile, 117 x 98 cm, Bruxelles, musée royal de l'Armée, inv. 200082. Photo du musée.

249. David, *Étude pour Napoléon en costume impérial*, crayon noir, Paris, musée du Louvre, département des Arts graphiques, inv. RF41.385. Photo © RMN.

250. Jean-Baptiste Siméon Chardin (1699-1679), *Jeune Homme jouant avec des cartes*, huile sur toile, 82 x 66 cm, Washington DC, National Gallery of Art. Photo du musée.

251. Jean-Baptiste Greuze (1725-1805), *Le Petit Paresseux*, huile sur toile, 66 x 52 cm, Montpellier, musée Fabre. Photo © Musée Fabre, Montpellier Agglomération / F. Jaulmes.

252. Girodet, *Virginie Brouet*, crayon noir, 11,5 cm diamètre, coll. part. Photo © Ph. Bernard.

253. Girodet, *Portrait de Benoît Agnès Trioson de profil*, huile sur toile, 46,5 x 38 cm, coll. part. Photo D.R.

254. Domenico Ghirlandaio (1449-1499), *Portrait d'un vieillard et d'un jeune garçon*, huile sur bois, 62,7 x 46,3 cm, Paris, musée du Louvre, inv. RF 266. Photo © RMN / H. Lewandowski.

255. Girodet, *Tête d'Oriental au turban bleu*, huile sur toile, Doullens, musée Lombart. Photo D.R.

256. Jean Joseph Dassy (1796-1865) d'après Girodet, *Mustapha*, 1823, lithographie, Paris, Bibliothèque nationale de France. Photo © BNF.

257. Dassy d'après Girodet, *Mardochée*, 1824, lithographie, Paris, Bibliothèque nationale de France. Photo © BNF.

258. Girodet, *Tête de Mameluck à la fleur d'hibiscus*, huile sur toile, 78 x 63, Île d'Aix, musée Napoléon. Photo © RMN / Gérard Blot.

259. Mlle Bès, d'après Girodet, « *Noti-Botzaris / L'un des Chefs Grecs qui combattent le plus vaillamment pour la liberté de leur Patrie* », 1825, lithographie, Bibliothèque nationale de France. Photo © BNF.

260. D'après A. Friedel, *Portrait de Notis Botzaris, Megali Helliniki Encyclopedia*, Pirsos, Athènes, t. XVII, repr. p. 715. Photo D.R.

261. Giovanni Boggi (1790-1832), *Portrait de Noti Botzaris*, lithographie. Photo D.R.

262. François Gérard (1770-1837), *Mademoiselle Duchenois dans le rôle de Didon*, huile sur toile, 65, 5 x 54,5 cm, Paris, musée Carnavalet, inv. P. 1005. Photo © Photothèque des musées de la ville de Paris.

263. Hyacinthe Aubry-Lecomte (1787-1858) d'après Girodet,

La Belle Elisabeth, lithographie, Paris, Bibliothèque nationale de France. Photo © BNF.

264. Hyacinthe Aubry-Lecomte d'après Girodet, *Tête d'Odalisque*, lithographie, Paris, Bibliothèque nationale de France. Photo © BNF.

265. Mademoiselle Fromentin d'après Girodet, *Tête grecque*, lithographie, coll. part. Photo D.R.

266. Mlle Bès d'après Girodet, *La Caucasienne*, lithographie, coll. part. Photo D.R.

267. Girodet, *Portrait d'Antoine François Cornier en chasseur*, huile sur toile, 64,5 x 54, coll. part. Photo © Ph. Bernard.

268. Girodet, *Portrait d'homme en habit bleu* (Portrait de François-Xavier Fabre?), huile sur toile, 54,4 x 46,5 cm. Cherbourg, musée Thomas Henry. Photo © Daniel Sohier.

269. Girodet, *Portrait d'homme*, huile sur toile, 55 x 46 cm, Bayonne, musée Bonnat, inv. 1044. Photo © RMN.

270. Jacques Louis David, *Portrait de Jacobus Blauw*, huile sur toile, 92 x 73 cm, Londres, The National Gallery, inv. NGA.6495. Photo du musée.

271. Jean Nicolas Laugier (1785-?) d'après Girodet, *Portrait de la reine Hortense*, gravure, coll. part. Photo D.R.

272. Jean-Baptiste Regnault (1754-1829), *Portrait de la reine Hortense*, huile sur toile, Rueil-Malmaison, musée national de Malmaison et Bois-Préau. Photo © RMN.

273. Charles Simon Pradier d'après Gérard, *Portrait de la reine Hortense*, gravure, coll. part. Photo D.R.

274. Girodet, *Portrait de femme d'après Sebastiano del Piombo*, crayon noir, lavis bleus, gris et bruns, aquarelle, sanguine et rehauts de blanc, Montargis, musée Girodet, carnet Deslandres RF 36. 153, f⁹ 9 v°. Photo © Studio Le Goff, Montargis.

275. Girodet, *Portrait de mademoiselle Lenormant*, huile sur toile, coll. part. Photo D.R.

276. Girodet, *Portrait de madame Bertin De Vaux en buste*, 1806, huile sur toile, 66,5 x 58 cm, coll. part. Photo D.R.

277. Girodet, *Portrait de madame Merlin*, 1808, huile sur toile, 66 x 55 cm, coll. part. Photo D.R.

278. Girodet, *Portrait de François Bertin De Vaux*, dessin, crayon noir et rehauts de blanc, 25,5 x 21 cm, coll. part. Photo D.R.

279. Jacques Louis David (1748-1825), *Portrait de madame de Verninac*, 1799, huile sur toile, 145,5 x 112 cm, Paris, musée du Louvre, inv. RF 1942-16. Photo © RMN.

280. Monsaldy, relevé d'un dessin préparatoire de Girodet pour le *Portrait de la comtesse de Bonneval*, Paris, Bibliothèque nationale de France. Photo © BNF.

281. Girodet, *Portrait de la comtesse de La Grange en robe blanche*, 1809, huile sur toile, coll. part. Photo © Courtesy The Matthiesen Fine Art Limited.

282. Girodet, *Portrait de madame Bioche de Misery*, 1807, huile sur toile, 117,5 x 91,5, Ottawa, National Gallery Photo © Musée des Beaux-Arts du Canada, Ottawa.

283. François Gérard (1770-1837), *Portrait de Madame Regnault de Saint-Jean d'Angely*, 1798, huile sur toile, Paris, musée du Louvre, RF239. Photo © RMN / J.-G. Berizzi.

284. Girodet, *Buste de jeune fille retenant une draperie bleue*, 66 x 55 cm, huile sur toile, coll. part. Photo © Ph. Bernard.

285. Constantin Brancusi, *Princesse X*, marbre, 1915, Lincoln, Nebraska, University of Nebraska, Sheldon Memorial Art Gallery. Photo © ADAGP, Paris 2005.

286. Flaxman (d'après), *Serment des sept contre Thèbes*, gravure, coll. part. Photo © Gallimard / C. Hélie.

287. Girodet, Étude pour le *Serment des sept chefs de Thèbes*, dessin, Paris, École nationale des beaux-arts. Photo © ENSBA.

288. Girodet, *Tête de Thydée*, huile sur toile, 55 x 45 cm, Le Havre, musée Malraux, inv. A154. Photo du musée.

289. Feillet d'après Girodet, Étude pour *Lamentation sur le corps de Pallas*, lithographie d'après un dessin préparatoire non localisé, Paris, Bibliothèque nationale de France. Photo © BNF.

290. Jacques Louis David (1748-1825), *La Douleur d'Andromaque*, huile sur toile, 275 x 203 cm, Paris, musée du Louvre, dépôt de l'École nationale des beaux-arts, inv. DL 1969-1. Photo © RMN.

291. Marais d'après Girodet, *Lamentation sur le corps de Pallas*, Virgile, *Énéide*, livre XI, 11, 57-58, édition Didot 1798, gravure, Paris, Bibliothèque nationale de France. Photo © BNF.

292. Raphaël Urbain Massard d'après Girodet, *Énée et ses compagnons abordant dans le Latium*, gravure, Virgile, *Énéide*, livre VII, 11, 141-143, édition Didot 1798, Paris, Bibliothèque nationale de France. Photo © BNF.

293. Raphaël Urbain Massard d'après Girodet, *La Rencontre d'Hermione et d'Oreste*, gravure d'*Andromaque* de Racine, acte II, scène II, Paris, Bibliothèque nationale de France. Photo © BNF.

294. Raphaël Urbain Massard d'après Girodet, *Andromaque* de Racine, acte V, scène III, gravure, édition Didot 1801, Paris, Bibliothèque nationale de France. Photo © BNF.

295. Raphaël Urbain Massard d'après Girodet, *Phèdre* de Racine, acte I, scène III, gravure, édition Didot 1801, Paris, Bibliothèque nationale de France. Photo © BNF.

296. Raphaël Urbain Massard d'après Girodet, *Phèdre* de Racine, acte II, scène V, gravure, édition Didot 1801, Paris, Bibliothèque nationale de France. Photo © BNF.

297. Raphaël Urbain Massard d'après Girodet, *Andromaque* de Racine, acte IV scène II, gravure, édition Didot 1801, Paris, Bibliothèque nationale de France. Photo © BNF.

298. Coupin de la Couperie (1773-1851) d'après Girodet, *La Tempête*, Virgile, livre I, in *Énéide suite de compositions de Girodet, lithographiée d'après ses dessins par […] ses élèves publiée par M. Pannetier à Paris*, 1827, coll. part. Photo © Gallimard / C. Hélie.

299. Joseph Ferdinand Lancrenon (1794-1844) d'après Girodet, *Neptune ordonne aux vents de se retirer (Énéide)*, ibid., coll. part. Photo © Gallimard / C. Hélie.

300. Joseph Dassy d'après Girodet, *Vénus quitte Enée*, Virgile, *ibid.*, livre I, coll. part. Photo © Gallimard / C. Hélie.

301. Salomon Guillaume Counis (1785-1859) d'après Girodet, *Énée traverse le Styx*, Virgile, *ibid.*, livre VI, coll. part. Photo © Gallimard / C. Hélie.

302. Jean-Jacques François Monanteuil (1785-1860) d'après Girodet, *Énée sort des enfers*, lithographie, coll. part. Photo © Gallimard / C. Hélie.

303. Joseph Ferdinand Lancrenon (1794-1844) d'après Girodet, *Léda et le cygne*, in *Les Amours des Dieux, recueil de Compositions dessinées par Girodet et lithographiées par […] ses élèves à Paris*, 1826, coll. part. Photo © Gallimard / D. Jochaud.

304. Henri Guillaume Chatillon (1780-1856) d'après Girodet, *L'Aurore et Céphale, ibid.*, coll. part. Photo © Gallimard / D. Jochaud.

305. Girodet, *Naissance de Vénus*, crayon noir, estompe et rehaut de blanc, Boston, The Horvitz Collection. Photo David Matthews.

306. Girodet, *Tête de Galatée*, huile sur toile, coll. part. Photo D.R.

307. François Louis Dejuinne (1786-1844), *Girodet peignant Pygmalion et Galatée en présence de Sommariva*, huile sur toile, coll. part. Photo D.R.

REMERCIEMENTS

Bruno Chenique, auteur de la biochronologie contenue dans le CD-Rom joint à ce catalogue, remercie les personnes suivantes :

Robert Adelson, Valérie Bajou, Emilie Beck Saiello, Eric Bertin, Yvette Beysson-Loire, Thierry Bodin, Olivier Bonfait, Philippe Bordes, Emmanuelle Brugerolles, Frédéric Chappey, Isabelle Coviaux, Benoît Couturier, Richard Dagorne, Pascale Gardes, Ketty Gottardo, Benoît Grangé, Medhi Korchane, Anne Lafont, Sidonie Lemeux-Fraitot, Gaston Leloup, Jacqueline Letzer, Dominique Loder, Hélène Launois, Patrick Mansuy, Régis Michel, Jacques Ranc, Anne-Élizabeth Rouault, Chiara Savettieri, Udolpho van de Sandt, Emmanuel Thinus, Edwart Vignot, Jean-Marie Voigner.

Bibliographie

Elle est commune au catalogue et à la chronobiographie. Les abréviations utilisées dans les notes du catalogue : *AAF* : *Archives de l'art français*, *BSHAF* : *Bulletin de la Société de l'histoire de l'art français*, *GBA* : *Gazette des Beaux-Arts*.

A* [Aubry]**, *L'Observateur au Muséum, ou Revue critique des ouvrages de peinture, sculpture et gravure exposés au Musée Napoléon*, Paris, s. d.

Abeille, E. et **Ménard**, H. *Un village du Languedoc se penche sur son passé. Histoire de Montesquieu-Volvestre*, Saint-Girons, 1977.

Abrantès, Laure Junot, duchesse d', *Mémoires de Mme la duchesse d'Abrantès, ou Souvenirs historiques sur Napoléon, la Révolution, le Directoire, le Consulat, l'Empire et la Restauration*, t. IV, Paris (1831), 1967.

Ackerman, Gerald M., « Three Drawings by Gérôme in the Yale Collection », *Yale University Art Gallery Bulletin*, automne 1976, p. 15-16.

A.D.F, *Notice sur les ouvrages de peinture, de sculpture, d'architecture et de gravure exposés au salon, fructidor an VIII, vendémiaire brumaire an IX*, Paris, an VIII (1800), p. 34 du supplément ; coll. Deloynes, t. XXII, p. 384.

Adhémar, Jean, « L'enseignement académique en 1820. Girodet et son atelier », *Bulletin de la Société de l'Histoire de l'Art français*, 1933, p. 270-283.

Adhémar, Jean, « Girodet un fou », *Beaux-Arts. Chronique des arts et de la curiosité. Le journal des Arts*, n° 183, 3 juillet 1936, p. 3.

Adhémar, Jean, « La peinture d'enseignes à Paris au temps de Balzac », *Archives de l'Art français*, nouvelle période, vol. XXV, 1978, p. 308.

Adhémar, Jean, « Balzac, sa formation artistique et ses initiateurs successifs », *Gazette des Beaux-Arts*, VIe période, tome CIV, 1391e livraison, 126e année, décembre 1984, p. 231-242.

Adhémar, Jean, et **Lethève**, Jacques, « Girodet-Trison (Anne-Louis) », *Bibliothèque nationale, département des estampes. Inventaire du fonds français après 1800*, t. IX, Paris, Bibliothèque nationale, 1955.

Agius-d'Yvoire, E., voir cat. exp. Paris, Versailles, 1989.

Agius-d'Yvoire, Élisabeth, « Chronologie », catalogue de l'exposition *Jacques-Louis David, 1748-1825*, Paris, musée du Louvre et Versailles, musée national du château, 26 octobre 1989 – 12 février 1990.

Aimé-Martin, L., *Mémoire sur la vie et les ouvrages de J.- H. Bernardin de Saint-Pierre*, Paris, Ladvocat, t. IV, 1826.

Alaux, J.-P., *l'Académie de France à Rome ses directeurs ses pensionnaires*, Paris, 1933.

Alvin, L., « Notice biographique sur le peintre bruxellois Henri De Caisne », *Bulletin de l'Académie royale des Sciences, des lettres et des Beaux-Arts de Belgique*, t. XXI, n° 10, 1854, p. 716-717, 727, 733, 766.

Amateur sans prétention, (L') « Salon de 1824. Neuvième article », *Le Mercure du dix-neuvième siècle*, vol. VII, 1824, p. 483-497.

Amaury Duval, « Septième lettre sur le salon de 1819 », *Le Censeur européen*, n° 165, 26 novembre 1819, p. 4.

Ames, W., « Some physical types favored by western artists », *Gazette-des-Beaux-Arts*, septembre 1954, t. 44, p. 91-116.

Amyx, « The many loves of Zeus (and their consequences) », *Archaelogical News*, vol. VIII, n° 4, hiver 1979, p. 108-114.

Anacréon. Recueil de compositions, dessinées par Girodet et gravées par M. Chatillon, son élève, avec la traduction en prose des odes de ce poète, faite, faite également par Girodet, Paris, 1826.

Angrand, Pierre, « Acquisitions à des artistes contemporains : Girodet et Pierre Guérin », in *Le Comte de Forbin et le Louvre en 1819*, Lausanne-Paris, 1972, p. 97-103.

Angrand, Pierre, « Liste alphabétique des peintres d'un talent remarquable », 1824, *Gazette des Beaux-Arts*, vol. C, novembre 1982, p. 180.

Anonyme, « Convention nationale. Présidence de Bréard. Séance du mercredi 20 février [lecture d'une lettre de Girodet] », *Gazette nationale ou Le Moniteur universel*, n° 52, jeudi 21 février 1793, p. 511.

Anon., Livret du Salon *Explication des ouvrages de peintures, sculpture, architecture et gravure exposés par les artistes vivans, vendémiaire an IV*, Paris, Hérissant, 1795, p. 31, après le n° 228.

Anon., [Rob…] « Beaux-Arts. Exposition publique des ouvrages des artistes vivans, dans le Salon du Louvre, au mois de septembre, année 1795, vieux style ou vendémiaire de l'an quatrième de la République », *Magasin Encyclopédique*, Paris, 1795, coll. Deloynes, t. XVIII, n° 469, p. 397-401.

Anon., [Polyscope], « Première lettre de Polyscope sur les ouvrages de peinture, sculpture, etc, exposés dans le grand Salon du Museum », *La Décade Philosophique*, 1795, coll. Deloynes, t. XVIII, p. 566-567.

Anon., *Notte sur cette exposition tirée du Journal des français*, 19 vendémiaire an IV, Paris, 1795, coll. Deloynes, t. XVIII.

Anon., « Réflexions sur l'exposition des tableaux, sculptures, etc. de l'an quatrième adressés à un ami dans le département du *** », *Mercure français*, 1795, coll. Deloynes, t. XVIII, n° 470, p. 512-514.

Anon., « Examen du Salon de l'an VII », *Journal des arts, de littérature et de commerce*, an VII, cité par coll. Deloynes, t. XXI, n° 567.

Anon., « Exposition au Salon », *Journal de Paris*, an VII, coll. Deloynes, t. XXI, n° 582.

Anon., *La Décade philosophique*, t. XXIII, an VII [1799], coll. Deloynes, t. XXI, n° 586.

Anon., « Variétés », *Journal des arts, de littérature et de commerce*, 10 fructidor an VII, coll. Deloynes, t. XXI, n° 584.

Anon., « Exposition de peintures, sculptures, architecture, gravures et dessins », *Journal d'indications*, [1798 ?], coll. Deloynes, t. XX, n° 541.

Anon., « Beaux-arts. Musée central des arts », défait du *Mercure de France*, 1799, coll. Deloynes, t. XXI, n° 565.

Anon., « Second précis historique au sujet du portrait de Madame Simons », cité par coll. Deloynes, t. XXI, n° 585.

Anon., *La Revue du Muséum*, Paris, s. d. [1799].

Anon., *Journal des Débats*, « Exposition de peinture, sculpture et gravure », Paris, 1800, coll. Deloynes, t. XXII, p. 68.

Anon., « Variétés », *Le Rédacteur*, 3 et 10 brumaire an VIII, s. p.

Anon., « Suite de l'examen des tableaux exposés au Salon », *Journal des arts, des sciences et de littérature*, [1802], (an X), coll. Deloynes, T. XXIX, n° 782.

Anon., 1806, voir Saint-Victor.

Anon., « Salon de 1806 », *Journal d'indications*, coll. Deloynes, t. XLI, n° 1079.

Anon., « Nouvelles concernant les sciences, arts et belles-lettres », L'*Atheneum, ou gallerie française*, avril 1806, p. 2-3.

Anon., Livret du Salon, *Explication des ouvrages de peinture, sculpture, architecture et gravure ; des Artistes vivans, Exposés au Musée Napoléon, le 15 Septembre 1806*, Paris, imprimerie des sciences et des arts, 1806.

Anon., « Variétés », *Journal de Paris*, 1806, coll. Deloynes, t. XXXVIII, n° 1042.

Anon., « Variétés - Le Glaneur », *Journal de Paris*, 1806, coll. Deloynes, t. XXXVIII, n° 1045, p. 356-380.

Anon., « Sur le Salon de peinture. Aux rédacteurs », *Le Publiciste*, 27 octobre 1806, p. 1-3.

Anon., *L'Observateur au Musée Napoléon ou la critique des Tableaux en Vaudeville*, Paris, Labarre, 1806.

Anon., *Le Flâneur au Salon, ou Mr Bon-Homme ; Examen joyeux des tableaux, mêlé de vaudevilles*, Paris, Aubry, [1806-1807 ?].

Anon., [Anne-Louis Girodet-Trioson], *La critique des critiques du sallon de 1806. Étrennes aux connaisseurs*, Paris, Firmin-Didot, janvier 1807.

Anon., *Cassandre et Gilles au Muséum ou Critique, en vaudevilles, de l'exposition de 1810*, Paris, Aubry, 1810.

Anon., sans titre, [article sur la publication par C.P. Landon d'un *Recueil des Ouvrages de Peinture, Sculpture, Architecture, Gravure en taille-douce, en médailles & en pierres fines, cités dans le rapport du jury sur les prix décennaux, exposés le 25 août 1810, dans le grand salon du Musée Napoléon…*], *Journal de Paris*, n° 278, vendredi 5 octobre 1810, p. 1958.

Anon., « *Rapports du jury chargé de proposer les ouvrages susceptibles d'obtenir les prix décennaux avec les rapports faits par la Classe des Beaux-Arts de l'Institut de France* ». **Anon.**, *Rapport du Jury institué par S.M. l'Empereur et Roi, pour le jugement des Prix décennaux, En vertu des Décrets des 24 fructidor an 12 et 28 novembre 1809*, Paris, Imprimerie nationale, 1810.

Anon., *Rapports et discussions de toutes les classes de l'Institut de France sur les ouvrages admis au Concours pour les Prix décennaux*, Paris, Baudoin et Cie, Garnery, novembre 1810.

Anon., *Dialogue raisonné entre un anglais et un français ou Revue des peintures, sculptures et gravures exposées dans le Musée royal de France le 5 novembre 1814*, Ier numéro, Paris, Delaunay, 1814, p. 13-14.

Anon., « Sur les prix décennaux – 1re lettre », *Journal de Paris*, n° 285, 22 septembre 1810, p. 1871-1872.

Anon. [Lenoir], « Sur les prix décennaux. – 3.me Lettre », *Journal de Paris*, n° 268, 25 septembre 1810, p. 1890-1891.

Anon., *La Quotidienne*, n° 179, 27 juin 1816, p. 2.

Anon. [de Montègre], « Hippocrate refusant les présens du rois de Perse, Tableau de M. Girodet-Trioson, donné à la faculté de Médecine de Paris », *La Gazette de santé*, n° 33, 21 novembre 1816, p. 260-261.

Anon., « France. Paris, 1er août », *Journal des débats politique et littéraires*, samedi 2 août 1817.

Anon., « Beaux-Arts. MM. Jazet, Debucourt et Laugier », *Le Miroir des spectacles, des lettres, des mœurs et des arts*, n° 273, mardi 13 novembre 1821, p. 3.

Anon., *La Quotidienne*, n° 301, 27 octobre 1824, p. 3.

Anon., Livret du Salon, *Explication des ouvrages de peinture, sculpture, gravure, lithographie et architecture des artistes vivans, exposés au Musée Royal des Arts le 25 août 1824*, Paris, C. Ballard, 1824.

Anon., « France. Paris, 27 octobre [*Salon de 1824*] », *Journal des débats, politiques et littéraires*, jeudi 28 octobre 1824.

Anon., « Beaux-Arts. - Exposition de 1824. », *L'Étoile*, 29 octobre 1824, n° 1659, p. 3-4.

Anon., « France. Paris, 10 décembre [*mort de Girodet*] », *Journal des débats, politiques et littéraires*, samedi 11 décembre 1824, p. 1.

Anon., « Nécrologie. M. Girodet », *La Semaine, gazette littéraire par un comité secret de rédaction*, t. II, 17e livraison, décembre 1824, p. 331-336.

Anon., « Les Portraits du Musée », *Le Masque de fer, Journal épistolaire*, 1825, t. I, p. 130-134.

Anon., « Nouvelles littéraires. Institut royal de France et sociétés littéraires [funérailles de Girodet] », *Journal des savants*, janvier 1825, p. 58-59.

Anon., *Girodet*, Paris, Ponthieu, 1825.

Anon., *Revue critique des productions de peinture, sculpture, gravure, exposées au Salon de 1824*, Paris, J. G. Dentu, 1825.

Anon., *Isographie des hommes célèbres ou collections de fac-similé de lettres autographes et de signatures*, t. II, Paris, A. Mesnier Libraire, 1828-1830, s. p.

Anon. [Alphonse Rabbe], « Girodet-Trioson (Anne-Louis) », *Biographie universelle et portative des contemporains*, publiés sous la direction de MM. Rabbe, Vieilh de Boisjolin et Sainte-Preuve, Paris, Chez l'éditeur, rue du Comombier n° 21, 1836, p. 1884-1885.

Anon., « P. P. Prud'hon. Lettre à M. Denon », *Archives de l'Art français*, vol. V, 15 novembre 1855, p. 127.

Anon. [Lenoble], *La Rapinéide ou l'atelier. Poème burlesco-comico-tragique en 7 chants, par un ancien rapin des ateliers Gros et Girodet*, Paris et Le Havre, J. Morlent, 1838, p. 5.

Anon. ?, *Neunter Bericht des Leipziger Kunstvereins 1855* ; Leipzig, 1856, p. 11 (sous le titre *Aurora*).

Anon. [Laurent Jan de Lausanne], *Légendes d'atelier*, Paris, impr. de J. Claye, 1859, p. 23.

Anon., « Notes pour servir à l'histoire des artistes contemporains. Hardi de Juinne, peintre. *Notice par lui-même* », *Revue universelle des arts*, vol. XVI, 1862, p. 347-348.

Anon., « Girodet-Trioson », *L'amateur d'Autographes*, vol. VI, n° 128, 16 avril 1867, p. 121-122.

Anon., « Louis David. Lettres et documents divers (1748-1825) », *Nouvelles Archives de l'art français*, 1875, p. 401-402.

Anon., « Monuments, statues, sépultures historique. Monument de Girodet », *Inventaire des richesses d'art de la France*, t. III, Paris, 1902, p. 233-234.

Anon., *Catalogue des peintures et sculptures exposées dans les galeries du Musée Fabre de la ville de Montpellier*, Montpellier, 1904, n° 277, p. 78.

Anon. [Gerspach], « Notes et documents. Note sur des portraits de Gros, Girodet et Gérard (musée de Versailles et de Toulouse) », *Bulletin de la Société de l'histoire de l'art français*, 1911, p. 209-216.

Anon., « 41e séance et 41bis séance. - 24 et 29 janvier 1924. Célébration du Centenaire de la mort de Girodet », *Bulletin de la Société d'émulation de l'arrondissement de Montargis*, année 1924.

Anon., « 58e séance. - 4 décembre 1924. Centenaire de la mort de Girodet », *Bulletin de la Société d'émulation de l'arrondissement de Montargis*, année 1924, p. 121.

Anon., « 95e séance - 12 août 1926 », *Bulletin de la Société d'émulation de l'arrondissement de Montargis*, année 1926, 1927, p. 39.

Anon., « Editorial. The Paradoxes of Neo-Classicism », *Apollo*, vol. XCVI, n° 128, octobre 1972, p. 268, 272.

Anon., « *L'Enlèvement d'Europe* : une nouvelle toile du musée Girodet », *La République du Centre*, 1er octobre 1977.

Anon., « Autres acquisitions ou dons récents. Atlanta », *Gazette des Beaux-Arts. La Chronique des Arts*, n° 1466, mars 1991, p. 90.

Antal, Frederic, « Reflections on Classicism and Romanticism – II », *The Burlington Magazine*, vol. LXVIII, n° 396, mars 1936, p. 130-139.

Antal, Frederic *Classicism and Romanticism, with other studies in art history*, Londres, Routledge & Kegan Paul, 1966.

Aragon, Louis, « Girodet-Trioson ou le sujet de la peinture », *Europe*, décembre 1949, p. 201-209 (republié dans *Digraphe*, n° 13, décembre 1977, p. 61-90). *Arlequin au Muséum ou les tableaux en vaudeville. Salon de l'an VII* [1799], cité par coll. Deloynes, t. XXI.

Arnaud, A. V., « Souvenirs d'un sexagénaire », *Nouvelle Bibliothèque populaire*, n° 216, 1890, 32 p.

Arnauldet, T., « Estampes satiriques relatives à l'art et aux artistes français pendant les XVIIe et XVIIIe siècles », *Gazette des Beaux-Arts*, t. IV, 1859, p. 111-112.

Arnault, A. V., **Jay** A. et **Jouy**, E. « Girodet-Trioson (N.) » *Bibliographie nouvelle des contemporains, ou dictionnaire historique et raisonné de tous les hommes qui, depuis la Révolution française, ont acquis de la célébrité par leurs actions, leurs écrites, leurs erreurs ou leurs crimes, soit en France, soit dans les pays étrangers*, t. VIII, Paris, Librairie historique et des arts d'Émile Babeuf, 1822, p. 170-172.

Arnault, Antoine-Vincent, *Souvenirs d'un sexagénaire*, Paris, Dufey, t. II, 1833, nouvelle édition avec une préface et des notes par Auguste Dietrich, t. II, Paris, Garnier frères, sans date [1908], p. 53-56.

Aulanier, Christiane, *Histoire du Palais et du Musée du Louvre…* [7.] Le Pavillon du roi, les appartements de la reine, Paris, Éditions des Musées nationaux, 1958.

Aulard, A., *Paris sous le Consulat. Recueil de documents pour l'histoire de l'esprit public à Paris (22 novembre 1800- 20 avril 1802)*, t. II, Paris, Cerf, Noblet et Quantin, 1904.

Auquier, L., *Catalogue des peintures, sculptures, pastels et dessins*, Marseille, 1908.

Auzas, P.-M., « Les peintures de Girodet au Palais de Compiègne », *Bulletin de la Société de l'Histoire de l'Art français*, année 1969, 1971, p. 93-106.

B., « Musée de Montargis », *L'Indicateur de Montargis*, n° 17, 26 avril 1854, p. 1.

Bailey, Colin B., « The Comte de Vaudreuil. Aristocratic Collecting on the Eve of the Revolution », *Apollo*, vol. 130, n° 329, juillet 1989, p. 19-26 et 68-69.

Bailey, Colin B., *1789 : French Art During the Revolution*, New York, Colnaghi, 1989, p. 234.

Bailey, Colin B., *Patriotic Taste, Collecting Modern Art in Pre-Revolutionary* Paris, 2002

Baillio Joseph, « Vie et œuvre de Marie Victoire Lemoine (1754-1820) », *Gazette des Beaux-Arts*, vol. CXXVII, avril 1996, p. 137.

Bajou, Valérie, « Frédéric Nepveu et le rez-de-chaussée de l'aile du Midi, première campagne de travaux de Louis-Philippe à Versailles », *Gazette des Beaux-Arts*, mai-juin 1999.

Bajou Valérie, **Lemeux-Fraitot**, Sidonie, *Inventaires après décès de Gros et de Girodet / Document inédits*, s.l., 2002,

Ballot, Docteur, « Notice historique sur la vie et les ouvrages du docteur Gastellier, ancien maire de Montargis, par le docteur Ballot, maire de la même ville », *Bulletin de la société d'émulation de Montargis*, n° XI, 1855, note 1, p. 4.

Ballot, Marie-Juliette, *Une élève de David. La Comtesse Benoist. L'Émilie de Demoustier, 1768-1826*, préface de Henry Corbin, Paris, Librairie Plon, 1914.

Balzac, *Sarrasine*, 1842-1848.

Balzac Honoré de, *Lettres à Madame Hanska, 1845-1850*, édition établie par Roger Pierrot, t. II, Paris, Robert Laffont, 1990.

Bancarel Gilles, *Raynal ou le devoir de vérité*, Paris, H. Champion, 2004, pp. 28, 350, 505, 509.

Banks, Ada-Shadmi, « Two Letters from Girodet to Flaxman », *The Art Bulletin*, vol. LXI, n° 1, 1979, p. 100-101.

Bar, Ch. de, « Paris, 7 juillet 1860. Monsieur le Rédacteur [décès de Monanteuil] », *Union de la Sarthe*, jeudi 19 juillet 1860.

Baridon, Silvio F., *Le Harmonie de la Nature di Bernardin de Saint-Pierre. Studi di Filologia e di Critica Testuale*, t. I, Milan, Istituto Editoriale Cisalpina, 1958, p. 48.

Baron, Anne-Marie, « Endymion ou l'enfance idéale », *Balzac ou les hiéroglyphes de l'imaginaire*, Paris, H. Champion, 2002, p. 48-62.

Barthes, Roland, *S/Z*, Paris, Editions du Seuil, 1970, p. 75-77, 212-213.

Barzun, Jacques, « Romanticism : Definition of a Period », *Magazine of Art*, vol. XLII, n° 7, novembre 1949, p. 243.

Basily-Callimaki, madame de, *Jean-Baptiste Isabey, sa vie – son temps 1767-1855 suivi du catalogue de l'œuvre gravée par et d'après Isabey*, Paris, 1909.

Baudelaire, Charles, *Curiosités esthétiques. Le musée classique du Bazar Bonne-Nouvelle*, Paris, édition des Œuvres complètes, 1923.

Baumgarten, Sandor, *Le Crépuscule néo-classique, Thomas Hope*, Paris, Didier, 1958, p. 81.

Bazin, G., « Girodet de Roucy Trioson », *Kindler's Maierei Lexikon*, Zurich, 1965.

Bazin, Germain, *Théodore Géricault. Étude critique, documents et catalogue raisonné*, t. II, Paris, La Bibliothèque des arts, 1987.

Bazot, Étienne-François, *Nouveau Guide ou conducteur des étrangers dans Paris, depuis la Restauration*, 1818, Paris, L'Écrivain, p. 334.

Beaubiat, René, « Un Montargeois oublié, voire inconnu : Pierre Jean François Triozon (du Chomel), officier du Génie Royal, ingénieur des fortifications puis moine trappiste », *Bulletin de la Société d'émulation de Montargis*, n° 84, mars 1991, p. 61-72.

Beaucamp, Fernand, *Le Peintre lillois Jean-Baptiste Wicar*, Lille, 1939, 2 vol.

Beaulieu, Caroline de, « Anne-Louis Girodet de Roussy-Trioson (1767-1824) », *Peintres célèbres du XIXe siècle*, Paris, Bloud et Barral, sans date [1894], p. 99-151.

Becquerel, Antoine-César, et Coupin, P.-A, « Prospectus », *Anacréon, recueil de compositions dessinées par Girodet et gravées par M. Chatillon son élève, avec la traduction en prose des odes de ce poète, faite également par Girodet ; publiées par son héritier et par les soins de MM. Becquerel et P.-A. Coupin*, Paris, Firmin Didot, 1825.

Becquerel, Antoine-César, *Notice nécrologique sur M. Girodet-Trioson. Paroles prononcées sur la tombe de M. Girodet-Tioson par M. Becquerel, ancien chef de bataillon du génie*, Paris, Le Normant fils, [1825].

Bellenger, S., « Montargis, musée Girodet. Anne-Louis Girodet-Trioson (1767-1824). *Portrait de Mustapha*, 1819 », *La revue du Louvre et des Musées de France*, vol. 38, n° 5-6, 1988, p. 439.

Bellenger, Sylvain, « David et son temps », in Guy Boyer et Jean-Loup Champion *(dir.)*, *Mille peintures des musées de France*, Paris, Gallimard/Beaux-Arts, 1993, p. 328-357.

Bellenger, Sylvain, voir cat. exp.

Bellenger, Sylvain, « Head of a Young Woman with an *Antique Coiffure* n° 108 ; *The Death of Phaedra*, n° 109 ; *Aenas Welcomed in Hades by the Shades of his Former Comrades*, n° 110 », *Mastery and Elegance : Two Centuries of French Drawings from the Collection of Jeffrey E. Horvitz*, Cambridge, Mass., Harvard University Art Museums, 1998.

Bellenger, Sylvain, « Girodet et la littérature, Chateaubriand et la peinture », *Chateaubriant et les arts*, sous la direction de Marc Fumaroli, Paris, Fallois, 1999, p. 111-135.

Bellenger, Sylvain, « Le girodisme d'Ingres », *Center 19. Record of Activities and Research Report*, juin 1998 - mai 1999, National Gallery of Art, Center for Advanced Study in the Visual Arts, Washington, 1999, p. 45-51.

Bellier de la Chavignerie, Émile, et Auvray, Louis, « Girodet de Roucy (Anne-Louis) », *Dictionnaire général des artistes de l'École française*, t. I, Paris, Renouard, 1882, p. 661-663., rééd. 1979, t. I.

Bellier de la Chavignerie, Émile, *Lettres inédites du peintre Girodet-Trioson, de Suvée, directeur de l'École de Rome, et du général Gudin, gouverneur du château de Fontainebleau, à Ange-René Ravault, peintre, graveur et lithographe, de Montargis, précédées d'une notice sur Ravault*, Phitiviers, Chenu, sans date [1863], p. 3-11.

[**Belley** Jean-Baptiste, **Mills**, Jean-Baptiste, **Dufaÿ**, Louis-Pierre, **Garnot**, Pierre-Nicolas Georges Joseph], *Convention nationale. Lettre écrite de New-Yorck par les députés de Saint-Domingue à leurs commettans - Lettre de Belley, député à la Convention nationale, à ses frères*, Paris, Impr. nationale, [1794].

Bénédite, Léonce, *Histoire des Beaux-Arts 1800-1900...*, Paris, Flammarion, s.d.

Bénichou, Paul, « Spiritualisme laïque ; esthétique » *Le sacre de l'écrivain, 1750-1830. Essai sur l'avènement d'un pouvoir spirituel laïque dans la France moderne*, Paris, Gallimard, 1973, réédition de 1996.

Benoît, François, « Les années romaines du peintre Réattu d'après sa correspondance », *Mémoires de l'institut historique de Provence*, t. III, 1926, p. 26-39.

Benoit, François, *L'Art français sous la Révolution et l'Empire, les doctrines, les idées, les genres*, Paris, (1897) 1975.

Benoit, J., « La peinture allégorique sous le Consulat : structure et politique », *GBA*, VIe période, vol. CXXI, 135e année, 1489e livraison, février 1993, p. 72-92.

Bergeret, Pierre-Nolasque, *Lettre d'un artiste sur l'état des arts en France, considérés sous les rapports politiques, artistiques, commerciaux et industriels*, publiées par P.-N. Bergeret, 1er et 2e parties, 1848.

Bernier, Georges, *Anne-Louis Girodet, 1767-1824*, Paris et Bruxelles, J. Damase, 1975.

Bernardin de Saint-Pierre, *Paul et Virginie*, 1854.

Bernardin de Saint-Pierre, *Paul et Virginie, Préambule*, texte établi par Pierre Trahard ; nouv. éd. rev. et augm. par Edouard Guitton, Classiques Garnier, 1990.

Berthelot *et alii*, *Grande encyclopédie. Inventaire raisonné des sciences, des lettres et des arts par une société de savants et de gens de lettres*, Paris, H. Lamirault, 1885-1902.

Beurdeley, Michel, *Georges Jacob (1739-1814) et son temps*, Château de Saint-Rémy-en-l'Eau, Editions Monelle Hayot, 2002.

Bialostocki, J., « Gros et Niemcewicz », *Gazette des Beaux-Arts*, vol. 64, décembre 1964, p. 363-372.

Bied, Robert, « Salons, Athénées et Institut : Essai sur le pouvoir culturel à Paris de 1780 à 1830 », *L'Information Historique*, n° 44, 1982, p. 77, 79.

Bied, Robert, « Le Role d'un salon littéraire au début du XIXe siècle : les amis de Constance de Salm », *Revue de l'Institut napoléonien*, n° 133, 1977, p. 123-127, 135, 141.

Biet, C., **Brihgelli**, J.-P. et **Rispail**, J.-P., *XIXe siècle*, Paris, 1984.

Bins de Saint-Victor, Jacques, « A. M. Girodet, après avoir vu son tableau », *Nouvel Almanach des Muses*, 1803, p. 103.

Bins de Saint-Victor, Jacques, « À. M. Girodet », *Odes d'Anacréon, traduit en vers sur le texte de Brunck*, Paris, H. Nicolle, 1810, p. V-VI, XIV-XV, XIX-XXI.

Biondi, J.-P., *16 pluviôse an II : Les colonies de la Révolution*, Paris, 1989.

Biré, Edmond, *L'Année 1817*, Paris, H. Champion, 1895.

Biver, M.-L., *Pierre Fontaine premier architecte de l'Empereur*, Paris, 1964.

Bjurstrom, Per, *French Drawings, Nineteenth Century*, Stockholm, Nationalmuseum, 1986, n° 1576.

Blanc, Charles, « A.-J. Gros », *Histoire des peintres français au dix-neuvième siècle*, t. I, Paris, Cauville frères, 1845, p. 341-342.

Blanc, Charles, « Girodet-Trioson, né en 1767 – mort en 1824 », *Histoire des peintres de toutes les écoles depuis la Renaissance jusqu'à nos jours*, t. III, Paris, Ve J. Renouard, 1865, p. 1-16.

Bluche, François, *L'origine des magistrats du parlement de Paris au XVIIIe siècle (1715-1771). Dictionnaire biographique*, Paris, 1956.

Blunt, Anthony, « Naples as seen by French Travellers 1630-1780 », in F. Haskell, A. Levi and R. Shackelton dir., *The Artist and the Writer in France Essays in the honour of Jean Seznec*, Oxford, 1974, p. 1-14.

Bober, P.P. et **Rubinstein**, R., *Renaissance Artists and Antique Sculpture. A handbook of sources*, Londres, 1986.

Boime, Albert, *The Academy and French Painting in the Nineteenth Century*, Londres, 1971. Boime, Al., *Art in an Age of Revolution 1750-1800*, Chicago et Londres, 1987.

Boime, Albert, « Did Girodet sign Somebody Elses's Work », *Gazette des Beaux-Arts*, vol. LXXIV, octobre 1969, p. 211-218.

Boime, Albert, *Thomas Couture and the Eclectic Vision*, New Haven et Londres, 1980.

Boime, Albert, *Art in an Age of Revolution, 1750-1800*, t. I, Chicago et Londres, The University of Chicago Press, 1987.

Boisselier, Antoine-Félix, *Notice historique et nécrologique sur Marie-Philippe Coupin, peintre d'histoire*, Versailles, imprimerie de Montalant-Bougleux, 1852, p. 4.

Bonard, O., *La Peinture dans la création balzacienne, invention et vision picturales, de « la Maison du Chat-qui-pelote » au « Père Goriot »*, Genève, Droz, 1969.

Bonnaire, Marcel (dir.), *Procès-Verbaux de l'Académie des Beaux-Arts...*, t. III : La Classe des Beaux-Arts de l'Institut (suite) : 1806-1810, Paris, Armand Colin, 1943, 15e séance du samedi 4 avril 1807 (p. 80) ; 44e séance du samedi 4 août 1810 (p. 339-340), 45e du lundi 11 août 1810 (p. 340-346), 46e du samedi 18 août 1810 (p. 346-348) et séance 49e du samedi 1er septembre 1810 (p. 355-358).

Bonnefoit, Régine, voir cat. exp. 1994. Paris, musée du Louvre.

Bordes, Philippe, « Girodet et Fabre camarades d'atelier », *La Revue du Louvre*, n° 6, 1974, p. 393-399.

Bordes, Philippe, « François-Xavier Fabre, « Peintre d'Histoire » - I », *The Burlington Magazine*, t. CXVII, n° 863, février 1975, p. 90-98.

Bordes, Philippe, « Documents inédits sur Topino-Lebrun », *Bulletin de la Société de l'Historie de l'Art français*, année 1976, 1978.

Bordes, Philippe, « Intentions politiques et peinture : le cas de la mort de Caius Gracchus », dans Alain Jouffroy et Philippe Bordes, *Guillotine et peinture. Topino-Lebrun et ses amis*, Paris, Chêne, 1977, p. 33, 35, 40, 45 note 49, 121.

Bordes, Philippe, « Les arts après la Terreur : Topino-Lebrun, Hennequin et la peinture politique sous le Directoire », *La Revue du Louvre et des musées de France*, n° 3, 1979 (1), p. 202, 206, 209 n. 12, 210 n.14, 212 n. 49.

Bordes, Philippe, « Dessins perdus de David, dont un pour la *Mort de Socrate*, lithographiés par Debret », *Bulletin de la Société de l'Histoire de l'Art français*, 1979 (2), p. 179-184.

Bordes, Philippe, « Antoine-Jean Gros en Italie (1793-1800) : lettres, une allégorie révolutionnaire et un portrait », *Bulletin de la Société de l'Histoire de l'Art français*, année 1978, 1980.

Bordes, Philippe, *Le Serment du Jeu de Paume de Jacques-Louis David. Le peintre, son milieu et son temps de 1789 à 1792*, Paris, RMN, 1983 (1).

Bordes, Ph., « L'art de la Révolution française », *Revue de l'art*, n° 62, 1983 (2), p. 75-78.

Bordes, Ph., « Jacques-Louis David's anglophilia on the eve of the French Revolution », *The Burlington Magazine*, vol. CXXXIV, n° 1073, août 1992, p. 482-490.

Bordes, Philippe « Consolidating the Canon. Thomas Crow : *Emulation. Making Artists for Revolutionnary France* », *Oxford Art Journal*, vol. XIX, n° 2, 1996, p. 107-114.

Bordes, Philippe, et Michel, Régis, *Aux Armes et aux Arts ! Les Arts de la Révolution, 1789-1799*, sous la direction de Philippe Bordes et Régis Michel, Paris. Adam Biro, 1988.

Bordes, Philippe, et Pougetoux, Alain, « Les portraits de *Napoléon en habits impériaux* par Jacques-Louis David », *Gazette des Beaux-Arts*, vol. CII, juillet-août 1983, p. 34.

Borowitz, **Helen O.**, « The Man who wrote to David », *The Bulletin of the Cleveland Museum of Art*, n° 8, octobre 1980, p. 261-262.

Borowitz, **Helen O.**, « Critique and Canard : Henri de Latouche at the Salon of 1817 », *Gazette des Beaux-Arts*, vol. XCVI, septembre 1980, p. 64-65.

Bosséno, Christina-Marc, « Le député noir Belley par Girodet : l'impossible portrait de la Révolution », *Les portraits du pouvoir*, acte du colloque organisé par Olivier Bonfait et Brigitte Marin (Rome, Villa Médicis, 24-26 avril 2001), Rome, Académie de France à Rome et Paris, Somogy, 2003, p. 134-151.

Bottineau, Yves, *L'Art de cour dans l'Espagne des Lumières, 1746-1808*, Paris, De Boccard, 1986.

Bottineau, Josette, « Le décor de tableaux à la sacristie de l'ancienne abbatiale de Saint-Denis (1811-1823) », *Bulletin de la Société de l'Histoire de l'art français* (année 1973), 1974, p. 255-281.

Bottineau, Josette, « Les portraits des généraux vendéens. Commande et critique – diffusion et destin », *Gazette des Beaux-Arts*, vol. LXXXV, mai-juin 1975, p. 175-191.

Bottineau, Josette, « Une esquisse de *Phède et Hippolyte* de Pierre Guérin », *La Revue du Louvre et des Musées de France*, n° 4, 1984, p. 274.

Bottineau, Josette, « La jeunesse de Pierre Guérin, étude de quelques dessins », *Revue du Louvre et des musées de France*, n° 5-6, 1989, p. 300-309.

Bottineau, Josette, « Pierre Guérin et le merveilleux mythologique : *L'Aurore et Céphale, Iris et Morphée* », *Gazette des Beaux-Arts*, vol. CXXXIV, décembre 1999, p. 274, 277, 284-286.

Bottineau, Josette, et Foucart-Walter, Élisabeth, « L'inventaire après décès de Pierre-Narcisse Guérin », *Archives de l'Art français*, vol. XXXVII, 2004, p. 20, 40, 46-48, 51-53, 72, 80-82, 90, 93, 101, 129, 138.

Boucher, Henri, « Girodet illustrateur à propos des dessins inédits sur l'*Énéide* », *Gazette des Beaux-Arts*, vol. IV, novembre 1930, p. 304-319.

Bouchot, Henri, *Le Luxe français. L'Empire. Illustration documentaire d'après les originaux de l'époque*, Paris, La Librairie illustrée, [1892], p. 194, 196, 209,

Bouchot-Saupique, Jacqueline, « Deux albums de croquis de la jeunesse de Gros », *Archives de l'Art français*, tome XXII, nouvelle période, 1959, p. 297-302.

Boudet, J., *La Révolution française*, Paris, 1984.

Boué, G., « L'église de Montesquieu-Volvestre Saint-Victor », *L'Illustration du midi*, première année, n° 39, dimanche 6 décembre 1863, p. 305-306.

Bouillon-Landais, *Catalogue des objets d'art composant la collection du musée de Marseille*, Marseille, 1884.

Bouilly, Jean Nicolas, « Les Enfants d'Apollon », *Mes Récapitulations*, t. III, Paris, L. Janet, s.d. [1836-1837], p. 240.

Bouilly, Jean Nicolas, « Réunion chez Joséphine », *Mes Récapitulations*, t. II, Paris, L. Janet, sans date [1836-1837], p. 168.

Bouilly, Jean Nicolas, « Souper chez Talma », *Mes Récapitulations*, t. III, Paris, L. Janet, sans date [1836-1837], p. 88, 93.

Boullée, *Architecture. Essai sur l'art*, publié par Jean-Marie Pérouse de Montclos Paris, Herman, coll. « Miroir de l'art », 1968, p. 186.

Bourdeaut, A., « François et Pierre Cacault. Les origines du Concordat et le musée des Beaux-Arts de Nantes », *Mémoires de la Société d'histoire et d'archéologie de Bretagne*, t. VIII, 1927, p. 153-154.

Boutard, Jean-Baptiste, « Salon de l'an dix », *Journal des débats*, [1802], (an X-XI), coll. Deloynes, t. XXVIII, n° 778.

Boutard, Jean-Baptiste, « Salon de l'an 1806. », *Journal de l'Empire*, 27 septembre 1806, p. 1-3

Boutard, Jean-Baptiste, « Beaux-Arts./ Salon de 1808. N° IX. / M. Girodet. », *Journal de l'Empire*, samedi 19 novembre 1808.

Boutard, Jean-Baptiste, 12 décembre 1812, « Salon de l'an 1812 / N°. IX./ M. Girodet-Trioson », *Journal de l'Empire*, p. 1-4.

Boutard, Jean-Baptiste, « Beaux-Arts. Salon de 1814. – N° 1 », *Journal des débats*, dimanche 6 novembre 1814, p. 2-3.

Boutard, Jean-Baptiste, « Beaux-Arts. Salon de 1814. – N° VI. M. Girodet-Trioson », *Journal des débats*, samedi 3 décembre 1814, p. 1-4.

Boutard, Jean-Baptiste, « *Éneide*, suite de compositions dessinées au trait par Girodet, et lithographie par MM. Aubry-le-Comte, Chatillon, Coupin de la Couperie, Dassy, Dejuine, Delorme, Monanteuil, Pannetier, ses élèves ; *Les Amours des Dieux*, recueil de compositions dessinées par Girodet et lithographiées par les mêmes, avec un texte explicatif, rédigé par M. P. A. Coupin », *Journal des débats*, mardi 2 janvier 1827, p. 1-3.

Boutard, Jean-Baptiste, « France. Paris, 13 décembre [nécrologie d'*Anne-Louis Girodet*] », *Journal des débats, politiques et littéraires*, mardi 14 décembre 1824, p. 1-3.

Boutet-Loyer, Jacqueline, « Montargis. Musée Girodet. Un portrait inédit par Girodet : François Ribes chirurgien de l'Empereur », La *Revue du Louvre et des Musée de France*, nos 4-5, 1986, p. 306-308.

Boutet-Loyer, voir car. exp. 1983

Bouvier, **Nikitine** et **Pessey-Lux**, voir cat. exp. 1997-1998, Alençon

Bouyssy, Marie-Thérèse, « Barère : le Salon imaginaire ou le XXe siècle », *Annales Historiques de la Révolution française*, n° 293, avril-juin 1993, p. 232.

Boyer, Ferdinand, « Le sculpteur Barhélemy Corneille à Rome et en Toscane (1787-1805) », *Bulletin de la Société de l'Histoire de l'Art français*, 1941-1944 (1947), p. 12.

Boyer, Ferdinand, « Napoléon et l'attribution des grands prix décennaux (1810-1811) », *Bulletin de la Société de l'Histoire de l'Art français*, années 1947-1948 (1949), p. 66-72.

Boyer, Ferdinand, « Antiquaires et architectes français à Rome au XVIIIe siècle », *Revue des études italiennes*, 1954, p. 173-185.

Boyer, Ferdinand, « Les relations artistiques entre la France et la Toscane de 1792 à 1796 », *Revue des études italiennes*, janvier-mars 1956, p. 23-37.

Boyer, Ferdinand, « Les artistes français lauréats ou membres de l'Académie romaine de Saint-Luc dans la seconde moitié du XVIIIe siècle », *Bulletin de la Société de l'Histoire de l'Art français*, 1957, p. 273-288.

Boyer, Ferdinand, « Le sort sous la Restauration des tableaux à sujets napoléoniens (documents inédits) », *Bulletin de la Société de l'Histoire de l'art français* (année 1966), 1967, p. 276, 278.

Boyer, Ferdinand, « Quelques écrits de Girodet (1789-1799) », *Bulletin de la Société de l'histoire de l'art français* (année 1967), 1968, p. 241-251.

Boyer, Ferdinand, *Le Monde des arts en Italie et la France de la Révolution et de l'Empire. Études et recherches*, Turin, Società Editrice Internazionale, 1969.

Brady, W.M., *Old Masters drawings*, New York, 1999, n° 27 (repr. page de face).

Brainne, C., **Debarbouiller**, J., et **Lapierre**, CH.-F., *Les Hommes illustres de l'Orléanais, Biographie générale des trois départements du Loiret, d'Eure-et-Loir et de Loir-et-cher*, Orléans, 1852, 2 vol.

Breguet, Emmanuel, *Breguet Watchmakers Since 1775. The life and legacy of Abraham-Louis Breguet (1747-1823)*, traduit du français par Barbara Mellor, Paris, A. de Gourcuff éditeur, 1997.

Brejon de Lavergnée, Arnauld, *Musée Magnin Dijon. Petits guides des grands musées*, Paris, 1976.

Brejon, A., *Le Portrait français au XIXe siècle*, Paris, 1985.

Brière, Gaston, « Le Buste de Raynal par Espercieux au musée de Versailles », *La Correspondance historique et archéologique*, t. IX, 1902, p. 207, note 2.

Brière, G., « Note sur des portraits de Gros, Girodet et Gérard », *Bulletin de la Société de l'Histoire de l'Art français*, 1911, p. 209-216.

Brière, Gaston, « L'Exposition du Luxembourg au profit des blessés de juillet 1830 », *Bulletin de la Société de l'Histoire de l'art français*, années 1918-1919, p. 248.

Brière, Gaston « Notes sur des tableaux conservés au musée du Val-de-Grâce par Latinville, Ch. Meynier, H. Vernet, Mlle de Saint-Omer, J. Rigo, etc. », *Bulletin de la Société de l'Histoire de l'art français*, années 1918-1919, p. 41.

Brière, Gaston, « Relevé des autographes intéressant l'histoire des arts en France passés en vente. I. 1919-1920 », *Bulletin de la Société de l'Histoire de l'art français*, 1922.

Brière, Gaston, « Relevé des autographes intéressant l'histoire des arts en France passés en vente. II. 1921-1922 », *Bulletin de la Société de l'Histoire de l'art français*, 1923, p. 396.

Brière, Gaston, *Musée National du Louvre. Catalogue des peintures exposées dans les galeries, I, école française*, Paris, 1924.

Brière, Gaston, et **Rosenthal**, Léon, « Additions et rectifications au catalogue de l'exposition *David et ses élèves* », *Bulletin de la Société de l'Histoire de l'art français*, 1913, p. 129.

Brillant, Richard, *Portraiture*, Londres, Reaktion Books, 1991.

Broglie, Axelle de, « Ossian le fantomatique », *Connaissance des arts*, février 1974, p. 83-91.

Broglie, Gabriel de, *Madame de Genlis*, Paris, Librairie académique Perrin, 1985, p. 339.

Brookner, Anita, « Current and Forthcoming Exhibition : Paris », *The Burlington Magazine*, août 1952, p. 362.

Brookner, Anita, *Jacques-Louis David*, Paris, 1991.

Brookner, Anita, *Romanticism and Its Discontents*, Londres, Viking, 2000, p. 11-13, 15, 17-18, 23, 35-36, 39, 43, 51.

Bruel, André, *Les Carnets de David d'Angers*, Paris, Plon, 1958, 2 vol.

Bruel, François-Louis, « Notes et documents. Girodet et les dames Robert », *Bulletin de la Société de l'Histoire de l'Art français*, 1912, p. 76-93.

Brugerolles, Emmanuelle, « Anne-Louis Girodet de Roucy-Trioson », *Les Dessins de la collection Armand-Valton. La donation d'un grand collectionneur du XIXe siècle à l'Ecole des Beaux-Arts*, Paris, ENSBA, 1984, p. 254-255.

Brune, abbé Paul « Péquignot (Jean-Pierre) », *Dictionnaire des artistes et ouvriers d'art de la Franche-Comté*, Paris, Bibliothèque d'art et d'archéologie, 1912.

Brunel, Georges, *Boucher*, Paris, 1986.

Brunet, Claire, « Le silence de Baudelaire », actes du colloque *Géricault*, (Paris, auditorium du musée du Louvre, 14-16 novembre 1991 et Rouen, auditorium du musée des Beaux-Arts, 17 novembre 1991), ouvrage collectif dirigé par Régis Michel, t. II, Paris, La documentation Française, 1996, pp. 848-849, 864-865, 868.

Brunon, Jean et Raoul, « Un habit de l'Empereur demeuré inconnu », *Revue de la Société des amis du musée de l'Armée*, n° 76, 1972, p. 46, 53.

Bruun-Neergaard, T. C., *Sur la situation des Beaux-Arts en France, ou Lettres d'un Danois à son ami*, Paris, Dupont, an IX [1801].

Bruun-Neergaard, M. T. C., « Biographie. Notice sur Pierre-Charles Dandrillon, professeur de perspective à l'Ecole spéciale des beaux-arts de Paris », *Magasin encyclopédique*, janvier 1813, p. 125.

Bryson, Voir cat. exp. 1984, Cambridge.

Bryson, voir cat. exp. 1993-1994.

Bukdahl, E.M., *Diderot, critique d'art II Diderot, les Salonniers et les esthéticiens de son temps*, Copenhague, 1982.

Burns, Sarah, « Girodet-Trioson's *Ossian* : The Role of Theatrical Illusionism in a Pictorial Evocation of Otherworldly Beings », *Gazette des Beaux-Arts*, vol. XCV, janvier 1980, p. 13-24.

C., « Institut Royal. Séance publique et annuelle de l'Académie royale des Beaux-Arts. Distribution des grands prix », *Journal des débats politique et littéraires*, lundi 7 octobre 1816.

C., « Suite du Salon de 1806. », *L'Atheneum, ou gallerie française*, n° 12, décembre 1806, p. 1-4.

C.P., *Aux manes de Girodet par C. P…, Élégie*, Paris, 1824.

Cabanne, P., *L'art du XIXe siècle*, Paris, 1989.

Cabanne, Pierre, « Girodet-Trioson (Anne-Louis Girodet de Roucy, dit) », *Dictionnaire des arts*, Paris, Les éditions de l'Amateur, 2000.

Cadet Bateux, **Désaugiers**, **Brasier** [?], « Salon de 1814 », *La Quotidienne*, n° 180, 27 novembre 1814, p. 3.

Clarac, Frédéric de, « Lettre sur le Salon de 1806 », *Annales littéraires de l'Europe*, 1806, coll. Deloynes, t. XXXVIII, n° 1047.

Canaday, J., *Mainstreams of Modern Art*, New York, 1959.

Canonge, Jules, « Réattu », *Passim. Notes, souvenirs et documents d'art contemporains*, Paris, J. Tardieu, 1863.

Cantinelli, R., *Jacques-Louis David*, Bruxelles, 1930.

Carr, G. L., « David, Boydell and *Socrates* », *Apollo*, vol. 137, n° 375, mai 1993, p. 307-315.

Caso, Jacques de, « Exhibition Reviews. Girodet », *The Art Bulletin*, vol. LI, n° 1, mars 1969, p. 85-87.

Caso, Jacques de, « Géricault, David d'Angers, le *Monument à l'Émancipation* et autres objets ou figures du racisme romantique », actes du colloque *Géricault*, Paris, auditorium du musée du Louvre, 14-16 novembre 1991 et Rouen, auditorium du musée des Beaux-Arts, 17 novembre 1991, ouvrage collectif dirigé par Régis Michel, t. II, Paris, La Documentation française, 1996, p. 533-534, 553, 617.

Castan, Auguste, « Notice sur le peintre Lancrenon, correspondant de l'Institut de France. Séance du 14 novembre 1874 », *Mémoires de la Société d'Emulation du Doubs*, t. IX, année 1874, 1875, p. 12-32.

Caubisens, Colette, « Peinture et préromantisme pendant la Révolution française », *Gazette des Beaux-Arts*, t. LVIII, décembre 1961, p. 367, 371, 374.

Caubisens-Lasfargues, Colette, « Le Salon de peinture pendant la Révolution », *Annales historiques de la Révolution française*, vol. XXXIII, 1961, p. 206, 209.

Cayeux, Jean de, *Le Paysage en France de 1750 à 1815*, Saint-Rémy-en-l'Eau, Editions Monelle Hayot, 1997, p. 159-160.

Chalons d'Argé, « Une page de l'histoire du Louvre », *Revue des Beaux-Arts*, vol. IX, 1858, p. 247-250, 298-301.

Champfleury, « Cadamour », *Les Excentriques*, Paris, M. Lévy, 1852, p. 341-342.

Champfleury, « Henry Monnier », *Gazette des Beaux-Arts*, vol. XV, 1877, p. 369-370.

Charrier, J., *La Révolution à Clamecy et dans les environs*, Nevers, J. Gremion, 1923.

Charrier, J., *Histoire religieuse du département de la Nièvre pendant la Révolution*, Paris, 1923, 2 vol.

Chastel, André « La Chirurgie dans l'Art », *Médecine de France*, n° XXVI, 1951.

Chastel, André, *L'Art français. Le temps de l'éloquence, 1775-1825*, Paris, Flammarion, 1996.

Chastenay, Victorine de, *Mémoires, 1771-1815*, Paris, Perrin, 1896, rééd. 1987, p. 390.

Chateaubriand, R. de, *Les Martyrs ou Le Triomphe de la Religion chrétienne*, Paris, 1809, p. 397.

Chateaubriand, *Mémoires d'outre-tombe*, [1848-1850], édition du centenaire, intégrale et critique en partie inédite, établis par Maurice Levaillant, t. I et t. II, Paris, Flammarion, 1948, p. 250.

Chateaubriand, *Correspondance générale, 1808-1814*, texte établi et annoté par Pierre Riberette, t. II, Paris, Gallimard, 1979, p. 178.

Chaudonneret, Marie-Claude, *L'État et les artistes. De la Restauration à la monarchie de Juillet (1815-1833)*, Paris, Flammarion, 1999.

Chaussard, Pierre-Jean-Baptiste « Salon de 1800. Exposition des ouvrages de peinture, sculpture, gravure et architecture composés par les artistes vivants », *Bulletin universel des sciences, des lettres et des arts*, an IX, [1800], coll. Deloynes, t. XXIII, n° 634.

Chaussard, Pierre Jean-Baptiste, « Beaux-Arts. Suite de l'Exposition des ouvrages de peinture, sculpture, architecture et gravure », *Bulletin universel des sciences, des lettres et des arts*, non daté, 1800, p. 27-29, n° 4.

Chaussard, P., « Notice historique et inédite sur M. Louis David », *Le Pausanias français. État des arts du dessin en France à l'ouverture du XIXe siècle. Salon de 1806*, Paris, 1806, p. 159, 167-171.

Chenique, Bruno, voir Catalogues d'exposition.

Chenique, Bruno, *Les Cercles politiques de Géricault (1791-1824)*, thèse d'histoire de l'art, sous la direction de Jean-Claude Lebensztejn, Paris I Panthéon-Sorbonne, 2 vol, (Lille, Presses universitaires du Septentrion), 1998.

Chenique, Bruno, et **Guégan**, Stéphane, « De Girodet à Géricault : Hugo et la révolution en peinture », actes du colloque *L'Œil de Victor Hugo*, 19-21 septembre 2002, musée d'Orsay et université Paris VII, Paris, Editions des cendres, musée d'Orsay, 2004, p. 52-72.

Chenique, Bruno, « Le tombeau de Géricault », actes du colloque *Géricault*, (Paris, Auditorium du musée du Louvre, 14-16 novembre 1991 et Rouen, auditorium du musée des Beaux-Arts, 17 novembre 1991), ouvrage collectif dirigé par Régis Michel, t. II, Paris, La Documentation Française, 1996, p. 734, 804.

Chennevières, Ph. de, *Portraits inédits d'artistes français*, Paris, 1853.

Chennevières, Philippe de, « Les décorations du Panthéon (quatrième article) », *Gazette des Beaux-Arts*, t. XXIII, 1er mai 1881, p. 397.

Chennevières, Philippe de, « Une collection de dessins d'artistes français », *L'Artiste*, 1896.

Chennevières-Pointel, Philippe de « François Gérard », *Portraits inédits d'artistes français, lithographies et gravures par Frédéric Legrip*, Paris, Vignères, 1853, p. 23-24.

Chesneau, Ernest, « A. L. C. Pagnest (1790-1819) », *L'Art*, t. I, 1882, p. 178-200 ; 218-220, 243-245 ; II, 1882, p. 3-7.

Chesneau-Dupin, Laurence, Mulot, Françoise, Papin-Drastik Ivonne, Robine Stéphane et Sauvegrain, Yves. *Lettres inédites de Jean-Victor Schnetz à François-Joseph Navez. « Une amitié italienne »*, Flers, Flers Promotion, 2000, p. 69, 111.

Chevallier, Bernard, *Malmaison. Château et domaine des origines à 1904*, Paris, RMN, 1989, p. 66, 84-86, 92, 95, 109, 122, 124, 128, 226, 365.

Chillaz, Valentine de, « Girodet-Trioson » *Musée du Louvre, département des arts graphiques, musée d'Orsay. Inventaire général des autographes*. Paris, RMN, 1997, p. 152.

Chimot, Jean-Philippe, « The Effect of Color in the Birth of Modernity », *Culture and Revolution. Cultural Ramifications of the French Revolution*, actes du colloque de l'Université de Maryland (20-22 novembre 1987), édité par George Levitine, Maryland, Departement of Art History, 1989.

Chomer, Gilles, *Peintures françaises avant 1815. La collection du musée de Grenoble*, Paris, RMN, 2000.

Chotard, Loïc, « Du côté de Girodet », cat. exp. *Alfred de Vigny et les arts*, Paris, musée de la Vie romantique, 22 novembre 1997 - 1er mars 1998, p. 26-27.

Ciseri, Ilaria, *Le Romantisme, 1780-1860 : la naissance d'une nouvelle sensibilité*, Paris, Gründ, 2004.

Clay, Jean, *Le Romantisme*, Paris, Hachette, 1980.

Cleaver Dale G., « Girodet's *Déluge*, a Case Study in Art Criticism », *Art Journal*, t. XXXVIII, n° 2, hiver 1978-1979, p. 96-101.

Clément, Jean-Paul, catalogue de l'exposition *Chateaubriand et le sentiment de la nature*, La Vallée-aux-Loups, automne 1991.

Closel, Élisabeth du, « Girodet-Trioson sur le devant de la scène », *Connaissance des arts*, n° 471, mai 1991, p. 124.

Clouzot, Henri, « Counis (Salomon-Guillaume) », *Dictionnaire des miniaturistes sur émail*, Paris, A. Morancé, 1924.

Clouzot, Henri, *Des Tuileries à Saint-Cloud. L'art décoratif du Second Empire*, Paris, Payot, 1925.

Coekelberghs, Denis, *Les Peintres belges à Rome de 1700 à 1830*, préface de Ph. Roberts-Jones, Bruxelles et Rome, Institut Historique Belge de Rome, 1976.

Collection de têtes d'étude, d'après le tableau peint en 1801, par Mr Girodet-Trioson, Membres de l'Institut & représentant les ombres des héros français reçues dans les Palais aëriens d'Ossian, lithographiées sous sa direction par Aubry-Lecomte, son élève, Paris, Aubry-Lecomte et Engelmann, 1822.

Collectif, voir Catalogues d'exposition.

Compin, I. **Roquebert**, A. **Foucart**, J., **Foucart-Walter**, E. *Catalogue sommaire illustré des peintures du musée du Louvre et du musée d'Orsay, tome III, École française, A-K*, R.M.N., Paris, 1986,

Constans, Claire, *Musée national du château de Versailles. Catalogue des peintures*, Paris, 1980.

Constans, Claire, *Musée national du château de Versailles, Les peintures*, Paris, 1995, 3 vol.

Constans, Claire, « Racine et les peintres : la mort de Phèdre », *L'Estampille-L'Objet d'art*, septembre 1999, p. 74-77.

[Benjamin Constant] « Lettres de Benjamin Constant à Prosper de Barante, deuxième partie : 1809-1830 », *Revue des deux mondes*, Ve période, LXXVIe année, volume 34, juillet-août 1906, livraison du 15 juillet, p. 328-567.

Cormenin, Louis de « Girodet », *Le Loing. Journal de Montargis*, n° 58, jeudi 29 novembre 1849, p. 1-3.

Cormenin, Louis de, « Girodet (Suite et fin) », *Le Loing. Journal de Montargis*, n° 59, jeudi 6 décembre 1849, p. 1-2.

Correspondance de François Gérard, peintre d'histoire avec les personnages célèbres de son temps, publiée par Henri Gérard, son neveu et précédée d'une notice sur la vie et les œuvres de Gérard par M. Alphonse Viollet-le-Duc, Paris, Lainé et Havard, 1867.

Correspondance de Jacques Boucher de Perthes (1788-1868), témoin de dix règnes, présentée par H. et J. Perchelet, Le Raincy, Les Editions Claires, 1947, p. 124, 173-174.

Correspondance des directeurs de l'Académie de France à Rome avec les surintendants des Bâtiments publiée d'après les manuscrits des Archives Nationales par MM. Anatole de Montaiglon et Jules Guiffrey, Paris, 1907, t. XV, 1785-1790, et tome XVI, 1791-1797.

Coupin, « Notice sur l'Exposition des Tableaux en 1824 », *La Revue Encyclopédique*, t. XXIV, décembre 1824, p. 593-594.

Coupin, P. A., « Lithographie. *Enéide*. Suite de soixante-douze compositions dessinées au trait par Girodet, et lithographiées par MM. Aubry le Comte, Chatillon, Counis, Coupin de la Couprie, Dassy, Dejuinne, Delorme, Lancrenon, Monanteuil et Pannetier ses élèves », *Revue encyclopédique*, t. XXIX, janvier 1826, p. 342-343.

Coupin, P.-A., « Notice historique sur la vie et les ouvrages de Girodet », p. i-liii, et « Liste des principaux ouvrages de Girodet », p. liv-lxxxvj, voir Coupin, *Œuvres posthumes*

Coupin, P.-A *Notice nécrologique sur Girodet, peintre d'histoire, membre de l'Institut, officier de la Légion d'Honneur, chevalier de l'ordre de S. Michel*, Paris, Imprimerie de Rignoux, 1825 (extrait de *La Revue Encyclopédique*, t. XXV, février 1825).

Coupin, P.- A., *Essai sur J.-L. David, peintre d'histoire, ancien membre de l'Institut, officier de la Légion d'honneur*, Paris, J. Renouard, 1827, p. 47, 61-64.

Coupin, P. A., *Œuvres posthumes de Girodet-Trioson, peintre d'histoire; suivies de sa correspondance; précédées d'une notice historique, et mises en ordre*, Paris, J. Renouard, 1829, 2 vol., Crauk, Gustave, *Soixante-Ans dans les ateliers des artistes, Dubosc modèle*, Paris, Calmann Lévy, s.d. [1900].

Courrier de l'Europe et des spectacles, n° 1239, 7 novembre 1810, « Salon d'exposition de 1810 », IIIe article.

Courthion, P., *Le Romantisme*, collection Skira, Genève, 1961, planche en couleur, p. 15.

Crow, Thomas, « *The Oath of the Horatii* in 1785 : Painting and Pre-

Revolutionary Radicalism in France », *Art History*, vol. December, 1978.
Crow, Thomas, « Girodet et David pendant la Révolution : un dialogue artistique et politique », dans Michel, 1989, t. II, p. 843-866.
Crow, Thomas, *Painters and Public Life in Eighteenth-Century Paris*, New Haven, 1985.
Crow, Thomas, « Une manière de travailler in the Sudio of David », *Parachute*, n° 56, octobre-décembre 1989, p. 47-51.
Crow, Thomas, « Revolutionary Activism and the Cult of Male Beauty in the Studio of David », in Bernadette Fort, *Fictions of the French Revolution*, Evanston, Northwestern University Press, 1991.
Crow, Thomas, « Observations on Style and History in French Painting of the Male Nude, 1785-1794 », in cat. exp. 1994 Hanovre et Londres.
Crow, Thomas, « The Heroic Single Figure », actes du colloque *Géricault*, (Paris, auditorium du musée du Louvre, 14-16 novembre 1991 et Rouen, auditorium du musée des Beaux-Arts, 17 novembre 1991), ouvrage collectif dirigé par Régis Michel, t. I, Paris, La Documentation Française, 1996.
Crow, Thomas, *Emulation making artists for revolutionary France*, New Haven et Londres, 1995.
Crow, Thomas, *L'Atelier de David. Émulation et Révolution*, traduit de l'anglais par Roger Stuveras (éd. de 1995), Paris, Gallimard, 1997.
Cummings, Frederick, voir cat. exp. 1974-1975, Paris, Detroit, New York.
Cummings, Frederick J., « On Collecting Nineteenth-Century French Drawings », *Drawings*, t. IV, n° 4, novembre-décembre 1982, p. 75-77.
Cuzin, Jean.-Pierre, *Le Louvre. La peinture française*, Paris/Milan, 1989.
Cuzin, Jean-Pierre ?, « Pour un plus beau Louvre », *Connaissance des Arts*, novembre 1996, n° 533, p. 93.
D. [Jean-Joseph-François Dussault], *Mercure de France*, t. XLVI, n° 4 96, 19 janvier 1811.
Dagorne, Richard, Lemeux-Fraitot, Sidonie, « Événements. *La leçon de géographie* d'Anne-Louis Girodet-Trioson enrichit les collections du musée Girodet à Montargis », *La Revue des musées de France. Revue du Louvre*, n° 3, juin, 2005, p. 14-17.
Dandrée, Eugène *Seconde (-Cinquième) Lettre sur le salon de 1806 à M. Denon*, membre de l'Institut impérial… directeur général du Musée Napoléon… (Signé : Eugène Dandrée.), 1806.
Dandrée, Eugène, *A M. Denon…, directeur général du Musée Napoléon… (Lettre d'Eugène Dandrée sur une Scène du déluge par Girodet)*, Paris, imprimerie de Brasseur aîné, 1806-1807.
Dandrée, Eugène, *Lettres sur le Salon de 1808 à M. Denon*, Paris, chez l'auteur, 1808.
Dandrée, Eugène, « Variétés. Aux Rédacteurs du Journal », *Journal de Paris*, n° 281, 8 octobre 1810, p. 1979-1982.
Daru, Pierre, *Histoire de la république de Venise*, par P. Daru, précédée d'une notice sur sa vie, par M. Viennet, quatrième édition, augmentée des critiques et observations de M. Tiepolo et de leur réfutation par M. le comte Daru, t. IX, Paris, F. Didot frères, 1853.
Daru, Pierre, *Histoire de la république de Venise*, t. V, Paris, Firmin Didot, 1819, p. 410.
David, J. L.J., *Notice sur le Marat de Louis David, suivie de la liste de ses tableaux dressée par lui-même*, Paris, 1867.
David, J. L. Jules *Le peintre Louis David, 1748-1825. Souvenirs & documents inédits*, Paris, V. Havard, 1880-1882, 2 vol.
Davis, Whitney, voir cat. exp. Hanovre et Londres, p. 168-201.
Davoine, Félix et Mirimonde, A. P. de, *Musée du baron Martin Gray. Catalogue*, Vesoul, 1983, p. 327, 466.
Dayot, Armand, *Un siècle d'art. Notes sur la peinture française à l'exposition centennale des Beaux-Arts suivies du catalogue complet des œuvres exposés*, Paris, Plon, 1890, p. 42-46.
Debaisieux, F. « Musée des Beaux-Arts de Caen : Nouvelles acquisitions du XIXe siècle », *Revue du Louvre et des musées de France*, n° 6, 1986, p. 353-354.
Debesse, M., *La Crise de l'originalité juvénile*, Paris, 1936.
Decamps, Alexandre, « Au Directeur de l'Artiste », *L'Artiste*, t. IX, 1835, p. 103.
Deflassieux, Françoise, « Salles combles et prix galopants », *Le Quotidien de Paris*, 30 juin 1991, p. 17
Deguerle, Jean-Marie-Nicolas, *Stratonice et son peintre, ou les deux portraits ; Conte qui n'en est pas un*, Paris, imprimerie de Chaignieau aîné, Brumaire an VIII, [octobre-novembre 1799].
Delacroix, Eugène, *Journal 1823-1850*, Paris, (1893) éd. 1932.
Delacroix, Eugène, « Peintres et sculpteurs modernes. Gros », *Revue des deux Mondes*, t. XXIII, 1er septembre 1848, p. 653, 664, 673.
Delacroix, Eugène, *Journal, 1822-1863*, préface de Hubert Damisch, introduction et notes par André Joubin, Paris, Plon, 1981.
Delécluze, Étienne-Jean, « Beaux-Arts. Exposition du Louvre 1824. », *Journal des Débats*, 12 novembre 1824, p. 1-4.
Delécluze, Étienne-Jean, *Louis David, son école et son temps*, Paris, Didier, 1855, réédition avec préface et notes de Jean-Pierre Mouilleseaux, Paris, Macula, 1983.
Delécluze, Étienne-Jean, *Souvenirs de soixante années*, Paris, 1862, p. 48
Delécluze, Étienne-Jean, *Journal de Delécluze, 1824-1828*, texte publié avec une introduction et des notes par Robert Baschet, Paris, Grasset, 1948.
Delestre, J.-B., *Gros, sa vie et ses ouvrages*, Paris, Ve Jules Renouard, 1867.
Delon, Michel, « *La Semaine sainte* ou le peintre aveugle », *Magazine littéraire*, n° 322, juin 1994, p. 52.
Delpech, François-Séraphin, *Examen raisonné des ouvrages de peinture, sculpture et gravure exposés au salon du Louvre en 1814*, Paris, Martinet, 1814.
Delteil, Loys, *Manuel de l'amateur d'estampes des XIXe et XXe siècles (1801-1924)*, t. I, Paris, Dorbon-Ainé, 1925.
Dellile, J., *Frontispice de la Conversation*, gravé par Laugier et publié par Michaud Frères, 1812.
Denis, Antoine, *Amable-Guillaume-Prosper Brugière, Baron de Barante (1782-1866). Homme politique, diplomate et historien*, préface de Jean Tulard, Paris, H. Champion, 2000.
Desbordes-Valmore, Marceline, *L'Atelier d'un peintre, scènes de la vie privée*, Paris, 1833.
Description du tableau de Pygmalion et Galatée exposé au salon par M. Girodet, Paris, 1819, *suivi de l'entretien de Sa Majesté Louis XVIII avec Monsieur Girodet lors de la présentation de son tableau*.
Deshaies, Reine, et **Pige**, Frédéric, « De Roussy à Girodet, quelques réponses et encore beaucoup de questions », *Société d'émulation de l'arrondissement de Montargis*, bulletin n° 115, 3e série, avril 2001, p. 25-26.
Didot, Pierre, éd., *Publius Virgilius Maro. Bucolica, Georgica et Aeneis*, Paris, 1798.
Dimier, Louis, *Histoire de la peinture française au XIXe siècle (1793-1903)*, Paris, Delagrave, 1914.
Dimier, Louis, « Opinions anglaises sur nos peintres », *Bulletin de la Société de l'Histoire de l'art français*, 1923, p. 104.
Dimier, Louis, *Histoire de la peinture française au XIXe siècle (1793-1903)*, Paris, Delagrave, 1914.
Diolé, Philippe, « Au Petit Palais. Gros, ses amis et ses élèves », *Beaux-Arts. Chronique des arts et de la curiosité. Le journal des Arts*, n° 179, 5 juin 1936, p. 1-2.
Discours du citoyen David, député du Département de Paris, sur la nécessité de supprimer les Académies, séance du 8 août 1793 à la Convention nationale.
Doin, Jeanne, « John Flaxman (1755-1826), deuxième et dernier article », *Gazette des Beaux-Arts*, vol. LIII, avril 1911, p. 339-341.
Doix, F. J. A., *Itinéraire critique du Salon de l'an VI, dédié aux artistes par un amateur*, Paris, an VI (1798), p. 24-25, coll. Deloynes, t. XIX, n° 531, p. 692-693.
Dorat-Cubières, Michel, *La mort de Basseville ou la Conspiration de Pie VI dévoilée*, Paris, C.-F. Patris, 1793.
Dorbec, Prosper, « Les influences de la peinture anglaise sur le portrait en France (1750-1850) », *Gazette des Beaux-Arts*, X, août 1913, p. 96.
Dorival, B., *La Peinture française*, Paris, 1942, 2 vol.
Dowd, D. L., « Art and the theater during the French Revolution : the Role of Louis David », *The Art Quarterly*, XXIII, printemps 1960, p. 2-22.
Dreyfous, Maurice, *Les Arts et les artistes pendant la période révolutionnaire (1789-1795), d'après les documents de l'époque*, Paris, Librairie Paul Paclot et Cie, 1906.
Du Teil, Joseph, « La collection Chaix d'Est-Ange », *Les Arts*, n° 67, juillet 1907, p. 20, 23.
Duchesne (Aîné), *Musée de peinture et de sculpture ou recueil des principaux tableaux, statues et bas-reliefs des collections publiques et particulières de l'Europe dessiné et gravé à l'eau-forte par Réveil, avec des notices descriptives, critiques et historiques, par Duchesne aîné*, Paris, 1828-1834, 15 vol.
Duclosel, E., « Girodet sur le devant de la scène », *Connaissance des arts*, mai 1991, p. 124.
Ducrest, Georgette, *Mémoires sur l'Impératrice Joséphine, ses contemporains, la cour de Navarre et de la Malmaison*, édition présentée et annotée par Christophe Pincemaille, Paris, Mercure de France, 2004.
Dufresne, J.-L., « La donation Thomas Henry », dans *Musée Thomas Henry*, Cherbourg (1835) 1998.
Dumoulin, M., « Les salons d'autrefois », *L'Art*, LXVIII, 1907.
Dumoulin, M., **Bussière**, E., **Trausch**, G., *Europa*, Publication Fonds Mercator, Anvers, 2002, repr. p. 211.
Duplessis, G., éd., *Mémoires et journal de J. G. Wille, graveur du roi publiés d'après les manuscrits autographes de la bibliothèque impériale*, Paris, 1857, 2 vol.
Duportal, Jeanne *Charles Percier*, préface de Maurice Fenaille, Paris, M. Rousseau, 1931.
Dupuy, Marie-Anne, Le Masne de Chermont Isabelle, Wiliamson Elaine, *Vivant Denon, directeur des musées sous le Consulat et l'Empire. Correspondance (1802-1815)*, t. II, Paris, RMN, 1999.
Duret-Robert, Fr., « Fictions de l'authenticité réalités de l'expertise », *Connaissance des arts*, n° 285, novembre 1975, p. 3.
Dussieux, Louis, *L'Art considéré comme le symbole de l'Etat social, ou tableau historique ou synoptique du développement des beaux-arts en France*, Paris, A. Durand, 1838.
Dussieux, Louis, *Les Artistes français à l'étranger*, Paris et Lyon, J. Lecoffre, 1876.
Duvivier, A., « Liste des élèves de l'ancienne École académique et de l'École des beaux-arts qui ont remporté les grands prix de peinture, sculpture, architecture, gravure en taille douce, gravure en médailles et pierres fines, et paysage historique, depuis 1663 jusqu'en 1857 », Archives de l'Art français, t. V, 15 mai 1858, p. 306.
Duvivier, M., « Listes des peintres et des sculpteurs couronnés jusqu'en 1861 dans le concours de la tête d'expression… et dans le concours de la demi-figure d'homme peinte… », *Archives de l'Art français*, 1861, t. I, p. 195-208.
E, Ermengard ou Esmenard, « Exposition de peinture, sculpture, architecture et gravure », *Mercure de France*, an IX [1800], p. 730-731, 735-737, coll. Deloynes, t. XXII, n° 633.
E. L., *Girodet*, Paris, Chez tous les marchands de nouveautés, 1824.
E. P., « Trioson, père adoptif de Girodet », *L'Intermédiaire des chercheurs et des curieux*, t. XCV, n° 1773, 15-30 juillet 1932, p. 580.
Eitner, L., *Géricault's Raft of the Medusa*, Londres, 1972.
Eitner, Lorenz, *Géricault, His Life and Work*, Londres, Orbis Publishing, 1983.
Eitner, « Lorenz, Anne-Louis Girodet (de Roucy-Trioson) (1767-1824) », *An Outline of 19th Century European Painting. From David Througt Cézanne*, t. I, New York, Icon Editions, 1987, p. 38-41.
Eitner, L., Fryberger, B. G. et Osborne, C. M., *Stanford University Museum of Art The Drawing Collection*, Stanford University, 1993.
Elkington, Margery E., *Les Relations de société entre l'Angleterre et la France sous la Restauration (1814-1830)*, Paris, H. Champion, 1929.
Émeric-David, « *Sapho*. Recueil de compositions dessinées par Girodet, et gravées par M. Chatillon, son élève ; avec une notice sur la vie et les ouvrages de Sapho, par Coupin », P. A. *Revue encyclopédique*, t. XXXVIII, avril 1828, p. 103.
Ephrussi, Charles, « Simon-Jacques Rochard (1788-1872). Premier article », *Gazette des Beaux-Arts*, vol. VI, 1er juin 1891, p. 458.
Ergmann, R., « Les musées Passion », *Connaissance des arts*, n° 401-402, juillet-août 1985, p. 47-55.
Escholier, R., *La Peinture française, XIXe siècle, de David à Géricault*, Paris, Floury, 1941, 2 vol.
Evans, J., *Monastic Iconographgy in France from the Renaissance to the Revolution*, Cambridge, 1970.
Évocation de l'Académie de France à Rome à l'occasion de son troisième centenaire, cat. exp. Paris, 1967.
Explication des ouvrages de peinture et dessins, sculpture, architecture et gravure, des artistes vivans, exposés au Muséum central des Arts […] le 15 Fructidor, an VIII de la République française, Paris, an VIII (1800), p. 30, n° 169.
Explication des ouvrages de peinture, sculpture, architecture et gravure des artistes vivans exposés au Musée royal des Arts, le 25 août 1819, Paris, 1819, p. 173, n° 1641.
Exposition rétrospective à l'occasion de la visite de Monsieur le Président de la République, Rome, 1904.
Fabre, Victorin, « Salon de 1806 », *La Revue [ancienne Décade] philosophique, littéraire et politique*, t. LI, 1er octobre 1806, p. 31-37.
Fabre, Victorin, « Salon de Peinture. (Premier article.) », *Mercure de France*, t. XLV, n° 486, 10 novembre 1810.
Fayot, Frédéric, « Girodet (Anne-Louis de Roussy) », *Répertoire des connaissances usuelles. Dictionnaire de la conversation et de la lecture*, t. XXXI, Paris, Belin-Mandar, 1836, p. 273-277.
Fend, Mechthild, *Grenzen der Männlichkeit – Der Androgyn in der französischen Kunst und Kunsttheorie 1750-1830*, Reimer, Berlin, 2003, p. 145-147 (repr. fig. 73).
Fernandez, Dominique, *Le Rapt de Ganymède*, Paris, Grasset, 1989.
Feuillet, Maurice, « Causerie d'un amateur d'art. Collection du Teil Chaix d'Est-Ange au musée de Saint-Omer », *Le Figaro artistique*, t. III, n° 121, jeudi 1er juillet 1926, p. 596-597.
Fiero, Gl. K., *The Age of the Baroque and the European Enlightment : The Humanistic Tradition*, Dubuque, 1992.
Filhol, Antoine-Michel, *Cours historique et élémentaire de peinture, ou Galerie complette du Muséum central de France [Musée Napoléon], par une société d'amateurs et d'artistes. [Publié par A.-M. Filhol. Texte par A.-C. Caraffe et J. Lavallée. T. I-II.] - Galerie du Musée Napoléon, publiée par Filhol, graveur, et rédigée par Lavallée (Joseph),…* tome cinquième [-dixième. Table générale, par Filhol et Grandsire], 1802 [?].
Filhol et Bourdon, éd., *Concours décennal, ou collection gravée des ouvrages de peinture, sculpture, architecture et médailles, mentionnés dans le rapport de l'Institut*, Paris, 1812.
Filleul, Paul, « Conférence du 22 février 1935. Le Peintre Anne Girodet, raconté par son arrière-petit-neveu, M. Paul Filleul, de Châtillon-Coligny », *Bulletin de la Société d'Émulation de l'arrondissement de Montargis*, n° 10, 1935, p. 80-81.
Fillon, Benjamin, et **Guiffrey**, J.-J., « Antoine-Jean Gros, peintre d'histoire. Documents inédits sur sa vie et ses œuvres (1795-1835) » *Nouvelles Archives de l'Art Français*, 1878, p. 358 note 1.
Florisoone, Michel, « Notes sur le dessin français au XIXe siècle avant l'impressionnisme », *Études d'art* (publiées par le musée national des Beaux-Arts d'Alger), n° 2, 1946, p. 66.
Focillon, H., *La Peinture au XIXe siècle. Le retour à l'antique. Le romantisme*, Paris, 1927.
Fontainas, André, *Histoire de la peinture française au XIXe siècle (1801-1900)*, Paris, Mercure de France, 1906.
Fontaine, A., *Les Collections de l'Académie royale de peinture et de sculpture*, Paris, 1910.
Fontaine, Pierre-François Léonard, *Journal, 1799-1853*, t. I (1799-1824) et t. II, Paris, ENSBA et SHAF, 1987.
Font-Réaulx, voir cat. exp. 2002, Paris
Fonvielle, Chevalier B. F. A de., *Examen critique et impartial du Tableau de M. Girodet (Pygmalion et Galatée), ou Lettre d'un amateur à un journaliste*, Paris, A. Boucher, 1819,
Fosca, François, « Les Artistes dans les romans de Balzac », *La Revue critique des idées et des livres*, t. XXXIV, n° 198, mars 1922, p. 14.
Fossier, François, « *Amicae Liber Amicorum* : un recueil de portraits d'élèves de Girodet », *Hommage au dessin. Mélanges offerts à Roseline Bacou*, Rimini, Galleria Editirice, 1996.
Foucart, Bruno, « L'artiste dans la société de l'Empire : sa participation aux honneurs et dignités », *Revue d'Histoire Moderne et Contemporaine*, t. XVII, juillet-septembre 1970, p. 711, 716 n. 3, 717 n. 1.
Foucart, Bruno, *Le Renouveau de la peinture religieuse en France (1800-1860)*, Paris, Arthéna, 1987.
FRAM Musées classés et contrôlés : catalogue sommaire illustré des achats réalisés de 1982 à 1984 avec l'aide des fonds régionaux d'acquisition pour les musées, Paris, RMN, 1985.
Francastel, Pierre et Galienne, *Histoire de la peinture française*, Paris, (1955) éd. 1990.
Francis, C., « Prud'hon : Justice and Vengeance », *Burlington Magazine*, 1975, vol. 117, n° 867, p. 353-363.
Frank, R. Jaffee *Love and Loss, American portrait and mourning*

miniatures, Yale University Press, New Haven et Londres [cat. exp.].
Fried, M., *Le Réalisme de Courbet. Esthétique et origines de la peinture moderne II*, Paris, (1990) trad. 1993.
Friedlaender, W., *David to Delacroix*, Cambridge, 1952.
Friedlaender, Walter, « Ultraclassicists and Anticlassicists in the David Following. Gérard, Girodet, Guérin, Les Primitifs », *David to Delacroix*, Cambridge (Mass.), Harvard University Press.
Fromentin, Eugène, *Correspondance d'Eugène Fromentin, 1839-1858*, texte réunis, classés et annotés par Barbara Wright, Paris, CNRS-Editions, et Universitas, I, 1995.
Frond, V., dir., *Panthéon des illustrations françaises au XIXe siècle comprenant un portrait, une biographie et un autographe de chacun des hommes les plus marquants*, Paris, 1869.
Frond, Victor (dir.), *Panthéon des illustrations françaises au XIXe siècle comprenant un portrait, une biographie et un autographe de chacun des hommes les plus marquants*, Paris, 1869.
Fumaroli (dir.), *Chateaubriand et les arts*, Paris, éditions de Fallois, 1999.
Furcy-Raynaud, Marc, « Correspondance de M. d'Angiviller, directeur général des Bâtiments du roi avec le premier peintre du roi, Jean-Baptiste Maire Pierre [deuxième partie] », *Nouvelles Archives de l'Art français*, t. XXII, 1906, p. 198-199 et 238.
Furet, F. et **Richet**, D., *La Révolution française*, Paris, (1965) 2003.
G., « Le Salon de 1806 », *L'Atheneum, ou gallerie française*, n° 9, septembre 1806, p. 1-6.
Gabet, Charles, « Girodet-Trioson (Anne-Louis) », *Dictionnaire des artistes de l'école française au XIXe siècle*, Paris, Mme Vergne, 1831.
Gaehtgens, Thomas W. et Lugand Jacques, *Joseph-Marie Vien. Peintre du Roi (1716-1809)*, Paris, Arthena, 1988.
Gallini, voir cat. exp. 1989, Paris et Paris, Versailles
Gardes, Pascale, « Le concert des anges d'Ange-René Ravault, histoire d'une redécouverte », *Bulletin de la Société d'Émulation de l'Arrondissement de Montargis*, n° 125, mars 2004, p. 51-55.
Garnier, Étienne-Barthélemy, et **Rochette** Raoul, *Institut de France. Académie des beaux-arts. Funérailles de M. Girodet-Trioson*, Paris, imprimerie de Firmin-Didot, [1824].
Gastinel-Coural, Chantal, « Le Cabinet de platine de la Casa del Labrador à Aranjuez », *Bulletin de la Société de l'Histoire de l'Art français* (année 1993), 1994, p. 181-205.
Gatineau, A., *Les hommes illustres de l'Orléanais. Biographie générale des trois départements du Loiret, d'Eure et Loir et de Loir et Cher*, Orléans, 1852.
Gaucheraud, « Girodet de Coussy [*sic*] », *Biographie Universelle Ancienne et Moderne*, Michaud, nouvelle édition, t. XVI, Paris, 1856, p. 58, 75, 90.
Gault de Saint-Germain, P.-M., *Choix des productions de l'art les plus remarquables exposées dans le Salon de 1819. Epitre aux amateurs sur le tableau de Galathée, pour faire suite au Choix des productions de l'art dans le Salon de 1819*, Paris, impr. de Mme Huzard, s. d. [1819].
Gaumont, R., *Montargis : histoire, monuments actuels et disparus*, Paris, 1993.
Gaussen, Frédéric, « Anne-Louis Girodet, 1767-1824. Les adieux d'Endymion », *Visites d'ateliers*, Paris, Adam Biro, 2001, p. 53-61.
Gauthier, Lucien, « Un nouveau Boilly au Louvre », *Gazette des Beaux-Arts*, vol. LIII, décembre 1911, p. 485- 487.
Gauthier, Théophile, *Guide de l'amateur du musée du Louvre*, Paris, 1882.
Geisler-Szmulewicz, Anne, *Le Mythe de Pygmalion au XIXe siècle. Pour une approche de la coalescence des mythes*, Paris, Honoré Champion, 1999.
Genlis, *Mémoires de madame de Genlis* (en un volume), avec avant-propos et notes par F. Barrière, Paris, Firmin-Didot, 1878, p. 383.
Georgel, Pierre, « « Quel dommage ! L'étude gâtera tout cela. » De Girodet à Géricault », actes du colloque *Géricault* (Paris, auditorium du musée du Louvre, 14-16 novembre 1991 et Rouen, Auditorium du musée des Beaux-Arts, 17 novembre 1991), ouvrage collectif dirigé par Régis Michel, t. I, Paris, La documentation Française, 1996.
Georgel, Pierre, « Le musée d'art brut du Romantisme », conférence du cycle *Le Romantisme noir*, Paris, Musée du Louvre, 16 mars 1992.
Georgel, Pierre, et Lecoq, Anne-Marie, *La Peinture dans la peinture*, Paris, 1987.
Gérard, voir *Lettres adressées au Baron François Gérard…*
Germer, S., « In Search of a Beholder : On the Relation between Art, Audiences, and Social Spheres in Post-Thermidor France », *The Art Bulletin*, vol. LXXIV, n° 1, mars 1992, p. 19-36.
[Achille-Etienne **Gigault de Lasalle** ?], « Salon de 1806. Suite de l'examen des tableaux. », *Gazette de France*, n° 3172, 27 septembre 1806, p. 1074-1076.
Gillet, Louis, *Histoire artistique des ordres mendiants. Étude sur l'art religieux en Europe du XIIIe au XVIIe siècle*, Paris, 1912.
Gillet, Louis, *La Peinture en Europe au XVIIe siècle*, Paris, 1934.
Gineste, Thierry, *Le Lion de Florence. Sur l'imaginaire des fondateurs de la psychiatrie, Pinel (1745-1826) et Itard (1774-1838)*, Paris Albin Michel, 2004.
Girardot, Auguste Théodore de, « Anne-Louis Girodet-Trioson. Série de pièces inédites relatives à cet artiste », *Archives de l'Art français. Recueil de documents inédits*, t. III, 15 septembre et 15 novembre 1853, p. 19-36.
Girardot, Auguste Théodore de, « Lettres de Bernardin de Saint-Pierre à Girodet », *Bulletin de la Société d'Émulation de l'arrondissement de Montargis*, t. VIIII, 1854, p. 1-15.
Girardot, Auguste Théodore de « Lettres de Bernardin de Saint-Pierre à Girodet », *Bulletin de la Société d'émulation de l'arrondissement de Montargis*, n° 81, 1855, p. 1-15.
Girodet D. r, A. L., « Aux Rédacteurs du Journal », *Journal de Paris*, n° 264, dimanche 21 septembre 1806, p. 1936-1937.
Girodet, D.R., « *A Monsieur M.B., l'un des Rédacteurs* du Journal de l'Empire », *Journal de l'Empire*, Journal A.L. de l'Empire, 1er octobre 1806, p. 4 [lettre daté de Paris, le 28 septembre 1806].
Girodet D. R., A. L. « Poésie. Fragment d'un essai poétique sur l'école française », *Mercure de France*, n° 319, samedi 29 août 1807, p. 385-389.
Girodet-Trioson, Anne-Louis, « Considérations dans les arts du dessin », *Recueil des discours prononcés dans la séance publique annuelle de l'Institut royal de France le mercredi 24 avril 1816*, Paris, Firmin Didot, 1816.
Girodet-Trioson, Anne Louis, *Épitre XVIII à l'illustre statuaire Canova… à Rome, la lettre de ce grand artiste et celle du célèbre peintre Girodet-Trioson, à Paris*, Perpignan, imprimerie de J. Alzine, 1822.
Glaudes, P., *Atala, le désir cannibale*, Paris, P.U.F., 1993.
Goldner, G. R., dir., *European Drawings. 1. Catalogue of the Collections*, Malibu, 1988.
Goldwater, Robert, et Treves, Marco « Anne-Louis Girodet-Trioson », *Artists on Art. From the XIV to the XX Century*, New York, Pantheon Books, 1945.
Goncourt, Edmond et Jules de, *Histoire de la société française pendant le Directoire*, nouvelle édition, Paris, E. Fasquelle, (1876) 1909.
Goncourt, E. et J. de, *L'art du XVIIIe siècle*, Paris, 1928.
Gonse, L., *Les Chefs-d'œuvre des Musées de France*, Paris, 1900.
Gonzales-Palacios, Alvar, « La Grammatica Neoclassica », *Antichita Viva*, XII, 1973, p. 45-47.
Gonzales-Palacios, Alvar, *David et la peinture napoléonienne*, Paris, (1967) éd. 1976.
Gounod, Charles, *Mémoires d'un artiste*, Paris, C. Lévy, 1896, p. 12.
Goury de Chamgrand, baronne de Bawr, Alexandrine-Sophie, *Mes souvenirs*, Paris, Passard, 1853.
Gowans, A., *Images of American Living : Four Centuries of Architects and Furniture as Cultural Expression*, New York et Philadelphie, 1964.
Gowans, A., *The Restless art : a history ofpainters and paintings 1760-1960*, Philadelphie, 1966.
Graham, F.L., *Three Centuries of French Art*, San Francisco, 1973, 2 vol.
Grell, Ch., *Herculanum et Pompei dans les récits des voyageurs français du XVIIIe siècle*, Naples, 1982.
Grigsby, Darcy, *Classicism, Nationalism, and History : The Prix Décennaux of 1810 and the Politics of Art under Post-Revolutionnary Empire*; Ph.D. dissertation, University of Michigan, t. I, 1995. Voir aussi Grimaldo Grigsby
Grijzenhout, Frans, « Twee ongelukkige echyelieden verenigd. Bij de verwerving van de portetten van Louis Bonaparte en Hortense de Beauharnais », *Bulletin van Het Rijks Museum*, t. XCVIII, nos 1-2, 2000, p. 18-27.
Grimaldo Grisby, Darcy, « Mamelukes in Paris : Fashionable Trophies of Failed Napoleonic Conquest », *Morrison Library Inaugural Address Series*, University of California, Berkley, 1996, p. 7-47.
Grimaldo Grigsby, Darcy, *Extremities. Painting Empire in Post-Revolutionary France*, New Haven et Londres, Yale University Press, 2002.
Grosser, M., *Critic's Eye*, Indianapolis, 1964.
Grunchec, Philippe, « Géricault : problèmes de méthode », *Revue de l'art*, n° 43, 1979, p. 41.
Grunchec, Philippe voir cat. exp., 1984-1985, New York, Nouvelle-Orléans, Washington.
Gueffier ?, Pierre-François *Entretiens sur les ouvrages de peinture, sculpture et gravure, exposés au Musée Napoléon en 1810*, Paris, 1811.
Guégan, Stéphane, « *Il le fit noir.* Chateaubriand par Girodet au Salon de 1810 », *Société Chateaubriand*, bulletin n° 38 (année 1995), 1996, p. 54-60.
Guégan, Stéphane, **Goetz** A., **Baecque**, A. de, *ABCdaire de Prud'hon et le néoclassicisme*, Paris, Flammarion, 1997, p. 48.
Guégan, Stéphane, « De Chateaubriand à Girodet : *Atala* ou la belle morte », *Chateaubriand et les arts*, sous la direction de Marc Fumaroli, Paris, Éditions de Fallois, 1999, p. 137-152.
Guégan, Stéphane « Moderne », in Stendhal, *Salons*, Edition, introduction et notes de Stéphane Guégan et Martine Reid, Paris, Le Promeneur, 2001.
Guégan, Stéphane, « Boutard, Girodet et la mémoire vendéenne », *Cahier de la Nouvelle Société des études sur la Restauration*, n° 1, 2001, 2002, p. 49-69.
Guégan, Stéphane, « "Un nid de vipères" : Girodet, Stendhal et Guizot au Salon de 1810 », *La Vie romantique. Hommage à Loïc Chotard*, actes du colloque organisé par la Sorbonne les 2 et 3 juin 2000, textes réunis par André Guyaux et Sophie Marchal, Paris, PUF, 2003.
Guerretta, Patrick-André, *Pierre-Louis De la Rive ou la belle nature – Vie et œuvre peint (1753-1817)*, Genève, 2002.
Guiffrey, J. J., *Table générale des artistes ayant exposé aux Salons du XVIIIe siècle suivie d'une table de la bibliographie des Salons précédée de notes sur les anciennes expositions et d'une liste raisonnée des Salons de 1801 à 1873*, Paris, 1873.
Guiffrey, Jules, « Lettres de noblesse et décorations de l'ordre de Saint-Michel conférées aux artistes au XVIIe et au XVIIIe siècle », *Nouvelles Archives de l'Art français*, t. V, 1889, p. 244-245.
Guiffrey, J.-J., « Analyse du prospectus et du catalogue du Salon de l'Elisée en 1797 », *Livret de l'exposition du Colisée (1776) suivi de l'analyse de l'exposition ouverte à l'Elisée en 1797 […] (Complément des livrets de l'Académie Royale et de l'Académie de Saint-Luc)*, Paris, J. Baur, 1875, p. 53.
Guiffrey, J.-J., « Brevets de pensionnaires à l'Académie de Rome et à l'Ecole des élèves protégés de Paris », *Nouvelles Archives de l'Art français*, t. I, 1879, p. 368.
Guiffrey, J.J., *Liste des pensionnaires de l'Académie de France à Rome*, Paris, 1908.
Guiffrey J. et **Lemoisne**, P.-A., « Liste alphabétique des membres de l'Académie des Beaux-Arts de 1796 à 1910 », *Archives de l'Art français*, t. IV, 1910, p. 203.
Guiffrey, J. et **Marcel**, P., *Archives des musées nationaux et de l'école du Louvre Inventaire général des dessins du musée du Louvre et du musée de Versailles École Française*, t. VI, Paris, 1911.
Guillibert, baron « Le comte A. de Forbin (1777-1841) », *Réunion des Sociétés des Beaux-Arts des départements*, du 13 au 17 juin 1905, Paris, 1905, p. 463.
Guinard, *Vers sur la Galathée de M. Girodet*, Paris, impr. Firmin Didot, 1819 (paginé 4-7). [Versailles, Arch. départ. des Yvelines, J. 2072]
Guizot, François, *De l'état des Beaux-arts en France, et du Salon de 1810*, Paris, Maradan, 1810.
Hadjinicolaou, Nicos, *Histoire de l'art et lutte des classes*, Paris, F. Maspero, 1974.
Hadjinicolaou, Nicos, « Jacques-Louis David au premier Salon de la monarchie de Juillet », *Scritti di Storia dell'arte in onore di Frederico Zeri*, t. II, Milan, 1983, p. 908-915.
Halliday, Tony, *Facing the public. Portraiture in the aftermath of the French Revolution*, Manchester et New York, Manchester University Press, 1999.
Hamel, Maurice, « Une enquête de l'A.B.C. Deux questions : Qu'est-ce que l'Académie de France à Rome? Que deviennent les Prix de Rome? », *A.B.C. Magazine d'art*, n° 13, janvier 1926, p. 5.
Harding, James, *Artistes Pompiers. French Academic Art in the 19th Century*, Londres, Academy Editions, 1979.
Haro, « Notice documentaire et historique sur la collection Coutan-Hauguet », *Vente après décès. Collection Coutan-Hauguet. Catalogue des tableaux, aquarelles, dessins* […], Escribe, commissaire-priseur, Haro frères, experts, Paris, Hôtel Drouot, salle n° 8, 16-17 décembre 1889, p. XIII.
Harold, Joachim, « Trois siècles de portraits à l'Art Institute de Chicago », *L'Oeil*, n° 255, octobre 1976, p. 2-3.
Haskell, Francis, « More about Sommariva », *The Burlington Magazine*, vol. CXIV, n° 835, octobre 1972, p. 691-695.
Haskell, Francis, *An Italian Patron of French Neo-classic Art*, Oxford, Clarendon Press, 1972.
Haskell, Francis, *De l'art et du goût, jadis et naguère*, Paris, Gallimard, 1989.
Haskell, Francis, « Michelet et l'utilisation des arts plastiques comme source historiques », *Annales. Économies, Sociétés, Civilisation*, vol. XLVIII, n° 6, novembre-décembre 1993, p. 1405.
Haskell, Francis **Penny**, Nicholas *Taste and the antique : the lure of classical sculpture, 1500-1900*, New Haven, Londres, Yale University Press, 1981.
Hautecœur, Louis, « L'Académie de Parme et ses concours à la fin du XVIIIe siècle », *Gazette des Beaux-Arts*, 1910, p. 147-165.
Hautecœur, Louis, « Les arts à Naples au XVIIIe siècle », *Gazette des Beaux-Arts*, vol. V, 1911, p. 395-411.
Hautecœur, Louis, « Les arts à Naples à la fin du XVIIIe siècle », *Gazette des Beaux-Arts*, vol. VI, 1911, p. 156-171.
Hautecœur, Louis, *Rome et la renaissance de l'Antiquité à la fin du XVIIIe siècle*, Paris, 1912.
Hautecœur, Louis, « La peinture au musée du Louvre, École Française, XIXe siècle », *L'illustration*, 1929, p. 26.
Hautecœur, Louis, *L'Art sous la Révolution et l'Empire en France, 1789-1815*, Paris, Guy Le Prat, 1953.
Hautecœur, Louis, *Louis David*, Paris, 1954.
Heckscher, W. S., « Recorded from dark Recollection », dans M. Meiss, dir., *Essays in Honour of Erwin Panofsky*, New York, 1961, p. 187-200.
Heim, **Béraud**, **Heim**, *Les Salons de peinture de la Révolution Française 1789-1799*, Paris, 1989.
Henard, R., « Mademoiselle Lange en Danaé », *La Liberté*, 16 avril 1913.
Hennequin, Ph.-A., *Mémoires de Philippe-Auguste Hennequin écrits par lui-même…*, Paris, 1933.
Henning, Ed. B., « Two New Paintings in the Neo-Plastic Tradition », *Bulletin of the Cleveland Museum of Art*, vol. 62, n° 4, avril 1975, p. 112.
Henricus, « Le portefeuille d'un curieux. Une parodie des Funérailles d'Atala », *Le Courrier d'Epidaure*, t. VI, n° 2, février 1939, p. 57-59.
Herbert, Robert L., *David, Voltaire, Brutus and the French Revolution : an essay in art and politics*, Londres, The Penguin Press, 1972.
Herbert, Robert L., *David, Voltaire, Brutus and the French Revolution : an essay in art and politics*, Londres, The Penguin Press, 1972, p. 48.
Herluison, Henri, *Recherches sur les imprimeurs et libraires d'Orléans. Recueil de documents pour servir à l'histoire de la typographie et de la librairie orléanaise, depuis le XIVe siècle jusqu'à nos jours*, Orléans, 1868.
Herluison, Henri, « Girodet-Trioson (Anne-Louis) », *Actes d'état-civil d'artistes français, graveurs, architectes, etc., extrait des registres de l'Hôtel-de-Ville de Paris détruit dans l'incendie du 24 mai 1871*, Paris et Orléans, Baur et Herluisson, 1873, p. 158.
Herluison, H. et **Leroy**, Paul, « L'architecte Delagardette », *Réunion des Sociétés des Beaux-Arts des départements à la Sorbonne du 7 au 10 avril 1896*, t. XX, 1896, p. 515-516.
Herluison H., et **Leroy**, P., *Notes pour servir à l'histoire de l'art dans l'Orléanais sous la Révolution, le Consulat et l'Empire*, Orléans, H. Herluisson, 1900.
Herluison, H. et **Leroy**, P., « Le violoniste Alexandre Bîoucher », *Réunion des sociétés des beaux-arts des départements*, t. XXIX, 1905.
Histoire générale illustrée du département du Loiret, Paris, 1908.

Hofmann, Werner, *Nana, mythos und Wirklichkeit*, Cologne, 1973.
Hofmann, Werner, « David, Napoléon et le songe d'Ossian », *Une époque en rupture, 1750-1830*, Paris, Gallimard, 1995, p. 293-334.
Hofmann, Werner, *Une époque en rupture 1750-1830*, Paris, 1995.
Hohl, voir cat. exp. 1974, Paris
Holma, Kl., *David, son évolution et son style*, Paris, 1940.
Honour, Hugh *Neo-classicism*, Peguin Books, Harmondsworth, Baltimore, Victoria, 1968.
Honour, Hugh « The Egyptian Taste », *The Connoisseur*, CXXXV, juin 1955.
Honour, Hugh, *L'Image du Noir dans l'art occidental. IV De la Révolution américaine à la Première Guerre mondiale*, Paris, 1989.
Hostein, Isabelle, *L'Atelier de Girodet et ses élèves*, maîtrise d'Histoire de l'art sous la direction de Ségolène Le Men, Nanterre-Paris X, septembre 2000, 118 pages et un volume d'illustrations.
Houdoy, Jules, *Études artistiques. Artistes inconnus des* XIV*e*, XV*e et* XVI*e siècle. Académie des arts de Lille, Charles-Louis Corbet*, Paris, Aubry et Detaille, 1877.
Howard, Seymour, *A classical Frieze by Jacques Louis David : Sacrifice of the hero : the Roman years*, Sacramento, 1975.
Huard, Suzanne d', « Trois lettres inédites sur Malmaison », *Bulletin de la Société des Amis de Malmaison*, t. XIII, 1979, p. 24.
Hubert, Gérard « L'Ossian de François Gérard et ses variantes. À propos d'un tableau récemment entré à Malmaison », *La revue du Louvre*, nos 4-5, 1967, p. 239-248.
Hugo, Victor, *Journal de ce que j'apprends chaque jour (juillet 1846 - février 1848)*, édition critique par René Journet et Guy Robert, Paris, Flammarion 1965, p. 46, 129.
Humbert, A., *Louis David, peintre et conventionnel*, Paris, 1936.
Hussonnois, Cécile, « Au département des Objets d'art du Louvre, l'aiguière du baptême du duc de Bordeaux par J.-H. Fauconnier (1799-1839) », *Revue du Louvre. La revue des musées de France*, nº 5, décembre 2002, p. 64-65.
Huyghe, René, *La pintura francesca desde 1800 hasta nuestros dias*, Paris, 1939.
Huyghe, René, *La Relève de l'Ingrisme*, Paris, 1976.
Huyghe, René, « Napoléon et les arts », *La Revue des deux Mondes*, t. V, octobre 1968, p. 27, 30-31.
I. G., « Salon de 1819. Lettre de l'Artiste à Pasquin et à Marforio », *La Renommée*, nº 157, vendredi 19 novembre 1819, p. 619-620.
Ingamells, J., *A Dictionnary of British and Irish Travellers in Italy 1701-1800*, Londres et New Haven, 1997.
Inventaire général des richesses d'art de la France : Province : Monuments civils, Paris, 1878-1911, 8 vol.
Jacob, P.L., *Collection de cinquante-sept estampes dessinées et gravées pour les Œuvres de Jean Racine édition du Louvre par les premiers artistes de la République Française avec une notice historique*, Paris, 1877.
Jal, Gustave, *L'Ombre de Diderot et le bossu du Marais, dialogue critique sur le Salon de 1819*, Paris, 1819.
Jal, Auguste, « Girodet-Trioson, né à Montargis en 1770 [*sic*], et mort à Paris le 8 [*sic*] décembre 1824. *Endymion* », in Joseph Lavallée *Galerie du Musée de France*, t. XI, deuxième livraison, Paris, Filhol, 1828.
Jarry, Madeleine, « Napoléon and the decoration of the Imperial Residences (especially Malmaison and Compiègne) », *Apollo*, t. LXXX, nº 31, septembre 1964, p. 213-217.
Jeromack, Paul, « Sotheby's New York. Seriously undercatalogued Girodet drawings snapped up by dealers », *The Art Newspaper*, nº 37, avril 1994, p. 34.
Jeromack, Paul, « Sotheby's New York. Seriously undercatalogued, Girodet drawings snapped up by dealers », *The Art Newspaper*, nº 37, avril 1994, p. 34.
Joannides, Paul, « Some English Themes in the Early Work of Gros », *The Burlington Magazine*, vol. CXVII, nº 873, décembre 1975, p. 774-785.
Joannides, Paul, « A Subject from Thomas Gray by Girodet », *Gazette des Beaux-Arts*, vol. CXXVII, mars 1996, p. 119-124.
Joannides, Paul, et **Sells**, Christopher, « Current and Forthcoming Exhibitions. Ossian at the Grand Palais », *The Burlington Magazine*, vol. CXVI, nº 855, juin 1974, p. 358, 361-362.
Jobert, voir cat. 2002, Paris, cité de la Musique, p. 46-47.
Johns, Christopher M. S., « Portrait Mythology : Antonio Canova's Portraits of the Bonapartes », *Eighteenth-Century Studies*, t. XXVIII, nº 1, automne 1994, p. 123.
Johnson, D., « Corporality and Communication : the gestural revolution of Diderot, David, and the *Oath of the Horatii* », *The Art Bulletin*, vol. 71, nº 1, mars 1989, p. 92-113.
Johnson, D., *Jacques-Louis David : art in metamorphosis*, Princeton, 1995.
José, Pierre « Patrice Vermeille. Le tombeau de Girodet et autres œuvres », *Pleine Marge. Cahiers de littérature, d'arts plastiques et de critique*, nº 14, 1991, p. 91-102.
Joubin, A., « Comment fut fondé le Musée de Montpellier », *La Renaissance de l'art français*, juin 1926, p. 326.
Joubin, André, « Les collections de Fr.-X. Fabre au musée de Montpellier », *Gazette des Beaux-Arts*, vol. VIII, juillet-août 1923, p. 67, 76-77.
Joubin, André, *Catalogue des peintures et sculptures exposées dans les galeries du Musée Fabre de la ville de Montpellier*, Paris, 1926.
Jouin, Henry, *Catalogue musée d'Angers*, 1870.
Jouin, Henry, *Catalogue musée d'Angers*, 1881.
Jouin, Henry, *David d'Angers, sa vie, son œuvre, ses écrits et ses contemporains*, t. II, Paris, Plon, 1878, p. 191.
Jouin, Henry, « Autographes de sculpteurs », *Nouvelles Archives de l'Art français*, t. III, 1887, p. 314.
Jouin, Henry, « L'église de la Madeleine en 1816 », *Nouvelles Archives de l'art français*, t. III, 1887, p. 254, 260, 264, 268-270
Jouin, H., *Musée de portraits d'artistes*, Paris, 1888.
Jouin, Henry, « Brienne, Drolling, Niquevert, Trezel, Destouches, Mme Jaquotot, peintres », *Nouvelles Archives de l'Art français*, t. VI, 1890, p. 288.
Jouin, Henry, « La sculpture dans les cimetières de Paris », *Nouvelles Archives de l'Art français*, t. XIII, 1897, p. 137.
Jouin, Henry, « Lettres inédites d'artistes français du XIXe siècle », *Nouvelles Archives de l'Art français*, t. XVI, 1900.
Jouin, Henry, *Lettres inédites d'artistes français du* XIX*e siècle*, Macon, Protat, 1901.
Jourdan, Annie, *Les Monuments de la Révolution, 1770-1804. Une histoire de représentation*, Paris. H. Champion, 1997, p. 23, 261 note 78, 380 note 101, 414.
Jourdan, Annie, *Napoléon. Héros, imperator, mécène*, Aubier, 1998.
Journal de Paris, nº 310, 6 novembre 1819.
Jullian, Philippe, « 150 ans après la Princesse de Salm », *Connaissance des arts*, nº 292, juin 1976, p. 84-89.
Kadish, Doris Y., « Sexualizing Family Relations in *René*, *Atala*, and *Atala au tombeau* », *Politicizing Gender. Narrative Strategies in the Aftermath of the French Revolution*, New Brunswick et Londres, Rutgers University Press, 1991, p. 65-88.
Kemp, M., « J.-L. David and the Prelude to a Moral Victory for Sparta », *The Art Bulletin*, vol. 51, nº 2, juin 1969, p. 178.
Kératry, [Auguste-Hilarion de], *Annuaire de l'école française de peinture, ou lettres sur le Salon de 1819*, Paris, 1820.
Kitchin, Joanna, *Un Journal « Philosophique » : La Décade (1794-1807)*, Paris, M. J. Minard, 1965, p. 232.
Knight, C., « History/Art », *Los Angeles Institute of Contemporary Art Journal*, nº 20, octobre-novembre 1978, p. 28.
Knight, C., *Hamilton a Napoli Cultura Svaghi Civiltà di una grande capitale europea*, Naples, 1990.
Kurtz, Gayle Rodda, *Primitivism and the Politics of Identity : The Art of Anne-Louis Girodet-Trioson*, Ph-D sous la direction de Diane Kelder, New York, The University of New York, 2000.
L.***, « Sur quelques critiques du Salon », Le Courrier français, nº 2502, 8 octobre 1806, p. 3.
Laborde, A. de, *Versailles ancien et moderne*, Paris, 1856, 2 vol.
Laborde, comte de, *De l'Union des arts et de l'Industrie. Le passé*, t. I, Paris, Imprimerie Impériale, 1856.
Lacambre, Geneviève et Jean « La politique d'acquisition sous la Restauration : les tableaux d'histoire », *B.S.H.A.F.*, année 1972, 1973, p. 331-344.
Lacambre, Geneviève et Jean, « La Galerie de Diane aux Tuileries sous la Restauration », *La Revue du Louvre et des musées de France*, t. XXV, nº 1, 1975, p. 40-44.
Lacambre, Jean, voir cat. exp. 1974-1975, Paris
Lacambre, J., **Sérullaz**, A., **Vilain**, J., « Le néoclassicisme français. Dessins des musées de province », *La Revue du Louvre et des Musées de France*, 1974, nº 6.
Lacambre, J., **Vilain**, J., **Sérullaz**, A., **Volle**, N. et **Huchard**, V., « Dessins néo-classiques Bilan d'une exposition », *La Revue du Louvre et des Musées de France*, 1976, vol. XXVI, nº 2, p. 67-83.
Lacassagne, Jacqueline, « Quand Napoléon perçait sous Bonaparte : la cour consulaire », *Revue des l'Institut Napoléon*, nº 97, octobre 1965, p. 215-216.
Laclotte, Michel, « Préface », cat. exp. 1967, Montargis, n. p.
Laclotte, Michel et Cuzin, Jean-Pierre, *Le Louvre. La peinture française*, Paris, 1982.
Laclotte, M., *Les Chefs-d'œuvre du Louvre*, Paris/New York/Londres, 1993.
Lacour-Gayet, G. *Talleyrand, 1754-1838*, t. I et IIII, Paris, Payot, 1930.
Lacroix, Paul, *Directoire, Consulat et Empire, mœurs et usages, lettres, sciences et arts. France, 1795-1815*, Paris, Firmin-Didot, 1884.
Lacroix, Paul, Jacob, *Collection de 57 estampes dessinées et gravées pour les œuvres de J. Racine, édition du Louvre, par les premiers artistes de la République avec une notice par P. L. Jacob*, Paris, 1877, p. 1-20.
Ladoué, Pierre, « Le Musée français des artistes vivants », *Gazette des Beaux-Arts*, vol. XXXIV, septembre 1948, p. 194, 197.
Lafont, Anne, *La Pietà de Girodet, recherches à propos d'une œuvre de jeunesse*, mémoire de maîtrise, Université de Montréal, août 1994.
Lafont, Anne, « Girodet et Trioson : les tableaux de l'amitié », *Revue de l'art*, nº 123, 1999-1, p. 47-56.
Lafont, Anne, « Une collection autour d'un portrait de femme de Girodet au musée des beaux-arts du Canada », *Revue du Musée des beaux-arts du Canada*, t. I, 2000, p. 35-52.
Lafont, Anne, *Une jeunesse artistique sous la Révolution. Girodet avant 1800*, thèse d'histoire de l'art sous la direction d'Antoine Schnapper, Paris IV, 2001, 2 vol.
Lafont, Anne, « Un portrait entre cliché racial et émancipation sociale » et « Les rencontres hypothétiques du peintre et de son modèle : clefs sociales dans l'interprétation du tableau », *Les portraits du pouvoir*, actes du colloque organisé par Olivier Bonfait et Brigitte Marin (Rome, Villa Médicis, 24-26 avril 2001), Rome, Académie de France à Rome et Paris, Somogy, 2003, p. 110-113 et p. 114-125.
Lajer-Burcharth, Ewa, « Review of books. Revolutionary Art. *Aux Armes et aux Arts ! Les Arts de la Révolution, 1789-1799*, edited by Philippe Bordes and Régis Michel », *Art in America*, t. LXXVII, nº 10, octobre 1989, p. 39.
Lajer-Burcharth, Ewa, « La rhétorique du corps féminin sous le Directoire : le cas d'Anne-Françoise Elizabeth Lange en Danaë », *Les Femmes et la Révolution française*, actes du colloque international des 12-14 avril 1989, édition préparée par Marie-France Brive, t. II, Toulouse, Presses Universitaires du Mirail, 1990, p. 221-225.
Lajer-Burcharth, Ewa, *Necklines. The Art of Jacques-Louis David after the Terror*, New Haven et Londres, Yale University Press, 1999, p. 203-204, 247-256.
Lajoix, Anne, « Alexandre Brongniart et la quête des moyens de reproduction en couleurs », *Sèvres. Revue de la Société des amis du Musée national de Céramique*, nº 2, 1993, p. 57.
Lajoix, Anne, « Marie-Victoire Jaquotot (1772-1855) et ses portraits pour la tabatière de Louis XVIII », *Bulletin de la Société de l'Histoire de l'Art français*, année 1990, 1991, p. 170.
Lami, Stanislas, « Chinard (Joseph) », *Dictionnaire des sculpteurs de l'école frnaçaise au dix-huitième siècle*, t. I, Paris, 1910.
Lamorelle, Aude, *Les Portraits féminins peints par Girodet*, mémoire de maîtrise d'histoire de l'art sous la direction de Marie-Claude Chaudonneret et de Ségolène Le Men, Université de Paris X - Nanterre, 2 vol., septembre 2002.
Lancrenon, « Notice sur Girodet lue par M. Lancrenon à la séance du 27 juillet 1871 », *Académie des sciences, belles-lettres et arts de Besançon*, 1872.
Lancrenon, « Séance du 28 janvier 1870. Président annuel M. Lancrenon. Discours du Président [Notice sur François Gérard] », *Académie des sciences, belle-lettres et arts de Besançon*, 1872.
[Landon C.P.], « Examen des ouvrages exposés au Salon », *Nouvelle des arts*, (an X) [1802], t. II, p. 7-84.
Landon, C.P. « Liste des artistes… et quelques-uns de leurs principaux ouvrages », Almanach *des beaux-arts. Peinture, sculpture, architecture et gravure pour l'an XII-1803*, Paris, 1803.
Landon, C.P. *Recueil des ouvrages de peinture, sculpture, architecture, gravure en taille-douce, en médailles et en pierres fines cités dans le rapport du jury sur les Prix décennaux, Exposés, le 25 août 1810, dans le grand salon du Musée Napoléon*, Paris, Firmin Didot, 1810.
Landon, C.-P., *Annales du Musée. Salon de 1819*, t. II, Paris, 1820.
Landon, Ch.-P., « Exposition publique des tableaux du cabinet de M. Didot », *Journal* **Landon**, Charles-Paul, *Annales du Musée. Salon de 1824*, t. II, Paris, 1825.
de Paris, 26 mars 1814, p. 4.
Landon, C. P., *Annales du musée, École française moderne*, Paris, 1832.
Lang, Léon, *Godefroy Engelmann, imprimeur lithographe. Les incunables, 1814-1817*, préface de Jean Adhémar, Colmar, Editions Alsatia, 1977.
Lapauze, Henry, *Procès-verbaux de la Commune générale des arts de peinture, sculpture, architecture et gravure et de la Société populaire et républicaine des arts*, Paris, Bulloz, 1903, p. 485.
Lapauze, Henry, *Histoire de l'Académie de France à Rome*, Paris, 1924, 2 vol.
Larousse, Pierre, « Girodet-Trioson (Anne-Louis Girodet de Roussy, dit) », *Grand Dictionnaire Universel du* XIX*e siècle*, t. VIII, Paris, 1872, p. 1274-1275.
Lartigue, Pierre, « Degas critique de *La Jolie Morte* », *48/14. Le revue du musée d'Orsay*, nº 4, printemps 1997, p. 65.
La Sizeranne, Robert de « Ce que l'art doit à Napoléon », *Revue des deux Mondes*, t. VI, 1er décembre 1921, p. 501, 504, 507, 513, 516, 523, 526, 528-530.
Latouche, Henri de, « Les Amours des dieux », *Mercure du dix-neuvième siècle*, t. X, 1825, p. 462-468.
Latreille, Alain, *François Gérard (1770-1837). Catalogue raisonné des portraits peints par le baron François Gérard*, mémoire de l'École du Louvre, sous la direction de Michel Hoog, 1973.
Lavallée, J., *Galerie du musée de France*, Paris, 1814-1818, 11 vol.
Laveissière, Sylvain, « Girodet (Anne-Louis) », *Dictionnaire Napoléon*, sous la direction de Jean Tulard, Paris, Fayard, 1987.
Laveissière, Sylvain, « L'atelier d'Isabey : un Panthéon de l'amitié », catalogue de l'exposition *Boilly, 1761-1845. Un grand peintre français de la Révolution à la Restauration*, Lille, musée des Beaux-Arts, 23 octobre 1988 - 9 janvier 1989.
Laveissière, Sylvain, « Deux chefs-d'œuvre de l'époque néoclassique donnés par les Amis du Louvre. *Le portrait de jeune homme en chasseur* par Girodet (1767-1824) », *Revue du Louvre. La revue des musées de France*, nº 4, octobre 1994, p. 15.
Laveissière, Sylvain « Anne-Louis Girodet, *Portrait de jeune homme en chasseur* », *Bulletin de la Société des Amis du Louvre*, septembre 1994 (1).
Laveissière, Sylvain, « Girodet, *Portrait du jeune Romainville Trioson* (vers 1789-1804) et *Portrait de jeune homme en chasseur* (1811) », *Nouvelles acquisitions du département des peintures, 1991-1995*, Paris, RMN, 1996.
Laveissière, Sylvain, « Pierre-Paul Prud'hon, 1758-1823. Chronologie », catalogue de l'exposition *Prud'hon ou le rêve du bonheur*, Paris, Galeries nationales du Grand Palais, 23 septembre 1997 - 12 janvier 1998, New York, The Metropolitan Museum of Arts, 2 mars - 7 juin 1998.
Laveissière, Sylvain, « Acquisitions. Anne-Louis Girodet de Roucy-Trioson. *Pygmalion et Galatée*, Salon de 1819 », *Revue du Louvre. La revue des musées de France*, nº 5, décembre 2002, p. 98.
Laveissière, Sylvain, « L'esquisse de la *Scène de déluge* de Girodet. L'acquisition d'une esquisse invite à relire un chef-d'oeuvre méconnu (1806) », *Le tableau du mois*, musée du Louvre, nº 95, 6 novembre - 2 décembre 2002.
Laver, J., *French Painting and the Nineteenth Century*, Londres, 1937.
Leben, Ulrich, « La fondation de l'Ecole royale gratuite de dessin de Paris (1767-1815) », *Jean-Jacques Bachelier (1724-1806). Peintre du Roi et de Madame de Pompadour*, Paris, Somogy et Versailles, musée Lambinet, 1999, p. 83.
Lebensztejn, Jean-Claude, *L'art de la tache. Introduction à la Nouvelle méthode d'Alexander Cozens*, sans lieu, Éditions du Limon, 1990.
Lebensztejn, Jean-Claude, « Études cézanniennes », *Revue de l'Art*, nº 144, juin 2004, p. 29-31.

Lebovici, Élisabeth, « Achever la peinture », *Les Cahiers du musée national d'art moderne*, n° 40, été 1992, p. 15.

Lebreton, Joachim, *Rapports à l'Empereur sur les progrès des sciences, des lettres et des arts depuis 1789. 5. Beaux-Arts*., (1808), édité et présenté sous la dir. de Udolpho van de Sandt, Paris, 1989.

Lebrun, *Réflexions du citoyen Lebrun sur la notice des tableaux, statues, dessins et estampes exposées au Salon du Musée*, coll. Deloynes, t. XIX, n° 534, p. 714.

Lebrun, Jacques, « Observations sur le progrès des arts considéré d'après l'exposition des artistes vivans », *Le Moniteur*, 2 septembre 1800, coll. Deloynes, t. XXIII, p. 256

Leclant, Jean, « En quête de l'Égyptomanie », *Revue de l'art*, 5, 1969.

Leclerc, Catherine, « Girodet dans le fonds Boivin », *Bulletin de la Société d'Émulation de l'arrondissement de Montargis*, n° 101, 3e série, mars 1996, p. 14-29.

Lecomte, Georges, « David et ses élèves », *Les Arts*, n° 142, octobre 1913, p. 15-16, 18.

Lecoq, Anne-Marie, « Le peintre Narcisse? », *Beaux-Arts Paris*, 1983, n° 1, p. 56-61.

Lecoy de la Marche, A., « L'Académie de France à Rome d'après la correspondance de ses directeurs (1666-1792) », *Gazette des Beaux-Arts*, vol. VI, 1er novembre 1872, p. 420, 422-423.

Ledbury, Mark, « Unpublished letters to Jacques-Louis David from his pupils in Italy », *The Burlington Magazine*, vol. CXLII, n° 1166, mai 2000, p. 296-300.

Ledoux-Lebard, Guy et Christian, « Les tableaux du concours institué par Bonaparte en 1802 pour célébrer le rétablissement du culte », *Archives de l'Art français*, nouvelle période, t. XXV, 1978, p. 254.

Lee, R.W., *Ut Pictura Poesis Humanisme et Théorie de la peinture XVe-XVIIIe siècles*, Paris, (1940) trad. 1991.

Legrand et **Landouzy**, *Les Collections artistiques de la Faculté de Médecine de Paris*, Paris, 1911.

Leeuwe, Rieke van, *Kopiëren in Florence. Kunstenaars uit de Lage Landen in Toscane en de 19de-eeuwse kunstreis naar Italië*, Florence, Nederlands Interuniversitair Kunshistorisch Instituut, 1985, p. 169-170.

Lefuel, Hector, *Georges Jacob, ébéniste du XVIIIe siècle*, Paris, Editions Albert Morancé, 1923.

Le Got Caroline, « Marché de l'art. Tableaux anciens : le retour des acheteurs américains », *L'Estampille. L'objet d'art*, n° 250, septembre 1991, p. 15.

Leith, James A., *The Idea of Art as Propaganda in France, 1750-1799. A Study in the History of Ideas*, Toronto, University of Toronto Press, 1965, p. 140, 152.

Lelièvre, Pierre, « Le Salon de 1806 », *Bulletin de la Société de l'Histoire de l'Art français*, année 1953, 1954, p. 72-73.

Leloup, Gaston, « La maison natale de Girodet », *Société d'Émulation de l'arrondissement de Montargis*, bulletin n° 43, 3e série, juin-septembre 1978, p. 51-54.

Leloup, Gaston, « Montargis vu par un Orléanais en 1853 », *Bulletin de la Société d'Émulation de l'arrondissement de Montargis*, n° 48, 3e série, mars 1980, p. 42.

Leloup, Gaston, « Une œuvre de jeunesse de Girodet. La caricature du maire de Montargis Gastellier en 1783 », *Bulletin de la Société d'Émulation de l'arrondissement de Montargis*, n° 51, 3e série, mars 1981, p. 30-35.

Leloup, Gaston, dir., *La Révolution à Montargis 1789-1795*, Montargis, 1989.

Leloup, Gaston, « Une lettre inédite de Girodet », *Bulletin de la Société d'émulation de l'arrondissement de Montargis*, n° 80, 3e série, mars 1989, p. 55-56.

Leloup, Gaston, « Montargis au XIXe siècle vu par Fortin. Destruction du château de Montargis », *Société d'émulation de l'arrondissement de Montargis*, bulletin n° 85, 3e série, juin 1991, p. 35-40.

Leloup, Gaston, « Lettre inédite de Girodet en réponse à une lettre du maire de Montargis », *Bulletin de la Société d'émulation de l'arrondissement de Montargis*, bulletin n° 103, 3e série, décembre 1996, p. 12-15.

Leloup, Gaston, « Gastellier et ses ennemis », *Bulletin de la société d'émulation de Montargis*, n° 106, 3e série, décembre 1997, p. 19-26.

Lemaire, Gérard-Georges, *Esquisses en vue d'une histoire du Salon*, Paris, Henri Veyrier, 1988.

Le Masne de Chermont, Isabelle, « Pour faire vivre un livre qui jamais ne parut. Le projet de publication des bas-reliefs de la colonne Vendôme », *Les Vies de Dominique-Vivant Denon*, t. II, actes du colloque organisé au musée du Louvre par le Service culturel du 8 au 11 décembre 1999, sous la direction scientifique de Daniela Gallo, Paris, La documentation Française, 2001, p. 384.

Lemercier (Membre de l'Académie Française), « Hommage à la Mémoire du Peintre David » *Recueil des lectures faites dans la séance publique annuelle de l'Institut*, 21 mai 1838, Paris, Institut royal, 1838.

Lemeux-Fraitot, Sidonie, « Géricault mesuré à Girodet, ou le Salon de 1819 », *La Méduse, feuille d'information de l'association des amis de Géricault*, n° 4, décembre 1997, p. 2-3.

Lemeux-Fraitot, S., « Alfred de Vigny et Anne-Louis Girodet-Trioson : un dialogue entre poésie et peinture », *Bulletin de l'association des amis de Alfred de Vigny*, 1999, n° 28, p. 35-54.

Lemeux-Fraitot, Sidonie, « Inventaire après décès d'Anne-Louis Girodet-Trioson (1767-1824) », in Valérie **Bajou** et Sidonie **Lemeux-Fraitot**, *Inventaires après décès de Gros et de Girodet. Documents inédits*, Paris, V. B. et S. L. M., 2002.

Lemeux-Fraitot, Sidonie, « Anne-Louis Girodet-Trioson, *Portrait présumé d'Henri-Guillaume Chatillon*, 1813 », catalogue de l'exposition *Le XIXe siècle*, Paris, galerie Talabardon & Gautier, 5-21 décembre 2002.

Lemeux-Fraitot, Sidonie, *Ut Poeta Pictor. Les champs culturels et littéraires d'Anne-Louis Girodet-Trioson (1767-1824)*, sous la direction d'Eric Darragon, Paris, université de Paris I Panthéon-Sorbonne, 2003, 2 vol.

Lemeux-Fraitot, Dagorne, voir cat. exp. 2005, Montargis

Lemoine, Serge, *Image d'une collection. Musée de Grenoble*, Paris, RMN, 1999.

Lemoisne, P. André, « Collection de M. Alexis Rouart », *Les Arts*, n° 75, mars 1908, p. 8, 10.

Lemonnier, Henry, *Girodet et les héros d'Ossian*, Institut de France, lu dans la séance du 25 octobre 1913, Paris, Firmin-Didot, 1913.

Lemonnier, Henry, « L'*Atala* de Chateaubriand et l'*Atala* de Girodet », *Gazette des Beaux-Arts*, vol. LVI, mai 1914, p. 363-371.

Lenoir Alexandre /F.P. « Variétés. Aux Auteurs du Journal. Sur les prix décennaux- 3e Lettre » *(Journal de Paris)*, 25 septembre 1810, p. 1890-1891.

Lenormant, Charles, « François Gérard, peintre d'histoire », *Le Correspondant*, t. XI, 1845.

Lenormant, Ch., *François Gérard peintre d'histoire. Essai de biographie et de critique*, Paris, 1847.

Léorier de l'Isle, P. A., *Les loisirs du bord de Loing, ou Recueil de pièces fugitives*, Langlée, 1784.

Léotard, Saturnin, *Lettres inédites du Baron Favre*, Clermont, L'Hérault, 1884, p. 16.

Le Roy, « 22e séance – 25 Janvier 1923 [acte d'inhumation de Girodet père] », *Bulletin de la Société d'émulation de l'arrondissement de Montargis*, année 1923, p. 30-31.

Leroy, P.-A., *Girodet-Trioson, peintre d'histoire, 1767-1824*, deuxième édition. Orléans, Herluison, 1892.

Leroy-Barcet, J., *Contribution à l'étude des dessins de Girodet-Trioson et de quelques peintures s'y rattachant*, Thèse soutenue à l'école du Louvre en 1967.

Les Amours des Dieux. Recueil de compositions dessinées par Girodet et lithographiées par MM. Aubry Lecomte, Chatillon, Counis, Coupin de lacouperie, Dassy, Dejuinne, Delorme, Lancrenon, Monanteuil et Pannetier, ses élèves avec un texte explicatif rédigé par M. P. A. Coupin, Paris, 1826.

Leschaeve, Chl., *Les Dessins des musées d'Angers (1780-1870). Inventaire et étude des dessins de la fin du XVIIIe et du XIXe siècles conservés dans la collection des musées d'Angers*, mémoire soutenu à l'université de Tours en février 1996, 2 vol.

Lesueur, « Conférence. 28 mars 1924. Le peintre Girodet-Trioson, Grand Prix de Rome », *Bulletin de la Société d'émulation de l'arrondissement de Montargis*, n° 6, nouvelle série, année 1924, 1928, p. 99-100.

Lettre de M. Boher, peintre et statuaire, et la réponse de M. Girodet, peintre d'histoire, et membre de l'Institut, Perpignan, chez J. Alzine, Imprimeur de S.A.R Monsieur, frère du Roi, [1820], 8 pages.

Lettres à David sur le Salon de 1819, par quelques élèves de son école, Paris, 1819, 25e lettre signée P. V., pl. gravée.

Lettres adressées au baron François Gérard, peintre d'histoire, par les artistes et les personnages célèbres de son temps, deuxième édition publiée par le baron Gérard, son neveu, t. I, Paris, A. Quantin, 1886.

Levain, A., « Girodet considéré comme écrivain », *Bulletin de la société d'émulation de Montargis*, n° 12, p. 11-21.

Levain, Alexandre, « Girodet considéré comme écrivain », *Bulletin de la société d'émulation de l'arrondissement de Montargis*, n° 12, 1860, p. 11-21.

Lévêque, Jean-Jacques, *L'art et la Révolution Française, 1789-1804*, Neuchâtel, Ides et Calendes, 1987.

Lévis-Godechot, Nicole, *La jeunesse de Pierre-Paul Prud'hon (1758-1796). Recherches d'iconographie et de symbolique*, thèse de doctorat de 3e cycle, sous la direction de M. Bernard Dorival, université de Paris IV, 1982, éd. Jacques Laget, 1997.

Levitine, George, *Girodet-Trioson : an iconographical study*, thèse soutenue à Harvard en 1952, New York et Londres, Garland, 1978.

Levitine, George, « David's Sieyès in the Fogg Museum and Girodet's *De Sèze Méditant la Défense du Roi* », *The Burlington Magazine*, vol. XCV, n° 606, septembre 1953, p. 335-337.

Levitine, George, « The influence of Lavater and Girodet's *Expression des sentiments de l'âme* », *The Art Bulletin*, vol. XXXVI, n° 1, mars 1954, p. 33-48.

Levitine, George, « L'*Ossian* de Girodet et l'actualité politique sous le Consulat », *Gazette des Beaux-Arts*, vol. XLVIII, juillet-septembre 1956, p. 39-56.

Levitine, George, « A new Portrait by Girodet », *Smith College Museum of Art*, n° 37, 1957, p. 16-20.

Levitine, George, « Addenda to Robert Rosenblum's « The Origin of Painting : A Problem in the Iconography of Romantic Classicism » », *The Art Bulletin*, vol. XL, n° 4, décembre 1958, p. 330-331.

Levitine, George, « Quelques aspects peu connus de Girodet », *Gazette des Beaux-Arts*, vol. LXV, avril, 1965, p. 231-246. Levitine, George « Girodets *New Danaë* : The Iconography of a Scandal », *The Minneapolis Institute of Arts Bulletin*, t. LVIII, 1969, p. 69-77.

Levitine, George, « Some Unexplored Aspects of the Illustrations of *Atala : the Surenchères visuelles* of Girodet and Hersent », *Chateaubriand*, actes du congrès de Wisconsin pour le 200e anniversaire de Chateaubriand, 1968, édité par Richard Switzer, Genève, Droz, 1970, p. 139-145.

Levitine, George, « *L'École d'Apelle*, de Jean Broc : un *Primitif* au Salon de l'an VIII », *Gazette des Beaux-Arts*, vol. LXXX, novembre 1972, p. 294.

Levitine, George, « L'Aigle épouvanté de l'Ossian de Girodet et l'Aigle effrayée du mausolée de Turenne », *Gazette des Beaux-Arts*, vol. LXXXIV, décembre 1974, p. 319-323.

Levitine, George, *Girodet-Trioson : An Iconographical Study*, New York et Londres, Garland, [1952], 1978.

Levitine, George, *The Dawn of Bohemianism. The* Barbu *Rebellion and Primitivism in Neoclassical France*, University Park and London, The Pennsylvania State University Press, 1978.

Levitine, George, « Some Observations on the *Déluge* of Girodet. Ambiguity and Invention », *Ars Auro Prior. Studia Ioanni Bialostocki Sexagenario dicata*, Varsovie, 1981, p. 619-623.

Levitine, George, « A Newly Discovered Project of Girodet : Originality, Ossian, and England », *Paris, Center of Artistic Enlightenment*, Papers in Art History from The Pennsylvania State University, t. 4, 1988.

Levitine, George, éd., *Culture and Revolution*, College Park, 1989.

Levy, M., *The Human Form in Art, the Appreciation and Practice of Figure Drawing and Painting*, Londres, 1961.

Lhote, André, « Girodet », *La palette et l'écritoire*, Paris, Corréa, 1946, p. 130-147.

Lilley, Edward « Stendhal critique d'art. Le Salon de 1810 », *Stendhal-Club*, n° 122, 15 janvier 1989.

Lindsay, Jack, *Death of the Hero. French Painting from David to Delacroix*, Londres, Studio, 1960.

Loddé, Isabelle, « Charles-Philippe Larivière, grand prix de Rome de 1824, ou les dangers d'un séjour en Italie », *Studiolo. Revue d'histoire de l'art de l'Académie de France à Rome*, n° 2, 2003, p. 76-77, 79-80, 86-87, 95-96.

Lombard, Albert, « Séance du 24 juin 1960. Notes sur un poème de Girodet et sur ses recueils d'estampes », *Bulletin de Société Archéologique et Historique de l'Orléanais*, t. I, n° 6, 1960, p. 257-258.

Lossky, B., « L'art français en Yougoslavie », *Annales de l'Institut Français de Zagreb*, décembre 1938, p. 387.

Lostalot, Alfred de, « Les graveurs contemporains. Henriquel-Dupont », *Gazette des Beaux-Arts*, vol. VII, 1er mars 1892, p. 183.

Lynn Price, Patricia The *Prix Décennaux* of 1810 : Competition and Style in Early Nineteenth-Century France, B.A. university of California, San Diego, 1982.

M***, *Revue des tableaux*, n° 1, Paris, 1810.

Mac Gregor, N., « Girodet's poem *Le peintre* », *Oxford Art Journal*, vol. 4, n° 1, juillet 1981, p. 26-30.

Mac Gregor, Neil, « Girodet's poem *Le Peintre* », *The Oxford Art Journal*, t. IV, n° 1, juillet 1981, p. 26-30.

Magnin, Jeanne, *Le Paysage français. Des enlumineurs à Corot*, Paris, 1928.

Magnin, Jeanne, *Les Débuts du romantisme à la maison de Victor Hugo*, Dijon, 1927.

Magnin, Jeanne, *Musée Magnin Peintures et dessins de l'école française*, Dijon, 1938.

Magnin, Jeannz, *Un cabinet d'amateur parisien en 1922, Peintures et dessins de l'école française*, s.l.n.d. [Paris, 1922], 2 vol.

Mahul, *Annuaire nécrologique ou complément annuel et continuation de toutes les biographies ou dictionnaires historiques*, Paris, 1824.

Maison, Françoise, in Laclotte dir. *Petit Larousse de la Peinture*, 2 vol.,. t. I, p. 726.

Maillé, Duchesse de *Souvenirs des deux Restaurations*. Journal inédit présenté par Xavier de La Fournière, Paris, Perrin, 1984, p. 160.

Mantion, Jean-Rémy, « L'empire des fins. Théorie de la commande selon Quatremère de Quincy : le cas Girodet », *Les fins de la peinture*, textes réunis par René **Démoris**, actes du colloque organisé par le Centre de Recherches Littérature et Arts visuels (9-11 mars 1989), Paris, Editions Desjonquières, 1990.

Mantz, Paul, « Recherches sur l'histoire de l'orfèvrerie française. V. Période moderne (dixième article) », *Gazette des Beaux-Arts*, vol. XIV, 1er mai 1863, p. 414.

Marandel, J. Patrice, « The Death of Camille Guillaume Guillon Lethière and the 1785 Prix de Rome », *Antologia di Belle Arti*, t. IV, nos 13-14, 1980, p. 15, 17.

Marcel, H., *La Peinture française au XIXe siècle*, Paris, 1905.

Marcy, P., *Guide populaire dans les musées du Louvre*, Paris, 1867.

Maréchal, Dominique, « J. Bernard Duvivier (1762-1837), un peintre et dessinateur néo-classique brugeois à Paris », *Jaarboek Stad Brugge Stedelijke Musea*, t. VIII (années 1995-1996), 1997, p. 339.

Markham, Felix, « Napoléon and his Painters », *Apollo*, t. LXXX, n° 31, septembre 1964, p. 187, 191.

Marmottan, Paul, « Girodet-Trioson (Anne-Louis) », *L'Ecole française de peinture (1789-1830)*, Paris, H. Laurens, 1886, p. 391-392.

Marmottan, Paul, « La jeunesse du peintre Fabre », *Gazette des Beaux-Arts*, vol. XV, janvier 1927, p. 94, 105 n. 2.

Marmottan, Paul, « Tableaux pour la Galerie de Diane aux Tuileries (1805-1809) », *Bulletin de la Société de l'Histoire de l'Art français* (années 1915-1917), 1918, p. 162-169.

Marmottan, Paul, « Une lettre inédite de Ménageot, directeur de l'Académie de France à Rome, au comte d'Angiviller (30 juin 1790) », *Archives de l'Art français*, t. I, nouvelle période, 1907, p. 184-188.

Marmottan, Paul, *Les Arts en Toscane. La princesse Elisa*, Paris, H. Champion, 1901.

Marmottan, Paul, *Le Peintre Louis Boilly (1761-1845)*, Paris, H. Gateau, 1913.

Marmottan, Paul, *Nouvelles commandes de tableaux militaires*, (extrait du *Carnet de la Sabretache*, n° 321, février 1928), Paris, Au siège de la Société, 1928.

Marquet de Vasselot, *Histoire du portrait en France*, Paris, Rouquette, Nadaud & Cie, 1880.

Marrinan, Michael, « Literal/Literary/'Lexie': history, text, and authority in Napoleonic painting », *Word & Image*, t. VII, n° 3, juillet-septembre, p. 177- 200.

Marrinan, Michael, *Painting Politics for Louis-Philippe. Art and Ideology in Orléanist France, 1830-1848*, New Haven et Londres, Yales University Press, 1988.

Marrinan, Michael « Literal, Literary, "Lexie" : History, Text, and Authority in Napoleonic Painting », *Word and Image* 7, n° 3, juillet-septembre 1991.

Marrinan, Michael, « Narrative Space and Heroic Form : Géricault and the Painting of History », actes du colloque *Géricault*, (Paris, auditorium du musée du Louvre, 14-16 novembre 1991 et Rouen, auditorium du musée des Beaux-Arts, 17 novembre 1991), ouvrage collectif dirigé par Régis Michel, t. I, Paris, La Documentation Française, 1996.

Martin-Ibanez, F., *The Adventure of art*, New York, 1970.

Massé, F., « Sur la Galatée de M. Girodet », *La Quotidienne*, n° 322, 18 novembre 1819, p. 1.

Masson, Frédéric, « Au musée de Versailles », *Les Arts*, n° 55, juillet 1906, p. 2.

Masson, Frédéric, *Napoléon et sa famille (1811-1813)*, t. VII, Paris, Société d'Editions littéraires et artistiques, 1906.

Masson, Frédéric, *Les Diplomates de la Révolution. Hugou de Bassville à Rome, Bernadotte à Vienne*, Paris, Charavay, 1882.

Mathieu-Meusnier, M., « A.-L. Girodet-Trioson », *Archives de l'Art français*, 2e série, tome I, 1861, p. 317-320.

Mathurin de Lescure, François Adolphe, *Le château de la Malmaison, histoire, description, catalogue des objets sous auspices de S. M. l'Impératrice*, Paris, Plon, 1867, p. 252.

Matterlin, O., *Autographes et manuscrits. Ventes publiques, 1982-1985*, Paris, Editions Mayer, 1985, p. 328-329.

Maussion, Angélique de, *Rescapé de Thermidor*, Paris, Nouvelles Editions Latines, 1975.

Mazzocca, Fernando, « G. B. Sommariva o il borghese mecenate : il « cabinet » neoclasico di Parigi, la galleria romantica di Tremezzo », *Itinerari. Contributi alla Storia dell'Arte in Memoria di Maria Luisa Ferrari*, t. II, 1981.

Méhul, A. « Girodet-Trioson », *Annuaire nécrologique ou complément annuel et continuation de toutes les biographies ou dictionnaires historiques ; Contenant la vie de tous les hommes remarquables par leurs actes ou leurs productions, morts dans le cours de chaque année, à commencer de 1820, orné de portraits*, année 1824, Paris, Ponthieu, décembre 1825, p. 118-130.

Mély-Janin, Marie, *La Quotidienne*, 1er décembre 1824, p. 4

Ménard, Louis et René Musée *de Peinture et de Sculpture…*, Paris, Vve A. Morel & Cie, Paris, 1872.

Ménard, René, « La Bibliothèque à l'exposition des Champs-Elysées », *Gazette des Beaux-Arts*, vol. X, 1er novembre 1874, p. 463-468.

Mennessier-Nodier, Marie *Charles Nodier, épisodes de sa vie*, Paris, Didier, 1867, p. 238.

Merson, Olivier, « Les logements d'artistes au Louvre à la fin du XVIIIe siècle et au commencement du XIXe (deuxième et dernier article) », *Gazette des Beaux-Arts*, vol. XXIV, 1er septembre 1881, p. 281, 287.

Méry, abbé, *La Théologie des peintres, sculpteurs, graveurs et dessinateurs…*, Paris, 1765.

Meyer, J.-L., *Les tableaux d'Italie – Darstellung aus Italien 1792*, traduction, introduction et notes de Elizabeth Chevallier, Naples, 1980.

Meyer, *Versailles musée 18e*, Paris, 1970, p. 205.

Michel, André, « La critique d'art. Boutard - Delécluze - Charles Clément », *Le Livre du centenaire du Journal des débats, 1789-1889*, Paris, Plon, 1889, p. 471, 472 note 1.

Michel, Christian, « Lettres adressées par Charles-Nicolas Cochin fils à Jean-Baptiste Descamps », *Archives de l'Art français*, nouvelle période, tome XXVIII, 1986, p. 80.

Michel, Christian, *Le Voyage d'Italie de Charles-Nicolas Cochin. 1758*, Rome, 1991.

Michel, Christian, « Lettres adressées par Charles-Nicolas Cochin fils à Jean-Baptiste Descamps, 1757-1790 », *Archives de l'Art français*, t. XXVIII, 1986, p. 80-81.

Michel, Olivier, 1989, voir cat. exp. 1989, Paris, t. II, p. 618-621.

Michel, Olivier, « Notice du *Portrait de Giuseppe Fravega* », *Catalogue guide du musée des Beaux-Arts de Marseille*, 1990, p. 83.

Michel, Olivier, *Vivre et peindre à Rome au XVIIIe siècle*, préface de Jacques Thuillier, Rome, École française de Rome, palais Farnèse, 1996**Michel**, R. et **Sahut**, M.-C., *David l'art et le politique*, Paris, 1988.

Michel, Régis, « Documents », catalogue de l'exposition *David e Roma*, Académie de France à Rome, décembre 1981 - février 1982, p. 244.

Michel, Régis, « L'Art des Salons », *Aux Armes & aux Arts*, sous la direction de Philippe Bordes et Régis Michel, Paris, Adam Biro, 1988.

Michel, Régis (dir.), *David contre David*, actes du colloque, musée du Louvre, 6-10 décembre 1989, Paris, La Documentation française, 1993.

Michelet, Jules, *Écrits de jeunesse. Journal (1820-1823). Mémorial. Journal des idées*, texte intégral établi et publié par Paul Viallaneix, Paris, Gallimard, 1959.

Miel, « Girodet-Trioson, », *Encyclopédie des gens du Monde, répertoire universel des sciences, des lettres et des arts*, t. XII, Paris, Librairie de Treuttel et Würtz, 1839, p. 477-481.

Miel, E.F., « Notice sur Girodet-Trioson, peintre d'histoire, membre de l'Institut », *in Annales de la Société libre des Beaux-Arts*, séance du 18 mars 1845, t. XII, p. 287-300.

Miette de Villars, *Mémoire de David, peintre et député à la Convention*, Paris, 1850, p. 41.

Milovanoff, Christian, *Le Louvre revisité*, Paris, 1986.

Millin, A.-L., *Dictionnaire des Beaux-Arts*, Paris, 1806, 3 volumes.

Miquel, Pierre, *Art et Argent, 1800-1900. L'Ecole de la nature*, t. VI, Mantes-la-Jolie, Editions de la Martinelle, 1987.

Mireur, H., « Girodet (de Roncy-Trioson [*sic*]), Anne-Louis », *Dictionnaire des ventes d'art faites en France et à l'Etranger pendant les XVIIIme & XIXme siècles*, t. III, Paris, Maison d'éditions d'œuvres artistiques, 1911.

Mirimonde A.P. de, *Le langage secret de certains tableaux du musée du Louvre*, Paris, RMN, 1984.

Moffitt, John F., « The Native American *Sauvage* as Pictured by French Romantic Artists and Writers », *Gazette des Beaux-Arts*, vol. CXXXXI, septembre 1999, p. 121-124.

Mongan, A., *David to Corot French Drawings in the Fogg Art Museum*, Cambridge/Londres, 1996.

Monnin, « Beaux-Arts. Salon de 1819 », *Annales françaises des arts, des sciences et des lettres*, t. V, 1819.

Montaiglon, Anatole de, « A.-L. Girodet-Trioson. Lettre communiquée par M. Mathieu-Meusnier », *Archives de l'Art français*, t. I, 1861, p. 317-320.

Montaiglon, Anatole de, « Artistes français en 1800. Pièce communiquée par M. Fillon », *Nouvelles Archives de l'Art français*, t. I, 1872, p. 432.

Montaiglon, Anatole de, « Lettres du comte Sommariva (1814-1825), *Nouvelles archives de l'art français*, 1879.

Montaiglon, Anatole de, *Procès-verbaux de l'Académie royale de peinture et de sculpture, 1648-1792*, t. IX (1780-1788), t. X (1789-1793), Paris, Charavay frères, 1892.

Montaiglon, Anatole de, et **Guiffrey**, Jules, *Correspondance des directeurs de l'Académie de France à Rome avec les surintendants des bâtiments*, t. XV (1785-1790), t. XVI (1791-1797), Paris, J. Schemit, 1907.

Montgaillard, abbé de, *Histoire de France, depuis la fin du règne de Louis XVI jusqu'à l'année 1825*, t. IX, Paris, Moutardier, 1827.

Montrosier, Eugène, « Robert-Fleury », *Peintres modernes. Ingres. H. Flandrin, Robert-Fleury*, Paris, Ludovic Baschet, 1882, p. 76, 86.

Monsaldy, Antoine Maxime « Le Salon de 1800 », *Journal des arts, des sciences et de littérature*, an IX (1800), 3e et 4e trimestres.

Moreau de la Sarthe, Jacques Louis, « Discours sur la vie et les ouvrages de Vicq d'Azyr », *Œuvres de Vicq d'Azyr*, t. I, Paris, Duprat-Duberger, an XIII, p. X-XJ.

Moreau, M., « Notes de M. Moreau, instituteur à Courtenay [acte d'inhumation de la mère de Girodet] », *Bulletin de Société Archéologique et Historique de l'Orléanais* t. VIII, n° 131, quatrième trismestre de 1886, p. 549.

Morgan, lady, *La France par Lady Morgan, ci-devant Miss Owenson*, t. II, Paris et Londres, Treuttel et Würtz, 1817, p. 26-27, 29 note 1.

Morin, Marie-Renée, « Un poète avisé : l'auteur des méditations », *L'Année 1820, année des Méditations*, actes du colloque organisé par la Société des études romantiques et dix-neuviémistes, Université Blaise Pascal (Clermont II), Centre de Recherches révolutionnaires et romantiques, Paris, Nizet, avril 1990.

Morse, J. D., *Old Master Paintings in North America*, New York, 1979.

Mortier, R., *L'originalité. Une nouvelle catégorie esthétique au siècle des Lumières*, Genève, 1982.

Mouillesseaux, J.-P., *L'art et la Révolution française*, Paris, 1988.

Moulin, Jean-Marie, « La chambre à coucher et le boudoir de l'impératrice Marie-Louise à Compiègne », *La Revue du Louvre et des Musées de France*, t. XXXIV, nos 5-6, 1984, p. 331-332.

Moulin, M., « François Gérard, peintre du dix août 1792 », *Gazette des Beaux-Arts*, VIe période, t. CI, mai-juin 1983, p. 197-202.

Müller, Hermann Alexander, et Singer, Hans Wolfgang, « Girodet, Anne Louis de Roucy, genannt Girodet-Trioson », *Allgemeines Künstler-Lexicon*, t. V, Francfort, Rüteten & Loening, 1921, p. 57.

Munich, Nicole, « Les plafonds peints du Musée du Louvre : inventaire de documents d'archives », *Archives de l'Art français*, t. XXVI, 1984, p. 119.

Müntz, E., *Guide de l'école nationale des Beaux-Arts*, Paris, 1889.

Müntz, Eugène, et Montaiglon, Anatole de, « Lettres de Wicar, Gros, Girodet et autres au directeur de la Galerie de Florence (1778-1796) », *Nouvelles Archives de l'art français*, 1875, p. 447.

Murat, Laure, « Anne-Louis Girodet », *Beaux-Arts*, juin 1991, p. 42-43.

Musée du Louvre, *Catalogue des Peintures, t. I, Ecole Française*, Paris, R.M.N, 1972.

Musée du Louvre, *Catalogue sommaire illustré des peintures du Musée du Louvre et du Musée d'Orsay, École Française*, t. III, Paris, 1986.

Musée du Louvre, *Guide du Visiteur : la peinture française*, Paris, R.M.N, 1993, p. 166, salle Mollien (notice par S. Laveissière).

Musto, Sylvia, « Portraiture, Revolutionary Identity and Subjugation : Anne-Louis Girodet's Citizen Belley », *Racar*, t. XX, n° 1-2, 1993, p. 60-71.

N., « La Critique des Critiques du Salon de 1806, Etrennes aux connoisseurs », Journal de Paris, 11 février 1807, p. 3-4.

N., « La Critique des Critiques du Salon de 1806, Etrennes aux connoisseurs. (IIe et dernier Extrait.) », Journal de Paris, 17 février 1807, p. 1-4.

Naef, Ernest, *Salomon-Guillaume Counis (1785-1859), peintre de S.A. I. la Grande-Duchesse de Toscane*, Lausanne, Editions Spes, 1935.

Nagler, G. K., « Girodet Trioson, Anne Louis », *Neues allgemeines Künstler-Lexicon*, t. V, Munich, E. A. Fleischmann, 1837.

Nagler, G. K., « Anne Louis Girodet-Trioson », *Die Monogrammisten*, t. II, 1860, t. III, 1863.

Nash, Steven A., « David, Socrates, Caravaggism A Source for David's *Death of Socrates* », *Gazette des Beaux-Arts*, vol. XCI, mai-juin 1978, p. 202-206.

Nash, Steven A. *The drawings of J. Louis David : selected problems*, thèse de doctorat de l'université de Stanford, 1973, reprographiée en 1996.

Naud, J., *Le château d'Issy et ses hôtes*, Paris, 1926.

Neve, Christian, « An Age of Unreality and Reason », *Country Life*, vol. 143, n° 3697, 11 janvier 1968, p. 65.

Nevison Brown, Stephanie *Girodet, a contradictory career*, PhD Thesis, Courtauld Institute of Art, University of London, 1980, ?? pages.

Nevison Brown, Stephanie « Girodet (de Roussy-Trioson) », *The Dictionary of Art*, sous la direction de Jane Turner, t. XII, New York, Grove, 1996.

Nevison, Brown, Stephanie « Girodet (de Roussy-Trioson), [Girodet-Trioson], Anne-Louis », in J. Turner éd., *From David to Ingres. Early 19th-century French Artists*, New York, Groveart, 2000.

Nicolle, M., catalogue du musée Beaux-Arts de Nantes, 1913.

Niel, J., « Lettres adressées à J. B. Isabey », *Archives de l'Art français*, t. IV, 15 septembre 1855, p. 105-106.

Nicolson, B., « Frivolity and Reason at Burlington House », *The Burlington Magazine*, vol. 110, février 1968, p. 62.

Nimmen, Jane van, « The Death of Bassville : A Riot in Rome and its Repercussions on the Arts in France », *Culture and Revolution. Cultural Ramifications of the French Revolution*, actes du colloque de l'université de Maryland (20-22 novembre 1987), édité par George Levitine, Maryland, Departement of Art History, 1989, p. 282-302.

Nivet, Jean, « Quelques lettres du peintre Girodet-Trioson à Mme Julie Simons-Candeille, conservée dans les collections de la Société Archéologique et Historique de l'Orléanais », *Bulletin de Société Archéologique et Historique de l'Orléanais*, t. XVII, n° 138, 4e trimestre 2003, p. 5-46.

Noack, Fr., *Das Deutschtum in Rom seit dem Ausgang des Mittelalters*, Stuttgart, 1974.

Noce, Vincent, « A Montargis, une *Leçon* bien acquise. Un tableau de Girodet, réalisé en 1803, a été acheté 2, 5 millions d'euros par le musée de sa ville natale », *Libération*, samedi 7 et dimanche 8 mai 2005, p. 36.

Nodier, Ch., Taylor, J. et Cailleux, A. de, *Voyages pittoresques et romantiques dans l'ancienne France*, Paris, 1835.

Nodier, Charles, « Les Barbus », *Le Temps*, 5 octobre 1832, publié dans : E.-J. **Delécluze**, *Louis David, son école et son temps*, Paris, Didier, 1855, rééd. avec préface et notes de Jean-Pierre Mouilleseaux, Paris, Macula, 1983.

Noël, François, *Dictionnaire de la Fable, Ou mythologie greque, latine, égyptienne, celtique, persane, syriaque, indienne, chinoise, mahométane, rabbinique, slavonne, scandinave, aricaine, américaine, iconologique, etc, nouvelle édition, revue, corrigée, et considérablement augmentée*, t. I, Paris, Le Normant, 1803.

Nohlac, P. et et Pératé, A., *Le musée national de Versailles*, Paris, 1896.

Noort, Magali van, « 2005, année Girodet au Louvre à Paris et ici avec l'exposition *Au-delà du Maître* », *La République du Centre*, vendredi 14 janvier 2005, p. 8.

Norman, Schlenoff, *Ingres, ses sources littéraires*, Paris, PUF, 1956.

Nusbaumer, Philippe, *Jacques-Augustin-Catherine Pajou, 1766-1828, peintre d'Histoire et de portrait*, Le Pecq-sur-Seine, Nusbaumer, 1997, p. 2-3, 18, 25, 34, 37, 112, 143-144, 158, 170.

Notice sur la Galatée de M. Girodet-Trioson avec la gravure au trait, Paris, imprimerie de Pillet aîné, 1819.

O'Brien, David Joseph, *The Art of War : Antoine-Jean Gros and French Military Painting, 1795-1804*, Ph.D. dissertation, University of Michigan, 1995.

O'Brien, David, « Antoine-Jean Gros in Italy », *The Burlington Magazine*, vol. CXXXVII, n° 1111, octobre 1995, p. 655-657.

Ockman, Carol, « Profiling Homoeroticism : Ingres's *Achilles Receiving the Ambassadors of Agamemnon* », *The Art Bulletin*, LXXV, n° 2, juin 1993, p. 261, 265.

Ocvirk, O.G., *Art fundamentals : theory and practice*, Dubuque, 1975.

Olander, Wiliam, *Pour transmettre à la postérité : French Painting and Revolution, 1774-1795*, Ph-D. sous la direcetion de Robert Rosenblum, New York University, octobre 1983.

Olson, Roberta J. M., « Quand passent les comètes », *Connaissance des arts*, n° 380, octobre 1983, p. 72-74.

O'Mahoney, comte Arthur, « Exposition des tableaux. IVe article. *Pygmalion et Galatée* par M. Girodet », *Le Conservateur*, t. V, 1819, n° 58, p. 272-275.

Oppenheimer, Margaret A., « Three Newly Identified Painting by Marie-Guillemine Benoist », *Metropolitan Museum Journal*, vol. XXXI, 1996, p. 147.

Oppenheimer, Margaret A., « Nisa Villers, née Lemoine (1774-1821) », *Gazette des Beaux-Arts*, vol. CXXVII, avril 1996, p. 167, 169, 171.

Oppenheimer, Margaret A., « Portrait of youth : A Study by Girodet Rediscovered », *Gazette des Beaux-Arts*, vol. XXXXVIII, novembre 2001, p. 217-224.

Osborne, C.M., *Pierre Didot the Elder and French Book illustration 1789-1822*,

Osborne, Carol Margot, *Pierre Didot the Elder and French Book Illustration, 1789-1822*, thèse de doctorat soutenue à l'université Stanford en 1979, New York, Garland, 1985.

Osborne, Carol M., « Anne-Louis Girodet de Roucy-Trioson. *Aenas Sacrificing to Neptune* », *Stanford University Museum of Art. The Drawing Collection*, Stanford, University of Washington Press, 1993.

Ottani Cavina, A., « Stockholm on Classic Ground : Painters in Rome in the 1780 », *The Burlington Magazine*, vol. 125, n° 958, janvier 1983, p. 54.

Outram, Dorinda, *The Body and the French Revolution : Sex, Class and Political Culture*, New Haven, 1989, p. 87-88.

P***, Ch. *Aux mânes de Girodet. Elégie, par M. CH. P****, Paris, librairie de F. M. Maurice, 15 décembre 1824.

Pace, Brian P., « The cover », *Journal of the American Medical Association*, vol.277, n° 19, 21 mai 1997.

P. B., « Arts. 1824. Mort de Girodet, peintre français », *Éphémérides universelles, ou Tableau religieux, politique, littéraire, scientifique et anecdotique, présentant, pour chaque jour de l'année, un extrait des annales de toutes les nations et de tous les siècles, depuis le temps*

historiques jusqu'à nos jours, t. XII, Paris, Corby, 1833, p. 172-175.

Pailhés, Gabriel, *Chateaubriand, sa femme et ses amis*, Bordeaux, 1896.

Paillet, Charles, *Catalogue de la galerie du comte de Sommariva*, Paris, 1839.

Paintbrush Pen, VS., *Girodet, Balzac and the Myth of Pygmalion in Postrevolutionnary France*, New York, Palgrave.

Palouzie, Hélène, *Jean-Baptiste-Frédéric Desmarais (1756-1813), son milieu, son temps*, thèse de doctorat sous la direction de Laure Pellicer, université Paul Valéry-Montpellier III, 1994, 2 vol.

Parent, Roger, « À propos de quelques tableaux datant du Premier Empire », *Bulletin de la Société d'Émulation de l'arrondissement de Montargis*, n° 30, 3e série, mars 1975, p. 12-13.

Pariset, François-Georges, « Dessins de voyages. Artistes français en Italie dans la seconde partie du XVIIIe siècle », *Gazette des Beaux-Arts*, septembre 1959, p. 117-128.

Pariset, François-Georges, « L'âge néo-classique. Les expositions de Londres, 1972 », *Dix-Huitième Siècle*, n° 5, 1973, p. 372.

Pariset, François-Georges, « Le néo-classicisme autour de 1800 », *Dix-Huitième Siècle*, n° 7, 1975, p. 3345-337.

Pariset, François-Georges, « Les arts graphiques en France autour de 1778 », *Dix-Huitième Siècle*, n° 11, 1979, p. 137.

Paulson, Ronald, *Representations of Revolution (1789-1820)*, New Haven et Londres, Yales University Press, 1983, p. 36.

Paz, Alfredo de, *Il romanticismo e la pittura. Natura, simbolo, storia*, Naples, Ligouri, 1992.

Pelfrey, R., *Art and Mass Media*, Dubuque, 1996.

Pélissier, Léon-Gabriel, « Les correspondants du peintre Fabre (1808-1834) (Fin) », *Nouvelle Revue rétrospective*, juillet-décembre 1896, p. 81, 121-140.

Pélissier, Léon, « Vieux papiers d'un peintre d'autrefois. Lettres du père de Mérimée », *Vieux papier. Bulletin de la Société archéologique, historique et artistique*, t. X, 2e livraison, fasc. 65, 1er mars 1911.

Pelles, G., *Art, Artists and Society : Origins of a modern dilemma ; Painting in England and France 1750-1850*, Engelwood Cliffs, 1962.

Pellicer, Laure, *François-Xavier Fabre (1766-1837)*, thèse de doctorat de 3e cycle soutenue à l'Université de Paris IV Sorbonne en 1975, 2 vol.

Pellicer, Laure, « À propos d'Hippocrate refusant les présents d'Artaxerxès, esquisse de Girodet, Montpellier, Musée Fabre », actes du colloque *Hellénisme et Hippocratisme* dans l'Europe méditerranéenne : autour de D. Coray, Université de Montepellier III, Centre d'Histoire moderne et contemporaine de l'Europe méditerranéenne et de ses périphéries, 20 et 21 mars 1998, Montpellier, PUM, 2000, p. 197-212.

Peltre, Christine, *Retour en Arcadie. Le voyage des artistes français en Grèce au XIXe siècle*, Paris, Lincksieck, 1997, pp. 66, 68, 111.

Percier, Charles et **Fontaine**, Pierre, *Recueil de décorations intérieures*, Paris, 1801.

Pérignon, Alexis Nicolas, *Catalogue des tableaux, esquisses, dessins et croquis de M. Girodet-Trioson, peintre d'histoire, membre de l'Institut, Officier de la Légion-d'honneur, Chevalier de l'ordre de Saint-Michel ; de divers ouvrages faits dans son école* [....], rédigé par M. Pérignon, son élève, commissaire-expert des musées royaux, Bonnefons-Lavialle, commissaire-priseur, Pérignon, expert, Paris, dans sa maison, rue Neuve-Saint-Augustin, n° 55, 11 avril 1825 et jours suivants.

Peronnet, Benjamin et **Fredericksen** Burton B., *Répertoire des tableaux vendus en France au XIXe siècle. 1801-1810*, t. I, Los Angeles, The Provenance Index of the Getty Information Institute, 1998, p. 473.

Peronnet, Benjamin, « Denon, collectionneur typique ou atypique ? », *Les vies de Dominique-Vivant Denon*, t. II, actes du colloque organisé au musée du Louvre par le Service culturel du 8 au 11 décembre 1999, sous la direction scientifique de Daniela Gallo, Paris, La documentation Française, 2001.

Pérouse de Montclos, Jean-Marie, *Étienne-Louis Boullée*, Paris, Flammarion, 1994, p. 14-15.

Perruchot, Henri, « Quelques remarquables artistes montargois du passé », *Bulletin de la XXIVe foire-exposition de Montargis*, 2-6 août 1957, p. 60-62.

Perruchot, Henri, « Anne-Louis Girodet (1767-1824) », *Bulletin de la XXXIVe foire-exposition de Montargis*, 28 juillet-12 août 1967, p. 59-77.

Perruchot, H., « Les Fourgerets à Chateaurenard », *Bulletin de la foire-exposition de Montargis*, 1976, p. 61-77.

Petit, M., *Histoire de Châteaurenard*, Paris, (1864) éd. 1991.

Pierre, J., « Le tombeau de Girodet », *Pleine Marge. Cahiers de littérature, d'arts plastiques et de critique*, 1991, n° 14, p. 91-102.

Pigler, A., *Die Barockthemen*, Budapest, 1956.

[Pillet, Fabien], « Musée royal. Exposition des tableaux », *Journal de Paris*, n° 237, 25 août 1819, p. 3.

[Pillet, Fabien], « Musée royal... », *Journal de Paris*, n° 310, 6 novembre 1819, p. 2.

[Pillet, Fabien], F. P... T, « *Pygmalion et Galathée*, tableau de M. Girodet », *Journal de Paris*, n° 313, 9 novembre 1819, p. 2-3.

[Pillet, Fabien], « Encore quelques mots sur la *Galathée* de M. Girodet », *Journal de Paris*, n° 320, 16 novembre 1819, p. 2-4. [réponse au *Journal des Débats* du... : voir C., *Journal des Débats*].

Pinelli, A., *La Belle Manière Anticlassicisme et Maniérisme dans l'art du XVIe siècle*, Paris, (1993) trad. 1996.

Pinelli, Antonio, « Prud'hon et Canova », actes du colloque *Pierre-Paul Prud'hon*, organisé au musée du Louvre par Sylvain Laveissière le 17 novembre 1997, Paris, la documentation Française, 2001, p. 60-61.

Pinet, G., *Léonor Mérimée (1757-1836)*, Paris, 1913.

Pinot de Villechenon, Marie-Nolle, « Jean Georget et la « fortune » d'une peinture de Anne-Louis Girodet-Trioson à la Manufacture impériale de Sèvres », *Sèvres*. Revue de la Société des amis du musée national de céramique, n° 7, 1998, p. 55-62.

Pinset, R. et Auriac, J. d', *Histoire du portrait en France*, Paris, 1884.

Piot, Eugène, « Girodet-Trioson (Anne-Louis), peintre », *Etat civil de quelques artistes français extrait des registres des paroisses des anciennes archives de la ville de Paris*, Paris, Pagnerre, 1873.

Planche, Gustave, « Peintres et sculpteurs modernes de la France. Géricault », *Revue des deux mondes*, t. X, mai 1851, p. 529.

Pluchon, Pierre *Toussaint Louverture : Fils noir de la Révolution française*, Paris, l'École des loisirs, Médiumpoche, 1989.

Poignault, Rémy « Échos Littéraires du mythe au XIXe et au début du XXe siècle », in Tours (Centre Piganiol), actes du Colloque (Caen, 1999) *D'Europe à Europe – II – Mythe et identité du XIXe siècle à nos jours*, p. 68 à 70, revue *Caesarodunim XXXIII bis*, 2000

Poirier, Alice, *Les idées artistiques de Chateaubriand*, Paris, Les Presses Universitaires de France, 1930.

Pommier, A., « Notes sur des manuscrits et lettres autographes du peintre Girodet », *Bulletin historique et philosophique du comité des travaux historiques et scientifiques*, 1908, p. 354-370.

Pommier, A., « Note sur des manuscrits et lettres autographes de Girodet conservés aux Archives de la Société archéologique et historique de l'Orléanais », *Mémoires de la Société archéologique et historique de l'Orléanais*, t. XXXIII, 1911, p. 15-35.

Pommier, Édouard, *L'Art et la liberté. Doctrines et débats de la Révolution française*, Paris, Gallimard, 1991.

Poncelet, M. G., « Le vallon de Feuillancourt, contribution à l'histoire de Saint-Germain-en-Laye », *Bulletin de la Commission des Antiquités et des Arts du département de Seine-et-Oise*, t. LVII, n° 1960-1961, p. 34.

Porée, A. « Quelques lettres de peintres français », *La Correspondance historique et archéologique*, t. XIV, 1907, p. 281-287.

Porterfield, Todd, *The Allure of Empire, art in the Service of French Imperialism, 1798-1836*, Princeton (New Jersey), Princeton University Press, 1998.

Pougetoux, Alain, « Autour d'un tableau de Girodet du musée de l'île d'Aix », *Société des amis de Malmaison. Bulletin*, n° 30, 1996, p. 75-82.

Pougetoux, Alain, « Le Directeur et l'Impératrice », *Les vie de Dominique-Vivant Denon*, t. I, actes du colloque organisé au musée du Louvre par le Service culturel du 8 au 11 décembre 1999, sous la direction scientifique de Daniela Gallo, Paris, La Documentation française.

Pougetoux, Alain, *La Collection de peintures de l'Impératrice Joséphine*, Paris, RMN, 2003.

Pougetoux, Alain et **Zimmer**, Thierry, « Marie-Philippe Coupin de la Couperie, *Mademoiselle d'Arjuzon implore la bonté divine pour le rétablissement de la santé de Madame la comtesse d'Arjuzon, sa mère, malade dangereusement* (1814) », *Revue du Louvre. La revue des musées de France*, n° 1, février 1998, p. 77, 80.

Poulot, Dominique, « *Surveiller et s'instruire* » : *la Révolution française et l'intelligence de l'héritage historique*, Voltaire Foundation, Oxford, 1996, p. 357, 425, 485.

Praz, Mario, « Girodet's *Mlle Lange as Danaë* », *The Minneapolis Institute of Arts Bulletin*, t. LVIII, 1969, p. 64-68.

Praz, Mario, *La Casa della Vita*, Milan, Adelphi, 1979 [éd. française, Gallimard, *La Maison de la vie*, 1993].

Price Mars, docteur, « Les Origines et le destin d'un nom, Jean-Baptiste Belley Mars, l'ancêtre », *Revue de la Société d'Histoire et de Géographie d'Haïti*, t. XII, n° 36, janvier 1940, p. 1-24.

Procès-verbaux de l'académie royale de peinture et de sculpture 1648-1793 publiés par M A. de Montaiglon, Paris, 1889, tome IX, 1780-1788, et tome X, 1789-1793.

Procès-verbaux de la Commune générale des arts de peinture, sculpture, architecture et gravure (18 juillet 1793 - Tridi de la première décade du 2e mois de l'an II) et de la société populaire et républicaine des arts (3 nivôse an II – 28 floréal an III) publiés intégralement pour la première fois avec une introduction et des notes par Henry Lapauze, Paris, 1903.

Procès-verbaux du comité d'instruction publique de la Convention nationale, Paris, 1891-1907, 5 vol.

Pruvost-Auzas, voir cat. ep. 1967, Montargis Jacqueline, catalogue de l'exposition *Girodet, 1767-1824. Exposition du deuxième centenaire*, Montargis, musée Girodet, 1967.

Pruvost-Auzas, Jacqueline, « Les peintures de Girodet au palais de Compiègne », *Bulletin de la Société de l'Histoire de l'Art français*, (1969) 1971, p. 93-106.

Pruvost-Auzas, Jacqueline, « Détails inédits sur la décoration réalisée de 1813 à 1821 au Palais de Compiègne, commencée du temps de Napoléon Ier qui avait agréé pour ces travaux le peintre Anne-Louis Girodet, élève de David, prix de Rome 1789, enclin au romantisme », *Connaissance des arts*, n° 234, août 1971, p. 48-55.

Pruvost-Auzas, Jacqueline, « Girodet et le thème de Danaë », *La Revue du Louvre et des musées de France*, n° 6, 1970, p. 377-382.

Pruvost-Auzas, Jacqueline, et **Ternois**, Daniel, « Dessins de Girodet à sujets ossianiques », *La Revue du Louvre*, nos 4-5, 1973, p. 261-270.

Pyhrr, Stuart W., « De la Révolution au romantisme : les origines des collections modernes d'armes et d'armures », *Les Vies de Dominique-Vivant Denon*, t. II, actes du colloque organisé au musée du Louvre par le Service culturel du 8 au 11 décembre 1999, sous la direction scientifique de Daniela Gallo, Paris, La Documentation Française, 2001, p. 627, 648.

Quatremère de Quincy, Antoine-Chysostôme, *Considérations sur les arts du dessin en France suivies d'un plan d'Académie, ou d'École publique, et d'un système d'encouragemens*, Paris, 1791.

Quatremère de Quincy, Antoine-Chysostôme, *Seconde suite aux considérations sur les arts du dessin ; ou Projet de règlemens pour l'École publique des Arts du Dessin et de l'emplacement convenable à l'Institut National des Sciences, Belles-Lettres et Arts*, Paris, 1791.

Quatremère de Quincy, Antoine-Chysostôme, *Suite aux considérations sur les arts du dessin en France ou Réflexions critiques sur le projet de Statuts et Règlements de la majorité de l'Académie de Peinture et Sculpture*, Paris, 1791.

Quatremère de Quincy, Antoine-Chysostôme, « Éloge historique de M. Girodet, peintre. Lue à la séance publique de l'Académie royale des Beaux-Arts, le samedi 1er octobre 1825 », *Recueil de notices historiques lues dans les séances publiques de l'Académie Royale des Beaux-Arts à l'Institut*, Paris, (1825) A. le Clerc, t. I, 1834.

Quatremère de Quincy, *Lettres à Miranda sur le déplacement des monuments de l'art de l'Italie*, 1796, introduction et notes par Édouard Pommier, Paris, Macula, 1989, p. 57, 142.

R***, *Les Artistes traités de la bonne manière ou L'Ami des peintres*, Paris, s. d.

Ralph N., James, « Girodet-Trioson (Anne Louis Girodet de Roucy, called) », *Painters and thier Works : A Dictionnary of Great Artists, who are not Now Alive*, t. I, Londres, Upcott Gill, 1896, p. 458-460.

Ramade, Patrick, « Jean-Germais Drouais : recent discoveries », *The Burlington Magazine*, vol. CXXX, n° 1022, mai 1988, p. 365 note 3.

Rapport fait au nom du Comité d'Instruction publique, par David, sur la nomination des cinquante membres du Jury qui doit juger les prix de Peinture, Sculpture et Architecture.

Rapport sur la suppression de la commission du Muséum ; par le citoyen David.

Ratouis de Limay, Paul, « Un chanteur de l'Opéra, graveur et collectionneur, au début du XIXe siècle [Michel Nitot-Dufresne] », *Bulletin de la Société de l'histoire de l'Art français*, année 1949 (1950), p. 75.

Réau, Louis, « Les relations artistiques entre la France et la Suisse au XVIIIe siècle », dans les *Actes du congrès international d'histoire de l'art*, vol. II, s. d., p. 146-153.

Réau, Louis, *La Peinture française de 1785 à 1848*, dans A. Michel, *Histoire de l'art*, tome VIII, Paris, 1925.

Réau, Louis, *Histoire de l'expansion de l'art français. Le monde latin, Italie, Espagne, Portugal, Roumanie, Amérique du Sud*, Paris, H. Laurens, 1933.

Récamier, Mme, *Souvenirs et correspondance tirés des papiers de Madame Récamier*, t. I, Paris, Michel Lévy, 1860, p. 326.

Recouvreur, Adrien, « Nos dessins. Quelques dessins et deux lettres inédites de Girodet-Trioson », *Les Cahiers de Pincé*, 20e cahier (extrait de la *Province d'Anjou*), Angers, Editions de l'Ouest, 1935, p. 3-14.

Régalo, Marc, *Un milieu intellectuel : La Décade philosophique (1794-1807)*, thèse présentée devant l'Université de Paris IV le 24 janvier 1976, Paris et Lille, Reproduction des thèses de l'université de Lille III et Librairie Champion, t. I, 1976.

Reichardt, Johann-Friedrich, *Un hiver à Paris sous le Consulat (1802-1803)*, avant-propos, introduction et notes de Thierry Lentz, avec la collaboration de Florence Pinon, Paris, Tallandier, Bibliothèque napoléonienne, 2003, p. 36, 43-44.

Reinbold A., « Girodet-Trioson (Girodet de Roucy-Trioson, dit Anne-Louis) », in M. Prevost, Roman d'Amat et H. Tribout de Morembert dir., *Dictionnaire de biographie française*, t. XVI, Paris, Librairie Letouzey, 1985.

Reiset, Frédéric, *Notice des dessins, cartons, pastels, miniatures et émaux exposés dans les salles du 1er et 2e étage au Musée Impérial du Louvre*, Paris, 1869.

Renouvier, J., *Histoire de l'art pendant la Révolution*, Paris, 1863, 2 vol.

Reuter, Astrid, *Marie-Guilhelmine Benoist. Gestaltungsräume einer Künstlerin um 1800*, Berlin, Lukas Verlag, 2002.

Ribeiro, Aileen, *The Art of Dress. Fashion in England and France 1750-1820*, New Haven, 1995.

Ribeiro, Aileen, *Ingres in Fashion : Representations of Dress and Appearance in Ingres's Images of Women*, 1999.

Richardson, J.A., *Art : theWay it is*, Englewood Cliffs, 1973.

Rifkin, Adrian, « The Words 'Art', the Artist's Status : Technique and Affectivity in France, 1789-98 », *The Oxford Art Journal*, t. XIV, n° 2, 1991, p. 75-76.

Riopelle, Christopher, « Portrait of the Young Romainville Trioson », *The Critics's Choice. 150 Masterpieces of Western Art selected and Defined by the experts*, introduction de John Russel, édité par Marina Vaizey, New York, Watson-Guptill, 1999, p. 236-237.

Ripert, Pierre, « Le peintre Gros et Marseille », *Marseille*, n° 24, décembre 1954, p. 4-6.

Ris, Clément de, *Les Musées de province*, Paris, 1872.

Rittinger, B., « Zur Entwicklung der Nazarenischen Wandmalerei », *Wiener Jahrbuch für Kunstgeschichte*, Band XLI, 1988, p. 100-123.

Ritzenthaler, C., *L'Ecole des Beaux-Arts du XIXe siècle. Les pompiers*, Paris, 1987. **Robiquet**, J., *La Femme dans la peinture française*, Paris, 1938.

Rochette, Raoul, *Funérailles de M. Girodet-Trioson le 13 décembre 1824*, Paris, 1824.

Roger, A., « Du pays affreux aux sublimes horreurs », *cf.* cat. d'exp. Valence, 1997.

Rosenberg, P., « Le XVIIIe siècle français à la Royal Academy », *Revue de l'art*, n° 3, 1969, p. 99.

Rosenberg, P., dir., *Florence et la France Rapports sous la Révolution et l'Empire, Actes de colloque*, Florence/Paris, 1979.

Rosenberg, Pierre et **Sandt**, Udolpho van de, *Pierre Peyron, 1744-1814*, Neuilly-sur-Seine, Arthena, 1983.

Rosenberg, Pierre, « Le portrait de Romainville Trioson (1800) par Girodet », *La Revue du Louvre et des musées de France*, octobre 1991, n° 4, p. 11.

Rosenberg, Pierre, « Principales acquisitions des musées en 1991 », *Gazette des Beaux Arts* (supplément), mars 1992, p. 23.

Rosenberg, Pierre (sous la dir. de), 1999, *La Pittura francese*, Milan, 1999.

Rosenblum, Robert, *The International Style of 1800. A Study in Linear Abstraction*, PhD Thesis, avril 1956. Voir 1976

Rosenblum, Robert, « The Origin of Painting : A Problem in the Iconography of Romantic Classicism », *The Art Bulletin*, t. XXXIX, n° 4, décembre 1957, p. 286-287.

Rosenblum, Robert, « Neoclassicism Surveyed », *The Burlington Magazine*, t. CVII, n° 742, janvier 1965 (1), p. 30, 33.

Rosenblum, Robert, « Letters. Jacques-Louis David at Toledo », *The Burlington Magazine*, t. CVII, n° 750, septembre 1965 (2), p. 473-475.

Rosenblum, Robert, « Letters. The Toledo *Horatii* », *The Burlington Magazine*, t. CVII, n° 753, décembre 1965 (3), p. 633.

Rosenblum, Robert, « Who painted David's *Ugolino*? », *The Burlington Magazine*, vol. CX, 1968, p. 621-626.

Rosenblum, Robert, « Expositions. Girodet », *Revue de l'art*, n° 3, 1969, p. 100-101.

Rosenblum, R., « A source for David's *Horatii* », *The Burlington Magazine*, vol. 112, n° 806, mai 1970, p. 269-273.

Rosenthal, Donald A., « A *Cleopatra* by Bernard Duvivier », *Porticus, The Journal of the Memorial Art Gallery of the University of Rochester*, t. VIII, 1985, p. 20.

Rosenthal, L., « L'exposition David et ses élèves », *Revue de l'art*, vol. 1, 1913, p. 346.

Rouchès, G., *L'École des Beaux-Arts Aperçu historique et guide à travers les collections*, Paris, 1924.

Rouchès, Gabriel, « Les rapports de Canova avec la France et l'art français », *Bulletin de la Société de l'Histoire de l'art français*, 1922, p. 66.

Rouillet, A., *Le Girodet des Collèges ou abrégé élémentaire du dessin contenant 20 planches de principes progressifs. Études académiques à l'usage des jeunes élèves*, Paris et Londres, 1836.

Roux, Alphonse, « Les idées artistiques de Sainte-Beuve », *Archives de l'Art Français* (Mélanges offerts à M. Henry Lemonnier), t. VII, 1913, p. 522, 527.

Rubin, James H., « An Early Romantic Polemic : Girodet and Milton », *The Art Quaterly*, t. XXXV, n° 3, automne 1972, p. 210-238.

Rubin, James *Ut Pictura Theatrum, painting and theater : An approach to painting in France from 1791 to 1810*, unpublished doctoral dissertation Harvard University Cambridge, 1972.

Rubin, James Henry, « New Documents on the Médiateurs : Baron Gérard, Mantegna, and French Romanticism circa 1800 », *The Burlington Magazine*, vol. CXVII, n° 873, décembre 1975, p. 786-787

Rubin, James Henry, « Guérin's Painting of *Phèdre* and the Post-Revolutionnary Revival of Racine », *The Art Bulletin*, vol. LIX, n° 2, juin 1977, p. 605, 611-612.

Rubin, James Henry, « Endymions'Dream as a myth of Romantic inspiration », *The Art Quaterly*, I, n° 2, spring 1978, p. 47-84.

Rubin, James Henry, « Ingres'Vision of Oedipus and the Sphinx : the Riddle Resolved? », *Arts Magazine*, vol. LIV, n° 2, octobre 1979, p. 130.

Rubin, James Henry, « Shorter Notices. Gros and Girodet », *The Burlington Magazine*, vol. CXXI, n° 920, novembre 1979, p. 716-721.

Rubin, James Henry, « Aesthetic Subversion of Politics in Girodet's *Riots at Cairo* », *The Consortiom on Revolutionary Europ, 1750-1850*, sous la direction de Donald D. Horward, John L. Connolly et Harold T. Parker, t. II, 1980.

Rubin, James H., « *Pygmalion and Galatea* : Girodet and Rousseau », *The Burlington Magazine*, CXXVII, n° 989, août 1985, p. 517-520.

Rubin, James H., *Eugène Delacroix Die Dantebarke ; Idealismus und Modernität*, Francfort, Fischer Taschenbuch, 1987.

Rudolp, Stella, « Felice Giani : da Accademico « de Pensieri » a Madonnero », *Storia dell'arte*, n°s 30-31, 1977, p. 178-179.

Russell, Vaizey (sous la dir. de), *The Critics' Choice. 150 Masterpieces of Western Art Selected and Defined by the Experts*, Watson-Guptill Publications, New York, 1999.

Saiello Emilie Beck, « Alcuni documenti inediti su Girodet a Napoli », *Ricerche di Storia dell'arte*, n° 81, 2003, p. 99-109.

Sainte-Beuve, « Poètes et romanciers modernes de la France. Chênedollé », *Revue des deux Mondes*, t. II, 15 juin 1849.

Sainte-Beuve, C.-A., « Lundi 11 août 1862. *Souvenirs de soixante années* par M. Etienne-Jean Delécluze. », *Nouveaux Lundis*, t. III, Paris, Michel Lévy, 1865.

Sainte-Beuve, *Correspondance générale*, recueillie, classée et annotée par Jean Bonnerot, t. III, Paris, Stock, 1938, p. 406-407.

Saint-Victor, J.-B. de, « Vers faits en voyant le Tableau d'une scène de Déluge par M. Girodet », *Journal de l'Empire*, 13 octobre 1806.

Saint-Victor, J.-B. de, *Uthal*, opéra en un acte et en vers imité d'Ossian, paroles de M. de St-Victor, musique de M. Méhul, [Paris, Opéra-comique, 17 mai 1806], Paris, Mme Masson, 1806.

Salm, Madame la Princesse Constance de, *Sur Girodet*, Paris, 1825.

Salm, Constance de *Quelques lettres extraites de la correspondance générale de Mme la princesse Constance de Salm, de 1805 à 1810*, Paris, Firmin Didot Frères, 1841.

Salm, Constance de, « Sur la mort de Girodet » et « Notes sur la mort de Girodet », *Œuvres complètes de Madame la princesse Constance de Salm*, t. II, Paris, 1841

Sandoz, M., « Les peintures de la Renaissance à Fontainebleau et le maniérisme italien. Sources possibles de Théodore Chassériau et des premiers romantiques français », *Gazette des Beaux-Arts*, vol. LXXV, janvier 1970, p. 43-56.

Sandoz, M., *Nicolas-Guy Brenet 1728-1792*, Paris, 1977.

Sandström, Brigitta, *Bénigne Gagneraux, 1756-1795, éducation, inspiration, oeuvre*, thèse de doctorat présenté à l'Université de Stockholm en juin 1981, Stockholm, l'auteur, 1981, p. 63, 94-95.

Sandt, Udolpho van de, « Correspondance de Pierre avec les directeurs de l'Académie de France à Rome », *Archives de l'Art français*, t. XXVIII, 1986, p. 113.

Sandt, Udolpho van de, « La fréquentation des Salons sous l'Ancien Régime, la Révolution et l'Empire », *Revue de l'Art*, n° 73, 1986, p. 46-47.

Sandt, Udolpho van de, « Le Salon », in Jean-Claude Bonnet (dir.), *L'Empire des Muses. Napoléon, les Arts et les lettres*, Paris, Belin, 2004.

Sappho, Bion et Moschus. Recueil de compositions par Girodet, et gravées par M. Chatillon, son élève ; avec la traduction en vers par Girodet, de quelques-unes des poésies de Sappho et de Moschus ; et une notice sur la vie et les œuvres de Sappho, par M. P. A. Coupin, Paris, 1829.

Sarrazin, Béatrice, « Vie de François Cacault », *Catalogue raisonné des peintures italiennes du musée des Beaux-Arts de nantes, XIIIe-XVIIIe siècle*, Nantes, musée des Beaux-Arts, Paris, Réunion des musées nationaux, 1994, p. 28.

Saunier, Charles, *Les Grands Prix de peinture, sculpture, gravure en médaille depuis la fondation du prix de Rome*, Paris, 1896.

Saunier, Charles, « David et son école au Petit Palais », *Gazette des Beaux-Arts*, vol. 1, 1913, p. 271-290.

Saunier, Charles, *La Peinture héroïque dans l'école de David La renaissance de l'art français*, 1919.

Sauvé, Georges, *De Louis XV à Poincaré. Une famille témoigne*, Paris, Editions Albatros, 1990.

Savettieri, Chiara, « "L'invention du sentiment" : l'estetica del sentimento e la crisi della *mimesi*. Riflessionni suggerite da una mostra parigina », *Critica d'Arte*, vol. LXV, n° 15, septembre 2002, p. 51, 53-54.

Savettieri, Chiara, *Ai confini delle arti : Anne-Louis Girodet-Trison tra pittura e scrittura*, thèse de doctorat sous la direction de Antonio Pinelli, Pise, université de Pise, décembre 2002, t. I, 490 pages, t. II (photographies).

Savettieri, Chiara, « "Il avait retrouvé le secret de Pygmalion" : Girodet, Canova e l'illusione della vita », *Studiolo. Revue d'histoire de l'art de l'Académie de France à Rome*, n° 2, 2003, p. 14-42.

Savettieri, Chiara, « La *Scène d'un Déluge* di Anne-louis Girodet : la pittura come poesia », *Politico. Studi della Scuola di Specializzazione e del Dottorato di Ricerca in Storia delle Arti dell'Università di Pisa*, octobre 2004, p. 125-155.

Say, Léon, Bertin l'Aîné et Bertin de Veaux, *Le Livre du centenaire du Journal des débats, 1789-1889*, Paris, Plon, 1889.

Scottez, Annie « Anne-Louis Girodet » in cat. exp. *Autour de David : dessins néoclassiques du Musée des beaux-Arts de Lille*, Lille, 1983.

Scherf, Guilhem, « Chronologie », catalogue de l'exposition *Pajou. Sculpteur du Roi, 1730-1809*, Paris, muse du Louvre, 20 octobre 1997-19 janvier 1998 ; New York, The Metropolitan Museum of Art, 26 février – 24 mai 1998, pp. 395, 397.

Schlenoff, Norman, *Ingres, ses sources littéraires*, Paris, PUF, 1956.

Schmidt, Nelly, *Histoire du métissage*, Paris, Éditions de La Martinière, 2003.

Schmidt-Linsenhoff, Viktoria, « Male Alterity in the French Revolution – Two Paintings by Anne-Louis Girodet at the Salon of 1798 », in *Gendered Nations. Nationalisms and Gender order in the Long Nineteenth Century*, édité par Ida Blom, Karen Hagemann et Catherine Hall, Oxford et New York, Berg, 2000, p. 81-105.

Schnapper, A., « Après l'exposition David. La *Psyché* retrouvée », *Revue de l'art*, n° 91, 1991, p. 60-67.

Schnapper, Antoine, *David témoin de son temps*, Paris, Bibliothèque des Arts, 1980.

Schnapper, Antoine, « Après l'exposition David. *La Psyché* retrouvée », *Revue de l'art*, n° 91, 1991, p. 61.

Schneider, R., *Quatremère de Quincy et son intervention dans les arts (1788-1830)*, Paris, 1910.

Schneider, René, « Le Mythe de Psyché dans l'art français depuis la Révolution », *La Revue de l'art ancien et moderne*, t. XXXII, n° 187, 10 octobre 1912 ; « Le Mythe de Psyché dans l'art français depuis la Révolution [second et dernier article] », 10 novembre 1912.

Schneider, René, « L'art anacréontique et alexandrin sous l'Empire », *Revue des études napoléoniennes*, t. II, novembre-décembre 1916, p. 257-271.

Schneider, R., *L'Art français, XIXe siècle, Du classicisme davidien au Romantisme*, Paris, 1929.

Schneider, René, *La Revue de l'art ancien et moderne*, t. XXXII, n° 187, p. 367.

Schulze, F., « A Consistantly Discriminating Connoisseurship », *Art News*, vol. 76, n° 4, avril 1977, p. 64.

Scottez, Annie, « Portrait de David d'après Girodet, 1788 », catalogue de l'exposition *Le Chevalier Wicar. Peintre, dessinateur et collectionneur lillois*, Lille, musée des Beaux-Arts, 1984, p. 73-75.

Second rapport sur la nécessité de la suppression de la commission du Muséum fait au nom des comités d'Instruction publique et des finances, par David, député du Département de Paris, dans la séance du 27 nivôse, l'an 2 de la République française.

Ségu, Frédéric, *Un journaliste dilettante. H. de Latouche et son intervention dans les arts*, Paris, Société d'édition Les Belles Lettres, 1931.

Seigneur, J. du, « Appendice à la notice de P. Chaussard sur L. David », *Revue universelle des arts*, XVIII, 1863, p. 359-369.

Seregus, « Chateaubriand. Son portrait », *L'Intermédiaire des chercheurs et des curieux*, t. XVI, n° 369, 25 septembre 1883, p. 549.

Sérullaz, Arlette et Maurice, *Dessins et aquarelles des grands maîtres. Le XIXe siècle français*, Paris, 1976.

Sérullaz, Arlette, « Quelques dessins de Gérard pour le Virgile des frères Didot », *Antologia di Belle Arti*, t. I, n° 2, juin 1977, p. 217-222.

Sérullaz, Arlette, et Bottineau, Josette, *Guérin et Delacroix*, Le petit journal des grandes expositions, n° 236, Paris, musée Eugène Delacroix, 24 juin – 21 septembre 1992, p. 2.

Sérullaz, M., *Dessins français de Prud'hon à Daumier*, Paris, 1966.

Sevin, André, *De Seze : Défenseur du Roi (1748-1828)*, Paris, F.-X. de Guibert, 1992.

Seznec, Jean, « Racine et Prud'hon », *Gazette des Beaux-Arts*, vol. XXVI, 1944, p. 349-364.

Shedd, Meredith, « A Neo-classical Connoisseur and his Collection : J.B. Giraud's Museum of Casts at the Place Vendôme », *Gazette des Beaux-Arts*, vol. CII, mai-juin 1984, p. 202.

Shigeki Abe, *Ingres et l'art davidien*, thèse de doctorat sous la direction de Daniel Ternois, Université de Paris t. I, 1996, p. 138-139.

Siegfried, Susan L., « The politicisation of art criticism in the post-revolutionary press », *Art criticism and its institutions in nineteenth-century France*, Manchester et new York, Manchester University Press, 1994.

Siegfried, S.L., *The Art of Louis-Léopold Boilly : Modern Life in Napoleonic France*, New Haven, 1995.

Silvestre, Théophile, *La Galerie Bruyas*, Paris, 1876.

Simons, Katrin, *Jacques Réattu, 1760-1833. Peintre de la Révolution française*, préface de Jacques Foucart, Neuilly-sur-Seine, Arthena, 1985.

Simons-Candeille, Mad., « De Girodet, et de ses deux ouvrages sur l'Anacréon et l'Enéide », *Annales de la littérature et des arts*, t. XXIII, 1826, p. 298-305 (publié en tiré à part).

Simons-Candeille, J., *De Girodet et de ses deux ouvrages sur l'Anacréon et l'Énéide*, Paris, s.l.n.d.

Singer-Lecoq, Yvonne, *Quand les artistes logeaient au Louvre, 1608-1835*, préface de Maurice Rheims, édition augmentée, revue et corrigée, Paris, Perrin, 2001.

Smalls, J., « Making Trouble for Art History. The Queer Case of Girodet », *Art Journal*, hiver 1996, vol. 55, n° 4, p. 20-27.

Smalls, James, *Esclave, Nègre, Noir : The Representation of Blacks in Late 18th and 19th Century French Art*, Ph.D. dissertation, University of California, Los Angeles, 1991.

Smalls, James, « Making Trouble for Art History. The Queer Case of Girodet », *Art Journal*, t. LV, n° 4, hiver 1996, p. 20-27.

Société des Toulousains de Toulouse, « Excursion à Montesquieu-Volvestre du dimanche 23 juin 1935 », *Auta*, août 1935, n° 76, p. 3-7.

Solomon-Godeau Abigail, *Male Trouble. A crisis in Representation*, New York, Thames and Hudson, 1997.

[Sommariva], Lettere del conte Gio Battista Sommariva a suo figlio Luigi, dall'anno 1809 fino all'anno 1825, Paris, Dai torchj dai fratelli Firmin Didot, 1842.

Sotheby's Preview, Summer 1991, vol. 3, n° 5, p. 26.

Sotheby's Monaco, cat. de la vente du 21 juin 1991, p. 42-44 (repr. p. 43)

Soubies, Albert, *Les Membres de l'Académie des Beaux-Arts depuis la fondation de l'Institut*, t. I, Paris, Flammarion, 1904, p. 107-113.

Soubiran, André, *Le Barron Larrey chirurgien de Napoléon*, Lagny, Fayard, 1966.

Soubiran, Jean-Roger, « Peintures de déluge en France et en Angleterre dans la première moitié du XIXe siècle », *Demeures et Châteaux*, février-mars 2000, p. 72-78.

Souesme, E. *Girodet*, Paris, Delaunay, 1825.

Souriau, Étienne., *Vocabulaire d'esthétique*, Paris, 1990.

Souvenirs du baron Gudin, peintre de la Marine (1820-1870), publiés par Edmond Béraud, Paris, Plon, 1921.

Spiro, St. B. et **Coffman**, M.F., *Drawings from the Reilly Collection*, Notre Dame, 1993.

Stackelberg, J. W., « Frankreich und Europa im 18. Jahrhundert », *Neues Handbuch der Literaturwissenschaft : Europäische Aufklärung*, Wiesbaden, 1980.

Stafford, Barbara Maria, « Les *météores* de Girodet », *Revue de l'art*, n° 46, 1979, p. 46-51.

Stafford, Barbara, « Endymions's Moonbath : Art and Science in Girodet's Early Masterpiece », *Leonardo*, t. XV, n° 3, 1982, p. 193-198.

Stafford, Barbara Maria, *Voyage into Substance. Art. Science, Nature and the Illustrated Traval Account, 1760-1840*, Cambridge (Mass) et Londres, The MIT Press, 1984.

Stafford, Barbara Maria, Body Criticism. Imaging the Unseen in Enlightenment Art and Medecine, Massachusetts, Cambridge (Mass), MIT Press, 1991.

Stahl, Marguerite, *La peinture d'Histoire dans les collections du musée des Beaux-Arts de Libourne, 1780-1840*, Libourne, 2004.

Starcky, É., *Les Peintures françaises. Catalogue sommaire illustré*, Paris, 2000.

Starobinski, Jean, *1789. Les Emblèmes de la raison*, Paris, Flammarion, 1973.

Stein, Henri, « Girodet-Trioson, peintre officiel de Napoléon », *Annales de la Société du Gatinais*, t. XXV, 1907 p. 354-365.

Steins, Louis, « Girodet-Trioson (Anne-Louis) », in Ch. Brainne, *Les Hommes illustres de l'Orléanais, biographie générale des trois départements du Loiret, d'Eure-et-Loire et du Loir-et-Cher*, t. I, Orléans, Gatineau, 1852.

Stendhal, *Œuvres intimes*, édition de Victor Del Litto, t. I, Paris, Gallimard, collection de la Pléiade, 1981.

Stendhal, *Promenades dans Rome*, Paris, Delaunay, (1829) éd. 1997.

Stendhal, *Salons*, édition, introduction et notes de Stéphane Guégan et Martine Reid, Paris, Gallimard, 2002.

Stenger, G., *La société française pendant le Consulat, 5e série : Les Beaux-Arts – La gastronomie*, Paris, 1907.

Stern, Jean, *Un brasseur d'affaires sous la Révolution et l'Empire. Le mari de Mademoiselle Lange, Michel-Jean-Simons (1762-1833)*, Paris, Plon, 1933.

Stief, Angela, *Die Aeneisillustrationen von Girodet-Trioson. Künstlerische und Literarische Rezeption von Cergils Epos in Frankreich um 1800*, Francfort, New York et Bern, Peter Lang, 1986.

Stuckey, Ch. F., *French Painting*, New York, 1991.

Symmons, Sarah, voir cat. exp. 1979, Londres
Symmons, Sarah, « John Flaxman and Francisco Goya : Infernos Transcribed », *The Burlington Magazine*, vol. CXIII, n° 822, septembre 1971, p. 508, 511.
Symmons, Sarah, « French copies after Flaxman's outlines », *The Burlington Magazine*, septembre 1973, vol. CXV, n° 846, p. 591-599.
Symmons, Sarah, *Flaxman and Europe. The Outline Illustrations and their Influence*, New York et Londres, Garland Publishing, 1984.
T'sas, F. « A propos d'un don munificent d'Emile Brouwet au Musée de l'Armée, l'Empereur Napoléon Ier en costume du sacre, par Girodet », *La Revue Belge d'Histoire Militaire*, t. XVIII, n° 5, mars 1970, p. 388-414.
Tabarant, A., *La Vie artistique au temps de Baudelaire*, Paris, Mercure de France, 1942, p. 64, 79, 85.
Tahhan Bittar, Denise, *La correspondance de Bernardin de Sain-Pierre. Inventaire critique*, thèse complémentaire pour le doctorat ès lettres, Paris, université des Lettres et Sciences humaines, 1970, p. 155-156, 159, 161-162.
Taine H. , « Edouard Bertin », *Le Livre du centenaire du Journal des débats, 1789-1889*, Paris, Plon, 1889, p. 57.
Talma, François-Joseph, *Correspondance avec Madame de Staël, suivie de toute la correspondance léguée à la Bibliothèque Mazarine (Fonds Lebrun)*, introduction de Guy de La Batut, Paris, Éditions Montaigne, 1928, p. 137.
Temperini, Renaud, « Le néo-classicisme », in Pierre Rosenberg (dir.), *La Peinture française*, Paris, 2001.
Ternois, Daniel, « Ossian et les peintres », actes du colloque *Ingres*, Montauban, 1969, p. 165-213.
Ternois, Daniel, *Lettres d'Ingres à Marcotte d'Argenteuil*, Paris, 1999, t. I, (publication des lettres autographes d'Ingres à la collection Frits Lugt, présentées et annotées par Ternois Daniel, transcrites par Bruno Chenique et sous la direction de Hans Buijs), *Archives de l'Art français*, XXXV, 1999.
Ternois, D. et **Pruvost-Auzas**, J., « Dessins de Girodet à sujets ossianiques », *La Revue du Louvre et des Musées de France*, n° 4-5, 1973, p. 261-270.
Terrin, Charles, « Julie Candeille, actrice, musicienne, femme de lettres », *Revue des deux Mondes*, t. XXXIII, 15 mai 1936, p. 418, 420.
Thackeray William Makepeace, *L'album parisien*, traduit de l'anglais par Frédéric Chaleil, Paris, Les Éditions de Paris, 1997, p. 96, 102-104.
Thénot, « Gérard (Le baron François) », *Nouvelle Biographie Générale*, sous le direction du Dr Hoefer, t. XX, Paris, Firmin Didot frères, 1857, p. 167.
Thénot, « Girodet-Trioson (Anne-Louis Girodet de Roussy, dit) », *Nouvelle Biographie générale depuis les temps les plus reculés jusqu'à nos jours*, publiée par le Dr Hoeffer, t. XIX, Paris, Firmin Didot Frères, 1858.
Thiéry, L.V., *Guide des amateurs et des étrangers voyageurs à Paris*, Paris, 1787, 2 vol.
Thomé de Gamond, A., *Vie de David, premier peintre de Napoléon*, Bruxelles, 1826.
Tieghem, Paul van *Le Préromantisme. Etudes d'histoire littéraire européenne. La notion de vraie poésie. La mythologie et la poésie scandinaves. Ossian et l'ossianisme*, t. I, Paris, F. Alcan, 1924.
Tinterow, Gary, « Recent Acquisitions. A Selection : 1998-199. Anne-Louis Girodet-Trioson. *Madame Jacques-Louis Etienne Reizet* (Colette-Désirée-Thérès Godefroy), 1782-1850) », *The Metropolitan Museum of Art Bulletin*, vol. LVII, n° 2, hiver 1999, p. 40.
Toledo Museum of Art, *European paintings*, Toledo, 1976.
Toledo Museum of Art, *Guide to the Toledo Museum of Art*, Toledo, 1966.
Toledo Museum of Art, *Toledo Treasures, selection from the Toledo Museum of Art*, 1995.
Tonnelier, E., *Notes historiques sur Châtillon-sur-loing*, 1889.
Töpffer, Rodolphe, « Le journal intime de Rodolphe Töpffer à Paris en 1820, publié et annoté par Jacques et Monique Droin-Bridel », *Genava*, t. XVI, 1968, p. 300.
Töpffer, Rodolphe, *Correspondance complète*, éditée et annotée par Jacques Droin, avec le concours de Danielle Buyssens et de Jean-Daniel Vandaux, t. I, Genève, Droz, 2002.
Tourneux, Maurice, « Lettre de Mme de Vandeuil, née Diderot, sur le Salon de l'an X », *Bulletin de la Société de l'Art français*, année 1912, p. 126-129.
Toussaint, voir cat. exp. 1974-1975, Paris, Hambourg.
Toussaint, H., « Ossian », *La Revue du Louvre et des Musées de France*, 1973, n° 6, p. 407.
Toussaint, Hélène, « Informations diverses. Galeries nationales du Grand Palais. *Ossian* », *La Revue du Louvre et des musée de France*, n° 6, 1973, p. 406-407.
Trapp, Frank Anderson, « The Restoration View of the Revolution of 1789 », *Culture and Revolution. Cultural Ramifications of the French Revolution*, actes du colloque de l'Université de Maryland (20-22 novembre 1987), édité par George Levitine, Maryland, Departement of Art History, 1989.
Tripier Le Franc, J., *Histoire de la vie et de la mort du Baron Gros*…, Paris, J. Martin et J. Baur, 1880.
Troubat, Jules, *Une amitié à la d'Arthez*, Champfleury-Courbet-Max Bouchon, suivi d'une conférence sur Sainte-Beuve, Paris, 1900.
Tuetey, A., « Notices sur les artistes candidats à la classe des Beaux-Arts de l'Institut (23 fructidor an VIII) », *Archives de l'Art français*, t. IV, 1910, p. 250.
Tuetey, A., « Les Pensionnaires de l'Académie de France à Rome en 1792 », *Bulletin de la Société de l'Histoire de l'art français* (années 1915-1917), 1918, p. 121-123.
Tulard, Jean (dir.), *Dictionnaire Napoléon*, Paris, Fayard, 1987.
Turpin de Crissé, L.-T., *Lettre au conservateur de ses collections* [février 1858], publiée avec une introduction et des notes par Jacques Levron, Angers, Editions de l'Ouest, 1937.
Un peintre sous la Révolution et le Premier Empire. Mémoires de Philippe-Auguste Hennequin, écrits par lui-même, réunis et mis en ordre par Jenny Hennequin, Paris, Calmann-Lévy, 1933, p. 98, 216.
Vachon, Marius, *La Femme dans l'art, les protectrices des arts, les femmes artistes*, Paris, J. Rouan, 1893, p. 558-559.
Vaisse, Pierre, « Ossian et les peintres du XIXe siècle. Notes à propos d'une exposition », *L'Information d'histoire de l'art*, mars-avril 1974, p. 81-88.
Vaissiere, Pascal de la, « Un adolescent malléable, durci par la Révolution : le peintre Fulcran-Jean Harriet », *Gazette des Beaux-Arts*, vol. CI, avril 1983, p. 144 et notes 5-6.
Valetta, I. (Comte Franchi-Verney della Valetta), *L'Académie de France à Rome 1666-1903*, Turin, 1903.
Vallat, Gustave, *Études d'histoire, de mœurs et d'art musical sur la fin du XVIIIe siècle et la première moitié du XIXe siècle, d'après des documents inédits*, Paris, Maison Quantin, 1890.
Valori, Henri-Zozime de, *La Peinture, poème en trois chants*, Paris, imprimerie de Brasseur aîné, 1809, p. V, 38-39.
Valori, marquis Henri-Zozime de, *Sur la mort de Girodet, ode dédiée à ses élèves*, Paris, imprimerie de A. Boucher, [1825].
Vaughan, William, *L'Art du XIXe siècle 1780-1850*, Paris, 1989.
Vaughan, William, « Subverting the Prospect, Superseding the Survey. […] Albert Boime, *A Social History of Modern Art* », *The Oxford Art Journal*, t. XVII, n° 2, 1994, p. 123.
Vauthier, Gabriel, « Rapport du comte de Forbin sur le Salon de 1824 », *Bulletin de la Société de l'Histoire de l'Art français* (années 1915-1917), 1918, p. 173, 183-184.
Vauthier, Gabriel, « Rapport du comte de Forbin sur le Salon de 1824 », *Bulletin de la Société de l'Histoire de l'Art français* (années 1915-1917), 1918.
Verbraeken, R., *Jacques-Louis David jugé par ses contemporains et par la postérité*, Paris, 1973.
Verdi, Richard, « Poussin's 'Deluge' : the Aftermath », *The Burlington Magazine*, vol. CXXIII, n° 940, juillet 1981, p. 389-400.
Verdier, abbé J. , « Séance du 23 mai 1969 [présentation d'un autographe de Girodet] », *Bulletin de la Société d'émulation de l'arrondissement de Montargis*, n° 7, nouvelle série, octobre 1969.
Vergnet-Ruiz, Jean et Laclotte, Michel, *Petits et Grands Musées de France. La peinture française des primitifs à nos jours*, Paris, 1962.
Verlnaeken, R., *J. L. David jugé par ses contemporains et la postérité*, Paris, 1973.
Véron, docteur Louis, *Mémoires d'un bourgeois de Paris comprenant la fin de l'Empire, la Restauration, la Monarchie de Juillet, et la République jusqu'au rétablissement de l'Empire*, t. I, Paris, G. de Gonet, 1853.
Véron, Th. « Girodet (Anne-Louis) », *Dictonnaire Véron. Organe de l'Institut universel des sciences, des lettres et des arts du XIXe siècle. Feu les savants, les littérateurs et les artistes du XIXe siècle (de A à L) suivis du Salon de 1880*, Paris et Poitiers, Bazin et chez l'auteur, 1880.
Vicchi, L., *Les Français à Rome pendant la Convention (1792-1795)*, Paris, 1892.
Vicchi, Leone, *Les Français à Rome pendant la Convention (1792-1795)*, Rome, Paris, Londres, Berlin, Vienne, Fusignano, 1892.
Viennet, Jean, *Journal de Viennet. Pair de France, témoin de trois règnes, 1817-1848*, préface et postface par le duc de La Force, Paris, Amiot-Dumont, 1955, p. 195, 205.
Vigée-Le Brun, Élisabeth, *Mémoires d'une portraitiste*, préface de Jean-Pierre Cuzin, Paris, éditions Scala, 1989.
Vigée-Lebrun, Élisabeth, *Souvenirs de Madame Vigée-Lebrun*, Paris, Charpentier, t. I, 1869.
Vigny, Alfred de, *Mémoires inédits. Fragments et projets*, édités par Jean Sangnier, Paris, Gallimard, 1958.
Vigny Alfred de, *Correspondance d'Alfred de Vigny*, sous la direction de Madeleine Ambrière, t. I, Paris, 1989, p. 195.
Vilain, Jacques, « Dessins néoclassiques ; 2, analogies » *Revue du Louvre et des Musées de France*, France, 1976, vol. 26, n° 2, p. 73-76.
Vilain, Jacques, « À propos de quelques dessins français de la période néo-classique », in *La Donation Baderou au musée de Rouen. École française. Études de la Revue du Louvre.*, 1980, n° 1, p. 113-118.
Villot, Frédéric, « Girodet de Roucy Trioson (Anne-Louis), peintre, écrivain, né à Montargis le 5 janvier 1767, mort à Paris le 9 décembre 1824 », *Notice des tableaux exposés dans les galeries du Musée Impérial du Louvre*, t. III, Paris, Vinchon, 1855.
Vincent, Jacques, *La Belle Mlle Lange*, Paris, Éditions de l'Arc-en-ciel, 1932.
Vincent, M., *La peinture des XIXe et XXe siècles. Catalogue du musée de Lyon*, Lyon, 1956.
Voiart, J.- P., *Entretiens sur la théorie de la peinture, pour aider au progrès des jeunes personnes qui cultivent cet Art*, Paris, 1820.
Voignier, Jean-Marie, « La jeunesse de François Antoine Alexandre Dumeis », *Bulletin de la Société d'émulation de l'arrondissement de Montargis*, n° 90, février 1993, p. 3-7.
Voignier, Jean-Marie, « L'adoption de Girodet », *Bulletin de la société d'émulation de l'arrondissement de Montargis*, n° 101, 3e série, mars 1996, p. 30-31.
Voigner, Jean-Marie, « Le Roussy de Girodet », *Bulletin de la société d'émulation de l'arrondissement de Montargis*, n° 221, 3e série, novembre 1999, p. 3-6.
Voigner, Jean-Marie, « Une lettre de Girodet à l'administration », *Bulletin de la société d'émulation de l'arrondissement de Montargis*, n° 114, 3e série, décembre 2000, p. 62.
Voigner, Jean-Marie, « Mlle Bès, élève de Girodet », *Bulletin de la Société d'émulation de l'arrondissement de Montargis*, n° 117, décembre 2001, p. 9- 11.
Voigner, Jean-Marie, « La fortune de Girodet », *Bulletin de la Société d'émulation de l'arrondissement de Montargis*, n°s 128-129, avril 2005.
Vovelle, M. et Mazauric, Cl., *La Révolution française. 1 De la préré-volution à octobre 1789*, Paris, 1986.
Wakefield, David, « Chateaubriand's *Atala* as a Source of Inspiration in Nineteenth-century Art », *The Burlington Magazine*, t. CXX, n° 898, janvier 1978, p. 13-23.
Walch, P., « Foreign Artists at Naples : 1750-1799 », *The Burlington Magazine*, vol. CXXI, n° 913, avril 1979, p. 247-252.
Ward-Jackson, Philip, « The Girodet Exhibition at Montargis », *The Burlington Magazine*, t. CIX, n° 776, novembre 1967, p. 660, 663.
Watelet, C.H. et Lévesque, P.C., *Dictionnaire des arts de peinture, sculpture et gravure*, Genève, (1792) éd. 1972, 5 vol.
Watt, Alexander, « Notes From Paris [compte rendu de l'exposition *Grands et Petits Maîtres du Premier Empire*] », *Apollo*, t. XXVII, n° 157, janvier 1938, p. 35-36.
Weston, Helen, « Prud'hon : Justice and Vengeance », *The Burlington Magazine*, t. CXVII, n° 867, juin 1975, p. 358.
Weston, Helen, « Representing the right to represent : *the Portrait of Citizen Belley, ex-representative of the colonies* by A.-L. Girodet », *Res. Anthropology and aesthetics*, n° 26, automne 1994, p. 83-99.
Weston, Helen, « Portrait du citoyen Belley, ex-représentant des colonies », *Les portraits du pouvoir*, actes du colloque organisé par Olivier Bonfait et Brigitte Marin (Rome, Villa Médicis, 24-26 avril 2001), Rome, Académie de France à Rome et Paris, Somogy, 2003, p. 126-133.
Wettlaufer, Alexandra K., *Pen vs. paintbrush. Girodet, Balzac and the Myth of Pygmalion in Postrevolutionary France*, New York, Palgrave, 2001.
Whiteley, J. J. L., « Light and Shade in French Neo-Classicism », *The Burlington Magazine*, t. CXVII, n° 873, décembre 1975, p. 768-773.
Wildenstein, Daniel et Guy, *Documents complémentaires au catalogue de l'œuvre de Louis David*, Paris, La Bibliothèque des Arts, 1973.
Wildenstein, Georges, « Les davidiens à Paris sous la Restauration », *Gazette des Beaux-Arts*, vol. LIII, avril 1959, p. 240-243, 246.
Wildenstein, Georges, « Talma et les peintres », *Gazette des Beaux-Arts*, vol. LV, mars 1960, p. 170.
Wildenstein, Georges, « Table alphabétique des portraits peintes, sculptés, dessinés et gravés exposés à Paris au Salon entre 1800 et 1826 », *Gazette des Beaux-Arts*, vol. LXI, janvier 1963.
Wilenski, R. H., *Flemish Painters, 1430-1830*, t. I, New York, The Viking Press, 1960, p. 431, 453-454.
Wilhelm, Jacques, « David et ses portraits », *Art de France*, n° 4, 1964, p. 170.
Wille, Jan-Georges, *Mémoires et journal de J.- G. Wille*, graveur du roi, publié d'après les manuscrits et autographes de la bibliothèque Impériale par Georges Duplessis avec une préface par Edmond et Jules de Goncourt, t. II, Paris, Veuve Jules Renouard, 1857.
Willk-Brocard, Nicole, *François-Guillaume Ménageot (1744-1816). Peintre d'Histoire, directeur de l'Académie de France à Rome*, Paris Arthena, 1978.
Wills, Garry, *Cincinnatus : Georges Washington and the Enlightment*, New York, 1984
Wilson-Smith, Timothy, *Napoléon and His Artists*, London, Constable and Company Limited, v. 1996.
Winckelmann, Johann Joachim, *Recueil de différentes pièces sur les arts*, Paris, Barrois aîné, 1786.
Wintermute, Alan P., *1789 : French Art during the Revolution, New York*, 1989.
Wittmann, O., « L'art français au musée de Toledo », *Connaissance des arts*, n° 125, juillet 1962, p. 40-47.
Wittmann, Otto, « Letters. Jacques-Louis David at Toledo », *The Burlington Magazine*, t. CVII, n° 747, juin 1965, p. 323-324.
Wittmannn Otto, *European Paintings, Toledo Museum of Art*, Toledo, 1976.
Wittmann, Otto, « Letters. The Toledo *Horatii* », *The Burlington Magazine*, t. CVIII, n° 755, février 1966, p. 90, 93.
Wright, Beth S., « Henri Gauguin et le musée Colbert : l'entreprise d'un directeur de galerie et d'un éditeur d'art à l'époque romantique », *Nouvelles de l'estampes*, n° 114, décembre 1990.
Wrigley, Richard, « Book Reviews. Autour de David. Dessins néo-classiques du Musée des Beaux-Arts de Lille […]. Girodet. Dessins du Musée », *The Burlington Magazine*, t. CXXVII, n° 987, juin 1985, p. 393.
Wrigley, Richard, « Apelles in Bohemia ». *The Oxford Art Journal*, t. XV, n° 1, 1992, p. 96.
Wrigley, Richard, *The Origins of French Art Criticism from the Ancien Regime to the Restauration*, Oxford, Clarendon Press, 1993.
Wuhrmann, Sylvie, « Le tremblement de terre entre peinture de genre et peinture d'histoire. De Jean-Pierre Saint-Ours à Léopold Robert », *Art et architecture en Suisse*, n° 4, 1994, p. 333-335.
Young, M.S., « The Past rediscovered », *Apollo*, août 1969, p. 159.
Zieseniss, Charles-Otto, « Le Décor pictural de la Galerie de Diane aux Tuileries sous le premier Empire », *Bulletin de la Société de l'Histoire de l'art français* (année 1966), 1967, p. 199-235.
Zieseniss, Charles-Otto, « Les Tableaux de la Galerie de Diane aux Tuileries sous le Premier Empire », *Revue de l'Institut Napoléon*, n° 115, avril 1970, p. 71-79.
Zieseniss, Charles-Otto, « Napoléon au Salon de 1808 », *Bulletin de la Société de l'histoire de l'art français*, année 1971, 1972, p. 206, 208, 210-211.

Catalogues d'exposition

1826, Paris, galerie Lebrun, *Ouvrages de peinture exposés au profit des Grecs.*

1846, Paris, Exposition, Bazar Bonne-Nouvelle.

1900, Paris, Exposition universelle, *Exposition centennale de l'art français 1800-1900.*

1904, Rome, *Exposition rétrospective à l'occasion de la visite de Monsieur le Président de la République.*

1913, Paris, Petit Palais, *David et ses élèves.* Cat. collectif sous la dir. d'Henri Lapauze.

1925, Paris, Petit Palais, *Le Paysage français de Poussin à Corot.*

1927, Paris maison de Victor Hugo, *La Jeunesse des Romantiques.*

1929, Paris, musée Carnavalet, *Le Théâtre à Paris.*

1930, Paris, Grand Palais, *Catalogue officiel illustré de l'Exposition centennale au Grand Palais.*

1933, Paris, Salon des Arts ménagers. *Exposition rétrospective du décor de la chambre à coucher,*

1934, Paris, École nationale supérieure des beaux-arts, *David, Ingres, Géricault et leur temps, exposition de peintures, dessins, lithographies et sculptures faisant partie des collections de l'École.*

1934, Paris, musée des Arts décoratifs, *Les Artistes français en Italie de Poussin à Renoir.*

1934, Paris, musée de sculpture comparée du Trocadéro Sainte-Chapelle, *La Passion du Christ de l'art français.*

1935, Paris, musée des Arts décoratifs, *Deux siècles de Gloire militaire 1610-1814.*

1935, Paris, Petit Palais, *Les Chefs-d'œuvre des musées de Grenoble.*

1936, Paris, Petit Palais, *Gros, ses amis, ses élèves.*

1937, Montpellier, musée Fabre, *Centenaire de la mort du Baron François-Xavier Fabre.*

1937, Paris, galerie Guy Stein, *Grands et petits maîtres du Premier Empire.*

1937, Paris, Palais national des arts, *Chefs-d'œuvre de l'art français.*

1937, Paris, Petit Palais, *Chefs-d'œuvre de l'art français.* Cat. collectif sous la dir. de Charles Sterling.

1937, Zurich, Kunsthaus, *Zeichnungen franzôsische Meister von David zu Millet.*

1938, Paris, musée de l'Orangerie des Tuileries *Bonaparte en Égypte.*

1939, Berne, *Meisterwerke des Museums in Montpellier.*

1939, Buenos Aires, Museo nacional de Belles Artes, *La pintura francesca de David a nuestros dias.*

1939, Paris, musée Carnavalet, *La Révolution française dans l'histoire dans la littérature dans l'art.*

1939, Paris, musée de l'Orangerie, *Chefs-d'œuvre du musée de Montpellier.*

1940, Montpellier, musée Fabre, *Exposition de dessins.*

1940-1941, San Francisco, De Young Memorial Museum, *The Painting of France since the French Revolution,*

1948, Paris, Bibliothèque nationale, *Chateaubriand.*

1948, Paris, *David. Exposition en l'honneur du deuxième centenaire de sa naissance.* Cat. collectif sous la dir. de Michel Florisoone.

1948, Paris, Versailles, *David. Exposition en l'honneur du deuxième centenaire de sa naissance.*

1950, New York, *The Woman in French Painting,* galerie Wildenstein.

1951, Paris, atelier Delacroix, *Delacroix et l'orientalisme,* catalogue d'exposition,.

1951, Paris, galerie Charpentier, *Deux siècles d'élégances 1715-1915.*

1951, Paris, palais Galliera *La Chirurgie dans l'art.*

1952, Paris, atelier Delacroix, *Delacroix et les maîtres de la couleur.*

1953, Paris, galerie Charpentier, *Figures nues d'école française depuis les maîtres de Fontainebleau.*

1954, Paris, galerie Bernheim Jeune, *Gros, Géricault, Delacroix.*

1955, Rome, *Mostra di Capolavori della pittura francese dell'Ottocento.* Cat. collectif sous la direction de Germain Bazin.

1956, Moscou, Varsovie, Prague, *Romantiques et Réalistes du XIXe siècle français.*

1957, New York, Metropolitan Museum of Art, *Miniatures : Jacques Louis David.*

1959, Londres, Tate Gallery, *The Romantic Movement.*

1959-1960, Rome, Palazzo di Venezia, *Il disegno francese da Fouquet a Toulouse-Lautrec.*

1960-1961, Turin, Galleria civica d'arte moderna Rome, Palazzo delle esposizioni. *L'Italia vista dai pittori francesi del XVIIIe-XIXe secolo.*

1962, Los Angeles, Museum of Fine Arts, San Francisco, Museum of Art, Toledo Museum of Art, Chicago, Art Institute of Chicago, *Treasures of Versailles.*

1962, Versailles, musée national du château, *La Comédie-française 1680-1962.*

1963, Bordeaux, musée des Beaux-Arts, *Delacroix ses maîtres ses élèves.*

1964, Cleveland, *Neo-classicism, Style and motif.* Cat collectif.

1965, Paris, Bibliothèque nationale, *Talleyrand.*

1966, Paris, musée du Louvre, *Pastels et miniatures du XIXe siècle,* XXXVIIe exposition du Cabinet des dessins.

1967, Montargis, *Girodet 1767-1824, Exposition à l'occasion du deuxième centenaire,* musée Girodet. Cat. par Jacqueline Pruvost-Auzas.

1967, Paris, Institut de France, Académie des Beaux-Arts, *Évocation de l'Académie de France à Rome à l'occasion de son troisième centenaire.*

1968, Londres, Royal Academy, *France in the Eighteenth Century.*

1968-1969, Paris, Petit Palais, *Baudelaire.*

1968-1969, Vienne, Kunsthistorisches Museum, *Angelika Kauffman und Ihre Zeitgenossen,.*

1969, Minneapolis, Minneapolis Institute of Arts, *The Past Rediscovered : French Painting, 1800-1900.*

1969, Paris, Grand Palais, *Napoléon.* Cat. collectif (notice par N. Hubert).

1972. Londres, The Royal Academy and the Victoria and Albert Museum, *The Age of Neo-Classicism.* Cat. collectif

1972, Minneapolis, The Minneapolis Museum of Art, *Observations. The Female Image.*

1972, Munich, Haus der Kunst, *Das Aquarell 1400-1950.*

1972, Paris, musée du Louvre, *Dessins français de 1750 à 1825 Le néo-classicisme.*

1972, Paris, musée national Eugène Delacroix, *Delacroix et le fantastique (de Goya à Redon).*

1973 Paris, musée des Arts décoratifs, *Équivoques. Peintures françaises du XIXe siècle.*

1973, Paris, galerie Cailleux, *Autour du néoclassicisme.*

1973, San Francisco, The Fine Arts Museum *Three Centuries of French art : selections from the Norton Simon Museum and the Norton Simon Foundation.*

1974, Londres, Heim, *From Poussin to Puvis de Chavannes.*

1974, Paris, galerie du Fleuve Jacqueline Bellonte, *Aspects du paysage néo-classique en France 1790-1855.*

1974, Paris, Grand Palais, Hambourg, Kunsthalle, *Ossian.* Cat. par A. Hohl, H. Toussaint.

1974, Paris, Grand Palais, *Le Néo-classicisme français. Dessins des musées de province.*

1974-1975, Bayonne, musée Bonnat, *Dessins français du XIXe siècle appartenant au musée*

1974-1975, Paris, Grand Palais, Detroit, Detroit Insitute of Arts, New York, Metropolitan Museum of Art, *De David à Delacroix La peinture française de 1774 à 1830.* Cat. collectif

1975, Bruxelles, *De Watteau à David. Peintures et dessins des musées de province français,* palais des Beaux-Arts.

1975, Copenhague, Thorvaldsens Museum, *Fransk nyklassicisme.*

1975, Londres, galerie Heim, *Spring Exhibition. French Drawings Neo-classicism.*

1975, New York, Shepherd Gallery, *Ingres and Delacroix through Degas and Puvis de Chavannes. The Figure in French Art 1800-1870.*

1975-1976, New York, Shepherd Gallery, *The Vocabulary of Prints.* Sans cat.

1976, New York, Shepherd Gallery. *Non-Dissenters. Fifth Exhibition Marking our Tenth Anniversary, One Hundred and Seventy French Nineteenth Century Drawings, Pastels and Watercolors.*

1977, Dijon, musée Magnin *Dessins français du XVIIIe siècle.*

1977, Montargis, *Une Œuvre. Un dessin de Girodet,* hôtel de ville.

1977, Munich, exposition, galerie Arnoldi-Livie.

1977, Paris, exposition, galerie de Bayser.

1977, Paris, musée du Louvre, *Le Corps et son image : anatomies, académies… dessins dans les collections du Louvre.*

1977-1978, Londres, galerie Heim, Liverpool, Walker Art Gallery, Dublin, National Gallery of Ireland, Birmingham, City Museum and Art Gallery *The Finest Drawings from the Museums of Angers.*

1978, Angers, *Cent dessins des musées d'Angers,* musée des Beaux-Arts.

1978, Paris, exposition, galerie de Bayser.

1979, Londres, galerie D. Carritt, *The Classical Ideal.*

1979, Paris, musée du Louvre, *Dessins français du XIXe siècle du musée Bonnat à Bayonne.*

1980, Albuquerque, *French Eighteenth-Century oil sketches from an english collection,* The University of New Mexico Art Museum.

1980, Berlin, Nationalgaleri, *Bilder vom Menschen.* Cat. collectif.

1980, Paris Paris, hôtel Drouot, Dessins anciens, catalogue de vente, maîtres Audap, Godeau et Solanet, 14 novembre.

1980, Paris, hôtel Drouot, Succession de M. J… descendant de Fouché duc d'Otrante et divers amateurs, catalogue de vente, maître Jean-Alain Labat, 28-29 janvier, salles 8 et 9.

1980, Paris, musée Bourdelle, *Chapeaux.*

1980, Sydney, Art Gallery of New South Wales, Melbourne, National Gallery of Victoria, *The Revolutionary Decades.*

1980, Turin, Palazzo Reale, *Cultura figurativa e architettonica negli Stati del Re di Sardegna 1773-1861.*

1981-1982 Rome, *David e Roma.* Cat. collectif sous la dir. de Henry Hawley.

1981-1982, Paris, École nationale supérieure des Beaux-Arts, Malibu, Getty, Hambourg, Kunsthalle, *De Michel-Ange à Géricault, dessins de la collection Armand-Valton.*

1982, Providence, Rhode Island, Brown University, *All the Banners Wawe. Arts and War in the Romantic Era 1792-1851.*

1982, Rochester, Memorial Arts Gallery of the University of Rochester and New York *Oriental… Near East in French Painting 1800-1880.*

1982, Stockholm, Nationalmuseum Pâ klassisk mark (Terre classique. Artistes à Rome dans les années 1780). Cat. collectif.

1983, Lille, musée des Beaux-Arts, *Autour de David : dessins néoclassiques du musée des beaux-Arts de Lille.*

1983, Montargis, musée Girodet, *Girodet, dessins du musée.* Cat. par J. Boutet-Loyer.

1983, New York, Paul Drey Gallery, Londres, Thomas Williams Fine Arts Ltd, Fribourg, Lutz Rieste, *European Master Drawings from the 16th to the 20th Centuries.*

1983, Washington, National Portrait Gallery, Smithsonian Institution, *Masterpieces from Versailles. Three century of French Portraiture.*

1983-1984, Paris, *Raphaël et l'art français,* Grand Palais. Cat. collectif sous la dir. de J.-P. Cuzin.

1984, Cambridge, Londres, New York, New Rochelle, Melbourne, Sydney *Tradition and Desire : From David to Delacroix.*

1984-1985, Lyon, musée des Arts décoratifs, *Dessins du XVIᵉ au XIXᵉ siècle de la collection du musée des Arts décoratifs de Lyon.*

1984-1985, New York, Metropolitan Museum of Art, New Orleans, Museum of Art Washington, National Gallery of Art, *The Grand Prix de Rome Paintings from the École des Beaux-Arts 1757-1863.*

1985, Dijon, musée des Beaux-Arts, *Dessins de Girodet.*

1985, Nantes, musées départementaux de Loire-Atlantique *Les frères Sablet (1775-1815) peintures, dessins, gravures.*

1985, New York, Colnaghi, *French Drawings 1760-1880.*

1985, New York, Shepherd Gallery, *Watercolors, Drawings, Paintings and Sculpture. Winter Exhibition.*

1986, New-York, Shepherd Gallery, *Twenty nineteenth Century Works of Art.*

1986, New York, Wildenstein, *Selections from the Art Museum, Princeton University.* Sans catalogue.

1986, Paris, musée national Eugène Delacroix, *Pastels français du XIXᵉ siècle.*

1986, Paris, musée du Louvre, *Pastels du XIXᵉ siècle*, LXXXVIᵉ exposition du Cabinet des dessins.

1986-1987, Houston, Museum of Fine Arts. *A Magic Mirror : The Portrait in France 1700-1900.*

1987-1988, Tokyo, musée Fuji, *La Révolution Française et le Romantisme.*

1988, Lyon, musée des Beaux-Arts, Zurich, Kunsthaus, Cologne, Wallraf-Richartz Museum, *Triomphe et mort du héros. La peinture d'histoire en Europe de Rubens à Manet.*

1988, New York, galerie W.H. Brady and Co, *French Drawings and Watercolors.*

1988, Paris, catalogue, galerie Prouté.

1988-1989, Montargis, musée Girodet, Boulogne-Billancourt, bibliothèque Marmottan, *La Légende d'Ossian illustrée par Girodet.* Cat. par Sylvain Bellenger, Jean-Michel Pianelli, Bruno Foucart et Hélène Toussaint.

1989, Avignon, musée Calvet, *La Mort de Bara.*

1989, Colnaghi *1789 : French Art during the Revolution.*

1989, Fukuoka, *La Tradition et l'innovation dans l'art français par les peintres des Salons*

1989, Montauban, musée Ingres, *La Révolution française à l'école de la vertu antique 1775-1796.*

1989, Nancy, musée des Beaux-Arts, Biron, château, *La Vie en France autour de 1789. Images et représentations 1785-1790.*

1989, New Haven, Yale University Art Gallery, *Gesture and Expression : The Language of Art in the Age of Revolution.*

1989, Paris, Exposition, galerie Segoura.

1989, Paris, galerie Cailleux *Les Étapes de la création.*

1989, Paris, galerie du Carrousel (François Perrau-Saussine), *Maîtres français du XIXᵉ siècle. Dessins et peintures.*

1989, Paris, *Le Beau idéal ou l'art du concept*, musée du Louvre. Cat. par Régis Michel.

1989-1990, Lyon, musée des Beaux-Arts, *Les Muses de Messidor. Peintres et sculpteurs lyonnais de la Révolution à l'Empire.*

1989-1990, New York, Shepherd Gallery, *European Nineteenth Century Watercolors, Drawings, Paintings and Sculpture.*

1989-1990, Paris, Versailles, *Jacques-Louis David, 1748-1825.* Cat. collectif sous la dir. d'Antoine Schnapper.

1990, Copenhague, Statens Museum for Kuns, *Entre dieux et héros. Peinture d'histoire à Rome, Paris et Copenhague 1770-1820.*

1990, New York, *Old Master Drawings*, galerie W.H. Brady and Co.

1990-1991, New York, National Academy of Design, Fort Worth, Kimbell Art Museum, Ottawa, musée des Beaux-Arts du Canada *Masterful Studies. Three Centuries of French Drawings From the Prat Collection / De main de maître. Trois siècles de dessins français dans la collection Prat.* Cat. sous la dir. de Pierre Rosenberg.

1991, Florence, Palazzo Vecchio, *« Da David a Bonnard » : Disegni frencesi del XIX secolo dalla Biblioteca Nazionale di Parigi.* Cat. collectif sous la dir. de F. Fossier.

1991, La Vallée-aux-loups, maison de Chateaubriand, *Chateaubriand et le sentiment de la nature.*

1991, New York, *From Pontormo to Seurat : Recent Acquisitions*, Frick Collection.

1991, Paris, hôtel Drouot, Tableaux anciens, catalogue de vente, maîtres Ader, Picard, Tajan, 18 avril 1991.

1991-1992, Paris, Galeries nationales du Grand Palais, *Géricault.* Cat. collectif.

1992, Lausanne, fondation de l'Hermitage, *Chefs-d'œuvre du musée de Grenoble. De David à Picasso.* Cat. par L. Salomé.

1992, Paris, École nationale supérieure des beaux-arts, *Accrochage d'été des collections permanentes de l'École nationale supérieure des Beaux-Arts.*

1993-1994, Los Angeles, County Museum of Art, Philadelphie, Museum of Art, Minneapolis, Institute of Arts, *Visions of Antiquity. Neoclassical Figure drawings* Cat. Collectif par S. Bellenger, R. J. Campbell, V. Carlson.

1993, Tokyo, Fukuoka, Sapporo, Shizuoka, Chiba, Kawasaki, Osaka, *100 Chefs-d'œuvre du musée des Beaux-Arts de Rouen : Le grand siècle de la peinture française d'Ingres à Monet.*

1993-1994, Paris, Grand Palais *L'Ame au corps. Arts et sciences 1793-1993.*

1994, Mexico, *100 Dibujos franceses. Escuela nacional superior de Bellas Artes de paris*, centre culturel d'art contemporain (notices sur Girodet rédigées par Ph. Bordes).

1994, New York, Londres, *Neo Classicism and Romanticism in French painting 1774-1826.*

1994, New York, W. M. Brady & Co, Inc., *Master Drawings 1760-1890.*

1994, New York, Londres, Richard L. Feigen & Co, *Neo-Classicism and Romanticism in French Painting 1774-1826*

1994, Paris, musée d'Orsay, *La Jeunesse des musées. Les musées de France au XIXᵉ siècle.*

1994, Paris, musée du Louvre, *Partis pris : Jean Starobinski, Largesse.*

1994-1995, Tourcoing, musée des Beaux-Arts, Strasbourg, Ancienne Douane, Ixelles, Musée communal, *Les Métamorphoses d'Orphée.*

1995, Paris (fondation Taylor), *Le Baron Taylor, l'Association des artistes et l'exposition du Bazar Bonne-Nouvelle, 1846.*

1995, Paris, musée du Louvre, Édimbourg, National Gallery of Art, Oxford, Ashmolean Museum, *Dessins français de la collection Prat, XVIIᵉ-XVIIIᵉ-XIXᵉ siècles.*

1995, Paris, musée du Louvre, *Traité du trait.*

1995-1996, Paris, Galeries nationales du Grand Palais Nantes, musée des Beaux-Arts, Plaisance, Palazzo Gotico, *Les Années romantiques : la peinture française de 1815 à 1850.*

1996-1997, Paris, musée du Louvre, *Nouvelles acquisitions du département de Peintures 1991-1995.*

1997, New York, Artemis Fine Arts, Inc., *Selected 19th Century Paintings & Works on paper.*

1997, New York, Exposition, galerie W.M. Brady and Co.

1997, Paris, musée du Louvre, *Des mécènes par milliers : un siècle de dons par les Amis du Louvre.*

1997, Paris, *Prud'hon ou le rêve du bonheur*, Grand Palais. Cat. collectif sous la dir. de Sylvain Laveissière.

1997, Paris, *Alfred de Vigny et les Arts.* Cat. collectif sous la dir. de Loïc Chotard.

1997, Valence, musée des Beaux-Arts, *Le Paysage et la question du sublime.*

1997, Vancouver, Morris and Helen Belkin Art Gallery. The University of British Columbia, *Théodore Géricault, The Alien Body : Tradition in Chaos.* Cat. collectif avec la collaboration de B. Chenique.

1997-1998, Alençon, musée des Beaux-Arts et de la Dentelle, Le Mans, musée de Tessé, *Jean-Jacques Monanteuil, 1785-1860.* Cat. par Jean-Pierre Bouvier, Michèle Nikitine, Aude Pessey-Lux.

1997-1998, Orléans, musée des Beaux-Arts, *Le Temps des passions. Collections romantiques des musées d'Orléans.*

1992-1994, Nantes, château des ducs de Bretagne, *Les Anneaux de la mémoire.*

1998, Paris, *Les Didot Trois siècles de typographie et de bibliographie 1698-1998*, Bibliothèque historique de la Ville de Paris.

1998-1999, Cambridge, *Mastery and Elegance. Two Centuries of French Drawings from the collection of Jeffrey E. Horvitz*, Harvard University Art Museums.

1999, Mexico, Antiguo Colegio de San Ildefonso, *Arte de las Academias – Francia y México – Siglos XVII-XIX.* Cat. par L. Luis-Martin, J.-F. Méjanès.

1999, Paris, musée du Louvre, *Autoportraits, études et portraits, Pastels français des XVIIIᵉ et XIXᵉ siècles.* Cat. par J.-F. Méjanès.

1999, Tours, musée des Beaux-Arts, *Balzac et la peinture.*

2000, Philadelphie, Museum of Fine Arts, Houston, Museum of Art, *Art in Rome in the Eighteenth Century.* Cat. collectif sous la dir. d'Edgar Peters Bowron et Joseph J. Rishel.

2000, Philadelphie, *Art in Rome in the Eighteenth Century.* Cat. par Edgar Peters Bowron et Joseph J. Rishel.

2001, Cleveland, Museum of Art, *Drawings from the Collection of Murielle Butkin*, Cat. par E. Forster, S. Bellenger, P. Shaw Cable.

2002, Florence, Offices, *Il Mito di Europa.*

2002, Genève, musée Rath, *Pierre-Louis De la Rive et le Paysage à l'âge Néoclassique.* Sans cat.

2002, Paris, musée d'Orsay, *Le Dernier Portrait.* Cat. collectif sous la dir. d'Emmanuelle Héran.

1982, Pékin, Shangaï, *Deux cent cinquante ans de peinture française de Poussin à Courbet.*

2002, Paris, musée de la Musique, *L'Invention du sentiment, aux sources du romantisme.* Cat. par D. de Font-Réaulx, B. Jobert *et al.*

2003-2004, Londres, Tate Britain, Minneapolis, Minneapolis Institute of Art, New York, The Metropolitan Museum of Art, *Constable to Delacroix, British art and the French Romantics.* Cat. collectif sous la dir. de Patrick Noon.

2004, Anvers, Koninklijk Museum voor Schonen Kunsten, *De Delacroix à Courbet*

2005, Montargis, musée Girodet, *Anne-Louis Girodet-Trioson, La leçon de Géographie*, 2005. Cat. par R. Dagorne, et S. Lemeux-Fraitot.

Index

Les folios en italique renvoient aux pages des illustrations.

Les notes n'ayant pas été indexées, les auteurs contemporains figurent, sauf exception, dans la bibliographie.

Pour les informations relatives aux illustrations d'œuvres de et d'après Girodet, on se reportera aux listes des pages 472-477.

Composition : Dominique Guillaumin
Photogravure : Color'way
Papier : Satimat 170 g pour l'intérieur, et papier couché Maine 135 g pour la couverture, du groupe ArjoWiggins.
ISBN musée du Louvre : 2-35031-038-8
ISBN Gallimard : 2-07-011783-9
Dépôt légal : septembre 2005
Cet ouvrage a été achevé d'imprimer chez EGEDSA à Sabadell, en septembre 2005.
Imprimé en Espagne

129 322